Il était une fois les Expos

DES MÊMES AUTEURS

JACQUES DOUCET

Les secrets du baseball, essai, Montréal, Éditions de l'Homme, 1980. En collaboration avec Claude Raymond.

Baseball, Montréal, Montréal, EdiCampo, 1982.

MARC ROBITAILLE

Des histoires d'hiver, avec des rues, des écoles et du hockey, récit, Montréal, VLB Éditeur, 1987.

Une enfance bleu-blanc-rouge, récits, Montréal, Éditions Les 400 coups, 2000. Direction de l'ouvrage.

Une vue du champ gauche, récits, Montréal, Éditions Les 400 coups, 2003. Direction de l'ouvrage.

Un été sans point ni coup sûr, récit, Montréal, Éditions Les 400 coups, 2004.

JACQUES DOUCET ET MARC ROBITAILLE

Il était une fois les Expos – Tome 1 : Les années 1969-1984, Montréal, Éditions Hurtubise, 2009.

Jacques Doucet et Marc Robitaille

Il était une fois les Expos

TOME 2

Les années 1985 à 2004

Hurtubise

Catalogage avant publication de Bibliothèque et Archives nationales du Québec et Bibliothèque et Archives Canada

Doucet, Jacques

   Il était une fois les Expos

   Comprend des réf. bibliogr. et un index.
   Sommaire: t. 1. Les années 1969-1984 – t. 2. Les années 1985-2004.

   ISBN 978-2-89647-092-1 (v. 1)
   ISBN 978-2-89647-517-9 (v. 2)

   1. Expos de Montréal (Équipe de base-ball) - Histoire. 2. Expos de Montréal (Équipe de base-ball) - Biographies. 3. Joueurs de base-ball - Québec (Province) - Montréal - Biographies. I. Robitaille, Marc, 1957- . II. Titre.

GV875.M6D68 2009   796.357'640971428   C2008-942274-0

Les Éditions Hurtubise bénéficient du soutien financier des institutions suivantes pour leurs activités d'édition:
- Conseil des Arts du Canada;
- Gouvernement du Canada par l'entremise du Fonds du livre du Canada (FLC);
- Société de développement des entreprises culturelles du Québec (SODEC);
- Gouvernement du Québec par l'entremise du programme de crédit d'impôt pour l'édition de livres.

Conception graphique: René St-Amand
Illustration de la couverture: Marc Lalumière
Maquette intérieure et mise en pages: Folio infographie
Édition: André Gagnon
Révision: Michel Rudel-Tessier

Copyright © 2011 Éditions Hurtubise inc.

ISBN 978-2-89647-517-9 (version imprimée)
ISBN 978-2-89647-609-1 (version numérique)

Dépôt légal 4e trimestre 2011
Bibliothèque et Archives nationales du Québec
Bibliothèque et Archives du Canada

Diffusion-distribution au Canada:
Distribution HMH
1815, av. De Lorimier
Montréal (Québec) H2K 3W6
www.distributionhmh.com

Diffusion-distribution en Europe:
Librairie du Québec/DNM
30, rue Gay-Lussac
75005 Paris FRANCE
www.librairieduquebec.fr

Imprimé au Canada
www.editionshurtubise.com

Table des matières

Préface

Mon amitié avec Jacques Doucet remonte à l'époque où j'étais entraîneur adjoint chez les Expos, au tournant des années 1980. Je me souviens des nombreuses parties de cartes joyeusement animées que nous avons disputées en avion ou dans le bureau du gérant Dick Williams, tout comme des excursions de pêche auxquelles nous avons pris part, Jacques et moi, aussi bien en Floride qu'au Québec. Le jour où les Expos m'ont appelé pour m'offrir le poste d'entraîneur-chef, j'étais justement en sa compagnie sur un bateau de pêche, au lac Saint-Pierre, non loin de Trois-Rivières.

Je ne connais pas beaucoup de gens mieux placés que Jacques Doucet pour raconter l'histoire des Expos. Peu de gens ont suivi l'équipe pendant 36 ans comme il l'a fait, et, sauf erreur, personne n'a passé autant de temps à côtoyer les gérants de l'histoire de l'équipe. Les amateurs de baseball du Québec ont de la chance que Jacques ait entrepris de leur laisser cet héritage que constituent ces volumes sur l'histoire des Expos.

Tout comme Jacques, de nombreuses années de ma vie sont associées aux Expos – plus de 20 ans, en fait. Arrivé à Montréal en 1973, à la fin de ma carrière de joueur, j'ai par la suite géré plusieurs clubs-écoles du club – en plus de deux séjours chez les Expos comme entraîneur adjoint – jusqu'au jour où la direction de l'équipe m'a offert de piloter le grand club.

Les équipes que j'ai dirigées pendant 10 saisons à Montréal ont connu des hauts et des bas mais à mes yeux, l'édition 1994 des Expos est la meilleure équipe à laquelle j'ai été liée en carrière, supérieure aux Giants de San Francisco de 2003 (gagnante du championnat de l'Ouest en vertu de 100 victoires).

Quand la grève a été déclenchée à la mi-août 1994, notre équipe venait de remporter 20 matchs sur 23, elle s'améliorait de match en match ; rien ne semblait pouvoir l'arrêter. Je n'aime pas tourner le fer dans la plaie mais je suis convaincu que si la saison avait suivi son cours, nous aurions remporté le championnat, peut-être aussi la Série mondiale. Quand nous avions les devants après cinq manches, nos releveurs nous rendaient tout simplement imbattables. Le lanceur Tom Glavine m'a dit un jour qu'il était persuadé que jamais son équipe, les Braves d'Atlanta, n'aurait pu rattraper les Expos cette année-là.

Je sais que la suite a souvent été difficile pour les amateurs de baseball québécois. Ce n'est pas agréable de voir ses favoris quitter l'équipe année après année. Je sais que moi, comme fan, je ne pourrais pas appuyer une équipe comme celle-là.

Or, je crois profondément que cet exode des joueurs aurait pu être freiné si Montréal s'était dotée d'un stade véritablement conçu pour le baseball. Je ne connais pas une autre équipe de baseball majeur qui n'a pas eu, à un moment ou un autre, un stade des ligues majeures digne de ce nom : Montréal est la seule ville dans l'histoire du baseball dans cette situation. J'aimais bien le Stade olympique, mais il n'a pas été construit pour le baseball. Claude Brochu était sincère dans sa démarche pour faire ériger un stade au centre-ville et il a fait tout ce qu'il a pu pour y arriver, mais des forces – venant de toutes parts – s'y sont opposées et le projet ne s'est pas réalisé. Quelques années, plus tard, l'équipe quittait Montréal pour Washington, la ville promettant un nouveau stade, qui a été érigé à temps pour la saison 2008.

Je suis convaincu que Montréal est encore une ville de baseball. Je m'en rends compte quand je suis de passage au Québec (ma belle-famille habite sur la Rive-Nord de Montréal) et que les gens m'abordent dans la rue, dans un supermarché. Ils me disent combien les Expos leur manquent et me remercient de mon travail avec l'équipe. Ces manifestations me touchent beaucoup. Je n'ai pas l'impression d'avoir fait tant que ça, mais je sais que j'ai fait de mon mieux pour aider la concession à demeurer à Montréal.

Je n'ai jamais eu l'occasion de dire merci et au revoir aux amateurs montréalais et québécois, et je profite de l'occasion qui m'est donnée ici pour le faire.

À vous donc, lecteurs de ce livre, je tiens à vous exprimer toute ma reconnaissance pour le respect et l'amour que vous m'avez portés tout au long de mon séjour au Québec. J'aimerais aussi que vous sachiez que j'ai toujours dirigé l'équipe du mieux que j'ai pu, en cherchant constamment à être loyal envers mes employeurs et envers vous.

J'espère que le livre de Jacques Doucet et Marc Robitaille vous rappellera de bons moments et contribuera à vous montrer que malgré l'abrupte fin de la belle aventure des Expos à Montréal, le voyage en aura pleinement valu la peine.

Felipe ALOU

Première partie

CHAPITRE 1

Changement de garde
(1985-1986)

Nouvelle ère avec l'arrivée des Buck Rodgers, Hubie Brooks,
Vance Law, Mike Fitzgerald, Floyd Youmans... Arrivée à maturité
de Raines, rendement surprenant du club en 1985 et 1986 jusqu'à ce
que des blessures l'écartent de la course au championnat. La chasse
aux agents libres connaît un répit inquiétant pour l'Association
des joueurs, qui accuse les propriétaires de collusion. Fléchissement
de l'assistance au Stade olympique, particulièrement en 1986.
Andre Dawson et Tim Raines refusent des contrats à long terme
et deviennent joueurs autonomes. Claude Brochu remplace
John McHale à la présidence du club.

1985

« Nous venons tout juste de commencer, a dit le lanceur Dan Schatzeder
à la fin de la première journée du camp des Expos au printemps 1985, mais
on sent déjà une énorme différence avec les deux dernières années.
L'atmosphère est moins lourde, moins stressante ; tout se fait de manière
beaucoup plus décontractée. Cette année, il n'y a pas de coups de sifflet,
pas d'horloge, pas de sergent qui cherche à nous en imposer. »

Le « sergent » auquel Schatzeder faisait allusion était évidemment Bill
Virdon, le gérant de l'équipe en 1983 et 1984, celui qui avait imposé un
régime quasi militaire à ses troupes dès ses premiers jours avec l'équipe.
La stratégie avait porté fruit pendant quelque temps, mais le club avait
néanmoins glissé ensuite dans une désolante torpeur pour terminer
la saison 1984 à l'avant-dernier rang de la division Est de la Ligue
nationale.

Les Expos auraient désormais en Buck Rodgers un tout autre type de leader à la barre. Détendu, souriant, affable, le nouveau gérant des Expos représentait un contraste saisissant avec l'impassible Virdon auquel on s'était habitué depuis deux ans.

Devenu quelques mois plus tôt le 6e gérant de l'histoire des Expos, Rodgers a piloté un premier entraînement léger, dans le calme, pendant lequel les joueurs ont assoupli leurs muscles, couru, lancé la balle. Commencé à 10 h, l'entraînement avait pris fin à 13 h. À un certain moment, Rodgers a même quitté le terrain pour venir à la rencontre des journalistes, avec lesquels il s'est entretenu pendant une vingtaine de minutes…

Quand un scribe l'a interrogé sur son approche décontractée, le gérant de 46 ans a expliqué que les saisons étaient longues et qu'il ne voyait pas d'avantage à créer un climat de tension en lever de rideau. « Les joueurs sont des professionnels. Ils savent ce qu'ils ont à faire. Les ordres viendront bien assez vite. »

Les athlètes qu'il avait dirigés de 1980 à 1982 à Milwaukee n'auraient peut-être pas reconnu le cordial gérant de la formation montréalaise. Avec les Brewers, Rodgers s'était fait la réputation d'un tortionnaire, d'un conservateur féru de discipline qui ne tolérait pas la dissidence. Un conflit avec le receveur étoile Ted Simmons avait dégénéré en véritable combat de coqs.

En conversation avec Claude Larochelle du quotidien *Le Soleil*, Rodgers n'a pas tenté d'esquiver le sujet : « Mon conflit avec Simmons était devenu chaotique. On se heurtait de front sur toutes les idées. Mais, surtout, on était en désaccord sur des choses que je jugeais importantes. C'était impossible pour lui de se soumettre à mes exigences. J'ai décidé de le casser, j'ai tenu mon bout. J'ai perdu. » L'influent Simmons avait réussi à rallier l'équipe contre son gérant et en juin 1982, Rodgers perdait son poste.

À l'écart du jeu en 1983, Rodgers était revenu au baseball dès l'année suivante en passant par l'Association américaine (AAA), où il avait guidé les Indians d'Indianapolis, le club-école des Expos, au championnat de l'Association américaine. La recrue Joe Hesketh, qui avait joué sous ses ordres là-bas, jurait que le Rodgers du camp était bel et bien celui qu'il avait connu à Indianapolis. « Les histoires venant de Milwaukee me semblent une invention tellement elles diffèrent ce que j'ai vu du gérant que j'ai côtoyé l'an dernier. Rodgers était aimé de tous ses joueurs. J'avoue toutefois qu'il est dur avec ceux qui se traînent les pieds : ceux-là se retrouvent rapidement sur le banc. »

Il était encore tôt pour savoir à quelle version de Buck Rodgers les Expos auraient affaire. Or, comme on le constaterait durant les années subséquentes, Rodgers n'a jamais oublié les leçons de Milwaukee : le baseball de l'ère moderne (où les mégavedettes ont autant sinon plus de pouvoir que leur entraîneur) exigeait d'un gérant plusieurs assouplissements... Buck Rodgers se voyait offrir une nouvelle occasion de gérer un club au niveau majeur : cette fois, il ferait preuve de plus de diplomatie. Ou de sens politique, c'est selon.

Buck Rodgers, un gérant affable et décontracté, à mille lieues de celui qu'il avait été lors de son passage à Milwaukee. *Club de baseball Les Expos de Montréal*

L'autre grand contraste en ce début de saison, c'était évidemment l'absence de la pièce maîtresse du club depuis presque une décennie : Gary Carter.

Dans un geste d'une témérité ahurissante, les Expos s'étaient départis, trois mois plus tôt, de leur receveur tout-étoile alors qu'il était, à 30 ans, au sommet de son art. En 1984, le Kid avait probablement connu la meilleure saison de sa carrière : 27 CC, 106 PP, une MAB de ,294. Il était le joueur de baseball le plus connu à Montréal, le seul véritable porte-étendard des Expos, comme l'avait jadis été Rusty Staub.

Les raisons qui avaient poussé les Expos à l'échanger aux Mets étaient bien connues : les regrets de Charles Bronfman, le propriétaire majoritaire du club, de lui avoir consenti en 1982 un mégacontrat de 15 millions, les doléances de ses coéquipiers qui disaient en avoir marre de le voir en mener si large dans le vestiaire du club. Les Expos avaient beau avoir le meilleur receveur du baseball, ça ne les avait tout de même pas empêchés de finir leur dernière saison avec une fiche médiocre de 78-83, à 18 matchs du sommet.

Même sans être au camp de West Palm Beach, Carter était encore celui qui avait attiré le plus d'attention, les joueurs ne se privant pas de commenter l'impact qu'il avait eu sur l'esprit d'équipe durant les dernières saisons.

« Gary était un gros problème l'an dernier. Cet homme-là est tellement imbu de son image qu'il en perdait tout sens de la mesure, a expliqué le lanceur Bryn Smith au représentant du *Soleil*. Ce n'est pas de la jalousie : son gros contrat n'était pas ce qui irritait le plus les gars, ça avait plus à voir avec son attitude. Si on perdait un match serré mais qu'il avait produit quelques points, Gary ne se retenait plus devant les journalistes. Il parlait comme si on venait d'en gagner une grosse. Il ne pouvait pas laisser passer une occasion de polir son image. C'était désolant à la longue. »

Smith admettait tout de même que le travail acharné de Carter sur le terrain avait sauvé l'équipe d'un désastre encore plus grand. « On ne peut pas non plus le tenir responsable de tout, surtout pas de ces petits groupes qui se sont formés dans le vestiaire. »

« Gary avait le don de diviser les gars, disait pour sa part Tim Raines, qui n'avait pourtant pas l'habitude de critiquer ses pairs. Je ne sais pas comment il s'y prenait mais c'est vraiment ce qui se produisait. Le ressentiment à son endroit était tellement vif qu'on ne pouvait plus vivre avec ça. »

Des histoires comme celles-là, les représentants des médias en ont entendu quotidiennement pendant les deux premières semaines du camp, au point où le journaliste Claude Larochelle a écrit être « dégoûté » de l'acharnement qu'on mettait à démolir le Kid.

À St. Petersburg, où s'entraînaient les Mets de New York, les propos des porte-couleurs montréalais s'étaient inévitablement rendus aux oreilles du principal intéressé. Diplomate, l'ex-receveur des Expos n'a pas cherché à répliquer aux attaques de ses anciens compagnons : « La jalousie et les conflits de personnalité, je pense que ça existe partout. Mais j'ai les épaules larges, je suis capable d'en prendre. Tout a été positif jusqu'ici avec les Mets. Je me sens le bienvenu et j'anticipe d'excellentes choses. Ça sent la Série mondiale ici. »

Peu avant son arrivée au camp des Mets, Carter avait examiné les photos de chacun de ses nouveaux coéquipiers dans le guide de presse de l'équipe, lu leur biographie. « Quand il a fait son entrée dans le *clubhouse*, il était prêt, a écrit Réjean Tremblay de *La Presse*. Comme un vétéran qui retrouve ses amis et coéquipiers, le Kid a salué tout le monde par son prénom ou son surnom, s'est informé de la santé de Colleen, de Mary ou de Judy, des succès scolaires du plus vieux et des dents du bébé. »

Dans un uniforme des Mets ou des Expos, le Kid demeurait le Kid : extraverti, affable, souriant, heureux, béni des dieux. La nature humaine étant ce qu'elle est, ce sont des attributs qui attirent parfois le ressentiment. Restait à voir si Carter susciterait les mêmes réactions d'antipathie dans son nouvel environnement.

Le transfert de Carter était peut-être le traitement de choc indiqué pour cette équipe en déroute, mais il demeurait qu'en laissant partir Carter, les Expos se privaient d'un fameux joueur de baseball. Comment une équipe qui avait terminé à 18 matchs des meneurs en 1984 pourrait-elle se remettre de l'absence d'un pilier comme Carter derrière le marbre et d'un frappeur de quatrième rang dans l'alignement, un joueur qui avait produit 106 des 593 points du club l'année précédente ? Déjà, les médias américains prévoyaient des jours sombres aux Expos, répétant ici et là qu'ils avaient échangé le meilleur receveur du baseball contre « quatre billets de loterie ».

En réalité, Hubie Brooks, le doyen du lot à 28 ans, un « jeune vétéran » établi qui avait connu en 1984 sa meilleure saison en carrière (16 CC, 73 PP, MAB de ,283), n'avait rien d'un pari. Mais les trois autres représentaient effectivement des points d'interrogation. Le receveur Mike Fitzgerald (24 ans) avait présenté la meilleure moyenne défensive chez les receveurs de la Nationale en 1984, mais il avait du mal à retirer les coureurs en tentative de vol. Son coup de bâton soulevait également de gros doutes. Dans le magazine *Inside Sports*, Tom Boswell y était allé d'un jugement sans appel : « Les Expos ont échangé le meilleur receveur offensif du baseball contre le pire de la Ligue nationale. »

Les deux autres acquisitions du nouveau DG Murray Cook, le rapide voltigeur Herm Winningham (23 ans) et le jeune artilleur Floyd Youmans (une réplique de Dwight Gooden, disait-on) étaient prometteurs, certes, mais on ne verrait probablement pas Youmans à Montréal avant quelque temps puisqu'il n'avait que 20 ans et entreprendrait la saison dans le AA.

Les nouvelles acquisitions du club avaient modifié radicalement sa ligne du centre : Fitzgerald derrière le marbre, Brooks à l'arrêt-court, Vance Law (obtenu dans la transaction qui avait envoyé le releveur Bob James aux White Sox) au deuxième but et Winningham, à qui on comptait confier le champ centre.

Buck Rodgers disait préférer une formation équilibrée à une dont la production vient d'une seule partie de l'alignement. Or, en se basant sur les chiffres de l'année précédente, les Expos estimaient que leur avant-champ (Dan Driessen au premier ; Law, Brooks et Tim Wallach au troisième) pourrait contribuer jusqu'à 70 circuits à leur offensive en 1985.

Mais si Hubie Brooks et Vance Law constituaient des atouts au bâton, c'est en défensive qu'ils inquiétaient les partisans du club. Les deux nouvelles acquisitions des Expos ayant œuvré au troisième but dans les dernières années, et Dan Driessen ayant commencé sa carrière à cette position, les sceptiques n'ont pas tardé à relever le fait que l'équipe entreprendrait la saison avec un avant-champ constitué de quatre joueurs de troisième but…

La transition d'un joueur d'intérieur d'un poste à un autre peut en effet être ardue et Brooks, éprouvant du mal à ajuster son jeu de pieds, a commis 10 erreurs en 20 matchs présaison. Deux de ces erreurs sont par ailleurs survenues un après-midi sur des balles frappées par un certain receveur des Mets du nom de Gary Carter. « Ce n'est pas moi qui ai demandé de jouer à l'arrêt-court… », s'est défendu Brooks après le match. Les plus inquiets se demandaient comment il se débrouillerait sur la surface synthétique du Stade olympique, là où la balle voyage plus vite…

Avec Steve Rogers, Bill Gullickson, Charlie Lea, David Palmer, Bryn Smith (et peut-être les gauchers Dan Schatzeder ou Joe Hesketh comme partants occasionnels), la rotation des lanceurs était plus que respectable.

Or, contrairement aux années passées, Rogers n'était plus le pilier de la rotation. Depuis la mi-saison 1973, Cy avait été le lanceur numéro un du club (156 victoires, MPM de 3,14) mais il avait connu en 1984 une saison bien ordinaire (6-15, 4,31) et personne ne pouvait dire avec certitude s'il était ou non en fin de parcours. Chose certaine, il ne figurait manifestement plus dans les plans d'un Murray Cook résolu à faire maison nette.

Rogers se disait le premier surpris d'enfiler de nouveau l'uniforme tricolore. Déjà, en août 1984, l'équipe avait demandé au vétéran lanceur de 35 ans de lui fournir une liste d'équipes auxquelles il accepterait d'être échangé. Puis, durant les assises d'hiver, les Expos avaient renouvelé leur demande. Il semblait évident que le grand ménage entrepris l'année précédente ne s'arrêterait pas avec le départ de Carter. Mais le mois de février était arrivé et Steve était toujours un Expo.

« Je n'aurais jamais cru être de retour, a déclaré le 45 à son arrivée au camp. Notre équipe a été démantelée. Nous n'avons plus de noyau de supervedettes. Andre (Dawson) et moi sommes les deux derniers. Quand on regarde les nouvelles figures dans l'équipe, les nombreux départs qui ont eu lieu, on se rend bien compte que l'équipe a pris une nouvelle tangente. »

Bien que Rogers ait retrouvé son aplomb dans la deuxième moitié de la saison 1984, la plupart des autres équipes n'avaient pas accordé beaucoup d'attention à son travail, les Expos étant à ce moment-là exclus de la course. C'est bien connu : on n'échange pas un joueur dont la valeur est à son plus bas. Mais si le vétéran connaissait un bon camp, une équipe pourrait peut-être se montrer intéressée. Et si cette équipe était les Expos eux-mêmes ? « Si nous gardons Steve, c'est parce qu'il se sera taillé une place dans la rotation des partants, a dit Murray Cook. Il a tellement contribué à ce club que le reléguer à l'enclos des releveurs ne serait pas lui rendre justice. » En lisant entre les lignes, ce que Cook disait, c'était que les Expos n'avaient aucunement l'intention de verser un pactole annuel de 900 000 $ à un lanceur de longue relève, même si ce lanceur s'appelait Steve Rogers et avait été le meilleur de leur histoire.

Depuis l'avènement de l'autonomie des joueurs en 1976, les questions d'argent faisaient plus que jamais partie des facteurs dont tenaient compte les organisations pour constituer leur formation. À la veille de l'échange Carter, Charles Bronfman l'avait d'ailleurs affirmé sans détour : « Dans le passé, quand nous laissions partir un joueur, c'est qu'il ne faisait plus partie de nos plans. Désormais, nous allons devoir aussi nous départir de joueurs que nous aimons. »

Bientôt, de nouvelles sommes devraient être engagées dans deux importants contrats à long terme et les Expos avaient intérêt à rester prudents. Déjà, en début d'année, Tim Raines s'était vu accorder 1,2 million en arbitrage (les Expos lui avaient offert un million), la plus importante somme jamais allouée à un joueur de baseball depuis les premières audiences de février 1974.

La décision mettait la table pour le prochain contrat à long terme que le voltigeur des Expos allait bientôt solliciter. Combien vaudrait ce contrat et de quelle durée serait-il ? Parmi les chiffres avancés, il était question de 8 millions sur cinq ans. En voyant le pactole obtenu par son bon copain, Andre Dawson a évalué à environ 1,5 million par année le pacte de trois ans que lui-même chercherait à obtenir.

Murray Cook s'est contenté de sourire quand on lui a fait part des chiffres avancés par The Hawk. « Dawson a encore une année à écouler à son contrat [6 millions sur cinq ans], plus une année d'option. Il peut bien dire ce qu'il veut mais avant de discuter affaires avec son agent [le coriace Dick Moss, celui qui avait négocié le fameux contrat de Gary Carter trois ans plus tôt], nous allons attendre un peu. » Dawson affirmait ne pas s'inquiéter : « Tôt ou tard, on va arriver à quelque chose de concret. Mais ça ne m'empêche pas d'être heureux. Je ne suis pas le genre de joueur qui est obsédé par l'argent. »

Quand le calendrier présaison s'est terminé le 7 avril, les Expos présentaient une fiche de 12-17. Certes, les chiffres de la Ligue des pamplemousses ne comptent pas pour grand-chose, mais une statistique méritait tout de même qu'on y prête attention : la défensive des Expos avait commis 36 erreurs en 29 matchs… Rien pour émouvoir Buck Rodgers, cependant : « En saison régulière, nous devrions pouvoir marquer assez de points pour compenser ces erreurs. »

La plus grosse nouvelle du camp était toutefois venue du côté des lanceurs. Et elle n'était pas bonne : dans les premiers jours du camp, Charlie

Lea, le meilleur partant du club en 1984, avait développé un malaise à l'épaule, qu'on avait d'abord diagnostiqué comme une tendinite. Le 1er avril, Lea n'avait toujours pas œuvré dans un seul match et les Expos ont inscrit son nom sur la liste des blessés pour 60 jours.

Les lanceurs se sont bien débrouillés, la plus belle surprise arrivant du côté de Steve Rogers (3-0, 2,57), qui a lancé avec aplomb, quoique avec moins de vélocité que par le passé. Le gérant Buck Rodgers était agréablement surpris de la tournure des événements : « Steve lance avec son cœur et avec sa tête. S'il continue de nous montrer qu'il a retrouvé sa forme d'il y a deux ans, je me demande si nous ne ferions pas mieux de le garder avec nous... » Le 45 s'était non seulement taillé une place dans la rotation des partants, il aurait aussi l'honneur (pour la 9e fois en 10 ans) de commencer le match inaugural de la saison régulière.

Parmi les autres surprises figurait la tenue du lanceur recrue Tim Burke. Invité au camp sans faire partie de la formation élargie (le *40-man roster*), Burke a été le 10e et dernier artilleur à se tailler une place dans l'alignement. Comme on le verra plus tard, c'est une décision que les Expos n'ont jamais regrettée.

Chaque année depuis 1980, les experts avaient vu les Expos sinon champions, alors au moins au plus fort de la course. Ce n'était plus le cas. Dans son édition d'ouverture de saison, le *Sports Illustrated* plaçait les Expos 21e sur 26 clubs. Le *Inside Sports* leur prédisait le 5e rang de l'Est de la Nationale : « Les Expos n'ont pas les éléments pour gagner le championnat mais au moins, cette fois, personne ne s'attend à ça. »

Des chutes de neige, du soleil, de la pluie, il a fait un temps épouvantable lors du match inaugural des Expos à Cincinnati, la partie étant interrompue à deux reprises, d'abord pendant 20 minutes, puis 40. Tout cela n'a pas semblé embêter le moindrement Pete Rose, le gérant et premier-but des Reds, qui a frappé un simple, un double, en plus de produire 3 points pour conduire les siens à une victoire de 4-1. Steve Rogers n'a pas mal lancé dans les circonstances, mais les frappeurs des Expos paraissaient frigorifiés, à l'exception peut-être de Hubie Brooks, qui a cogné un triple et marqué le seul point de son club. En 8e manche, alors que les Expos avaient placé deux coureurs sur les buts, Tim Raines s'est fait épingler en tentant de voler le troisième but, mettant ainsi fin à la manche et au ralliement (« une erreur de jugement », a dit Rodgers après le match). Venu en relève de Rogers en 5e, Tim Burke a connu son baptême de feu dans les majeures, se tirant bien d'affaires (2 CS en 2 ⅓ manches de travail) mais a été victime du troisième PP de Rose.

Évidemment, il n'était question que de Pete Rose après le match. Après son passage (à demi réussi) de quelques mois à Montréal en 1984, Rose avait semblé renaître à son retour à Cincinnati, parfaitement à l'aise dans le double rôle de gérant et joueur. Ses deux coups sûrs le plaçaient désormais à 92 du célèbre record de 4 191 de Ty Cobb.

Même si « Charlie Hustle » continuait d'affirmer (comme il l'avait fait à Montréal) que sa poursuite du record passait bien après le sort de l'équipe, l'homme dont il pourchassait le record ne quittait jamais son radar : Pete avait d'ailleurs nommé Ty l'enfant que lui et sa nouvelle copine avaient eu l'automne précédent…

La chasse au record de Cobb serait l'événement numéro un dans le monde du baseball en 1985. Malheureusement pour les Montréalais, les yeux des amateurs de baseball d'Amérique ne seraient pas tournés vers un porte-couleurs de leur équipe.

Le lendemain, un autre ex-Expo voyait les projecteurs se tourner vers lui : Gary Carter disputait son premier match avec les Mets de New York, devant 46 781 spectateurs réunis au stade Shea.

Quand il s'alignait avec les Expos, Carter avait toujours trouvé le moyen de s'illustrer alors qu'il était sous les feux de la rampe. Que ce soit dans les matchs d'Étoiles, au plus fort des courses au championnat ou durant les séries de 1981, le Kid répondait aux attentes en y allant d'un coup sûr opportun ou en exécutant un spectaculaire jeu défensif au moment clé.

Mais en cet après-midi frisquet du 9 avril, il semblait bien que Carter n'aurait pas cette chance. Les lanceurs des Cards de Saint Louis l'ont atteint deux fois avec des balles rapides à l'intérieur, il a regardé passer une troisième prise à sa deuxième présence au bâton et en 5ᵉ manche, il n'a pu retirer un coureur en tentative de vol, le lanceur adverse Joaquin Andujar… Carter s'était même demandé s'il ne serait pas forcé de quitter le match, une balle l'ayant atteint en 1ʳᵉ manche enlevant toute sensation à son coude gauche.

Or, le match s'est rendu en manches supplémentaires et, en fin de 10ᵉ manche, quand Carter s'est amené au bâton, c'était l'égalité, il y avait un retrait, aucun coureur sur les sentiers et, au monticule, l'as releveur des Cards Neil Allen. Le droitier savait fort bien comment lancer à Carter dans ces circonstances : une balle cassante à l'extérieur. Mais d'un élan sec, Gary a propulsé une flèche jusque dans les gradins, faisant bondir les spectateurs de leur siège. « Gary, Gary, Gary ! », criaient-ils à pleins poumons alors qu'il contournait les sentiers, le poing droit levé bien haut.

Ils n'ont cessé d'applaudir que lorsque Carter était ressorti de l'abri pour les saluer. Une fois de plus, Gary avait profité des feux de la rampe pour en mettre plein la vue à toute l'Amérique.

« Bien sûr, durant mes années à Montréal, j'avais souvent obtenu l'appui des amateurs, écrivit le Kid des années plus tard dans son autobiographie. Mais un traitement comme celui-là ne m'avait été réservé qu'une fois en 10 ans, en 1977, alors que j'avais frappé 3 circuits dans un même match. Voilà que ça m'arrivait à mon tout premier match chez les Mets[1]. »

Pete Rose et Gary Carter joueraient peut-être ailleurs qu'à Montréal en 1985, mais l'équipe représentant la métropole n'avait pas à rougir de ses performances. Les Expos ont maintenu une fiche de 12-8 en avril, grâce, entre autres, aux départs solides de Bill Gullickson, Joe Hesketh et d'un Jeff Reardon (1 victoire, 5 matchs sauvegardés) enfin soulagé de ses maux de dos. Offensivement, le milieu de l'avant-champ, occupé désormais par Hubie Brooks et Vance Law, ne constituait plus des retraits automatiques. C'est toutefois à Andre Dawson qu'est revenu l'honneur d'être nommé Joueur d'avril, après une solide poussée de fin de mois qui l'a vu cogner des circuits dans trois matchs d'affilée et battre les Cards presque à lui seul le 27 avril (1 CC, 4 CS, 5 PP). Promu dans le rôle de leader du club après le départ de Gary Carter, Dawson semblait bien prêt à l'assumer.

Le 29 avril, les Expos étaient, à la surprise de tous, seuls en tête de la division Est. Ils ont poursuivi cette lancée en mai, remportant du 1er au 12 mai 7 matchs sur 9, dont 4 consécutifs par blanchissage – un record d'équipe. Durant cette séquence, Joe Hesketh, Bryn Smith, Bill Gullickson et David Palmer ont été intraitables, seuls Hesketh et Palmer ayant besoin d'un coup de pouce de Jeff Reardon en relève pour compléter leur match. En 7 ⅔ manches, Hesketh avait retiré 12 frappeurs sur des prises, 2 de plus que son rival Nolan Ryan, des Astros de Houston, qu'il a finalement battu 1-0. Mine de rien, le 12 mai, les Expos présentaient une fiche de 19-10. Certes, la saison était jeune, mais les experts commençaient à se demander s'ils n'avaient pas terriblement sous-estimé le potentiel de cette équipe.

Alors que ces quatre partants connaissaient un départ formidable, le doyen du personnel de lanceur, lui, en arrachait. Bien qu'ayant maintenu une fiche de 2-2 au cours du premier mois de la saison – et lancé un match complet contre Saint Louis le 18 avril, dans une victoire de 7-1 –, Steve Rogers avait perdu l'élément clé de son arsenal : la force de ses tirs.

Rogers n'était pas ce type de lanceur qui finassait autour de la zone des prises ; il avait toujours été un lanceur de puissance capable de passer une rapide fumante sous le nez d'un frappeur quand la situation l'exigeait. Or, à 35 ans bien sonnés, il n'y arrivait plus. « Ce n'est pas que j'avais mal au bras, c'est que je ne parvenais tout simplement plus à lancer avec la même force », a expliqué Steve. Après près de 3 000 manches de travail dans les majeures, Rogers était arrivé au bout du rouleau.

Le DG Murray Cook l'avait dit à l'entraînement : Steve Rogers ne resterait pas chez les Expos dans un autre rôle que celui de partant. Voyant son équipe connaître un départ canon, Cook n'a pas attendu longtemps avant de passer aux actes et le 29 avril, les Astros de Houston confirmaient qu'ils en étaient venus à une entente avec les Expos pour mettre la main sur Steve Rogers. L'identité du joueur obtenu par Cook était gardée secrète, mais les rumeurs parlaient d'un lanceur partant d'expérience.

Mais puisque Rogers était un vétéran de statut 5-10 (5 ans avec le même club, 10 dans les majeures), la transaction était conditionnelle à son approbation. Avant d'accepter de faire ses valises, Steve (lui aussi représenté par l'agent vedette Dick Moss) chercherait à obtenir des garanties des Astros, soit une extension de contrat – qui arriverait à terme à l'issue de la saison – ou alors l'assurance qu'il ferait partie de la rotation des lanceurs.

Quand les Expos ont constaté que les pourparlers de Rogers avec les Astros traînaient en longueur, ils ont décidé de lui forcer la main, et avant que ne s'écoulent les 72 heures dont il disposait pour se décider, la direction du club annonçait que le 45 était muté dans l'enclos des releveurs. Refusant de céder sous la pression, Rogers a annoncé à son tour qu'il n'irait pas à Houston. On n'a jamais su où les négociations avaient achoppé mais il est possible que Steve ait estimé que ses chances de connaître une bonne saison étaient malgré tout meilleures à Montréal, les Expos connaissant un début de saison bien supérieur aux Astros.

Deux semaines plus tard, Buck Rodgers lui a redonné deux départs, dans lesquels il s'est fait solidement savonner. Le 20 mai, 24 heures après avoir accordé 11 coups sûrs en 4 ⅔ manches de travail face aux Padres de San Diego, Murray Cook le convoquait à son bureau pour l'informer que les Expos le libéraient sans condition. L'équipe assumerait son salaire de 900 000 $ jusqu'à la fin de la saison et il serait libre d'offrir ses services où bon lui semblerait.

Plus tard, les amateurs ont appris l'identité du lanceur qu'auraient obtenu les Expos si Rogers avait accepté les conditions des Astros : le partant Mike Scott. Après une saison quelconque en 1984, Scott a remporté 86 matchs de 1985 à 1989, devenant un des lanceurs dominants de la Nationale durant la deuxième moitié de la décennie des années 1980.

Aurait-il connu les mêmes succès à Montréal? Les Expos se seraient-ils rendus jusqu'au bout en 1987 ou en 1989 avec un Mike Scott dans leurs rangs? Ça, bien sûr, on ne le saura jamais.

Quoi qu'il en soit, c'est ainsi qu'après 12 années de loyaux services dans l'uniforme des Expos, Steve Rogers, le meilleur lanceur de l'histoire de l'équipe, se voyait platement montrer la porte. Entre 1973 et 1985, Rogers avait remporté 158 victoires, lancé 129 matchs complets, signé 37 blanchissages et retiré 1 621 frappeurs sur des prises. Sa MPM globale se chiffrait à 3,17, une très impressionnante statistique, comparable à celles des meilleurs artilleurs de son époque.

Quand, en 2005, l'ancien DG et gérant des Expos Jim Fanning a présenté Steve Rogers lors de l'intronisation de ce dernier au Temple de la renommée du baseball canadien à St. Mary's en Ontario, il a cité quelques chiffres pour le moins éloquents : «Quand Steve Rogers commençait un match, il le terminait une fois sur trois. Un départ sur dix se soldait par un blanchissage. Il a obtenu deux fois plus de retraits au bâton qu'il n'a accordé de buts sur balles. Si Steve Rogers avait connu trois ou quatre autres saisons de qualité dans les majeures, il serait non seulement ici aujourd'hui, mais à Cooperstown aussi. »

C'est d'ailleurs peut-être ce qu'on retiendra de Steve Rogers : un lanceur formidable à qui il aura manqué bien peu de choses pour que son nom figure parmi les plus grands. Quelles choses, exactement? De meilleures équipes derrière lui, plus de support de l'offensive, un peu plus de chance. Une balle tombante qui reste suspendue un instant de moins qu'elle ne l'a fait, un certain lundi après-midi d'octobre 1981. Tout de même, il demeure que Steve Rogers est sans contredit le lanceur qui a connu le plus de succès et le plus longtemps dans un uniforme des Expos de Montréal. Autrement dit, le meilleur.

Après son départ des Expos, Rogers a tenté sa chance dans le réseau de filiales des Angels de la Californie, puis dans celui des White Sox de Chicago. À la fin de la saison, sa décision était prise, et ses crampons accrochés pour de bon.

À la fin de mai, les Expos ont perdu un autre artilleur quand la direction a convenu que Charlie Lea, le meilleur partant du club en 1984, devait passer sous le bistouri pour réparer une déchirure à l'épaule. On ne le reverrait plus lancer avec les Expos (à l'exception d'une seule manche, en fait) avant septembre 1987. L'année suivante, il passait aux Twins du

Minnesota où il a lancé durant une seule saison avant de tirer sa révérence pour de bon.

Cherchant à regarnir leur personnel de lanceurs, les Expos se sont tournés vers leur club-école d'Indianapolis pour rappeler un vétéran du nom de Mickey Mahler, un gaucher ayant longtemps roulé sa bosse dans les circuits mineurs entre quelques séjours sous la grande tente. Le 5 juin, Buck Rodgers lui a donné la balle pour affronter les Giants à San Francisco – sa première présence comme partant dans les majeures depuis 1979. Mahler a surpris le monde du baseball – et lui-même, probablement – en lançant un match d'un seul coup sûr (un simple à l'avant-champ accordé en 3ᵉ manche) pour triompher des Giants 6-0.

« J'avais envie de prouver à ceux qui n'ont pas cru en moi, les Gene Mauch (Angels) et Whitey Herzog (Cards) de ce monde, que je pouvais tenir mon bout dans les majeures. Cette performance, personne ne pourra me l'enlever », a dit Mahler après son exploit.

Malheureusement pour lui, six départs plus tard, les Expos lui signifiaient son congédiement. Mickey Mahler aurait tout de même eu ses quinze minutes de gloire dans l'histoire des Expos : son match d'un seul coup sûr figure parmi les 22 exploits du genre réalisés par des lanceurs de l'équipe en 36 ans d'existence.

Au début de juin, les Expos et leurs partisans ont eu la frousse alors que dans un match contre les Dodgers à Los Angeles, Andre Dawson a été atteint par un lancer du partant Bobby Castillo juste sous l'œil gauche. « Je pensais que ma tête explosait, a affirmé Dawson après le match. J'ai quand même eu de la chance : un pouce plus haut et c'est l'œil qui écopait. »

C'était la quatrième fois en carrière que The Hawk était atteint à la tête. Sa position au bâton (penché au-dessus du marbre) lui permettait peut-être de tirer avec force les balles lancées à l'extérieur, mais elle le rendait particulièrement vulnérable aux tirs à l'intérieur. Malgré tout, Andre Dawson disait ne pas avoir l'intention de changer de style : « On ne peut pas penser de cette façon. Si on se met à être craintif, on est cuit. »

Dawson est revenu au jeu après avoir manqué trois matchs. Mais une semaine plus tard, il fonçait dans la rampe du Stade olympique à la poursuite d'une balle frappée par Leon Durham des Cubs de Chicago – balle qui devait passer au-dessus de la clôture pour un grand chelem… Malgré un genou gauche amoché, Dawson est resté dans le match, retournant au bâton et sur les sentiers dès la manche suivante. Comme le genou ne désenflait pas, il a fallu, dans les semaines suivantes, lui retirer deux fois du liquide du genou, comme on l'avait fait à quelques reprises au cours des dernières années. Le nom d'Andre Dawson ne figurerait pourtant pas une seule fois de la saison sur la liste des blessés.

Depuis son arrivée dans les majeures, jamais son nom n'avait été inscrit sur cette liste, malgré de nombreuses blessures aux genoux. Comme Gary Carter, Dawson était ce genre de joueur qui se défonce au jeu sans se ménager. De plus, il en était à sa neuvième saison à patrouiller le gazon synthétique du Stade olympique, activité qui équivalait à courir sur du ciment – les surfaces synthétiques de l'époque étant loin d'être ce qu'elles sont devenues par la suite. Malgré une forme physique impeccable (il n'avait pas une once de gras), le voltigeur de droite des Expos était devenu, à 30 ans (bientôt 31), un athlète aux genoux fragiles dont l'avenir paraissait désormais incertain.

À la fin de 1980, Andre avait signé un contrat de cinq ans – plus une année d'option – pour une somme totale de 6 millions. Pressentant une flambée des salaires, la direction des Expos s'était empressée de le mettre sous contrat à long terme alors qu'il amorçait ce qui serait sûrement ses meilleures années. Les Expos avaient vu juste puisque moins de deux ans plus tard, ils se sont vus contraints d'offrir 2 millions par année à Gary Carter pour le garder à Montréal. Considérant qu'on avait profité de ses services à rabais, Dawson comptait bien se racheter en obtenant des Expos un autre contrat à long terme, qu'il avait dit souhaiter – comme on l'a vu plus tôt – dans les environs de 4,5 millions sur trois saisons.

Mais les temps avaient changé : la direction du club s'était jurée d'être plus prudente dans ses pactes avec les joueurs et, il faut bien le dire, la valeur marchande d'Andre Dawson n'était plus celle de 1980. Conséquemment, Murray Cook ne semblait pas pressé d'en venir à une nouvelle entente avec le clan Dawson. Il semblait bien que les Expos préféraient observer le rendement de leur vétéran voltigeur durant toute une saison avant d'annoncer leurs couleurs.

Du 14 au 16 juin, les Expos ont reçu de la grande visite au Stade olympique : les Mets de New York et leur nouvelle superstar, Gary Carter.

Après un solide début de saison, Carter avait ralenti, ennuyé par une déchirure au cartilage du genou droit (il serait d'ailleurs opéré à la fin de la saison). Mais même sur une seule jambe, Gary avait fait une fort belle impression depuis son arrivée chez les Mets. Consulté par *La Presse*, un statisticien du Elias Sports Bureau de New York confirmait l'utilité du receveur étoile à l'équipe new-yorkaise : « Dans les circonstances, Gary joue très bien. Il est très populaire parmi les fans, les journalistes et ses coéquipiers. Tout le monde l'adore. Il projette l'image d'un grand joueur de baseball et d'un individu réfléchi.» On soulignait également son indispensable apport aux jeunes lanceurs des Mets.

Dans l'après-midi précédant le match du vendredi, les Mets ont organisé une conférence de presse pour répondre à l'avalanche de demandes d'entrevues les ayant inondés au cours des derniers jours. Fidèle à ses habitudes, Carter a eu de bons mots pour tout le monde, louangeant tant les Expos (non, il n'était pas surpris de leur bon début de saison) que les Mets (oui, les blessures les avaient ralentis). Certes, il avait été déçu des critiques lancées à son endroit par ses ex-coéquipiers durant le camp d'entraînement, mais il n'y pouvait rien. Et oui, il espérait obtenir un bel accueil des amateurs. «J'aimerais que les gens se souviennent des 10 années que j'ai passées à Montréal. Après tout, c'est le tiers de ma vie.» À un moment donné, il a interrompu une phrase pour saluer un ex-coéquipier venu discrètement assister à l'événement: Tim Raines. Après la conférence, un journaliste du Saguenay hochait la tête: «Il a parlé pendant une demi-heure et finalement, il n'a rien dit.»

En soirée, les amateurs n'ont pas attendu longtemps avant de voir Carter à l'œuvre. Dès la fin de la 1re manche, le premier frappeur Tim Raines s'est rendu au premier but en vertu d'un but sur balles. Le plus rapide coureur du baseball contre le meilleur receveur: personne ne doutait que Raines tenterait de voler le but. Après quelques lancers, Raines s'est envolé vers le deuxième, arrivant avant le lancer de Carter. Plus tard, en 7e manche, le marchand de vitesse des Expos volait un autre but contre Carter et son lanceur Dwight Gooden.

Quand le Kid s'est présenté au bâton pour la première fois en début de 2e manche, la moitié de la foule de 35 422 spectateurs s'est levée pour lui accorder une belle ovation. «Polie, mais guère plus», écrivait Réjean Tremblay dans *La Presse* du lendemain. Carter a répondu à ses fans par un simple contre le partant des Expos, Joe Hesketh. Plus tard, en 4e, il a cogné un autre simple. Et un autre encore en 6e manche. Cette fois, les amateurs l'ont hué, résignés à cette évidence: Gary Carter portait un uniforme des Mets de New York. Comprenant qu'il ne servait à rien d'insister, Hesketh a donné à Carter une passe gratuite à sa présence suivante. Quelques instants plus tard, Gary remettait aux Expos la monnaie de leur pièce en volant le deuxième but.

«C'était pas mal comme réception, a dit Carter après le match. Les vrais fans de Gary Carter m'ont fait un bel accueil, les autres appuyaient les Expos, c'est bien normal.»

Les Expos ont balayé les trois matchs, attirant 33 219 puis 40 591 spectateurs lors des deux autres programmes de la série. Toute l'attention accordée au baseball et à la visite des Mets de New York avait porté ombrage au Grand Prix de Montréal, au point où les organisateurs de la course et les Expos ont confirmé qu'ils étaient en discussion pour que l'équipe de baseball joue dorénavant à l'étranger lors du week-end de la grande fête automobile.

De la mi-juin à la pause du match des Étoiles, les Expos ont maintenu une fiche de ,500, malgré les absences de Bill Gullickson et de Dan Schatzeder, tour à tour sur la liste des blessés pour 21 jours. Pour renflouer la rotation pendant leur absence, les Expos ont rappelé le 1ᵉʳ juillet le jeune Floyd Youmans (21 ans en mai) de leur club-école d'Indianapolis. Il avait commencé l'année à Jacksonville dans le AA, mais après 14 matchs, on avait décidé de le promouvoir dans le AAA.

Sans tarder, Buck Rodgers l'a envoyé dans la mêlée au Stade olympique contre les meneurs de la division Est, les Cards de Saint Louis. Youmans a retiré sur trois prises le premier frappeur à lui faire face, le rapide Vince Coleman. Le jeune homme a ensuite blanchi les Cards pendant les 6 premières manches, ses tirs se maintenant toujours autour des 90 MPH. Il a quitté le match après avoir accordé un circuit de 2 points en 7ᵉ mais les Expos l'ont emporté 3-2 en 10 manches.

Le 7 juillet, Youmans remportait sa 1ʳᵉ victoire dans les majeures, Rodgers l'ayant utilisé dans les 3 dernières manches d'un marathon de 19 manches contre les Astros à Houston. La semaine suivante, Youmans était reparti vers Indianapolis mais on le reverrait à Montréal avant la fin de la saison. Bientôt, entendait-on ici et là, Youmans serait le pivot de la rotation des lanceurs des Expos et – prétendait-on – il n'y aurait plus de doute sur qui aurait eu le meilleur dans l'échange Carter.

À la fin du camp, Buck Rodgers avait déclaré avoir pour objectif de gagner autant de matchs qu'il en perdrait – jouer pour une moyenne d'au moins ,500 – d'avril à la mi-saison. Or, à la pause du match des Étoiles, malgré des blessures à plusieurs réguliers, son équipe présentait la fort respectable fiche de 49-39, au 3ᵉ rang de l'Est à 4 ½ matchs des meneurs, les Cards de Saint Louis. Si les choses continuaient de la sorte, Rodgers serait certainement un candidat sérieux au titre de Gérant de l'année dans la Nationale.

À la même période, deux années plus tôt, le club comptait cinq joueurs tout-étoile dans sa formation partante : Steve Rogers, Gary Carter, Andre Dawson, Tim Raines et Al Oliver. Malgré cela, il peinait à jouer la moyenne. Mais voilà qu'en 1985, c'était tout le contraire qui se produisait : malgré un alignement plus modeste, les Expos avaient été bien meilleurs qu'escompté, leurs têtes d'affiche ayant maintenant pour noms Bryn Smith

(10-3), Joe Hesketh (5 victoires, MPM de 2,57) ou encore Tim Burke (5-0), le releveur recrue qui multipliait les belles sorties.

Bien que fort sympathiques, les Expos version 1985 n'étaient pas l'équipe de baseball dont on parlait le plus au pays. Ce traitement était réservé d'emblée aux Blue Jays de Toronto, l'équipe montante des ligues majeures. Menée par le gérant Bobby Cox, une heureuse combinaison de Blancs et de Noirs américains, d'hispanophones, de jeunes et quelques moins jeunes travaillait dans un véritable esprit de corps, et, selon toute apparence, à l'abri des problèmes de consommation de drogue qui avaient miné d'autres organisations – comme les Expos – au tournant de la décennie. À la pause du match des Étoiles, l'équipe torontoise dominait la division Est en vertu d'une fiche de 53-35, un excellent ratio victoires-défaites de ,602.

Plus tard durant la saison, lorsque le ministre de l'Industrie et du Commerce du régime conservateur Sinclair Stevens a accueilli son vis-à-vis américain à Ottawa, après un balayage des Yankees par les Blue Jays, il lui a lancé : « *Welcome to Blue Jays country.* »

De 1979 à 1981, les Expos avaient constitué le club de sport professionnel canadien suscitant le plus d'intérêt d'un bout à l'autre du pays, les amateurs de sports du Canada se passionnant pour les exploits des Rogers, Carter, Dawson, Valentine et compagnie. Mais depuis 1983, alors que les Blue Jays avaient pris part à la première course au championnat de leur jeune his-toire, les yeux des fans canadiens s'étaient massivement tournés vers eux. Mais ce n'était pas seulement une histoire de chiffres dans la colonne des victoires. C'était aussi une question de couverture médiatique. Car désormais, les Blue Jays étaient l'équipe que la grande majorité des Canadiens voyaient à l'œuvre quand ils allumaient leur téléviseur.

Quand les Blue Jays ont entrepris leur première saison en 1977, ils (l'équipe et la brasserie Labatt, qui en était propriétaire) ont convenu d'un accord avec les Expos (et leur commanditaire, Carling-O'Keefe) sur les droits territoriaux. Chaque équipe garderait l'exclusivité de sa province d'origine : les matchs des Expos ne seraient plus télédiffusés dans la plu-part des marchés ontariens et ceux des Blue Jays ne seraient pas présentés au Québec. Les deux clubs pouvaient diffuser leurs matchs partout ailleurs au pays.

Or, avec la présence des Blue Jays dans le décor, les Expos ont com-mencé à être perçus au pays comme l'équipe du Québec, pas exactement un gros argument de vente pour une majorité de Canadiens de langue anglaise de l'extérieur du Québec. Bientôt, les commanditaires ont mis tout leur argent sur l'équipe torontoise, faisant progressivement perdre aux Expos l'appui des divers réseaux de télévision et de radio du pays. Alors qu'elle avait toujours été une équipe nationale (à une époque, la CBC diffusait des matchs dans une cinquantaine de chaînes du pays), l'équipe n'était désormais plus qu'une affaire régionale.

Furieuse de voir tant de revenus publicitaires lui échapper, la Carling a sommé la CBC de redonner aux Expos un accès au marché ontarien. Le dossier fut finalement porté jusqu'au Bureau du commissaire du base-ball, occupé alors par Bowie Kuhn. Voulant couper la poire en deux, Kuhn a statué que chacun des deux clubs pourrait désormais télédiffuser 18 matchs dans la province voisine. Une décision en apparence équitable mais qui n'a somme toute rien changé pour les Expos : le sort en était déjà jeté. L'équipe torontoise amorçant les meilleures années de son existence – de leur déménagement au Skydome jusqu'à leurs deux conquêtes de la Série mondiale –, les Expos ont à jamais perdu la place qu'ils s'étaient bâtie depuis 1969 dans le cœur des Canadiens hors Québec.

Après le match des Étoiles disputé au Minnesota (auquel participaient Tim Raines, Tim Wallach et Jeff Reardon), les Expos ont remporté trois des quatre matchs qui les opposaient à leurs visiteurs au Stade olympique, les Astros de Houston, se rapprochant ainsi à seulement 2 ½ matchs du sommet de leur division.

Mais les amateurs de baseball avaient moins la tête à une course au championnat qu'à un autre enjeu dont le refrain leur était tristement familier : l'imminence d'une grève des joueurs.

La dernière entente collective entre propriétaires et joueurs, ratifiée au moment de la résolution de la grève (de presque deux mois) de 1981, avait pris fin le 31 décembre 1984. Six semaines plus tôt, des pourparlers en vue du renouvellement de l'entente s'étaient amorcés entre Lee MacPhail, l'homme désigné par les propriétaires pour les représenter, et Donald Fehr, le nouveau directeur (alors par intérim) de l'Association des joueurs.

Ancien DG des Orioles et des Yankees, MacPhail avait aussi été président de la Ligue américaine de 1974 à 1984. Un homme d'expérience, conservateur mais modéré, MacPhail avait été au cœur des négociations lors du conflit de 1981.

Jeune avocat de 35 ans, Don Fehr était du type cérébral. Il pouvait être pointilleux et hautain mais n'avait pas le côté abrasif de son prédécesseur, Marvin Miller. Fehr lisait 150 livres par année, des ouvrages de toutes sphères – physique, mathématiques, économie, philosophie – ; on le disait par ailleurs plus intéressé par le billard (un jeu de contrôle, d'angles et d'anticipation) que par le baseball[2].

Fehr serait flanqué du semi-retraité Miller, le surdoué négociateur qui, une décennie plus tôt, avait obtenu pour les joueurs rien de moins que l'éradication de la clause de réserve du baseball et l'accès à l'autonomie.

Ce que voulaient les propriétaires, c'était de trouver une façon de mettre un frein à la flambée des salaires, en constante progression depuis 1976. Au début de la saison, Ozzie Smith avait signé une entente de 8,7 millions pour quatre ans; Eddie Murray s'était vu offrir 13 millions pour cinq ans.

Pour les propriétaires, il n'y avait pas mille façons d'arrêter la vague, il fallait établir un plafond salarial et trouver une façon de restreindre l'admissibilité à l'arbitrage salarial. Le 1,2 million accordé en arbitrage à Tim Raines en début d'année avait fait écarquiller bien des yeux chez les propriétaires.

Au printemps, Lee MacPhail avait fait parvenir aux négociateurs de l'Association des joueurs un document attestant des difficultés financières de plusieurs clubs. Depuis neuf ans, prétendait le document, la majorité des équipes du baseball majeur bouclaient la saison «dans le rouge». En 1984, 21 clubs sur 26 avaient terminé la saison en présentant un déficit. Alors qu'en 1979, les organisations avait collectivement perdu 613 189 $, les chiffres avaient grimpé en flèche depuis, se situant à plus de 41 millions en 1984, les pertes ayant atteint un record de 92 millions en 1982. Les projections pour 1985 annonçaient de nouvelles pertes de 58 millions. «Les propriétaires sont unanimes: la situation est grave et ne fait qu'empirer. Si un mauvais coup survenait à l'économie du baseball, le résultat serait désastreux. L'enjeu est autant celui des joueurs que des propriétaires», avait précisé McPhail.

Don Fehr ne faisait pas la même analyse de la situation. Il avait surtout noté les détails de l'entente que le baseball majeur venait de signer avec les réseaux de télévision américains: 1,1 milliard pour six ans. En vertu du contrat précédent, 15,5 millions étaient versés annuellement dans le fonds de pension et d'avantages sociaux des joueurs, soit l'équivalent du tiers de l'ensemble des sommes recueillies par le baseball. Fehr voulait maintenir ce ratio, ce qui signifierait dorénavant environ 60 millions annuellement pour les joueurs. Quant aux prétendues pertes financières annoncées par plusieurs clubs, Fehr et l'Association étaient bien prêts à discuter, mais pour ça, il faudrait que les clubs soient disposés à ouvrir leurs livres…

Lee MacPhail n'était pas contre l'idée: quand les joueurs prendront connaissance des chiffres, se disait-il, ils verront bien à quel point la situation est critique. Poussant l'idée un peu plus loin, le nouveau commissaire Peter Ueberroth ordonnait bientôt aux propriétaires de remettre leurs états financiers à l'Association, ce à quoi ont fini par se soumettre les plus récalcitrants d'entre eux, comme John McMullen des Astros, qui avait d'abord déclaré: «Ce n'est pas de leurs maudites affaires.»

L'Association des joueurs a remis les états financiers des clubs à un professeur d'économie de l'Université de Stanford du nom de Roger Noll. Après son étude des dossiers, Noll a remis un rapport de 47 pages qui, on s'en serait douté, contestait à peu près toutes les allégations des propriétaires (c'est une lapalissade de dire que les conclusions des études vont comme par hasard toujours dans le sens de ceux qui les commandent). Quoi qu'il en soit, selon les calculs de Noll, ce n'étaient pas des pertes combinées de 41 millions que les clubs avaient essuyées en 1984, mais bien des profits de 25 millions!

En examinant de près les chiffres des clubs, Noll avait pu admirer la grande créativité des propriétaires quand venait le temps d'élaborer des entourloupettes fiscales. Par exemple, les Cardinals de Saint Louis n'avaient déclaré aucun profit du stationnement et des concessions du Stade Busch. Or, ces montants figuraient dans les états financiers d'une autre des filiales de la multinationale Anheuser-Busch. La station WTBS de Ted Turner n'avait versé qu'un million aux Braves d'Atlanta (aussi la propriété de Turner) alors qu'elle aurait dû recevoir au moins la moyenne de la ligue (2,7 millions). Les pertes de 9 millions des Yankees incluaient les pertes dans les investissements immobiliers de George Steinbrenner ainsi qu'un demi-million de dons à des organismes de charité... Le rapport faisait aussi état d'une mauvaise gestion des dépenses: les A's d'Oakland (qui avaient déclaré des pertes de 15 millions pour 1984) dépensaient 4,1 millions en marketing et «autres dépenses administratives», la direction des Dodgers de Los Angeles avait droit à des salaires quatre fois plus élevés que la moyenne des équipes...

«Pour perdre de l'argent, concluait Noll, un club doit être très pauvre et opérer dans un marché très faible ou alors avoir des pratiques de gestion extravagantes.»

Les propriétaires étaient furieux: Ueberroth les avait forcés à ouvrir leurs livres et voilà que l'Association les réduisait en pièces. Bientôt les deux parties concentraient toutes leurs énergies à remettre en question les méthodes comptables de leur vis-à-vis.

C'est dans ce climat que le 20 mai, Lee McPhail et les propriétaires déposaient leur première offre aux joueurs, une offre qui tournait autour des principes de plafond salarial et de compétitivité des équipes les moins riches.

En gros, les propriétaires suggéraient que les équipes ayant une masse salariale supérieure à la moyenne des 26 clubs n'auraient pas le droit d'acquérir un joueur par voie d'échange (ou de mettre sous contrat un joueur autonome) à moins que le salaire offert au joueur soit sous la barre de la moyenne courante des salaires. On proposait aussi que les masses salariales de tous les clubs soient au même niveau (ou en dessous) pour les trois prochaines années. Finalement, on souhaitait repousser d'une année l'admissibilité des recrues à l'arbitrage salarial (de deux à trois.)

Évidemment, l'Association des joueurs a catégoriquement refusé la proposition des propriétaires. Pourquoi battre en retraite sur ses acquis alors que l'autre partie n'a pas fait la preuve de la nécessité réelle de le faire? «Si nous n'arrivons pas à une entente au 6 août, ce sera la grève», annonçait Don Fehr à la mi-juillet.

MacPhail et les propriétaires sont revenus à la table avec une nouvelle offre. Sur la question des revenus de télévision, on maintiendrait la contribution des propriétaires au fonds de pension des joueurs à 15,5 millions pour 1985, mais on l'augmenterait à 25 millions pour les 4 saisons suivantes. Ce montant serait toutefois réduit à partir du moment où la masse salariale des équipes dépasserait les 13 millions annuellement. Le groupe maintenait sa demande de faire passer l'accessibilité à l'arbitrage à trois années de service (plutôt qu'aux deux années en vigueur à ce moment-là). «Tout ce que nous cherchons à faire, écrivait MacPhail dans sa proposition de quatre pages, c'est d'éliminer les pertes projetées dans les prochaines années.»

Avant même que l'Association des joueurs ne réponde à cette dernière proposition, le commissaire Peter Ueberroth a organisé une conférence de presse pour déclarer qu'il considérait «frivole» l'offre des propriétaires. «Arrêtez de demander aux joueurs de régler vos problèmes financiers.» Le commissaire proposait aux propriétaires d'abandonner leur suggestion d'imposer un plafond salarial. En retour, il demandait aux joueurs de céder sur la proposition des trois années de service pour l'accès à l'arbitrage.

Dans son ouvrage *Lords of The Realm*, John Helyar rappelle l'opinion peu flatteuse que Ueberroth avait des propriétaires d'équipes, qu'il considérait comme des idiots dont il n'avait pas envie d'être l'ami. Tôt dans son mandat, le commissaire leur avait d'ailleurs rapidement annoncé ses couleurs: «Je ne vais pas aller à la graduation de vos enfants, ni à leur mariage, ni à leur bar-mitsva. Ce n'est pas moi qui vais vous appeler, ce sera à vous d'initier les communications et je vous assure que je vous donnerai des réponses directes[3]. »

Un jour, Ueberroth a demandé à Charles Bronfman des Expos si, selon lui, il faisait du bon travail comme commissaire. «Ça dépend de ta définition de ton rôle, a répondu le propriétaire des Expos. Si tu définis ton rôle comme celui d'un patron pour qui nous travaillons, alors, oui, tu fais du bon boulot.» C'était d'ailleurs précisément la perception que le commissaire avait de son rôle: il ne se voyait pas au service des propriétaires, c'étaient eux qui travaillaient pour lui. Malgré sa boutade, Bronfman était en réalité ravi de l'ordre que tentait de ramener le commissaire dans les finances du baseball.

Devant l'imminence de l'échéance du 6 août, les deux parties ont multiplié les rencontres sans que des progrès soient réalisés. Une des propositions de l'Association des joueurs était d'accepter de réduire les versements des revenus de télévision dans leurs fonds de retraite à condition que les propriétaires utilisent cet argent pour venir en aide aux clubs désavantagés. «Ce que les propriétaires disent en substance, expliquait Don Fehr, c'est que certains clubs ne peuvent pas rivaliser avec les autres à cause de marchés faibles ou de revenus trop bas. Une façon de changer cette situation, c'est de rediriger les revenus. Nous, on dit aux propriétaires: "Ne le faites pas avec vos revenus, faites-le avec l'argent que les joueurs estiment être le leur."»

Or, le partage des revenus était loin d'être dans le haut de la liste de priorités des propriétaires, bien davantage soudés autour d'une idée: freiner la spirale des salaires. Le 5 août, une rencontre ultime n'a pas réussi à dénouer l'impasse et le lendemain, les joueurs débrayaient. Les Expos, qui devaient amorcer une série de trois matchs contre les Mets au Stade olympique, ont dû annoncer l'annulation du premier match.

Revivrait-on le scénario de 1981, alors que le baseball avait dû interrompre ses activités pendant deux mois? Pete Rose verrait-il sa quête du record de Ty Cobb compromise? Le baseball se remettrait-il d'un autre arrêt de travail?

Mais les représentants des joueurs de 1985 n'étaient plus ceux de 1981, le salaire moyen d'un joueur des majeures était maintenant de 369 000 $ (un chiffre qui avait presque doublé en 4 ans), et les joueurs n'avaient plus le même empressement à monter aux barricades. Les rangs des membres de l'Association n'étaient plus aussi serrés, les vétérans étaient prêts à concéder une année d'attente additionnelle pour l'accès à l'arbitrage alors que pour les jeunes, cette concession représentait un recul inacceptable. «Dans les autres négociations, je savais que les propriétaires avaient tort, a déclaré le vétéran Bob Boone, un des joueurs les plus actifs dans l'Association. Mais cette fois, il y a davantage de zones grises[4]. »

Tard dans la soirée du 6 août, le commissaire Peter Ueberroth a passé un coup de fil aux représentants des propriétaires : « Vous avez 12 heures pour régler. Si vous n'y arrivez pas, je soumets le dossier en arbitrage. » Si l'intervention de Ueberroth mettait le couteau sur la gorge des propriétaires, elle soulageait vraisemblablement l'Association des joueurs, qui n'aurait peut-être pas compté sur un front commun assez solide de ses membres pour mener une longue grève.

Plus tard le lendemain matin, Ueberroth a rappelé McPhail et son groupe en leur disant qu'il se présenterait à la réunion à 14 h pour leur enlever le dossier des mains. Les négociateurs des propriétaires se sont échangé un regard : « Il est assez fou pour faire ça. » Une vingtaine de minutes après 14 h, le commissaire s'est présenté comme promis à l'appartement de McPhail pour apprendre que l'entente venait d'être signée.

Les propriétaires avaient une fois de plus renoncé à leur tentative d'imposer une forme de plafond salarial. Ils avaient accepté de verser au fonds de pension des joueurs une plus large portion des revenus de la nouvelle entente de télévision (ils y accorderaient 33 millions de dollars plutôt que 15 millions) jusqu'en 1988 ; en outre, la pension annuelle d'un joueur comptant 10 années de service passerait à presque 91 000 $, alors qu'autrefois on avait fixé à 57 000 $ le plafond pour les joueurs ayant 20 ans de service.

Autre concession des propriétaires : le repêchage annuel des agents libres (*re-entry draft*) serait aboli pour permettre aux joueurs autonomes d'offrir désormais leurs services aux 26 équipes des majeures (seulement 8 équipes pouvaient faire des offres aux agents libres jusque-là). Parmi les autres gains des joueurs, le salaire minimum passerait de 40 000 $ à 60 000 $.

De leur côté, les joueurs avaient tout de même accepté de faire un important compromis : prolonger de deux à trois le nombre d'années de service nécessaires avant d'avoir accès à l'arbitrage. Pour les organisations comme les Expos – désireuses de profiter à bas prix des services d'une recrue –, c'était un gain appréciable.

Le sentiment chez plusieurs propriétaires était que Ueberroth avait coupé l'herbe sous le pied de Lee MacPhail, qui avait jusque-là fort bien mené leur dossier. Le propriétaire John McMullen des Astros était d'avis qu'il fallait congédier Ueberroth sur-le-champ. Mais malgré la grogne, personne n'osait contester son autorité, en attendant qu'un mouvement d'opposition se mette en marche pour prendre véritablement position. Ce mouvement n'a jamais pris forme.

Les matchs des deux journées perdues des 6 et 7 août ont été relogés dans le calendrier régulier, et le 8 août, on jouait de nouveau au baseball.

Les joueurs des Expos étaient emballés du règlement rapide du conflit, confiants d'être dans la course jusqu'à la fin. Dès le retour au jeu, le club a continué d'étonner les observateurs en remportant 8 de leurs 11 matchs suivants.

Les Expos devaient une bonne part de leurs succès aux lanceurs : après la blessure de Charlie Lea au camp et le départ de Steve Rogers en mai, la rotation des partants avait semblé soudainement vulnérable. Mais leurs remplaçants s'étaient avérés plus qu'adéquats, Bryn Smith, Joe Hesketh et David Palmer appuyant solidement Bill Gullickson, le plus expérimenté du groupe.

Bryn Smith constituait sans doute la plus belle surprise. Certes, il n'était pas un lanceur de puissance en mesure de surprendre un frappeur avec une rapide fumante. Mais son contrôle était impeccable – durant la saison, il n'a accordé que 41 buts sur balles en 222 ⅓ manches – et il trouvait le moyen de prendre les devants sur le frappeur dès le premier tir, ce qui lui permettait ensuite de sélectionner plus librement ses lancers, qui se limitaient par ailleurs à une rapide, une courbe et un changement de vitesse. « Je lance autour du marbre et je n'accorde pas de buts sur balles. La plupart du temps, mes tirs sont frappés, alors la défensive reste alerte, ils savent que la balle s'en vient vers eux », disait Smith pour expliquer ses succès.

En 1980, après deux saisons frustrantes dans les circuits mineurs, Smith avait pensé abandonner le baseball et tenter sa chance comme golfeur professionnel, un sport auquel il excellait. Mais le vent avait tourné l'année suivante et, une fois rappelé sous la grande tente, en 1982, il s'était peu à peu imposé comme

Les amateurs montréalais ont gardé de Bryn Smith le souvenir d'un lanceur à l'excellent contrôle et qui rendit de fiers services à son équipe.
Club de baseball Les Expos de Montréal

un des partants les plus fiables de la rotation des Expos. Le droitier de 30 ans terminerait la saison 1985 avec l'excellente fiche de 18 victoires, 5 défaites, et une moyenne de points mérités de 2,91.

Le lanceur recrue Joe Hesketh s'est révélé le deuxième meilleur partant du club de Buck Rodgers. Mince et élancé (le guide de presse du club lui donnait généreusement 170 livres), le gaucher de 26 ans avait une petite ossature qui pouvait susciter des doutes quant à son endurance. De plus, quelques années plus tôt, un mal au coude gauche avait nécessité la célèbre opération « Tommy John », une intervention chirurgicale consistant à transplanter dans le coude un tendon du poignet. Mais après une longue rééducation, il avait retrouvé le chemin du succès et en août 1984, les Expos l'avaient rappelé pour le dernier droit de la saison.

Le jeune gaucher avait le talent d'exécuter un geste particulièrement décevant pour surprendre le coureur au premier but. Or, à sa toute première présence au monticule chez les Expos, en août 1984, un arbitre a signalé une feinte non réglementaire avant même qu'il n'effectue un premier lancer au marbre ! Par la suite, les arbitres ont convenu que le geste, bien que singulier, respectait les règles.

Hesketh avait aussi une autre particularité : sa mémoire phénoménale. Il connaissait par cœur chacune des répliques du long métrage *The Wizard of Oz*. Un jour que le classique était présenté à la télévision, Joe s'était mis à réciter le dialogue en même temps que les acteurs, une prouesse qui avait bien fait rigoler ses coéquipiers...

David Palmer était un autre de ces lanceurs revenus de loin. Après un départ prometteur en 1979 et 1980, il était lui aussi passé sous le bistouri du chirurgien californien Frank Jobe pour réparer des dommages aux ligaments du coude et il avait dû rater les saisons 1981 et 1983 avant de reprendre du service en 1984. La patience des Expos à son égard était récompensée : en dépit de quelques mauvaises sorties récentes, Palmer avait connu un bon début de saison.

Durant cette séquence de 8 victoires en 11 matchs, les Expos ont fait preuve de caractère, balayant les Cubs à Chicago et remportant deux matchs sur trois contre les Cards, les meneurs de la division.

Dans une importante rencontre disputée le 17 août, les Cards ont égalé la marque en fin de 8e manche puis installé trois coureurs sur les coussins. Avec un seul retrait, Ozzie Smith s'est amené au marbre pour affronter le releveur Tim Burke, que Rodgers venait d'envoyer dans la mêlée. La stratégie du gérant des Cards Whitey Herzog était audacieuse : il a donné à Smith (et au coureur posté au troisième but, Darrell Porter) le signal du *squeeze*. Mais alors que Smith se mettait en position pour l'amorti et que

Porter décollait vers le marbre, Burke a lancé la balle à Wallach au troisième, qui l'a aussitôt relayée au receveur Sal Butera, qui n'a eu qu'à toucher au coureur. Burke a ensuite disposé du frappeur Smith et les Expos ont marqué le point gagnant à leur prochain tour au bâton.

Le lendemain, les Expos battaient de nouveau les Cards grâce à un simple de deux points de Terry Francona en début de 10e manche.

Les succès des Expos ne trouvaient pas leur origine qu'au monticule, l'offensive aussi s'était mise de la partie. Du 10 au 17 août, Andre Dawson, toujours handicapé par des genoux fragiles, a frappé 16 CS en 8 rencontres, dont 4 dans un même match contre les Cubs au Wrigley Field. Tim Raines connaissait une autre excellente saison et son taux de succès en tentative de vol atteignait des chiffres jamais vus (il terminerait la saison avec 70 vols en 79 tentatives). À chacune de ses saisons complètes avec les Expos, Raines n'avait jamais réussi moins de 70 larcins. De son côté, Hubie Brooks contribuait encore plus à l'offensive qu'on l'avait espéré, faisant preuve d'énormément d'opportunisme avec des coureurs sur les sentiers. À la fin de la saison, il avait produit 100 des 633 points de son club, devenant le premier arrêt-court à réaliser l'exploit en 25 ans. De plus, il avait fait taire ses détracteurs en se débrouillant fort bien en défensive.

En fin de soirée du 18 août, les Expos se maintenaient à 4 matchs de la tête de l'Est, leur fiche se situant à 67-50, une statistique impressionnante pour un club qu'on croyait destiné aux bas-fonds du classement. En plus, les Expos disputaient 14 des derniers matchs de la saison contre les Mets ou les Cards... S'ils parvenaient à leur tenir tête, qui sait où ils se retrouveraient en fin de saison... « Je n'ai jamais vu une équipe où tant de joueurs apportent une contribution », a déclaré Buck Rodgers pour expliquer le succès des siens.

Le 19 août, les Expos entreprenaient une série de 9 matchs à domicile.

C'est alors que l'offensive du club est complètement tombée en panne. Après une défaite de 1-0 contre Ron Darling et les Mets (la reprise d'un des deux matchs reportés en raison de l'arrêt de travail), les Expos n'ont marqué que deux points dans une série de trois matchs contre les Padres de San Diego.

Pire encore, ils ont perdu au combat un de leurs piliers au monticule. Le 23 août, dans un match contre des Dodgers de Los Angeles, Joe Hesketh se trouvait au premier coussin quand Tim Raines a cogné une flèche en lieu sûr au champ centre. Le voltigeur ayant du mal à maîtriser la balle, on a envoyé Hesketh jusqu'au marbre, là où le receveur Mike Scioscia l'attendait, la jambe gauche tendue pour bloquer le marbre. Du cercle d'attente, le prochain frappeur Vance Law a fait signe à Hesketh de glisser, mais il semble que le message ne se soit jamais rendu puisque le lanceur des Expos est resté debout avant de culbuter par-dessus la jambe du receveur, se fracturant le tibia sous l'impact. Hesketh était perdu pour la saison. Plus tôt dans le mois, les Expos avaient dû inscrire le nom de deux autres lanceurs sur la liste des blessés : Dan Schatzeder et David Palmer.

La blessure d'Hesketh s'est avérée la goutte qui a fait déborder le vase : le 27 août, après un désastreux séjour à domicile de 2-7, les Expos avaient glissé à 9 ½ matchs de la tête, les Cards et les Mets demeurant intraitables. Pour l'équipe montréalaise, la saison était à toutes fins utiles terminée.

Alors que lors du premier match du séjour au Stade, plus de 30 000 amateurs s'étaient rendus les encourager, ils n'étaient plus que 13 341 lors de la partie du 27 août contre les Giants – et ceux-là ne se sont pas gênés pour huer Jeff Reardon lorsque, venu en relève de Floyd Youmans tard dans le match, il n'a pu maintenir l'égalité de 1-1, concédant 5 points aux Giants en début de 9e manche.

Qu'importe si Reardon avait connu une excellente saison (il la terminerait avec 41 matchs sauvegardés, un record d'équipe), ce que les amateurs retenaient surtout, c'est que l'équipe s'était encore écrasée dans la deuxième moitié de la saison, comme lors des trois années précédentes. Même si, en début de saison, personne n'accordait beaucoup de chances aux Expos, l'équipe avait peu à peu redonné espoir à ses partisans, pour, une fois de plus, les décevoir en fin de parcours.

Mais en septembre 1985, les amateurs de baseball d'Amérique ne s'inquiétaient pas trop de la performance des Expos de Montréal : ce qui frappait leur imaginaire, c'était la page d'histoire que s'apprêtait à écrire celui dont la place était déjà réservée à Cooperstown : Pete Rose.

Alors qu'il portait les couleurs des Expos l'année précédente, Rose avait frappé le 4 000e coup sûr de sa carrière, ce qui en faisait seulement le premier joueur après Ty Cobb à réaliser l'exploit. En 1928, Cobb avait terminé sa carrière avec 4 191 coups sûrs, un sommet que plusieurs ont longtemps pensé inatteignable. Pour y arriver, un joueur doit maintenir une moyenne de 200 coups sûrs par année pendant 20 saisons. Et si par miracle il y arrive, il en aurait encore 191 de moins que Cobb. À 44 ans, à sa 23e saison dans les majeures, Pete Rose était maintenant sur le point de dépasser Cobb.

Le 8 septembre, le joueur-instructeur Rose a inscrit son propre nom à la dernière minute dans l'alignement de son club pour le match que les Reds s'apprêtaient à disputer aux Cubs à Chicago. Il a frappé deux coups sûrs, le second égalant la marque de Cobb, au grand malheur de Marge

Schott, la propriétaire des Reds, qui avait exprimé le vœu que Rose passe son tour et attende que le club rentre à Cincinnati pour accomplir son exploit devant ses partisans. Le 11 septembre – à domicile, cette fois –, Rose surpassait Ty Cobb dès sa première présence au marbre dans un match contre les Padres de San Diego. Une balle frappée en flèche au champ centre-gauche, un coup sûr typique de Pete Rose.

« En 1985, Rambo venge le Vietnam, Reagan prépare la véritable *Star Wars* et *Rocky IV* va bientôt planter le Russe dans un film qui va faire des millions, écrivait le lendemain Réjean Tremblay de *La Presse*. Pete Rose est devenu un modèle de la détermination américaine à franchir les obstacles.» Comme on le verra plus loin, Rose est par la suite devenu une autre sorte de symbole pour les amateurs de sports d'Amérique…

À des kilomètres de Cincinnati, la suite de la saison des Expos s'est déroulée sans histoire – alors que l'équipe a dû se contenter d'une fiche de 13-20, handicapée par une autre perte, celle du receveur Mike Fitzgerald.

Blessé en début de saison à l'épaule, puis au genou, Fitzgerald n'a pas toujours donné l'heure juste à ses entraîneurs sur sa condition physique, jouant malgré ses blessures alors qu'il ne pouvait pas offrir un rendement optimal. Après un solide premier mois, le rendement de Fitz a commencé à décliner, tant offensivement qu'en défensive. Les coureurs adverses ont rapidement détecté cet instant d'hésitation qu'il mettait à lancer au deuxième et en ont largement profité. Fitzgerald a joué très peu en septembre et le 20, il subissait une opération pour retirer des cartilages de son genou. En plus de ses ennuis physiques, Fitzgerald avait eu à jouer avec une pression indue, devant répondre tout l'été à la même question: « C'est comment de succéder à Gary Carter? »

Le fait le plus marquant de la fin de saison des Expos est probablement la performance exceptionnelle d'Andre Dawson dans un match fou disputé le 24 septembre, au Wrigley Field à Chicago. Ce jour-là, le Hawk a frappé 3 coups de circuit, un simple et produit 8 points dans une victoire de 17-15 des Expos! Dawson semblait toujours à son mieux quand il se produisait au Wrigley Field; c'était comme si tout lui venait naturellement là-bas. En août, il avait aussi connu un match de quatre coups sûrs. Année après année, il profitait d'un passage à Chicago pour renouer avec le succès… Quand est venu le temps pour Andre de mettre fin à son association avec les Expos – et ce temps est venu plus tôt que tard –, il s'est vraisemblablement rappelé ces performances pour décider de l'endroit où poursuivre sa carrière.

Le dernier match local a eu lieu le jeudi 3 octobre, alors que les Phillies de Philadelphie rendaient visite aux Expos. Seulement 7 772 spectateurs se sont donné la peine de se rendre au Stade olympique pour saluer l'équipe une dernière fois, un total de 1 606 531 pour la saison, 100 000 de moins qu'en 1984. Rien de catastrophique, certes, mais on était loin des 2 300 000 amateurs que les Expos avaient réussi à attirer au Stade lors des saisons 1982 et 1983.

Malgré leur fin de saison en queue de poisson, les Expos ont terminé l'année avec une fiche de 84-77, 6 victoires de plus que l'année précédente. Rien de spectaculaire, certes, mais ils y étaient arrivés dans une année de transition, dans la première saison de «l'après-Carter», avec, dans l'alignement, plusieurs nouvelles têtes et, à la barre, un nouveau gérant. On avait fait la découverte de recrues de talent (Tim Burke et Joe Hesketh), des joueurs avaient rempli leurs promesses (Hubie Brooks, Vance Law, Tim Wallach ou encore Bryn Smith), et Tim Raines, parmi les leaders de la Nationale dans 7 catégories offensives en 1985, avait haussé son statut au rang de superstar.

Le départ en bloc de vétérans signifie souvent l'amorce d'une période dite de reconstruction. Mais même après les départs successifs des Cromartie, Oliver, Carter, Rogers, etc., l'équipe était restée étonnamment compétitive, jamais battue d'avance. Elle le resterait pour quelques années encore.

1986

« *Why Won't Anyone Sign Kirk Gibson?* » C'est la question que posait *The Sporting News* sur sa page frontispice du 9 décembre 1985.

Héros des Séries mondiales de 1984, Kirk Gibson avait connu une saison du tonnerre en 1985, cognant 29 circuits et produisant 97 points. Le voltigeur des Tigers de Detroit avait également volé 30 buts, un exploit rare pour un frappeur de puissance.

Se prévalant du statut de joueur autonome à la fin de la saison, Gibson s'attendait à se voir offrir un contrat d'environ 8 millions pour cinq saisons, des sommes comparables à celles obtenues avant lui par des joueurs de sa catégorie. Or, aucune offre n'est venue. Aucune équipe n'avait jugé bon de miser sur lui.

Gibson ne fut pas le seul agent libre à passer l'hiver à attendre près du téléphone. Le releveur étoile Donnie Moore des Angels n'avait pas reçu de proposition, lui non plus, et le vétéran receveur Carlton Fisk a vu une offre que lui avaient soumise les Yankees retirée de la table quelques jours seulement après avoir été déposée. En tout, seulement 4 des 35 agents libres ont changé d'équipe.

Chaque année depuis 10 ans, les équipes s'étaient engagées dans une course aux agents libres qui avaient créé plusieurs nouveaux millionnaires. En 1976, les masses salariales des 24 équipes des majeures se chiffraient collectivement à environ 32 millions de dollars. Dix années plus tard, les clubs (désormais au nombre de 26) déboursaient collectivement près de 284 millions pour payer leurs joueurs. Le salaire moyen était passé de 53 500 $, en 1976, à 431 521 $, une décennie plus tard. Mais pour les propriétaires, il y avait pire encore : en 1986, les équipes versaient collectivement 56,7 millions de dollars pour des joueurs qui, après avoir signé des pactes à long terme, ne figuraient dans l'alignement d'aucune équipe des majeures.

Il semblait bien que les propriétaires s'étaient finalement résolus à mettre de l'ordre dans leurs affaires. Échaudés par l'embauche d'agents libres qui n'avaient pas livré la marchandise, plusieurs clubs affirmaient désormais adopter une philosophie ayant longtemps fait ses preuves : le développement de joueurs.

Comment expliquer ce changement de cap ? Le virage a probablement été amorcé le 22 octobre 1985, alors que le commissaire Peter Ueberroth réunissait les propriétaires dans un auditorium des quartiers généraux de la Anheuser Busch, la brasserie propriétaire des Cards de Saint Louis. Ueberroth avait un message pour eux : « Si je vous installais devant un bouton rouge et un bouton noir et je vous disais : "Pressez sur le bouton rouge et vous allez gagner la Série mondiale mais perdre 10 millions de dollars, ou pressez le bouton noir et vous allez terminer dans le milieu du classement mais faire des profits de 4 millions", je sais ce que vous feriez. Vous êtes tellement stupides que vous presseriez sur le bouton rouge. » L'auditoire était silencieux alors que Ueberroth poursuivait son allocution : « Dépensez à l'excès si vous le voulez, mais ne venez par vous plaindre ensuite que vous y avez été forcés. Vous êtes tous d'accord qu'il y a un problème ? Alors, partez et réglez-le[5]. »

Durant la même réunion, Lee MacPhail, qui avait agi comme négociateur en chef pour les propriétaires lors du conflit de travail de l'été 1985, avait préparé pour les clubs un long document en guise de testament – il avait précédemment annoncé qu'il prenait sa retraite. Dans son argumentation, MacPhail démontrait rigoureusement que l'acquisition de joueurs autonomes ne donnait pas les résultats escomptés. La production des joueurs sous contrat à long terme était inférieure à la performance de ceux qui avaient des ententes d'une ou deux années ; de plus, ces joueurs passaient en moyenne deux fois plus de jours sur la liste des blessés.

Plutôt que d'engager des joueurs qui avaient déjà atteint leur apogée, McPhail recommandait aux clubs de garnir leurs formations de joueurs plus jeunes, qu'ils pourraient engager à des salaires plus modestes. «Il faut arrêter de penser que l'embauche d'un agent libre va magiquement mener un club au championnat. Nous devons nous mettre dans la tête qu'une année normale est une année où nous faisons nos frais. Les clubs doivent éviter de faire des gestes impulsifs en pensant qu'ils vont changer radicalement leur position financière ou remporter les grands honneurs. Je sais, cette approche n'est pas facile et exige de garder la tête froide devant les pressions des amateurs et des médias. Mais l'avenir et la stabilité de notre sport sont en jeu[6]. »

Cette philosophie était en parfaite harmonie avec celle qu'avait décidé d'adopter Charles Bronfman dans les mois ayant suivi la signature du fameux contrat de Gary Carter ; c'est aussi celle dont n'a jamais dérogé le consortium mené par Claude Brochu tout au long des années 1990. C'est également cette pensée qui est à la source du fameux système mis en place à partir de 1998 par les A's d'Oakland du directeur-gérant Billy Beane, rendu célèbre dans le classique ouvrage *Moneyball*.

L'effet du plaidoyer du commissaire Ueberroth n'a pas mis de temps à se faire sentir et quelques semaines plus tard, Kirk Gibson et les autres joueurs autonomes avaient la surprise de leur vie en constatant que personne ne s'intéressait à leurs services. Après une décennie de gains prodigieux, les membres d'un des plus puissants syndicats d'Amérique voyaient soudainement la source se tarir.

Devant l'absence d'offres d'autres équipes, Gibson s'est résigné à accepter l'offre des Tigers, 4 millions pour trois ans. Donnie Moore, Carlton Fisk (et les autres joueurs ayant refusé l'arbitrage salarial pour tester le marché des joueurs autonomes) ont également dû retourner avec leur ancien club, pour un salaire nettement inférieur à celui qu'ils auraient pu obtenir un an auparavant.

Pour Don Fehr de l'Association des joueurs, cette façon d'agir des propriétaires ne pouvait être que le résultat d'une entente de coulisses visant à s'attaquer à l'ascension des salaires. Autrement dit, on avait affaire ici à rien d'autre qu'une collusion entre les clubs. Or, l'entente collective entre les joueurs et propriétaires interdisait formellement (autant aux joueurs qu'à leurs patrons) toute action concertée pour obtenir des concessions de l'autre partie.

Paradoxalement, ce sont les propriétaires qui, dans les années 1970, avaient insisté pour inclure cette clause à la convention collective. Ils voulaient par cela éviter les initiatives comme celle prise par Sandy Koufax et Don Drysdale qui, à la fin des années 1960, avaient fait front commun pour forcer leur équipe, les Dodgers de Los Angeles, à céder à leurs revendications. Quand il a pris connaissance de la demande des propriétaires, le directeur de l'Association de l'époque, Marvin Miller, a répondu: « Très bien, mais c'est une autoroute à deux voies : vous (les propriétaires) non plus ne pourrez pas comploter entre vous pour obtenir des concessions des joueurs. »

Or, la situation ne s'était jamais présentée. Du moins jusqu'à l'hiver 1985-1986. Le 3 février, l'Association des joueurs déposait un grief contre les propriétaires. Ueberroth trouvait absurde l'idée de parler de collusion : « Ils pensent que les propriétaires sont capables de collusion alors que ces gens-là ne pourraient même pas s'entendre sur quoi commander au petit déjeuner. »

Cette histoire ne resterait pas sans suite.

Un mois avant l'ouverture du camp d'entraînement, le président des Expos John McHale et le directeur-gérant Murray Cook sont allés rencontrer Andre Dawson chez lui, en Floride, pour lui donner l'assurance qu'il était toujours le bienvenu chez les Expos.

C'est que, depuis septembre 1985, des rumeurs circulaient à l'effet que l'équipe cherchait à obtenir du renfort au monticule en retour de son vétéran voltigeur. De plus, durant le dernier mois de la saison, le club avait fait sauter quelques matchs à Dawson, question de voir à l'œuvre certaines recrues. Et quand on l'avait réinséré plus régulièrement dans l'alignement – dans une série contre les Cubs à Chicago, par exemple –, Dawson avait eu le sentiment que c'était seulement parce qu'on voulait le « montrer », question de susciter de l'intérêt.

Or, les pourparlers avec les autres clubs n'ont pas abouti et c'est paradoxalement en échangeant un de leurs partants réguliers – Bill Gullickson – que les Expos ont pu se renflouer au monticule, obtenant les artilleurs Jay Tibbs, Andy McGaffigan et John Stuper, une transaction réalisée quelques jours avant la fin de 1985.

Dawson était toujours un Expo mais il restait sceptique quant à leurs intentions. Faisait-il encore partie de leurs plans ? La direction du club lui jurait que oui, mais sa nouvelle offre avait de quoi semer le doute : un contrat d'un an seulement plus une année d'option. Comme on l'a vu plus tôt, Dawson voulait un pacte de trois ans. Son présent contrat se terminant à la fin de la saison 1986, ne valait-il pas mieux attendre et tester le marché des joueurs autonomes ? Quelques équipes seraient sûrement intéressées par un joueur de sa trempe...

Mais il y avait un os : le marché s'était radicalement transformé durant les derniers mois, les propriétaires n'étant plus aussi pressés de sortir le chéquier. Si un joueur aussi dominant que Kirk Gibson n'avait pas trouvé preneur, comment un vétéran aux genoux amochés comme Dawson pourrait le faire ? C'est sans doute pour cette raison que le Hawk est arrivé au camp de West Palm Beach avec un air plutôt renfrogné.

Mais le vétéran a rapidement retrouvé le sourire quand il a vu ses coéquipiers venir à sa rencontre et même faire la queue pour lui serrer la main... Le message était on ne peut plus clair : « Tu es le leader de cette équipe et nous avons besoin de toi. »

Andre assurait que sa situation contractuelle n'affecterait pas son jeu : « Je vais essayer de faire un blocage psychologique en ce qui a trait aux événements de cet hiver. Je n'ai jamais été un joueur égoïste et mon but premier est de voir l'équipe gagner. »

Si Dawson n'était pas le plus heureux des Expos, Tim Raines, lui, est arrivé au camp soulagé. Au lieu d'aller en arbitrage comme l'année précédente, Tim s'était finalement entendu avec la direction des Expos sur un contrat d'un an de 1,5 million. « J'ai volontairement refusé d'aller en arbitrage dans le but d'améliorer mes chances d'obtenir de l'équipe un contrat de longue durée. Par ailleurs, j'ai changé ma façon de penser. Plutôt que de continuer d'exiger un contrat de cinq ans, je suis maintenant prêt à accepter un pacte plus court. » Raines souhaitait un contrat semblable à celui que venait de parapher Fernando Valenzuela avec les Dodgers de Los Angeles : 5,5 millions de dollars pour trois ans. Tout comme Andre Dawson, Raines pourrait avoir accès à l'autonomie au lendemain de la saison 1986 si lui et les Expos n'en venaient pas à une entente d'ici là. En réalité, en lui offrant un contrat d'une seule année, les Expos ne faisaient que reporter à plus tard un dossier qui s'annonçait épique.

Mais pour l'instant, l'heure était encore à l'optimisme. À West Palm Beach, le DG Murray Cook ne s'est pas gêné pour exprimer la confiance qu'il avait dans les chances de son club : « Nous ne sommes pas en recons-

Dès le début du camp de 1986, Dawson a été identifié comme le leader de la formation par ses coéquipiers, dont Mitch Webster (à gauche) et Vance Law (à droite).
Club de baseball Les Expos de Montréal

truction. Au contraire, nous croyons que nous pouvons remporter le championnat dès cette saison. »

Buck Rodgers faisait preuve d'un optimisme plus prudent, mais prédisait des améliorations sensibles sur le plan offensif : « Nous allons développer des frappeurs de situation, des gars qui peuvent exécuter des coups retenus, le court-et-frappe, mettre la balle en jeu, la frapper à tous les champs. Le tiers de nos matchs se décident par un point et nous allons trouver une variété de façons de marquer nos points. »

Le gérant disait également avoir confiance en son personnel de lanceurs, un des meilleurs de la ligue selon lui. En plus de Bryn Smith (auteur de 18 gains en 1985) et de Joe Hesketh (un sérieux candidat au titre de Recrue de l'année avant sa blessure de fin de saison), les Expos pourraient compter sur les nouveaux venus Jay Tibbs et Andy McGaffigan, obtenus dans la transaction qui avait envoyé Bill Gullickson à Cincinnati. Ils comptaient aussi énormément sur le jeune Floyd Youmans, considéré comme le lanceur d'avenir du club. Jeff Reardon et le jeune Tim Burke constituaient les piliers de l'enclos des releveurs.

L'échange de Bill Gullickson, un des partants les plus réguliers du club depuis 1980, avait de quoi surprendre puisque les Expos avaient ouvertement exprimé leur intention de se renforcer au monticule. Mais en y regardant de plus près, le geste était tout à fait conséquent avec la philosophie du club.

D'une part, on obtenait plus de joueurs qu'on en cédait, une approche qu'avait toujours encouragée Charles Bronfman, le propriétaire majoritaire du club. Les Expos laissaient rarement partir plus de joueurs qu'ils n'en obtenaient, et lors des deux plus gros échanges de leur histoire (Rusty Staub en 1972 et Gary Carter en 1984), les Expos avaient comblé plusieurs trous dans leur formation en obtenant des joueurs pouvant agir comme réguliers dans la formation. D'autre part, les Expos poursuivaient une tendance amorcée à la fin de 1984 : réduire la masse salariale de l'équipe. Gullickson en était à la dernière année d'un contrat lui garantissant 850 000 $ par saison : les trois nouveaux lanceurs obtenus des Reds coûteraient aux Expos 500 000 $ *à eux trois*...

Quoi qu'il en soit, Gully n'était plus le lanceur de puissance qu'il avait été en début de carrière. Il n'était pas devenu la superstar dont les Expos avaient rêvé à l'époque où il avait retiré 18 frappeurs sur des prises dans un même match (1980). On le considérait désormais comme un *journeyman*, un bon régulier qui peut remporter de 12 à 15 victoires en autant que l'offensive ne l'abandonne pas – comme l'avait souvent fait celle des Expos depuis ses débuts dans les majeures.

En retour de Gullickson et de Sal Butera, un receveur auxiliaire, les Expos obtenaient non seulement deux partants potentiels, mais ils mettaient aussi la main sur un lanceur de longue relève (John Stuper) en plus d'un receveur adjoint pour compenser la perte de Butera (Dan Bilardello).

Un choix de 2e ronde des Mets de New York en 1980, Jay Tibbs, constituait pour les Expos la pièce maîtresse de l'échange. En 1983, lui et Dwight Gooden avaient dominé le A, aidant leur club de la Ligue de Caroline à remporter le championnat. Depuis, la progression de Tibbs n'avait pas été aussi spectaculaire que celle de Gooden, mais il n'avait tout de même que 24 ans et les Expos le croyaient capable d'aller chercher la quinzaine de victoires qu'aurait peut-être pu leur obtenir Bill Gullickson.

Andy McGaffigan avait déjà fait un court séjour à Montréal en 1984. Obtenu comme compensation lors de la transaction qui avait envoyé Al Oliver à San Francisco, il avait été échangé aux Reds de Cincinnati quelques mois plus tard. Mais les Expos avaient assez aimé ce qu'ils avaient vu (une balle rapide toujours en mouvement, une glissante rudement efficace) pour le rapatrier à Montréal, persuadés qu'il pourrait se tailler une place dans la rotation des partants.

Le champ intérieur restait à peu près intact, avec Mike Fitzgerald derrière le marbre, Vance Law au deuxième but, Hubie Brooks à l'arrêt-court et Tim Wallach au troisième. Seul le poste de premier-but restait ouvert.

Au début du camp, la direction des Expos comptait confier le rôle à la recrue Andres Galarraga, mais ses difficultés au bâton (,149 seulement en 67 présences au bâton, aucun coup de plus d'un but) ont semé le doute au point où le 4 avril, les Expos se sont empressés de lui trouver un remplaçant : Jason Thompson, 32 ans, un frappeur gaucher ayant cogné plus de 200 circuits dans les grandes ligues.

Au champ extérieur, Tim Raines et Andre Dawson occuperaient respectivement les postes de voltigeur de gauche et de droite. Pour le centre, on avait songé à Herm Winningham ou encore Jim Wohlford, mais le frappeur ambidextre Mitch Webster avait connu un camp d'entraînement si solide (25 CS en 56 présences pour une moyenne de ,446) qu'on n'a pu faire autrement que de lui donner le poste. « Jeune vétéran » de 27 ans, Webster avait connu une belle fin de saison avec les Expos en 1985, après avoir été obtenu des Blue Jays en juin. Buck Rodgers avait été agréablement surpris par ce qu'il avait vu de Webster : « Il sait courir sur les sentiers, peut voler des buts, exécuter le coup retenu, frapper au champ opposé ; il se place toujours bien pour saisir la balle, il sait toujours vers quel but relayer la balle, il possède de bons instincts. Il connaît la *game*. »

Alors qu'il évoluait chez les Blue Jays, Webster était ce joueur qu'on « coupait » toujours à la toute fin du camp ou qu'on renvoyait aux mineures quand un espoir était rappelé du réseau des filiales. Après des années de ce régime, Webster était venu bien près de tout quitter pour devenir facteur, chez lui, au Kansas, un emploi qu'il avait d'ailleurs occupé durant la dernière saison morte pour arrondir ses fins de mois. En 1986, le baseball majeur comptait de nombreux millionnaires comme Dave Winfield ou Gary Carter, mais y figuraient encore quelques héros de la classe ouvrière…

Le déroulement du camp d'entraînement n'a pas convaincu beaucoup d'observateurs que les Expos étaient de très sérieux aspirants au championnat. Bien que ce soit un cliché de dire que la fiche d'un club dans la Ligue des pamplemousses ne signifie rien, celle des Expos (10-21) avait tout de même de quoi mettre un bémol sur l'optimisme de Murray Cook et de Buck Rodgers, tout comme le rendement de certains joueurs.

Comme on l'a vu plus tôt, Andres Galarraga a été relégué au poste de réserviste après avoir connu énormément de difficultés au bâton. John Stuper, un des trois lanceurs obtenus des Reds dans la transaction Gullickson, s'est tellement fait cogner solidement (23 CS en 14 manches) que les Expos l'ont tout simplement libéré à la fin du camp.

Blessé à une épaule en soulevant des poids durant l'hiver, Mike Fitzgerald n'a pris part qu'à huit matchs, éprouvant beaucoup de difficultés au bâton. Le 2 avril, on l'envoyait à Indianapolis, question qu'il se remette en condition. Finalement, dans la dernière semaine du camp d'entraînement, Tim Wallach s'est fracturé le petit orteil du pied gauche et a dû rater quelques matchs.

Herm Winningham avait connu un bon camp mais il n'a pas convaincu Rodgers et ses adjoints qu'il pouvait hériter du poste régulier de voltigeur de centre. La haute direction du club espérait que ce n'était qu'une question de maturation qui tardait un peu… C'est qu'au moment de conclure l'échange expédiant Gary Carter aux Mets, ceux-ci avaient offert aux Expos – en plus de Hubie Brooks, Mike Fitzgerald et Floyd Youmans – un joueur établi, le voltigeur Mookie Wilson. Mais Charles Bronfman était intervenu dans les discussions, demandant aux Mets de leur céder Winningham au lieu de Wilson. Il avait vu le jeune homme à l'œuvre au Stade, à la fin de 1984, et avait été favorablement impressionné, voyant en lui le prochain voltigeur de centre régulier du club. Malheureusement pour M. Bronfman et les Expos, ce plan-là ne verrait jamais le jour…

Dans son numéro consacré à l'ouverture de la saison de baseball 1986, le *Sports Illustrated* prédisait une fiche de ,500 à l'équipe montréalaise et la 4e place de la division Est de la Nationale. Une prédiction plus réaliste, disons, que celle de Michel Blanchard de *La Presse*, qui avait vu dans sa boule de cristal pas moins de 93 victoires pour les Expos.

Pour une 18e saison consécutive, les Expos ont amorcé leur saison à l'étranger, où ils ont partagé les honneurs d'une série de deux matchs contre les Braves à Atlanta.

Année après année, la direction des Expos et les dirigeants de la Ligue nationale faisaient en sorte que le calendrier local de l'équipe commence le plus tard possible en avril, question d'éviter le temps inclément des premiers jours du mois. Les Expos préféraient le désavantage de commencer la saison à l'étranger au possible report d'un – ou de plusieurs – matchs.

Or, quand les Expos sont rentrés en ville le 15 avril, le froid sévissait toujours à Montréal et seulement 30 105 spectateurs se sont rendus assister au match d'ouverture, la deuxième plus faible assistance à un lever de rideau local depuis le transfert du club au Stade olympique. Une semaine plus tard, le 22 avril, il faisait à peine 35° F quand a commencé en après-midi le match que les Expos disputaient aux Phillies de Philadelphie. Cette fois-là, seulement 4 276 fervents ont trouvé le courage de braver le froid et le vent pour aller assister au match. C'était si inconfortable au Stade que l'équipe a pris l'initiative d'offrir gratuitement le café et le chocolat chaud aux partisans. Mieux : les Expos ont offert aux fans d'échanger le talon de leur billet contre un billet pour un autre match durant la saison.

De part et d'autre, on espérait que cette situation absurde (un stade au toit ouvert qui laisse à peine entrer le soleil et où, quand il fait froid, on gèle encore plus qu'à l'extérieur !) tire à sa fin. Dans un an, assurait-on du côté du nouveau gouvernement libéral de Robert Bourassa, le Stade serait finalement muni d'un toit rétractable, comme l'avait toujours prévu le plan initial de l'architecte Roger Taillibert.

Certes, depuis l'installation du club au Stade olympique en 1977, les Expos n'avaient pas eu à reporter autant de matchs qu'à l'époque du parc Jarry. La surface synthétique absorbait mieux l'eau que ne le faisait le gazon naturel de Jarry, et l'anneau du Stade protégeait adéquatement les spectateurs des ondées, ceux-ci pouvant de toute façon trouver refuge dans l'agora de l'amphithéâtre. Mais il demeurait qu'une visite au Stade en avril ou en mai était moins agréable qu'une soirée passée à la maison bien au chaud, à regarder un match des Canadiens à la télévision.

C'est d'ailleurs le choix que faisaient d'emblée les Montréalais en ce début de saison de baseball de 1986. Car non seulement l'hiver ne se pressait pas de finir, mais le club de hockey Canadien connaissait une sorte de renaissance.

Depuis le départ des Scotty Bowman, Ken Dryden, Jacques Lemaire et Yvan Cournoyer au tournant des années 1980, les Canadiens avaient connu une sorte de passage à vide, particulièrement en séries éliminatoires, où ils avaient dû s'incliner après une ou deux rondes contre des équipes plus jeunes et fougueuses comme les Nordiques de Québec, les Oilers d'Edmonton ou les Islanders de New York. Les Montréalais et autres Québécois préférant leurs Canadiens quand ils gagnent, ils avaient jeté leur affection sur l'autre équipe majeure en ville, l'équipe de la Ligue nationale de baseball ayant remporté le plus de victoires de 1979 à 1983.

Mais depuis deux ans, la donne avait de nouveau changé. L'« équipe des années 1980 » dominée par les Carter, Dawson, Valentine, Rogers et compagnie n'avait pas réalisé son plein potentiel, et les mégacontrats, grèves ou menaces de grèves et histoires de drogue avaient refroidi l'ardeur de plusieurs amateurs de sports.

Or, les nouvelles du côté du club de hockey local étaient de nouveau réjouissantes. Au vent de fraîcheur apporté par les entrées en scène du

président Ronald Corey, du directeur-gérant Serge Savard et de l'entraîneur recrue Jean Perron s'ajoutaient maintenant les performances éblouis-
santes de recrues comme Patrick Roy et Claude Lemieux. Profitant de
circonstances exceptionnelles (l'élimination surprise de l'équipe de
l'heure, les Oilers d'Edmonton), les Canadiens étaient maintenant en
marche vers une première coupe Stanley en six ans (une éternité,
trouvait-on à l'époque). Au printemps 1986, toute la ville – toute la province, en fait – « était hockey ».

Dommage pour les Expos, car ils connaissaient tout un début de saison.
Après quelques errements en lever de rideau – ponctués d'une dure défaite
en 17 manches dans un match contre Saint Louis le 19 avril –, les Expos
ont mis la machine en marche grâce à la solide contribution offensive des
leaders du club, les Dawson, Raines, Brooks et Wallach. Après un début
lent, Mitch Webster s'était remis à frapper la balle avec aplomb et la recrue
Andres Galarraga a pris tout le monde par surprise en émergeant de sa
léthargie du camp d'entraînement. Galarraga a excellé au point où
Rodgers n'a pas eu d'autre choix que de lui confier le premier but et de
reléguer au banc le vétéran Jason Thompson, rendant son embauche de
début de saison soudainement moins inspirée. Le 29 avril, les frappeurs
des Expos cognaient 4 circuits dans une même manche (Dawson puis
Brooks, Wallach et Fitzgerald – récemment rappelé des mineures), égalant
ainsi un record d'équipe. En avril, les Expos étaient l'équipe de la
Nationale comptant le plus de coups de quatre buts (28). En 1985, le club
n'avait atteint cette marque qu'à la mi-juin… Il semblait bien que Buck
Rodgers ne s'était pas trompé quand il avait prédit en mars de belles
choses pour l'offensive de son club.

Du côté des lanceurs, Bryn Smith et Joe Hesketh tardaient à retrouver
leur aplomb de la saison précédente et le jeune Floyd Youmans, pressenti
comme le troisième partant de la rotation, a éprouvé assez de problèmes
de contrôle pour que Rodgers l'envoie séjourner dans l'enclos. Heureusement, le nouveau venu Jay Tibbs a connu d'excellentes premières
sorties, portant sa fiche pour avril à 3-0, tout en maintenant une excellente
MPM de 1,25. Le 30 avril, il passait un coup de pinceau de 8-0 à ses
ex-coéquipiers des Reds.

Comme en 1985, les Expos étaient bien servis en relève, particulièrement par Jeff Reardon, comme spécialiste de fin de match, et Tim Burke,
surtout appelé à œuvrer pendant les 7e et/ou 8e manches.

Du 3 au 11 mai, les Expos ont remporté 8 matchs d'affilée, leur plus
longue série de victoires depuis 1980. La 8e victoire – contre Los Angeles,
au Stade olympique – s'est conclue de manière spectaculaire alors qu'en

début de 9ᵉ manche, avec un pointage de 4-3 en faveur des Expos, Bill Madlock des Dodgers a cogné un simple dans la gauche, poussant le coureur du deuxième vers le marbre. Mais Tim Raines a récupéré la balle après un bond pour le lancer avec précision à Fitzgerald au marbre, coupant ainsi le coureur pour mettre fin au match.

Au terme de la séquence, la troupe de Buck Rodgers (17-10) s'installait en 2ᵉ position de la division Est, à 4 matchs des redoutables Mets de New York (20-5), qui semblaient résolus à s'échapper avec le championnat.

Hélas, les Expos n'ont pu faire mieux qu'attirer 11 911, 9 790, 11 206 et 11 870 spectateurs lors des 4 matchs locaux suivants, les amateurs de sports québécois n'ayant manifestement la tête qu'au hockey. Les Expos s'avéraient – comme l'année précédente – l'équipe surprise de la Nationale, mais les Montréalais semblaient être les seuls à ne pas le savoir.

« Il y a un meilleur esprit dans ce club que dans toutes les autres éditions dont j'ai fait partie, a dit Tim Wallach. Je ne serais pas surpris si nous remportions 100 matchs cette année. »

Une chose était certaine: si les Expos se rendaient à 100 victoires, ils le devraient en large partie à l'immense vedette qu'était en train de devenir Tim Raines. Le 27 mai, Raines avait atteint les sentiers par voie de coup sûr ou de but sur balles à *chacun* des 42 matchs qu'il avait disputés; il figurait parmi les 3 premiers de la Nationale dans 12 catégories offensives, incluant les coups sûrs, les points et la moyenne de présence sur les sentiers. Sa moyenne au bâton se chiffrait à ,320.

Sans surprise, il continuait aussi à voler plus que sa part de buts. S'il ne ralentissait pas jusqu'à la fin du calendrier, il atteindrait la marque des 70 buts volés pour une 6ᵉ saison consécutive, du jamais vu dans l'histoire du baseball majeur. Sa moyenne de réussite en tentative de vol était – et resterait, d'ailleurs – la meilleure de l'histoire de ce sport. « Je ne pense pas à mes statistiques de buts volés avant la fin de la saison. J'ai davantage l'œil sur ma moyenne au bâton. Je pense avoir une chance de remporter le championnat des frappeurs cette année. »

Raines n'avait que 26 ans et il serait, doit-on le rappeler, admissible à l'autonomie à la fin de la saison. Autrement dit, il aurait bientôt le monde à ses pieds. Certes, il n'était pas sans savoir que la demande pour les agents libres avait chuté dans les derniers mois. Mais il ne se livrerait pas à rabais aux Expos: « Je ne ferai pas l'erreur de Kirk Gibson, a affirmé Raines en citant l'exemple du voltigeur étoile des Tigers qui avait accepté l'offre plus modeste de son ancien club. Si je n'arrive pas à une entente avec la direction des Expos d'ici la fin de la saison, je ne reviendrai pas à Montréal. »

Quand les Expos débarquaient dans l'une ou l'autre ville de la Ligue nationale, les journalistes locaux s'empressaient de sonder la vedette de la formation montréalaise. « Tim, te verrais-tu jouer pour les Dodgers l'an prochain ? » (Ou les Astros ou les Reds, c'était selon…) Et Raines y allait toujours de la même réponse : « À vrai dire, je me suis toujours senti à l'aise ici, à Los Angeles. » (Ou Houston, ou Cincinnati…) Pas de doute, Raines et les Expos seraient engagés toute l'année dans une longue partie de poker. Et personne ne pouvait prédire qui clignerait des yeux le premier.

Les Expos ont continué à jouer pour une moyenne supérieure à ,500 en mai (17-10) et juin (15-12). Dans le seul mois de juin, ils ont remporté quatre des cinq matchs qu'ils ont dû disputer en manches supplémentaires. Lors du match du 6 juin présenté au Stade olympique contre les Phillies de Philadelphie, les Expos tiraient de l'arrière 8-1 avant de revenir dans le match en marquant 6 points dès la fin de la 3e manche. Après 9 manches de jeu, c'était 9-9. Puis, en fin de 10e, Tim Wallach, le premier frappeur à se présenter au bâton, a propulsé une balle dans les gradins pour mettre un terme au match. C'était la 16e fois de la saison que les Expos remportaient un match après avoir tiré de l'arrière.

Mais le plus bel exploit du club en juin a certainement été de remporter les deux séries qui les opposaient aux apparemment invincibles Mets de New York : quatre victoires en six matchs… Il se développait par ailleurs une féroce compétition entre les deux clubs, une compétition frôlant l'hostilité. « En réalité, la rivalité n'est pas entre les Expos et les Mets mais entre les Expos et Gary Carter, a précisé Bryn Smith. Quand nous étions à New York, Carter a dit au frappeur Mitch Webster que si le coureur au deuxième (Mike Fitzgerald) n'arrêtait pas de relayer les signaux du receveur au banc des Expos, quelqu'un allait probablement "se faire mal". » Dans la Nationale, les Expos étaient les seuls à tenir tête aux Mets, semblant n'avoir aucun complexe devant eux : « Le seul endroit où ils ont l'avantage sur nous actuellement, c'est leur rotation de partants », a dit Buck Rodgers, refusant de se laisser impressionner par l'alignement tout-étoile des Mets.

Si les Expos connaissaient ces succès, c'était principalement en raison de leur offensive. Avec les Raines, Webster, Brooks, Dawson, Galarraga, Wallach et Fitzgerald (qui se révélait étonnamment opportuniste au bâton), le coup de bâton de la formation montréalaise pouvait changer l'allure de bien des matchs. Hélas, contrairement aux années précédentes, leurs lanceurs – les partants en particulier – éprouvaient toutes sortes de difficultés.

Bryn Smith semblait mal composer avec la pression d'être le lanceur numéro un du club et il avait perdu le contrôle de la zone des prises qui l'avait tant caractérisé l'année précédente. Joe Hesketh n'avait complété aucun de sa quinzaine de départs et sa moyenne de points mérités dépassait maintenant les 7,00. Un malaise à l'épaule le mettrait bientôt au rencart pour le reste de la saison. Pour une deuxième saison de suite, Hesketh raterait les deux derniers mois du calendrier. Après un départ canon, Jay Tibbs s'avérait maintenant une grande déception, s'en remettant presque exclusivement à sa rapide, et résistant aux appels répétés de Buck Rodgers et de l'instructeur des lanceurs Larry Bearnarth d'inclure des balles à effet et des changements de vitesse à son répertoire. « Nous avons essayé de l'aider mais il croit avoir une meilleure façon de faire les choses, a expliqué Rodgers. Je ne sais pas s'il a la volonté de s'améliorer. » L'autre lanceur obtenu dans la transaction Gullickson, Andy McGaffigan, se débrouillait bien mais, à l'évidence, il était plus à l'aise dans un rôle de longue relève que comme partant. « Je ne sais pas pourquoi mais après trois manches, le toit semble toujours lui tomber sur la tête », a poursuivi Rodgers.

Heureusement, il y avait Floyd Youmans, s'avérant désormais l'as du groupe. Pourtant, la saison du jeune droitier des Expos avait mal commencé. Il avait du mal à trouver la zone des prises et on avait pensé à le renvoyer aux mineures. Le dimanche 8 juin, Youmans s'est présenté au Stade olympique en matinée, sachant qu'il commencerait le match que les Expos disputeraient aux Phillies cet après-midi-là. À ce moment-là, sa fiche était de 4-5, sa MPM de 5,91. Buck Rodgers et l'instructeur des lanceurs Larry Bearnarth avaient une petite commande pour lui : « Aujourd'hui, nous allons essayer quelque chose : on aimerait que tu ne lances que ta rapide et ton changement de vitesse. Pas de courbes. » Youmans s'en est tenu à la suggestion de ses patrons et il a gardé les frappeurs des Phillies en déséquilibre tout l'après-midi. À la fin du match, il n'avait accordé qu'un seul coup sûr (un simple en 4e manche – quoique de l'avis de la majorité, le coureur Glenn Wilson était arrivé après le relais), disposé de 8 frappeurs sur des prises et remporté le match 12-0. En 2e manche, il s'était même permis de cogner un circuit.

Un mois plus tard, Youmans limitait les Astros à 2 coups sûrs (dans une victoire de 2 à 1) et le 22 juillet, il disputait un brillant duel de lanceurs à Nolan Ryan de ces mêmes Astros. Après 9 manches, c'était 0-0 ; Ryan n'avait accordé qu'un coup sûr et Youmans, deux. Mais en fin de 10e manche, la première offrande du jeune lanceur des Expos a été cognée par-dessus la clôture du champ gauche pour clore le débat. Cependant le mot commençait à courir dans le baseball : ce Youmans avait du cran, il défiait les frappeurs avec sa rapide de plus de 90 milles à l'heure et il maîtrisait de mieux en mieux l'art de garder les frappeurs hors d'équilibre. Avant la fin de la campagne, Youmans lancerait encore deux autres matchs complets de deux coups sûrs seulement.

Déterminés à ne pas laisser les Mets se sauver avec le championnat, les Expos sont allés chercher du renfort au monticule en obtenant, le 8 juin, le contrat du vétéran lanceur gaucher de 33 ans Bob McLure, des Brewers de Milwaukee. Une semaine plus tard, Murray Cook mettait la main sur un autre vétéran (31 ans), Dennis Martinez, des Orioles de Baltimore.

Rodgers connaissait bien McClure – il l'avait eu sous ses ordres à Milwaukee – et il savait qu'il pourrait faire du bon boulot en relève, lancer les deux ou trois manches que ne pouvaient pas toujours lui donner les partants avant l'entrée en scène de Tim Burke et de Jeff Reardon, en fin de match.

Quant à Dennis Martinez, Rodgers se disait heureux de compter sur un lanceur de sa trempe : « Je vais l'utiliser en relève, et ici et là comme partant, ce qui devrait donner un répit aux lanceurs de notre rotation puisqu'il n'y aura pas beaucoup de jours de congé d'ici la fin du calendrier. »

Mais Martinez semblait un lanceur sur la pente descendante. Il avait connu beaucoup de succès comme partant à la fin des années 1970 et au tournant des années 1980 – remportant 16 matchs à 2 reprises. Il avait aussi signé 13 victoires pour les Orioles en 1985 mais n'avait complété que 3 de ses 31 départs et avait terminé la saison avec une moyenne de points mérités de 5,15.

Le 21 juin, dans un match au Stade olympique, Rodgers a lancé Martinez dans la mêlée alors que Jay Tibbs venait d'accorder 4 points aux Pirates en début de 3e manche. Avec les buts remplis et un seul retrait, Martinez s'est fort bien tiré d'impasse en forçant le premier frappeur à lui faire face à cogner dans un double-jeu. La manche suivante, Martinez retirait les frappeurs des Pirates dans l'ordre.

C'est en début de 5e manche que les choses se sont gâtées. D'abord, le premier frappeur, le jeune Barry Bonds – dont c'était la première saison dans les majeures – a cogné un simple. En tentant de le retenir au premier but, Martinez a lancé la balle hors cible et Bonds s'est rendu jusqu'au troisième. Le ciel est alors tombé sur la tête de Martinez et des Expos, et à la fin de la manche, Martinez avait accordé 6 points pour procurer une avance de 10-0 à l'adversaire. La victoire hors de portée, Rodgers a renvoyé Martinez lancer une manche additionnelle et les Pirates en ont profité pour marquer trois autres fois. En 3 ⅔ manches de travail, Martinez avait accordé 9 points (dont 8 mérités), 9 CS et 3 BB. Une entrée en scène remarquée – mais pour toutes les mauvaises raisons.

À la fin du mois, Martinez avait trois défaites à sa fiche et une MPM de 7,50. Après sa troisième défaite, à Cincinnati le 25 juillet, Dennis avait l'air d'un gars défait : « Je vis une année extrêmement difficile. Je vais en parler avec mon épouse. Il est peut-être temps de prendre ma retraite. » Il semblait bien que les Expos n'avaient pas misé sur le bon cheval en engageant Dennis Martinez.

Heureusement, l'autre acquisition du club, Bob McLure, n'a pas déçu son ancien gérant, n'accordant aucun point dans ses sept premières présences en relève chez les Expos.

L'embauche de ces joueurs ayant alourdi la masse salariale, les Expos ont décidé de se défaire d'un de leurs vétérans, le premier-but Jason Thompson. Obtenu en catastrophe en début de saison pour suppléer à un Andres Galarraga mettant du temps à se mettre en marche, Thompson (10 CS en 51 présences au bâton) a vu son utilisation diminuer à mesure que Galarraga retrouvait ses moyens. Thompson commandait un salaire d'un million par année et bien que les Expos n'en assumaient que 60 % (le reste de son salaire lui étant versé par son ancienne équipe, les Pirates), c'était payer cher pour garder un joueur dans l'abri. De plus, il était sous contrat pour deux ans. Après avoir tenté en vain de l'échanger à un club de l'Américaine, ils l'ont libéré sans condition. Le DG Murray Cook a admis qu'il avait fait une erreur en l'embauchant en début de saison : « J'ai un peu paniqué. C'était une mauvaise décision. »

À la pause du match des Étoiles à la mi-juillet, les Expos figuraient toujours au 2ᵉ rang de l'Est, en vertu d'une fiche de 46-38. Ils se retrouvaient toutefois à 13 matchs des Mets de New York, ayant perdu du terrain au cours des dernières semaines. Pour avoir une chance de rattraper la bande de Gary Carter, il faudrait non seulement que les Expos rehaussent leur jeu d'un cran (particulièrement au monticule), mais il faudrait aussi compter sur une défaillance de l'équipe new-yorkaise ou encore sur des blessures à un ou deux joueurs clés. Or, les blessures, ce sont des joueurs des Expos qui les ont subies, comme en 1985.

Le bal des éclopés a commencé au début juillet quand Joe Hesketh a dû déclarer forfait en raison d'un malaise à l'épaule. Au départ, Hesketh devait s'absenter pour 15 jours mais après quelques examens, on a découvert qu'il souffrait d'un nerf atrophié derrière l'épaule gauche. Quelque temps après, le gaucher passait sous le bistouri, sa saison se terminant prématurément, comme l'année précédente. Le 10 août, c'était au tour d'Andres Galarraga d'être rayé de l'alignement en raison d'une blessure au genou. Il est revenu au jeu à la mi-août mais a dû s'absenter jusqu'au 4 septembre après avoir subi une élongation musculaire durant un exercice au bâton.

Mais le pire était à venir : au début du mois d'août, Hubie Brooks tombait au combat à la suite d'une blessure à la main gauche.

L'élan au bâton de Brooks était si sec et vigoureux qu'il exerçait chaque fois une forte pression sur les tendons sous son pouce gauche. Apparu pour une première fois en mai, le malaise s'est empiré dans les semaines qui ont suivi. Mais Brooks avait insisté pour demeurer dans l'alignement, jouant malgré une douleur parfois extrêmement pénible. Même s'il n'avait plus sa

Hubie Brooks s'est révélé, et de loin, l'élément le plus profitable qu'ont obtenu les Expos dans l'échange de Gary Carter.
Club de baseball Les Expos de Montréal

puissance du début de saison, son coup de bâton demeurait extrêmement précieux pour le club : au moment de sa blessure, sa moyenne se situait à ,340 (en tête des frappeurs de la Nationale) et il avait produit 58 points, en voie de répéter son exploit (100 PP) de la saison précédente. « Ce qu'il réussit à faire est incroyable, a indiqué Buck Rodgers. Quelle saison il aurait s'il n'était pas blessé… » Le 1er août, Brooks s'est affaissé au sol, grimaçant de douleur, après s'être élancé sur une offrande d'un lanceur des Mets. Deux jours plus tard, le quatrième frappeur de l'alignement des Expos subissait une opération.

Un malheur arrivant rarement seul, c'est dans ce même match du 1er août que le receveur Mike Fitzgerald a, lui aussi, été perdu pour la saison. En tentant de prévenir un vol de but, Fitzgerald a bloqué une balle au sol de sa main nue, se fracturant l'index de la main droite. Jusque-là, Fitz connaissait la meilleure saison de sa carrière (,282) et sa présence dans la formation avait un impact indéniable sur la performance du club : en 1986, les Expos ont présenté une fiche de 37-23 quand Mike commençait un match, alors qu'ils ont joué sous la barre des ,500 lorsqu'il était sur la touche. En fait, depuis qu'il s'était joint aux Expos, en 1985, ceux-ci avaient remporté 31 matchs au-dessus de la marque de ,500 quand il figurait dans l'alignement en début de rencontre.

Sans Hubie Brooks et Mike Fitzgerald dans leur formation, les Expos n'étaient plus la même équipe. Les Mets de New York ont été les premiers à s'en réjouir, balayant une série de trois matchs contre le club montréalais les 1er, 2 et 3 août à New York, eux qui, jusque-là, avaient éprouvé tant de difficultés contre la bande de Buck Rodgers.

Après cette série de 3 matchs, les Expos (50 victoires, 50 défaites) avaient désormais glissé à 18 matchs des meneurs que rien ne semblait plus pouvoir arrêter. « Nous ne voulons pas gagner, nous voulons dominer », a déclaré le gérant des Mets, Dave Johnson, après le dernier match. Avec leur noyau de stars (Dwight Gooden, Ron Darling, Gary Carter, Darryl Strawberry, Keith Hernandez...) et de batailleurs acharnés (Lenny Dykstra, Wally Backman), les Mets commençaient à irriter bien des gens dans le baseball. « Nous savons qu'ils ont une bonne équipe. Mais pourquoi faut-il qu'ils agissent toujours comme s'ils cherchaient à le prouver ? », a demandé Ozzie Smith des Cards de Saint Louis.

Après la série à New York, Buck Rodgers a finalement hissé le drapeau blanc, reconnaissant que les Mets étaient désormais hors d'atteinte : « Nous visons maintenant la 2e place. »

Libérés de la pression de la course au championnat, les Expos ont alors remporté quatre matchs d'affilée contre les Pirates à Pittsburgh.

C'est dans le deuxième match de cette série que la carrière du vétéran Dennis Martinez a connu, le 5 août, un tournant aussi inattendu qu'heureux. Malmené par ces mêmes Pirates un mois et demi plus tôt, Martinez a mystifié ses rivaux pendant 9 manches, ne leur accordant que 4 coups sûrs sans allouer un seul but sur balles. Avant la fin de la saison, Buck Rodgers lui ferait commencer une dizaine de matchs. Le Nicaraguayen n'était peut-être pas encore au bout du rouleau...

Le championnat hors de portée, c'était sur des exploits individuels de ce type que les amateurs du club devraient désormais porter leur attention s'ils voulaient trouver un intérêt au reste de la saison des Expos. Il y eut bien quelques-uns de ces moments : le 2 septembre, Floyd Youmans battait les Dodgers 1-0, n'allouant que 2 CS et 2 BB. Trois semaines plus tard, il retirait 15 Phillies sur trois prises tout en les limitant à 2 coups sûrs... dans une défaite de 1-0. Finalement, le 30 septembre, le lanceur partant Bob Sebra – rappelé en juillet d'Indianapolis – battait Ron Darling et les Mets 1-0, limitant le puissant alignement des champions de la division Est de la Nationale à 2 maigres coups sûrs. Tim Raines a frappé pour ,352 en septembre et s'est sauvé avec le championnat des frappeurs dans la

Ligue nationale, le deuxième Expo (après Al Oliver en 1982) à réaliser l'exploit.

Hélas, dans les deux derniers mois de la saison, les Expos ont moins brillé sur le plan collectif. Ils ont perdu plus de matchs qu'ils n'en ont gagné, terminant la saison sous la barre des ,500 (78-83), en 4ᵉ position de leur division, à 29 ½ matchs des champions de l'Est, les Mets de New York.

Pour tout dire, c'est à l'extérieur du terrain qu'a eu lieu l'événement le plus important de la fin de saison 1986 des Expos. Le 5 septembre, l'équipe tenait une conférence de presse pour annoncer la nomination d'un nouveau président pour l'équipe. Claude R. Brochu, 41 ans, vice-président au marketing chez Joseph E. Seagram et fils (une des entreprises de Charles Bronfman), entrerait en fonction le 1ᵉʳ octobre 1986, remplaçant ainsi le seul président de l'histoire du club, John McHale. Quelques jours plus tard, M. McHale aurait 65 ans et il avait signifié depuis un certain temps son intention de prendre sa retraite après la saison 1987.

De tous les dirigeants associés aux Expos au fil des ans, John McHale a certainement été celui qui a le plus contribué à établir la solide réputation de Montréal au sein du baseball majeur. C'est grâce à ses interventions si la concession n'a pas été retirée à la ville après la désertion de la première équipe d'actionnaires du club. C'est lui qui a mis en place les hommes de baseball de l'organisation, les Jim Fanning, Gene Mauch et, plus tard, Dick Williams, tous ceux qui lui ont donné sa couleur, sa personnalité. La très grande estime qu'on lui vouait – ainsi qu'à Charles Bronfman – dans les hautes sphères du baseball majeur a énormément contribué à y consolider la position des Expos.

McHale était issu d'une époque où plusieurs dirigeants de clubs considéraient les joueurs comme des membres de la famille, un temps où les équipes prenaient les athlètes sous leurs ailes, veillant de près à leur bien-être (parfois, il faut bien l'avouer, dans le but de s'offrir leurs services à bas prix). Malgré une personnalité flegmatique, à la limite de l'austérité, le président des Expos avait à maintes reprises fait preuve d'une grande bienveillance, notamment auprès d'enfants terribles comme Ellis Valentine ou Tim Raines. En 1980, quand Valentine avait été hospitalisé à Saint Louis après avoir été atteint par une balle à la joue, le président des Expos était resté à son chevet toute la nuit à lui tenir la main. Et lorsque, deux ans plus tard, Tim Raines s'était retrouvé aux prises avec une inquiétante dépendance à la cocaïne, c'est McHale qui lui avait déniché une des meilleures cliniques de désintoxication des États-Unis, et c'est encore lui qui allait le chercher à la maison pour le conduire à ses séances de thérapie.

Si les Expos étaient une des organisations les plus à l'écoute des besoins des joueurs, c'était parce que John McHale le voulait ainsi. Sous ses auspices, l'équipe avait, entre autres initiatives, instauré un programme d'accueil des joueurs et de leur famille, organisé des cours de français pour faciliter l'adaptation à Montréal et au Québec, créé une garderie au Stade pour les enfants des membres de l'organisation – une première dans les majeures.

Pour Charles Bronfman, il ne fait pas de doute que John McHale était l'homme de la situation pour implanter le baseball à Montréal. « Il a été formidable pour nous. Avait-il l'intensité nécessaire pour pousser l'équipe à atteindre les plus hauts sommets ? Ça, je ne peux le dire. Mais je sais que quand John est parti, ça a été le début de la fin pour les Expos. »

Évidemment, la superbe machine de baseball que M. McHale s'était appliqué à bâtir à la fin des années 1970 n'était pas allée au bout de ses possibilités. Malgré leurs indéniables qualités, les Expos de 1979 à 1984 resteraient, dans l'histoire du baseball, de constants prétendants au trône. Qu'importe : le plus grand héritage de John McHale aura été d'être le premier à implanter un club des majeures à l'extérieur des États-Unis.

Mais ce n'est pas du legs de M. McHale dont les médias ont le plus parlé au lendemain de la conférence de presse du 5 septembre. Non, on n'en avait que pour la nomination de son successeur.

Durant l'été, M. Bronfman avait dressé une liste de candidats potentiels à la présidence de l'équipe, parmi lesquels figurait le nom de Roger D. Landry. Monsieur Landry avait été vice-président et directeur du marketing des Expos à la fin des années 1970 et il aurait été un candidat naturel au poste. Mais M. Landry était rendu bien ailleurs sur le plan professionnel : après son départ des Expos, il était devenu président et éditeur du quotidien *La Presse,* un rôle qu'il occuperait jusqu'en 2000.

À la mi-juillet, Claude Brochu jouait au tennis avec le propriétaire majoritaire des Expos et leurs épouses respectives quand la question de la présidence du club est venue sur le tapis. « Qui verrais-tu dans le poste ? », a lancé M. Bronfman à son partenaire de jeu.

Le candidat devrait impérativement être francophone – selon les sondages du club, 78 % de sa clientèle était francophone – et posséder une solide expérience tant en affaires qu'en marketing. Idéalement, il aurait aussi de l'expérience dans les relations avec divers paliers de gouvernement. « Je vais y penser », a répondu Claude Brochu, ce qui a bien fait rigoler les épouses des deux hommes, qui savaient bien que Brochu lui-même répondait à chacun des critères énoncés par M. Bronfman. Plus tard, quand ils ont de nouveau abordé le sujet, M. Brochu a subtilement suggéré qu'il pourrait lui-même être intéressé[7]...

Après un baccalauréat en histoire et une maîtrise en administration des affaires (études ponctuées par un séjour de trois ans dans les Forces armées canadiennes où il a été promu au rang de capitaine dans le Royal 22e Régiment), Claude Brochu avait œuvré pendant cinq ans comme cadre dans le département de marketing chez Avon avant de passer chez Seagrams, au début des années 1980.

Un des premiers gestes faits par Brochu dans la distillerie avait été de rompre une tradition vieille de 50 ans en éliminant les célèbres sacs en feutrine mauve recouvrant les bouteilles de whisky Crown Royal. Parfaitement inutiles (sauf pour les bambins qui y rangeaient leurs billes!), les sacs faisaient grimper le prix du produit d'environ quatre dollars. La disparition du sac et, surtout, la baisse du prix de la bouteille, ont fait augmenter spectaculairement les ventes de Crown Royal. Alors que 50 000 caisses de ces bouteilles s'écoulaient annuellement au début des années 1980, la compagnie en vendrait 300 000 en 1986. L'initiative de M. Brochu n'était pas sans rappeler un geste fait par Charles Bronfman lui-même au moment où, jeune homme, il commençait à travailler pour son père: un changement de design de bouteilles qui avait rapporté gros à la compagnie.

Monsieur Brochu n'avait aucune expérience dans une organisation de sport professionnel. Il était sensible aux sports et au baseball particulièrement, assez pour se décrire comme «fan». Il s'était d'ailleurs déjà rendu, comme simple amateur, à quelques camps d'entraînement printaniers des Expos en Floride.

Cette expérience, il l'obtiendrait à mesure que M. Bronfman et John McHale – qui demeurerait dans l'organisation à titre de président adjoint du conseil – l'initieraient aux coulisses du baseball majeur tout en le mettant en contact avec ses multiples comités. Non, ce qui avait convaincu M. Bronfman, c'était l'expérience des affaires et du marketing de M. Brochu, indispensable dans le baseball de l'ère moderne: «À notre première saison, nous fonctionnions avec un budget de 5 millions de dollars. Or, notre budget se chiffre maintenant à 30 millions. C'est devenu plus complexe d'opérer une concession des ligues majeures», d'expliquer M. Bronfman.

Dans La Presse du lendemain de la conférence de presse, le chroniqueur Réjean Tremblay établissait un rapprochement entre la nomination de Claude Brochu et celle de Ronald Corey par le Canadien, quelques années plus tôt: «Ils se sont payé un Ronald Corey, un président francophone,

Le 1ᵉʳ octobre 1986, Claude Brochu devenait seulement le 2ᵉ président de l'histoire des Expos après John McHale.
Club de baseball Les Expos de Montréal

bon vendeur, expert en marketing, capable de parler au peuple. Capable surtout, espère Charles Bronfman, de recréer la magie qui existait entre les Expos et leurs partisans. »

Certes, Claude Brochu n'avait pas la notoriété de M. Corey (qui avait, entre autres rôles, agi comme journaliste sportif avant de devenir président des brasseries O'Keefe et Molson), mais il fallait donner la chance au coureur : « M. Brochu est un gestionnaire de l'école moderne. Motivateur et capable de déléguer ses responsabilités dans une bonne mesure. C'est ce qu'on dit de lui chez Seagrams », poursuivait Tremblay dans son texte.

La tâche qui attendait M. Brochu était considérable. Depuis leur déménagement au Stade olympique, jamais les Expos n'avaient connu autant de difficultés aux guichets : en 1986, ils n'attireraient que 1 128 981 spectateurs, leur plus bas total depuis les derniers jours du parc Jarry, et environ 400 000 de moins qu'en 1985. Trois fois seulement durant la saison, les Expos avaient attiré plus de 30 000 spectateurs.

Un soir de septembre, alors que s'amorçait un programme double, il n'y avait dans la foule que quelques centaines de spectateurs. « Vous savez, on a déjà eu une plus petite foule, avait blagué Buck Rodgers, un match hors-concours disputé à 10 h 30 sur un des terrains secondaires du stade de West Palm Beach… » Déçu par les petites foules au Stade, le releveur Jeff Reardon a, à un certain moment, vidé son sac devant quelques journalistes : « C'est absurde, Montréal devient la ville d'un seul sport. J'en ai assez vu. Ça ne me ferait rien de jouer ailleurs la saison prochaine. »

Durant l'été, Richard Griffin, le directeur des relations publiques du club, avouait au chroniqueur Tim Burke (du même nom que le releveur des Expos) du journal *The Gazette* que si les ventes de billets ne reprenaient pas de vigueur d'ici la mi-saison 1987, la direction des Expos examinerait toutes les options – incluant la vente de l'équipe. En 1983, les Expos avaient trouvé preneurs pour 11 000 billets de saisons ; trois années plus tard, ce chiffre avait fondu à 8 000, représentant une baisse de 250 000 spectateurs avant même que ne commence la saison. Les Expos estimaient que dans le contexte du milieu des années 1980, chaque tranche de 100 000 spectateurs sous la barre des 2 000 000 coûtait au club 1 million de dollars.

Charles Bronfman évaluait que les Expos avaient perdu une quinzaine de millions de dollars dans les cinq dernières années. Quand on ajoutait à cela les 3 millions que M. Bronfman perdait annuellement avec les Alouettes de Montréal (l'équipe de football moribonde qu'il avait tenté de sauver en s'en portant acquéreur en 1982), on pouvait craindre qu'il ait envie de lancer la serviette. Mais à la conférence de presse du 5 septembre, M. Bronfman s'est fait rassurant, affirmant sans détour qu'il n'était pas question de mettre les Expos en vente : « Personne ne fait des affaires pour perdre de l'argent. Mais le problème des Expos, ce ne sont pas les foules, c'est le dollar canadien à 72 cents. Notre déficit, c'est là qu'il se trouve. »

Mais malgré ce que disait M. Bronfman devant les journalistes, privément il s'inquiétait énormément de la désaffection du public montréalais pour le club. « Quand il m'a embauché, ramener les gens au Stade est le premier défi qu'il m'a lancé, a expliqué Claude Brochu des années plus tard. Il ne comprenait pas pourquoi les gens ne venaient plus aux matchs. »

Claude Brochu avait quelques idées sur comment il comptait rapatrier les spectateurs perdus dans les dernières années : « Nous devons faire en sorte que nos joueurs et nos gens de baseball se rapprochent du public. Nos joueurs doivent s'impliquer pour que les gens se sentent près du club. Si les joueurs veulent que les amateurs les aiment, il faut qu'ils montrent qu'ils sont intéressés à eux aussi. Prenez les Canadiens de Montréal, les amateurs se sentent très près d'eux. Il nous faut communiquer avec notre clientèle plus qu'une fois par année, pas seulement quand on leur envoie la facture de leurs billets de saison. »

Monsieur Brochu n'était pas sans connaître la particularité des amateurs de sports montréalais : « L'atmosphère au Stade est peut-être plus importante que les victoires, a suggéré le gestionnaire au représentant du *Globe and Mail*. Si un "gigueux" les allume, eh bien on en aura un durant les matchs. On ne pourrait pas faire ça à New York mais ici, à Montréal, c'est autre chose. » Le président des Expos disait envisager aussi une initiative rarissime dans le sport professionnel : baisser le prix des billets. « Je sais que ce serait un geste unique, osé, même. Mais c'est ce que je veux être : innovateur. Pourquoi faudrait-il être conservateur parce que le produit est le baseball ? »

Une nouvelle donnée jouerait certainement bientôt en faveur des Expos : si tout allait bien, le Stade aurait finalement un toit amovible en début de saison 1987. Finies les glaciales soirées de début et de fin de saison où il fallait vraiment être mordu de baseball pour se rendre au Stade.

Mais voilà, est-ce que tout irait bien, vraiment? Avec ce stade, on n'était jamais à court de surprises. À preuve, le 29 août 1986, le match prévu en soirée a dû être décommandé après qu'un incendie s'était déclaré dans la tour du Stade olympique. Il n'y avait eu ni blessés ni dommages, mais l'incident entraînerait des coûts additionnels dans les « sept chiffres ». La Régie des installations olympiques assurait toutefois que le toit serait fonctionnel en mai 1987.

Un problème plus important encore attendait l'organisation : la possibilité bien réelle de perdre deux de ses principaux atouts sur le terrain : Tim Raines et Andre Dawson. En effet, les choses auguraient plutôt mal à ce chapitre. Comme on l'a vu plus tôt, les deux joueurs arrivaient au terme de leur contrat à la fin de la campagne et pourraient se prévaloir d'un statut de joueur autonome – ce qu'ils feraient probablement.

Vers la fin de la saison, le DG Murray Cook avait réuni les joueurs avant un match pour leur dire que les Expos feraient « tous les efforts possibles » pour mettre sous contrat Dawson et Raines. En agissant de la sorte, il cherchait à rassurer les joueurs qui commençaient à s'inquiéter de la direction prise par le club. « Moi en tous cas, je ne voudrais pas rester ici si nous n'avons pas de chances de gagner, avait dit Tim Wallach quelques semaines plus tôt. Ce qu'ils vont faire va certainement envoyer un message. Nous saurons s'ils veulent gagner ou épargner de l'argent. » C'est à cause de réactions du genre que Murray Cook a tenu à mettre les choses au clair : « Nous avons besoin d'eux et nous ferons en sorte de les garder. »

Peu après, Cook, Charles Bronfman et John McHale rencontraient Andre Dawson avec une offre bonifiée : 2,4 millions pour trois ans. Dawson – dont la dernière entente lui avait assuré plus d'un million par année sur cinq ans – s'est aussitôt dit « insulté ». « C'est sûr que j'ai entendu les histoires qui disent que le club a perdu 5 millions cette saison. Mais ce n'est pas mon problème. Je ne vais pas accepter n'importe quelle offre parce que le club connaît des difficultés financières. C'est déjà assez difficile comme ça de subir un double niveau de taxation parce que le club est installé à l'extérieur des États-Unis. »

Certes, le Hawk était conscient que sa valeur marchande avait diminué – surtout dans le contexte économique en cours dans le baseball à ce moment-là –, mais à ses yeux, une diminution de salaire était inacceptable. Après tout ce qu'il avait donné à ce club – incluant sa santé –, n'avait-il pas droit à un peu de reconnaissance ? De plus, Dawson n'était pas sans savoir que les Expos avaient redoublé d'ardeur pour tenter de l'échanger après la pause du match des Étoiles, avant qu'il n'atteigne la formule magique 10-5 (10 ans de service dont 5 dans le même club) et ait le loisir de refuser un échange, comme l'avait fait Steve Rogers au printemps 1985. Était-ce la façon d'agir d'un club qui disait tenir à lui ?

Or, les Expos – et c'était compréhensible – devaient jouer de prudence avec lui. D'abord, le rendement des dernières années du Hawk pointaient vers un déclin progressif de ses habiletés. Ensuite, les genoux meurtris du vétéran voltigeur pourraient céder à tout moment, forçant une fin de carrière précipitée. Finalement, tout semblait indiquer que Dawson lui-même souhaitait se retrouver ailleurs. Durant l'été, plusieurs de ses déclarations avaient levé le voile sur ses intentions réelles : « Je ne sais pas ce que c'est d'être échangé. Je sais qu'il faut s'y attendre à un moment ou l'autre de sa carrière et que ça peut être bénéfique dans certains cas. Tout le monde a besoin de changer d'air à un certain moment. De cette façon, un joueur est susceptible de retrouver un certain élan, une motivation qu'il a pu perdre au fil des ans. Lorsqu'un joueur connaît des difficultés avec la direction de son équipe, il perd un peu de son désir d'exceller. » Ça ressemblait aux propos d'un joueur qui prépare sa sortie...

Le dossier Tim Raines n'était pas plus encourageant. Voilà un joueur qui était au faîte de sa carrière : il venait de remporter le championnat des frappeurs, il avait volé au moins 70 buts pour la 6e saison consécutive (un exploit inégalé, ni avant, ni après) et il excellait dans toutes les facettes du jeu, y compris à la défensive, où il avait poli son jeu ces dernières années. « Peut-être le meilleur joueur de baseball au monde », avançaient certains observateurs. Et il venait tout juste d'avoir 27 ans, un âge où un athlète atteint normalement son apogée.

Certes, dans son cas, les Expos seraient disposés à faire une entorse à leur nouvelle politique d'austérité. Raines était un « joueur de concession », la pierre angulaire à partir de laquelle on construit un club champion. Il faudrait lui soumettre une offre qui aurait des chances de l'intéresser.

Or, c'était bien mal parti. Le rideau était en train de tomber sur la saison 1986 quand Raines a déclaré que ses chances de demeurer avec les Expos étaient « presque nulles ». Ses négociations des derniers mois – des dernières années, en fait – avec le club l'avaient laissé amer : « Avec eux, j'ai toujours l'impression de quémander. Il a fallu que je les amène une fois devant un arbitre et que je menace de les y amener une autre fois pour finalement être payé à la valeur du marché en cours, a fait valoir la star des Expos. Ils auront beau m'offrir ce qu'ils veulent, c'est moi qui prendrai la décision finale. »

C'est durant les Séries mondiales que les Expos ont déposé leurs offres définitives à Andre Dawson et Tim Raines. À Dawson, on proposait maintenant un contrat de 2 millions pour deux ans ; à Raines 4,8 millions sur trois ans. En tenant compte de l'âge et de l'état précaire des genoux de Dawson, on peut considérer que la proposition faite au Hawk était respectable. Quant à Raines, le club avait fait pour lui aussi son bout de chemin en lui offrant un contrat de plus long terme.

Dawson et Raines ont rejeté d'emblée les offres du club et le 28 octobre, ils déclaraient leur autonomie.

Pour que Dawson accepte de poursuivre sa carrière sur le ciment du terrain du Stade olympique, il aurait fallu qu'on lui offre au moins autant que ce qu'on l'avait payé en 1986 (1,2 million). Et encore, ce que voulait Dawson par-dessus tout, c'était aller jouer pour un club qui disputait ses matchs locaux sur du gazon naturel, où il augmenterait ses chances de continuer à pratiquer son métier pendant quatre ou cinq autres saisons.

Quant à Raines, il estimait que trois années de ses services valaient bien les 5,5 millions que les Dodgers avaient consentis à Fernando Valenzuela au début de l'année. De plus, en acceptant l'offre des Expos, c'est toute la position de l'Association des joueurs qu'il aurait contribué à affaiblir.

Car le litige opposant Tim Raines aux Expos dépassait le cadre de sa personne. Durant l'été, Tom Reich, son chargé d'affaires, avait convenu avec l'Association des joueurs de faire front commun avec elle dans la cause portée devant les tribunaux quelques mois plus tôt. Si l'agent libre le plus prestigieux de la saison morte 1986-1987 ne recevait pas d'offres des autres clubs – comme cela s'était produit pour la cuvée de joueurs autonomes de l'année précédente –, ce serait la preuve faite par dix que les propriétaires agissaient de manière délibérée et concertée. Raines deviendrait alors le *poster boy* de la cause, la preuve vivante qu'il y avait bien collusion entre les clubs, comme Curt Flood avait été le symbole de la lutte contre la clause de réserve – qui liait un joueur à son club pour la vie – 20 ans plus tôt.

Évidemment, les propriétaires se défendaient bien de l'accusation. Pour eux, cette nouvelle indigence n'était qu'une question de simple bon sens. «Si nous ne faisons pas d'offres aux joueurs autonomes, c'est que nos états financiers ne nous le permettent tout simplement pas», prétendaient-ils. Déjà, les Expos avaient annoncé leurs couleurs par l'entremise de Murray Cook : «Les Expos n'ont aucune intention de s'intéresser aux joueurs autonomes. Il est prouvé que les agents libres ne produisent jamais à la hauteur des attentes.»

De toute évidence, les propos tenus par le commissaire Peter Ueberroth aux propriétaires, en octobre 1985, continuaient d'orienter leurs agissements. Ueberroth se chargeait bien d'ailleurs de les remettre à l'ordre quand ils dérogeaient de la ligne de conduite. Claude Brochu se rappelle encore les fois où Ueberroth sermonnait les propriétaires en présence de leurs pairs dès qu'ils offraient des sommes jugées excessives à certains joueurs : « Non mais c'était vraiment pas très brillant de lui accorder un contrat comme celui-là ! Qu'est-ce qui t'a pris ? », pouvait-il lancer à l'un et l'autre, qu'il s'appelle ou non George Steinbrenner. Brochu lui-même s'était fait reprocher par le commissaire d'avoir fait une offre trop généreuse à Tim Raines[8].

Si les magnats du baseball n'étaient pas en mesure de se discipliner, lui les y obligerait. Si certains propriétaires détestaient se voir dicter une ligne de conduite, d'autres, comme Charles Bronfman, considéraient que le baseball était finalement en train de mettre de l'ordre dans la baraque. Pour la première fois en 10 ans, la hausse des salaires était sous contrôle : un maigre 5 % pour les agents libres de l'hiver 1985-1986.

Précautionneux, Ueberroth s'était entouré d'une équipe d'avocats du droit du travail pour s'assurer que ses initiatives étaient dans le respect des règles et que les clubs ne pourraient pas être accusés de collusion. Chaque fois qu'il lançait un nouvel appel à l'indigence, Ueberroth se retournait vers son équipe d'avocats qui le rassurait sur la légalité du consensus entre les clubs. « Tout est selon les règles, monsieur le commissaire », lui répondait-on régulièrement.

Ueberroth avait intérêt à être prudent : l'enjeu était énorme, des millions de dollars étaient en question. Il faudrait attendre septembre 1987 avant que la décision d'un arbitre ne mette fin à la résolution d'austérité des propriétaires.

En 1986, les séries d'après-saison ont marqué l'histoire du baseball grâce à quelques retournements dignes des grands drames classiques.

Dans la série de championnat de l'Américaine, les Angels de la Californie – dirigés par Gene Mauch, l'ancien pilote des Expos – frappaient à la porte de la Série mondiale, menant 3 à 1 dans leur série 4 de 7 contre les Red Sox de Boston et en avant 5-4 en début de 9e manche. Pour les Angels, une victoire signifierait une première visite en Série mondiale en 26 ans d'existence et pour Mauch, une première en 25 campagnes comme gérant dans les majeures.

Après deux retraits et avec un compte de 2-2 sur le frappeur Dave Henderson des Red Sox, le releveur Donnie Moore n'était qu'à une prise de déclencher la frénésie chez les 64 223 spectateurs réunis au Stade Anaheim. Les joueurs des Angels étaient installés sur la première marche de l'abri, prêts à sauter sur le terrain pour les célébrations d'usage, Henderson s'est élancé sur le prochain tir de Moore pour une balle fausse. Puis, sur le tir suivant, une autre balle fausse. Moore est revenu avec une rapide sur laquelle s'est de nouveau élancé Henderson. Sauf que cette fois, il a solidement cogné la balle qui a poursuivi son ascension jusque dans les gradins du champ gauche. C'était 7-6 Red Sox qui ont finalement remporté le match en 11e manche avant de gagner facilement les deux affrontements suivants pour se tailler une place en Série mondiale.

Gene Mauch reviendrait une dernière année à la barre des Angels pour ensuite prendre sa retraite sans jamais avoir mené une de ses équipes à la finale ultime. Puis, dans un dénouement autrement plus dramatique, le releveur Donnie Moore sombra dans une dépression qui le conduisit à s'enlever la vie trois années plus tard.

Dans la Nationale, les Mets de New York et les Astros de Houston se sont disputés une série tout aussi mémorable. Dans le 5e match, avec la série égale 2 à 2, le pointage était de 1-1 en fin de 12e manche lorsque Gary Carter a mis fin à une léthargie au bâton (1 CS en 21) en frappant un simple victorieux après un retrait. Le lendemain, les Mets ont pris 16 manches avant de venir à bout de leurs rivaux, le plus long match de l'histoire des séries d'après-saison. Tirant de l'arrière 7-4 en fin de 16e, les Astros ont marqué 2 fois pour se rapprocher à un seul point. Mais le releveur Jesse Orosco a mis fin au débat en retirant sur des prises le frappeur Kevin Bass alors que les Astros avaient deux coureurs sur les sentiers. Pour la 2e fois de leur histoire, les Mets s'en allaient en Série mondiale.

C'est alors que s'est amorcée une des séries les plus extraordinaires de l'histoire du baseball majeur. Les Red Sox de Boston tentaient d'effacer la «malédiction du Bambino» (le mauvais sort qu'on disait s'acharner sur l'équipe depuis qu'elle avait échangé Babe Ruth aux Yankees) en remportant une première Série mondiale depuis 1918. Les Mets n'avaient qu'une idée en tête: continuer de «bulldozer» l'opposition, comme ils l'avaient fait depuis le début de la saison.

Après 5 matchs, chaque équipe avait remporté les rencontres disputées à domicile et les Red Sox avaient pris les devants 3 à 2 dans la série. Dans le sixième match, il semblait bien que le *pattern* serait inversé quand, en début de 10e manche, les Red Sox, en territoire ennemi, ont marqué 2 fois pour prendre les devants 5-3. Or, c'est la fin de 10e qui est passée à l'histoire, grâce à un retournement de situation rien de moins qu'ahurissant. Une fin de match qui a traumatisé des générations de partisans des Red Sox, convainquant des milliers d'entre eux que le *Ruth Curse* était peut-être plus qu'une invention de journalistes à la recherche d'une bonne histoire.

Tout avait bien commencé pour Boston quand les deux premiers frappeurs des Mets ont été retirés sur des ballons. Deux retraits, aucun coureur sur les sentiers. Les Red Sox n'étaient plus qu'à un retrait de remporter la Série mondiale.

À Montréal, des milliers de téléspectateurs ont eu un pincement au cœur quand ils ont vu le prochain frappeur s'approcher du marbre. Ce joueur portant le numéro 8, c'était nul autre que le grand Gary Carter, le Kid, *leur* Kid, la plus grande vedette de l'histoire des Expos de Montréal.

On peut supposer que la plupart d'entre eux souhaitaient que l'ex-star de leur club n'ait pas à porter l'odieux de constituer le retrait final d'une Série mondiale, de *cette* Série mondiale-là, par-dessus le marché. L'échec de Carter aurait représenté, dans une certaine mesure, leur échec aussi, comme si ça confirmait que leur ex-idole n'était pas si remarquable que ça, finalement. Dans *A Dream Season*, Carter raconte qu'il avait la conviction qu'il ne constituerait pas le dernier retrait du match. « À mes yeux, c'était impossible, inacceptable. J'aurais eu à supporter cette idée tout l'hiver, toute ma vie, en fait. J'étais résolu : je ne serais pas le dernier retrait[9]. »

La première offrande du releveur Calvin Schiraldi, une rapide, a été retroussée par Carter derrière le marbre. Une prise. Schiraldi et les Red Sox étaient maintenant à deux prises du Saint Graal.

Le deuxième lancer – encore une rapide – était haut et à l'intérieur. Carter se doutait bien que c'est tout ce qu'il verrait : des rapides, le principal atout du releveur des Red Sox. Puis, une autre rapide, mais à l'extérieur : 2 balles, 1 prise. Le Kid s'attendait maintenant à un tir haut dans la zone des prises et c'est exactement ce qu'il a eu. Il s'est élancé et sans faire un contact parfait – il a atteint la balle près du bout du bâton –, un simple au champ gauche, certainement le simple le plus important de toute sa carrière.

Grâce à Gary Carter, les Mets étaient toujours en vie. Surtout, grâce à lui, le vent venait de tourner. Deux autres simples et un mauvais lancer plus tard, c'était l'égalité 5-5, la table mise pour ce qu'il convient maintenant d'appeler la gaffe la plus coûteuse de toute l'histoire du baseball, ce roulant qui a filé sous le gant du pauvre premier-but Bill Buckner, permettant au coureur Ray Knight de croiser le marbre avec le point gagnant.

Sérieusement ébranlés, les Red Sox se sont aussi inclinés dans le septième et ultime match, précipitant leurs fans dans un spleen qui devait durer jusqu'à l'automne 2004.

Dans sa biographie, Gary Carter raconte qu'il a souvent pensé à Charles Bronfman quand, durant ses premières saisons avec les Mets, il frappait un coup sûr décisif[10]. Quelques mois avant d'échanger Carter, le propriétaire des Expos l'avait accusé de ne pas livrer la marchandise quand ça comptait le plus, affirmant «courir aux toilettes» quand il le voyait se présenter au bâton dans une situation critique. Sans doute que M. Bronfman ventilait ainsi un peu de sa frustration puisque dans les faits, Gary avait toujours été un des frappeurs les plus opportunistes des Expos. Il continuait de l'être avec les Mets, et son apport avait été indispensable à l'atteinte des grands honneurs de son club, comme en témoignaient ses neuf points produits durant la Série mondiale.

«La différence entre le Carter des Expos et celui qui a joué pour les Mets, dit aujourd'hui Charles Bronfman, c'est qu'à New York, il était une étoile parmi d'autres. À Montréal, l'étoile, c'était lui. Et bon Dieu qu'il le savait[11].»

Quand les Expos ont échangé Rusty Staub aux Mets en 1972, il a conduit son équipe à la Série mondiale dès la saison suivante. Une douzaine d'années plus tard, Gary Carter répétait l'exploit du Grand Orange. Mais alors que les Expos de l'après-Staub s'étaient améliorés au point de flirter avec le championnat de la division en 1973, les Expos-sans-Gary Carter de 1986 avaient terminé la saison sous la barre des ,500, à 29 ½ matchs de la tête. Et alors que les Mets de Staub s'étaient inclinés en Série mondiale, ceux de Carter avaient triomphé.

Certes, Hubie Brooks, Mike Fitzgerald et Floyd Youmans se révélaient d'excellentes acquisitions et, avec le temps, on affirmerait peut-être que la transaction s'était avérée à l'avantage des Expos. Mais pour l'instant, c'est Gary Carter qui participait à une parade célébrant les champions du monde. Et cette parade, c'est dans les rues de New York qu'elle avait lieu.

CHAPITRE 2

Un championnat avant trois ans
(1987-1989)

Andre Dawson et Tim Raines deviennent joueurs autonomes. Le Stade olympique a finalement un toit. Retour triomphal de Raines en mai 1987. Récupération de quelques causes désespérées comme Dennis Martinez et Pascual Perez. Démission surprise de Murray Cook. L'étonnante édition 1987 lutte pour le championnat jusqu'à la fin. Aboutissement du dossier sur la collusion des propriétaires. En 1988, 20e anniversaire du club. Malgré une saison en deçà des attentes, les arrivées de Rex Hudler et Otis Nixon dynamisent l'équipe. En mai 1989, les Expos et leur nouveau DG Dave Dombrowski jouent le tout pour le tout et font l'acquisition d'une vedette du monticule, Mark Langston, au prix de quelques recrues dont un grand gaucher du nom de Randy Johnson. Le club prend possession de la tête du classement pendant 41 jours avant de s'essouffler dans les deux derniers mois du calendrier.

1987

Le baseball majeur avait fixé au 8 janvier la date à laquelle les équipes pouvaient s'entendre avec leurs joueurs ayant réclamé l'autonomie. Après cette date, ils devraient attendre le 1er mai avant de leur soumettre une nouvelle offre – s'ils n'avaient pas signé d'entente avec un autre club, bien sûr.

À la fin de la saison précédente, la direction des Expos avait affirmé avoir fait des offres « superbes » à Andre Dawson et Tim Raines. Ces derniers et leurs agents avaient probablement un autre qualificatif pour décrire la proposition de l'équipe puisqu'à minuit, le 8 janvier, les deux joueurs n'avaient toujours pas donné signe de vie à la direction des Expos, cela malgré le fait qu'aucune autre équipe des majeures ne leur avait fait d'offre.

Au lendemain de la date butoir, Dawson et Raines ont eu des mots durs pour les Expos. Les propos du doyen du club étaient teintés d'amertume : « Il y a 3 ans, ils ont accordé 2 millions par année à Carter. Moi, après 10 ans de service, tout ce qu'ils trouvent le moyen de m'offrir, c'est une diminution de salaire. Si je ne reçois pas de meilleure offre que la leur, je vais tout simplement prendre ma retraite. Ce n'est pas plus grave que cela. Le baseball a été bon pour moi mais je ne lui dois rien. »

Quant à Raines, il affirmait désormais que les Expos ne figuraient plus dans ses plans. « Ils ont eu tout le temps pour me faire une offre respectable, mais ils ne l'ont pas fait. J'aimerais être apprécié à la mesure de mon talent, mais à Montréal, ce sera toujours impossible. J'ai passé six belles années là-bas, mais le temps est venu d'aller jouer ailleurs. Entre les Expos et moi, c'est fini. »

John McHale et Bill Stoneman, ce dernier étant le principal représentant des Expos dans les négociations avec les joueurs, se sont dit surpris de la décision des deux athlètes de rejeter l'offre des Expos, mais ont réaffirmé leur intention de ne pas lancer la serviette. « Ils sont des rouages importants de notre club et nous les voulons avec nous », a assuré M. McHale. Le nouveau président Claude Brochu se disait pour sa part convaincu que les deux hommes ne recevraient pas de meilleure offre des autres clubs : « Je ne dis pas que Dawson et Raines ne pourront pas évoluer pour une autre équipe en 1987. Ce que je dis, c'est que si une telle chose se produit, ce sera parce qu'ils auront décidé de jouer pour moins d'argent. »

La réaction des autres joueurs des Expos ne s'est pas fait attendre longtemps. Tim Wallach était déçu de la tournure des événements : « Nous ne serons pas la même équipe, physiquement ou mentalement. Andre était le leader de ce club. Et un gars comme Tim Raines, ça ne se remplace pas. » Le lanceur Bryn Smith – qui avait lui-même opté pour la voie de l'autonomie à la fin de la saison – ne comprenait pas comment les Expos avaient pu courir le risque de les perdre. « Par qui va-t-on les remplacer ? Par de jeunes joueurs au salaire minimum ? Les amateurs vont payer pour voir quoi, au juste ? »

Vance Law abondait dans le même sens : « Je ne vois pas comment nous pourrons être dans la course sans ces deux joueurs. Raines est l'un des deux ou trois meilleurs joueurs de la ligue. Et Dawson est un exemple formidable, non seulement pour les jeunes mais pour tous les joueurs.

Son calme et sa confiance tranquille sont des atouts majeurs pour le club. Je m'en suis rendu compte dès que j'ai mis les pieds dans le vestiaire du club pour la première fois, l'an passé. » Le releveur Jeff Reardon était lui aussi sous le choc : « Ça vient ruiner nos chances d'avoir un bon club la saison prochaine. Qui vont-ils échanger maintenant pour obtenir du renfort pour nos lanceurs partants ? Maintenant qu'ils ont perdu Dawson et Raines, ils ne pourront pas laisser partir des gars comme Tim Wallach. C'est peut-être moi qu'ils vont échanger… »

Autant Dawson et Raines étaient des joueurs appréciés à Montréal, autant leur défection n'a pas provoqué de tollé de la part des partisans. Dans la caravane d'hiver des Expos (où figuraient des joueurs de soutien comme Mitch Webster ou Andy McGaffigan), le commentateur Claude Raymond constatait que personne ne semblait catastrophé par la tournure des événements. « Les gens n'ont pas l'air de s'ennuyer d'eux. De nombreux partisans ont été choqués par leur propos et leur conduite », a confié l'ex-lanceur des Expos à Réjean Tremblay de *La Presse*.

Tremblay lui-même n'appréciait pas que Raines se soit plaint aux médias américains que Montréal ne s'intéressait qu'au hockey : « Dawson et Raines ne cessent de rabaisser Montréal dans tous les médias de l'Amérique. Au fait, il serait bon de rappeler à Dawson que les amateurs ont été fort gentils à son endroit tous ces automnes où il a laissé tomber ses coéquipiers en « chokant » lamentablement. Gary Carter et Larry Parrish, qui en ont fait bien plus pour les Expos dans ces mois explosifs de septembre, ont subi des huées méchantes du public, jamais Dawson […] Quand il se lamente que les joueurs des Expos ne sont pas idolâtrés comme les joueurs de hockey, Tim Raines devrait regarder son propre nombril. S'il avait appris trois mots de français, il aurait déjà touché les partisans qui ne demandent qu'à être conquis. Et s'il était sorti de sa coquille et s'il avait osé aller voir le peuple sans afficher gêne ou mépris, il aurait pu recevoir les clés de la ville. »

Le départ quasi certain des deux plus grandes vedettes du club donnait du crédit à la thèse de John McHale selon laquelle tout était toujours plus ardu pour les Expos. « Tu verras, c'est vraiment les Expos contre le reste du monde », avait-il confié à Claude Brochu lorsque celui-ci était devenu président des Expos.

Cela se vérifiait particulièrement quand venait le temps d'attirer – ou de conserver – des vedettes à Montréal. Non seulement plusieurs joueurs autonomes avisaient leur agent qu'ils ne considéreraient pas d'offre venant d'une équipe canadienne, mais une quantité d'autres joueurs prenaient la peine de faire ajouter dans leur contrat une clause empêchant une transaction qui les enverrait à Montréal ou Toronto. Plus souvent Montréal que Toronto.

Jouer à Montréal, ça voulait dire une double imposition sur le salaire, moins de revenus potentiels de publicité, sans compter les inévitables tracasseries aux douanes et une adaptation – parfois difficile – pour le joueur et sa famille au climat, à la culture et à la langue.

« C'est un tout autre style de vie, a expliqué Steve Rogers, alors à la retraite, qui, après avoir passé plus de 10 saisons au nord de la frontière, parlait en connaissance de cause. La plupart des joueurs viennent du sud ou du sud-ouest des États-Unis, sans compter ceux qui arrivent des pays d'Amérique latine. Le climat est différent, le prix des maisons au Canada est exorbitant, le coût de la vie est plus cher et les joueurs ne peuvent pas trouver les mêmes fruits et légumes frais, les mêmes marques de produits auxquels ils sont habitués. Quand vous cherchez un logement, la moitié des propriétaires ne parlent pas anglais… Et ça va vous coûter 900 $ pour un logement convenable. » Rogers disait pour sa part s'être adapté avec le temps – son épouse était de Winnipeg –, mais il constatait que d'autres n'y étaient jamais arrivés.

Les commentaires de l'ancien as lanceur des Expos – en particulier ceux concernant l'accessibilité aux produits frais ! – ont fait sourciller quelques observateurs, mais il mettait le doigt sur un malaise bien réel.

« La résistance des joueurs à poursuivre leur carrière à Montréal est une réelle préoccupation pour nous, a reconnu Murray Cook, le DG des Expos. Jouer dans un marché comme New York donne non seulement plus de reconnaissance à un joueur, mais ça augmente aussi ses chances d'être élu au Temple de la renommée du baseball. »

C'est ainsi qu'à la fin des années 1970, des vedettes comme Catfish Hunter, Reggie Jackson ou Don Sutton ont préféré accepter des offres d'équipes de grand marché, même si les Expos leur avaient offert davantage d'argent. Par ailleurs, ceux qui ont accepté de venir (ou de demeurer) à Montréal, les Dave Cash, Al Oliver ou Gary Carter, l'ont fait après avoir reçu des ponts d'or. « Pendant des années, les Expos ont surpayé leurs joueurs, a précisé Murray Cook. John McHale a consenti des primes de 10, 15 ou 20 % pour attirer certains joueurs à Montréal. » De 1977 à 1984, les Expos se situaient d'ailleurs dans le premier tiers des masses salariales de tout le baseball.

Or, après avoir consenti un mégacontrat à Gary Carter, les Expos ont changé de philosophie, adoptant une approche qu'épouseraient pleinement les deux hommes que Charles Bronfman mettrait ensuite à la tête de la direction de l'équipe : Claude Brochu et Murray Cook. Ainsi, au début de la saison 1987, le salaire moyen chez les Expos se situait à 312 959 $, ce qui plaçait l'équipe au 22ᵉ rang sur 26 (les premiers étant les Dodgers, avec une rémunération moyenne de 580 000 $).

« Notre principe de base, c'est la responsabilité financière », a déclaré Claude Brochu au reporter Jean-Luc Duguay dans l'édition d'avril du magazine *Les Expos*.

« C'est pourquoi nous avons une politique salariale avec des échelles de rémunération. Par exemple, un joueur avec une année d'expérience dans le baseball majeur pourra gagner entre tant et tant, un autre avec deux années d'expérience gagnera un peu plus, etc. De plus, nous avons déterminé un plafond salarial que nous ne pouvons pas nous permettre de dépasser. Enfin, notre politique salariale ne laisse pas de place aux joueurs autonomes. Cela dit, nous souhaitons retenir les services de joueurs que les Expos ont développés et qui deviennent joueurs autonomes. Ces joueurs-là ont une valeur chez nous, ils sont connus, et nous ferons l'impossible pour les garder. »

Mais cette fois, l'impossible n'avait pas suffi, et les départs de Dawson et Raines n'étaient plus qu'une question de temps.

Cette situation plaçait les hommes de baseball de l'équipe dans une position délicate : « D'habitude, j'aime passer les vacances d'hiver à jongler avec les alignements, a dit Buck Rodgers au tournant de la nouvelle année. Mais c'est impossible cet hiver, il y a trop de points d'interrogation. Je commence puis quelques instants après, je jette crayon et papiers à la corbeille. Je ne sais pas quelle équipe nous aurons. » « Il n'y a pas de doute que sans ces deux joueurs, notre offensive sera considérablement affaiblie, reconnaissait le DG Murray Cook. Mais il n'est pas question de piller notre réseau de filiales en échangeant de jeunes joueurs de talent. De toute façon, même en agissant de la sorte, nous ne pourrions pas mettre la main sur d'autres Dawson et Raines. »

Mais ne rien faire n'était pas une option et les Expos n'ont pas attendu que s'amorce le camp d'entraînement pour passer à l'action. À la fin de la saison précédente, ils avaient envisagé de sacrifier un joueur de position comme Tim Wallach (dont le salaire avait grimpé à 750 000 $) pour obtenir un lanceur partant de premier plan. Mais le vide créé par les départs de Dawson et Raines les a forcés à revoir leur stratégie. Arrivant à la conclusion qu'ils ne pouvaient plus se payer le luxe de garder dans leur formation deux releveurs de premier plan, ils ont décidé d'en sacrifier un.

Qui devrait partir, le jeune vétéran Tim Burke (28 ans, 225 000 $ par année) ou le plus expérimenté Jeff Reardon (31 ans, 825 000 $) ? Conséquent avec le plan d'affaires du club, le 3 février, Murray Cook envoyait « The Terminator » au Minnesota, tout comme le receveur auxiliaire Tom Nieto.

En retour de Reardon, les Expos, toujours fidèles à leur philosophie d'obtenir plus de joueurs que leurs rivaux dans un échange, obtenaient les services du lanceur gaucher Neil Heaton, du receveur auxiliaire Jeff Reed et de deux lanceurs des ligues mineures, Yorkis Perez et Al Cardwood.

Heaton constituait le joueur clé de la transaction : un jeune vétéran de bientôt 27 ans qui avait remporté 39 matchs en 4 saisons complètes avec les Indians et les Twins. Autre statistique : Heaton commanderait un salaire de 400 000 $ pour la saison, la moitié de celui de Jeff Reardon.

Pour obtenir Reardon, les Twins avaient offert à Murray Cook la possibilité de choisir n'importe quel partant de leur formation, à l'exception de leur lanceur numéro un, Frank Viola. La direction du club a opté pour Heaton (7 victoires, 15 défaites en 1986) plutôt que le vétéran droitier Bert Blyleven (17-14), « pour des raisons d'âge et de salaire », selon l'aveu de Murray Cook. Blyleven avait 36 ans et gagnerait 1 150 000 $ en 1987.

Les médias et amateurs n'étaient pas exactement impressionnés par la transaction, convaincus que les Expos avaient une fois de plus cherché à se délester d'un salaire trop encombrant, comme ils l'avaient fait en laissant partir Gary Carter en 1984 et Bill Gullickson au terme de la saison 1985. Cook ne partageait pas cet avis : « Certes, Heaton cadre mieux dans notre plan financier, mais nous pensons qu'il va devenir un partant très solide, qui pourrait remporter 15 matchs avec nous. »

À la décharge de Cook, il faut reconnaître que l'exil de Reardon était quasi inévitable. Les Expos devaient impérativement ajouter un partant établi dans leur rotation de lanceurs – probablement la plus faible qu'ils aient eue depuis une dizaine d'années. Ils devaient cependant y arriver sans sacrifier un de leurs meilleurs joueurs de position (un Tim Wallach ou un Hubie Brooks, par exemple) et sans se départir des meilleurs espoirs de leur réseau de filiales. Il n'y a qu'en relève où ils étaient bien garnis, car derrière Jeff Reardon et Tim Burke, il y avait aussi les Andy McGaffigan, Bob McClure et le jeune Randy St. Claire qui pouvaient faire du bon travail.

Bien sûr, Reardon, avec ses 35 victoires protégées, était la pierre d'assise de l'enclos des releveurs. Mais Rodgers avait eu du mal à lui faire jouer pleinement son rôle de spécialiste de fin de matchs : « Reardon est à son mieux quand il a une avance à protéger dans les dernières manches. Or, l'an dernier, cette situation ne s'est pas produite souvent… »

Il demeurait aussi que la moyenne de points mérités de Reardon (3,94) était plutôt élevée pour un releveur numéro un. Finalement, Jeff n'a jamais semblé tout à fait à l'aise à Montréal, les amateurs montréalais éprouvant pour lui tour à tour admiration et hostilité – au point de huer un jour son épouse lors d'un défilé de mode ayant lieu entre deux matchs au Stade olympique. Ses déclarations de fin d'année 1986 – sur le manque de soutien des Montréalais – n'avaient rien fait pour améliorer la relation, même si, sur le fond, il n'avait pas tout à fait tort.

Rassurés par les performances exceptionnelles de Tim Burke au cours des deux dernières saisons, les Expos ont conclu qu'il était prêt à occuper le rôle joué par Reardon depuis six ans et c'est ainsi que la transaction s'est réalisée.

Alors que s'amorçait le camp d'entraînement, les Expos ont une fois de plus fait la preuve de leur capacité de s'en tenir à un budget. Ils ont fait une offre à leur lanceur Bryn Smith, devenu agent libre à la fin de la saison précédente, mais à leurs conditions. Smith pourrait gagner jusqu'à 750 000 $, mais s'il devait passer l'année en rééducation (il avait été opéré en novembre), il ne toucherait que 125 000 $. Puis, le 1er mars, les Expos ont renouvelé unilatéralement les contrats de six joueurs avec lesquels ils ne s'étaient toujours pas entendus, dont Tim Burke et Mitch Webster. C'est Bill Stoneman, le responsable des négociations avec les joueurs, qui a pris la décision d'aller de l'avant même si, techniquement, il avait jusqu'au 11 mars pour s'entendre avec eux. Autrefois, ces deux joueurs auraient pu aller en arbitrage puisqu'ils avaient complété deux saisons dans les majeures. Or, dans les négociations de 1985, l'Association des joueurs avait accepté de retarder l'admissibilité à l'arbitrage d'une année supplémentaire, au grand bonheur de clubs comme les Expos, qui comptaient bon nombre de jeunes joueurs.

Dire que Tim Burke et Mitch Webster étaient déçus relèverait de l'euphémisme. « Ils ont été malhonnêtes, a lancé Burke, le meilleur releveur du club des deux saisons précédentes. L'an dernier, ils ont racheté leur erreur en bonifiant en cours de saison le contrat ridicule qu'ils m'avaient offert. Mais cette année, ils ne sont pas justes avec moi. » En 1986, Burke touchait 180 000 $; il en voulait maintenant 250 000 $. Les Expos lui consentiraient 225 000 $.

Webster disait pour sa part que la direction avait réussi à l'« écœurer royalement. » Selon lui, les joueurs de sa catégorie valaient entre 350 000 $ et 450 000 $. Or, il devrait se satisfaire de 210 000 $...

Dans les années 1970, quand l'arbitrage salarial avait été instauré, Marvin Miller, le directeur de l'Association des joueurs, avait réussi à convaincre ceux-ci de dévoiler publiquement leur salaire. Jusque-là, les athlètes de la majorité des sports professionnels considéraient que ces questions étaient d'ordre privé et évitaient même d'en discuter ouverte-ment entre eux. Miller leur a fait comprendre qu'ils étaient les premiers à subir les conséquences de cette loi du silence. À partir du moment où les salaires de tous les joueurs seraient du domaine public, ils pourraient se servir des montants alloués à des pairs pour justifier une demande salariale : « Quoi ? Tel ou tel joueur a obtenu 400 000 $ en frappant ,260 et 15 circuits ? J'ai 20 circuits et une moyenne de ,275. Pourquoi je ferais 50 000 $ de moins que lui ? » L'effet a été instantané et les salaires ont par la suite grimpé en flèche.

Dans son édition du 20 avril, le *Sports Illustrated* a pris une initiative jusque-là inédite : publier le salaire (pour la saison 1987) de chacun des 624 joueurs faisant partie des 26 formations de début d'année, du mieux rémunéré (Eddie Murray, à 2,4 millions) jusqu'aux recrues qui, comme Casey Candaele, Alonzo Powell et Jeff Parrett, tous des Expos, comman-daient le salaire minimum de 62 500 $. Ces chiffres, l'Association des joueurs les faisait circuler parmi les membres depuis plusieurs années mais désormais, les amateurs avaient accès à d'autres statistiques que des moyennes au bâton pour évaluer si les joueurs de leur club préféré consti-tuaient une aubaine (ou pas). Les fans des petits marchés comme Montréal seraient également à même d'évaluer lesquels de leurs favoris devien-draient sous peu trop coûteux pour les moyens de leur équipe...

Certes, les Expos avaient fort habilement réussi à contrôler leurs dépenses, mais l'équipe qui s'est présentée au camp d'entraînement laissait présager des chiffres bien modestes dans la colonne des victoires en 1987. Le gérant Buck Rodgers ne pouvait pas dire qui frapperait au premier et au troisième rang ; personne ne pouvait prédire si Neil Heaton s'ajusterait bien aux frappeurs de la Nationale ni si les partants Bryn Smith et Jay Tibbs rebondiraient après une saison quelconque. Mike Fitzgerald et Hubie Brooks soignaient encore une blessure aux mains, tout comme le joueur d'intérieur Tom Foley. Sitôt arrivé à West Palm Beach, Tim Wallach, déçu des départs (confirmés ou éventuels) de Reardon, Dawson et Raines, a aussitôt déclaré que les Expos n'allaient « nulle part ». Puis, comme si ça n'allait pas déjà assez mal, le jeune Floyd Youmans, l'as de la rotation en 1986, s'est présenté au camp gras comme un voleur.

Une dizaine de jours plus tard, une grande nouvelle arrivait au camp des Expos. Andre Dawson, le leader du club, le meneur à vie dans presque toutes les catégories offensives de l'équipe (parties jouées, coups sûrs, doubles, triples, circuits, points marqués, points produits), s'était trouvé un emploi dans une autre ville que Montréal.

Plus l'hiver passait, plus Andre Dawson se rendait à l'évidence : il ne recevrait pas d'autre offre que celle que les Expos lui avaient faite. Deux options s'offraient à lui : revenir à Montréal ou aller jouer au Japon, comme l'y encourageait son vieil ami Warren Cromartie, qui poursuivait sa carrière au pays du soleil levant depuis son départ des Expos à la fin de la saison 1983.

Pour le Hawk, revenir à Montréal était désormais hors de question. D'une part, le climat froid et humide de Montréal et la dure surface synthétique du Stade olympique continueraient à endommager ses genoux, le condamnant certainement à une retraite prématurée. L'athlète de 32 ans détestait souverainement l'Astroturf (c'est ainsi qu'on appelait alors ces surfaces), dont l'existence relevait, selon lui (et il n'avait pas tort), principalement d'impératifs économiques. En effet, en remplaçant la pelouse par ces surfaces plus faciles à drainer, les clubs annulaient moins de matchs, s'évitant ainsi d'avoir à présenter des programmes doubles, des entreprises habituellement déficitaires.

Mais il y avait une raison autre que le climat et les surfaces synthétiques, plus profonde celle-là.

Quand Dawson et son agent Dick Moss ont rencontré Charles Bronfman et John McHale pour la dernière fois, au terme de la saison 1986, ces derniers refusaient toujours de bonifier leur dernière offre – un contrat de deux ans à raison d'un million par année –, 200 000 $ de moins que le salaire que commandait Dawson jusque-là.

Moss a alors demandé une faveur aux deux dirigeants : « Nous vous demandons de nous offrir un contrat de deux saisons à 1,5 million par année. Pour la forme. Nous comprenons que vous ne nous consentirez pas cet argent et je vous jure que nous refuserons cette offre. Mais en agissant de la sorte, vous contribuerez à envoyer un message au reste du baseball sur ce que vous estimez être la valeur d'Andre. Ça lui évitera de recevoir des offres ridicules. » S'il faut en croire l'autobiographie *Hawk* de Dawson, Bronfman et McHale lui ont alors presque ri en pleine face[1]. Jamais ils ne lui feraient une telle offre, même pour la forme. C'est donc sur cette note amère qu'a pris fin la relation d'Andre Dawson avec les Expos de Montréal.

Quant à l'idée de s'exiler au Japon, l'épouse de Dawson s'est assurée qu'elle ne ferait pas l'objet de longues discussions : pour elle, pas question de s'adapter une fois de plus à une autre langue, une autre culture. Après des années d'acclimatation, Vanessa Dawson se sentait désormais à l'aise à Montréal et elle n'avait pas envie de repartir à zéro ailleurs.

Ce que voulait en fait Andre Dawson – en plus de quitter les Expos –, c'était de jouer pour un club de la Ligue nationale, un club évoluant sur du gazon naturel, comme les Braves d'Atlanta ou les Cubs de Chicago. Or, si Atlanta était la ville la plus près de sa résidence floridienne, c'est à Chicago que le joueur de baseball semblait le plus à l'aise, comme en témoignait sa moyenne en carrière de ,346 dans les matchs disputés au Wrigley Field. Mais tant Dawson que Moss savaient qu'aucune offre ne viendrait, ni de Chicago ni d'ailleurs. Durant l'hiver, Moss avait tout fait pour intéresser plusieurs équipes à un de ses clients, l'excellent lanceur Jack Morris (21-8, MPM 3,27 en 1986). Mais aucune offre sérieuse n'était jamais venue et ce dernier avait dû se contenter de la proposition de son ancienne équipe, les Tigers de Detroit. Les joueurs (et leurs agents) revivaient donc le cauchemar de la fin 1985, quand le marché des joueurs autonomes était subitement tombé à plat.

C'est alors que Dick Moss a fait à Andre Dawson une proposition tout aussi inusitée qu'audacieuse : ils se rendraient sans invitation à Mesa, en Arizona, là où s'entraînaient les Cubs de Chicago, et ils remettraient à Dallas Green, le DG de l'équipe, une ébauche de contrat pour une saison. Il reviendrait à Green et aux Cubs d'inscrire sur le document le salaire qu'ils jugeraient raisonnable de lui offrir.

Pour les Cubs, c'était évidemment un cadeau empoisonné. Si Green sautait sur l'occasion pour mettre Dawson sous contrat, il se mettrait à dos ses pairs qui, eux, avaient tenu leur parole de ne pas engager d'agents libres provenant d'autres clubs. Mais si Green tournait le dos à la proposition du clan Moss-Dawson, il se ferait crucifier par les médias et les amateurs de Chicago, qui l'accuseraient d'avoir laissé filer une occasion en or d'améliorer les chances du club d'aspirer aux grands honneurs.

Green était passablement irrité par la commotion qu'avait créée l'arrivée impromptue de Dawson au camp de son équipe, car après les médias et les fans de Chicago, ce sont les joueurs eux-mêmes qui ont commencé à réclamer l'embauche de Dawson, le lanceur Rick Sutcliffe offrant même aux dirigeants du club d'alléger de 100 000 $ son propre salaire pour que les Cubs puissent s'offrir le vétéran voltigeur des Expos !

De son côté, Dawson craignait le pire : et si les Cubs lui offraient le salaire minimum ? Comment réagirait-il alors ? Serait-il contraint de se contenter de « miettes » ? Lui faudrait-il prendre sa retraite ?

Quelques jours après l'offre de Moss, Dallas Green a appelé Dawson. « Andre, nous avons étudié de près ta situation. Crois-moi, l'offre que nous te faisons est la meilleure que nous puissions faire : 500 000 $ plus un boni de 150 000 $ si ton nom ne figure pas sur la liste des blessés avant la mi-saison, et 50 000 $ de plus si tu es sélectionné pour le match des Étoiles. »

Cinq cent mille dollars, c'était la *moitié* de que ce que lui proposaient les Expos, une offre qui, soit dit en passant, était toujours sur la table. C'était aussi moins que ce que gagnaient plusieurs joueurs des Cubs qui étaient loin d'avoir la feuille du Hawk. Mais aux yeux de Dawson, revenir à Montréal aurait été l'équivalent de ramper devant ses anciens employeurs. « Je me suis mis à penser que c'était impossible de réduire à un chiffre la valeur de ma carrière, de ma fierté. Entre m'incliner devant l'argent et suivre mon cœur, le choix était clair », de relater Dawson dans ses mémoires[2]. Le 9 mars, Andre Dawson devenait officiellement un Cub.

Quand il est entré pour la première fois dans le vestiaire du club dans son uniforme rayé bleu, le Hawk a été accueilli par ses nouveaux coéquipiers par une ovation debout. Manifestement, la réputation qu'il s'était bâtie à Montréal – un modèle de professionnalisme et de courage – l'avait suivie jusque dans ce vestiaire. Dans son ouvrage *The Commissionners*, le vétéran reporter Jerome Holtzman argue que, de tous les joueurs de baseball qu'il a côtoyés, les deux seuls qui, à sa connaissance, ont représenté une inspiration constante pour leurs coéquipiers sont Mickey Mantle et Andre Dawson[3].

La décision de Dawson aura été, on le verra, la meilleure qu'il ait prise de sa vie professionnelle ; un pari osé, voire désespéré, mais qui a superbement relancé sa carrière.

Alors que s'amorçait, le 27 février, le camp des Expos, un des meilleurs joueurs de baseball de sa génération rongeait son frein dans sa résidence de 22 pièces à Heathrow, une banlieue de nouveaux riches sise à Sanford, au nord d'Orlando, en Floride.

« Un petit prince malheureux dans son château », titrait *La Presse* du lendemain. Dans un article signé Michel Blanchard, Tim Raines, le Joueur le plus utile de la Nationale en 1986, réitérait le fait que ses chances de revenir à Montréal étaient nulles. « Je veux 5,5 millions pour trois ans. Mais les Expos me les offriraient demain matin que je les refuserais. Ils ont eu le temps qu'il fallait pour s'entendre avec moi. Il est trop tard. »

« C'est une question de dignité, poursuivait l'athlète de 27 ans. Je n'accepterai jamais de diminution de salaire. Entre les propriétaires et moi, une guerre des nerfs est engagée. Aucune des équipes avec lesquelles j'ai négocié n'a encore parlé sérieusement. Les Padres, les Braves, les Astros et les Angels se disent intéressés, mais leurs offres sont ridicules. Je ne veux même pas entendre parler d'une offre qui serait inférieure à celle des Expos.»

Raines reconnaissait être mal dans sa peau, malgré l'immense propriété de style Tudor, malgré la Jeep et la Mercedes dans son garage. «Je me sens tout drôle. Depuis 10 ans, je suis à l'entraînement à la mi-février. Ma vie c'est le baseball, je l'ai dans la peau. Je me sens comme un artiste sans chevalet. Mon fils de sept ans a commencé sa saison de baseball. Lui a un job, moi pas.»

Raines poursuivait: «Les propriétaires veulent tuer le marché des joueurs autonomes et ça, c'est inacceptable.» Malgré tout, il se disait confiant de voir l'impasse se dénouer: «Je suis convaincu qu'ils meurent d'envie de me faire une offre, mais aucun ne veut être le premier à rompre l'accord conclu entre eux. Toutefois, je sens que dans une dizaine de jours, un d'eux va finir par craquer.» En attendant ce moment, Raines s'entraînait avec quelques jeunes dans la cour de l'école secondaire qu'il fréquentait, adolescent.

Le 10 mars, le grand patron des Expos Charles Bronfman est passé faire sa première visite au camp. «Nous avons fait le maximum pour garder Andre Dawson et Tim Raines avec nous. S'ils n'ont pas accepté nos offres, c'est parce qu'ils n'ont pas compris que le contexte économique est différent.» Plus tard, Bronfman a parlé d'une «force extérieure» ayant déclenché la guerre entre joueurs et propriétaires: les agents. «Cette situation me donne envie de vomir. Je ne veux plus jamais voir Dick Moss. Ils peuvent tous aller au diable.»

Monsieur Bronfman disait espérer un retour aux sources, revivre le temps où il était agréable d'aller assister à un match de baseball. «L'atmosphère est si tendue maintenant que je suis presque mal à l'aise d'aller rencontrer les joueurs dans le vestiaire. Je crains d'avoir un grief du seul fait de leur parler.»

Le principal actionnaire du club montréalais se défendait bien des accusations de collusion émanant de l'Association des joueurs. Dans une entrevue publiée en mai dans le magazine *Les Expos*, M. Bronfman exposait sa vision de la situation: «Rien de ce que nous faisons n'est illégal ou immoral. En 1985, nous avons ouvert nos livres et avons été consternés de voir combien les équipes perdaient d'argent. Nous avons donc tenté de voir ce que nous pouvions faire pour nous remettre sur le bon chemin. Il y a quelques années, les propriétaires raisonnaient de façon égoïste, ils ne se considéraient pas comme partenaires. C'était le règne du chacun pour soi. Ça commence à changer. »

Sur le terrain, le gérant Buck Rodgers avait entrepris d'évaluer ses troupes, se demandant qui succéderait à Dawson au champ droit (le réserviste Herm Winningham ? le nouveau venu George Wright ?) et qui le remplacerait au troisième rang des frappeurs (Andres Galarraga ?). Rodgers et les Expos se demandaient aussi si le vétéran voltigeur Dave Collins – mis sous contrat comme joueur autonome durant la saison morte – pourrait combler un des trous béants laissés par Dawson et Raines au champ extérieur (en définitive, Collins serait libéré avant la fin du camp…). Et quand le club a entrepris son calendrier de matchs présaison dans la deuxième semaine de mars, Rodgers n'avait toujours pas de premier frappeur… Les mêmes inquiétudes prévalaient du côté du monticule et Rodgers a invité pas moins de 10 lanceurs ne faisant pas partie de la formation élargie (le *40 man roster*) à se présenter à West Palm Beach ! Deux de ces lanceurs trouveraient même le moyen de percer la formation de début de saison, les vétérans releveurs Bill Campbell et Lary Sorensen.

Rodgers tentait de rassurer les observateurs du mieux qu'il le pouvait : « Ce que les gens oublient, c'est que nous avions Reardon, Dawson et Raines dans l'alignement l'an dernier et que ça ne nous a pas empêchés de connaître deux derniers mois désastreux… » Mais les propos du gérant des Expos n'ont pas convaincu grand monde. Dans son édition de début de saison, *The Sporting News* voyait les Expos partager la cave de la division Est avec les Pirates : « C'est une belle coïncidence que les Expos viennent amorcer la saison en jouant leurs matchs locaux sous un toit. Ils ont peut-être avantage à rester incognito cette année », a écrit Ian MacDonald, le correspondant du quotidien *The Gazette* pour l'hebdomadaire américain.

Or, vers la fin du camp, un revirement aussi heureux qu'inattendu a surpris la petite famille des Expos : Tim Raines semblait désormais assouplir sa position vis-à-vis des Expos : le 23 mars, il concédait à Réjean Tremblay de *La Presse* qu'il y avait encore « une chance » qu'il revienne. Deux jours plus tard, Virginia Raines, l'épouse de Tim, allait encore plus loin dans un entretien avec Michel Blanchard, du même quotidien : « Vous pouvez parier sur le retour de Tim avec les Expos. Nous n'accepterons aucune offre en dessous de 1,5 million par saison. Depuis février, la meilleure offre que nous avons reçue est de 1,2 million. Aussi bien dire que le dossier est classé. »

Chez les dirigeants des Expos, la prudence était de mise. D'abord, Raines, comme tous comme les autres agents libres, ne pourrait pas négocier avec le club avant le 1ᵉʳ mai. Il n'était donc pas question d'y aller de déclarations triomphalistes qui pourraient froisser le clan Raines. « Si jamais Raines revenait frapper à nos portes le 1ᵉʳ mai prochain, c'est sûr que nous l'accueillerions les bras ouverts », a commenté Claude Brochu, le président des Expos.

Les joueurs aussi restaient prudents. « S'il fallait que ce ne soit pas vrai, je serais tellement déçu », a déclaré Mitch Webster. D'autres avaient du mal à cacher leur joie. « C'est une très bonne nouvelle que vous m'apprenez là, a répondu Vance Law au journaliste lui rapportant la rumeur. Raines, c'est la différence entre une équipe ordinaire et une équipe qui lutte pour le championnat. » Le nouveau venu Neil Heaton allait dans le même sens : « J'avais des doutes quant à la qualité de notre attaque. Mais le retour de Raines me les enlève tous. »

Quand Charles Bronfman a pris connaissance des propos du clan Raines, il a aussitôt passé un coup de fil à son joueur. Plus tard dans la journée, les deux hommes se rencontraient à Sarasota et s'entretenaient pendant une heure et demie.

Le malaise entre Raines et les Expos remontait au début 1985, quand la signature d'une entente de trois ans entre les deux parties était tombée à l'eau à la dernière minute, incitant Tim à porter son cas à l'arbitrage. Ce qui s'était dit à son sujet devant l'arbitre l'avait laissé extrêmement amer envers les Expos. Depuis, le dialogue entre lui et la direction du club s'était fait par le biais d'intermédiaires, ce qui avait considérablement détérioré la relation entre les parties.

Il n'y a rien comme une rencontre entre quatre yeux pour remettre les pendules à l'heure et Charles Bronfman a pu réitérer la volonté des Expos de le ramener à la maison. « *Loved, needed and wanted* », a répondu M. Bronfman quand Raines lui a demandé si les Expos tenaient vraiment à lui. « Je lui ai dit qu'il fallait tout oublier, recommencer à neuf et ne jamais cesser de communiquer l'un avec l'autre », a relaté le propriétaire des Expos aux médias.

Et pour achever de convaincre Tim Raines, le propriétaire des Expos lui a fait une promesse, et pas n'importe laquelle : « Tim, tu as ma parole : nous prendrons les moyens qu'il faut pour remporter le championnat avant trois ans. »

Le samedi 28 mars, alors que les champions de la saison 1986, les fabuleux Mets de New York, terminaient leur exercice au bâton avant le match qui les opposerait aux Expos, les représentants des médias bordaient le terrain, attendant de pouvoir s'adresser aux vedettes de l'heure comme Gary Carter, Dwight Gooden ou Keith Hernandez. Le match devait être retransmis par les grands réseaux de télévision américains et une certaine fébrilité flottait dans l'air. C'est alors que tous ces gens – et les 7 200 spectateurs du stade municipal de West Palm Beach – ont eu la surprise de leur vie quand ils ont entendu l'annonceur maison signaler la présence d'un «invité spécial» des Expos de Montréal. De l'abri du club, est alors apparu Tim Raines en personne – portant élégamment veston et cravate – en compagnie de son ancien/nouveau patron, Charles Bronfman.

«La ruée vers l'abri des Expos fut instantanée, a écrit Michel Blanchard dans *La Presse* du lendemain. Scène touchante qui n'était pas sans rappeler une autre, plus célèbre, celle-là, du père qui accueille en grande pompe l'arrivée de l'enfant prodigue.»

Raines et M. Bronfman ont répondu aux questions des journalistes pendant plus d'une heure. «D'ici le 1er mai, beaucoup de choses peuvent encore se passer, mais les chances que je revienne avec les Expos sont excellentes, a dit en substance Raines aux médias. Chose certaine, je n'accepterai jamais moins d'argent pour aller jouer ailleurs. Je me réjouis de la tournure des choses pour Andre (Dawson), mais mon cas est différent.»

Tim a aussi tenu à apporter une précision: «Je ne sais pas ce qui s'est écrit dans les journaux de Montréal, mais la relation que j'ai eue avec les amateurs des Expos a toujours été une histoire d'amour. Et j'espère bien l'entretenir au cours des prochaines années.»

Pour une rare fois, les Mets et leurs grandes stars étaient relégués à un rôle de soutien, les réflecteurs étant braqués sur les Expos et leur vedette à eux. «Le match est présenté à la radio et à la télévision et j'ai pensé que ce serait une bonne chose que Tim soit ici devant les membres de la presse new-yorkaise», a affirmé M. Bronfman aux médias. Quand un journaliste lui a fait remarquer que Raines avait volé la vedette à Gary Carter, le propriétaire des Expos a souri: «Ça aussi, c'était prévu.»

Soudainement, la saison de baseball qui attendait les Montréalais et les Québécois paraissait plus prometteuse.

Le milieu sportif montréalais avait beau réviser à la hausse ses prédictions pour l'édition 1987 des Expos, ces derniers devraient tout de même traverser sans trop de dommages le premier mois de la saison, éviter à tout prix que le club que rejoindrait Tim Raines en mai soit trop enfoncé dans les bas-fonds du classement pour pouvoir espérer en sortir. Or, le mauvais sort continuait de s'acharner sur l'équipe. Le 5 avril, les Expos inscrivaient trois noms sur la liste des blessés : Bryn Smith (coude), Tim Burke (coude) et Mike Fitzgerald, que l'index de la main droite importunait depuis la fin de la dernière saison.

À vrai dire, la formation partante assemblée par Buck Rodgers pour le match d'ouverture du 6 avril contre les Reds avait de quoi inquiéter les plus optimistes des observateurs. Le rôle des frappeurs se présentait comme suit : Alonzo Powell (cg), Mitch Webster (cd), Andres Galarraga (1b), Hubie Brooks (ac), Tim Wallach (3b), Vance Law (2b), Jeff Reed (r), Reid Nichols (cc) et le lanceur Floyd Youmans. Certes, Brooks et Wallach étaient des joueurs établis, et Galarraga et Webster avaient été fiables en 1986, mais les Powell, Nichols et Reid avaient tout à prouver – comme bien d'autres, d'ailleurs. En fait, seulement 10 des 24 joueurs de la formation de début de saison avaient entrepris la saison précédente avec le club.

C'est au monticule que les Expos ont connus des ratés en lever de rideau. Floyd Youmans, désigné par Rodgers pour commencer le match, a dû céder sa place dès la 4ᵉ manche après avoir alloué 2 circuits et 7 points. Les Reds n'ont pas été plus tendres pour le vétéran releveur Bill Campbell, le 24ᵉ et dernier joueur à s'être taillé une place dans la formation (à ce moment-là, les formations comptaient 24 joueurs, pas 25). Campbell a accordé un simple, un circuit et un double aux 3 frappeurs qu'il a affrontés et les Reds ont marqué 9 points dans cette interminable 4ᵉ manche, en marche vers une victoire facile de 11-5. Seule consolation : les 3 CS en 4 – dont un double – de Tim Wallach. « La saison 1987 risque d'être longue si la performance de Floyd Youmans est une indication de ce qui attend les Expos », écrivait Richard Milo dans le *Devoir* du lendemain.

Mais les Expos n'étaient pas au bout de leur peine : ils ont aussi perdu contre ces mêmes Reds 48 heures plus tard avant d'être balayés à Houston, une série de trois matchs au cours de laquelle ils n'ont marqué que trois fois. Pire encore, dans le premier match de la série, Hubie Brooks, le meilleur frappeur des Expos en 1986 après Tim Raines, a été atteint par un tir qui lui a fracturé le poignet droit : il serait à l'écart du jeu jusqu'à la fin mai. Après la série à l'Astrodome, l'équipe montréalaise présentait une fiche de 0-5. Trois longues semaines passeraient encore avant le retour de Tim Raines : tout laissait présager le pire…

Les Expos ont toutefois relevé la tête dans les séries suivantes à Saint Louis et Chicago, remportant contre toute attente 4 matchs sur 5 pour porter leur fiche à 4-6 et se rapprocher à 2 ½ matchs du sommet de leur division.

Ce redressement soudain de l'équipe explique-t-il à lui seul la présence des 50 482 spectateurs qui, le 20 avril, ont envahi le Stade olympique pour le match d'ouverture local? Pas vraiment. Non, ce qui a attiré les Montréalais dans l'est de la ville ce jour-là, était, et de loin, leur curiosité de voir cette gigantesque toile de Kevlar qui, pour la première fois, recouvrait le grand stade Taillibert.

À son ouverture à l'été 1976, tout juste à temps pour la tenue des Jeux, le Stade olympique avait été décrit par les plus enthousiastes comme une colossale réalisation architecturale. Mais cette œuvre de démesure restait tout de même inachevée, la construction de son mât ayant dû être interrompue faute de temps et d'argent.

Les années avaient passé et les Expos avaient dû évoluer dans un stade n'ayant ni les avantages d'un stade ouvert (le soleil s'y frayant difficilement un chemin), ni ceux d'un stade protégé par les éléments, puisque sans toit, l'intérieur de l'enceinte était vulnérable aux intempéries, au froid et à l'humidité.

Les plans initiaux du Stade prévoyaient l'installation d'un toit amovible qu'il serait possible de déployer ou de refermer en 45 minutes. Après avoir considéré toutes les options, le gouvernement du Québec, mené par les libéraux de Robert Bourassa depuis l'automne 1985, avait décidé d'aller de l'avant avec ce plan. La toiture du Stade serait unique au monde; certes, un autre toit complètement rétractable existait déjà à Dusseldorf, en Allemagne, mais il était dix fois moins grand. Le stade des Mariners à Seattle avait aussi un toit amovible, mais aux deux tiers seulement.

Mais le toit qu'ont vu les Montréalais en cet après-midi d'avril 1987 n'était pas amovible – pas encore du moins. Il faudrait attendre plus de deux ans pour admirer ce chef d'œuvre de l'ingénierie moderne. D'ici là, la toile – d'une épaisseur de seulement 2,5 mm – resterait bien en place pour la durée de la saison.

Les Expos étaient évidemment fort curieux de savoir quel serait l'impact du nouveau toit sur leur entreprise, mais on s'entendait pour dire que les avantages dépasseraient largement l'inconvénient de ne plus voir le bleu du ciel de l'intérieur de l'édifice. « Le toit aura très certainement un impact positif sur l'assistance aux matchs, a fait valoir le président des Expos Claude Brochu. Il n'y aura plus de matchs retardés ou annulés par la pluie et les amateurs venant de l'extérieur de Montréal n'auront plus à craindre de s'être déplacés pour rien. De plus, le toit nous permettra de jouer à Montréal plus tôt dans la saison [les Expos jouaient toujours leurs premiers matchs de la saison sur la route, dans des villes où le climat est normalement plus doux] ainsi que d'organiser des matchs présaison contre des équipes intéressantes comme les Yankees ou les Red Sox, que nous ne voyons jamais à Montréal. »

Finalement, avec une température contrôlée aux environs de 18°C, le Stade serait plus confortable qu'il ne l'avait jamais été, particulièrement en avril, mai et septembre. Sans compter qu'avec la construction du mât, finalement complétée, les spectateurs n'auraient plus à subir l'atroce vue d'une grue derrière la clôture du champ centre.

Côté baseball, les dirigeants du club ne pouvaient encore prédire si la présence du toit favoriserait les lanceurs ou les frappeurs, mais la plupart étaient convaincus que la couleur orangée de l'intérieur de la toile permettrait à la défensive de suivre aisément la trajectoire de la balle.

Chose certaine, les spectateurs s'étant rendus au Stade ce jour-là ont compris qu'un toit ne réglerait pas tout puisque leurs favoris se sont inclinés 7-4 devant les Phillies de Philadelphie.

Autre constatation : la température dans le Stade n'était pas du tout celle prévue par les ingénieurs. La présence de 50 482 personnes y était sans doute pour quelque chose mais il reste qu'à 29°C, l'air ambiant du Stade avait un petit quelque chose d'étouffant, et pas grand-chose de cet environnement « confortable » qu'on avait promis aux amateurs de baseball. Mais il fallait donner la chance au coureur : des ajustements seraient sans doute apportés dans les prochaines semaines...

Les Montréalais ayant satisfait leur curiosité, ils sont rentrés à la maison – et y sont restés. Lors des trois programmes suivants, l'équipe n'a attiré que 8 114, 5 632 et 7 752 spectateurs. Si l'objectif de installation d'un toit était d'avoir un impact positif aux guichets, il fallait reconnaître que la preuve n'en était pas encore faite.

Lors du match disputé l'après-midi du vendredi 24 avril – celui qui n'avait attiré que 7 752 spectateurs –, les amateurs de baseball auraient pourtant eu une excellente raison de se rendre en masse au Stade : les Expos y recevaient les Cubs de Chicago et leur nouveau voltigeur de droite, le Hawk, Andre Dawson, probablement le joueur le plus illustre de l'histoire du club montréalais après Gary Carter.

Dans ses premiers matchs avec sa nouvelle équipe, Dawson avait eu du mal à frapper la balle avec autorité, se mettant de son propre aveu trop de pression sur les épaules. Mais les partisans du club s'étaient massivement rangés derrière lui, lui réservant un accueil remarquablement inconditionnel : « Chez les Cubs, tout était trop beau pour être vrai, particulièrement les fans de l'équipe, raconte Dawson dans son autobiographie. Ils analysaient studieusement le jeu ; je pouvais leur parler, me mêler à eux, entrer en relation avec eux, chose que je n'avais jamais pu faire à

Montréal. À Chicago, ils m'appréciaient, peu importe si les choses allaient bien pour moi ou pas. Ils m'ont vraiment atteint dans mon point le plus faible : ma capacité à me laisser aimer. Je me sentais comblé, je ne m'étais jamais senti aussi bien face à moi-même. Je ne m'étais jamais senti autant aimé[4]. »

Dawson affirme avoir reçu plus d'ovations lors de son premier mois chez les Cubs que durant toute sa carrière à Montréal : « Les amateurs montréalais sont plus contenus, plus tranquilles. Ils ne réagissent pas tant que le tableau indicateur ne leur dit pas de le faire. À Chicago, les fans prennent les devants. »

Mais lors de la première visite de Dawson au Stade, les amateurs n'ont pas eu besoin de signal pour se manifester : dès l'annonce de son nom dans l'intercom, les gens ont commencé à huer.

« Les amateurs montréalais étaient convaincus que j'étais le méchant dans l'histoire, probablement parce que c'était le point de vue que les médias de là-bas avaient mis de l'avant, poursuit Dawson dans son autobiographie. Pourtant, c'était moi que le club avait tenté de tromper dans toute cette affaire de collusion. Des réactions comme celle-là n'auraient pas pu se produire dans une ville de baseball comme Chicago. Les amateurs auraient été trop avisés pour gober ce que les journaux montréalais essayaient de faire avaler à leurs lecteurs[5]. »

Dawson a répondu aux huées dès la 1re manche en frappant un double bon pour un point. Plus tard dans le match, il cognait 2 autres doubles pour mener son club à une victoire de 6-4. Mais le Hawk ne s'est pas arrêté là : en trois matchs au Stade, il a obtenu sept coups sûrs (dont deux circuits) et produit six points, aidant les Cubs à balayer son ancienne équipe.

En 1987, Andre Dawson connaîtrait sa meilleure saison en carrière : 49 circuits, 137 points produits, des sommets personnels. Ce serait la première de 6 merveilleuses campagnes avec les Cubs, pour qui il cognerait une moyenne de 29 circuits par saison, les aidant, entre autres choses, à remporter le championnat de la division Est en 1989.

En janvier 2010, après 9 années à frapper à la porte du Temple de la renommée du baseball, Andre Dawson a finalement rejoint les Babe Ruth, Hank Aaron et Willie Mays. Il n'a pas caché qu'il aurait aimé y être admis en tant que porte-couleurs des Cubs, mais la direction du Temple en a décidé autrement : c'est avec la casquette des Expos qu'il se joindrait aux immortels, puisqu'en plus d'être un produit de l'organisation, il avait passé la majorité de sa carrière (plus de 10 saisons) à Montréal.

Quand le Hawk a livré son discours d'intronisation à Cooperstown l'été suivant, il a eu de bons mots pour Montréal et pour les partisans des

Expos. Mais c'est quand il a parlé de Chicago et des supporteurs des Cubs qu'il a véritablement parlé du fond du cœur : « Je ne savais pas ce que c'était d'être aimé par une ville avant d'arriver à Chicago, a lancé Dawson à la foule de 10 000 personnes réunies à Cooperstown. Vous m'avez donné une nouvelle vie dans le baseball. Vous étiez le vent sous les ailes du Hawk. »

Comme il fallait s'y attendre, les Expos – privés d'éléments clés comme Tim Raines et Hubie Brooks – avaient connu un premier mois plutôt difficile (8-12). Mais un lent départ de leurs rivaux de l'Est – même les Mets jouaient pour à peine plus de ,500 – leur avait permis de demeurer malgré tout à 4 matchs de la tête de la division. Ils étaient maintenant prêts à ajouter à leur formation la pièce du casse-tête qui leur avait tant fait défaut.

Le 1er mai, à minuit tapant, la direction des Expos a repris les pourparlers avec Tim Raines et ses représentants. Trois heures plus tard, une entente était signée, le joueur autonome acceptant grosso modo la même offre qu'il avait refusée en janvier, soit 4,8 millions pour trois ans (certaines sources parlaient d'une offre quelque peu bonifiée).

Le lendemain après-midi, Raines patrouillait déjà le champ gauche des Expos, son nom inséré au troisième rang de l'ordre des frappeurs pour le match que l'équipe montréalaise s'apprêtait à disputer aux Mets au stade Shea de New York.

En début de rencontre, Raines était inquiet : pendant l'exercice au bâton, il n'avait sorti que deux balles de l'avant-champ. Après tout, il n'avait pas affronté de lanceurs des majeures depuis sept mois… Mais son inquiétude s'est vite dissipée dès sa première présence au bâton, alors qu'il a sauté sur la première offrande du lanceur des Mets David Cone, un coup en flèche qui a roulé jusqu'à la rampe pour un triple. En arrivant au troisième, Raines avait le sourire fendu jusqu'aux oreilles. Certains joueurs auraient pu crier « mission accomplie ». Mais la journée de travail de Tim Raines ne faisait que commencer.

En 3e manche, Tim a soutiré un but sur balles, a volé le deuxième, puis est venu marquer sur un simple d'Andres Galarraga. Il a frappé un simple en 6e, puis un autre en début de 9e pour amorcer un ralliement qui a permis à son club d'égaler la marque 6-6.

Puis, en 10e manche, le releveur Jesse Orosco des Mets s'est retrouvé dans de beaux draps en accordant 3 simples consécutifs. C'est donc avec les buts remplis que le prochain frappeur des Expos s'est présenté au marbre. Et, comme dans ces grandes histoires hollywoodiennes que le baseball réussit souvent à créer, le prochain frappeur était, bien entendu, Tim Raines.

La suite fait désormais partie de la légende : Raines a cogné la balle solidement, en hauteur, une balle qui a suivi un long arc jusque derrière la clôture du champ gauche. Tim Raines venait de frapper un grand chelem, donnant du coup une avance de quatre points à son équipe. Cette image de Raines – l'enfant prodige, celui qui était parti pour ne plus revenir – qui contourne les buts pour revenir à la maison où l'attendent ses coéquipiers Reid Nichols, Casey Candaele et Andres Galarraga est certes l'un des moments les plus forts de l'histoire des Expos.

Une fois une nouvelle entente bâclée avec les Expos, Tim Raines n'a pas tardé à se mettre en branle et à subjuguer ses admirateurs.
Club de baseball Les Expos de Montréal

Après le match, le casier de Raines s'est, bien entendu, fait envahir par une horde de représentants des médias. « Entendre les huées de la foule et jouer devant 37 000 personnes, ça m'a stimulé… Aujourd'hui, je me suis amusé et j'ai l'intention de m'amuser comme ça tout l'été. Je ne connaîtrai pas de matchs semblables tous les jours et je ne voudrais pas que les gens me prennent pour un sauveur, a déclaré le héros du jour. Même dans mes rêves les plus fous, je n'aurais jamais pensé effectuer un retour au jeu aussi spectaculaire. »

Le lendemain, Raines frappait un circuit en solo à sa première présence en 1re manche, le seul point dont les Expos ont eu besoin pour triompher des Mets 2-0. Le gérant Buck Rodgers n'en revenait pas, lui qui s'était fait à l'idée qu'il faudrait une dizaine de jours à Raines pour retrouver son synchronisme. « Au fait, à quoi servent donc les camps d'entraînements ? », ont commencé à s'interroger quelques représentants des médias.

Peu après le retour de Raines, Buck Rodgers a réuni l'équipe. Il a dit aux joueurs de se regarder dans le miroir, d'effacer de leur esprit l'idée qu'ils étaient censés perdre. « Il nous a fait voir que nous pouvions gagner, que perdre n'était tout simplement pas acceptable. Il nous a énormément aidés à garder la tête haute», a dit le releveur Bob McLure.

Personne n'aurait pu l'affirmer avec certitude encore, mais la saison des Expos venait de prendre un tout autre tournant.

Historiquement, les Expos ont toujours eu du mal à attirer de grosses foules à leurs matchs locaux tant et aussi longtemps que les Canadiens de Montréal n'étaient pas exclus des séries éliminatoires – ce qui, à l'époque, arrivait plus tard que tôt. Ce n'était pas différent en 1987, alors que les Canadiens étaient en pleine finale de conférence contre les Flyers de Philadelphie.

Le 8 mai, les Flyers étaient justement à Montréal pour y jouer dans le 3e match d'une série qui s'avérait âprement disputée. Tout de même, l'assistance lors du match des Expos ce soir-là avait certainement de quoi déprimer les plus «expositifs». Après tout, c'était le premier match d'un séjour à domicile, un vendredi soir, le club venait de remporter quatre de ses cinq derniers matchs sur la route et, surtout, *surtout*, c'était la grande rentrée montréalaise de Tim Raines. Or, ils n'étaient que 9 692 à s'être déplacés pour souhaiter la (re)bienvenue à l'un des meilleurs joueurs du baseball de la décennie.

Peut-être dégonflés par un appui aussi mou, les Expos se sont fait blanchir par les Astros de Houston, Raines terminant la soirée sans coup sûr en quatre présences au bâton. À l'autre bout de la ville, les Canadiens, gonflés à bloc par une salle aussi comble qu'enthousiaste, triomphaient des Flyers.

Durant la semaine qui a suivi, l'assistance n'a pas atteint une seule fois le chiffre de 15 000. Il a fallu attendre le dimanche 17 mai pour enfin voir une foule digne de ce nom: 40 064. Or, c'était une journée où les Expos offraient un appareil radio à tous les spectateurs franchissant les tourniquets. Le lendemain, lors d'un match où les Expos n'offraient rien d'autre qu'un match de baseball, ils n'étaient plus que 11 921 – les autres étant peut-être restés chez eux pour étrenner leur cadeau...

Pendant le camp d'entraînement, alors que le retour de Tim Raines était encore loin d'être une certitude, Claude Brochu, le président des Expos, avait expliqué à Guy Robillard du *Devoir*, ce qui, selon lui, motivait le plus les gens à se rendre au Stade: «J'ai toujours affirmé qu'une équipe n'avait pas besoin de supervedette, ni même de gagner pour attirer les gens. Mais il faut faire un spectacle; il faut de l'ambiance.» Les Montréalais étaient peut-être en train de lui donner raison : à leurs yeux, un transistor gratuit avait peut-être plus d'intérêt que le spectacle que pouvait donner un joueur de baseball, aussi bon soit-il.

Spectateurs ou pas, les Expos ont fait ce que Buck Rodgers attendait d'eux : gagner plus de matchs qu'ils en perdaient et en mai, avec Tim Raines de leur côté, les Expos ont présenté une fiche de 17-11.

Certes, Raines – qui a flirté tout le mois avec une moyenne de ,400 – y était pour beaucoup, mais d'autres joueurs ont commencé à produire au-delà des espérances.

Le 4 mai, dans un match contre les Braves à Atlanta, Tim Wallach a sonné la charge dans une victoire de 10-7 des Expos : 3 CC, 6 PP. À la fin du mois, Wallach, désormais quatrième dans l'ordre des frappeurs, avait produit 29 points et était choisi Joueur du mois de la formation montréalaise, et ce, malgré le mois d'enfer de Raines. Le plus beau, c'est que Wallach produisait ces points quand ça comptait – il devait d'ailleurs terminer la saison avec 16 PP gagnants, le sommet dans la Nationale en 1987. En tout, Eli terminerait la saison avec 123 PP, à l'époque un record pour un porte-couleurs des Expos. On parlait désormais de lui comme du meilleur troisième-but des majeures, et même si Mike Schmidt était encore le plus reconnu, les experts s'accordaient maintenant pour dire que Wallach avait désormais surpassé le maître.

Durant la saison morte, Andres Galarraga avait fait un malheur dans les ligues d'hiver, chez lui, au Venezuela, où il avait frappé 11 circuits et produit 36 points en 45 matchs seulement. Là-bas, il avait longuement parlé avec son idole de jeunesse Tony Perez – l'ancien premier-but des Reds et des Expos –, qui lui avait conseillé de frapper la balle là où elle était lancée, de viser tous les champs pour frapper en lieu sûr et, avec des coureurs sur les buts, de pousser la balle vers le centre. Les conseils de Perez ont porté fruit et à la fin de la saison, il avait frappé 40 doubles et produit 90 points. Défensivement, le Gros Chat a continué d'épater les observateurs par son agilité étonnante et la grande fiabilité de son gant, le gérant Whitey Herzog des Cards déclarant qu'il n'avait pas vu d'aussi bon premier-but droitier depuis Gil Hodges.

Les joueurs d'intérieur Vance Law, Tom Foley et Casey Candaele ont surpris tout le monde, tant au bâton qu'à la défensive, faisant presque oublier l'absence de Hubie Brooks.

Candaele se démarquait du groupe. Contrairement à la plupart des joueurs, c'est sa mère qui lui avait enseigné, à lui et à ses quatre frères, les rudiments du baseball. Native de Vancouver, Helen St-Aubin avait évolué dans une équipe féminine professionnelle durant les années 1940 et 1950, et c'est à elle qu'il devait son caractère combatif – et plutôt original. Candeale n'avait pas le profil typique du *jock* américain : il portait des espadrilles Converse, s'habillait comme un cégépien et écoutait la musique de groupes comme U2 ou The Clash, pas très populaires auprès des joueurs de baseball de l'époque. Sur le terrain, Casey, malgré son petit gabarit (5 pieds 9 pouces, 160 livres) était un vrai bagarreur, ne reculant jamais devant le danger, même quand un colosse comme Dave Parker fonçait vers le deuxième but en tentant de briser un double-jeu. En début de saison, Buck Rodgers lui avait souvent confié le rôle de premier frappeur et il avait merveilleusement bien répondu à l'appel.

Chez les voltigeurs, Mitch Webster connaissait une autre excellente saison, prouvant une fois de plus qu'il avait les aptitudes pour occuper un poste de régulier dans les majeures. Et il le faisait avec un flair certain : le 3 mai à New York, les Expos menaient 2-0 quand les Mets ont placé deux coureurs sur les sentiers en fin de match. Keith Hernandez a cogné une balle au-dessus de la rampe du champ droit que Webster est allé capter après un saut spectaculaire. Le lendemain, il refaisait le coup contre les Braves, en plus d'exécuter des relais spectaculaires pour retirer des coureurs au marbre et au troisième. Offensivement, Webster a montré qu'il avait plus d'un tour dans son sac : en 1987, il a présenté une MAB de ,281, frappé 15 CC (dont 2 grands chelems) et volé 33 buts !

Même Herm Winningham, décevant offensivement – et, parfois, défensivement aussi – lors de ses deux premières campagnes à Montréal, jouait de manière plus inspirée, comme en faisait foi sa MAB avoisinant maintenant les ,300.

C'est en fait la situation au monticule qui représentait le plus grand casse-tête des Expos – comme pour la majorité des équipes des majeures, d'ailleurs. En 1987, certains observateurs parlaient de balles plus « vivantes » (volontairement conçues, prétendait-on, pour avoir plus de ressort), de bâtons trafiqués (dans lesquels les joueurs auraient dissimulé du liège) pour canonner la balle encore plus loin, et de personnel de lanceurs dilué par les dernières expansions. Chez les Expos, il a fallu attendre le 18 mai pour qu'un partant (Neil Heaton) complète un match.

Le partant numéro un Floyd Youmans a connu des difficultés dès le coup d'envoi de la saison et sa mauvaise forme physique lui a bientôt causé des maux de dos qui l'ont obligé à rester à l'écart du jeu pendant une dizaine de jours en mai. Bob Sebra, qui affirmait au printemps vouloir remporter 15 matchs, commençait à réaliser qu'il serait chanceux d'en gagner 5 et Jay Tibbs, à qui Rodgers avait donné la balle pour commencer le deuxième match de la saison ainsi que le match d'ouverture à Montréal, a déçu au point où les Expos l'ont rétrogradé à Indianapolis pour le mois de juin.

Bryn Smith n'a rejoint le club qu'au début mai – il était en rééducation à West Palm Beach en avril –, mais il fallait jouer de prudence avec son bras, opéré durant l'hiver. Tout de même, Rodgers ne lui a pas fait sauter beaucoup de départs, sans doute à l'insistance de Smith lui-même. En effet, le contrat qu'avait renégocié l'agent du lanceur prévoyait qu'en plus de son salaire de base (le minimum de 62 500 $), Smith recevrait au moins 11 000 $ pour chaque match qu'il entreprendrait comme partant, la somme étant bonifiée selon le nombre de manches lancées par match. Le vétéran droitier a ainsi commencé

Malgré des dispositions exceptionnelles, Floyd Youmans n'a jamais connu la brillante carrière que beaucoup lui avaient prédite.
Club de baseball Les Expos de Montréal

des matchs 26 fois en 1987, bien qu'à ses premières sorties, on ne lui ait pas laissé dépasser la 5e ou 6e manche. Le 17 juin, Smith, un œil sur les frappeurs adverses et l'autre sur son portefeuille, lançait son premier match complet de la saison dans une victoire de 9-1 contre les Mets.

Heureusement pour Buck Rodgers et les Expos, les choses étaient plus simples quand le nouveau venu Neil Heaton prenait le monticule. Profitant d'un appui considérable de l'offensive (contrairement à Bob Sebra, par exemple), Heaton a connu du succès tôt dans la saison, portant sa fiche à 10-3 dès la fin juin.

Si cette rotation plutôt chancelante n'a pas trop torpillé les efforts de l'offensive, c'était à cause du « comité de releveurs » qu'avait instauré Rodgers au départ de Reardon. Tim Burke (de retour dans l'alignement le 22 avril), Andy McGaffigan, Bob McClure, Jeff Parrett et Randy St. Claire ont tous donné un solide coup de main aux partants, gardant les Expos dans la course durant l'ensemble de la saison.

Le 11 juin, les Expos ont placé une deuxième fois le nom de Floyd Youmans sur la liste des blessés, en grande partie par mesure disciplinaire. Tant que le jeune homme de 23 ans ne perdrait pas sa vingtaine de livres excédentaires, on le tiendrait à l'écart de la rotation. Mais les kilos en trop du jeune lanceur n'étaient pas ce qui inquiétait le plus les Expos : on le soupçonnait surtout d'avoir des problèmes de consommation de drogue. Évidemment, les ennuis du brillant lanceur des Mets, Dwight Gooden, un bon copain de Youmans, leur avaient mis la puce à l'oreille. Gooden avait passé les deux premiers mois de la saison dans un centre de désintoxication ; de plus, des rumeurs circulaient sur les relations qu'aurait développées Youmans avec des gens peu recommandables du centre-ville de Montréal.

Quoi qu'il en soit, Youmans a pris l'avertissement au sérieux. En un peu plus de deux semaines, il a perdu son excès de poids et quand on l'a réintégré dans l'alignement le 30 juin, il était redevenu le lanceur qu'il était en 1986. Le 8 juillet, il battait Nolan Ryan et les Astros 1-0 en limitant ces derniers à un seul coup sûr. À son départ suivant, Youmans lança de nouveau un match complet, battant les Braves 2-0. Puis, le 26 juillet, Youmans signait un autre bijou de 9 manches, disposant cette fois des Reds de Cincinnati par la marque de 6-0.

Une autre belle surprise – plus étonnante encore – attendait l'équipe montréalaise. Le 7 juin, Murray Cook rappelait d'Indianapolis un lanceur que la plupart des amateurs n'avaient plus dans leur radar : le vétéran Dennis Martinez. Comme Raines, Dawson et plusieurs autres, Martinez avait réclamé son autonomie à la fin de la saison précédente et, comme eux, il n'avait pas trouvé preneur. Bien que la nouvelle n'eût pas fait les manchettes comme ça avait été le cas pour Tim Raines, les Expos avaient réembauché le Nicaraguayen comme joueur autonome au début mai. Il s'était ensuite rapporté à Indianapolis, où il avait retrouvé sa touche magique du début des années 1980 en lançant un match où il n'avait accordé qu'un seul coup sûr aux 28 frappeurs qu'il avait affrontés, une superbe performance qu'il rééditerait – de façon plus parfaite encore – avec les Expos quelques années plus tard.

Aussitôt rappelé à Montréal, Dennis s'est imposé comme le partant le plus fiable de l'équipe. À son premier départ le 10 juin, il n'a accordé que 3 CS en 7 manches contre Pittsburgh et au suivant, il blanchissait Gooden et les Mets 4-0.

Martinez revenait de loin. Un des partants les plus réguliers des Orioles de Baltimore au tournant de la décennie précédente, il avait vu sa carrière péricliter dramatiquement à mesure que sa consommation d'alcool avait pris le dessus sur les autres aspects de sa vie.

Chez les Expos, on savait quel superbe répertoire de lancers possédait Martinez, et malgré un premier séjour pas tout à fait convaincant avec le club en 1986, le DG Murray Cook n'a pas hésité à lui offrir une autre chance. Le droitier de 32 ans ne l'a vraiment pas ratée : il a remporté 11 des 22 parties qu'il a commencées, les Expos triomphant dans 17 de ces matchs. Martinez s'imposerait comme un des meilleurs lanceurs de cette équipe – de toute la Ligue nationale, en fait – pendant des années encore.

Mais Buck Rodgers et Larry Bearnarth, son instructeur des lanceurs, n'avaient pas tout vu : Murray Cook avait encore une autre carte cachée dans sa manche. À Indianapolis, un certain Pascual Perez, un autre jeune vétéran qui avait connu des hauts et des bas dans sa vie personnelle et au monticule, préparait vaillamment sa rentrée dans les majeures.

Somme toute, les choses auguraient plutôt bien pour cette équipe qu'on disait fichue avant même qu'elle n'ait joué son premier match de la saison. À la pause du match des Étoiles, les Expos (47-39) occupaient la 2e place de l'Est, *devant* les puissants Mets de New York mais encore à 9 matchs des moins réputés mais diablement efficaces Cards de Saint Louis.

À Oakland, où se tenait la 58e édition du match des Étoiles, on s'attendait à un festival offensif en ces temps de « balle vivante ». Trois Expos représentaient la formation montréalaise : Tim Wallach, Hubie Brooks et Tim Raines.

Depuis son arrivée comme régulier dans les majeures, Raines n'avait jamais raté ce rendez-vous annuel, étant invité au match à chacune de ses sept saisons dans les majeures… Sauf que, dans les six matchs précédents, Tim avait été réduit au silence, incapable d'obtenir un seul coup sûr. Avant de quitter l'hôtel pour se rendre au stade, Raines a promis à son épouse que cette fois, il trouverait le moyen de frapper en lieu sûr.

Eric Davis des Reds a commencé le match au champ gauche pour la Nationale. Après avoir été blanchi en trois présences au bâton, Davis a cédé sa place à Raines et, dès sa première présence au bâton en début de 9e, Tim a réalisé sa promesse – un simple au champ centre.

Le pointage était de 0-0 – surprenant pour un match des Étoiles, encore plus dans une saison réputée favorable aux frappeurs – et tous s'attendaient à voir Raines décoller vers le deuxième but. Avec un compte de 1 balle, 2 prises, le lanceur de l'Américaine, Dave Righetti, a tenté de prendre Raines à contrepied mais celui-ci, plutôt que de retraiter au premier, a choisi de foncer droit devant. Le premier-but Mark McGwire a précipité son tir vers le deuxième et la balle s'est retrouvée au champ gauche alors que Raines filait jusqu'au troisième. Cependant, malgré les efforts de Timmy, la menace s'est arrêtée là.

En 11e manche, toujours avec l'égalité 0-0, Raines s'est amené au bâton après un retrait. Il a cogné un simple dans la gauche, mais a été abandonné au premier par les frappeurs suivants.

Deux manches plus tard, le pointage inchangé, Raines revenait au bâton après deux retraits, mais avec cette fois deux coureurs sur les sentiers (Hubie Brooks au premier et Ozzie Virgil au deuxième). Après deux balles hors cible lancées par le releveur Jay Howell des A's, Raines a cogné une flèche qui a atteint la rampe du champ centre gauche. Les deux coureurs sont venus marquer, Raines galopant jusqu'au troisième but pour un triple. Nationale 2, Américaine 0. La marque est restée telle quelle et le choix du Joueur par excellence du match s'imposa : Tim Raines, le deuxième Expo après Gary Carter (qui avait réalisé l'exploit deux fois) à mériter l'honneur.

En levant son trophée devant les caméras, le héros du match avait déjà choisi les mots qu'il allait prononcer : « J'aimerais dédier cette performance à mes coéquipiers et à la ville de Montréal. » Parions que ce soir-là, nombre de Montréalais et autres Québécois étaient plutôt fiers de leur homme.

Les Expos ont entrepris la deuxième moitié de la saison gonflés à bloc, remportant leurs 5 premiers matchs, le dernier de ceux-ci constituant une 8e victoire d'affilée. Le 25 juillet, à la fin de la 12e manche d'un match de 3-3 contre les Reds, Mike Fitzgerald s'est amené au bâton avec deux retraits et les buts remplis. Le gérant Pete Rose a alors rapproché ses voltigeurs à la limite du losange, ce qui a fait dire à Fitzgerald après le match : « J'avais l'impression d'avoir huit joueurs de champ intérieur postés devant moi. » Fitz a trouvé le moyen de percer l'avant-champ avec un simple, faisant marquer le point gagnant au grand ravissement des 30 113 fans réunis au Stade olympique.

Les Montréalais semblaient avoir finalement compris que cette équipe méritait qu'on s'intéresse à elle et le 26 juillet, lors du 52e programme de la saison de l'équipe, le millionième partisan de la saison franchissait les tourniquets (comparativement au 68e programme en 1986).

En s'approchant, fin juillet, à 4 matchs de la tête et des Cards, les Expos (18-8 en juillet !) ont continué à confondre les sceptiques et dans une série de 3 matchs contre les Mets les 31 juillet, 1er et 2 août, ils ont attiré 35 249, 41 441 et 45 640 spectateurs.

Après la visite des Mets, les Expos ont fait de nouveaux convertis en disposant des Cards deux fois sur trois, dont une fort belle victoire de 2-1 en 13 manches le 5 août.

Les observateurs s'accordaient pour saluer le travail exceptionnel de Buck Rodgers pour tirer le maximum de chaque joueur à sa disposition, rappelant à chacun le rôle spécifique qu'il devait jouer. Aux premiers signes de ralentissement ou de fatigue, Rodgers n'hésitait pas à jongler avec son alignement et à remplacer le joueur en difficulté par un substitut. Parfois, c'était Tim Burke qui fermait les livres en relève, parfois ça revenait à Andy McGaffigan ou à Jeff Parrett. Tim Raines avait frappé au troisième rang depuis le début de la saison mais au début août, Buck a décidé de le remettre à son rang habituel, le premier.

Les joueurs rappelaient combien Rodgers les avait encouragés, en début de saison. Tim Wallach, abattu par la perspective d'un été de misère pour le club, tirait maintenant des leçons de l'attitude du commandant en chef : « Buck n'a jamais cessé de nous encourager. Il nous disait qu'on continuerait de s'améliorer à mesure que la saison avancerait. »

La confiance de Rodgers en ses troupes ne cessait d'augmenter. Il disait à présent s'attendre à une saison de 90 à 93 victoires, ce qui pourrait s'avérer suffisant pour espérer un championnat, dépendamment, bien sûr, du rendement des Cards dans le dernier droit du calendrier.

Mais derrière Buck Rodgers et ses adjoints, il y avait celui dont le job était de leur fournir les joueurs, un type dont le travail était désormais louangé non seulement par ceux qui suivaient le club de près, mais dans tout l'ensemble du baseball. L'équipe Cendrillon de 1987 était vraiment la création du directeur-gérant Murray Cook.

Quand Murray Cook a pris les rênes de l'équipe à la fin 1984, seuls Tim Raines, Tim Wallach et Bryn Smith en faisaient partie. L'ancien DG des Yankees de New York s'était rapidement imposé par son rôle dans le dossier Gary Carter, potentiellement explosif, un cas qui a été traité avec plus de circonspection, disons, que ne l'a été, quelques années plus tard, celui de Patrick Roy par la direction du Canadien.

Par la suite, même si le contexte de « collusion » lui avait somme toute facilité la tâche, Cook avait fort bien tiré son épingle du jeu malgré un budget plus serré que celui de ses vis-à-vis. Le natif du Nouveau-Brunswick avait par ailleurs fait de fort belles acquisitions, comme Mitch Webster, Vance Law, Tom Foley et aussi Neil Heaton qui, jusque-là du moins, s'était révélé un partant fiable. Cook avait démontré aussi beaucoup de flair en récupérant quelques « causes désespérées », comme Dennis Martinez et, on le constaterait bientôt, Pascual Perez. Son meilleur coup avait peut-être été la promotion de Buck Rodgers dans le grand club.

D'autres gestes moins médiatisés mais tout aussi importants rapporteraient bientôt de beaux dividendes aux Expos. Quand John McHale avait demandé à Jim Fanning, le directeur du développement des joueurs, de prendre la relève de Dick Williams en 1981 – et décidé de le garder en poste la saison suivante –, il savait que cette décision pourrait compromettre la préparation de la relève dans les années subséquentes. C'est malheureusement ce qui s'était produit.

Une fois à Montréal, Murray Cook s'était affairé à rétablir le réseau des filiales en mettant à sa tête Dave Dombrowski dès décembre 1986. Jeune trentenaire aussi brillant qu'ambitieux, Dombrowski avait fait ses classes chez les White Sox de Chicago de l'impayable Bill Veeck, grand maître de l'économie de bouts de chandelle. C'est ainsi que Dombrowski est devenu dépisteur à 20 ans, directeur du développement des joueurs à 22, et adjoint au directeur général à seulement 25 ans. Entouré des Paul Richards, Roland Hemond et Tony LaRussa, le débrouillard Dombrowski a rapidement appris les rouages du métier.

Pour convaincre Dombrowski de venir à Montréal, Cook et les Expos lui ont promis qu'il aurait beaucoup de moyens et des gens compétents à sa disposition. Dombrowski pouvait maintenant s'appuyer sur une solide équipe – comptant notamment le dépisteur Gary Hughes, un des meilleurs du métier – et le réseau des filiales commençait de nouveau à produire des talents d'exception, dont un jeune lanceur de 6 pieds 10 pouces du nom de Randy Johnson qui, disait-on, pourrait bien devenir la pierre d'assise des Expos des années 1990.

En somme, Murray Cook avait accompli tout un boulot depuis son embauche trois années plus tôt. « À mon avis, il a été le meilleur directeur-gérant de l'histoire des Expos », arguait Charles Bronfman, des années après le transfert des Expos à Washington[6]. Buck Rodgers est du même avis : « Murray s'est toujours entouré des meilleurs, il ne se souciait jamais de savoir si ces gens-là lui prendraient éventuellement son poste[7]. »

Si, en surface, le DG des Expos présentait l'image d'un type solide, à qui tout réussit, privément, d'autres enjeux, d'ordre personnel ceux-là, lui compliquaient passablement l'existence. Le 11 août 1987, une bombe secouait les Expos et leur entourage : Murray Cook remettait sa démission.

Deux jours après l'annonce, Cook a rencontré les journalistes affectés à la couverture des Expos pour leur expliquer sa décision. Très secoué, au bord des larmes, le DG sortant a dû souvent interrompre son discours pour retrouver son aplomb. Sans donner une foule de détails, Cook a expliqué qu'il devait passer plus de temps avec ses trois enfants. Son épouse et lui étaient séparés depuis six mois et avaient entamé des procédures de divorce. La situation avait un impact sur les enfants, déjà aux prises avec leurs propres problèmes. Les initiés savaient que le plus jeune (17 ans) éprouvait des difficultés d'apprentissage alors que les deux aînés avaient, par le passé, subi une cure de désintoxication.

« La décision d'abandonner les Expos est la plus difficile que j'aie eu à prendre en carrière, a déclaré Cook. J'ai consacré 25 ans au baseball et j'occupais le poste le plus intéressant qu'un homme de baseball puisse espérer occuper. Mais ma famille, mes enfants, ont de sérieux ennuis et il me faut être auprès d'eux. Ma démission est reliée à des problèmes strictement personnels. Ne cherchez pas d'autres raisons ailleurs. »

Lors de la conférence de presse organisée par les Expos plus tard en journée pour présenter le nouveau DG aux médias, des journalistes ont cherché à comprendre pourquoi Cook n'avait tout simplement pas demandé un arrêt de travail, le temps que sa situation familiale se stabilise ? D'autres se demandaient privément pourquoi le communiqué de presse des Expos ne contenait ni regrets ni éloges… Quelque chose ne tournait pas rond dans cette histoire. Charles Bronfman souhaitait qu'on ne s'éternise pas sur la question : « C'est pour des raisons personnelles que Murray a quitté les Expos. Même ma mère et mes enfants ne sauront pas ce qui s'est passé. Je vous demande donc de me questionner sur un autre sujet parce que je n'ai pas l'intention de vous dévoiler ce secret. D'ailleurs, vous ne le saurez jamais. »

La haute direction du club a redirigé l'attention de tout le monde vers le principal point à l'ordre du jour : Bill Stoneman, l'adjoint de Murray Cook tout au long de son séjour à Montréal, devenait le nouveau directeur-gérant des Expos. Un choix logique, puisque l'ancien as lanceur du temps du parc Jarry était déjà de toutes les décisions, même avant l'arrivée de Cook chez les Expos. Dave Dombrowski (jusque-là le directeur des clubs-écoles de l'équipe) serait pour sa part promu au rang d'adjoint au directeur-gérant, le poste occupé jusque-là par Stoneman.

« Je ne cache pas que c'est un poste que j'espérais obtenir un jour. Tous les hommes de baseball veulent avoir la chance de diriger une équipe des majeures, a déclaré Stoneman, qui devenait ainsi le 5e directeur-gérant de l'histoire du club (les autres étant Jim Fanning, Charlie Fox, John McHale et Murray Cook). Vous me connaissez, je suis un homme différent de Murray Cook. Je suis plus tranquille, plus réservé. Mais notre philosophie du baseball est la même. »

«Il va vous surprendre, a souligné Claude Brochu. Je l'ai vu au cours de meetings avec les gens de l'organisation et une de ses grandes qualités, c'est qu'il sait écouter. Il donne la chance à tous de s'exprimer, il prend note des opinions des autres. Cela crée un excellent climat de travail. Chacun se sent valorisé. J'ai une très grande confiance en lui.»

Stoney n'aurait plus à jouer les durs, ce qu'exigeaient ses anciennes responsabilités. La rude et ingrate tâche de négocier avec les agents de joueurs incomberait dorénavant à Dave Dombrowski.

Les Expos pouvaient maintenant porter toute leur attention sur la fin de saison qui s'annonçait déjà mouvementée.

Il manquait encore un coup de théâtre à l'histoire de la démission choc de Murray Cook, mais il ne tarderait pas à survenir. Le «secret» dont avait parlé Charles Bronfman pendant la conférence de presse – ce que les médias et le public «ne sauraient jamais» – a fini par être révélé au grand jour par Serge Touchette du *Journal de Montréal*, les journalistes du quotidien *The Gazette* – eux aussi au courant de l'histoire – ayant plutôt opté pour la voie de la discrétion.

Certes, Cook avait dit la vérité quand il avait évoqué les problèmes éprouvés par sa famille. Mais il avait laissé de côté – comment l'en blâmer? – une information cruciale donnant un tout autre éclairage à la situation. L'information manquante, c'était que dans la dernière année, il s'était développé, entre lui et l'épouse d'un des cadres des Expos, une relation intime – «inappropriée», dirait-on de nos jours. Or, ce cadre n'était pas le moindre: il s'agissait du président des Expos, Claude Brochu.

Dans les médias, les plus cyniques se sont évidemment frotté les mains d'avoir sous la dent un ragot aussi croustillant. Les autres ont pu pleinement mesurer l'étendue de la souffrance de Murray Cook au moment de son allocution de départ. Et admirer la digne réserve dont avait fait preuve M. Brochu pendant toute la durée de ce douloureux épisode.

Encore aujourd'hui, Charles Bronfman regrette que Murray Cook n'ait pas été en place jusqu'à la fin de la saison: «S'il avait été là, nous nous serions rendus jusqu'au bout en 1987, il aurait trouvé les joueurs qui nous manquaient pour gagner[8].»

La haute direction du club avait peut-être un nouveau visage, mais l'équipe sur le terrain, elle, restait la même: fougueuse, résiliente. Le 15 août, Vance Law, décidément étonnant sur le plan offensif, donnait la victoire aux Expos en cognant un grand chelem en fin de 9e manche, provoquant une explosion de joie au Stade olympique. Law était le premier surpris par son exploit : « Je n'ai jamais frappé de grand chelem de ma vie, ni dans les rangs mineurs, ni à l'école secondaire, ni dans les petites ligues… »

Le lendemain, Tim Raines étourdissait les Pirates de Pittsburgh en y allant de cinq coups sûrs, dont un carrousel (un simple, un double, un triple et un circuit). Du 13 au 18 août, les Expos ont remporté 5 matchs de suite après avoir tiré de l'arrière dans chacune de ces parties. Résultat : ils étaient maintenant seuls au 2ᵉ rang, à seulement 3 matchs des Cards de Saint Louis.

Chaque mouvement de personnel revêtait maintenant une importance capitale et le premier geste fait par la nouvelle direction du club fut de retourner Floyd Youmans (de nouveau inefficace après un mois de juillet remarquable) sur la liste des blessés (mal de coude, cette fois).

Les inquiétudes au sujet des habitudes de vie de Youmans ne se dissipaient pas et son refus de se soumettre à des tests d'urine n'avait rien pour rassurer la direction du club. « Ils ont enquêté sur moi et j'ai dû répondre aux questions d'un psychologue embauché par les Expos, a soutenu Youmans. Après plusieurs consultations, le médecin en est venu à la conclusion que je n'ai pas de problèmes de drogue », a poursuivi le jeune homme dans une conclusion… plutôt courte.

Évoquant le respect des droits de la personne, la toute-puissante Association des joueurs avait conseillé à Youmans de refuser les tests, décision que les Expos n'avaient pas le pouvoir de contester. « Nous avions des doutes au sujet de Youmans, a dit Claude Brochu. Comme chaque fois qu'un membre de notre personnel est soupçonné de consommer de la drogue, un long processus se met en branle. Notre programme est strict, fiable et donne toujours de bons résultats. Youmans est *clean* », a juré le président des Expos.

La mise au rencart de Youmans signifiait le rappel d'un lanceur du AAA, un gars qui attendait sa chance depuis des mois : Pascual Perez.

Comme Dennis Martinez, Pascual Perez revenait de loin. Après deux solides saisons à Atlanta en 1983 et 1984 (15 et 14 victoires), sa lancée avait frappé tout un mur quand, à la fin de 1984, il avait dû passer 3 mois derrière les barreaux en République dominicaine pour possession de cocaïne. Il est revenu au jeu l'année suivante, et après une saison désastreuse (1-13, 6,14), il a complètement disparu de la circulation. Ce n'est qu'à la fin de 1986, alors qu'il évoluait dans les ligues d'hiver en République dominicaine, que les Expos l'ont remarqué au point de lui offrir un contrat des ligues mineures.

Perez était précédé d'une réputation de *flake*, sa routine au monticule le démarquant de tous les autres lanceurs. Constamment en mouvement autour du monticule, dodelinant de la tête et sautillant sur place après chaque lancer, courant vers l'abri à la fin de chaque manche, Perez pouvait passer pour un hyperactif ne soupçonnant pas l'existence du Ritalin. À ses débuts dans les majeures, il avait développé une routine étonnante : après avoir retiré un frappeur sur des prises, il simulait un tir de pistolet en direction du joueur retournant à l'abri… On lui avait recommandé plus de discrétion et il avait abandonné ce curieux rituel, mais il demeurait un des joueurs les plus extravertis de son époque. Par ailleurs, une histoire sur Pascual était passée dans le folklore du baseball : un jour, alors qu'il avait été promu pour la première fois à Atlanta, il avait raté son premier match comme lanceur partant parce qu'il avait passé l'après-midi à rouler en voiture autour du stade des Braves sans trouver la sortie qui y menait.

Le Stade olympique étant difficile à manquer, Perez est arrivé à l'heure pour son premier départ en sol montréalais comme Expo, un match que disputait l'équipe le 22 août contre les Giants de San Francisco.

Pascual Perez a marqué tous ceux qui ont eu la chance de le voir à l'œuvre par son enthousiasme, sa bonhomie, sa gestuelle et, avouons-le, un talent certain.
Club de baseball Les Expos de Montréal

C'est un euphémisme de dire que les 33 294 spectateurs en ont eu pour leur argent. Ce n'est pas que Perez a lancé le match de sa vie (il a accordé trois points en cinq manches de travail), c'est plutôt que pendant son séjour au monticule, le Dominicain leur a servi tout un spectacle.

Sauts sur place, courses vers l'abri, débordements de joie à la suite d'un beau jeu défensif des siens, jamais un lanceur des Expos ne s'était comporté avec autant de fébrilité au monticule. Comparativement à Perez, même l'enthousiaste Tug McGraw des Phillies avait l'air d'un comptable britannique un jour de pluie.

Malgré ces « sparages » (ou peut-être grâce à eux), il gardait les frappeurs adverses hors d'équilibre grâce à un intéressant arsenal de tirs : rapide, glissante et courbe, en passant par l'occasionnel *Pascual pitch*, une déstabilisante balle arc-en-ciel rappelant les beaux jours de Bill Lee.

Il va sans dire que les Montréalais, toujours sensibles à la valeur d'un bon show, l'ont immédiatement adopté.

Après ce premier match à Montréal, Perez a lancé tout un match contre les Dodgers à Los Angeles, n'accordant qu'un point à ses adversaires sur trois coups sûrs. C'est finalement à son troisième départ, le 2 septembre, que Perez a inscrit sa première victoire comme Expo, un gain de 7-3 contre les Giants à San Francisco. L'équipe avait gagné chaque match que Pascual avait entrepris...

Lors de ce séjour sur la côte Ouest, les Expos ont balayé leur série de trois matchs contre les Dodgers, remportant les deux derniers en manches supplémentaires, la quatrième fois qu'ils faisaient le coup à l'adversaire en une semaine. L'édition 1987 serait d'ailleurs à ce chapitre la meilleure de l'histoire de l'équipe (et une des meilleures de toute l'histoire du baseball) : sur 13 matchs nécessitant plus de 9 manches, les Expos en ont remporté 12 !

De retour à la maison du 7 au 9 septembre pour une courte série de trois matchs, les Expos affronteraient cette fois les Cards de Saint Louis, l'équipe à battre dans la division Est. Comme la troupe de Whitey Herzog avait porté son avance à 5 matchs durant la dernière semaine, les Expos savaient trop bien qu'une déconfiture pourrait sceller l'issue de la saison. Cette série, ils devraient la remporter. La tâche de commencer le premier match pour les Expos reviendrait au nouveau favori des foules, Pascual Perez.

Le *Pascual Perez Show* a comblé les 50 342 spectateurs, et quand le Dominicain a quitté le monticule en 7e, son équipe avait les devants 9-2.

Dans les deux matchs suivants, Bryn Smith (plus riche de plus de 11 000 $ après la soirée) et Dennis Martinez (dont c'était déjà la 9e victoire) ont tenu les Cards en respect alors que les frappeurs faisaient le reste et les Expos ont complété le balayage des Cards. Le 9 septembre en fin de soirée, les Expos n'étaient plus qu'à 2 petits matchs de la tête...

Les 10 matchs suivants ont donné lieu à une performance inégale du club, qui a perdu autant de matchs qu'il en a gagnés.

Le 11 septembre, Floyd Youmans a accordé 3 circuits aux Cubs à Chicago et Rodgers l'a sorti du match avant la fin de la 5e manche. Comme Youmans avait ressenti de nouvelles douleurs au coude, les Expos l'ont fait examiner par le médecin de l'équipe dès leur retour à Montréal. C'est en revenant de ce rendez-vous que Youmans, au volant d'une Corvette que lui avait prêtée Tim Raines, a perdu le contrôle du véhicule, qui a terminé sa course contre un parapet de ciment. À part quelques lésions mineures au visage, le lanceur s'en était heureusement tiré indemne. Mais sa saison était terminée. Il est rentré chez lui, n'ayant pas cru bon de suivre l'équipe dans ses derniers matchs.

De nouveau à court d'un partant, Buck Rodgers, espérant peut-être un miracle, a remis la balle à un lanceur dont on avait perdu la trace depuis 1984: Charlie Lea. En rééducation au cours des trois dernières années, Lea semblait suffisamment rétabli pour que les Expos fassent le pari de l'envoyer affronter Dwight Gooden et les Mets de New York lors d'un match disputé au Stade olympique le 16 septembre. Pari lamentablement perdu: après avoir accordé 3 points en 1re manche, Charlie a accordé un double, exécuté un mauvais lancer puis accordé un simple au lanceur Gooden avant que Rodgers ne vienne le sortir de sa misère. Mets 10, Expos 0. Lea n'a plus lancé pour les Expos et deux ans plus tard, il accrochait ses crampons.

Malgré ces quelques revers de fortune, les Expos n'étaient toujours qu'à 3 matchs des Cards quand ils ont entrepris une courte série de deux matchs contre les Pirates au Stade olympique, une douzaine de matchs restant à disputer en saison régulière.

Une mauvaise surprise les attendait à leur retour à la maison. Le 21 septembre, seulement 13 206 amateurs ont pris le chemin du Stade. Le lendemain, avec Pascual Perez annoncé comme lanceur partant, ce n'était guère mieux: 16 407.

La direction des Expos et les joueurs étaient stupéfaits. Certes, les deux matchs étaient présentés en début de semaine, mais l'équipe n'était-elle pas au plus fort d'une course au championnat? La performance quelconque du club dans la dernière semaine avait-elle démobilisé à ce point les amateurs de baseball montréalais? Le public considérait-il que *trois* matchs de recul étaient insurmontables? Toute la saison, cette équipe avait pourtant prouvé qu'elle pouvait surmonter les déficits, remporter les matchs serrés…

La vente aux guichets s'était résumée à 2 000 billets. Au lendemain du match du lundi, Claude Brochu était à court de mots: «Je ne peux pas apporter d'explication. Je préfère regarder l'assistance dans son ensemble et dire que les succès des Expos aux guichets cette année ont été exceptionnels.»

Récemment, Dennis Martinez et Herm Winningham avaient publiquement mis en doute la fidélité des amateurs à l'égard des Expos. Les médias eux-mêmes n'y comprenaient rien: «À peu près tout le monde est d'accord pour dire que l'équipe est passionnante à suivre, que les joueurs battent des adversaires souvent mieux nantis en talent et que les Expos forment sans doute l'équipe la plus "vraie" des 10 dernières années, arguait Réjean Tremblay dans *La Presse*. Les Zamours sont en pleine course pour le championnat de la division Est de la Ligue nationale. Et hier soir, leurs partisans n'étaient qu'une quinzaine de milliers au stade. Les autres devaient être restés à la maison pour regarder *Les Dames de cœur* [un téléroman populaire de l'époque]. Montréal, une ville de baseball? Les Montréalais aiment bien le baseball mais ils sont loin derrière les Américains quand vient le temps de s'impliquer derrière leur équipe. Ce qui compte, dans cette ville, c'est le Canadien», concluait le chroniqueur.

Durant l'été 1987, Charles Bronfman a croisé Irving Shapiro, un avocat et entrepreneur américain qui avait été président de la firme scientifique transnationale DuPont. Au courant des ennuis des propriétaires du baseball qu'on accusait de collusion, Shapiro s'est informé de l'évolution du dossier.

— Charles, qu'est-ce qui se passe avec cette histoire de collusion?
— Il n'y a pas eu de collusion.
— Qu'est-ce que vous avez fait, alors?
— Nous avons coopéré.
— De quelle façon avez-vous coopéré?

Bronfman s'est alors appliqué à lui fournir quelques exemples. «C'est de la collusion», a rétorqué Shapiro. Dès lors, Charles Bronfman a compris que lui et les autres propriétaires étaient cuits[9].

C'est en septembre qu'est tombé le jugement de l'arbitre au sujet du grief déposé par l'Association des joueurs au nom de 63 joueurs autonomes (dont les Kirk Gibson et Carlton Fisk), grief accusant les équipes de collusion. Le verdict de l'arbitre Thomas T. Roberts donnait entièrement raison à la prétention de l'Association des joueurs: en agissant de manière concertée comme ils l'avaient fait, les propriétaires s'étaient rendus coupables de collusion.

Après avoir entendu une trentaine de témoignages (incluant ceux du commissaire Peter Ueberroth, de George Steinbrenner des Yankees et de Bud Selig de Milwaukee) sur une période de 11 mois, l'arbitre a conclu que les propriétaires avaient fait beaucoup plus qu'être seulement «fiscalement responsables», comme ils le prétendaient. Ils avaient contrevenu à une disposition de l'entente collective stipulant que les clubs ne peuvent pas agir de concert entre eux.

« Les enchères pour les agents libres ont cessé à la suite de rencontres organisées par les propriétaires et les directeurs-gérants au terme de la saison 1985, a fait valoir l'arbitre dans son rapport. Rien dans l'historique de l'autonomie des joueurs n'explique ce brusque arrêt dans les efforts de mettre sous contrat des joueurs autonomes d'autres clubs. Durant l'hiver 1985-1986, aucune équipe n'a tenté d'engager un joueur d'un club adverse à moins que ce club n'ait clairement exprimé son intention de ne pas rembaucher ce joueur. Ce seul exemple constitue une indication évidente d'action concertée. »

Pour tout dire, la décision n'a pas vraiment surpris les observateurs. Pour la plupart des journalistes sportifs d'Amérique, il était tellement évident que les propriétaires avaient passé une entente entre eux que c'en était devenu une blague. On avait seulement à voir le genre de saison qu'avait connue un gars comme Tim Raines pour s'en convaincre. Comment croire qu'aucune des 25 autres équipes des majeures n'avait pensé avant la campagne qu'un joueur du calibre de Raines aurait pu les aider ?

Le jugement de l'arbitre Roberts ne prévoyait ni pénalités, ni recommandations. Il reviendrait à Barry Rona, du Comité des relations avec les joueurs, et à Donald Fehr, de l'Association des joueurs, de consulter leurs membres et de résumer leurs positions. Les parties attendaient déjà le jugement d'un autre arbitre, George Nicolau, sur le second grief déposé par l'Association, concernant le groupe de joueurs autonomes de la cuvée 1986 (dont faisaient partie Tim Raines, Andre Dawson et Dennis Martinez).

Bien qu'on se doutât que les propriétaires seraient mis à l'amende, personne ne pouvait dire de quel ordre seraient ces amendes, ou même si un jugement ultérieur pourrait aller plus loin, en redonnant par exemple leur autonomie à tous les joueurs ayant été pénalisés par l'action des clubs. Cette décision était certainement la plus importante depuis celle de l'arbitre Peter Seitz sur l'autonomie des joueurs en 1975. Seulement, nul ne savait quelles en seraient les conséquences à court ou moyen terme.

« Nous avons eu gain de cause, mais s'agit-il vraiment d'une victoire ? », a déclaré Willie Upshaw, le représentant des joueurs des Blue Jays de Toronto. Même son de cloche de Vance Law, le porte-parole des joueurs des Expos : « La décision nous réjouit certes, mais si aucune solution n'est trouvée, rien n'empêchera les propriétaires de continuer de bouder les joueurs autonomes. »

Pour Don Fehr, il s'agissait nettement d'une « grande victoire » qui aurait certainement des conséquences sur la suite des choses : « Nous demanderons à l'arbitre ce que nous pouvons obtenir en compensation et nous nous assurerons que cela ne se reproduise plus à l'avenir. »

Les propriétaires ont évidemment déploré la décision, continuant de réfuter les accusations de collusion tout en affirmant leur intention de demeurer extrêmement circonspects dans leur embauche de joueurs autonomes. Pour sa part, Charles Bronfman s'est contenté de hausser les épaules : « Ils ne peuvent tout de même pas nous jeter en prison. »

La décision portait un dur coup au commissaire Peter Ueberroth, qui avait convaincu les propriétaires – en tordant parfois quelques bras – de ne plus se lancer bêtement dans une surenchère aveugle. Tout indiquait maintenant que Ueberroth avait perdu son pari.

Pendant ces deux hivers de « responsabilité fiscale », Ueberroth n'avait jamais cessé de consulter ses avocats pour savoir si les agissements des propriétaires étaient dans le respect des règles, si les accusations de collusion seraient retenues contre eux. « Pas de problème », lui répondait-on en chœur. « Les avocats de M. Ueberroth lui disaient exactement ce qu'il voulait entendre, a expliqué Charles Bronfman en revenant sur les événements, des années plus tard. La vérité, c'est qu'ils avaient peur de perdre leur job[10]. »

À partir du début des années 1970, les propriétaires avaient tenté de contrôler les salaires des joueurs en s'opposant à l'arbitrage salarial et à l'autonomie. Échec dans les deux cas. Quand l'autonomie a été accordée aux joueurs, ils ont tenté de la restreindre en proposant d'instaurer un système de compensation. Nouvel échec. Plus tard, ils ont tenté de diverses façons d'imposer un plafond salarial en évitant de prononcer le mot. Encore un échec.

Si leurs tentatives avaient échoué, c'était entre autres parce qu'ils n'avaient pas su agir de concert, parler d'une même voix, agir comme une seule et même entreprise. Mais cette fois, sous la pression insistante du commissaire Ueberroth, ils avaient finalement agi dans un esprit d'apparente solidarité. Or, ils avaient encore lamentablement perdu.

Ce nouvel échec ne pouvait signifier qu'une chose : un nouvel âge d'or attendait les joueurs et leurs agents.

Après leur courte série de deux matchs contre les Pirates les 21 et 22 septembre, les Expos se sont dirigés sur la côte Est américaine, à New York et à Philadelphie, où ils ont remporté trois matchs sur cinq. Au terme de ces matchs, ils étaient toujours à 3 matchs des Cards, qui eux non plus n'étaient pas prêts à leur céder un centimètre.

Le club s'est alors envolé vers Saint Louis, où il disputerait quatre matchs en trois jours contre les Cards. Pas de doute, la saison se jouerait là. Certes, les Mets étaient encore dans le décor, s'étant hissés tout juste devant les Expos en 2e position, mais ce sont les Expos qui auraient la chance de porter un coup aux Cards en leur disputant ces quatre matchs.

Tout commencerait le 29 septembre avec la présentation d'un programme double (plus tôt dans la saison, un match entre les deux clubs avait dû être remis en raison de la pluie).

Malgré le fait qu'ils doivent disputer ces matchs en territoire ennemi, les Expos semblaient plutôt en bonne position. En 1987, ils avaient gagné 10 de leurs 14 matchs contre les Cards, dont 4 sur 5 au Busch Stadium. Durant la saison, aucune équipe de la Nationale n'avait mieux joué contre la troupe de Whitey Herzog.

Les Expos enverraient au monticule deux de leurs lanceurs les plus efficaces ces derniers temps – à l'exception de Pascual Perez –, soit Dennis Martinez (10-3) et Bryn Smith (10-8). Les Cards répliqueraient avec deux gauchers, Joe Magrane (8-7) et Greg Matthews (10-11), qui en avaient arraché contre les Expos durant la saison (MPM respectives de 6,11 et de 10,50…).

Dès le début du premier match, les Expos sont passés à l'attaque. Après un retrait, Mitch Webster a soutiré un but sur balles puis s'est rendu au troisième but sur le simple au champ centre de Hubie Brooks. Avec un seul retrait, des coureurs aux extrémités et Tim Wallach au bâton – le meneur des Expos au chapitre des points produits –, le club avait là une occasion en or de donner le ton au match. Mais voilà, Wallach s'est élancé sur une troisième prise et Galarraga a frappé un roulant à l'avant-champ pour le troisième retrait. Le ton était en effet donné, mais pas celui qu'aurait souhaité Buck Rodgers.

Les Expos n'ont plus menacé avant la 6e manche quand, avec un homme au troisième coussin, Galarraga a frappé un dur roulant sur la ligne du troisième. Se précipitant à sa droite, le troisième-but Terry Pendleton a saisi la balle du revers, s'est relevé d'un bond puis a lancé une flèche imprécise mais captée par le premier-but pour mettre fin à la manche.

À l'exception de ces deux situations, Joe Magrane n'a jamais été en difficulté. Les Cards, de leur côté, n'ont pas fait beaucoup mieux contre Dennis Martinez, qui les a aussi limités à 3 simples en 7 manches, mais en 6e, ils ont marqué une fois, un point qui a suffi pour l'emporter. Cards 1, Expos 0.

Avec cette défaite, les Expos glissaient maintenant à 4 matchs de la tête. Avec seulement six matchs à disputer, leur marge d'erreur était maintenant nulle. Entre les matchs, Buck Rodgers a dit ce que tous savaient déjà : « Nous ne sommes pas morts mais nous ne sommes pas forts. Nous ne pouvons plus perdre. »

Herzog et ses hommes n'avaient pas envie de laisser rêver Rodgers et les Expos beaucoup plus longtemps puisqu'ils ont remporté le deuxième match, aussi par blanchissage : 3-0. Excellent pendant 5 manches, Bryn Smith a vu les Cards marquer 3 points en 6e sans jamais frapper la balle solidement.

« En trois ans, je n'ai jamais vu Rodgers aussi ébranlé », a relaté Michel Blanchard dans *La Presse* du lendemain. « On aurait dit qu'il venait de courir 10 milles. Les yeux sortis de leur orbite, le front en sueur, à bout de souffle. »

« J'ai dû enfiler six ou sept scotchs avant de pouvoir m'endormir. Quand je me suis réveillé ce matin, ça allait mieux », a dit Rodgers. Contrairement à ses habitudes, le gérant avait tenu des propos durs envers ses joueurs : « Ce qui me déçoit le plus, ce n'est pas d'avoir perdu, mais d'avoir perdu en jouant de l'aussi mauvais baseball. Chacun tentait le gros coup alors que nous n'avons pas fait ça de l'année. On n'a pas frappé la balle du côté droit de la soirée. Quand des lanceurs comme Magrane et Matthews dominent comme ils l'ont fait, on tente de les battre en déposant l'amorti ou en essayant d'obtenir un but sur balles. Tout ce que j'ai vu ce soir, ce sont des joueurs qui tentaient le circuit, ou d'autres qui s'élançaient sur de mauvais tirs malgré un compte de 3-1 ou 3-0. C'est ça qui me déçoit tant. »

La barbe longue et les yeux plissés, Tim Raines apportait des précisions : « Les gars n'ont pas essayé de frapper le circuit, mais de tirer la balle avec force. Nos élans au bâton étaient mauvais, mais contre des lanceurs au sommet de leur art, les frappeurs paraissent souvent mal. » La défaite ne changeait pas l'opinion qu'il avait de son club : « Je suis convaincu d'une chose : nous sommes meilleurs que les Cards et les Mets. Mais le baseball est ainsi fait, la meilleure équipe n'est pas toujours celle qui l'emporte », a poursuivi la vedette des Expos.

Des journalistes ont fait remarquer à Buck Rodgers l'appui inconditionnel des amateurs de Saint Louis pour leur équipe. En effet, presque 50 000 personnes étaient venues encourager les Cards pour le programme double, ce qui porterait le total à plus de 3 millions de spectateurs pour la saison. Quelle comparaison Buck établissait-il avec les amateurs montréalais ? Tout en demeurant prudent, le pilote des Expos n'a pas cherché à louvoyer : « Je ne sais pas pourquoi les gens ont pris autant de temps à nous appuyer. S'ils se sont fiés aux journaux, à la radio et à la télévision de leur propre ville, pas surprenant qu'ils n'aient pas eu confiance en nous. Ou peut-être nous voient-ils comme de méchants mercenaires américains jouant un sport américain pour Américains ? Peut-être que, convaincus de notre bonne volonté et de notre désir de vaincre, ils seront là la saison prochaine, je ne le sais pas. »

Après la série à Saint Louis, les Expos sont rentrés à Montréal pour y disputer leurs trois derniers matchs de la saison contre les Cubs de Chicago. Des foules de 13 301 et 15 517 personnes se sont rendues au Stade pour les deux premiers affrontements, mais le dimanche après-midi, ils étaient 29 487 pour saluer l'équipe une dernière fois.

Les Expos ont perdu le dernier match, mais les gens en ont eu pour leur argent : c'est Pascual Perez qui lançait pour les locaux. Dès le début du match, Perez a dû faire face à un Andre Dawson à la recherche d'un 50e circuit en saison. Perez a fait bien rire la foule en servant à Dawson un échantillon de son fameux *Pascual pitch* que le Hawk, stupéfait, a regardé atterrir dans la zone des prises. Même Dawson l'a trouvée bien bonne.

À la fin du match, les Expos ont repris un ancien rituel – abandonné lors des dernières années – consistant à présenter chacun des joueurs sur le terrain et à offrir leurs casquettes à des spectateurs.

« Depuis cinq ou six ans, les fins de saison des Expos laissaient comme un goût amer dans la bouche, pouvait-on lire dans *La Presse* du lendemain. Dès le dernier retrait enregistré, les joueurs gagnaient leur abri, même pas foutus de dire merci ou de saluer de la casquette les quelques valeureux qui croyaient encore en eux. »

L'initiative prise par les Expos avait pavé la voie à des au revoir autrement plus satisfaisants, les amateurs réservant une ovation debout à leurs favoris à la fin du match. Une cérémonie « sobre et de bon goût », selon les mots de *La Presse*. « *A touch of class* », a dit Buck Rodgers. « On devrait faire ça à chaque année », a estimé Mike Fitzgerald.

La saison 1987 avait été un succès sur toute la ligne, la fiche de l'équipe s'établissant à 91-71, la 2e meilleure de son histoire, pas très loin derrière les 95 victoires de l'édition de 1979. L'équipe avait passé l'été à surmonter les déficits, remportant 28 des 42 matchs décidés par un point, et 12 de leurs 13 matchs disputés en prolongation. Tim Raines (,330), Andres Galarraga (90 PP) et Tim Wallach (123 PP) avaient connu de superbes saisons, le comité de releveurs avait sorti l'équipe de nombreuses impasses et les arrivées successives de Dennis Martinez (11-4) et Pascual Perez (7-0) avaient dynamisé le club.

L'installation du toit en début de saison avait permis à l'équipe de jouer ses matchs dans des conditions idéales pour la première fois de son histoire. Rodgers établissait à « cinq ou six » le nombre de matchs qui auraient été reportés à cause de la pluie en 1987. Par le passé, les Expos avaient été désavantagés durant les courses aux championnats, devant disputer plus de programmes doubles que ses rivaux, la fatigue venant à bout des joueurs. Ça n'avait pas été le cas cette année-là, et ça ne le serait plus.

Malgré des foules parfois décevantes – à des moments où l'équipe aurait mérité mieux –, les Expos avaient tout de même attiré 1 850 324 spectateurs au Stade, la 5e meilleure assistance globale de leurs 19 années d'existence, 750 000 personnes de plus que l'année précédente.

S'il fallait se fier aux dires des proches de l'équipe, de Dave Van Horne, de la radio de langue anglaise des Expos, à Serge Touchette, du *Journal de Montréal*, l'édition 1987 avait été sinon la meilleure, alors la plus belle de l'histoire du club.

Buck Rodgers serait bientôt proclamé Gérant de l'année de la Nationale dans six scrutins différents (*The Sporting News*, *Baseball America*, UPI…). C'était tout un revirement de situation pour le gérant qui avait dû gravir de nouveau les échelons après son congédiement de Milwaukee. Désormais, on parlait de lui comme de l'un des cinq meilleurs pilotes du baseball. L'ancien président des Expos John McHale se disait heureux de la tournure des événements pour Rodgers : « Buck jouit maintenant d'une sécurité absolue dans le baseball. Il y aura toujours de l'emploi pour un gars comme lui. »

1988

Le 6 janvier 1988, le joueur autonome Jack Clark, le plus redoutable frappeur des Cards de Saint Louis en 1987 (35 CC, 106 PP), signait un contrat de deux ans avec les Yankees de New York.

La mise sous contrat de Clark était la plus importante depuis que les propriétaires avaient décidé, après la saison 1985, de devenir « fiscalement responsables ». L'offre des Yankees garantissait au vétéran de 32 ans 3 millions pour deux saisons, une somme à laquelle s'ajouteraient des bonis à la performance pouvant atteindre un demi-million additionnel.

Après s'être trouvés en situation de collusion, les clubs avaient convenu de changer de stratégie. Plutôt que de tourner systématiquement le dos aux joueurs autonomes des autres organisations, ils verraient désormais à « partager des renseignements » les uns avec les autres. Le Comité des relations avec les joueurs (le groupe s'exprimant aux noms des propriétaires) avait décidé d'instituer une « banque d'informations » pour permettre aux organisations de savoir si tel ou tel joueur intéressait encore son ancien club et, le cas échéant, combien ce club était prêt à lui offrir. Les clubs intéressés par un joueur autonome pourraient alors lui offrir une somme égale (ou légèrement supérieure), puis déclarer cette offre à la banque d'informations, donnant l'occasion à l'ancienne équipe du joueur d'égaler ou de dépasser cette offre. De cette façon, les organisations ne viendraient pas voler de joueurs sous le nez de leurs rivaux. Surtout, on stimulerait suffisamment le marché pour tuer dans l'œuf toute nouvelle accusation de collusion.

Les Cards avaient fait à Clark sensiblement la même offre qu'il venait d'accepter des Yankees : 1,5 M $ par année pour deux ans, plus une possibilité de 500 000 $ de bonis. Mais les négociations avaient achoppé quand les Cards avaient exigé que Clark leur rembourse un prêt de 250 000 $, une somme qu'ils lui avaient avancée dans les dernières années (dépensier notoire, Clark ferait finalement banqueroute). Insulté, Clark avait alors demandé à son agent Tom Reich – celui-là même qui représentait Tim Raines – de le « sortir » de Saint Louis.

Reich a alors passé un coup de fil à George Steinbrenner. Celui-ci était intéressé par Clark, bien entendu, mais il n'était pas question de rompre l'alliance avec ses vis-à-vis. Conformément à l'entente convenue entre les propriétaires, le grand patron des Yankees a fait une offre qui ne dépassait pas celle des Cards.

Mais c'est là que s'arrêtait la notion de *fair play* de George Steinbrenner : il a attendu aussi longtemps que possible avant de rapporter son offre au Comité des relations avec les joueurs. Steinbrenner leur a aussi dit qu'il avait donné à Clark jusqu'à midi le lendemain – il était 23 h quand il a passé son appel – pour prendre une décision, ce qui était faux. Fait à noter, le « Boss » a entretenu ces pourparlers avec le clan de Clark sans jamais en informer qui que ce soit au bureau de direction des Yankees.

Aussitôt informés de l'offre de Steinbrenner, les membres du Comité en ont immédiatement fait part aux patrons des Cards. Ceux-ci ont à leur tour rapidement rappliqué auprès de Tom Reich pour lui dire qu'ils étaient désormais prêts à assouplir leur demande de remboursement du prêt de 250 000 $ fait à Clark. Reich leur a alors répondu, non sans plaisir, qu'il était trop tard, que son client avait déjà donné sa parole aux Yankees. Dernier détail : durant son appel, Steinbrenner avait omis de mentionner qu'il avait aussi promis à Clark un prolongement d'un an du contrat s'il le désirait ou encore un échange si les choses ne se déroulaient pas à son goût à New York[11]…

Bientôt, les Yankees tenteraient d'obtenir Mike Witt des Angels en recourant au même stratagème, tout comme les Dodgers l'avaient fait pour tenter d'attirer à L.A. Gary Gaetti des Twins. Ils ont échoué dans ces cas particuliers mais avant la fin de janvier, les Dodgers avaient réussi à mettre sous contrat le vétéran Kirk Gibson des Tigers (4,5 millions pour trois ans), redevenu autonome à la suite du jugement de l'arbitre Thomas Roberts trouvant les propriétaires coupables de collusion. C'étaient ces mêmes Dodgers qui, un an plus tôt, avaient dit à Tim Raines qu'ils n'étaient plus intéressés par les joueurs autonomes.

L'«esprit de corps» entre propriétaires, imposé par Peter Ueberroth deux années plus tôt, commençait manifestement à s'effriter. Bientôt, les offres aux agents libres se remettraient à pleuvoir comme avant.

«Quand j'étais dans le business de la distillerie, dit aujourd'hui Charles Bronfman, je faisais partie d'une association qui regroupait divers distilleurs. Nous étions tous activement en compétition les uns contre les autres. Mais nous nous entendions tous très bien, nous avions du respect les uns pour les autres. Dans le baseball, les propriétaires étaient censés être des partenaires, mais ils ne pensaient qu'à eux-mêmes, jamais à ce qui aurait pu être bon pour l'industrie, pour le baseball. C'était très étrange[12].»

Fidèles à leur plan de match habituel, les Expos n'avaient pas cherché à renforcer la formation à coups de millions. Partant du principe qu'il vaut mieux ne pas réparer ce qui n'est pas brisé, Bill Stoneman, le DG des Expos, s'était surtout employé à garder intact le club qui avait surpris le monde du baseball en remportant 91 matchs en 1987.

L'équipe a donc opté pour la réembauche de quelques joueurs devenus autonomes, les Dennis Martinez, Bryn Smith et Bob McLure, qui avaient apporté une solide contribution au club en 1987. Les Expos n'ont toutefois pas réussi à retenir le deuxième but Vance Law, qui a accepté l'offre des Cubs de Chicago trois semaines après avoir obtenu son autonomie. Puis, quelques jours avant le début du camp d'entraînement, ils ont échangé le lanceur Jay Tibbs aux Orioles de Baltimore, obtenant en retour trois joueurs des ligues mineures.

Le seul autre changement d'importance pendant la saison morte fut la décision de Buck Rodgers de muter l'arrêt-court Hubie Brooks au champ droit. De cette façon, Mitch Webster, qu'on avait précédemment déplacé du champ centre pour lui faire patrouiller la droite, pourrait retourner à sa position antérieure, où il semblait plus à l'aise. En remplacement de Brooks, les Expos donneraient sa chance au jeune Luis Rivera, doté d'un solide bras et capable de tours de magie en défensive. Le coup de bâton du Portoricain avait longtemps soulevé des doutes – il avait fait de courts séjours non concluants avec les Expos durant les deux dernières années –, mais sa moyenne (,312) dans le AAA en 1987 laissait espérer qu'il pourrait tenir son bout sous la grande tente.

Brooks n'était pas tellement entiché de l'idée de s'adapter une fois de plus à une nouvelle position – il jouait au troisième but avant d'arriver à Montréal –, mais il avait trouvé le moyen d'en rire : « Le pire, ce sera de vous voir arriver à chacune de mes contre-performances, comme en 1985, quand j'essayais d'apprivoiser ma nouvelle position, a lancé Hubie aux journalistes à son arrivée au camp d'entraînement. Mais je vous le dis déjà : si je manque des balles, mon excuse sera le soleil. »

C'est donc essentiellement la même formation que l'année précédente qui s'est présentée à West Palm Beach. Ne manquait que Pascual Perez, dont l'arrivée au camp était retardée – surprise, surprise – par des problèmes de visa.

« Chaque année, il y en a cinq ou six comme ça qui ne sont pas là au jour dit, écrivait Jean-Luc Duguay dans *Le Devoir*. Pourquoi ? Parce que le visa n'a pas été délivré. Pourtant, ils ont tout l'hiver pour y penser, les gars, à leur demande de visa. Et les fonctionnaires de Porto Rico ont tout l'hiver pour l'estampiller, le maudit document. Mais rien n'y fait. C'en est presque beau, une sorte d'hymne à la négligence humaine, au laisser-faire tropical. Je vous le dis, le jour où tous les baseballeurs latino-américains se présenteront à l'entraînement à l'heure H, je serai malheureux. Car je déplorerai la perte d'un rituel printanier essentiel assuré depuis le début des temps par tous les Pascual de la Terre », concluait avec esprit le chroniqueur.

Perez débarquerait finalement à West Palm Beach le 7 mars. « Les journalistes ne comprennent pas pourquoi j'arrive en retard, mais ce sont mes problèmes passés qui me causent encore des ennuis avec l'immigration américaine. J'espère que ça pourra servir d'exemple aux jeunes joueurs qui verront que c'est ce qui se passe quand on fait quelque chose de mal. Heureusement, j'ai une deuxième chance. Tous les jours, je remercie les Expos, je remercie Dieu. »

Un autre rituel printanier attendait les observateurs du camp des Expos : Mike Fitzgerald était encore blessé. Toujours importuné par une vieille blessure à l'index de la main droite (subie en août 1986) qui l'empêchait encore de lancer avec aplomb, Fitz avait sérieusement envisagé de prendre sa retraite pendant l'hiver. Or, quelques jours après le début du camp, il s'est fracturé un os du poignet gauche après avoir été atteint par un ricochet. «Mike n'a réellement pas de chance, a déclaré Buck Rodgers. Contrairement aux autres receveurs, ses blessures ne surviennent pas à la suite d'une collision au marbre, elles résultent toujours d'un incident inusité.»

En plus de Fitzgerald, trois autres membres clés de l'équipe ont dû composer avec des blessures durant l'entraînement.

Pendant l'hiver, Andres Galarraga s'était blessé au pouce de la main gauche au cours d'une échauffourée pendant un match des ligues d'hiver. À un certain moment, on a craint une blessure comme celle subie par Hubie Brooks deux années plus tôt et Galarraga a dû attendre le 11 mars avant d'être envoyé dans la mêlée. Le Gros Chat a toutefois rapidement rassuré l'entourage des Expos en cognant deux circuits et un double dès le lendemain.

Arrivé au camp en forme, Hubie Brooks s'est envoyé deux fausses balles sur la cheville avant d'être atteint par une balle alors qu'il attendait son tour au bâton dans le cercle d'attente. Comme Mike Fitzgerald, Brooks se révélait, depuis son arrivée chez les Expos, plutôt vulnérable aux accidents. Durant l'hiver, alors qu'il assistait à un match des Knicks au Madison Square Garden de New York, un joueur des Pistons avait foncé dans un spectateur de la première rangée en tentant de récupérer un ballon. Ce spectateur était, comme de raison, Hubie Brooks...

Tim Raines est arrivé au camp avec une raideur à l'épaule droite qui s'est rapidement transformée en tendinite, si bien qu'il n'a pas pu lancer la balle pendant les deux premières semaines du camp. «J'ai lancé la balle avec mon fils cet hiver sans m'être suffisamment réchauffé le bras», a expliqué la star des Expos. «À son arrivée ici, il a forcé trop vite, trop tôt, a expliqué Ron McClain, le soigneur de l'équipe. On dirait que ces gars-là ne savent pas jauger leurs efforts.»

Raines n'a pas semblé importuné bien longtemps puisqu'il a terminé le camp avec 29 coups sûrs et une moyenne de ,446. «Je suis prêt à connaître ma meilleure saison en carrière. Je vise 100 buts volés cette saison», a révélé Tim, qui a aussi fait savoir aux journalistes que dorénavant, il ne répondrait plus qu'au surnom «Rock». Pendant quelque temps, il a d'ailleurs envisagé l'idée de changer officiellement de nom avant que le bon sens ne l'en décourage.

Ses coéquipiers ne tarissaient pas d'éloges pour Rock Raines. Pour Hubie Brooks, Raines était le joueur le plus indispensable du club:

« Quand Rock joue bien, on joue bien. Son coup de bâton continue de s'améliorer [Raines avait frappé 18 circuits en 1987, un sommet personnel], sa course sur les buts est plus disciplinée qu'avant, on le voit rarement commettre des erreurs maintenant. » S'il fallait trouver une faiblesse au voltigeur de gauche des Expos, c'était peut-être dans la puissance de son bras, mais il compensait cette lacune en se positionnant toujours bien pour retourner la balle à l'avant-champ.

Seule ombre au tableau : il existait toujours une possibilité que Raines échappe aux Expos à la fin de la saison. Si l'arbitre se penchant sur le deuxième grief de l'Association donnait raison aux joueurs, comme ça avait été le cas dans la première cause, la grande vedette des Expos pourrait redevenir joueur autonome après avoir écoulé deux saisons de son pacte de trois ans signé en mai 1987. Mais le principal intéressé ne voulait pas spéculer sur le sujet, s'affirmant confiant de pouvoir en arriver à une nouvelle entente avec le club avant la fin de la saison.

Une des belles surprises du printemps 1988 fut la belle forme affichée par Floyd Youmans. À la même date l'année précédente, Youmans s'était présenté à l'entraînement avec un surplus de poids qui avait par la suite entraîné des maux de dos l'obligeant à quelques séjours sur la liste des blessés. À la fin de la saison, Youmans s'était finalement inscrit à un programme de réadaptation pour guérir sa dépendance à la drogue et à l'alcool. Les Expos l'avaient suivi de près tout l'hiver : « Je lui ai parlé au moins une fois par semaine, a dit le DG Bill Stoneman, et je peux vous dire qu'il a une perception différente de la réalité. C'est un homme changé. » Youmans s'était aussi tenu loin de Tampa, où Dwight Gooden et lui avaient entretenu de douteuses fréquentations. Si Youmans « restait sur les rails » et faisait la preuve qu'il pouvait exceller pendant plus de six semaines par année, les Expos pourraient finalement compter sur une solide rotation de partants.

Au printemps 1987, Buck Rodgers et l'instructeur des lanceurs Larry Bearnarth se rendaient au terrain tous les jours en se demandant à quoi ressemblerait la rotation de partants durant la saison. Cette fois, ils pourraient compter sur Dennis Martinez, Pascual Perez et Bryn Smith dès le lever de rideau, et ils savaient que Neil Heaton pouvait tenir son bout dans la Nationale. Avec un Youmans en forme, les Expos pourraient compter sur un groupe de partants d'une qualité que l'on n'avait pas vue à Montréal depuis les beaux jours des Rogers, Gullickson, Sanderson et compagnie.

Le plus beau, c'est qu'une relève solide se préparait dans l'organisation : les droitiers Sergio Valdez, John Dopson et Brian Holman ainsi que le gaucher Randy Johnson. Du groupe, Valdez était le plus expérimenté, celui qui serait probablement le premier à se joindre au grand club. Mais Randy Johnson (dont les 6 pieds 10 pouces avaient de quoi créer une première impression marquante) était certainement l'espoir le plus intrigant de toute l'organisation.

Choix de 2e ronde au repêchage de juin 1985, Johnson, dont la rapide frôlait souvent les 100 milles à l'heure, avait dominé la ligue Southern (AA) en 1987 au chapitre des retraits au bâton (163 en 140 manches), limitant les frappeurs adverses à une moyenne cumulative de ,204. Mais son contrôle laissait parfois à désirer, tout comme son niveau de maturité. On disait de lui qu'il était à une ou deux saisons des majeures. Tout de même, les Expos l'ont promu à la formation majeure (le *40 man roster*) en novembre 1987, l'invitant à passer le camp suivant avec le grand club.

Le 11 mars 1988, dans un match contre les Mets à Port St. Lucie, Rodgers l'a envoyé pour la première fois dans la mêlée après que Bob McClure et Valdez s'étaient fait varloper en début de match. Extrêmement tendu, Johnson a accordé 4 buts sur balles à sa 1re manche de travail. « J'ai voulu les impressionner, a déclaré le géant après le match. C'est comme si j'avais voulu lancer à travers les frappeurs. » Dans la manche suivante, il a retiré les Mets dans l'ordre. « Quand je suis calme, c'est presque toujours comme ça que ça se passe », a souligné le jeune homme de 24 ans.

Johnson lancerait seulement deux autres manches avec les Expos avant d'être rétrogradé à Indianapolis (AAA) avant le début de la saison régulière, et il faudrait attendre le 15 septembre pour le voir faire ses débuts dans un match de saison régulière.

Les partants des Expos n'étaient toutefois pas la seule raison pour laquelle Buck Rodgers voyait l'avenir d'un bon œil. Le comité de releveurs serait également de retour avec le club : Tim Burke, Jeff Parrett, Andy McGaffigan seraient appuyés pour une saison complète par Joe Hesketh, dont les maux de bras semblaient désormais chose du passé.

Après la dernière saison, le *Sports Illustrated* avait écrit que Tim Burke représentait la plus belle aubaine dans le baseball majeur, le « meilleur joueur restant inconnu du public ». Avec sa fiche de 7-0, sa moyenne de points mérités de 1,19 et ses 18 sauvetages, Burke aurait en effet mérité plus que les 210 000 $ qu'il avait reçus en 1987. Il avait d'ailleurs porté sa cause en arbitrage, les Expos lui offrant cette fois 600 000 $ alors qu'il en réclamait 825 000 $. Le releveur avait perdu sa cause mais tout de même triplé son salaire.

Chez les joueurs de position, les Expos étaient en grande partie en terrain connu.

On savait déjà qu'ils seraient formidablement servis au champ extérieur par les Tim Raines, Mitch Webster et Hubie Brooks, trois joueurs constants que seules les blessures pouvaient freiner.

Dans le losange, Andres Galarraga et Tim Wallach, aux premier et troisième buts respectivement, représentaient des valeurs sûres, tant offensivement que défensivement. La plupart des observateurs parlaient maintenant de ces deux joueurs comme les deux meilleurs à leur position. Question de les appuyer, les Expos se sont payés une police d'assurance en faisant l'acquisition, le 24 mars, de Craig Nettles, un vétéran de 43 ans qui pourrait leur donner un répit de temps à autre – une fois tous les 10 jours, prévoyait Rodgers.

Si la formation de ce début 1988 soulevait des interrogations, c'était derrière le marbre et au milieu de l'avant-champ.

Malgré ses lacunes offensives et sa difficulté à retirer les coureurs en tentative de vol, Mike Fitzgerald était le receveur des Expos qui dirigeait le mieux les lanceurs, l'équipe revendiquant depuis 1985 une fiche de 138-101 dans les matchs où Fitz avait été de la formation partante. Mais combien de temps serait-il de l'alignement avant d'être encore blessé? Jeff Reed pouvait être un remplaçant adéquat mais son coup de bâton (,213 en 1987) restait suspect.

Les Expos confieraient le poste d'arrêt-court à Luis Rivera, qui avait obtenu quelques essais à Montréal au cours des deux années précédentes. Premier arrêt-court issu de l'organisation à évoluer dans le grand club, Rivera jouissait d'une réputation favorable dans l'organisation depuis qu'on l'avait mis sous contrat en 1981, à l'âge de 17 ans. Aux yeux de Jim Fanning, maintenant analyste des matchs des Expos à la radio et à la télévision, Rivera avait quelque chose de Bobby Wine, l'ancien arrêt-court des Phillies et des Expos : «Il n'est pas le plus rapide, mais il a un sens inouï de l'anticipation. Il démarre avant le coup de bâton et il arrive toujours avant la balle.»

Pendant le camp, Rivera avait exécuté un jeu qui avait jeté tous les observateurs en bas de leur chaise. Après s'être précipité à sa gauche pour récupérer un dur roulant, il avait virevolté dans un élégant pas de danse pour exécuter un tir parfait au premier but. «Hier, j'ai vu une vidéo de Michael Jackson à la télévision et je me suis dit que j'allais tenter de l'imiter», a plus tard raconté Rivera, mi-sérieux, aux journalistes. «S'il peut frapper entre ,230 et ,240, nous serons heureux», a dit pour sa part Buck Rodgers. Au camp, le Portoricain a maintenu une MAB de ,237, assez pour qu'on lui confie le job.

Tout de même, un doute subsistait. Dans l'histoire du club, plusieurs joueurs d'avant-champ *good field, no hit* n'avaient pas fait long feu avec l'équipe : de Angel Hermoso à Angel Salazar, en passant par Pepe Frias, Jim Cox, Larry Lintz ou Pete MacKanin, ils étaient nombreux à avoir vu leur carrière écourtée par leur incapacité à tenir leur bout devant des lanceurs des majeures. Rivera serait-il seulement un autre nom s'ajoutant à la liste ?

Le deuxième but serait offert à Casey Candaele (,272 en 138 matchs en 1987), mais on verrait à le seconder par Tom Foley (,293 en 106 matchs en 1987), dont la polyvalence (il pouvait évoluer aussi bien au deuxième, au troisième ou à l'arrêt-court) semblait jouer en sa défaveur, le confinant depuis ses débuts dans les majeures à un rôle de réserviste.

Malgré ces zones d'ombre, les experts, n'oubliant pas combien les Expos de 1987 les avaient fait mal paraître, demeuraient prudents dans leurs pronostics. Certes, les Mets et les Cards – peut-être même les Phillies – étaient les favoris, mais les Expos pourraient, une fois de plus, surprendre leurs rivaux de l'Est.

Les médias locaux, eux, n'affichaient pas la même réserve : on voyait les Expos soit deuxièmes, soit premiers. Dans *La Presse*, Michel Blanchard avait sorti ses lunettes teintées de rose, comme c'était son habitude à cette période de l'année : « Les Expos vont fêter leurs 20 ans d'existence de toutes sortes de façons cette année. Sur le terrain en particulier, en remportant le premier véritable championnat de leur histoire [...] Les joueurs le sentent, ils ne parlent que de ça ; Buck Rodgers avoue que ses chances sont bonnes. Quant aux connaisseurs, les vrais, ceux qui excellent à déceler l'aura du championnat, ils auront depuis longtemps reconnu, éprouvé et étiqueté le parfum qui, dernièrement, flottait sur les terrains de la Floride [...] Trois facteurs influencent une course au championnat : le talent (40 %), l'esprit d'équipe (40 %) et les blessures (20 %). Le talent et l'esprit d'équipe réunis, aucun club n'arrive à la cheville des Expos », concluait le journaliste.

Pour la première fois en 20 ans, les Expos pourraient disputer leur match inaugural à Montréal. En 1972, la saison devait s'ouvrir au parc Jarry, mais la première grève des joueurs avait annulé les premiers matchs de la saison. Les Expos devaient aussi commencer la saison 1974 à domicile, mais les matchs prévus les 6 et 7 avril n'avaient jamais eu lieu, la neige rappelant à tous à quel point le baseball printanier est un pari risqué au Québec.

Mais maintenant qu'une toile recouvrait le Stade olympique, les Expos pourraient profiter à leur tour de l'avantage que constitue un début de saison disputé à domicile.

Après avoir disputé deux matchs hors-concours contre les Yankees de New York au Stade olympique les 2 et 3 avril, les Expos ont lancé leur saison le 4, un lundi après-midi. Un beau programme attendait les 55 413 personnes venues accueillir l'équipe surprise de 1987 : un match contre les Mets de New York, l'équipe la plus médiatisée du baseball de l'époque, et un affrontement entre Dennis Martinez, le lanceur numéro un des Expos, et Dwight Gooden, peut-être le meilleur partant de la Nationale.

Après avoir dévoilé le logo du 20ᵉ anniversaire de l'équipe, les Expos ont demandé à un des commentateurs des matchs des Mets de venir lancer la première balle. Pas le moindre : Rusty Staub, la première grande vedette de l'histoire des Expos.

Le Grand Orange gardait de chaleureux souvenirs de ses deux séjours à Montréal : l'esprit des amateurs des premières années, la remise des casquettes à la fin de la saison 1969, cette soirée où il avait cogné 4 circuits dans un programme double contre les Dodgers en 1970 et son retour chez les Expos à l'été 1979 alors qu'une foule de 59 260 personnes lui avait accordé une longue et vibrante ovation. « Je ne m'explique pas comment un joueur peut parler contre Montréal, a plaidé Staub, bien au fait des réticences de certains baseballeurs à poursuivre leur carrière à Montréal. J'ai toujours aimé jouer ici, surtout que ça me donnait l'occasion de faire connaissance avec la culture québécoise. »

Une nouveauté attendait joueurs et spectateurs : on avait installé une ventilation au Stade. C'est probablement ce qui explique l'avalanche de coups de circuit (sept, dont six venant des frappeurs des Mets) qui a déferlé sur le Stade cet après-midi-là. Des observateurs avaient remarqué que quand certains spectateurs s'étaient mis à lancer des avions en papier vers le terrain, ceux-ci étaient tous soufflés vers le champ extérieur. Sept circuits dans un match de l'ère préstéroïdes, c'était un événement rare ; les conditions climatiques dans le Stade (chaleur, humidité et climatisation) y étaient sans doute pour quelque chose. « Quand Kevin Elster a frappé une balle au champ centre, a dit Dennis Martinez, j'étais sûr qu'elle serait facilement captée, mais elle est restée suspendue dans les airs jusqu'à ce qu'elle se retrouve de l'autre côté de la rampe... »

Un de ces circuits a particulièrement frappé l'imagination : en 7ᵉ manche, Darryl Strawberry a catapulté un lancer bas et à l'intérieur du releveur Randy St. Claire à plus de 550 pieds du marbre. Cognée vers la droite, la balle a frappé l'anneau technique situé à 330 pieds du marbre et à 166 pieds du sol. Après avoir heurté l'anneau de ciment, la balle est retombée directement au sol. Comme les arbitres tardaient à confirmer le circuit, l'instructeur au troisième but a fait signe à Strawberry de continuer de courir. Il fut bientôt évident pour tous que ce coup de canon était non seulement un circuit, mais aussi le plus long coup de quatre buts qu'ils aient vu de leur vie.

« S'il n'y avait pas eu de toit, la balle serait probablement sortie du stade, a fait remarquer Tim Raines après le match. Je n'ai jamais vu un circuit frappé aussi loin. » Mitch Webster était tout aussi éberlué : « C'est comme si un missile était sorti du bâton de Strawberry. » « Sans toit, cette balle se rendait jusqu'à la rue Sherbrooke », a dit Gary Carter, le receveur de l'équipe visiteuse. « Si j'avais accordé ce circuit-là, a indiqué Dennis Martinez, je pense que je prendrais ma retraite. »

Quoi qu'il en soit, c'est en 7e manche que le match s'est joué, quand, avec une égalité de 4-4, Dennis Martinez a accordé un but sur balles à Dave Magadan venu frapper à la place de Gooden alors qu'il y avait deux retraits et un coureur au premier. Lenny Dykstra a alors frappé le 4e circuit de la journée des Mets pour leur donner une avance de 7-4, avance qu'ils ne perdraient plus. Au final, c'était Mets 10, Expos 6.

Deux jours plus tard, devant une foule de seulement 11 112 spectateurs, les Expos et Pascual Perez retrouvaient leur touche magique de l'année précédente en disposant des Mets 5-1, le démonstratif lanceur des Expos retirant 9 Mets sur des prises en 8 ½ manches de travail. Pascual avait ajouté à son arsenal un changement de vitesse et une tombante, ce qui compliquait encore davantage le travail de ses rivaux.

Malheureusement pour les Expos, Perez était le seul partant du club qui semblait renouer avec ses succès de 1987. Martinez, Heaton, Smith et Youmans ont tous connu des premiers départs difficiles. Et quand ils ont récupéré leur aplomb (Heaton, lui, s'était retrouvé sur la liste des blessés), c'est l'offensive qui est tombée en panne.

Les gros canons du club, Brooks et Wallach, en arrachaient, et même Tim Raines ne jouait pas à son niveau d'excellence habituel. Le dernier tiers de l'alignement – Candaele, Foley et Rivera – n'avait pas contribué à l'offensive comme on aurait été en droit de s'y attendre.

Après un mois, la fiche du club était de 9-11.

Buck Rodgers commençait à s'impatienter : « On laisse trop souvent trois coureurs sur les buts. Les frappeurs veulent tout faire eux-mêmes : ils visent le circuit, ne frappent pas derrière le coureur. Sur les sentiers, on ne réussit pas à prendre un but additionnel ; quand on frappe un simple au champ droit, les coureurs partant du premier but s'arrêtent au deuxième. »

Heureusement, Andres Galarraga (5 CC, MAB de ,338) connaissait un excellent départ, tout comme Mike Fitzgerald. Le vétéran Craig Nettles n'avait eu que quatre présences au bâton en avril, mais il avait trouvé le moyen de sauver un match en cognant un circuit sur la première offrande de sa toute première présence au bâton, une claque créant l'égalité en fin de 8e manche dans un match contre les Phillies.

Question de secouer le club, les Expos ont remanié quelque peu le personnel, renvoyant Casey Candaele, John Dopson et Randy St. Claire à Indianapolis, et rappelant à Montréal Joe Hesketh et le joueur d'intérieur Johnny Paredes.

Or, au moment même où les Expos reprenaient une de leurs bonnes habitudes de 1987 – trois victoires en manches supplémentaires dans la même semaine –, la malchance leur tombait dessus de la pire façon possible.

Le 7 mai, au Stade olympique, Pascual Perez et les Expos avaient le dessus 3-1 sur Nolan Ryan et les Astros, le flamboyant artilleur dominicain n'ayant accordé que 3 coups sûrs en 7 manches. Après un retrait en fin de 7e, Perez a tenté de surprendre l'avant-champ des Astros en déposant un amorti. Ryan, un type plutôt conservateur qui n'a jamais eu beaucoup de sympathie pour les *show-offs*, lui a servi une fumante rapide à l'intérieur qui a atteint Perez directement sur la main droite, lui fracturant le majeur.

« Je joue au baseball depuis 15 ans et c'est la première fois que je suis blessé. J'ai envie de pleurer comme un enfant : les choses allaient bien pour moi, l'équipe se replaçait… », a déploré Perez après le match. Le Dominicain ne reviendrait pas au jeu avant le 21 juin. Pour les Expos, c'était doublement douloureux. Non seulement perdaient-ils un de leur plus fiables partants, mais aussi leur meilleur argument de vente de billets : on estimait qu'un départ de Perez pouvait attirer jusqu'à 6 000 spectateurs de plus au Stade olympique.

En l'absence de Pascual, du 8 mai au 20 juin, les Expos n'ont pas joué du baseball particulièrement inspiré, remportant seulement 18 matchs sur une possibilité de 40.

Tout de même, en diverses occasions, ils ont ravi leurs supporteurs avec des performances étonnantes. Le 24 mai, lors d'un match disputé aux Padres au Stade olympique, les Expos sont revenus de l'arrière *quatre* fois dans le match. Tout a commencé quand ils ont égalé la marque 3-3 en fin de 9e sur un circuit en solo d'Andres Galarraga. Les deux clubs se sont échangé des points en 11e et 12e sans faire de maître. En début de 13e manche, les Padres pensaient avoir porté le coup de grâce aux Expos en marquant 2 points pour prendre l'avance 6-4. Mais la coriace équipe montréalaise a marqué 3 fois en fin de 13e, le point gagnant produit sur un simple de Hubie Brooks.

Plus tard, à la mi-juin, les Expos ont surpris les meneurs de la division, les Mets de New York, en balayant une série de trois matchs au stade Shea.

Mais en d'autres occasions, les Expos ont raté la chance de gagner du terrain en faisant chou blanc dans deux séries de trois matchs contre les Padres et les Cubs, deux clubs de deuxième division. Résultat : le 20 juin, la formation montréalaise (32 victoires, 35 défaites) languissait au 5e rang de la division Est, à 11 matchs de la tête. Après sa formidable performance de l'année précédente, le rendement de l'édition 1988 – pourtant composée des mêmes éléments – constituait une amère déception.

Tim Wallach ne produisait plus comme avant, Luis Rivera éprouvait des difficultés au bâton et en défensive, et Mike Fitzgerald, incapable de retirer les coureurs en tentative de vol, avait pris le chemin du AAA.

Chez les lanceurs, Neil Heaton avait été chassé de la rotation jusqu'à nouvel ordre, le lanceur Bob McLure en était à ses dernières heures à Montréal et tant Tim Burke qu'Andy McGaffigan avaient perdu leur efficacité de l'année précédente.

Après un début laborieux, Floyd Youmans avait renoué avec le succès, effectuant plusieurs bons départs, dont un match de deux coups sûrs contre les Giants le 21 mai. Il s'agissait de son quatrième match du genre, en plus des deux parties d'un seul coup sûr réalisées depuis ses débuts chez les Expos en 1986. Ce nouvel élan serait toutefois brusquement interrompu par une décision du Bureau du commissaire : le 25 juin, Peter Ueberroth annonçait que Youmans devait retourner chez lui, suspendu indéfiniment pour ne pas avoir respecté les conditions de son programme de réadaptation.

Sans mentionner de quelle façon il avait contrevenu aux conditions de sa réadaptation, le communiqué du Bureau du commissaire laissait entendre que le programme, entrepris au terme de la saison 1987, n'avait pas donné de résultats probants. Youmans passa les semaines suivantes dans un centre de désintoxication en Floride jusqu'à la fin de sa suspension. Il devait terminer sa saison à Indianapolis, dans le club-école AAA des Expos.

Heureusement pour Buck Rodgers et les Expos, l'effet de la suspension de Youmans serait allégé par le retour au jeu de Pascual Perez, lancé de nouveau dans la mêlée contre les Cards le 21 juin. Perez a ravi la foule du Stade olympique en espaçant bien 5 coups sûrs en 8 manches de travail pour mener les Expos à une victoire facile de 7-0.

Or, ce soir-là, Perez n'était pas le seul à se joindre à la formation partante du club. Deux autres joueurs – inconnus des Montréalais, ceux-là – portaient l'uniforme du club pour la première fois.

Le poste de voltigeur de centre, normalement occupé par Mitch Webster, avait été confié à Otis Nixon, un jeune vétéran de 29 ans; au deuxième but se trouvait une «recrue» expérimentée de 28 ans, Rex Hudler, qui avait passé les dernières années dans les rangs mineurs, mis à part trois tasses de café dans les majeures, chez les Yankees et les Orioles. Pour faire de la place aux deux nouveaux, les Expos retournaient à Indianapolis Herm Winningham, qui avait épuisé à peu près toutes ses chances à Montréal, et Casey Candaele, qui ne reviendrait plus avec les Expos, l'organisation l'échangeant bientôt à Houston.

Pour Stoneman, ce remaniement allait de soi: il avait toujours préféré chercher des solutions au sein de l'organisation plutôt que de parachuter dans l'alignement un joueur d'une autre formation. Les Expos avaient été bien servis par le receveur Nelson Santovenia quand on l'avait promu en mai, et le DG des Expos était d'avis que Nixon et Hudler pourraient connaître tout autant de succès. Buck Rodgers voyait les choses du même œil: «Nixon a été une bougie d'allumage dès son arrivée à Indianapolis, faisant tout ce qu'on attend d'un premier frappeur. On ne voit pas pourquoi il ne pourrait pas jouer ce rôle avec nous.»

Ce n'est toutefois pas le genre de remodelage qu'avaient espéré les fans ou encore les médias. L'équipe stagnait depuis le début de la saison et l'apparent immobilisme du directeur-gérant Bill Stoneman commençait à impatienter plusieurs observateurs. Durant la saison morte, Stoneman n'avait pas réalisé de transaction importante, préférant garder à peu près intacte l'équipe qui venait de remporter 91 matchs. L'ancien lanceur des Expos avait été un très bon second pour John McHale puis pour Murray Cook, mais le rôle de directeur-gérant était-il celui qui lui convenait le mieux? Non, s'il fallait en croire un groupe de détenteurs de billets de saison qui faisait circuler depuis un certain temps une pétition demandant au club de remplacer Stoneman par le *wonder boy* Dave Dombrowski.

Quoi qu'il en soit, l'impact du rappel de Nixon et Hudler a été instantané: avec les deux joueurs dans la formation partante, le club a tout de suite battu Saint Louis deux fois (7-0 et 6-2), Nixon volant 3 buts et Hudler, 1.

Bientôt, les Expos seraient méconnaissables, jouant avec un abandon rappelant les beaux jours de Rodney Scott et Ron LeFlore. Car Nixon et Hudler ne faisaient pas que frapper en lieu sûr ou voler les buts, ils rendaient les joueurs adverses tendus, leur faisant précipiter leurs tirs, commettre des erreurs, etc. Le 3 juillet, Rex Hudler volait le marbre dès la 1re manche d'un match contre les Braves au Stade olympique. Deux jours plus tard, 4 intré- pides coureurs des Expos étaient retirés au marbre, ce qui n'a tout de même pas empêché le club de l'emporter 4-3 en 11 manches.

C'était maintenant tout le club qui rehaussait son jeu, retrouvant sa combativité de 1987. Comme l'année précédente, l'équipe ne cédait plus un centimètre à l'adversaire, surmontait les déficits – et remportait les matchs de plus de 9 manches. Du 27 juin – un soir où ils ont battu les Cards à Saint Louis en 14e manche – jusqu'à la pause du match des Étoiles deux semaines plus tard, les Expos ont remporté 11 matchs sur 13, leurs deux défaites survenant par la marge d'un seul point. En moins d'une semaine, l'équipe avait retranché 5 matchs à l'avance des Mets de New York, se rapprochant maintenant à 7 ½ matchs de la tête de l'Est. « Ça y est, a lancé Buck Rodgers, nous sommes vraiment de retour dans la course au championnat. »

Les Expos étaient les champions des causes désespérées : après avoir sorti Dennis Martinez et Pascual Perez des limbes, voilà qu'ils donnaient leur chance à deux joueurs marginaux (Nixon et Hudler) que ne sem- blaient pas avoir remarqué les autres organisations.

Hélas, le principal architecte du retournement de situation ne pourrait pas être pleinement crédité de la résurgence du club puisque le 5 juillet, Bill Stoneman était remplacé par Dave Dombrowski, promu à son tour au poste de directeur-gérant. Impatients de voir des résultats, et soucieux de mettre tout de suite en place celui qui préparerait la saison suivante – les Expos étaient à 10 ½ matchs de la tête au moment de la nomination de Dombrowski – les dirigeants de l'équipe ont préféré passer à l'action plus tôt que tard.

Même si Stoneman demeurait avec l'équipe à titre de vice-président des opérations baseball – il continuerait également de représenter l'équipe au sein des divers comités du baseball majeur –, le plein contrôle sur toutes les décisions de personnel de l'équipe irait désormais à Dombrowski. C'est du moins une partie du message qu'a livré Stoneman aux médias : « Même si je suis sûr que Dave va solliciter notre avis – c'est la façon dont nous avons toujours fonctionné jusqu'ici –, je tiens à préciser que c'est lui qui aura l'autorité sur l'embauche des joueurs, les transactions, etc. » Posé comme à son habitude, Stoneman ne semblait pas perturbé par la tour- nure des événements : « Dave est un des plus brillants sinon le plus brillant jeune administrateur du baseball. »

À l'époque, le président Claude Brochu a nié que l'approche conserva- trice de Stoneman ou les critiques entendues çà et là sur son travail aient incité la haute direction du club à apporter le changement : « Nous cherchions depuis un certain temps à dégraisser la direction du club, a dit le président des Expos. Nous croyons que cette réorganisation nous place dans une meilleure position. »

Or, aujourd'hui, Claude Brochu reconnaît avoir appuyé trop rapidement sur la gâchette : « Ça a peut-être été ma plus grande erreur. Je n'ai pas su reconnaître ses aptitudes de directeur-gérant à ce moment-là. Il était tranquille, les journalistes le trouvaient trop fade[13]. »

Il a fallu 11 ans à Bill Stoneman avant d'obtenir une autre occasion d'agir comme directeur-gérant quand les Angels d'Anaheim lui ont offert le poste au terme de la saison 1999. Trois ans plus tard, l'équipe remportait la Série mondiale. Là-bas aussi, on lui a reproché son conservatisme – jusqu'à ce qu'une parade soit organisée dans le centre-ville d'Anaheim pour célébrer le titre des Angels.

Bien entendu, Dave Dombrowski était enchanté de sa nomination : « C'est un rêve qui devient réalité. C'est comme un joueur qui obtient sa première vraie chance de jouer dans les majeures. » Mais le jeune homme de 31 ans souhaitait ne pas susciter d'attentes irréalistes : « J'aurai une approche active, *agressive*, mais ne vous attendez pas à ce que je sorte d'ici en courant pour conclure une mégatransaction. » La « mégatransaction » viendrait, en fait, mais pas dans l'immédiat.

Dave Dombrowki n'a pas mis de temps à démontrer qu'il pouvait être un DG « actif et *agressif* » : le 13 juillet, il envoyait le voltigeur Herm Winningham, le receveur Jeff Reed et le lanceur Randy St. Claire (trois joueurs évoluant désormais dans le AAA) aux Reds de Cincinnati contre le voltigeur Tracy Jones et un lanceur des mineures. Le lendemain, il mettait la main sur un autre voltigeur, Dave Martinez des Cubs de Chicago, en retour de Mitch Webster.

L'échange impliquant Tracy Jones avait en réalité été préparé quelques semaines plus tôt par Bill Stoneman, qui avait entrepris une discussion à ce propos avec… Murray Cook – ayant manifestement fait de l'ordre dans sa vie familiale puisqu'il avait accepté l'offre des Reds de Cincinnati de devenir leur directeur-gérant. On décrivait Tracy Jones comme un joueur combatif, rapide, pouvant à l'occasion frapper la longue balle. Toutefois, des blessures subies au genou plus tôt en saison l'avaient considérablement ralenti : au moment d'être échangé, Jones ne frappait que pour ,229. Rodgers l'utiliserait surtout comme réserviste, à titre de frappeur suppléant ou par mesure défensive en fin de match.

L'acquisition de Jones, ajoutée au retour au jeu de Tim Raines – il avait raté deux semaines de jeu à la suite d'une élongation à la cuisse –, laissait soudainement moins de place à Mitch Webster, qu'il aurait été délicat de recaler au rôle de réserviste. Après 3 belles saisons à Montréal, le voltigeur de 29 ans avait éprouvé des difficultés jusque-là en 1988 (,255 en 81 matchs) et les Expos ont décidé d'opter pour la jeunesse et les 23 ans de Dave Martinez. « On le voulait parce qu'il est un meilleur voltigeur de centre en défensive, a expliqué Dombrowski. Otis Nixon est notre voltigeur de centre mais l'arrivée de Martinez nous donne plus de profondeur à cette position », a poursuivi le nouveau DG des Expos.

Blanchi à ses 20 premières présences officielles au bâton, Martinez a eu plus de mal à se mettre en marche que Tracy Jones, qui a cogné 5 coups sûrs dans les 3 premiers matchs qu'il a entrepris.

L'équipe, elle, a repris exactement là où elle avait laissé, maintenant une fiche de 18-8 pour le mois de juillet. Durant cette période, les Expos ont remporté les trois matchs en manches supplémentaires qu'ils ont disputés, dont une victoire spectaculaire contre les Cubs de Chicago le 26 juillet, quand Mike Fitzgerald, venu frapper à la place du lanceur en fin de 11e manche, a cogné un grand chelem transformant une égalité de 4-4 en victoire de 8-4, faisant sauter de joie les 26 029 spectateurs réunis au Stade olympique.

Les foules plutôt modestes de la première moitié de saison laissaient maintenant la place à des rassemblements beaucoup plus convaincants, et pour la série de trois matchs disputés aux Cards du 28 au 31 juillet, 112 684 nouveaux croyants ont pris d'assaut les tourniquets du Stade.

On pouvait analyser le comportement des amateurs de baseball montréalais comme on le voulait et affirmer, comme le suggérait parfois le président Claude Brochu, qu'ils étaient autant sinon davantage intéressés à une « bonne expérience de divertissement » qu'à la victoire, il demeure qu'une série de victoires simplifie toujours la vie des directeurs de marketing des équipes de sports professionnels, qu'elles évoluent ou non à Montréal. En 1986, l'équipe qui n'avait rien cassé dans sa division (78-83) avait attiré 1 128 981 spectateurs au total. L'édition suivante, celle qui a fini la saison avec 91 victoires et 71 défaites, avait convaincu 1 850 324 personnes de venir les voir à l'œuvre. Il y avait tout de même des limites au pouvoir d'attraction de Youppi…

En août, les Expos ont poursuivi leur lancée, remportant 8 de leurs 12 premiers matchs du mois. Ils étaient maintenant seuls au 2e rang de la division Est, à seulement 4 ½ parties des Mets et de la tête, de nouveau en pleine course au championnat, comme l'année précédente.

«Ce sont nos lanceurs partants qui ont fait la différence, a fait remarquer Buck Rodgers. Ils nous gardent à portée de la victoire à chacun de nos matchs.»

Dennis Martinez s'imposait de plus en plus comme le meilleur du groupe. À la mi-août, sa fiche était maintenant de 14-7, à 2 victoires seulement de son plus grand total de victoires en carrière (16). «À l'époque où je buvais, je pensais que j'étais bon, je ne réfléchissais pas à mon travail de lanceur. Je lançais des balles rapides, puis des plus rapides encore. Maintenant, je réfléchis, je lance une rapide à l'intérieur, puis à l'extérieur, puis une balle à effet, puis un changement de vitesse.»

L'instructeur des lanceurs Larry Bearnarth était épaté de sa sélection de lancers : «Du banc, je le regarde et j'essaie de deviner ce qu'il va faire mais je n'y arrive à peu près jamais. Il est le meilleur pour choisir le type de lancer que le frappeur n'attend pas.» À une époque, Martinez perdait de son efficacité quand il y avait des coureurs sur les buts : «Maintenant, je m'attaque aux faiblesses des frappeurs plutôt que de me préoccuper des coureurs», a expliqué le lanceur numéro un du club. Le gérant des Reds, Pete Rose, comptait parmi ses admirateurs : «Avec des coureurs en position de marquer, Martinez est un des lanceurs les plus redoutables du circuit.» Le futur membre du Temple de la renommée Mike Schmidt, des Phillies de Philadelphie, allait plus loin encore : «Dennis Martinez a la meilleure étoffe de tous les droitiers que j'ai affrontés en carrière.»

Sans s'attirer d'éloges aussi dithyrambiques, Bryn Smith connaissait aussi une excellente saison. Contraint à un repos forcé en début de saison à cause de problèmes musculaires à l'avant-bras, Smith a sauté un départ en avril mais quand il a repris du service, il est redevenu le lanceur fiable de la saison précédente. Smith dépassait rarement la 6ᵉ ou la 7ᵉ manche, mais il gardait les Expos dans le match, en partie grâce à son exceptionnel contrôle : en 32 départs (198 manches) en 1988, il n'a accordé que 32 buts sur balles.

Après avoir manqué huit départs en raison de sa blessure à la main, Pascual Perez est tout de suite revenu en force. Dans un match disputé aux Reds le 14 juillet au Stade, Pascual les a limités à 3 CS et 1 BB en 8 manches, cédant sa place alors que le pointage était de 0-0 (les Expos l'ont finalement emporté 1-0 en 10ᵉ manche).

Les quatrième et cinquième partants étaient les recrues John Dopson et Brian Holman. Un grand droitier de 25 ans, John Dopson avait effectué un bref (et plutôt infructueux) séjour à Montréal en septembre 1985, après quoi il avait dû être opéré à l'épaule droite l'année suivante avant de revenir progressivement au jeu dans le AA en 1987. Après quelques allers-retours à Indianapolis en début de saison 1988, Buck Rodgers l'avait utilisé comme cinquième partant avec succès, Dopson lui donnant plusieurs bons départs. Mais ces performances ne résultaient pas en victoires, l'attaque des Expos devenant étrangement muette quand Dopson se trouvait au monticule.

Il en était de même avec Brian Holman qui a effectué de belles sorties à chacun de ses départs de juillet sans connaître la victoire. Deuxième choix de 1re ronde des Expos en juin 1983, Holman, 23 ans, a été rappelé à Montréal le 25 juin en remplacement de Floyd Youmans. Le droitier de 6 pieds 4 pouces s'est illustré dès son deuxième départ en lançant un match complet contre les Braves dans une victoire de 6-0. « Nous ne demandons pas à Dopson et à Holman de faire des miracles, a soutenu Rodgers. Nous leur demandons de nous garder dans le match en nous donnant 6 ou 7 bonnes manches de travail. » C'est précisément ce que faisaient les deux recrues. « Je ne disais pas cela en début d'année, a précisé Larry Bearnarth, l'instructeur des lanceurs des Expos, mais je pense que nous avons maintenant un des meilleurs personnels de partants de la Ligue nationale. »

Hélas, l'offensive n'était pas au diapason des artilleurs. Importuné en début de saison par une tendinite à l'épaule droite, Tim Raines a par la suite subi une élongation à une cuisse qui l'a forcé à un premier séjour en carrière sur la liste des joueurs blessés. Puis, le 22 juillet, il s'est blessé à l'épaule gauche en plongeant pour saisir une balle. Sa moyenne au bâton en a souffert et on le sentait plus hésitant à voler des buts, si bien que pour la première fois de sa carrière, on ne l'a pas invité au match des Étoiles. Malgré tout, Raines demeurait le formidable compétiteur que les Montréalais avaient toujours connu, et on l'a souvent vu le dos contre la rampe pour capter des balles.

Après son exceptionnelle saison de 1987, Tim Wallach s'était présenté au camp d'entraînement en mauvaise forme physique. À la mi-saison, son rendement offensif s'en ressentait encore, au point où Buck Rodgers a dû, en juin, lui retirer le rôle de quatrième frappeur au profit de Hubie Brooks. Le frappeur de puissance qui avait cogné 26 circuits en 1987 n'en frapperait que 12 cette saison-là ; sa moyenne de ,298 glisserait à ,257, et il ne ferait marquer que 69 points, 54 de moins qu'en 1987. Wallach était-il sur une pente descendante, comme c'est le cas de plusieurs joueurs au tournant de la trentaine ?

Quant à Hubie Brooks, il était incommodé depuis le début de la saison par une blessure au genou et il commençait seulement à frapper la balle avec aplomb. Il terminerait par ailleurs la saison avec 20 circuits et

90 points produits, des statistiques plus qu'honorables pour un athlète ne pouvant pas jouer à sa pleine mesure.

Si l'offensive du club n'avait pas été à la hauteur jusque-là, la faute n'en revenait certainement pas à Andres Galarraga.

Le Gros Chat a connu en 1988 une saison rien de moins qu'exceptionnelle. Joueur du mois chez les Expos en avril, mai et juin, Galarraga a été invité pour la première fois en carrière à prendre part au match des Étoiles, terminant 3e dans le scrutin auprès des amateurs de baseball américains. Au-delà des chiffres – Andres terminerait la saison avec une MAB de ,302, 29 CC, 42 doubles et 92 PP –, c'est surtout son opportunisme qui a caractérisé son apport au club : 18 de ses circuits ont créé l'égalité ou donné l'avance à son équipe, 16 de ses points produits ont fait marquer le point de la victoire.

Le 11 juin, tandis que les Expos tiraient de l'arrière 3-0 contre les Mets en fin de 9e manche, Galarraga s'est présenté au marbre alors qu'il y avait deux coureurs sur les sentiers. Le gaucher Randy Myers a tenté de l'éloigner du marbre – Galarraga se tenait près de la plaque – en lui servant une rapide à l'intérieur, un tir qui menotte normalement les frappeurs. Mais Andres a tout de même réussi à prendre un élan complet et à canonner une flèche qui a filé jusqu'au filet accroché au poteau de démarcation du champ gauche. Le circuit de 3 points créait l'égalité, pavant la voie à une victoire de 4-3 en 11e manche.

Galarraga n'avait frappé que 10 et 13 circuits à ses deux premières saisons complètes dans les majeures, mais les experts n'en démordaient pas : ce gars-là avait tous les outils pour frapper la longue balle. Il leur donnait maintenant raison : avant la pause du match des Étoiles, le Gros Chat en avait déjà frappé 20, plus que tout autre joueur de l'histoire des Expos ne l'avait fait à ce moment de la saison. La statistique s'accompagnait toutefois d'une autre, moins reluisante, celle-là : 153

En dépit d'un début de carrière par moments ardu, Andres Galarraga s'est avéré, de l'avis de plusieurs, le meilleur joueur de premier but de l'histoire du club.
Club de baseball Les Expos de Montréal

retraits au bâton. Mais c'était la seule chose qu'on pouvait lui reprocher, car en plus d'être devenu un frappeur redoutable, Andres continuait d'impressionner les observateurs par son impeccable jeu défensif, que l'on disait dorénavant supérieur à celui de Keith Hernandez des Mets, longtemps considéré comme meilleur joueur de premier but.

C'était toutefois l'entrée en scène d'Otis Nixon et de Rex Hudler qui avait vraiment relancé l'équipe en juillet. Dans ce seul mois, Nixon avait volé plus de buts (19) que tout autre joueur de la Nationale ; Hudler avait réussi l'exploit 12 fois. Le 31 juillet, dans la victoire du club (2-0) contre les Cards de Saint Louis, les coureurs des Expos avaient rendu les lanceurs adverses nerveux, hésitants. Nixon (3 buts volés) et Hudler (1) avaient électrisé les 35 016 partisans des Expos alors que Dennis Martinez faisait la barbe aux Cards, les limitant à 3 CS et un seul BB. « Ça faisait du bien de voir ça, a dit après le match Bobby Winkles, l'instructeur au premier but des Expos. Les Cards nous servent cette médecine depuis des années. »

Le 12 août, les Expos se sont envolés vers New York pour entreprendre un séjour de deux semaines sur la route. Après un week-end au stade Shea où ils disputeraient quatre parties en trois jours, les Expos se dirigeraient vers la côte Ouest pour y affronter les Padres, les Dodgers et les Giants. Les observateurs étaient unanimes : la saison des Expos se jouerait là.

Comme lors des dernières saisons, les Expos retrouvaient encore sur leur route les Mets de New York – et leur receveur Gary Carter – dans les moments critiques. Mais Buck Rodgers ne s'en inquiétait pas outre mesure : « Nous ne sommes pas intimidés par les Mets, et ils le savent. Nous avons plus de vitesse qu'eux et nous sommes supérieurs défensivement. Nos partants sont juste derrière les leurs mais notre relève a plus de profondeur. Là où ils ont le dessus sur nous, c'est au chapitre de l'expérience. »

Le vendredi soir, les Expos ont remporté un marathon de 4 heures en brisant une égalité de 2-2 en début de 12e manche grâce aux largesses du releveur Randy Myers, qui a accordé des buts sur balles aux deux premiers frappeurs à lui faire face. Un ballon-sacrifice de Mike Fitzgerald et un simple de Nelson Santovenia ont donné une avance aux Expos qu'ils n'allaient plus perdre. Solides, Bryn Smith, Tim Burke et Andy McGaffigan ont bien espacé 7 CS en 12 manches. Les Expos n'avaient frappé que 5 CS mais avaient été plus opportunistes.

Le lendemain, les Expos n'ont pas attendu longtemps avant d'étourdir l'adversaire. Rex Hudler a commencé le bal en déposant un coup retenu qu'a raté le premier-but Keith Hernandez. Il a ensuite volé le deuxième but, puis le troisième, venant ensuite croiser le marbre à la suite d'un mauvais lancer de Bob Ojeda. Tout l'ordre des frappeurs des Expos a défilé au marbre et quand la manche a pris fin, c'était 4-0 Expos. L'équipe mont-réalaise n'a jamais perdu cette avance et s'est sauvée avec un gain de 7-4.

Le dimanche 14 août, les deux clubs se disputeraient un programme double dont l'importance n'échappait à personne : si les Expos balayaient le double, ils ne seraient plus qu'à 2 ½ matchs de leurs rivaux ; s'ils échap-paient les deux matchs, ils glisseraient à 6 ½ parties du sommet, une tout autre histoire.

En 1987, l'équipe avait vu ses dernières chances de championnat s'en-voler en perdant un double contre les Cards de Saint Louis. Qu'en serait-il cette année ?

La veille du double, Rex Hudler avait déclaré aux médias espérer voir les Mets se présenter au terrain pour jouer : « Moi, j'aime battre les meilleurs, et les Mets jouent de façon bien ordinaire ces temps-ci. Tout le monde dans la ligue vous dira qu'ils sont arrogants. J'aimerais bien les battre alors qu'ils sont à leur meilleur. » À l'arrivée des Mets au vestiaire, quelqu'un avait épinglé au mur le journal citant les propos de Hudler. Comme on ne tarderait pas à le voir, il est toujours risqué de réveiller le géant qui dort…

Le premier match opposait John Dopson à Ron Darling. Après avoir accordé 3 points aux Mets, Dopson a quitté le match en 6e manche en faveur de Neil Heaton, désormais affecté au rôle de lanceur de longue relève. Malgré 2 BB en 7e manche, Heaton s'est ressaisi et a permis à son club de se rendre à la fin de la 9e manche avec une égalité de 3-3. Mais le gaucher a accordé un but sur balles au premier frappeur à lui faire face et, après un sacrifice, il a aussi perdu le prochain frappeur sur quatre balles. C'est seulement après que Heaton a atteint le frappeur suivant que Buck Rodgers a finalement remplacé son lanceur. Avec trois coureurs sur les sentiers et un seul retrait, Tim Teufel a frappé une flèche dans les mains de Dave Martinez au champ centre, permettant au coureur du troisième de croiser le marbre avec le point gagnant.

Dans le deuxième match, les Mets ont profité d'une des rares sorties erratiques de Dennis Martinez (8 coups sûrs et 4 points en 5 manches) et d'une défensive poreuse (3 erreurs) pour venir à bout 4-2 des Expos. Ironie du sort, une de ces erreurs fut commise par Rex Hudler, harcelé toute la journée par les Mets depuis leur abri. Encore une fois, l'offensive des

Expos avait pris congé, limitée à 4 CS. À l'issue des rencontres, Dave Dombrowski était furieux contre Hudler et ses déclarations, mais Rodgers, lui, refusait de se laisser abattre : « Ce n'est pas si mal. Nous n'avons pas perdu ni gagné de terrain à New York. »

En réalité, la double défaite aux mains des Mets a eu un impact déterminant sur la saison des Expos. Dans les jours qui ont suivi, Dave Dombrowski a confirmé que si les Expos avaient remporté un des deux matchs du double, le club aurait procédé à un échange pour obtenir du renfort ; on serait allé chercher un vétéran lanceur comme Rick Sutcliffe ou Rick Reuschell. « À 6 ½ matchs, je ne nous considère pas dans la course au championnat, d'expliquer le directeur-gérant des Expos à *La Presse*. Nous ne sommes pas loin mais nous n'y sommes pas tout à fait. C'est à 5 matchs que ça devient sérieux. Entre 6 ½ matchs et 5, il y a un monde de différence. »

Pourquoi ne pas acquérir un de ces joueurs tout de suite, question de se rapprocher du peloton ? lui a-t-on alors demandé. « En allant chercher un Rick Sutcliffe, a expliqué Dombrowski, non seulement nous lui consacrerons une bonne partie de notre budget, mais nous hypothèquerons notre avenir puisque les Cubs en profiteront pour nous demander la lune. De plus, nous n'aurons aucune garantie qu'il poursuivra sa carrière avec nous puisque son contrat expire à la fin de cette année. »

Dombrowski citait en exemple le joyau de leurs clubs-écoles, Randy Johnson : « Johnson est à toutes fins utiles un intouchable. Un gaucher de sa trempe, c'est une denrée extrêmement rare qu'il faut à tout prix conserver. Ce serait illogique de l'échanger pour quelqu'un qui va *peut-être* nous amener au championnat. »

À 6 ½ matchs, il fallait donc attendre, et espérer que les recrues Dopson et Holman connaissent de meilleures sorties que leurs dernières, souhaiter que l'offensive se mette enfin en marche.

Pour espérer revenir dans la course, les Expos devaient absolument sortir gagnants de chacune de leurs séries contre les clubs de l'Ouest. C'est ce qu'ils avaient réussi à faire l'année précédente, remportant 8 de 12 matchs, ce qui les avait lancé aux trousses des Cards jusqu'à la fin du calendrier. Ça tombait bien, ils affronteraient d'abord les Padres de San Diego, une équipe n'allant nulle part (55-62).

C'est hélas le moment que les Expos ont choisi pour connaître leur pire séquence de la saison – sept défaites de suite, neuf au total en comptant le double à New York. Une fois de plus, les bâtons sont restés muets : durant la séquence, les Expos ont marqué une moyenne de 1,8 point par match ; deux fois ils ont été blanchis.

On apprendrait plus tard que les frappeurs des Expos avaient été laissés à eux-mêmes durant la saison, incapables d'obtenir l'appui nécessaire du personnel d'instructeurs. «C'en était devenu ridicule, déclarerait Tim Raines le printemps suivant à *La Presse*. L'instructeur des frappeurs Ron Hansen voulait bien nous aider mais il en était incapable. Quand ça n'allait pas, tout ce qu'il faisait, c'était de multiplier les heures d'exercices.»

Quand Tim Wallach s'est mis à essayer de défoncer les clôtures plutôt que de frapper à tous les champs comme l'année précédente, il a dû se retourner vers les vétérans Raines et Brooks pour obtenir de l'aide. Andres Galarraga ne savait plus comment s'y prendre pour réduire son nombre de retraits au bâton. «Un bon instructeur des frappeurs, c'est essentiel, expliquerait encore Raines, c'est comme un grand frère, un confident. C'est lui qui permet à un frappeur de stopper une léthargie à l'aide d'une observation, d'une suggestion pour corriger un défaut.» En 1988, les frappeurs des Expos ont dominé tous les clubs de la Nationale au chapitre des retraits sur trois prises.

Quand ça va mal, ça va mal, et la bonne fortune des Expos semblait s'être soudainement évaporée. Le 20 août, ils détenaient une avance de 3-2 en fin de 9e manche quand la nouvelle coqueluche des Dodgers, Kirk Gibson, a créé l'égalité sur un simple. Après deux retraits, Gibson a volé le deuxième aux dépens du releveur Joe Hesketh et du receveur Nelson Santovenia. Quelques instants plus tard, un mauvais lancer de Hesketh échappait à Santovenia. Décollant en vitesse du deuxième, Gibson a surpris tout le monde en n'arrêtant jamais sa course. Quelques secondes plus tard, il glissait sauf au marbre avec le point gagnant.

À la fin de leur périple dans l'Ouest, les Expos étaient à 9 matchs de la tête.

L'offensive anémique n'était pas la seule responsable de la débâcle, la défensive avait elle aussi abandonné les lanceurs: «Quand on gagne, les petites erreurs ne paraissent pas, de dire Buck Rodgers. Mais quand ça va mal, chacune de ces erreurs coûte cher.» Mais Rodgers ne lançait pas la serviette: «On n'est pas encore sortis de cette course-là. Il ne faut pas abandonner.» Il avait d'ailleurs servi une mise en garde à ses troupes: «S'il y a des joueurs ici qui pensent que nos chances sont finies, qu'ils le disent. Nous en utiliserons d'autres pour jouer à leur place.»

Bien sûr, personne n'a déclaré forfait publiquement, mais l'équipe n'a jamais pu se relever de son passage à vide de la mi-août. Les amateurs des Expos devraient se contenter d'une fin de saison sans véritable enjeu.

La direction des Expos aurait bien aimé offrir une équipe championne ou au moins une équipe championne de division à ses partisans pour célébrer les 20 ans d'existence de la concession. Ces options désormais écartées, le club se retournait vers le plan de match élaboré en début d'année : un match d'Anciens, précédé du dévoilement de l'« Équipe de rêve des Expos », une sélection des meilleurs joueurs à avoir œuvré à chaque position.

Plus tôt durant l'été, les Expos avaient invité le public – avec le concours d'une commandite de pétrolière – à voter pour le joueur ayant le plus marqué chacune des neuf positions sur le terrain. Le dimanche 11 septembre, avant un match contre les Mets de New York au Stade olympique, les Expos ont dévoilé les noms des élus.

Chez les lanceurs partants, Steve Rogers a été – sans surprise – sélectionné comme meilleur droitier de l'histoire et Bill Lee meilleur gaucher. Pour les releveurs, on a opté pour Jeff Reardon chez les droitiers et Woodie Fryman comme lanceur gaucher.

Pour les joueurs de position, la sélection s'est faite comme suit : Gary Carter comme receveur, Andres Galarraga au premier but, Rodney Scott au deuxième, Hubie Brooks à l'arrêt-court, Tim Wallach au troisième et Rusty Staub, Andre Dawson et Tim Raines comme voltigeur. Bien que n'en étant qu'à sa quatrième saison avec le club, Buck Rodgers a été désigné par les amateurs comme meilleur gérant l'histoire.

Des choix logiques, bien que le releveur Mike Marshall, le deuxième-but Ron Hunt et les premier-but Tony Perez ou Ron Fairly auraient également pu se tailler une place dans l'alignement. Tout comme on aurait pu choisir Gene Mauch et Dick Williams comme meilleur gérant. Or, dans ces concours où c'est le public qui vote, les joueurs contemporains ont souvent le dessus sur leurs prédécesseurs, le temps effaçant bien des exploits de la mémoire collective.

Toutefois, le joueur le plus applaudi par la foule de 32 567 spectateurs, plus encore que les Raines, Brooks et Wallach de l'édition actuelle, a été un des joueurs de l'équipe devant affronter les Expos ce jour-là, le receveur Gary Carter des Mets de New York. « Ça prouve que lorsque les gens me huent, ce n'est pas contre moi qu'ils en ont, mais plutôt contre l'uniforme des Mets, a dit le Kid, désormais âgé de 34 ans. Au cours des saisons que j'ai passées avec les Expos, j'ai toujours offert le maximum d'efforts et je crois que les gens ont toujours apprécié mon jeu. »

Carter n'avait pas changé, il avait toujours autant de plaisir à bavarder avec les journalistes. Entre autres choses, il a dit qu'il estimait qu'il serait un jour élu au Temple de la renommée du baseball. «Il n'y a que 59 joueurs qui ont frappé plus de 300 circuits, et je suis parmi eux; seulement 3 receveurs – Yogi Berra, Carlton Fisk et Johnny Bench – en ont frappé plus que moi. Aussi, j'ai travaillé comme receveur pour plus de 1 700 matchs en carrière, et je m'approche du record de 1 871 [un record détenu alors par Al Lopez, un receveur des années 1930 et 1940].»

Plusieurs anciens Expos étaient au rendez-vous, des joueurs de la première heure comme Rusty Staub, Coco Laboy, John Boccabella et Tim Foli, jusqu'aux têtes d'affiche de «l'équipe des années 1980», les Steve Rogers, Bill Lee, Rodney Scott, Woodie Fryman ou Al Oliver. Il y avait aussi de la visite rare, des athlètes qu'on n'avait pas beaucoup vus à Montréal depuis leur départ des Expos, comme Mike Marshall, Willie Davis ou Ron LeFlore.

Le premier gérant de l'histoire du club, Gene Mauch, avait aussi fait le voyage. À 62 ans, Mauch avait entrepris le camp comme gérant des Angels mais la maladie l'avait forcé à démissionner. Il avait passé l'été à se reposer et à jouer au golf chez lui, à Palm Springs en Californie. Et non, il ne fermait pas la porte à un retour éventuel à la barre des Angels. Woodie Fryman a vanté le travail de son ancien gérant à Montréal et à Philadelphie: «Les Expos ont commis leur pire erreur quand ils l'ont congédié en 1975. S'il était resté à Montréal, il aurait pu remporter trois championnats entre 1979 et 1983. Il a toujours su comment obtenir le maximum de ses joueurs. S'il n'a jamais remporté le championnat, c'est qu'il n'a pas eu les bons chevaux», a soutenu Fryman.

Les anciens joueurs étant en majorité dans la quarantaine, plusieurs semblaient avoir encore la forme, comme Mike Marshall, qui expliquait courir trois ou quatre milles tous les matins, Willie Davis, plus mince que jamais, ou encore Steve Rogers. Quand un journaliste a lancé à Rogers qu'il avait l'air d'un gars qui pourrait encore lancer, l'ancien as lanceur des Expos a toutefois rétorqué: «J'ai le corps d'un gars de 38 ans, mais des épaules de 65 ans.»

Certaines choses avaient changé, d'autres pas. Mike Marshall était beaucoup plus affable qu'à son séjour chez les Expos, affirmant garder de très bons souvenirs de Montréal: «J'aimais les joueurs, le gérant [Mauch], les amateurs et la ville elle-même. J'aurais pu lancer pour cette équipe pendant 10 ans mais on a décidé de m'échanger. Je ne voulais pas partir mais la décision ne m'appartenait pas.»

Bill Lee, lui, restait Bill Lee. Plus tôt dans l'année, il avait annoncé sa candidature à la présidence des États-Unis, désigné comme candidat officiel de l'aile américaine du Parti Rhinocéros... Depuis son départ fracassant de l'équipe en mai 1982, Lee avait continué de jouer au baseball – parfois même à la balle-molle – dans la majorité des provinces canadiennes. « C'est normal qu'on m'ait élu dans l'équipe de rêve parce que je suis le seul ici à m'être arrêté dans chacune des stations-service de Petro-Canada [le commanditaire de l'événement] du pays, de la côte Est jusqu'à Flin-Flon au Manitoba. »

Lee n'avait toujours pas accepté son congédiement et lui et son ancien gérant Jim Fanning ont tous les deux regardé ailleurs quand ils se sont croisés sur le terrain.

Willie Davis n'avait lui non plus rien perdu de sa capacité à surprendre. Le joueur de la saison 1974 chez les Expos enseignait pour l'instant le golf à Phoenix, en Arizona, mais il se donnait deux ans pour faire ses débuts comme golfeur professionnel dans la PGA – à 50 ans.

Après les cérémonies et le match des Anciens – auquel n'ont pas participé les joueurs actifs du club – les Expos et les Mets ont à leur tour pris d'assaut le terrain. Bâillonnés tout l'après-midi par Bob Ojeda des Mets, les Expos ne se sont pas inscrits une seule fois au pointage, limités à cinq coups sûrs. Après le match, Dennis Martinez, dont c'était maintenant la 12e défaite, n'était pas un homme heureux. « C'est rendu qu'il me faut lancer un jeu blanc pour l'emporter. Moi, quand je lance, je lance pour gagner. Je ne veux pas parler des autres, car la dernière fois que je l'ai fait, j'en ai vexé quelques-uns. On m'a dit qu'il était préférable de ne plus parler de la sorte. » Martinez avait ses raisons d'être frustré : à sa sortie précédente, le club avait perdu 1-0.

Exclu de l'alignement depuis le début septembre, Tim Raines a subi le lendemain une arthroscopie à l'épaule gauche pour réparer des tissus endommagés. Le 3 août, il avait aggravé sa blessure à l'épaule gauche en glissant au deuxième but et avait dû se soumettre depuis à des injections de cortisone. Comme l'équipe n'était plus dans la course, on a préféré ne pas attendre la fin de la saison pour lui faire subir l'opération.

Même si les blessures avaient empêché Raines d'exceller comme il l'avait fait depuis son arrivée chez les Expos, la direction le considérait toujours comme la pierre d'assise du club. En pourparlers depuis quelque temps avec l'agent du joueur vedette, les Expos étaient, entendait-on ici et là, disposés à lui accorder un salaire de 6,8 millions pour trois saisons – 2 millions de plus que ce qu'avait accepté Raines un peu plus d'un an auparavant. Or, la décision que rendrait l'arbitre George Nicolau sur le cas des joueurs autonomes de l'hiver 1986-1987 (dont faisaient partie Raines et Andre Dawson) était toujours attendue, et c'est avec intérêt que les deux parties ont pris connaissance des grandes lignes du rapport de 81 pages quand il a été rendu public le 31 août.

Nicolau arrivait à la même conclusion que celle de l'arbitre Roberts pour le cas de la cuvée des autonomes de 1985-1986 : les propriétaires s'étaient rendus coupables de collusion. Pour ne pas perturber le déroulement du reste de la saison, Nicolau attendrait la fin octobre pour annoncer quelles mesures il proposerait pour compenser les 79 joueurs cités dans le dossier. Heureusement pour les fans des Expos, le jugement n'a pas semblé perturber l'allure des négociations entre Raines et la direction du club, qui semblaient tous deux déterminés à en arriver à une entente.

L'équipe hors de la course, son meilleur joueur sur la touche, les Expos avaient moins d'arguments qu'en début de saison pour convaincre les amateurs d'aller les encourager. Mais les 9 494 spectateurs qui ont franchi les guichets du Stade le jeudi 15 septembre 1988 ont tout de même assisté à un moment qui, rétrospectivement, est devenu historique : les débuts dans les majeures de la plus prometteuse recrue des Expos, le gaucher Randy Johnson, qui venait tout juste de souffler ses 25 bougies.

Le fait de le voir s'installer au monticule était un spectacle en lui-même. Quand le géant de 6 pieds 10 pouces, le plus grand joueur des majeures – de tous les temps, disait-on –, grimpait sur la butte haute de 10 pouces, il y avait de quoi donner le vertige aux frappeurs. Et quand il terminait son élan en étendant le bras loin devant lui, c'était presque comme s'il allait porter la balle directement dans les mains du receveur. Bref, le temps de réaction du frappeur était diablement court.

Ironie du sort, le premier frappeur qui a eu à affronter le Goliath des Expos avait le physique de l'emploi d'un David : John Cangelosi – un réserviste chez les Pirates de Pittsburgh – mesurait à peine 5 pieds 8 pouces et pesait 150 livres. Johnson a facilement disposé de lui sur un roulant à l'avant-champ.

Après un deuxième retrait, Johnson a accordé un but sur balles au troisième frappeur avant que le suivant, Bobby Bonilla, ne cogne un double dans la droite. Alors que le coureur contournait le troisième pour se diriger vers le marbre, le voltigeur Hubie Brooks a récupéré la balle et lancé une prise au marbre pour retirer le coureur, s'assurant que Johnson n'oublie jamais sa première manche sous la grande tente.

Johnson s'est plutôt bien tiré d'affaires pendant 5 manches mais il a accordé des circuits au premier frappeur se présentant au marbre en 2e et 4e manches, les deux au réserviste Glenn Wilson. Profitant d'une rare poussée offensive du club (9 points), la recrue des Expos a pu ainsi savourer son 1er triomphe dans les majeures – le 1er de 303 gains qu'il signerait tout au long d'une carrière exceptionnelle de 22 saisons dans les grandes ligues. Par ailleurs, c'est en 2e manche que Johnson a réalisé son 1er retrait sur trois prises. Avant de prendre sa retraite en 2009, il retirerait 4 874 autres frappeurs de cette façon.

À son départ suivant à Chicago, Johnson a largement dominé les frappeurs adverses, retirant 11 Cubs sur des prises en 9 manches dans une victoire de 9-1. Deuxième match, deuxième victoire. Une semaine plus tard, il limitait ces mêmes Cubs à 3 CS en 6 manches, aidant son équipe à l'emporter 3-0. Trois victoires en autant de départs, c'était de très bon augure pour la vedette montante de l'équipe montréalaise. Comme on le verra plus loin, ce serait malheureu-

Si les Expos ont souvent acquis des lanceurs de grande valeur (Dennis et Pedro Martinez, par exemple), jamais n'en ont-ils échangé un qui connaîtrait une carrière aussi phénoménale que celle du légendaire Randy Johnson.
Club de baseball Les Expos de Montréal

sement les trois seules victoires que Randy Johnson remporterait dans l'uniforme des Expos de Montréal…

Les Expos réservaient une dernière surprise à leurs supporters en cette fin de saison 1988 : une performance (presque) historique de Pascual Perez, le lanceur porte-bonheur des Expos.

Le 24 septembre, lors d'un match disputé au Veterans Stadium de Philadelphie, Perez a mis les Phillies dans sa petite poche pendant 5 manches, ne leur accordant aucun coup sûr et un seul but sur balles, tout en retirant 8 frappeurs sur des prises. Armé ce soir-là d'une glissante intouchable, Pascual aurait pu, selon ses propres dires, lancer jusqu'aux petites heures. Et cela, malgré la pluie.

Car depuis quelque temps déjà, une ondée s'était mise de la partie. Mais lorsque les Expos se sont présentés au bâton en début de 6e manche, espérant ajouter à leur avance de 1-0, l'ondée s'était transformée en averse, si bien que les officiels ont décidé de renvoyer les équipes à leur abri. La pluie n'a jamais cessé et le match – qui avait dépassé les cinq manches – a été déclaré officiel, faisant automatiquement de Perez l'auteur d'un match sans point ni coup sûr – de cinq manches. Un demi-exploit qui, comme le match parfait de cinq manches de David Palmer en avril 1984, finirait par sombrer dans l'oubli.

Les Expos ont terminé la saison à domicile avec des séries contre les Cubs et les Phillies. Ce n'est qu'au tout dernier match qu'ils ont remporté leur 81e victoire de la saison, terminant l'année avec une moyenne de ,500.

Seulement 54 651 personnes se sont rendues voir les 7 derniers matchs de l'équipe, portant le total pour la saison à 1 478 659 spectateurs, presque 400 000 de moins que lors de la saison précédente. Les dirigeants de l'équipe devaient se rendre à l'évidence : pour faire leurs frais, les Expos ne pourraient pas se contenter de présenter un bon spectacle, d'organiser de bonnes promotions, de jouer pour ,500. Il faudrait offrir une équipe gagnante à Montréal.

« Un championnat avant trois ans », avait annoncé Charles Bronfman à Tim Raines en le mettant sous contrat au printemps 1987.

Il ne restait plus qu'un an à la direction du club pour tenir sa promesse.

1989

Une fois le rideau tombé sur la saison 1988, les Expos ont fait le premier d'une série de gestes d'importance en vue de la saison 1989 : ils ont mis sous contrat Tim Raines pour trois saisons, pacte totalisant 6,3 millions de dollars. L'équipe pourrait également se prévaloir d'une option d'un an pour 1992 – également au coût de 2,1 millions.

N'était-ce pas payer le gros prix pour un joueur qui avait terminé la saison précédente avec 12 circuits, 48 points produits et une MAB de ,270 ? Un joueur que les blessures n'épargneraient probablement plus autant qu'avant ? « Tim Raines demeure l'un des 10 meilleurs joueurs du baseball, avait répondu Charles Bronfman aux interrogations des médias. Nous ne faisons que le payer à sa juste valeur. » « C'est simple, nous sommes à un ou deux joueurs d'être de sérieux candidats au championnat, avait pour sa part ajouté Claude Brochu. Or, sans lui, nos chances de gagner sont pratiquement nulles. Si nous ne lui avions pas offert cet argent, d'autres clubs auraient sauté sur l'occasion pour le faire. »

Aux yeux du président des Expos, la réembauche de Raines représentait un facteur majeur dans la mise en marché du club. « Oui, nous lui avons consenti beaucoup d'argent mais Tim est ce genre de joueur qui met des spectateurs dans les gradins : 100 000 fans de plus dans une saison, c'est près d'un million de revenus ; 300 000 spectateurs de plus, c'est 3 millions.

Le message que nous recevons des propriétaires est clair : gagnez maintenant. Nous n'hésiterons pas à échanger de jeunes espoirs contre un joueur qui nous aidera à gagner dès maintenant. »

Bronfman, Brochu et Dombrowski laissaient même entendre que le club lorgnerait du côté des joueurs autonomes – tout en restant prudent et sélectif. « Nous voulons gagner en 1989, a déclaré le directeur-gérant Dombrowski, et la signature de Tim est le premier pas dans cette direction. Cette équipe possède déjà un excellent noyau mais nous croyons qu'en ajoutant un ou deux joueurs à des postes clés, nous allons nous renforcer considérablement. »

« Durant l'hiver 1989, Charles a laissé entendre qu'il ne demeurerait pas propriétaire encore bien longtemps, explique Dave Dombrowski aujourd'hui. On m'a fait comprendre que s'il fallait échanger un espoir contre la possibilité de gagner, je pourrais aller de l'avant[14]. »

L'embauche de Kirk Gibson par les Dodgers de Los Angeles en janvier 1988 avait transformé cette équipe, la conduisant même jusqu'à la victoire ultime en Série mondiale. Alors que depuis deux ou trois ans, les clubs dénigraient l'embauche de joueurs autonomes sur toutes les tribunes, l'image saisissante de Gibson contournant les sentiers en boitant après son circuit héroïque du premier match de la série contre les A's d'Oakland avait fait changer bien des points de vue.

Dans *Lords of the Realm*, l'auteur John Helyar identifie ce moment dramatique comme étant le symbole de la fin de l'ère de collusion entre propriétaires. « Après avoir vu cette scène – Gibson courant autour des buts le poing en l'air, ses coéquipiers l'accueillant en héros au marbre, le rugissement de la foule envahissant la nuit –, personne ne pouvait plus affirmer que les joueurs autonomes n'en valaient pas la peine[15]. »

Un autre facteur, plus important encore, était en train de transformer l'économie du baseball majeur : les réseaux de télévision et de radio américains s'apprêtaient à ensevelir l'industrie de leurs revenus publicitaires. Bientôt, une entente de 4 ans de plus d'un milliard de dollars serait signée entre le baseball et CBS. À cela s'ajouterait la signature d'un pacte de 400 millions de dollars avec ESPN (d'une durée de 4 ans, prenant effet en 1990) et les 50 millions obtenus précédemment de CBS pour les droits de diffusion radio. En tout, ces ententes garantissaient aux 26 clubs des revenus globaux annuels de 377,5 millions, plus ou moins 14,5 millions par équipe pour chacune des 4 années de la durée du pacte – le *double* de l'argent garanti par le pacte précédent.

En plus de ces prodigieux revenus, le baseball jouissait d'entrées colossales de capitaux grâce à son association commerciale avec de grandes entreprises. En 1988, 8 des plus grandes entreprises américaines payaient chacune un million de dollars annuellement pour agir comme «commanditaire officiel» du baseball majeur. Mais il y avait encore plus : le programme de *merchandising* de l'industrie générait maintenant des revenus tout simplement ahurissants. Grâce à ses fameux «produits licenciés» (les casquettes, chandails et autres articles reproduisant les logos de clubs – de même que les désormais extrêmement prisées cartes de joueurs), le Major League Baseball Properties évaluait ses ventes pour 1988 seulement à plus d'un milliard de dollars...

Les autorités du baseball qui, trois années plus tôt, criaient au loup, cherchant à convaincre les joueurs et leur Association que l'industrie courait à la banqueroute, ne pourraient désormais plus tenir ce type de discours : leur industrie connaissait une période extraordinairement faste, malgré les coûts d'opération en constante progression, et malgré la vertigineuse hausse des salaires observée depuis le milieu des années 1970. Pas de doute : le baseball de la fin des années 1980 générait vraiment *beaucoup* d'argent.

L'industrie n'en était peut-être pas pleinement consciente, mais elle connaissait un réel âge d'or. En plus des extraordinaires revenus qu'il encaissait, le baseball continuait de battre ses propres records d'assistance. En 1989, pour la 5e année consécutive, la fréquentation des stades majeurs d'Amérique dépasserait celle de l'année précédente. Un total de 55 173 096 spectateurs assisteraient aux matchs de la saison régulière, une augmentation de 4,1 % par rapport à l'année précédente ; 15 clubs – un record – attireraient plus de 2 millions de spectateurs, deux équipes – les Blue Jays de Toronto et les Cards de Saint Louis – dépasseraient même les 3 millions.

Mieux encore, le baseball s'incrustait plus que jamais dans la culture populaire et dans la vie des Américains. En l'espace de quelques années seulement, Hollywood avait produit quelques *blockbusters* à partir d'histoires de baseball, des films qui deviendraient instantanément des icônes de la culture populaire moderne : *The Natural* (1984), *Bull Durham* (1988), *Eight Men Out* (1988), *Major League* (1989) et *Fields of Dreams* (1989). De 1990 à 1993, les amateurs de cinéma verraient défiler sur les écrans d'autres films comme *The Babe, A League of Their Own, Mr. Baseball, The Sandlot* et *Rookie of The Year*. En 1994, l'opus télévisuel *Baseball* de Ken Burns enchanterait tant les critiques que le public. Dans le domaine de la musique populaire, John Fogerty, l'ancien leader du groupe Creedence Clearwater Revival, avait fait un tabac en 1985 avec son disque *Centerfield*. En littérature, le Canadien W.P. Kinsella venait de publier quelques romans autour du charme particulier du baseball – le plus connu étant *Shoeless Joe*, devenu peu après sa sortie *Field of Dreams* au cinéma.

Une impressionnante quantité d'ouvrages documentaires sur le baseball paraîtraient également dans la décennie 1985-1994 : des biographies majeures sur Jackie Robinson, Hank Aaron, Duke Snider, Mickey Mantle et bien d'autres ; des comptes rendus de périodes clés de l'histoire moderne du sport (la course au championnat de 1949, les Yankees de 1961, la Série mondiale de 1964, etc.), et les essais encensés par la critique de Roger Angell, Tom Boswell ou George Will se retrouvaient sur la liste des best-sellers. Fondé en 1981, le périodique *Baseball America* s'est taillé durant la décennie une place enviable sur les tablettes des kiosques à journaux, et le *Baseball Weekly* du *USA Today* occuperait bientôt encore plus d'espace sur les présentoirs.

Mais c'est probablement l'essor prodigieux des cartes de baseball qui frappait le plus l'imagination. Populaires depuis le début du siècle auprès de générations de jeunes Américains, les cartes de joueurs devenaient de plus en plus une affaire d'adultes, parfois plus inspirés par la perspective d'un profit que par la nostalgie. En 1981, le manufacturier Topps, qui avait eu jusque-là le monopole du marché, a été contraint par un jugement de la Cour à partager son territoire avec deux concurrents, Donruss et Fleer. À la fin de la décennie, d'autres manufacturiers s'étaient joints au grand bal, et quand Upper Deck a lancé sa première série en 1989, la compagnie savait précisément à quel marché elle voulait s'adresser : aux *dealers* de cartes et aux « collectionneurs professionnels ». Désormais, le consommateur type de ce produit n'espérait plus découvrir sous un emballage la carte de son joueur préféré, il cherchait plutôt à mettre la main sur celle ayant un fort potentiel de croissance – comme les cartes de joueurs recrues –, s'en remettant aux divers guides spécialisés (qui inondaient maintenant le marché) pour juger de l'intérêt de telle ou telle carte. En 1989, on achetait maintenant des cartes de baseball comme des actions à la bourse – dans le but de les revendre à profit.

Or, cette nouvelle ferveur des collectionneurs ne profitait pas qu'aux clubs. Grâce au flair de son ancien directeur Marvin Miller, l'Association des joueurs s'était assurée d'obtenir sa part du gâteau dans la vente de ces bouts de carton de 2 ½ sur 3 ½ pouces. « De 1986 à 1989, écrit Dave Jamieson dans son ouvrage *Mint Condition*, l'Association des joueurs a quadruplé ses revenus tirés de produits licenciés, 90 % de ceux-ci provenant de la vente de cartes de baseball[16]. » La majorité de cet argent était redirigé dans le « fonds de contingence » de l'Association des joueurs, un coussin de sûreté pour les joueurs en cas de grève ou de lock-out. En plus de ces fonds, chaque joueur recevait désormais une somme annuelle de 80 000 $ des manufacturiers de cartes pour le droit d'utiliser son image. Dans les années 1970, les joueurs recevaient un montant forfaitaire de moins de 100 $ pour permettre à la compagnie Topps d'imprimer leur photo sur une carte…

Toute cette manne tombant du ciel changeait de nouveau la façon des clubs de se comporter avec leur argent. Après la formidable saison d'Andre Dawson en 1987, les Cubs lui avaient offert 1,8 million pour la saison suivante – une augmentation importante si on comparait cet argent aux 500 000 $ pour lesquels il avait signé un an plus tôt. Convaincu qu'il méritait plutôt 2 M $, Dawson avait porté son cas devant un arbitre qui avait tranché en faveur des Cubs, jugeant leur offre plus que raisonnable. Mais voilà, avant qu'Andre n'arrive au camp d'entraînement (probablement avec une moue boudeuse au visage), il avait eu la surprise de sa vie : les Cubs lui offraient maintenant 6,5 M $ pour deux saisons ! « Ils avaient pris le risque de rompre définitivement leur relation avec moi pour 200 000 $ et deux mois plus tard, sachant ce que leur rapporterait le nouveau contrat de télévision, ils m'offraient plus d'argent que je n'aurais jamais pensé demander[17]. »

Même les Expos suivaient la parade. Après la mise sous contrat de Tim Raines, les Expos s'étaient attaqués au dossier d'Andres Galarraga. Alors qu'ils lui avaient consenti 240 000 $ pour ses services en 1988, l'équipe lui en offrait maintenant 865 000 $. En février, les Expos avaient accordé un contrat de trois saisons à Tim Wallach (il gagnerait 950 000 $ en 1989), une concession étonnante venant d'un club qui jurait, deux ans plus tôt, ne plus croire aux ententes de long terme.

Au grand bonheur des joueurs et de leur association, l'escalade des salaires, freinée pendant trois ans à partir de la fin de 1985, était en train de revenir en force. Mais les propriétaires ne s'en plaignaient pas – pas encore, du moins. Après tout, c'était le meilleur des mondes : *tout le monde faisait de l'argent.*

Se doutant bien qu'il n'aurait pas l'appui d'assez de propriétaires pour être reconduit dans ses fonctions, Peter Ueberroth avait annoncé en juillet 1988 qu'il ne solliciterait pas un deuxième mandat à titre de commissaire du baseball.

Certes, sous sa gouverne, les autorités du baseball avaient essuyé un échec cuisant dans les dossiers de collusion, et, bientôt, un arbitre condamnerait les clubs à verser une somme en compensation aux joueurs autonomes pénalisés par le boycott des clubs (cette somme serait négociée entre les parties et établie à 280 millions de dollars). Mais il demeurait que les propriétaires avaient aussi réalisé d'énormes économies sur les salaires durant ces années de collusion, et certains observateurs estimaient que même *après* avoir payé la pénalité, les propriétaires s'en étaient collectivement sortis avec plus de 200 millions de profits.

Mais hormis toute la question de collusion, Ueberroth avait certainement répondu aux espoirs que les dirigeants avaient fondés en lui en l'embauchant en 1984, comme en témoignaient les formidables percées réalisées au chapitre des commandites et du *merchandising,* ainsi que ces fabuleuses ententes de droits de diffusion passées avec CBS et ESPN. À son arrivée, tous les clubs des majeures – à l'exception de cinq – affirmaient être déficitaires. Pour 1988, les clubs rapportaient maintenant des bénéfices combinés de 100 millions de dollars.

Malgré tout, les manières autocratiques et la personnalité abrasive de Peter Ueberroth en avaient froissé plus d'un et plusieurs propriétaires avaient encore sur le cœur la façon dont il leur avait forcé la main lors de la courte grève d'août 1985. À leurs yeux, les initiatives de collusion découlaient directement de la négociation court-circuitée par le commissaire. Quoi qu'il en soit, plusieurs dirigeants du baseball ont soupiré d'aise quand Ueberroth a annoncé qu'il ne se représenterait pas.

Élu à la présidence de la Ligue nationale de baseball en décembre 1986, Bart Giamatti avait des antécédents considérablement différents de ses prédécesseurs. Bachelier *magna cum laude* de l'Université Yale, Giamatti avait complété un doctorat en littérature comparée avant d'être embauché comme professeur de littérature à Princeton. Après un court séjour de deux ans là-bas, Giamatti était retourné à Yale comme professeur avant se voir confier en 1978, à l'âge de 40 ans seulement, la présidence de l'auguste institution.

En 1983, alors que le baseball cherchait un remplaçant à Bowie Kuhn, un comité mené par Bud Selig (le propriétaire des Brewers de Milwaukee) s'est formé pour interviewer des candidats. Une seule rencontre avec Giamatti – durant laquelle ils ont parlé de leur passion pour le baseball jusqu'aux petites heures du matin – a convaincu Selig qu'ils avaient trouvé leur homme. Malheureusement, le président de Yale était alors en milieu de mandat et il a dû reporter à plus tard son rendez-vous avec le baseball.

Les dirigeants se sont donc tournés vers Peter Ueberroth, le maître d'œuvre des Jeux olympiques de Los Angeles de 1984.

Alors que Giamatti avait été un professeur aimé et admiré, ses années comme administrateur s'étaient avérées une déception. Yale était souvent le théâtre de conflits de travail acrimonieux et le règne de Giamatti n'avait pas été épargné alors qu'il avait dû mener une âpre lutte contre deux syndicats représentant les adjoints administratifs et les employés de soutien de l'institution. Un soir, quelques centaines de grévistes se sont même présentés devant sa résidence privée pour faire une veillée à la chandelle et scander des slogans. En janvier 1984, Giamatti a décidé que sa santé et sa vie de famille avaient assez souffert et il a remis sa démission après la cinquième année de son terme. Dix-huit mois plus tard, il était élu président de la Ligue nationale.

Giamatti avait passé ses années de jeunesse à New Haven, au Massachusetts, à écouter les matchs des Red Sox de Boston à la radio, développant pour le baseball un amour qui ne s'était jamais démenti. Giamatti trouvait d'ailleurs souvent le moyen de glisser le sport dans ses écrits académiques : « Le baseball remplit la promesse que l'Amérique s'est faite à elle-même, soit de chérir l'individu tout en veillant aux besoins de la collectivité », écrivait-il dans *Take Time For Paradise*[18]. Dans un essai intitulé *The Green Fields of The Mind*, Giamatti traite de cet amalgame de bonheur et de chagrin que le baseball apporte à ses supporteurs : « Le baseball vous brise le cœur. C'est fait pour vous briser le cœur. Le baseball commence au printemps alors que tout le reste commence ; il fleurit durant l'été, occupant les après-midi et les soirées, et puis dès que commencent les pluies froides, il s'arrête et vous laisse seul pour affronter l'automne[19]. »

À l'été 1981, Giamatti, alors à Yale, n'avait pu se retenir de commenter publiquement le conflit de travail qui avait privé les Américains de leur passe-temps favori pendant deux mois. Prenant la plume dans le *New York Times*, il avait servi un avertissement aux protagonistes du conflit : « Le peuple américain a le baseball à cœur, pas vos misérables petites chamailleries. Retrouvez votre dignité et rappelez-vous que vous n'êtes que les gardiens temporaires d'un précieux bien public. » En d'autres occasions, il s'était exprimé contre les tendances du baseball à imiter la modernité de la NFL, contre les mascottes, les tableaux indicateurs tapageurs et le remplacement progressif des orgues des stades par la tonitruance de la musique rock.

Mais si les magnats du baseball s'étaient intéressés à Giamatti, ce n'était pas pour son amour du baseball ni pour l'éloquence de ses écrits. En réalité, ils aimaient bien la façon dont il avait tenu tête aux syndicats pendant son mandat à Yale; ils avaient également été impressionnés par l'autorité qu'il avait démontrée depuis ses débuts à la présidence de la Ligue nationale. En 1987, il avait sévi contre les lanceurs qui visent les frappeurs après un incident impliquant Andre Dawson; il avait suspendu le lanceur Kevin Gross des Phillies pour 10 jours après que celui-ci avait camouflé du papier sablé dans son gant pour égratigner la balle. L'année suivante, il avait imposé une suspension de 30 jours à Pete Rose – assortie d'une amende de 10 000 $ – pour avoir bousculé

Bartlett A. Giamatti s'est démarqué de ses prédécesseurs par sa passion dévorante et authentique du baseball. Sa fin prématurée priva ce sport de l'un de ses plus grands partisans et défenseurs.
Club de baseball Les Expos de Montréal

un arbitre. L'intégrité du baseball, le respect du *fair play* et des règles du jeu figuraient au sommet de sa liste de priorités.

Lors d'une réunion des propriétaires se déroulant à Montréal le 8 septembre 1988, Bartlett A. Giamatti fut ainsi élu à l'unanimité commissaire du baseball pour un terme de cinq ans – mandat qui commencerait officiellement le 1er avril suivant. «Bart arrive au bon moment pour le baseball, a dit Peter Ueberroth au sujet du choix de son successeur. Sa passion pour notre sport va contribuer à le garder sur la bonne voie pendant toutes les années 1990 jusqu'au tournant du prochain siècle.»

Pour les amants de ce sport, la nomination de Giamatti avait de quoi réjouir. Par son amour profond du baseball, sa façon d'en parler avec autorité, dans une perspective historique ou sociologique, avec la bonne dose de sagesse, de poésie et d'humour, Giamatti portait avec lui l'espoir que les tiraillements entre propriétaires, agents et joueurs pourraient, peut-être, passer au second rang derrière les «*green fields of the mind*» du baseball, son remarquable pouvoir à faire rêver.

Le mot d'ordre lancé désormais par Charles Bronfman à ses hommes de baseball était on ne peut plus clair: *Win now.* Faites ce qu'il faut pour remporter le championnat *cette saison.*

Pour la première fois depuis 1984 – quand ils avaient mis sous contrat l'agent libre Pete Rose –, les Expos ont tenté d'attirer à Montréal un joueur autonome d'une autre équipe. Luis Rivera ne s'étant pas révélé la solution à l'arrêt-court l'année précédente, Dave Dombrowski a déposé une généreuse offre au jeune vétéran Scott Fletcher des Rangers du Texas – tout comme l'ont fait les Phillies, les Pirates et les Indians. Après réflexion, Fletcher a décidé de retourner au Texas, là où on lui offrait un pacte de trois ans à 1,3 million par année – le double de son salaire précédent. Il ne pouvait plus y avoir de doute maintenant: l'argent recommençait à pleuvoir comme avant sur les joueurs autonomes.

La décision de Fletcher avait un peu refroidi les ardeurs de la direction des Expos: «Il n'y a vraiment personne sur le marché que nous serions intéressé à mettre sous contrat pour plusieurs années, disait maintenant Dombrowski. Nous sommes actuellement à évaluer quels sont les joueurs que nous pourrions sacrifier dans un échange.»

Contrairement à l'année précédente, alors que la prudence les avait incités au *statu quo*, les Expos se sont présentés aux assises d'hiver avec la ferme intention de bouger, et le 6 décembre, ils y allaient d'une première transaction. Ils obtenaient le droitier Kevin Gross des Phillies – celui-là même qui s'était fait surprendre deux années plus tôt avec du papier sablé dans son gant – contre deux lanceurs, Floyd Youmans et Jeff Parrett. «Nous sommes très heureux, Gross était le lanceur que nous voulions depuis le début», a déclaré Dave Dombrowski.

Un vétéran de 5 saisons dans les majeures, Gross, 27 ans, était ce qu'on appelle dans le métier un *workhorse*, un lanceur qui pouvait lancer un grand nombre de manches tout en restant efficace. En 1988, il avait lancé 231 ⅓ manches, remporté 12 victoires contre 14 défaites, tout en maintenant une MPM de 3,69. Le colosse de 6 pieds 5 pouces pouvait lancer une rapide capable de «passer au travers des bâtons», mais son meilleur tir était la courbe. Toutefois, comme il avait tendance à garder ses tirs hauts, il devenait parfois vulnérable à la longue balle. Gross serait probablement le quatrième partant d'une rotation comptant déjà sur Dennis Martinez, Pascual Perez et Bryn Smith.

En laissant partir Floyd Youmans, les Expos «fermaient les livres» sur l'un des plus beaux espoirs du club des dernières années, prétendument la carte cachée de la transaction qui avait envoyé Gary Carter à New York.

Quand il avait été suspendu pour deux mois (de la fin juin à la fin août 1988) par le Bureau du commissaire – pour avoir contrevenu à son programme de réadaptation –, Youmans avait dû se rendre à Sarasota pour y poursuivre sa thérapie. À la levée de la suspension, il avait été envoyé à Indianapolis où il avait terminé la saison. À l'invitation des Expos, il s'était joint au club San Juan dans la ligue d'hiver portoricaine, présentant une fiche de 1-4, 4,74 lors de ses 6 premiers départs. Or, avant de se rendre à Indianapolis, Youmans avait eu la curieuse idée de critiquer publiquement la direction des Expos qui, à ses dires, « se fichait complètement » de son sort. À San Juan, il avait quitté un hôtel en laissant derrière lui une facture impayée de 1 000 $. Des rumeurs circulaient à l'effet que Youmans avait recommencé sa consommation de cocaïne. Les Expos ont fini par lancer la serviette.

C'était néanmoins un grand talent que les Expos laissaient partir. En moins de trois saisons à Montréal, Youmans avait trouvé le moyen de lancer deux matchs d'un seul coup sûr; à quatre reprises, il n'avait accordé que deux coups sûrs aux frappeurs adverses. À sa première saison, en 1986, Youmans avait retiré 15 frappeurs des Phillies dans un même match. « Il a gaspillé toute une carrière, a dit plus tard l'ancien DG des Expos, Murray Cook, celui qui l'avait obtenu des Mets. Il ne prenait pas soin de lui. Il était paresseux. Il pensait que tout ce qu'il avait à faire, c'était se présenter sur le terrain et que le succès viendrait tout naturellement. Il a fini par se rendre compte que cette attitude-là ne fonctionne pas[20]. »

En fait, c'est avec davantage de regrets que les Expos s'étaient départis de Jeff Parrett. Pilier de la relève en 1988 (61 matchs, 12-4, 2,65), Parrett avait donné un répit salutaire aux partants durant toute la saison, gardant son club dans le match pendant les critiques 6e, 7e ou 8e manches. « Nous ne voulions pas sacrifier Jeff, a expliqué Dombrowski. Nous avons essayé de satisfaire les Phillies autrement, mais ils revenaient toujours à lui. Ils n'auraient pas laissé aller Gross s'ils n'avaient pu obtenir Parrett. »

Le surlendemain, les Expos concluaient deux autres échanges. D'abord, ils ont comblé un poste clé en faisant l'acquisition des services de Spike Owen des Red Sox de Boston. Owen s'était fait connaître des amateurs de baseball en participant à chacun des 14 matchs de son équipe durant les séries d'après-saison de 1986. Il s'était avéré fort utile à son club, frappant pour ,429 contre les Angels, puis ,300 contre les Mets. Après une saison satisfaisante en 1987 (MAB de ,259, 48 PP), Owen avait entrepris la saison suivante comme arrêt-court numéro un des Red Sox, mais un affreux début de saison à l'attaque lui avait fait perdre son poste. Owen n'avait pas la feuille de route d'un Scott Fletcher, par exemple, mais Dave Dombrowski ne s'en formalisait pas : « Spike est un joueur établi qui a fait partie d'équipes gagnantes. » Il faut dire aussi qu'Owen venait à meilleur prix que ce que n'aurait coûté Fletcher : 565 000 $ plutôt que 1 200 000 $...

Pour obtenir Owen (et un lanceur des mineures), les Expos avaient envoyé aux Red Sox le partant John Dopson (3-11) ainsi que l'arrêt-court Luis Rivera (,224).

Le deuxième échange a vu Tracy Jones (,333) prendre le chemin de San Francisco, cédant ainsi son rôle de voltigeur réserviste à Mike Aldrete. « Jones a été un bon frappeur avec nous, mais comme Aldrete frappe de la gauche, j'aurai davantage d'occasions d'avoir recours à ses services », a expliqué Buck Rodgers.

« Nous partons d'ici avec un meilleur club, ont dit à l'unisson Rodgers et Dombrowski en quittant les assises d'hiver. Et nous l'avons fait sans toucher à notre rotation de lanceurs ni à nos joueurs de coin [Galarraga, Wallach, Raines et Brooks]. »

Normalement, les premières nouvelles de la Floride parviennent aux amateurs de baseball à la mi-février, lorsque les lanceurs et les receveurs arrivent au camp. Mais en 1989, les fans des Expos ont eu des nouvelles d'un des porte-couleurs du club plus tôt que prévu. Le problème, c'est que les nouvelles n'étaient pas très bonnes.

Les 7 et 8 février, Bryn Smith était à West Palm Beach pour prendre part à un tournoi de golf mêlant professionnels et amateurs. Faisant équipe avec son ex-coéquipier Gary Carter, deux joueurs amateurs et le golfeur professionnel Harold Henning, Smith et ses partenaires ont remporté le titre Pro-Am. Si l'histoire s'était arrêtée là, la nouvelle aurait peut-être eu droit à un entrefilet dans les journaux locaux. Mais après le tournoi, Smith s'est rendu sur une des grandes artères de la ville et c'est là que lui est venue la mauvaise idée d'aller à la rencontre d'une jolie femme qui déambulait au coin d'une rue en offrant la promesse d'une nuit mémorable. Malheureusement pour Smith, il se trouve que cette dame était en réalité une agente de police participant à une opération de trois jours visant à pincer sur le fait cette clientèle particulière. Le lendemain, la plupart des journaux d'Amérique faisaient état de ces 116 hommes pris sur le fait, dont un certain joueur de baseball des Expos de Montréal.

Puis, le 17 février, alors que l'histoire cédait progressivement la place à d'autres faits divers, le directeur-gérant Dave Dombrowski a convoqué les journalistes pour leur annoncer que le lanceur Pascual Perez avait été admis au début du mois dans une clinique de désintoxication de la Floride où on le traitait pour un problème de dépendance à la cocaïne. « Pascual est entré en clinique après avoir échoué à se conformer à certaines conditions de son programme de réadaptation, a déclaré le directeur-gérant des Expos. Il sortira de clinique le 4 mars. Ce qui se passera après, je ne le sais pas. »

Le Bureau du commissaire du baseball – dirigé pour quelques semaines encore par Peter Ueberroth – avait ouvert une enquête et comme Perez n'en était pas à une première infraction, les Expos s'attendaient à une suspension. Dans l'entourage du club, on parlait d'un mois, peut-être de deux. Le *USA Today* évoquait même la possibilité d'une suspension d'un an. « Sa plus grande préoccupation, c'est d'avoir laissé tomber ses coéquipiers, a précisé Dombrowski. Il a dû répéter ça au moins dix fois dans la conversation que j'ai eue avec lui. »

La rechute de Perez survenait alors qu'il venait tout juste de s'entendre avec les Expos sur un contrat d'une année à 850 000 $. « Nous avons été surpris que ça soit arrivé à ce moment-là », a indiqué Dombrowski.

Le lien entre les deux événements allait pourtant de soi. Depuis une quinzaine d'années, les salaires faramineux avaient radicalement transformé l'existence des athlètes professionnels. Propulsés au rang de superstars alors qu'ils n'avaient pas encore la trentaine, inondés de dollars au point de ne plus savoir quoi en faire, les vedettes du sport voyaient désormais apparaître dans leur entourage un lot de parasites qui n'étaient pas précisément là pour assurer leur bien-être. Or, aussi longtemps que l'industrie du sport professionnel créerait son lot annuel de millionnaires, les histoires de dérives d'athlètes ne disparaîtraient pas. En fait, ce sont ces histoires qui faisaient désormais vendre les journaux, encore plus que les exploits sportifs de ces icônes vénérées. En 1989, on en était encore au commencement du phénomène – et il n'y aurait pas de retour en arrière.

C'était évidemment toute une brique qui tombait là sur la tête des Expos. « Je dois dire que nous sommes un peu secoués pour l'instant, a déclaré Buck Rodgers. Il n'y a pas de doute, Pascual est une des clés de voûte de notre personnel de lanceurs. Mais nous sommes mieux préparés pour le perdre maintenant que l'an passé quand il a été blessé. Nous avons Brian Holman, Randy Johnson et Neil Heaton. Et puis, on pourra observer de plus près les progrès de deux jeunes lanceurs prometteurs, Gene Harris et Mark Gardner. »

Mais les paroles les plus optimistes du monde ne pouvaient pas faire oublier que la saison qui devait être LA saison des Expos de Montréal commençait d'une bien curieuse façon. « Faut pas se le cacher, les Expos volent présentement bien bas, écrivait Michel Blanchard dans l'édition du 23 février 1989 de *La Presse*. En plus du cas Bryn Smith, terriblement affecté par une sombre histoire de mœurs montée par les flics, l'affaire

Pascual Perez a touché au cœur les Expos les plus endurcis. Mike Fitzgerald a admis avoir été terriblement secoué en apprenant la nouvelle. Fitzgerald n'est pas le seul. Chez les Expos, on n'est pas sans savoir qu'il n'y aura pas de saison de baseball cet été sans Perez. Si le commissaire suspend Perez pour plus de deux mois, les Expos sont battus avant d'avoir effectué leur premier lancer.»

Dans les premiers jours du camp, il n'était question que de ça. Tim Burke disait que l'équipe s'ennuierait du climat décontracté, relâché et rigolo que Perez apportait dans le vestiaire. Dennis Martinez et Tim Raines étaient déçus, eux aussi, mais pas surpris de la rechute de leur coéquipier. «Les gens doivent réaliser qu'on ne guérit jamais de problèmes comme ceux-là, a indiqué Martinez, qui était bien placé pour parler. Un ancien consommateur de drogues ou d'alcool ne peut pas toujours être chaperonné. Vient un jour où il doit faire face à la musique seul.» «Je me doutais que quelque chose n'allait pas parce que quand on soulevait la question entre nous l'an dernier, il disait qu'il n'avait pas de problème de dépendance, mentionnait pour sa part Tim Raines. Il faut reconnaître qu'il existe un problème pour pouvoir le combattre.»

Bientôt, une autre histoire – de bien plus grande envergure, celle-là – secouait les camps d'entraînement: Pete Rose, le gérant des Reds de Cincinnati, était soupçonné d'avoir parié de l'argent sur l'issue de matchs de baseball – peut-être même de matchs impliquant les Reds. Informé du fait que le magazine *Sports Illustrated* s'apprêtait à dévoiler l'affaire dans sa prochaine livraison, le commissaire Ueberroth est allé au-devant des coups en annonçant publiquement le 20 mars que son bureau venait d'ouvrir une vaste enquête sur des allégations de *gambling* impliquant Pete Rose.

Chaque jour, de nouvelles révélations coulaient ici et là: Rose entretenait des liens avec des criminels condamnés, il avait perdu des sommes colossales dans des gageures sur des événements sportifs comme les courses automobiles ou les courses de chevaux (on évoquait des dettes allant de 500 000 $ à 750 000 $); quand il participait à des séances de signatures, il insistait toujours pour être payé en argent comptant (sa seule présence pouvait coûter 20 000 $ aux organisateurs; il exigeait jusqu'à 12 $ par signature). Par ailleurs, le vestiaire des Reds était constamment envahi par la présence d'«amis» du gérant, au point où Ueberroth avait appelé Rose lui-même durant les assises d'hiver pour lui demander d'en limiter l'accès aux personnes dûment autorisées.

Évidemment, ce qui préoccupait le Bureau du commissaire, c'était de savoir si ce *gambling* était relié ou non à des matchs de baseball majeur. Or, sur cette question, la position du baseball était claire: si un joueur ou un entraîneur pariait sur un match impliquant d'autres équipes que la sienne, une suspension d'une année entrait en vigueur. S'il était prouvé qu'il avait gagé sur des matchs de son propre club, c'était la suspension à vie.

L'enjeu était énorme. Pete Rose n'était pas précisément un figurant de passage dans la grande histoire du baseball majeur ; il faisait partie de sa plus prestigieuse élite. Détenteur du record pour le plus grand nombre de coups sûrs en carrière, Pete Rose était une légende vivante dont l'intronisation au Temple de la renommée – il serait admissible dès 1992 – n'était plus qu'une formalité.

Bientôt, l'enquête sur Pete Rose passerait des mains de Peter Ueberroth à celles de son successeur Bart Giamatti, qui rendrait une décision avant la fin de la saison.

La commotion autour des cas Perez et Rose avait fait oublier à bien des gens qu'un entraînement se poursuivait à West Palm Beach.

La plupart des Expos ont connu un très bon camp. Galarraga, Raines, Brooks, Nixon, Hudler, ainsi que les nouveaux venus Spike Owen et Mike Aldrete, ont tous frappé autour des ,300.

Chez les lanceurs, Kevin Gross (2-0, 2,35 en 23 manches) a bien démarré, tout comme Dennis Martinez et Brian Holman. Randy Johnson a encore éprouvé des problèmes de contrôle (11 BB en 18 manches) mais ses 17 retraits au bâton ont souvent contribué à le sortir d'impasse. Empêtré dans des problèmes d'ordre personnel (sa bourde de février l'avait contraint à fournir quelques explications à son épouse), Bryn Smith n'avait participé qu'à trois matchs, n'impressionnant personne.

Buck Rodgers était enchanté de ce qu'il avait vu de quelques-unes des recrues invitées au camp. « Le meilleur groupe de jeunes que j'aie jamais vu », a-t-il dit en parlant des voltigeurs Marquis Grissom et Kevin Dean, et des joueurs d'intérieur Delino DeShields, Mike Blowers et Jeff Huson. « Grissom pourrait s'emparer d'un poste dès le printemps prochain », a noté le pilote des Expos.

Durant le camp, Dave Dombrowski et les Expos ont procédé à des remaniements de personnel visant à colmater quelques brèches. D'abord, ils ont ajouté à la formation le vétéran Damaso Garcia, l'ancien deuxième-but des Blue Jays de Toronto, dont le coup de bâton pourrait s'avérer utile en fin de match. Puis, le 28 mars, ils ont acquis les services de Gilberto Reyes (un receveur auxiliaire) et, dans une autre transaction, expédié Neil

Heaton (et son salaire annuel de 600 000 $) aux Pirates de Pittsburgh, se contentant d'obtenir en retour un lanceur de second plan, Brett Gigeon.

On ne pouvait certainement pas affirmer que la transaction Heaton-Reardon, réalisée par Murray Cook en février 1987, avait tourné à la faveur des Expos. Heaton avait donné au club une excellente première moitié de saison mais n'avait plus été aussi efficace par la suite. De son côté, Reardon avait raffermi son statut de releveur dominant, conduisant même sa nouvelle équipe, les Twins, aux plus grands honneurs dans les séries de 1987.

Heaton parti, les Expos ne compteraient plus que sur un seul gaucher dans la rotation, la recrue Randy Johnson.

À l'approche de la nouvelle saison, les experts restaient prudents dans leur évaluation des chances des Expos. Solide aux quatre coins (Galarraga, Wallach, Raines et Brooks), le club était plus vulnérable sur la ligne du centre (receveur, 2b, arrêt-court et champ centre).

Le gros point d'interrogation demeurait évidemment le statut de Pascual Perez. Sans leur deuxième meilleur partant dans la formation en début de saison – ou pour la durée du calendrier –, l'équipe aurait vraisemblablement du mal à rivaliser avec les Mets et des clubs émergeants comme les Pirates et les Cards.

Or, au moment même où les divers journaux et magazines publiaient leurs prédictions (tant le *Sporting News* que le *Sports Illustrated* donnaient le 4e rang de l'Est aux Expos), Peter Ueberroth rendait ce qui serait sa dernière décision à titre de commissaire du baseball majeur : Pascual Perez ne serait ni suspendu, ni mis à l'amende. Et il pourrait immédiatement se joindre aux Expos. La décision du commissaire était toutefois assortie d'un avertissement : une nouvelle rechute ou l'omission de se conformer à son programme de réadaptation entraînerait une suspension automatique d'un an.

Dans les semaines précédant l'annonce du commissaire, un bras de fer avait eu lieu entre le Bureau du commissaire et l'Association des joueurs. La question était de savoir si l'écart de conduite de Perez devait être considéré comme un cas de première ou de deuxième instance. En 1985, après avoir eu des démêlés avec la justice dominicaine – aussi pour possession de cocaïne – Perez avait été suspendu pour un an par le Bureau du commissaire. Mais l'Association des joueurs avait réussi à faire casser la décision par un tribunal américain, ce qui, techniquement, faisait de Perez un contrevenant de première instance.

L'Association des joueurs avait craint une suspension d'un an, qui aurait pu faire jurisprudence et risquer d'exposer les futurs contrevenants à de sévères mesures disciplinaires entraînant, bien entendu, la perte de précieux dollars pour les athlètes – et leur syndicat. *La Presse* considérait d'ailleurs la décision du commissaire avec une froide lucidité. « Pascual dans l'alignement partant des Expos en ce début de saison, c'est du fric pour tout le monde, arguait le chroniqueur Robert Duguay. Du fric pour les Expos, surtout, pour les concessions du Stade, pour la télé, pour la radio, pour les autres équipes. »

L'entourage des Expos était, il va sans dire, fort soulagé du verdict du commissaire. « Maintenant, nous avons le meilleur personnel de lanceurs de toute la Ligue nationale », a lancé Buck Rodgers. « Pour nous, ça peut vouloir dire entre 15 et 20 victoires de plus cette saison », a pour sa part indiqué Andres Galarraga. Pour Hubie Brooks, le cas Perez n'avait rien à voir avec celui de Floyd Youmans qui, lui, avait été suspendu en 1988 pour un écart de conduite similaire : « Youmans et Perez sont des personnes différentes et il s'agit de situations différentes. »

Aussitôt l'annonce du retour de Perez confirmée, Rodgers a indiqué que Perez agirait comme partant dès la première semaine du calendrier Pendant sa cure, Perez s'était entraîné légèrement en lançant la balle avec son thérapeute dans un parc attenant à la clinique. Tous les trois jours, un membre du personnel d'entraîneurs des Expos se rendait au parc pour superviser son travail. Le dépisteur en chef des Expos, Gary Hughes, s'était dit impressionné par ses progrès : « Il n'est pas loin de la forme qu'il devrait afficher à ce stade-ci de la saison. » Buck Rodgers était du même avis : « Pascual n'a pas vraiment besoin de préparation, ce n'est pas un individu ordinaire. »

À l'aube de la nouvelle saison, le pilote des Expos se montrait plus confiant que jamais : « Cette année, nous n'avons pas à espérer que les Mets de New York soient frappés d'un malheur pour espérer gagner. Je ne doute pas un seul instant que nous ayons les outils nécessaires pour rivaliser avec eux homme pour homme. » Dave Dombrowski se disait pour sa part fort satisfait des progrès réalisés pendant le camp : « La situation de Pascual Perez a masqué le fait que nous avons accompli beaucoup de petites choses qui pèseront dans la balance toute l'année. Nous avons beaucoup amélioré notre coup de bâton, particulièrement en situation de marquer. »

L'optimisme du gérant et de son patron semblait avoir déteint sur le président du club, Claude Brochu, qui prédisait lui aussi de fort belles choses pour son club : une saison de 95 victoires couronnée d'un championnat avec une avance de deux matchs sur les Mets…

Or, si au terme du camp les Expos inspiraient confiance aux observateurs, les jeunes joueurs de leur réseau de filiales, eux, semblaient plus prometteurs que jamais. « Ce qui est le plus excitant de cette équipe, c'est son avenir, a écrit Peter Pascarelli de l'hebdomadaire *The Sporting News*. Bon nombre de dépisteurs sont d'avis que ce club a le meilleur talent de tous les réseaux de filiales des majeures. Les Expos vont inquiéter leurs rivaux de l'Est de la Nationale pour de nombreuses années.»

Pour la deuxième fois seulement de leur histoire, les Expos ont amorcé la saison à Montréal – le 4 avril – la toile couvrant le toit du Stade olympique permettant désormais des débuts de saison hâtifs.

L'installation en 1987 de la toile faite de Kevlar avait réussi – jusqu'à un certain point – à atténuer l'impression d'immensité que pouvait ressentir le visiteur en entrant au Stade. Mais les Expos souhaitaient plus qu'une illusion d'optique : ils voulaient rapprocher les spectateurs de l'action : ils ont donc ajouté une nouvelle section – désignée sous le nom de «terrain» – entre le niveau 100 et le terrain, de 3 à 5 rangées installées le long de la rampe contournant le champ intérieur (la réduction de la distance entre le marbre et le filet protecteur – de 90 à 53 pieds – donnerait un léger avantage aux frappeurs, qui verraient un plus grand nombre de leurs ballons dans le territoire des balles fausses atterrir chez les spectateurs plutôt que dans la mitaine de la défensive adverse). En tout, la section offrait 620 nouveaux sièges – qui se vendraient à 18,50 $ chacun, soit 6,50 $ de plus que ce que coûtaient les billets les plus chers l'année précédente.

Les Expos ne se sont pas arrêtés là : ils ont abaissé le plancher des abris des joueurs de deux pieds sous le niveau du terrain, se conformant ainsi aux normes des autres stades des majeures. Ils ont installé une nouvelle surface synthétique, recouvert les rampes extérieures de coussins, relogé les enclos de releveurs – anciennement situés derrière les clôtures du champ extérieur – le long des lignes de côté. De plus, ils ont réaménagé la rotonde de l'entrée du Stade et ouvert une boutique de souvenirs près de la billetterie, du côté de la rue Pierre-de-Coubertin. Coût total des aménagements : 1,3 million de dollars.

Les spectateurs se rendant au Stade lors du match d'ouverture ont constaté une autre nouveauté : à l'initiative de la Ville de Montréal, une statue à l'effigie de Jackie Robinson avait été installée à l'entrée du Stade. Dévoilée pour la première fois deux années plus tôt, la statue avait d'abord été installée sur le terrain de l'école polyvalente Pierre-Dupuis au coin des rues Ontario et Delorimier, sur le site de l'ancien stade des Royaux de la Ligue internationale. Mais comme le site était mal entretenu et complètement en marge des circuits touristiques de la ville, on a décidé de la reloger au Stade, un geste salué par la direction des Expos.

Mais tous ces aménagements n'étaient en fait qu'un prélude à l'innovation majeure qui surviendrait plus tard dans la saison, en juillet plus exactement : la mise en fonction du fameux toit amovible, attendu depuis 13 ans.

Les 35 154 spectateurs (20 000 de moins que l'année précédente) ont eu plus qu'un nouveau décor à se mettre sous la dent alors que les Expos ont comblé un déficit de 5-3 pour l'emporter 6-5 contre les Pirates de Pittsburgh en fin de 9e manche. Arrivé dans le match en remplacement de Tom Foley en 8e manche, le nouveau venu Damaso Garcia a cogné un simple sur un compte de 0-2 pour produire le quatrième point des Montréalais. Puis, en fin de 9e, tirant encore de l'arrière 0-2 dans le compte, Garcia a de nouveau frappé en lieu sûr pour créer l'égalité. Avec les sentiers tous occupés, Tim Raines a alors réussi à soutirer un but sur balles pour faire marquer le point gagnant.

Le club a ensuite remporté trois de ses quatre matchs suivants, obtenant de belles sorties de ses partants (Randy Johnson, Kevin Gross et Bryn Smith), incluant l'étonnant Pascual Perez, qui n'a accordé aux Pirates que deux points sur trois coups sûrs en sept manches, un exploit peu commun étant donné qu'il s'agissait là de sa toute première présence dans un match depuis six mois.

Mais cinq matchs ne font pas une saison, et les Expos et leurs partisans ont été rapidement confrontés à une évidence : une saison de baseball est une longue course à obstacles. Durant les deux premiers mois du calendrier, l'équipe a été incapable de constance : une série de trois ou quatre victoires était aussitôt suivie du même nombre de défaites, si bien que le 23 mai, l'équipe qui devait connaître la plus fructueuse saison de son histoire présentait une fiche sous la barre des ,500 (21-23).

Même si plusieurs Expos – comme Wallach, Brooks et Dennis Martinez – avaient rapidement connu du succès, d'autres tardaient à se mettre en marche.

À la fin avril, Tim Raines a retrouvé son œil au bâton mais il n'était plus une menace sur les sentiers. « J'aimerais qu'il dérange les lanceurs comme le fait toujours Vince Coleman des Cards, a dit Buck Rodgers. Tim aurait eu des occasions de voler mais on dirait qu'il hésite à le faire. C'est rendu que les lanceurs adverses ne tentent même plus de le retenir au premier but. » Raines niait avoir perdu sa confiance sur les sentiers : « Je suis aussi rapide et fort qu'avant. Vous verrez, à la fin de la saison, j'aurai volé ma part de buts. »

La rotation des lanceurs n'avait pas été à la hauteur des espoirs que fondait Rodgers en eux. À part Martinez et Bryn Smith, les autres n'avaient pas atteint leur forme de mi-saison. Même s'il avait été efficace, Kevin Gross avait besoin d'une offensive généreuse pour gagner ses matchs, Randy Johnson avait connu trois mauvaises sorties avant d'être relégué à l'enclos et Pascual Perez ne gagnait plus, malgré quelques bonnes sorties. Appelé à la rescousse à trois reprises, Brian Holman n'a pas convaincu ses entraîneurs qu'il avait sa place dans la rotation.

La relève éprouvait aussi sa part de difficultés. Tim Burke dominait encore le club au chapitre des matchs sauvegardés mais sa moyenne de points mérités à la mi-mai frôlait les 5,00. C'était pire du côté de la longue relève, où Andy McGaffigan et Joe Hesketh semblaient en voie de connaître des saisons de misère, rendant l'absence de Jeff Parrett plus pénible que prévu.

Le 1er mai, le personnel de lanceurs a vraiment atteint le fond du baril. Après que Pascual Perez et Andy McGaffigan avaient été malmenés par les Reds de Cincinnati, Joe Hesketh a été envoyé dans la mêlée après un retrait en 8e manche alors que les Expos tiraient de l'arrière 7-6. Le pauvre Hesketh a accordé un double, deux simples, trois buts sur balles, effectué un mauvais lancer et commis une feinte non réglementaire. À la fin de la manche, c'était 13-6 Reds. À court de releveurs (Rodgers avait surutilisé Tim Burke et Gene Harris dans les derniers matchs), Hesketh est retourné au monticule en 9e pour se faire de nouveau malmener (4 CS dont un double, 2 BB) avant que Rodgers ne le sorte de son cauchemar pour le remplacer au monticule par… le joueur de deuxième but Tom Foley. Les yeux rougis, Hesketh a quitté le monticule sous les huées et les moqueries de la foule du Stade olympique.

Foley a fait ce que lui avait demandé Rodgers : lancer des prises. Le premier frappeur à l'affronter, l'ancien receveur des Expos Jeff Reed, en a profité pour cogner un circuit de deux points. Le match – un supplice de plus de trois heures – s'est terminé par un pointage de 19-6. Jusque-là dans leur histoire, les Expos n'avaient jamais subi une telle raclée.

Ce n'était pas la première fois que Buck Rodgers envoyait au monticule un joueur de position dans une cause désespérée. Il avait fait le coup quelquefois par le passé, utilisant Vance Law à quelques reprises, Razor Shines ou même Tim Wallach – qu'il utiliserait de nouveau le 6 mai dans une autre dégelée de 13-3.

Le 8 mai, les Expos rétrogradaient le lanceur Gene Harris à Indianapolis; le lendemain, le grand Randy Johnson subissait le même sort. Une semaine plus tard, Pascual Perez était envoyé dans l'enclos des releveurs. Les Expos commençaient à être à court de partants.

Malgré leurs problèmes, les Expos pouvaient se consoler en se comparant : ils n'étaient pas les seuls de la division Est de la Nationale à jouer en deçà de leur potentiel. Les Mets et les Cards jouaient pour à peine plus de ,500, ce qui avait ouvert la voie aux Cubs, désormais seuls au 1er rang. Les Expos étaient en 4e place, mais à seulement 3 ½ matchs du 1er échelon. En fait, une rare parité s'était installée dans les deux ligues. Sur 26 clubs, 20 étaient à 4 matchs ou moins de la tête ; il semblait bien qu'aucun d'eux ne se sauverait avec le championnat.

Pour Dave Dombrowski, cela signifiait que s'il y avait une année où les Expos devaient jouer le tout pour le tout, c'était bien celle-là. Une autre raison motivait sa stratégie : l'entente entre les propriétaires et les joueurs prendrait fin au terme de l'année, et les prochaines négociations s'annonçaient corsées au point où plusieurs observateurs disaient maintenant s'attendre à un conflit de travail prolongé. Les Expos n'étaient pas la seule équipe à penser qu'il ne fallait pas agir en fonction de 1990 mais plutôt mettre la pédale à fond pour l'année en cours. Et puis, Charles Bronfman ne lui avait-il pas demandé avant le début de la saison de faire ce qu'il fallait pour gagner *maintenant* ?

Claude Brochu se rappelle la philosophie de John McHale sur la question : « John disait souvent : *"When you've got a chance to go for the brass ring, don't miss it."* Quand on a la chance d'aller jusqu'au bout, il faut la saisir, elle ne repassera peut-être pas. C'est ce que nous avons convenu de faire cette fois-là[21]. »

Depuis quelque temps déjà, Dombrowski avait un lanceur dans sa mire, un gaucher solidement établi qui, en 5 saisons seulement, avait déjà remporté 70 victoires pour les Mariners de Seattle, un club de deuxième ordre. Ce lanceur avait pour nom Mark Langston ; il avait seulement 27 ans, enregistrait une moyenne de plus de 200 retraits au bâton par année – et était le lanceur le plus convoité du baseball majeur.

Pourquoi convoité ? Parce que les Mariners cherchaient à s'en départir. Langston deviendrait joueur autonome à la fin de la saison ; il avait déjà refusé leur offre de 7,1 millions pour trois ans et l'équipe de la côte Ouest était bien résolue à ne pas le laisser déguerpir sans rien obtenir en retour, comme cela leur était arrivé quelques mois plus tôt lorsque le lanceur Mike Moore avait paraphé une entente avec Oakland.

Pendant des mois, le téléphone de Woodie Woodward, le directeur-gérant des Mariners, n'a pas dérougi. Une transaction impliquant trois clubs (les Blue Jays, les Braves et les Mariners) a avorté, tout comme une autre qui aurait envoyé Langston aux Mets contre les lanceurs Sid Fernandez, David West et l'arrêt-court Howard Johnson. Dans le cas de cette dernière transaction, c'est une intervention du propriétaire des Mariners, George Argyros, qui a fait dérailler l'échange, après qu'il avait examiné les bulletins de santé de Fernandez et de Johnson, deux joueurs soignant des blessures. Lou Gorman des Red Sox est revenu à la charge plusieurs fois, sans succès. Dans certains cas, les discussions ont cessé quand les clubs se sont rendu compte qu'ils ne pourraient pas convaincre Langston de signer une prolongation de contrat. Jugeant trop grand le risque que le gaucher opte pour l'autonomie à la fin de la saison, ces équipes ont alors rompu les pourparlers.

Dave Dombrowski, lui, était prêt à courir ce risque. Le DG des Expos a fait une offre qui a ouvert bien grands les yeux de son vis-à-vis de Seattle. Pour mettre la main sur Langston, les Expos étaient prêts à céder trois lanceurs d'avenir : Brian Holman, Gene Harris et Randy Johnson. Sachant que plus le temps passerait, plus sa marge de manœuvre rétrécirait, Woodward a sauté sur l'offre de Dombrowski.

Le 25 mai, le jour même où les Canadiens perdaient le sixième et dernier match de la coupe Stanley aux mains des Flames de Calgary au Forum, les Expos trouvaient le moyen de faire la manchette des journaux locaux en confirmant l'acquisition de Mark Langston. Contre toute attente, le lanceur le plus convoité des majeures venait de passer à l'organisation la moins en vue du baseball.

À Montréal, la nouvelle a été accueillie avec stupeur et emballement. En 21 ans d'histoire, jamais les Expos n'étaient allés chercher un joueur de premier plan en cours de saison pour les aider à gagner dans l'immédiat. C'était une transaction aussi importante que celle qu'avaient réalisée les Canadiens de Montréal en 1971 quand ils avaient acquis Frank Mahovlich des Red Wings de Detroit en vue des séries éliminatoires. Mahovlich les avait d'ailleurs aidés à remporter le précieux trophée quelques mois après son arrivée à Montréal.

Les médias locaux ne pouvaient s'imaginer que les Expos aient agi avec autant de témérité sans avoir assuré leurs arrières.

« Entre vous et moi, écrivait Yves Létourneau dans *La Presse*, se pourrait-il que ce brillant garçon qu'est Dave Dombrowski ait pris le risque d'échanger trois jeunes espoirs de son organisation sans auparavant avoir pris de très sérieuses précautions ? Dave a des comptes à rendre à un monsieur qui paie le gros prix et qui, par conséquent, doit exiger qu'on ne se comporte pas en imbécile. Et ce serait agir comme une tête de linotte que d'aller arracher à fort prix un lanceur qui va prendre la poudre d'escampette cinq mois plus tard. [...] Il ne faut pas être grand devin pour comprendre qu'officieusement, Dave Dombrowski et Arn Tellum, l'agent de Langston, discutent depuis trois semaines du cas de ce remarquable gaucher.»

En somme, les médias considé-raient que si les Expos étaient allés de l'avant, c'est qu'ils avaient obtenu une forme de garantie du clan Langston.

Dave Dombrowski niait que de telles discussions aient eu lieu: «Nous n'avons pas eu la permis-sion de parler à son agent avant l'échange. On nous aurait alors accusés de maraudage.» Mais à

Après son arrivée en fanfare à Montréal, Mark Langston n'a pas tardé à montrer certains travers qui lui ont fait hériter d'un savoureux surnom...
Club de baseball Les Expos de Montréal

son arrivée sur la côte Ouest, où les Expos avaient entrepris un séjour de neuf rencontres, Langston a révélé une information qui laissait supposer autre chose: «Dombrowski et Arn Tellum sont de grands amis qui se connaissent depuis longtemps.» Or, comme on le sait, de grands amis, ça se parle...

À Seattle, les réactions étaient majoritairement négatives. On racon-tait que le DG des Mariners avait agi de façon désespérée, obtenant bien en deçà de la valeur du gaucher. On a même laissé entendre que pour punir Langston d'avoir levé le nez sur leur offre, les Mariners l'avaient malicieusement envoyé à une équipe où on devinait qu'il ne voudrait pas aller.

Quand Charles Bronfman a été informé de la transaction, il se trouvait dans le parc Yellowstone, au Wyoming. «J'ai commencé à crier. C'était complètement insensé, on ne peut pas échanger trois lanceurs contre un seul! John McHale disait toujours qu'une équipe n'avait jamais trop de lanceurs. Là, on en cédait trois, dont Randy Johnson, ainsi que Gene Harris, un gars qui possédait un bras extraordinaire[22].»

Bronfman n'était pas sans connaître les qualités de Langston, mais il ne voyait pas comment l'équipe le mettrait sous contrat à long terme: «Quand vous obtenez un joueur, vous devez toujours vous assurer qu'à ses yeux, jouer pour votre club est une promotion. Bien entendu, ce n'était pas le cas pour Langston[23].»

Buck Rodgers était également vivement opposé à la transaction : « Ça a été un de nos grands sujets de mésentente, explique-t-il plus de 20 ans après les événements. Dombrowski était un jeune DG et il pensait qu'on pourrait mettre Langston sous contrat à long terme parce qu'il connaissait son agent. Mais les agents sont comme ça, ils font tout pour garder votre intérêt et vous faire miser à la hausse. Après, ils font bien ce qu'ils veulent[24]. »

« David n'aimait pas Randy Johnson parce que des gens de l'organisation avaient eu des ennuis avec lui. C'est vrai que Randy était un type spécial. Mais il avait un bras formidable. Quand ton organisation développe un joueur et qu'il est bon, c'est une bonne idée de le garder. Ce ne sont pas tous les joueurs qui voulaient venir à Montréal[25]. »

Évidemment, il faudrait que passe du temps avant de pouvoir déterminer quel club avait eu le meilleur. Mais pour *The Sporting News*, il ne faisait pas de doute que les Mariners avaient fait le meilleur coup : « Langston est sans contredit un lanceur de qualité, un ajout formidable pour les Expos. Mais vous jetterez un coup d'œil dans un an ou deux sur Johnson, Harris et Holman et vous verrez si ce sont les Mariners ou les Expos qui ont fait le bon échange. »

À son arrivée chez les Mariners, Randy Johnson s'est dit déçu par le geste des Expos : « Je commençais à me sentir à l'aise là-bas. Je m'imaginais dans l'uniforme des Expos jusqu'à la fin de ma carrière. Ils ne m'ont jamais accordé une vraie chance. Ils ont renoncé à mes services et hypothéqué leur avenir. Ils n'ont pensé qu'en fonction de cette année. »

Quand ils ont su que Mark Langston s'en venait à Montréal, les joueurs n'en croyaient pas leurs oreilles. « À l'annonce de la nouvelle, a dit Tim Raines, on s'est dit que la direction faisait vraiment tout pour gagner. C'était à nous de faire de même. »

Les Expos n'ont pas tardé à produire. La veille de l'annonce de la transaction, Kevin Gross avait passé le pinceau 1-0 aux Giants de San Francisco. Le lendemain, c'était au tour de Dennis Martinez de les mater, 2-0. Puis, lors du premier match d'une série de trois contre les Padres de San Diego, Bryn Smith a surpris en lançant un deuxième match complet en six jours, l'emportant aussi par jeu blanc, 5-0.

Le dimanche 28 mai, dans le dernier match d'une série de trois à San Diego, Mark Langston s'est amené au monticule pour la première fois dans l'uniforme des Expos et en a tout de suite mis plein la vue à ses nouveaux patrons et aux Padres. En 8 manches, il a retiré 12 frappeurs sur des prises, espaçant bien 4 CS et 3 BB en 8 manches, aidant son équipe à gagner 10-2.

En 8ᵉ manche, après que Langston avait retiré 9 frappeurs sur des prises, le redoutable Benito Santiago s'est présenté au marbre comme frappeur d'urgence avec l'air résolu de celui à qui la même chose n'arriverait pas. Santiago s'est élancé vigoureusement sur le premier tir du gaucher, une glissante dévastatrice : une prise. Sur le lancer suivant – une rapide –, Santiago a une fois de plus fendu l'air. Soudainement pris d'un doute, le frappeur des Padres a alors regardé passer un changement de vitesse en plein centre du marbre. Trois lancers, trois prises, 10ᵉ victime de Langston.

Après le match, Dave Dombrowski a admis que la mise sous contrat de Langston ne se ferait pas à bon marché puisque les Expos ne seraient pas les seuls à miser. D'ailleurs, dans les jours qui avaient suivi la transaction, plusieurs clubs l'avaient déjà appelé dans le but d'acquérir Langston, offrant aux Expos « des joueurs de calibre, des gars ayant été membres d'équipes d'Étoiles », avait précisé Dombrowski.

Le DG des Expos n'était évidemment pas intéressé à se départir de son as gaucher. Et il croyait même que les Expos auraient un avantage sur les autres équipes une fois venue l'heure de l'intéresser à une offre. « Langston sera avec nous pour le reste de la saison, de déclarer Dombrowski. Je crois qu'il aimera l'organisation, les joueurs et la ville. Et d'après ce que nous savons, ce sont toutes des choses importantes pour lui et qu'il ne connaît pas encore. De plus, M. Bronfman est résolu à garder Langston à Montréal pendant longtemps. »

Trois semaines avant de conclure la transaction, l'agent de Langston, Arn Tellum, avait appelé Dombrowski pour lui parler d'un autre de ses clients, Rex Hudler. « Il m'a ensuite demandé mon opinion sur ce qui arriverait à Langston, d'indiquer Dombrowski. J'ai répondu qu'il semblait décidé à aller dans une grosse ville ou sur la côte Ouest. Tellum m'a alors dit que c'était faux, que le critère numéro un de Langston était de se retrouver avec une équipe en mesure de gagner. »

Quant à Langston lui-même, il ne détestait pas entretenir une certaine ambiguïté : « Les journalistes font simplement présumer que je veux aller jouer sur la côte Ouest parce que j'y suis né. C'est amusant de voir comment ils ont décidé tout ça à ma place. Mais bon, ça ne veut pas dire que je n'aboutirai pas à Los Angeles... » Quand on lui a demandé s'il se sentait redevable aux Expos, compte tenu du prix qu'ils avaient eu à payer pour obtenir ses services, Langston s'est révélé plutôt pragmatique : « Non. Ce sont eux qui ont conclu cet échange, pas moi. »

À son deuxième départ comme Expo, contre les Phillies à Philadelphie, Langston a de nouveau brillé. En fin de 8ᵉ manche, alors que la marque était de 1-1, les Phillies ont rempli les buts en vertu d'un simple et de deux buts sur balles. Confiant de le voir se ressaisir, Rodgers a laissé son as dans le match. Langston a alors retiré sur des prises les trois frappeurs suivants à lui faire face… L'équipe montréalaise finirait par l'emporter 2-1 en 12 manches.

Les Expos revenaient à Montréal de leur séjour à l'étranger avec une fiche de 9-3, installés dorénavant en 2e place, à un seul match des Cubs. « Nous sommes en plein dans la course mais c'est surtout l'ambiance qui anime cette équipe qui me fascine », avait déclaré Buck Rodgers au retour du club au pays.

C'est finalement le 7 juin, contre les Cards de Saint Louis, que Langston a fait ses débuts à Montréal. Quand il s'est présenté au monticule d'échauffement, la foule de 30 214 personnes s'est levée pour l'ovationner. Dans les gradins, des partisans avaient installé des affiches sur lesquelles se trouvaient des « K » (le symbole du retrait au bâton) pour souligner la marque de commerce de la nouvelle vedette des Expos. Ce soir-là, Langston a retiré 8 frappeurs sur des prises, mais il a aussi accordé 7 CS et 5 BB, quittant le match après 7 manches alors que les Expos tiraient de l'arrière 4-2. Après le match, Langston se disait déçu de ne pas avoir pu donner une victoire à ses nouveaux partisans : « J'ai trop essayé de finasser avec les frappeurs. » Toutefois, à sa sortie suivante, contre ces mêmes Cards (mais à Saint Louis), Langston a à nouveau lancé magistralement, n'accordant que 4 CS en 9 manches pour aider les Expos à l'emporter 2-0.

L'effet Langston n'a pas tardé à se faire sentir : l'équipe était en orbite, flirtant maintenant avec le 1er rang. Le 20 juin, au stade Shea de New York, après avoir vu les Mets prendre les devants 5-0 dès la 1re manche, les Expos sont peu à peu revenus dans le match pour finalement l'emporter 8-5 sur 2 simples clés de Tim Raines en 8e et 9e manches. Dans la série suivante contre les Cubs à Chicago, Langston, Kevin Gross et Dennis Martinez ont limité leurs adversaires à un seul point en trois matchs. Puis, de retour au Stade olympique, ils ont balayé leurs trois matchs contre les Mets, série durant laquelle Mark Langston a remporté une première victoire devant ses partisans. Au terme de la série, les Expos étaient dorénavant seuls au 1er rang de leur division, une avance de 2 matchs ½ sur les Mets et les Cubs.

Le 9 juillet, lorsque les clubs ont fermé boutique pendant quelques jours pour faire place au match des Étoiles, les Expos (49-38) trônaient encore au 1er rang – une première depuis la saison 1983, une 4e fois seulement dans toute l'histoire du club. « Figurer au 1er rang signifie quelque chose seulement au dernier jour de la saison, a déclaré Buck Rodgers. Nous allons nous occuper de continuer de gagner deux joutes sur trois et les autres essayeront de nous rattraper.» Pour Andy McGaffigan, l'esprit d'équipe était un des principaux facteurs des succès du club : «La raison pour laquelle notre chimie est bonne, c'est que notre vedette, Tim Raines, ne sait pas qu'il est une vedette.» Raines, lui, apportait cette précision : «En réalité, nous n'avons pas de vedettes. Notre vedette est probablement Spike Owen.»

L'équipe n'avait peut-être pas de grande star, mais deux de ses porte-couleurs représenteraient l'équipe au match des Étoiles : Tim Wallach et Tim Burke. Si ces nominations étaient pleinement méritées, celles de Dennis Martinez (9-1) ou Bryn Smith (8-3) l'auraient été tout autant – s'ils avaient été invités. Mais le gérant de la Nationale, Tommy LaSorda, avait plutôt opté pour Orel Hershiser, un de ceux qui l'avaient aidé à remporter la Série mondiale l'année précédente, même si le lanceur avait connu une première moitié de saison 1989 plutôt quelconque (9-7).

Le gérant Buck Rodgers, qui ferait partie des adjoints de LaSorda lors du match, était déçu de la tournure des événements pour Martinez. Dans une des chroniques qu'il «écrivait» désormais pour le quotidien *La Presse*, Rodgers a pris la défense de son vétéran lanceur : «C'est l'absence de Dennis qui me déçoit le plus. Il a traversé plusieurs épreuves pour retrouver la forme de ses belles années avec les Orioles de Baltimore. Il a connu des problèmes d'alcoolisme, enduré des malaises douloureux à l'épaule, mais il n'a jamais abandonné. L'oubli de LaSorda constitue probablement la plus grosse déception subie par Martinez en 15 saisons dans le baseball majeur. À 34 ans, une sélection au match des Étoiles aurait constitué la consécration de sa carrière.»

Heureusement pour Dennis, la consécration ne tarderait pas à arriver : il serait invité au match des Étoiles de la Nationale en 1990, 1991 et 1992. Et durant la saison 1991, il réaliserait – on le verra – un exploit qui lui garantirait une place à part dans l'histoire du baseball.

Après un repos de 3 jours, les hommes de Buck Rodgers ont pris la direction de Cincinnati, où ils ont enlevé 3 des 4 matchs qu'ils ont disputés aux Reds, Martinez portant sa fiche à 10 victoires, Bryn Smith inscrivant pour sa part un 9e gain en menottant magistralement ses rivaux dans une victoire de 1-0.

Au retour de l'équipe à Montréal, les amateurs auraient droit à un supplément de programme : c'est durant ce séjour à domicile qu'on déploierait pour la première fois la fameuse toile du Stade olympique.

La saga du toit du Stade – qui remontait à l'ouverture de l'éléphantesque édifice à l'été 1976 – trouverait finalement sa résolution, une forme de réparation aux critiques et sarcasmes dont l'œuvre de l'architecte Roger Taillibert avait fait l'objet en restant, somme toute, inachevée depuis 13 ans.

Montréal en avait bien besoin puisque quelques semaines plus tôt, Toronto, sa grande rivale devant l'éternel, avait inauguré en grandes pompes son nouveau domicile de l'ère spatiale, le SkyDome. Le stade « le plus avancé sur le plan technologique au monde » avait été construit à un coût estimé à 450 millions (dollars canadiens), trois fois le coût prévu à l'origine. Toutefois, contrairement à l'aventure montréalaise, le stade avait été financé en partie par le secteur privé (28 entreprises avaient fourni 5 millions chacune ; la vente de loges privées comptant à elle seule pour 60 millions), le gouvernement ontarien et la Ville de Toronto veillant à compléter le financement.

Le colossal édifice, aussi haut qu'un building de 30 étages, était décrit comme une « ville dans une ville » puisqu'il intégrait un hôtel de 364 chambres, 5 restaurants et bars avec vue sur le terrain, des boutiques, une salle de cinéma, une piscine de 25 mètres et une piste de course. On pourrait y accueillir jusqu'à 53 000 personnes pour un match de baseball, 55 000 pour le football et plus de 60 000 pour les concerts à grand déploiement.

Mais ce qui frappait peut-être le plus l'imaginaire, c'était ce fameux toit rétractable, pesant 11 000 livres et couvrant une surface de presque 8 acres, un toit rigide (contrairement à la toile souple du Stade olympique) pouvant être ouvert ou fermé en plus ou moins 20 minutes.

Le Skydome a été reçu avec un concert d'éloges quasi unanime provenant de toutes parts : le public, les médias, les joueurs. Le 5 juin 1989, les Blue Jays ont disputé un premier match dans leur nouveau domicile, devant une imposante foule de 48 378 spectateurs. Ce n'est que deux jours plus tard que le toit a subi son premier vrai test. Alors qu'un match était à mi-chemin, des nuages ont subitement noirci le ciel, incitant les responsables des opérations à fermer le toit.

De légers pépins ont fait en sorte que le déplacement des quatre panneaux constituant le toit a pris un peu plus de temps que prévu. Mais en 34 minutes, le processus était terminé, et quelques minutes plus tard, le match recommençait.

Évidemment, la Régie des installations olympiques (RIO), les Expos et les autorités municipales et provinciales espéraient que tout se déroule aussi rondement à Montréal.

Durant les semaines précédentes, la RIO avait procédé à plusieurs essais d'ouverture et de fermeture de la toile. Chaque fois, tout s'était déroulé sans anicroche, le processus nécessitant environ 28 minutes. Le 17 juillet, lors d'une cérémonie officielle, la toile a été ouverte sous les yeux admiratifs de Montréalais enchantés d'être les premiers à assister à l'impressionnante opération. Comme à Toronto, l'expérience fut concluante, et le génie du concepteur du toit dûment salué.

L'honneur montréalais était sauf – provisoirement. Car le vrai test – celui de la réaction de la toile au mauvais temps – n'était pas encore passé. Cela ne tarderait pas : le lendemain, quelques minutes avant le début du match opposant les Expos aux Braves d'Atlanta, la pluie s'est mise à tomber. Bientôt, le vent s'est mis de la partie et on a évalué qu'il était trop risqué d'endommager la toile en la refermant dans ces conditions. Résultat : le début du match fut retardé de deux heures, provoquant la colère de certains amateurs qui n'ont pas hésité à aller frapper dans les vitres des guichets de vente en exigeant un remboursement.

Les malheurs du Stade ont bientôt fait le tour des médias d'Amérique. À Toronto, on a préféré ne pas commenter la nouvelle déconvenue du « Big Owe », peut-être parce qu'on était trop occupé à comptabiliser les fabuleuses entrées au Skydome. Du premier match de juin jusqu'à la fin de la saison, chaque programme serait disputé à guichets fermés. En comptant aussi la fréquentation de début d'année du stade de l'Exposition, 3 375 883 spectateurs assisteraient à des matchs des Blue Jays en 1989, un record de la Ligue américaine. Deux ans plus tard, l'équipe atteindrait le cap magique des 4 millions – du jamais vu dans l'histoire du baseball.

Peut-être ébranlés par cet événement hors de leur contrôle, les joueurs des Expos ont perdu deux des trois matchs de leur série contre les Braves. Mais l'arrivée en ville de Pete Rose et de ses Reds a semblé les stimuler puisqu'ils ont balayé les quatre joutes.

Dans le premier match contre les Reds, Mark Langston a fait oublier les misères du Stade en effectuant 13 retraits au bâton, en route vers une victoire de 4-1. Puis, dans le dernier affrontement, disputé dans l'après-midi du 22 juillet, la troupe de Buck Rodgers a signé une performance digne des plus grands clubs.

Quand les Expos se sont amenés au bâton en fin de 9e manche, Cincinnati menait 5-1. Les deux premiers frappeurs, Wallach et Santovenia ont frappé chacun un simple. Le pilote des Expos a alors envoyé Rex Hudler frapper à la place du jeune arrêt-court Jeff Huson. Un geste inspiré puisque Hudler a cogné un circuit, portant ainsi la marque à 5-4. Mike Fitzgerald a ensuite soutiré un but sur balles, passant au deuxième but sur un coupsacrifice d'Otis Nixon. C'est alors que le réserviste Damaso Garcia s'est présenté au bâton, lui qui était entré dans le match en 8ᵉ manche. Garcia a propulsé un tir de John Franco de l'autre côté de la clôture pour sceller l'issue du match – un moment que n'oublieraient pas de sitôt les 28 278 spectateurs présents au Stade, tout comme les milliers d'auditeurs qui n'ont pas eu besoin d'augmenter le volume de leur radio pour entendre M. 220 Volts, Rodger Brulotte, scander « DAMASO, DAMASO, DA-MA-SO!!! » à sa façon caractéristique. Pour Buck Rodgers, c'était là « la plus spectaculaire victoire que j'ai savourée depuis mon arrivée chez les Expos ».

Le lendemain après-midi, les Expos comblaient de nouveau leurs partisans en assommant les Reds de 17 CS dont 5 circuits (2 de Mike Fitzgerald) pour gagner cette fois 12-4.

Lors d'un des matchs de la série suivante, Mark Langston a mystifié les frappeurs des Phillies (10 RAB) pour donner une victoire de 2-0 aux siens et faire passer son statut de vedette du monticule à celui de demi-dieu.

Au début août, l'ouragan Expos tombait cette fois sur les Pirates, les troupes de Buck Rodgers remportant les trois premiers matchs d'une série de quatre. Les victoires portaient la fiche du club à 14-6 depuis la pause du match des Étoiles. Une fiche globale de 63-44, soit 19 matchs au-dessus de ,500. Certes, leur avance au sommet de l'Est était mince (trois matchs en main sur les Cubs), mais rien ne semblait pouvoir les arrêter.

Rarement une édition des Expos n'avait semblé si équilibrée. Les partants (Langston, Martinez, Smith, Gross et Perez) formaient peut-être la plus solide rotation de l'histoire du club. Wallach, Raines, Galarraga, Brooks charriaient l'offensive du club, bien appuyés par quelques seconds violons de qualité (Nixon, Hudler, Fitzgerald, Owen et Foley) et un banc d'expérience (Garcia, Wallace, Johnson). Tim Burke était l'homme de confiance de la relève, et quand Andy McGaffigan et Joe Hesketh avaient connu des ratés, Dombrowski avait tout de suite colmaté la brèche en faisant l'acquisition, le 2 juillet, de Zane Smith des Braves d'Atlanta, qui s'est immédiatement illustré en lançant avec aplomb.

Dans toute l'histoire du club, jamais un directeur-gérant n'avait été louangé comme Dave Dombrowski l'était maintenant. Non seulement il avait eu l'audace d'aller ravir Mark Langston sous les yeux des autres organisations, mais il semblait bien que les planètes s'enlignaient pour une mise sous contrat à long terme de l'as lanceur.

Pour le chroniqueur Don Campbell du *Ottawa Citizen*, Dave Dombrowski mériterait fort probablement le titre d'Administrateur de l'année dans le baseball, championnat ou pas. « La dernière chose qu'on peut maintenant affirmer au sujet de Dave Dombrowski, c'est qu'il ne fait pas le travail, arguait Campbell. Personne ne croyait à ses chances d'aller chercher Langston. Il l'a fait. On a alors dit qu'il était allé louer un gars pour quatre mois, et qu'il avait sacrifié un lanceur d'avenir pour chaque mois que le gaucher passerait à Montréal [...] Maintenant, il semble bien que Langston va dire oui à un contrat de trois ans qui va lui valoir tout juste au-dessus de 8 millions pour lancer avec les Expos en 1990, 1991 et 1992. Dombrowski a réussi l'impossible: vendre Montréal à un type du sud de la Californie qui en a vu d'autres. Une fois que Langston aura signé l'entente, le risque pris par les Expos ne sera plus un risque, qu'ils gagnent ou perdent en 1989. Ils profiteront alors des trois meilleures années de ce fabuleux lanceur. »

Le panégyrique de Campbell était intarissable: «Quand le propriétaire de l'équipe lui a dit "Gagne maintenant", Dombrowski n'a pas dit "Je veux bien, patron mais…" Il est revenu des assises d'hiver avec un partant, un arrêt-court et un frappeur gaucher. Et quand il a compris qu'il ne pourrait pas gagner avec deux recrues dans la rotation (Randy Johnson et Brian Holman), Dombrowski a aussitôt demandé le code téléphonique de Seattle. »

Deux mois après la transaction ayant amené Langston à Montréal, le chroniqueur Peter Pascarelli du *Sporting News* ne trouvait que des mérites au geste des Expos: «Des rumeurs disent que Mark Langston est en train de se chercher une maison à Montréal. Mais même s'il ne revient pas avec eux, l'échange valait la peine d'être réalisé. Les Expos ont besoin de la crédibilité qu'apporte un championnat. Et ils sont maintenant l'équipe à battre dans la Ligue nationale. »

Si, de l'extérieur, tout semblait aller pour le mieux pour la formation montréalaise, les proches du club, eux, savaient qu'il montrait d'inquiétants signes d'essoufflement. Le 1er août, après un match à Pittsburgh (pourtant gagné par les Expos), un Buck Rodgers furieux a interdit l'entrée dans le vestiaire pour pouvoir parler à ses joueurs dans le blanc des yeux. Leur dernier séjour à domicile avait beau avoir apporté son lot de victoires (8-5), l'équipe avait commis pas moins de 17 erreurs pendant ces matchs, en plus de manquer d'agressivité au jeu. «On a été chanceux de remporter nos derniers matchs mais on ne pourra pas continuer de jouer de façon aussi conservatrice et espérer gagner, a lancé Rodgers aux médias après la réunion. Avant, on provoquait les choses en jouant agressivement. Le baseball, ça se joue avec un certain abandon. Ces temps-ci, on joue beaucoup trop prudemment. »

De telles sorties de la part d'un gérant surviennent normalement alors que l'équipe est en panne. Mais c'était comme si Buck avait flairé la catastrophe et avait voulu secouer ses joueurs avant que le malheur ne frappe. Hélas, la stratégie n'a pas empêché la débandade que connaîtrait bientôt le club.

Tout a commencé le 3 août, à Pittsburgh, trois jours après la sortie de Rodgers. Aucun club n'avait encore marqué quand les Expos se sont présentés au bâton en fin de 9e manche. Après avoir abandonné 2 coureurs sur les sentiers en 9e, 11e et 12e manches, ils ont vu leurs adversaires en profiter pour marquer l'unique point du match à leur tour au bâton en fin de 12e.

Une seule défaite – bien qu'amère – n'ébranle normalement pas la confiance d'une équipe sur une lancée depuis 60 jours. Mais voilà : le club qui avait trouvé le moyen de gagner sa part de matchs dans les deux ou trois dernières semaines n'avait plus rien de celui qui s'était formé après l'acquisition de Mark Langston. Rodgers l'avait pressenti à Pittsburgh et ses pires appréhensions étaient maintenant en train de se réaliser.

Après la défaite à Pittsburgh, les Expos se sont rendus à New York, où ils ont perdu les trois matchs de leur série contre les Mets. Quand ils se sont ensuite amenés à Chicago pour une autre série de trois, ils étaient désormais à égalité au 1er rang avec les Cubs. Réduits à quatre points en trois parties, les Expos n'ont pas gagné un seul de ces matchs. Tous les frappeurs – incluant les gros canons comme Wallach, Raines, Brooks et Galarraga – semblaient être tombés en panne au même moment. « Nos gars laissent passer "leurs" balles et s'élancent sur les meilleurs tirs des lanceurs adverses ! », a déploré un Rodgers dépité. Wallach niait que la pression d'une course au championnat commençait à peser lourd sur le club : « C'est encore trop tôt pour ça. »

Quand les Expos sont rentrés à Montréal le 9 août, ils étaient maintenant au 2e rang, à 3 matchs des Cubs. Mais en 13 matchs à domicile, face à Pittsburgh et aux clubs de l'Ouest, ils n'ont pu faire mieux que d'en remporter 6. Insatisfait du rendement de Hubie Brooks, Buck Rodgers l'a cloué au banc, lui substituant le jeune Larry Walker, nouvellement rappelé du AAA. Piqué dans son orgueil, Brooks a déclaré qu'il irait jouer ailleurs en 1990. Brooks connaissait une période extrêmement difficile, que plusieurs attribuaient au choc que lui avait causé le suicide récent de son cousin, Donnie Moore, l'artilleur des Angels qui ne s'était jamais relevé du circuit qu'il avait accordé à Dave Henderson des Red Sox dans la finale de championnat de 1986.

Le 14 août, après une cuisante défaite de 6-1 aux mains des Pirates au Stade, un Rodgers décontenancé a convoqué une réunion d'équipe – une quatrième en 14 jours. Ça commençait à sentir la panique. « J'en ai assez des réunions, a déclaré Dennis Martinez au terme du meeting. On a eu plus de meetings cette année que j'en ai eus durant le reste de ma carrière. À Baltimore, Earl Weaver tenait une ou deux réunions par année, et tout le monde savait ensuite à quoi s'en tenir. » Tim Wallach était exaspéré : « C'est incroyable, les gars jouent comme s'ils avaient l'esprit ailleurs. On devrait être excités juste d'être dans une course au championnat ; ça devrait être bien assez pour nous motiver. »

C'est durant ce séjour à domicile que sont survenus deux événements qui marqueraient la petite histoire des Expos.

Le premier, saisissant, est survenu le 15 août, dans un match que l'équipe disputait aux Giants de San Francisco au Stade olympique. Ce soir-là, le lanceur gaucher Dave Dravecki des Giants était en train de faire mentir les médecins qui, l'automne précédent, avaient conclu qu'il ne pourrait plus jamais lancer une balle de baseball.

C'est qu'en octobre 1988, Dravecki avait subi une opération à l'épaule gauche pour qu'on en extraie une tumeur maligne. Comme la chirurgie avait abîmé le deltoïde, on lui avait dit que cela signifierait très certainement la fin de sa carrière. Mais Dravecki ne l'entendait pas ainsi et avait entrepris une étonnante rééducation qui l'avait ramené dans les majeures dès août 1989. À son premier départ, Dravecki avait épaté le monde du baseball en lançant 8 manches complètes pour battre les Reds de Cincinnati 4-3. On assistait à ce qui semblait être un des retours au jeu les plus extraordinaires de l'histoire du baseball.

Son deuxième départ – le match contre les Expos – avait drôlement bien commencé, le gaucher ne cédant aucun point à ses rivaux dans les cinq premières manches. Mais en fin de 6e manche, il a accordé un circuit au premier frappeur Damaso Garcia avant d'atteindre Andres Galarraga d'un tir. Puis, avec Tim Raines au marbre, Dravecki a lancé une balle hors cible qui a roulé jusqu'à l'écran protecteur pour permettre à Galarraga de se rendre jusqu'au troisième but.

Le prochain tir de Dravecki ne s'est jamais rendu jusqu'à Raines. Au moment où il relâchait la balle, Raines et les joueurs de l'avant-champ ont entendu un claquement qu'ils ont d'abord interprété comme un pétard ou un coup de feu : c'était en fait l'humérus gauche du lanceur (un os s'étendant de l'épaule au coude) qui venait de se fracturer. Dravecki s'est aussitôt affaissé au sol, hurlant de douleur.

« C'est quelque chose que je n'oublierai certainement pas, de dire Raines après le match. C'était apeurant de l'entendre crier de la sorte. Je pensais que son bras se détacherait de l'épaule. » Après de longues minutes sous les auspices du soigneur, on a sorti le lanceur sur une civière pour le conduire à un hôpital montréalais. Cette fois, c'était vraiment la fin de la carrière de Dave Dravecki.

Quelques semaines plus tard, le courageux lanceur était de retour dans l'abri des Giants, le bras et l'épaule dans un plâtre. Lorsque les Giants ont remporté le championnat à la fin de la saison, Dravecki s'est retrouvé au milieu des célébrations ; c'est alors qu'un joueur est tombé sur son bras gauche, provoquant une nouvelle fracture. L'année suivante, la tumeur était réapparue et Dravecki a dû se soumettre à une nouvelle opération et de nouveaux traitements de radiation. Inquiets de la condition du lanceur, les médecins ont dû recourir à une solution de dernière instance : l'amputation de son bras et d'une partie de son épaule.

Tim Raines n'est pas le seul à avoir gardé un souvenir traumatisant de l'épisode du 15 août 1989. Les spectateurs présents au Stade ce soir-là n'ont pas oublié non plus l'horreur du moment – ni la leçon qui l'accompagnait : la pratique d'un sport à un niveau majeur comporte toujours sa part de danger.

Le deuxième événement survenu durant ce séjour à domicile était d'un tout autre ordre. Le 23 août, dans le dernier match d'une série de trois contre les Dodgers de Los Angeles, les Expos ont disputé le match le plus long – et probablement le plus étrange – de toute leur histoire, un match donnant son plein sens à l'expression « duel de lanceurs », puisqu'il semblait qu'aucune équipe ne parviendrait jamais à s'inscrire au pointage.

Une succession d'événements inusités ont ponctué le déroulement du match : en 7e manche, les Expos ont réalisé ce qu'ils croyaient être un triple-jeu quand Andres Galarraga a saisi une flèche frappée par Eddie Murray, touché au but puis relayé la balle à Spike Owen qui couvrait le deuxième coussin. Les Expos ont quitté le terrain au pas de course avant d'être rappelés à l'ordre par les arbitres – qui, eux, n'avaient vu qu'un double-jeu dans la séquence.

En 11e manche, le gérant des Dodgers Tommy LaSorda en a eu assez des pitreries de Youppi sur le toit de l'abri des Dodgers et il l'a fait expulser du match par les arbitres – la première fois qu'une mascotte était chassée d'un match des ligues majeures... Mais deux manches plus tard, le toutou orange préféré des Montréalais réapparaissait – vêtu d'une robe de nuit ! –, restreignant cette fois ses activités sur le toit du club local.

En fin de 16e manche, alors que c'était toujours l'égalité 0-0, les Expos ont marqué ce qui semblait être le point gagnant quand le jeune Larry Walker – rappelé une semaine plus tôt d'Indianapolis –, a décollé du troisième but sur un ballon-sacrifice, glissant au marbre avant le relais.

Alors que les joueurs ramassaient leurs effets et que deux des arbitres se trouvaient déjà dans le tunnel en route vers le vestiaire, les Dodgers ont fait appel à l'arbitre du troisième but qui, lui, n'avait pas bougé. Selon eux, Walker avait décollé avant le catch du voltigeur de droite Mickey Hatcher. L'arbitre leur a donné raison ; il a déclaré le coureur retiré et ramené tout le monde sur le terrain.

En début de 18ᵉ manche, Walker a été mêlé à un autre jeu controversé, un « attrapé fantôme », comme l'ont décrit les médias le lendemain. Eddie Murray a cogné une balle qui a frappé le haut de la rampe du champ droit avant de retomber dans le gant du voltigeur des Expos. L'arbitre a déclaré Murray retiré mais les Dodgers ont argué – avec raison – que dans de telles circonstances, la balle est considérée en jeu (ce qui aurait donné au moins un simple à Murray). Mais cette fois, les arbitres ont refusé de renverser leur décision.

En fin de 21ᵉ manche, les Expos ont pour la première fois réussi à inquiéter le releveur John Wetteland des Dodgers, intraitable depuis son arrivée dans le match en fin de 17ᵉ manche. Après un seul retrait et un coureur au deuxième but, Andres Galarraga a frappé une balle au champ gauche qui semblait hors de portée du voltigeur Lenny Harris. Mais celui-ci n'a jamais abandonné, attrapant la balle à temps pour réaliser un *catch* spectaculaire. Tim Raines a ensuite soutiré un but sur balles, mais Wetteland – un lanceur que les amateurs des Expos apprendraient un jour à pleinement apprécier – l'a bientôt surpris avec un tir au premier but, mettant fin à ce qui fut l'une des rares menaces des Expos.

C'est finalement en début de 22ᵉ que la glace s'est brisée quand le premier frappeur, Rick Dempsey, a frappé un circuit contre Dennis Martinez, dépêché en relève la manche précédente. Dodgers 1, Expos 0.

Quand Wetteland a retiré les deux premiers frappeurs des Expos en fin de 22ᵉ, il semblait bien que le marathon trouverait enfin sa conclusion. Mais il faut croire que Rex Hudler n'était pas encore prêt à rentrer à la maison puisqu'il a frappé un simple, ouvrant la porte à un nouveau retournement de situation. Comme le frappeur au cercle d'attente, Spike Owen, ne connaissait pas une soirée particulièrement inspirée (0 en 8), Hudler a décidé de provoquer les choses en filant vers le deuxième but après un lancer de Wetteland. Mais le tir du receveur Rick Dempsey est arrivé au but avant lui, scellant une fois pour toutes l'issue de cet interminable affrontement. Quand l'arbitre a déclaré Hudler retiré, il était 1 h 25 du matin. Entrepris à 19 h 05, le match avait duré presque 6 heures et demie…

Malgré leurs efforts, les Expos et les Dodgers n'ont pas établi le record du match le plus long de l'histoire du baseball majeur, le record appartenant aux Braves de Boston et aux Dodgers de Brooklyn qui, en 1920, avaient mis 26 manches avant de faire un gagnant.

Les Expos ont tout de même égalé un record des majeures, leurs lanceurs n'accordant aucun but sur balles en 22 manches de travail !

Un record d'un autre genre a fort probablement été établi ce soir-là : le commentateur radio des Dodgers de l'époque, Russ Porter, a dû faire cavalier seul pour intéresser ses auditeurs pendant plus de six heures, son compagnon de travail étant contraint à déclarer forfait avant le match. L'histoire ne dit pas comment Porter a fait pour se priver d'une visite au petit coin pendant toute la soirée et une partie de la nuit...

Mais ce sont d'autres statistiques qui ont fait impression sur Buck Rodgers ce soir-là : En 22 manches, les Expos n'avaient eu qu'une seule vraie chance de marquer ; en outre, les frappeurs avaient été victimes de 17 retraits sur trois prises.

Depuis le début d'août, les Expos tiraient résolument le diable par la queue : 8 victoires, 14 défaites. Ils entreprenaient maintenant un voyage qui les conduirait sur la côte Ouest puis à Saint Louis, une perspective inquiétante. Or, étrangement, leurs déboires ne leur avait pas fait perdre beaucoup de terrain : quand ils se sont envolés vers la Californie, ils n'étaient qu'à 2 matchs de la tête. Tous les espoirs étaient encore permis, le championnat encore à portée de main...

Ce n'était toutefois pas l'avis d'un certain Alain Bonnier, un informaticien auquel *La Presse* s'était adressée pour évaluer les chances statistiques des Expos de terminer la saison en tête. Dans l'édition du samedi 19 août, M. BIT (c'est ainsi qu'il se faisait appeler) annonçait que les chances de championnat de l'équipe montréalaise n'étaient que de 3,1 %. Autrement dit, à peu près nulles.

À la tête d'une boîte d'informatique montréalaise du nom d'Informatique BIT Inc., ce monsieur s'était fait une réputation de clairvoyant en prédisant dès janvier 1989 la victoire des Flames de Calgary en finale de la coupe Stanley.

En gros, le système établi par l'informaticien consistait à simuler des matchs de baseball en tenant compte du calendrier restant à jouer et des moyennes de points par manches obtenues jusque-là par les équipes en présence. L'ordinateur simulait alors 10 000 fins de saison (environ 5 millions de matchs) pour en arriver au classement final le plus probable statistiquement.

Comme on pouvait s'y attendre, les dirigeants des Expos n'étaient pas impressionnés. « J'aurais bien aimé voir les statistiques de ce monsieur il y a trois semaines alors que nous étions en tête de la division », s'est contenté de dire Dave Dombrowski. Pour Buck Rodgers, M. BIT énonçait une série d'évidences : il prédisait le championnat aux Cubs alors qu'ils étaient au 1er rang… Fallait-il arrêter la saison pour autant ? « Dans la réalité, de dire Rodgers, les facteurs humains sont trop nombreux dans les sports pour qu'on puisse laisser les probabilités dicter notre conduite. »

Les prophètes de malheur pouvaient bien dire ce qu'ils voulaient, la direction du club n'allait certainement pas baisser les bras ou lever le pied de l'accélérateur. Dave Dombrowski s'est donc empressé d'agir.

D'abord, il est allé chercher deux joueurs d'expérience pour aider le club dans le dernier droit du calendrier : le lanceur John Candelaria, qu'on emploierait en relève, et le vétéran Jim Dwyer (MAB de ,316 en 1989), qu'on insérerait en fin de match comme frappeur d'urgence. Pour Dwyer, il s'agissait d'un deuxième passage à Montréal puisqu'il avait porté les couleurs du club en 1975 et 1976.

Mais ces acquisitions n'ont pas suffi pour remettre l'équipe sur les rails, et elle a dû se contenter d'une fiche de 5-6 pendant son séjour à l'étranger, puis de 2 gains en 5 tentatives lors d'un court passage au Stade dans la deuxième semaine de septembre.

Le match du 10 septembre – opposant les Expos aux Phillies – a été à l'image de l'équipe dans les 5 dernières semaines : du baseball mou et gaffeur, des chances ratées, des coureurs (9) abandonnés sur les sentiers. « Les Expos ont continué ce qui ressemble de plus en plus à une marche tête baissée vers l'élimination », écrivait le lendemain Denis Arcand de *La Presse*.

En 5e manche, le receveur Santovenia a demandé l'avis de l'arbitre au troisième but sur un élan retenu du frappeur Von Hayes. Pendant ce temps, le coureur posté au premier but, le lanceur Pat Combs, a aisément volé le deuxième but. Quelques instants plus tard, il croisait le marbre et donnait l'avance à son club. Puis, en 9e manche, alors que les Expos s'apprêtaient à combler un déficit de 4-1, le coureur Wallace Johnson a quitté le troisième but sur un roulant de Mike Fitzgerald, et s'est retrouvé bientôt coincé dans une souricière entre le troisième et le marbre. Buck Rodgers n'en revenait pas : « L'instructeur au troisième lui avait dit de rester là. Son travail était de rester là. Mais il a simplement réagi à la balle frappée par Fitzgerald. »

Malgré tout, quand les Expos ont repris la route le 11 septembre, ils étaient encore – grâce à la faiblesse de leurs rivaux dans l'Est – au plus fort de la course, à seulement 4 matchs des meneurs, les Cubs de Chicago. Qui plus est, ils avaient devant eux une occasion en or de regagner le terrain perdu : le voyage commençait par trois matchs contre ces mêmes

Cubs. Et ce serait nul autre que Mark Langston, leur as lanceur, qui sauterait dans la mêlée dans le premier duel.

Mais voilà, Langston pouvait-il encore être considéré comme l'as de la
rotation ? Depuis quelque temps, le gaucher n'était plus le lanceur dominant qu'il avait été pendant ses deux premiers mois à Montréal. Ses dernières sorties avaient été chancelantes : les Dodgers l'avaient battu deux
fois en août, le 26 (août), les Giants l'avaient sorti du match en 3e manche
et la victoire qu'il avait enregistrée à son dernier départ contre les Pirates
(il avait accordé 8 coups sûrs en 6 manches) s'expliquait surtout par les
11 points dont lui avaient fait grâce les frappeurs de son équipe.

Dans l'entourage du club, on commençait à le trouver, comment
dire... difficile. Il semblait être ce genre de joueur qui n'a de conseils à recevoir de personne. « Parfois, il se comporte comme un vétéran
et en d'autres occasions, il agit comme une recrue de 22 ans, a dit
Buck Rodgers, qui avait appris à le connaître un peu mieux durant
les dernières semaines. En fait, Mark Langston est son propre
instructeur. »

Il avait ses manières, aussi. Dans les envolées précédant un de ses
départs, Langston exigeait d'avoir une rangée de sièges à sa disposition
pour pouvoir s'étendre. Il était impossible de lui adresser la parole dans
les heures qui précédaient un de ses départs. Durant les moitiés de manches où les Expos se trouvaient à l'offensive, il s'assoyait à l'écart des
autres, emballant systématiquement son bras dans une couverture. Les
journalistes des médias francophones avaient commencé à l'affubler d'un
surnom peu flatteur : « La Précieuse ».

Quand Dick Williams, l'ancien gérant des Expos, avait piloté les
Mariners de Seattle – son dernier club en carrière –, l'as de la rotation
était justement Mark Langston. Mais les 19 victoires du gaucher durant
la saison 1987 n'ont pas réussi à impressionner le coriace Williams, comme
en témoigne un des passages de son autobiographie *No More Mr. Nice
Guy* : « À Seattle, je percevais Langston comme l'ensemble du baseball en
viendrait finalement à le percevoir lorsqu'il a coûté le championnat aux
Expos, à la fin de la saison 1989, en s'écrasant sous la pression : un sans-
cœur [Williams emploie le terme *gutless*]. N'importe qui peut lancer pour
un club perdant, ce que Langston faisait très bien quand je suis arrivé à
Seattle. Mais un vrai compétiteur, c'est un gars qui excelle pour un club
gagnant, ce que Langston ne fait pas[26]. »

Qu'importe : si Langston rehaussait son jeu et arrivait à relancer
l'équipe durant la série à Chicago, les Expos reviendraient alors en force
dans le sprint final.

Or, en cet après-midi du 11 septembre, Langston a lancé correctement, mais sans plus. Il s'est mis dans le pétrin en 2ᵉ, 5ᵉ et 7ᵉ manches, et quand Rodgers a envoyé un frappeur suppléant au marbre à sa place en début de 8ᵉ manche, les Expos tiraient de l'arrière 4-3.

Les Expos ont raté une chance en or de niveler la marque en 8ᵉ manche. Avec un seul retrait et le rapide Otis Nixon au troisième coussin, la recrue Marquis Grissom s'est fait retirer sur trois prises et Andres Galarraga a frappé un ballon dans la droite pour mettre fin à la manche.

Mais l'équipe avait encore un dernier tour au bâton. Après deux retraits rapides en début de 9ᵉ manche, Damaso Garcia a ravivé les espoirs du club en frappant un simple. Mike Fitzgerald a, à son tour, frappé en lieu sûr (un simple à l'avant-champ) pour pousser au deuxième Rex Hudler, venu courir à la place de Garcia.

Les gérants se sont alors livrés au jeu du chat et de la souris: Buck Rodgers a envoyé la recrue Jeff Huson remplacer Fitzgerald comme coureur au premier but, tout en demandant au frappeur gaucher Jim Dwyer de venir affronter le droitier Les Lancaster à la place de Spike Owen. Du côté des Cubs, le vieux routier Don Zimmer a répliqué à son tour en envoyant au monticule le gaucher Mitch Williams. Rodgers a aussitôt rappelé au banc Dwyer pour lui substituer le droitier Nelson Santovenia.

La table était donc mise: 9ᵉ manche, un retard d'un seul point à combler, deux retraits, deux coureurs sur les sentiers, un duel entre lanceur gaucher et frappeur droitier. Mais le duel lanceur-frappeur n'a jamais eu lieu, les Cubs utilisant un tour de passe-passe pour déjouer les Expos et se sauver avec la victoire.

Quand Mitch Williams a effectué son premier tir, Lloyd McClendon, le premier-but des Cubs, se tenait éloigné du coussin, sur la partie gazonnée du terrain. Mais au moment où Williams commençait son élan suivant, McClendon s'est dépêché de se faufiler derrière le coureur Huson, prêt à recevoir la balle que lui a aussitôt refilée le lanceur. La balle a touché le sol mais le premier-but des Cubs l'a récupérée sans mal pour toucher le pauvre Huson qui s'est figé avant de tenter de revenir au but.

Alors que les Cubs et leurs fans célébraient la victoire, Buck Rodgers, en furie, a tenté de convaincre les officiels que le jeu constituait une volonté de tromper le coureur, une entrave aux règles appelant normalement une feinte non réglementaire. En effet, deux ans plus tôt, en réaction aux abus commis par Keith Hernandez des Mets, le baseball avait commencé à interdire aux joueurs à la défensive de se déplacer vers un but après que le lanceur a commencé son élan. «Le joueur de premier but n'a pas le droit de se faufiler comme ça, avait rugi Rodgers, il doit partir *avant* le relais du lanceur. Autrement, c'est une feinte non réglementaire!»

L'arbitre au marbre Doug Harvey (qui, soit dit en passant, ne détestait pas qu'on s'adresse à lui par son surnom, «God») avait évidemment son interprétation de la situation: «Si le lanceur relaie au but alors que le joueur de premier but est immobile derrière le coureur, c'est une feinte non réglementaire. Mais si le premier-but est en mouvement – comme McClendon l'était – alors le jeu est permis.»

L'idée du stratagème était-elle venue de ce vieux renard qu'était Don Zimmer? Celui-ci s'en est bien défendu, précisant que McClendon et Williams en avaient eu l'idée avant le premier tir au frappeur.

Rodgers et les Expos ont déposé un protêt sur le match même si, comme on le sait, ces initiatives ne mènent généralement nulle part.

Le gérant des Expos ne voulait pas faire porter le blâme de la défaite à la recrue, mais son manque d'expérience avait certainement joué un rôle: «Hudler était déjà au deuxième, Huson n'avait nulle part où aller. Son travail se résumait à éviter de se faire prendre au premier but et de courir le plus vite possible si la balle était frappée.»

Dans un coin du vestiaire, le pauvre Huson était atterré, en larmes, au point où Spike Owen est intervenu pour sermonner les journalistes espérant lui soutirer une déclaration, leur intimant de le laisser tranquille: «Ce n'est pas lui qui a perdu le match.» Toutefois, après quelque temps, Huson est réapparu devant les médias pour s'expliquer: «Je n'ai jamais été pris à contrepied de toute ma carrière dans les mineures, a observé Huson. Je suis aussi surpris que choqué puisque j'ai la réputation d'être un excellent coureur. Si seulement c'était arrivé en mai ou contre une autre équipe que les Cubs…»

Dans *La Presse* du lendemain, Réjean Tremblay s'en prenait aux vétérans: «Jeff Huson a été le seul à pleurer hier dans le vestiaire des Expos. Les yeux baignés de larmes, il est resté de longs moments, prostré, malheureux, supportant sur ses jeunes épaules la presque élimination des Expos. Les autres, les "stars", les millionnaires, vaquaient à leurs petites affaires. Ils se préparaient une assiette de côtelettes de porc, une salade, une coupe de crème glacée. Perdre au baseball n'a jamais coupé l'appétit quand on a un contrat garanti d'un million par saison […] Ceux qui auraient dû pleurer bouffaient. Galarraga, Brooks, Perez, Raines, tous ceux qui ont laissé tomber les Expos cette saison. Sans parler de "Monsieur Bras gauche en or", Merveille Mark Langston, incapable de gagner le gros match quand ça compte vraiment.»

Pour les Expos, ce fut le coup de grâce. Ils ont perdu les deux matchs suivants contre les hommes de Don Zimmer et en quittant Chicago le 13 septembre, ils avaient glissé au 4ᵉ rang, à 7 matchs du sommet. La promesse d'un « championnat avant trois ans » ne se réaliserait pas, comme l'avaient prédit M. BIT et ses ordinateurs.

Dans le dernier match de la série suivante, contre les Mets au Stade olympique, Mark Langston – désormais libéré de la pression d'une course au championnat – passait le pinceau au Mets 1-0, ne leur accordant que 3 coups sûrs. De toute façon, c'était trop tard.

Après les trois matchs fatidiques à Chicago, les Expos n'ont remporté que 5 de leurs 16 derniers matchs, clôturant la saison avec la fort décevante fiche de 81-81, au 4ᵉ rang de l'Est, à 12 matchs des Cubs, les champions de la division.

Voir le club terminer la saison de façon aussi lamentable après avoir suscité tant d'espoirs avait de quoi briser le cœur des observateurs les plus imperturbables. Pour la 1ʳᵉ fois de son histoire, l'équipe avait régné seule au sommet du classement pendant plus d'un mois : 41 jours. Puis, au moment où ça comptait le plus, elle s'était pitoyablement écrasée.

Dans *La Presse*, le chroniqueur Yves Létourneau qui, quelques mois plus tôt, louangeait l'audace de Dave Dombrowski, jouait cette fois les gérants d'estrade, affirmant maintenant que sous sa gouverne, les Expos avaient régressé. « La bande de recalés de 1987 ne coûtait que 9 millions en masse salariale à Claude Brochu. Les surévalués de 1989 en coûteront 15. Il n'y a qu'une conclusion possible : le cœur, ça ne s'achète pas. L'orgueil encore moins. Et c'est de ça que les Expos ont besoin. Un peu de cœur. Une infusion de Casey Candeale avec du talent. Des joueurs affamés. »

Dans le même quotidien, Réjean Tremblay avançait que les Expos étaient trop gentils, pas assez bagarreurs. « C'est vrai que vos Z'amours sont vraiment z'adorables. Ils lisent la Bible, placent leurs priorités là où elles devraient être, c'est à dire Dieu, leur famille et leurs investissements. Sauf que les vrais bagarreurs sont rares dans cette équipe. Pas de LeFlore, pas de Bill Lee, pas de Rodney Scott. Même pas de Gary Carter pour tomber sur les nerfs des jaloux. »

Plus de 20 ans après les événements, Buck Rodgers explique simplement la baisse de régime de Mark Langston : la fatigue. Il avait été utilisé à outrance toute l'année, tant par les Expos que par les Mariners. « Langston était un lanceur de puissance, tout ce qu'il lançait était rapide : la glissante, la courbe… Nous n'avions pas les moyens de lui donner du repos[27]. » Dave Dombrowski pense que l'autonomie imminente de Langston a pu jouer un rôle : « Parfois, les joueurs se mettent beaucoup de pression quand ils savent qu'ils vont se déclarer autonomes[28]. » De toute façon, il serait injuste d'imputer la déroute du club à Mark Langston : le blâme appartenait autant à l'offensive qu'à l'ensemble des lanceurs, c'est toute l'équipe qui s'était effondrée.

Pour la direction des Expos, qui avait tout tenté pour donner à Montréal sa première équipe championne dans le baseball majeur, la pilule était particulièrement dure à avaler. Claude Brochu vivait certes sa plus vive déception depuis son arrivée avec le club. Pour Charles Bronfman, l'amertume était encore plus douloureuse que dans ces fins de saison (1979, 1980 et 1981) où l'équipe était passée tout près du but : « Ça a été un vrai fiasco. Je ne me souviens pas d'une telle saison en montagnes russes, où les espoirs ont été si hauts et les déceptions si profondes. »

« Nous avons tous commis la même erreur, a conclu Buck Rodgers, soit de parler d'un championnat en juillet. La pression a vite monté au sein de l'organisation. Au lieu de nous amuser à jouer, nous nous sommes condamnés beaucoup trop tôt à ne plus pouvoir perdre. »

Autant elle pouvait être affligeante pour qui l'avait suivie de près, la déconfiture des Expos n'était pas le sujet de l'heure dans le monde du baseball. C'est plutôt l'onde de choc qui avait secoué le *National Pastime* dans les dernières semaines du calendrier qui occupait toutes les conversations.

Le 24 août, dans une conférence de presse diffusée en direct à la télévision, le commissaire Bartlett Giamatti suspendait « à vie » Pete Rose, le gérant des Reds de Cincinnati. Après six mois de bataille juridique entre les autorités du baseball majeur et Rose, le baseball prenait une des décisions les plus difficiles et douloureuses de son histoire. Rose, après tout, était une légende vivante du baseball, un fleuron dont la renommée pouvait se comparer aux Aaron, Cobb, peut-être même à Babe Ruth.

« En l'absence de preuve du contraire, je suis arrivé à la conclusion que Pete Rose faisait des paris sur les matchs, a déclaré Giamatti dans son allocution. L'un des plus grands joueurs de baseball a commis une série d'actes qui ont terni ce jeu et il doit maintenant subir les conséquences de ses actes. »

Giamatti et les représentants de Rose avaient passé une entente libellée soigneusement dans laquelle celui-ci affirmait accepter la sanction tout en s'engageant à ne pas la contester devant les tribunaux. En revanche, l'entente permettait à Rose de continuer de réfuter publiquement les allégations et, après un an, de demander une réintégration dans le baseball.

L'univers du baseball était consterné. « Je ne peux croire ce qui est arrivé, a déclaré Sparky Anderson, qui avait dirigé Rose chez les Reds durant les années 1970. J'ai toujours cité Pete en exemple quand je m'adressais aux jeunes. Il représentait le joueur de baseball idéal. Au fond de moi, je me sens trahi. Ses anciens coéquipiers, ses joueurs, ses admirateurs, il nous a tous trahis. »

Pour l'heure, Rose était toujours admissible à une élection au Temple de la Renommée en 1992. « Je suis convaincu que cette décision ne mettra pas un terme à ma carrière et j'espère revenir au jeu dès que possible », a dit Rose dans sa propre conférence de presse télévisée, précisant que le baseball était toute sa vie – peut-être sa seule déclaration véritablement sincère des derniers mois.

Les fourberies de Rose ont eu une autre conséquence. Exactement une semaine après son annonce de la suspension de Rose, Bartlett A. Giamatti mourait, terrassé par une crise cardiaque à sa résidence de Martha's Vineyard. Il n'avait que 51 ans, mais la pression exercée sur lui par le cas Pete Rose avait fini par avoir raison de sa santé – de sa vie. Le plus éloquent porte-parole du baseball, l'homme qui devait veiller à sa bonne marche pendant les années 1990 et jusqu'au tournant du siècle suivant, aura finalement été en poste pendant seulement 154 jours. « Le baseball vous brise le cœur. C'est fait pour vous briser le cœur », avait-il écrit un jour, sans se douter quel autre sens ces mots prendraient avec le temps.

« Giamatti aurait vraiment pu sauver le baseball, croit toujours Charles Bronfman. Il adorait le baseball ; il était coriace, il n'était pas le commissaire des propriétaires ou des joueurs, il était le commissaire des fans[29]. »

Malgré plusieurs offensives de relations publiques et demandes de révision de dossier, malgré la publication de quelques bouquins pour donner sa version des faits, et malgré des aveux de culpabilité (aussi intéressés que tardifs), Pete Rose est encore considéré, plus de 20 ans après son exclusion, comme un paria par le baseball et ses institutions. Et il ne fait toujours pas partie du Temple de la renommée.

Presque chaque année, Pete « Charlie Hustle » Rose se rend à Cooperstown durant le week-end d'intronisation des nouveaux membres pour s'installer derrière une table au coin d'une rue, question d'y autographier des objets de collection. Habituellement, il inscrit « *Hit King 4 256* » sous son nom. Ces temps-ci, il demande 50 $ pour signer son nom sur une balle de baseball. Sur un chandail, c'est encore plus.

Quelques jours avant la fin du calendrier, Dave Dombrowski a convoqué Buck Rodgers à une réunion en présence du comité de gestion des Expos. « Si on peut s'entendre sur les grands principes de son travail la semaine prochaine, je recommanderai sa réembauche », a expliqué le DG aux médias.

Il faut croire que le meeting s'est bien déroulé puisque lors d'une conférence de presse tenue le lendemain, Dombrowski annonçait le retour du gérant pour 1990.

Cependant le vote de confiance semblait tout de même conditionnel : « Buck est un excellent gérant, mais je désire qu'il modifie certaines choses l'an prochain. » Quand un journaliste a demandé si ces ajustements étaient reliés à l'atmosphère un peu trop « country club » de l'équipe, Dombrowski n'a pas nié : « C'est peut-être à ce niveau que Buck agira de façon différente l'an prochain. Il y a des jours où les journalistes ont occupé son bureau de 14 h à 18 h 30, a affirmé le DG des Expos. Certaines de ces heures auraient pu être consacrées à autre chose. »

« Si ça n'avait été que de lui, il m'aurait viré à ce moment-là, dit aujourd'hui Buck Rodgers. Mais Charles (Bronfman) me voulait encore dans l'équipe[30]. » Quelques jours plus tard, les Expos annonçaient le congédiement de quatre des adjoints de Rodgers : Joe Sparks (l'instructeur des frappeurs), Rafael Landestoy, Ron Hansen et Jackie Moore. Seuls l'instructeur des lanceurs Larry Bearnarth et le responsable des receveurs Ken Macha avaient échappé au couperet.

Alors que la dernière page se refermait sur la saison 1989, un autre départ est devenu imminent : celui de Mark Langston, manifestement déterminé à retourner à la maison, en Californie. « Il avait un plan de match en tête quand il s'est joint aux Expos et il n'en a pas dérogé, estimait Buck Rodgers. Je pense que Montréal n'était pas dans ses plans. »

Toutefois, s'il faut en croire Dave Dombrowski, au moment où les Expos régnaient au sommet du classement de leur division à la fin juillet, Langston serait venu « à une semaine » de signer une entente de trois ans de l'ordre de 9 millions. Mais c'est quand l'équipe a commencé à piquer du nez au début août qu'il aurait changé son fusil d'épaule[31].

Certes, le marché des joueurs autonomes augmenterait probablement ses chances d'obtenir encore plus d'argent. Mais ce n'était pas tout : son épouse, Michelle, ambitionnait de faire carrière comme animatrice à la télévision et la Californie offrait autrement plus de possibilités qu'une ville comme Montréal, exotique, peut-être, à sa façon, mais pas précisément le centre nerveux du show-business américain. «Langston vivait des problèmes matrimoniaux, précise aujourd'hui Charles Bronfman. Sa femme voulait devenir une vedette d'Hollywood, elle était tout le temps sur son dos. Nous n'avions aucune chance de le retenir[32]. »

Les Expos concentreraient plutôt leurs efforts sur d'autres joueurs de premier plan admissibles à l'autonomie : Hubie Brooks, Pascual Perez et Bryn Smith.

Or, avant la fin de l'année, Langston, Brooks, Perez et Smith auraient tous quitté les Expos pour aller poursuivre leur carrière aux quatre coins des États-Unis.

Quelques mois plus tard, le membre le plus important du club déclarait à son tour son intention de changer de décor : Charles Bronfman, le père fondateur du club, son âme et son cœur depuis sa création en 1968, annoncerait officiellement la mise en vente du club de baseball les Expos de Montréal.

CHAPITRE 3

Une équipe à vendre
(1990-1991)

Au printemps 1990, un autre conflit de travail retarde le début de la saison. En mars, annonce de la mise en vente de l'équipe par le propriétaire Charles Bronfman. En dépit de la perte de quatre agents libres durant la saison morte, l'équipe étonne en 1990. Arrivée des prometteurs Larry Walker, Marquis Grissom et Delino DeShields. Longue et ardue quête de nouveaux propriétaires, menée par Claude Brochu et Jacques Ménard. Consortium assemblé de peine et de misère, vente officialisée seulement en juin 1991. Difficultés aux guichets et sur le terrain. Congédiement de Buck Rodgers, remplacé par un jeune gérant, Tom Runnells. Partie parfaite de Dennis Martinez en juillet 1991. Effondrement d'une poutre du Stade en août : l'équipe termine la saison à l'étranger. Le DG Dave Dombrowski abandonne le navire en septembre et la saison se termine sur une question : les Expos seront-ils de retour à Montréal en 1992 ?

1990

En juillet 1989, les Expos occupaient le 1er échelon de la division et tout allait pour le mieux dans le petit univers de l'équipe montréalaise. Les jérémiades occasionnelles des joueurs sur le malheur d'avoir à évoluer dans un pays étranger s'étaient momentanément tues.

Ce mois-là, le journaliste Peter Gammons a préparé pour le *Sports Illustrated* un reportage sur le retour en force du baseball à Montréal. Le beau risque pris quelques semaines plus tôt par le directeur-gérant Dave Dombrowski s'avérait un coup de génie et les chances du club d'atteindre les plus hauts sommets de son histoire semblaient meilleures chaque jour.

Les joueurs des Expos formaient un clan plus uni que jamais. C'était presque devenu *cool* de jouer au baseball à Montréal.

Dans son article, Gammons donnait la parole à l'épouse de Bryn Smith, Patti, qui se disait enchantée des efforts faits par la direction du club pour aider les familles à s'adapter au mode de vie québécois. Les Expos offraient des services de garde au Stade pour la progéniture des joueurs, des cours de français pour les joueurs et leurs épouses et même des tours de ville en autobus pour les familles pendant les séjours de l'équipe à l'étranger.

Mais Mme Smith s'était ensuite aventurée sur un terrain plus glissant en affirmant devoir se rendre en voiture jusqu'à Plattsburgh (État de New York) pour se procurer certains produits introuvables, selon elle, à Montréal, comme les croustilles Doritos... Bryn Smith avait complété la pensée de sa femme en affirmant que deux choses irritaient profondément les joueurs : « Ici, on ne vous donne pas de ketchup avec vos frites, mais de la sauce brune. Et ils servent votre Coke sans glace. La glace est dure à trouver et si vous en demandez, ils vous disent en français que vous êtes idiot parce que vous aurez plus de Coke si on vous le sert sans glace. »

Or, ce que Smith – un pince-sans-rire qui était loin d'être un imbécile – avait lancé à Gammons comme une boutade a rapidement pris l'allure d'une sottise, surtout lorsque les médias montréalais ont repris – non sans plaisir – les déclarations du couple. L'histoire des Doritos est devenue un classique, et la presse locale l'a par la suite maintes fois resservie à ses lecteurs dès qu'il était question de la réticence des baseballeurs à porter l'uniforme des Expos.

Dans son autobiographie *No More Mr. Nice Guy*, l'ex-gérant des Expos Dick Williams se paie rondement la tête des joueurs réfractaires à l'idée de s'installer en terre étrangère. « Aux gens de Montréal, où j'ai passé six ans de ma vie, j'aimerais rappeler un fait : les joueurs de baseball de l'ère moderne n'aiment pas votre ville. Pas à cause de votre ville comme telle, mais parce qu'ils sont des joueurs de baseball. Ils vivent dans un petit monde hermétique : pour eux, un pays étranger, c'est Cleveland ; la culture, un lecteur de disque compact ; l'Histoire, un sommaire de match. Pour le joueur de baseball moderne, les différences sont intolérables [...] Or, en dépit de ce que disent vos héros, Montréal est un endroit merveilleux où passer l'été[1]. »

Quand l'équipe a frappé un mur au début août 1989, dégringolant au 4e rang en septembre, les joueurs semblaient avoir oublié les qualités qu'ils avaient trouvées à la ville et à l'organisation durant l'été. Le club a dû se rendre à l'évidence : il aurait du mal à remettre sous contrat les joueurs qui pouvaient réclamer le statut de joueur autonome. En effet, le 30 octobre, Hubie Brooks et Mark Langston devenaient agents libres. Le lendemain, c'était au tour de Bryn Smith et le surlendemain, celui de Pascual Perez. Quelques semaines plus tard, tous ces joueurs avaient pris la route du sud, Brooks et Langston s'établissant en Californie, Smith à Saint Louis, Perez à New York.

Avant que Langston ne signe les documents pour devenir joueur autonome, les Expos avaient fait un effort louable pour le garder à Montréal, lui offrant 9 millions sur trois ans – alors qu'il avait fait 1 300 000 $ en 1989. Devinant qu'il en obtiendrait bien davantage sur le marché des agents libres, l'as gaucher a laissé l'offre sur la table. La suite de l'histoire lui donna raison puisque les Angels de la Californie ont à leur tour déposé devant lui une offre de 16 millions sur cinq ans. Langston avait gagné son pari sur tous les plans : il avait eu l'argent… et la Californie.

Si les départs de Brooks et Langston semblaient inévitables depuis plusieurs semaines, ceux de Smith et Perez faisaient encore plus mal au cœur, d'autant plus que les Expos avaient été la seule organisation prête à leur donner une chance alors que leur carrière était au plus bas. Aussi récemment qu'au printemps 1989, l'équipe s'était solidairement rangée derrière les deux hommes quand de sérieux écarts de conduite les avaient plongés dans l'embarras.

Mais vingt années d'empoignades entre joueurs et patrons avaient porté un rude coup à la notion de loyauté dans le baseball professionnel et les deux athlètes n'allaient certainement pas laisser leur conscience leur faire rater la signature d'un dernier gros contrat en carrière.

Même s'il n'avait remporté qu'un match lors de ses 14 derniers départs, Smith s'est vu offrir un pont d'or par les Cards de Saint Louis : 6 millions de dollars pour trois saisons. Quant à Perez, il a refusé l'offre des Expos de 4 millions pour trois ans pour parapher une entente mirobolante avec – qui d'autre ! – les Yankees de New York : 5,7 millions sur trois ans ! Offrir un pactole de cette envergure à un joueur relevant de problèmes de drogue et d'alcool, c'était là un geste pour le moins téméraire. Prendre le chemin de la Grosse Pomme – et de ses nombreuses distractions – ne s'est pas avéré la décision la plus éclairée que Pascual prendrait dans sa vie, mais 5,7 millions ont cette faculté d'embrouiller le jugement.

Il ne pouvait plus y avoir de doute : l'époque de « responsabilité fiscale » des années 1985 à 1988 était révolue dans le baseball majeur, et une équipe voulant vraiment gagner n'attendrait pas que ses filiales lui fournissent le talent nécessaire, elle utiliserait le raccourci que représente toujours le marché des joueurs autonomes. Charles Bronfman était sidéré par les sommes consenties à Smith et à Brooks : « C'est normal de miser sur des joueurs, mais on n'a pas à se comporter en idiots quand on le fait. »

Les départs de Langston, Smith et Perez faisaient disparaître d'un coup les trois cinquièmes de la rotation des lanceurs, seuls Dennis Martinez et Kevin Gross restant à bord. Pour une équipe bâtie autour de ses partants, il s'agissait là d'un solide croc-en-jambe. Le prochain camp d'entraînement des Expos ne consisterait donc pas seulement à la remise en forme de joueurs : le club devrait s'empresser de trouver des bras pour commencer des matchs.

Mais Buck Rodgers et ses adjoints devraient prendre leur mal en patience : en 1990, le printemps floridien arriverait plus tard que prévu, les propriétaires – air connu – annonçant en début d'année que les camps n'ouvriraient pas tant que l'Association des joueurs n'aurait pas accepté les termes de la nouvelle entente qui lui avait été soumise.

Quelques semaines avant la fin de la dernière entente entre joueurs et propriétaires (le 31 décembre 1989), le Comité des relations avec les joueurs et l'Association des joueurs avaient amorcé une première ronde de discussions. Les deux parties avaient exprimé le vœu de travailler cette fois dans un climat de travail plus serein que d'habitude. Or, comme lors des négociations précédentes, les bons sentiments s'étaient rapidement dissipés.

Les joueurs et leur association savaient que la nouvelle flambée des salaires inquiétait les clubs (quelques joueurs avaient atteint la barre des 3 millions annuellement) et qu'ils tenteraient de l'endiguer, mais qu'ils éviteraient cette fois de bouder les joueurs autonomes (et d'être de nouveau accusés de collusion). C'est dans cet esprit que les dirigeants du baseball ont préparé une proposition de « nouveau partenariat » pour leurs vis-à-vis.

Le Comité (représenté par quelques propriétaires, avec à leur tête Bud Selig des Brewers de Milwaukee) et son nouveau porte-parole, un avocat du nom de Charles O'Connor, ont donc présenté un système de rémunération « innovateur » visant, affirmaient-ils, à corriger certaines des distorsions existant dans la structure de salaire des joueurs et des clubs. Selon eux, la correction de ces distorsions réduirait les disparités entre les clubs tout en permettant à ceux-ci de mieux prévoir ce qu'ils ont à débourser pour payer les joueurs.

Grosso modo, les propriétaires voulaient : a) remodeler la façon de rémunérer les joueurs durant leurs premières saisons sous la grande tente b) instaurer un plafond salarial limitant les équipes dans leur capacité à dépenser c) jeter les bases d'un système de partage des revenus.

La première disposition était une façon de donner aux clubs plus de contrôle sur ce qui se passait depuis plusieurs années dans les cas d'arbitrage, où les joueurs avaient fait des percées appréciables. Les proprios voulaient qu'une échelle salariale fondée sur les années de service et le rendement établisse les paramètres de ce à quoi un joueur aurait droit durant ses six premières saisons dans les majeures. Au-delà de six saisons, le joueur pourrait – comme c'était déjà le cas – accéder à l'autonomie.

En soumettant les clubs à un plafond salarial, une équipe ayant atteint sa limite de dépenses ne pourrait pas déposer d'offre à un agent libre à moins de réduire sa masse salariale sous le seuil permis. Le plafond permettrait non seulement d'assurer un meilleur contrôle des salaires mais aussi une plus grande parité entre les clubs – tout comme un système de partage des revenus. La bonne nouvelle pour les joueurs, affirmaient les clubs, c'est qu'en agissant ainsi, le salaire moyen augmenterait de 20 % de 1990 à 1993. La formule garantirait aussi aux joueurs 48 % des revenus de guichets et de droits de diffusion des matchs générés par l'industrie.

Sans surprise, l'Association des joueurs a vu dans la proposition du Comité des relations avec les joueurs une autre tentative des proprios de récupérer le terrain perdu dans les négociations des deux dernières décennies.

Pour Don Fehr, le directeur de l'Association, cette négociation revêtait une importance particulière. On lui reprochait encore d'avoir trop cédé à Peter Ueberroth en 1985 en acceptant de repousser d'un an (de deux à trois) l'accessibilité des recrues à l'arbitrage, un recul qui lui avait valu de sévères critiques de Marvin Miller, son prédécesseur dans le rôle. Fehr n'allait certainement pas reculer davantage : il demanderait plutôt le retour de l'accessibilité à l'arbitrage après deux années.

Les propriétaires avaient beau dire qu'ils s'inquiétaient de la nouvelle hausse des salaires et de la parité entre les clubs – Bud Selig, en particulier, voyait mal comment ses Brewers pourraient suivre la parade –, l'Association restait sceptique : « Je ne vois pas de problème économique dans le baseball ni de déséquilibre compétitif déraisonnable entre les clubs », soutenait Fehr.

Le 3 mars, les Expos devaient disputer leur premier match présaison contre les Braves au stade municipal de West Palm Beach. Quelques vacanciers québécois espérant un dénouement de dernière minute se sont malgré tout rendus au stade pour se heurter à des portes verrouillées. Cette fois, les joueurs du baseball majeur n'étaient pas en grève, mais en lock-out.

Le baseball vivait un arrêt de travail pour une 6ᵉ fois dans les 19 dernières années. En 1973, le premier lock-out – qui tournait aussi autour de la question d'arbitrage salarial – avait duré 12 jours. Cette fois, tous les observateurs s'entendaient sur un point : celui-ci se prolongerait beaucoup plus longtemps.

Contrairement aux négociations antérieures, ce n'était pas l'harmonie parfaite au sein de l'Association. Des vétérans influents, comme Bob Boone et Paul Molitor, ont mis en doute la stratégie de leur groupe. Était-ce raisonnable de risquer de perdre toute une année de salaire pour une question d'*une* année d'admissibilité à l'arbitrage ? Fehr et Miller – ce dernier officiellement à la retraite mais toujours très influent dans l'Association – se sont dit déçus de l'attitude « égoïste » de Boone. Le vétéran de 18 saisons dans les majeures pouvait bien penser que la question était sans importance, puisqu'il venait de signer un contrat de 1,9 M $... Mais que faisait-il des plus jeunes, ceux dont le statut était précaire ?

À la demande de Don Fehr, Marvin Miller s'est déplacé pour une assemblée réunissant les représentants syndicaux de toutes les équipes. Orateur hors pair, Miller leur a rappelé les enjeux des affrontements du passé, de la coupe de salaire imposée à Jimmie Foxx après qu'il eut remporté la Triple Couronne en 1932 jusqu'au plus récent épisode de la collusion. Il leur a fait valoir l'importance de rester unis et de ne pas céder aux pressions des propriétaires. Une fois de plus, les joueurs se sont ralliés à la pensée du ô combien persuasif Miller.

Mais la vraie division se trouvait – une fois de plus – au sein des propriétaires. Parmi les tenants de la ligue dure figuraient, en plus de Bud Selig des Brewers, Carl Pohlad, le propriétaire des Twins du Minnesota, qui lui aussi avait à composer avec un plus petit marché, et Carl Barger, un des proprios des Pirates de Pittsburgh, qui affirmait que les équipes des petits marchés étaient ni plus ni moins en train de devenir des clubs-écoles pour les équipes de Los Angeles, New York et Chicago.

Les propriétaires souhaitant un règlement rapide étaient bien entendu ceux qu'un arrêt de travail prolongé pénaliserait le plus : Peter O'Malley des Dodgers, Fred Wilpon des Mets et George Steinbrenner des Yankees.

Devant l'impasse – et la menace réelle que la saison soit compromise –, le nouveau commissaire Fay Vincent, à l'invitation de Bud Selig, a décidé de jouer un rôle plus actif dans les pourparlers et a suggéré aux propriétaires d'abandonner leur projet de plafond salarial et de concentrer leurs efforts sur le dossier d'accessibilité à l'arbitrage.

La suite des événements ressemble aux dénouements qui ont caractérisé les conflits de travail précédents : à contrecœur, les propriétaires ont abandonné les principaux objectifs qu'ils s'étaient fixés, devant se contenter de quelques concessions de l'Association.

Très apprécié des fans et des médias, Buck Rodgers aura été un des meilleurs ambassadeurs de l'histoire des Expos de Montréal. En un peu plus de 6 saisons avec les Expos, il a remporté 520 matchs.
Musée McCord, Montréal, M2005-51-5186

Quand il est devenu joueur autonome en 1987, Andre Dawson était le joueur des Expos ayant accumulé le plus de coups sûrs, de circuits et de points produits en carrière. Il dominait les neuf catégories offensives les plus importantes. Il a été intronisé à Cooperstown en 2010 – comme porte-couleurs des Expos.
Musée McCord, Montréal, M2005-51-5183

Un des joueurs les plus spectaculaires de l'histoire des Expos, Tim Raines a représenté l'équipe au match des Étoiles à sept occasions. Ses 635 larcins représentent un record d'équipe. Son spectaculaire retour au jeu en 1987 est l'un des faits saillants de l'histoire du club.
Musée McCord, Montréal, M2005-51-5218

Dennis Martinez a relancé sa carrière peu après son arrivée chez les Expos. Auteur de 100 victoires en un peu plus de 7 saisons à Montréal, El Presidente est le seul Expo à avoir signé un match parfait.
Musée McCord, Montréal, M2005-51-5192

Hubie Brooks a été un excellent producteur de points durant les cinq années qu'il a passées à Montréal.
Musée McCord, Montréal, M2005-51-5197

Tim Burke a efficacement succédé à Jeff Reardon comme spécialiste de fin de match.
Club de baseball Les Expos de Montréal

Héritant de l'ingrate tâche de prendre la relève de Gary Carter derrière le marbre, le receveur Mike Fitzgerald a fort bien dirigé ses lanceurs pendant ses sept saisons chez les Expos, même si des blessures ont réduit son temps de jeu.
Club de baseball Les Expos de Montréal

Meilleur joueur de troisième but de l'histoire du club, Tim Wallach a disputé plus de parties que quiconque dans l'uniforme des Expos (1767).
Musée McCord, Montréal, M2005-51-5219

En plus d'être un frappeur redoutable, le costaud mais agile Andres Galarraga était un Gant d'or au premier coussin.
Musée McCord, Montréal, M2005-51-5184

Les amateurs des Expos n'oublieront jamais la flamboyance de l'unique Pascual Perez au monticule.
Musée McCord, Montréal, M2005-51-5214

Bryn Smith a été le pilier des lanceurs partants des Expos durant la deuxième moitié des années 1980.
Musée McCord, Montréal, M2005-51-5185

L'arrivée fort médiatisée de l'excellent lanceur gaucher Mark Langston chez les Expos, en mai 1989, a propulsé l'équipe au plus fort de la course au championnat.

Musée McCord, Montréal, M2005-51-5203

Le 18 mars, après un lock-out de 32 jours, les parties en arrivaient à une entente.

En plus de ne contenir aucune clause de plafond salarial ni de changement aux règles régissant l'autonomie, ni de dispositions de partage des revenus, le pacte prévoyait une augmentation du salaire minimum (qui passait de 60 000 $ à 100 000 $) et une plus grande contribution des clubs au régime de retraite des joueurs (de 34 M $ à 55 M $). Comme l'avaient demandé les joueurs, le nombre de joueurs dans la formation des clubs serait porté de 24 à 25 en 1991. L'admissibilité à l'arbitrage demeurait toutefois à trois ans.

Une fois de plus, les propriétaires voyaient un conflit de travail se régler largement en leur défaveur ; une fois de plus, l'intervention d'un commissaire ne les avait pas servis, comme cela avait été le cas à l'époque de Bowie Kuhn ou de Peter Ueberroth. À l'avenir, ils feraient en sorte que le commissaire comprenne beaucoup mieux leurs «préoccupations» : les jours du tout nouveau commissaire Fay Vincent étaient déjà comptés. L'affrontement des affrontements, lui, restait encore à venir...

«Pourquoi ce lock-out stupide ?», demandait Réjean Tremblay dans *La Presse*, au lendemain de l'annonce de l'entente entre les parties. «Pourquoi avoir attaqué l'intérêt du public et son amour du baseball pour des peccadilles gagnées aux tables de négociation ?»

Les camps d'entraînement ont finalement ouvert le 20 mars – et les premiers matchs présaison ont été présentés seulement six jours plus tard. Buck Rodgers devrait se fier à ses premières impressions pour se constituer une nouvelle rotation des lanceurs.

La perte de 4 joueurs de premier plan avait au moins une conséquence heureuse : les Expos pourraient sélectionner 10 joueurs dans les 2 premières rondes du repêchage amateur de juin 1990 (pour compenser la perte de Mark Langston, les Expos, détenteur du choix des Angels, sélectionneraient un athlète prometteur du nom de Rondell White...).

Mais dans l'immédiat, Dave Dombrowski avait dû se mettre rapidement à la recherche de joueurs prêts pour les majeures. En décembre 1989, Dombrowski avait mis la main sur trois lanceurs droitiers offrant leurs services sur le marché des joueurs autonomes. Dennis Boyd, 30 ans, Dave Schmidt, 32 ans, et le vétéran de 37 ans Joaquin Andujar – qui se présenterait au camp à titre d'invité seulement.

À première vue, Dennis Boyd – qui répondait plutôt au pittoresque surnom de Oil Can – avait un peu le profil de Pascual Perez. Comme Perez, il avait connu de beaux succès comme partant dans les majeures (15 et 16 victoires avec les Red Sox de Boston en 1985 et 1986), mais sa fiche des trois dernières années était moins reluisante : 13 victoires seulement et, surtout, 332 jours passés sur la liste des blessés. Ennuyé par un malaise à l'épaule droite, Oil Can n'avait lancé que 59 manches en 1989, ce qui expliquait que les Expos aient pu se payer ses services (« seulement » 550 000 $ pour une saison). « Les amateurs montréalais ont aimé Pascual Perez ? Alors ils vont adorer "The Can" », a déclaré Boyd aux médias locaux au moment de son acquisition.

Gagnant de 20 et 21 matchs en 1984 et 1985, Joaquin Andujar avait ensuite vu sa carrière piquer du nez et ses deux dernières saisons avaient pris des allures de fin de parcours. Mais peut-être pourrait-il commencer quelques matchs et donner un coup de main en longue relève... Passés maîtres dans la récupération de causes désespérées (Perez, Dennis Martinez, Rex Hudler, Otis Nixon, etc.), les Expos réussiraient peut-être à surprendre de nouveau le monde du baseball en relançant des carrières n'allant nulle part. Dave Schmidt était un pari moins risqué, quoique ses statistiques en 1989 (10-13, MPM 5,69) n'avaient rien pour épater la galerie.

Or, le monticule n'était pas la seule préoccupation du gérant Rodgers. Le départ de Hubie Brooks avait laissé un trou béant au champ droit et il fallait espérer que les jeunes Marquis Grissom ou Larry Walker soient prêts à prendre la relève. Le jeune Delino DeShields pourrait-il épauler adéquatement le vétéran Tom Foley au deuxième but ? Et Andres Galarraga pourrait-il rebondir après une deuxième moitié de saison laborieuse ?

Mais les problèmes d'alignement des Expos ont bientôt été éclipsés par un nouvel enjeu beaucoup plus important. À la reprise des activités, à la troisième semaine de mars, le propriétaire Charles Bronfman est arrivé à West Palm Beach en confirmant une rumeur qui se faisait persistante depuis quelques semaines : ses Expos étaient effectivement à vendre... Après 21 saisons comme propriétaire majoritaire du club, M. Bronfman voulait maintenant passer le flambeau.

C'est un homme serein et détendu, manifestement en paix avec sa décision, qui s'est expliqué aux médias : « Aucun autre financier dont l'activité principale n'est pas le baseball n'a été propriétaire de club aussi longtemps que moi. Or, quand le sport n'est pas votre entreprise principale ou qu'il n'est pas complémentaire à votre principal champ d'activité, tout ça devient très exigeant à un moment donné. On donne beaucoup de soi-même dans une entreprise comme celle-là et on finit par se brûler. Je veux redevenir un simple amateur, aller au stade quand ça me tente. Et ne pas perdre le sommeil si l'équipe perd. »

Il n'a pas dit si la déconfiture du club dans les derniers mois de 1989 avait pesé dans la balance, mais il est raisonnable de penser qu'une conquête du championnat lui aurait peut-être fait voir la situation autrement. Il est également possible que la défection de Pascual Perez – un joueur que M. Bronfman avait personnellement appuyé sans condition dans les moments difficiles – l'ait découragé du manque de loyauté de l'athlète moderne.

Claude Brochu explique pour sa part que les conseillers de M. Bronfman lui disaient que c'était le temps de « sortir du baseball », que les prochaines années seraient ardues : « Par ailleurs, son épouse commençait à en avoir assez de la place qu'occupait le baseball dans leur vie[2]. »

Dans son livre *La saga des Expos – Brochu s'explique*, paru en 2001, Claude Brochu raconte que M. Bronfman lui a fait part de sa décision alors que les deux hommes se trouvaient à Nashville pour les assises d'hiver du baseball en décembre 1989. Le propriétaire lui a avoué qu'il n'éprouvait plus beaucoup de satisfaction à être le propriétaire de l'équipe, que le temps était venu pour lui de passer à autre chose. Sur le coup, M. Brochu a pensé que son patron reviendrait sur sa décision, que la déception de la dernière saison teintait encore trop ses états d'âme. Mais il s'est rapidement rendu compte qu'il ne réussirait pas à le faire changer d'idée : « Pour Bronfman, les Expos n'étaient pas uniquement une "affaire", une entreprise, mais une véritable passion. Pas de doute que les 10 millions qu'il y a investis auraient été plus profitables ailleurs. La décision de s'engager dans cette aventure était fondée sur l'émotion, d'abord et avant tout. Sa décision de se retirer l'était également[3]. »

Des années plus tard, M. Bronfman confirme cette impression : « Je n'oublierai jamais le soir où le déclic s'est fait. À la fin de l'été 1989, mon épouse et moi nous préparions à nous rendre au Stade voir un match. Je lui ai demandé si elle avait envie d'y aller. "Pas vraiment", m'a-t-elle dit. Elle a alors appelé chez les Hallward (Hugh Hallward était actionnaire minoritaire de l'équipe à ce moment-là), que nous devions rejoindre là-bas. Eux non plus n'avaient pas le goût d'y aller, alors nous sommes plutôt allés souper au restaurant. Plus tard, pendant le repas, j'ai regardé Hallward et je lui ai dit : "Tu sais ce que ça veut dire, hein ?" Nous savions que c'était fini[4]. »

La perte d'enthousiasme de M. Bronfman pour le baseball et les Expos ne s'est évidemment pas produite du jour au lendemain : « Autant j'ai

Charles Bronfman s'est souvent comporté en père de substitution pour certains de ses joueurs favoris (Valentine et Raines, par exemple). L'évolution du baseball lui a fait perdre peu à peu le feu sacré qui l'avait poussé à acquérir la concession.
Club de baseball Les Expos de Montréal

apprécié mes 15 premières années comme propriétaire de l'équipe, autant les 7 dernières ont été pénibles. Tout était devenu laborieux : les relations avec les joueurs, les agents, l'Association des joueurs, les autres propriétaires… »

« Non seulement il en avait assez, mais ses intérêts étaient rendus ailleurs, précise Claude Brochu. Il y avait beaucoup de causes qu'il avait maintenant envie d'appuyer, et le baseball n'était pas une d'elles[5]. »

Quoi qu'il en soit, M. Bronfman disait souhaiter un processus de vente sans heurts et efficace. « Nous voulons trouver des acheteurs qui auront, dans la mesure du possible, la même philosophie que nous. Bien sûr, il faut aussi qu'ils soient acceptés par les autorités du baseball. » Il posait aussi une condition : que les acheteurs s'engagent à garder l'équipe à Montréal. « On ne met pas son cœur, son âme et ses tripes dans l'établissement d'une nouvelle concession dans un nouveau pays, une nouvelle ville, pour la voir ensuite partir. »

Le propriétaire des Expos a refusé de spécifier quel était le prix de vente du club que ses partenaires et lui avaient acheté pour 10 millions en 1968, mais on estimait la valeur du club entre 70 et 100 millions. « On ne fera pas de vente de feu, nous ne sommes pas terriblement pressés de vendre. J'espère cependant que ce sera mon dernier camp d'entraînement. Je ne voudrais pas voir le processus de vente s'éterniser, je ne crois pas que ce serait très sain. »

Au début du camp, tout laissait présager la catastrophe pour les Expos de 1990 : une formation fragilisée par le départ de quatre vétérans, un camp préparatoire réduit à trois petites semaines et l'incertitude qu'entraînerait inévitablement la vente du club. Et maintenant, deux piliers du club demandaient à renégocier leur contrat sans quoi ils exigeraient d'être échangés...

Dennis Martinez et Tim Wallach étaient arrivés au camp la mine sombre. C'est que durant la saison morte, les Expos avaient renouvelé à la hausse les contrats du premier-but Andres Galarraga et du releveur Tim Burke. Avec un contrat de 6,6 millions pour trois saisons (plus une année d'option), Galarraga devenait le joueur le mieux payé de la formation montréalaise. Quant à Burke, les Expos le paieraient enfin à sa juste valeur – il avait longtemps constitué une aubaine – en le mettant sous contrat pour trois ans à 6,3 M$. Dès la nouvelle annoncée, Martinez et Wallach ne se sont pas gênés pour exprimer leur mécontentement.

En 1989, Martinez avait signé un prolongement de deux ans à son contrat, lui valant un peu moins de 3 millions jusqu'à la fin 1991. « Ils m'ont dit à ce moment-là qu'ils n'offraient plus de contrat de trois ans à des lanceurs. Et maintenant, ils offrent ce contrat à Tim Burke. C'est comme si on m'avait poignardé dans le dos. » Quant à Wallach, l'extension de contrat de trois ans à 4,9 M$ que lui avaient consentie les Expos en 1989 lui paraissait soudainement bien ordinaire. S'exprimant au nom de son client, l'agent de Wallach a déclaré qu'il demanderait aux Expos de rouvrir le contrat : « Tim n'est pas à l'aise à l'idée de relayer la balle au premier but à un joueur qui gagne deux fois plus d'argent que lui. Il se sent exploité. »

Or, malgré les états d'âmes et les postes vacants, l'équipe a connu un camp productif, étonnant, manifestement ragaillardie par la performance des recrues Delino DeShields (,464), Marquis Grissom (,378) et Larry Walker (,375). Alors qu'au départ, aucun de ces joueurs ne devait commencer la saison avec le grand club, les trois ont forcé la main du gérant Buck Rodgers qui n'a eu d'autre choix que de les intégrer à la formation. Plus encore, ils seraient aussi de la formation partante lors du match d'ouverture...

Andres Galarraga a fort bien paru, tout comme Dennis Martinez, sans doute motivé par l'idée de prouver sa valeur à ses patrons. Le nouveau venu Oil Can Boyd a réussi son pari de se tailler une place dans la rotation.

Le vétéran Joaquin Andujar avait surpris les médias francophones à son arrivée au camp en répétant inlassablement les quelques mots de français dont il se souvenait encore de son séjour à Trois-Rivières dans le club-école AA des Reds (« Tasse-toé, tabarnak ! »). Hélas, il a moins impressionné ses patrons – sa balle rapide avait perdu son mordant – et a été libéré sans condition après deux manches de travail dans un match présaison. Il a par la suite annoncé sa retraite.

Les Expos ont remporté 8 de leurs 12 matchs présaison et les médias montréalais ont révisé leurs prédictions de début de camp à la hausse, se demandant maintenant si les Expos et Buck Rodgers ne réserveraient pas une surprise au monde du baseball comme en 1987, alors qu'on les disait cuits avant même le match d'ouverture. « Vous verrez, nous seront meilleurs que ce qu'on nous prédit », a dit Dave Dombrowski à la veille de l'amorce du vrai calendrier.

Peut-être inspiré par l'air chaud de la Floride, Michel Blanchard de *La Presse* retrouvait son éternel optimisme printanier : « Suffirait d'une très bonne saison de Raines, Wallach et Galarraga en attaque pour faire renaître l'espoir de les voir terminer au 1er rang. » Les scribes du *Sports Illustrated*, eux, restaient de glace : « Les Expos sont en reconstruction et termineront au dernier rang. »

Les Expos ont – une fois de plus – surpris les observateurs en maintenant une fiche de 9-6 dans les deux premières semaines du calendrier.

Le travail des recrues n'était pas étranger à ces succès. Delino DeShields est celui du groupe qui, le premier, a fait sensation. Employé comme premier frappeur lors du match d'ouverture à Saint Louis le 9 avril, Delino a frappé 4 coups sûrs en 6 présences au bâton – dont un double – en plus de voler un but. De toute l'histoire des majeures, c'était seulement la 10e fois qu'une recrue frappait 4 coups sûrs à son premier match en carrière.

On commençait déjà à parler de DeShields comme de la future grande vedette des Expos. Âgé de 21 ans seulement, il faisait preuve d'une maturité étonnante pour son jeune âge. Alors que Delino était enfant, son père ne vivait pas à la maison familiale et sa mère, alcoolique, n'était pas réellement en mesure de veiller sur lui : « À l'école, j'ai signé mon bulletin à partir de la 4e année. Il y a des gens qui m'ont aidé mais je suis quand même celui qui prenait la décision de rentrer à la maison le soir. J'ai eu à prendre des décisions importantes à l'âge où les autres garçons avaient des parents qui les prenaient pour eux. C'est le sport qui m'a permis d'acquérir de la discipline », avait raconté le jeune homme à Bernard Cyr de la revue *Expos*.

Une de ces décisions a été de refuser une bourse d'études de l'Université Villanova en Pennsylvanie pour jouer au basketball. Même si ce sport constituait le premier amour de DeShields, il a analysé la situation et a évalué que ses chances de devenir professionnel étaient meilleures au baseball. Force était de constater qu'il ne s'était pas trompé : deux ans et demi après avoir été repêché par les Expos, il amorçait la saison avec le grand club. À la fin d'avril, sa MAB se situait à ,329 et il semblait dorénavant avoir la mainmise sur le poste de deuxième-but.

Delino DeShields a été rapidement perçu comme un diamant brut par les dépisteurs de l'équipe.
Club de baseball Les Expos de Montréal

Larry Walker, une autre des formidables recrues du début des années 1990 qui ont contribué à faire des Expos une équipe de premier plan.
Club de baseball Les Expos de Montréal

Larry Walker s'est rapidement imposé comme un des meilleurs voltigeurs défensifs du circuit – le meilleur voltigeur de droite aux yeux de certains. Après un départ lent à l'offensive, le Canadien de Maple Ridge en Colombie-Britannique s'est mis à frapper avec plus de régularité et à la mi-mai, sa moyenne au bâton était supérieure à ,300.

C'est après l'avoir vu jouer dans un tournoi disputé en Saskatchewan en 1984 que Jim Fanning – alors directeur du perfectionnement des joueurs – a recommandé au Expos la signature de Walker, un joueur de troisième but à l'époque.

En 1986, alors qu'il jouait à Burlington (au niveau A), les Expos ont commencé à recevoir des rapports à son sujet : bon coup de bâton mais défensive suspecte. Ils ont alors suggéré aux dirigeants du club de transformer Walker en voltigeur. Celui-ci s'y est opposé au début mais il s'est toutefois rapidement adapté à son nouveau rôle et lorsque promu à Jacksonville (AA) en 1987, il s'est taillé une place dans l'équipe d'étoiles de la Ligue Southern en vertu d'une saison exceptionnelle : MAB de ,287, 26 circuits en 128 matchs.

Malheureusement, son ascension a été brutalement freinée par une sérieuse blessure subie dans un match d'après-saison, disputé dans la Ligue du Mexique. Le 16 janvier 1988, Walker se déchirait deux ligaments du genou droit en croisant le marbre sur un jeu serré et il a dû rater toute la saison suivante, contraint de soumettre son genou à plus d'un an de rééducation. Depuis, Larry, bien que rétabli, devait jouer avec une prothèse au genou droit.

Quant à Marquis Grissom, s'il n'a pas connu les mêmes succès offensifs que les deux premiers, sa grande vitesse lui assurait toutefois une place dans la formation. Comme on lui demandait de poursuivre son apprentissage dans les majeures, on serait patient avec lui. Après tout, il n'avait été repêché qu'en juin 1988 et n'avait disputé que 201 matchs dans les clubs-écoles de l'équipe avant de se voir confier le poste de voltigeur de centre dans le grand club…

Encore une fois cependant, ce sont les lanceurs qui faisaient des Expos un club compétitif. Dennis Martinez et Kevin Gross s'avéraient, comme prévu, les deux piliers de la rotation. Le 19 avril, Martinez blanchissait les Phillies 5-0 sur 2 coups sûrs et 1 but sur balles et Kevin Gross, fidèle à sa réputation de lanceur «donnant des manches» à son club, enregistrait des victoires (déjà 8 à la mi-juin).

Les Expos semblaient avoir visé juste en embauchant le vétéran Oil Can Boyd, dont la place dans la rotation semblait maintenant assurée. Durant l'hiver, les observateurs s'étaient demandé si son bras tiendrait le coup mais à la pause du match des Étoiles, «La Canette» (comme on l'appelait déjà à Montréal) avait lancé une solide moyenne de six manches par départ, gardant son équipe dans le match dans la plupart de ses sorties. Il était toutefois vulnérable à la longue balle, les frappeurs adverses propulsant la balle hors du terrain 10 fois lors de ses 16 premiers matchs.

Même s'il n'a pas savouré sa première victoire dans les grandes ligues avant le 6 mai, la « recrue » de 28 ans Mark Gardner a lancé très efficacement, dissipant quelques-uns des doutes subsistant à son endroit. Après une excellente saison à Indianapolis dans le AAA (12-4, 2,37, 175 retraits au bâton) en 1989, Gardner avait été rappelé par les Expos en septembre.

Or, des performances inégales avaient semé le doute sur sa capacité à tirer son épingle du jeu au niveau majeur. Mais quand trois postes de partants se sont ouverts, Gardner a compris que c'était maintenant ou jamais pour lui. Armé d'un nouveau tir, une balle fronde (une balle que l'on coince entre le majeur et l'index et qu'on lance comme une rapide – le lancer qui avait propulsé Mike Scott des Astros au rang de supervedette), Gardner réussissait désormais à garder les frappeurs hors d'équilibre. Ses succès de première moitié de saison – il dominait la ligue au chapitre de la moyenne de points mérités – en ont rapidement fait un aspirant sérieux au titre de Recrue de l'année dans la Nationale.

Le vétéran Zane Smith constituait une autre belle surprise chez les partants. Utilisé exclusivement en relève par Rodgers la saison précédente, Smith avait à la mi-saison donné une quinzaine de bons départs à son équipe, complétant une rotation qui, sans avoir sa réputation, se révélait égale sinon supérieure à celle de 1989.

La relève a elle aussi mieux fait que prévu : converti en releveur en début de saison, le droitier Bill Sampen a lancé avec aplomb en première moitié de saison (7-1, 1,86), tout comme Dave Schmidt, dont le début de saison avait été retardé par une blessure au dos subie à la fin du camp. L'ex-Oriole semblait même en voie de supplanter Tim Burke comme releveur de fin de partie. Malgré 11 sauvetages dans les deux premiers mois de la saison, Burke avait manqué de constance, bousillant quelques avances en fin de match.

Les vétérans Tim Wallach et Spike Owen connaissaient aussi une excellente saison, Wallach dominant le baseball majeur à la mi-saison pour les doubles (26) et ayant déjà produit 54 points. « Eli » poursuivrait son excellent travail jusqu'à la fin de la saison, devenant un choix unanime au titre de Joueur de l'année chez les Expos. Le 13 mai, dans une victoire de 15-0 contre les Padres à San Diego, Wallach a connu son meilleur match en carrière, produisant 8 points à l'aide de 2 circuits, un double et un simple. Il égalait ainsi le record de PP du club, établi par Chris Speier en 1982 puis égalé par Andre Dawson en 1985.

Quant à Owen, il a joué à merveille son rôle de capitaine du losange, apportant à l'équipe une stabilité défensive qu'elle n'avait pas toujours eue ces dernières années. Du premier match de la saison jusqu'au 19 juin, Spike a disputé 61 matchs sans commettre une seule erreur, établissant un record de la Nationale pour un arrêt-court.

Le soir où il a établi la marque (un match au Stade contre les Cubs), aucune balle n'a été frappée en sa direction. Mais Owen aurait pu commettre une erreur sur un jeu serré en début de 7ᵉ manche. Avec le coureur

Mark Grace au premier but, Andre Dawson a frappé un double au champ gauche. Après avoir récupéré la balle, le voltigeur Mike Aldrete l'a relayée à Owen, qui a aussitôt lancé au marbre pour épingler Grace qui tentait de marquer. « C'est un des plus beaux relais que j'aie jamais vus, a dit Buck Rodgers après la joute. Il n'a pas paniqué, il n'a pas joué en fonction de son record et il a joué le tout pour le tout pour couper le point. » Quelques jours plus tard, la séquence de Spike prenait fin (après sa 63e partie sans erreur) quand il a effectué un tir hors cible au premier but après avoir récupéré un roulant.

Owen n'a pas manqué de créditer ses coéquipiers : « Andres [Galarraga] est le meilleur premier-but du baseball et Tim [Wallach] m'enlève énormément de pression en allant chercher beaucoup de balles à sa gauche. Et puis, il y a nos lanceurs. J'aime me positionner en fonction de la zone que les lanceurs sont censés atteindre. Or, nos gars atteignent la cible. »

Les Expos ont aussi fait preuve d'une belle combativité lorsque trois soirs d'affilée (les 13, 14 et 15 juin, contre les Phillies et les Cards), ils sont revenus de l'arrière en début de 9e manche pour remporter des matchs qu'ils étaient en voie de perdre.

Évidemment, une saison de baseball comporte toujours sa part d'écueils et la saison 1990 n'a pas fait exception – à commencer par les blessures.

Le 9 mai, Marquis Grissom s'est fracturé le nez en donnant contre la rampe du champ centre du Stade olympique lorsqu'il a tenté de saisir une flèche frappée par Eddie Murray des Braves d'Atlanta. Puis, le 28 mai, contre ces mêmes Braves mais à Atlanta, alors qu'une cinquantaine de membres de sa famille s'étaient déplacés pour le voir jouer, Grissom s'est fait doubler au deuxième coussin en tentant de revenir au but après une flèche de Tim Raines. Sur le jeu, Grissom s'est fracturé un os de la main et il serait sur la touche pour quatre semaines. Quelques jours plus tard, le releveur Tim Burke est allé rejoindre Grissom sur la liste des blessés à la suite d'une blessure à la jambe subie quand un coureur l'a heurté alors qu'il couvrait le premier but. Burke n'a pu reprendre son poste qu'après la pause du match des Étoiles. À la surprise de plusieurs observateurs, le nom d'Oil Can Boyd n'a pas été inscrit sur la liste des blessés mais il a raté quelques départs en raison de blessures mineures.

Le 17 juin, dans un match contre les Cards à Saint Louis, Tim Raines a négligé de glisser en tentative de vol. Il s'est non seulement fait retirer mais il s'est blessé à la cheville. On avait d'abord cru à une simple foulure avant de se rendre compte qu'il souffrait d'une élongation ligamentaire. Le 25 juin, on plaçait son nom sur la liste des blessés. Kevin Gross semblait voguer vers une saison d'au moins 15 victoires quand, le 27 juin, il s'est fracturé un doigt de la main droite en tentant de cueillir un amorti à l'avant-champ. Lui aussi s'absenterait pour un mois.

À la mi-juillet, le receveur Nelson Santovenia, qui jouait en dépit d'un genou amoché depuis le début de la saison, a vu son nom rejoindre la liste des éclopés. Une semaine plus tard, il subissait une opération qui le tiendrait à l'écart du jeu jusqu'en septembre.

Plus tôt dans la saison, en mai, le pauvre Santovenia s'était bien malgré lui retrouvé au centre d'une controverse après avoir été retourné par les Expos dans leur club-école AAA. Éprouvant des difficultés tant au bâton (MAB de ,155) que défensivement (seulement trois coureurs retirés en 26 tentatives), Santovenia avait pris le chemin d'Indianapolis sans faire d'histoires, mais Dennis Martinez, qui ne s'embarrassait jamais de se tourner la langue sept fois dans la bouche avant de parler, a dit à un journaliste qu'il y avait du racisme dans la décision du club. «Ils auraient dû travailler avec lui davantage et il se serait sorti du pétrin. Quand des joueurs américains glissent dans une léthargie, on leur laisse le temps de s'en sortir.»

Buck Rodgers était furieux: «Tout ça, c'est de la merde. Martinez n'a pas à faire ces déclarations, tout ce qu'il a à faire, c'est de lancer. Mais il a atteint son but, je suppose: voir son nom dans les journaux [...] Ça me blesse plus que tout ce qui m'est arrivé depuis que je suis dans le baseball.» Le gérant des Expos a convoqué une réunion d'équipe où il a confronté Martinez devant ses coéquipiers. «Les joueurs savent maintenant où je me situe et où Martinez se situe. C'est fini. Il n'y a pas d'animosité.»

Mais Martinez ne voyait pas les choses tout à fait du même œil: «J'ai senti que Buck a essayé de mettre toute l'équipe contre moi. Je sais que les joueurs latins pensent la même chose que moi mais c'est normal qu'ils n'aient rien dit. Peut-être veulent-ils prendre leur distance avec moi parce que je me suis mis dans le pétrin.»

Après avoir rencontré le directeur-gérant Dave Dombrowski, Martinez a offert ses excuses, mais tout en précisant qu'il n'avait pas vraiment changé d'idée. «Dombrowski m'a assuré que le club ne prenait pas ses décisions de cette façon et je le crois. Mais je lui ai dit que le racisme existe encore dans l'ensemble du baseball, dans la société. C'est partout.» Avant la fin de l'été, d'autres déclarations de Martinez le mettraient de nouveau dans l'embarras vis-à-vis de la direction du club...

Or, en marge de ces quelques ennuis sur le terrain et dans le vestiaire, le club faisait maintenant face à un problème plus large, plus sérieux, aussi: le processus de vente tardait à donner des résultats. Trouverait-on

quelque part au Québec, ou dans le reste du pays, un acheteur pour les
Expos de Montréal?

Si les mois s'étant écoulés depuis l'annonce de la mise en vente du club
avaient révélé quelque chose, c'était que les Expos ne passeraient vraisemblablement pas aux mains d'un acheteur unique. Les fortunes comme
celle de Charles Bronfman étaient introuvables au Québec – et même
dans l'ensemble du pays – et un des rares entrepreneurs qui auraient pu
se payer un club de baseball majeur, Paul Desmarais de Power Corporation,
n'était pas plus intéressé qu'en 1968, au moment où la nouvelle concession
– parrainée alors provisoirement par la Ville de Montréal – cherchait un
premier propriétaire.

À la suggestion de Claude Brochu, Charles Bronfman avait confié le
dossier de la vente à Burns Fry, une maison de courtage d'actions et de
titres de créance qui avait ses entrées auprès des grandes entreprises québécoises. L'homme à la tête de Burns Fry, Jacques Ménard, aussi président
de la Chambre de commerce de Montréal et une vedette montante de
l'industrie des valeurs mobilières, ferait équipe avec Claude Brochu pour
identifier des investisseurs potentiels.

«À l'époque, nous étions une jeune maison reconnue pour accepter
des mandats difficiles, que personne d'autre ne voulait, précise Jacques
Ménard. Nous avons pris rendez-vous dans le bureau de M. Bronfman
chez Claridge. Sur place, se trouvait Leo Kolber, un entrepreneur proche
de la famille Bronfman et ami de longue date de Charles. Il posait beaucoup de questions, voulait connaître notre plan de match. Ce qui ressor-
tait, c'est que lui et M. Bronfman avaient pas mal fait le tour du jardin et
qu'ils étaient arrivés à la conclusion que ce serait très difficile de trouver
des acheteurs. Il y avait toutefois un groupe de Buffalo qui était très intéressé. Mais évidemment, ça signifierait un déménagement[6]...»

Après avoir passé une entente avec Charles Bronfman (qui souhaitait
que tout soit réglé en six ou sept mois...), Jacques Ménard, avec l'aide de
Claude Brochu, a commencé à cogner à quelques portes, celles où ils
avaient déjà des contacts.

Ils ont essuyé des refus partout.

«Des gens comme Raymond Cyr, de Bell, ou Guy Langlois, chez
Unigesco (propriétaire à l'époque de Provigo) nous ont reçus par courtoisie, mais ils ne comprenaient pas ce qu'on venait faire là. Ils nous
disaient: *"Nous*, du baseball? Dites-moi, avez-vous vu quelque chose dans

notre mandat que nous on n'a pas vu ?" On avait beau leur dire qu'on était là pour le maintien d'une institution identitaire, ça ne les touchait absolument pas[7]. »

L'affaire était bien mal partie. Il faut dire que la conjoncture économique canadienne du tournant des années 1990 était fort mauvaise : le pays était au cœur d'une récession, le dollar canadien en constante chute. Depuis une quinzaine d'années, plusieurs sièges sociaux de grandes entreprises, échaudées par les difficultés économiques de Montréal et l'instabilité politique du Québec, avaient mis le cap sur Toronto. De plus, le pays s'apprêterait bientôt à traverser une crise constitutionnelle provoquée par l'échec de l'Accord du lac Meech.

« Le contexte économique était défavorable, certes, mais je me disais que s'ils avaient dit non, c'était que j'avais mal vendu ma salade, que j'avais mal expliqué l'unicité de ce projet-là, rappelle Jacques Ménard. Je ne pouvais pas me résigner à aller voir M. Bronfman après trois semaines et lui dire, oubliez tout ça et vendez donc aux Américains. Je me disais qu'on ne pouvait pas, en notre âme et conscience, laisser partir une institution comme celle-là. C'était une question de fierté citoyenne. On n'avait d'autre choix que de réussir.

« Étant donné l'intérêt public de l'affaire, j'ai pensé qu'on pourrait commencer en s'adressant au gouvernement du Québec, à la Ville de Montréal. Je connaissais bien le premier ministre Robert Bourassa, je connaissais aussi le maire de Montréal Jean Doré. Leur parrainage aiderait à sécuriser des investisseurs et à mesure que s'ajouteraient des partenaires, on pourrait faire fondre la partie gouvernementale[8]. »

Rapidement, Ménard et Brochu ont trouvé des interlocuteurs réceptifs.

Le premier ministre du Québec Robert Bourassa – lui-même un amateur de baseball qui suivait les matchs des Expos à la télé et à la radio – n'avait pas besoin d'être convaincu de l'importance économique d'une équipe de baseball majeur pour Montréal et le Québec. Il a même proposé à Jacques Ménard et à Claude Brochu d'entrer lui-même en contact avec des acheteurs potentiels.

Le maire Jean Doré voyait en l'équipe de baseball un des fleurons de la ville qu'il était primordial de garder à Montréal. Les Expos pourraient compter sur lui – et pour plus qu'un appui moral.

Leur sympathie pour le sort de l'équipe ne leur faisait toutefois pas perdre leur sens politique : tant Bourassa que Doré savaient qu'une aide directe au club serait perçue négativement par le grand public et qu'il leur faudrait trouver une façon acceptable de contribuer à la transition vers de nouveaux propriétaires. Du côté de Québec, on explorerait l'idée d'un prêt par l'entremise de la Société de développement industriel. Et le gouvernement confierait ses discussions avec le club à la Régie des installations olympiques (RIO). Quant à la Ville, elle envisageait l'achat d'actions dans le club (actions spéciales dites de « type B », non participantes et sans droit de veto). Cette façon de procéder risquait moins d'indisposer le public ou encore le baseball majeur, qui voit toujours d'un mauvais œil qu'une ville puisse être propriétaire ou copropriétaire d'une équipe.

Les engagements de Québec et de Montréal – à hauteur de 18 et 15 millions respectivement – représentaient les premiers signes encourageants pour Claude Brochu et Jacques Ménard. La table était maintenant mise pour que le secteur privé saute à son tour dans le train. « L'idée, explique Jacques Ménard, c'était qu'autour de ce noyau dur de 33 millions, on grefferait des investissements privés de 5 et 2 M $, assez pour nous rendre à 100 M $[9]. »

Cette fois, Jacques Ménard et Claude Brochu étaient confiants de voir des entreprises s'engager dans l'aventure. Pour Brochu, l'acquisition des Expos représentait une bonne affaire. « Le coût des franchises d'équipes de baseball avait rapidement augmenté au cours des dernières années, à la suite de la demande d'acheteurs américains [...] Je prévoyais que l'augmentation du coût des franchises n'était pas à la veille de s'arrêter », de raisonner Claude Brochu dans ses mémoires[10]. Et si, au pire, se disait-il, les acheteurs devaient, au bout de quelque temps, remettre l'équipe en vente, nul doute qu'ils engrangeraient des profits.

Monsieur Brochu était à ce point convaincu de la rentabilité de l'entreprise qu'il a décidé qu'il participerait lui-même à l'achat du club. Ne disposant pas d'un capital suffisant pour avancer les sommes nécessaires, il s'est retourné vers nul autre que Charles Bronfman. Le propriétaire des Expos lui a consenti un prêt de 2 millions, le premier million sans intérêt pendant 5 ans, le second avec intérêt. En retour, Claude Brochu renonçait à la commission de 500 000 $ que lui aurait versée M. Bronfman à la vente du club.

Brochu et Ménard sont retournés frapper aux mêmes portes. Cette fois, Unigesco et Bell ont accepté d'injecter chacun 5 M $, à la condition que leur participation se limite à ce montant. « Raymond Cyr, de Bell, était un personnage coloré qui ne mâchait pas ses mots, rappelle Ménard. Il m'a dit : "C'est un don que je fais, comme pour une œuvre de charité. Mais là, achale-moi plus avec ça. Je veux plus te revoir, je veux plus entendre parler de toi"[11]. »

Claude Brochu connaissait bien Bill Stinson, le président du Canadien Pacifique dont le siège social était établi à Montréal, puisque les deux hommes jouaient parfois au tennis ensemble. Lui aussi embarquerait à hauteur de 5 millions, tout comme Avie Bennett, fan de baseball et propriétaire de McLelland and Stewart, une maison d'édition de Toronto. Paul Delage Roberge (Les Ailes de la mode) et Mark Routtenberg (Guess Jeans), lui aussi grand amateur de baseball, ont à leur tour accepté d'investir 2 millions chacun dans l'équipe.

Tous ces investisseurs tenaient toutefois le même discours : « Nous avons fait notre effort de guerre mais nous n'allons pas ajouter un sou de plus. Vous devrez vous arranger avec ça. »

Le tandem Brochu-Ménard essuyait également des refus. Paul Desmarais de Power Corporation a réitéré son intention de ne pas se mêler de sport, même comme minoritaire dans un groupe d'actionnaires. Bientôt, d'autres entreprises fermeraient la porte à leur tour : Bombardier, Unimedia, Provigo, Vidéotron, les fromageries Saputo, les Rôtisseries Saint-Hubert, les pharmacies Jean Coutu[12]…

Même Pierre Péladeau de Quebecor, dont le *Journal de Montréal* devait une grande partie de son lectorat au sport professionnel, a déclaré ne pas être intéressé, précisant que, de toute façon, la véritable valeur de l'équipe se situait probablement autour des 20 millions. (Monsieur Péladeau n'avait pas à se donner cette peine puisque Charles Bronfman avait expressément donné l'ordre de rayer le nom du père du *Journal de Montréal* de la liste des acheteurs potentiels, résultat d'une déclaration récente de celui-ci que M. Bronfman avait jugée antisémite.)

En somme, le dossier avançait mais on était encore loin des 100 M $ demandés par M. Bronfman. « Rendu à l'automne, j'en avais soupé de ce dossier-là, raconte Jacques Ménard. Ma femme n'en pouvait plus de m'entendre parler des Expos. Tous les investisseurs voulaient un *deal* séparé : "Est-ce que je vais avoir un stationnement au Stade ? Combien de billets je vais avoir ?" »

Charles Bronfman, lui, trouvait que le processus traînait en longueur : « Il me demandait toujours : *"Jacques, is this deal going to close ?"* Mais ce n'était pas une vente comme les autres, précise Jacques Ménard. Vendre une entreprise, c'est une chose, mais la vendre quinze fois… »

À la pause du match des Étoiles le 8 juillet, les Expos (47-37) se trouvaient au 3ᵉ rang de l'Est, à 3 ½ matchs des meneurs, les Pirates de Pittsburgh, ces derniers chauffés par les Mets à seulement ½ match. Les Phillies étaient loin derrière à 9 ½ matchs et les Cards, que la plupart des experts avaient choisi pour remporter le championnat, croupissaient au dernier rang, à 15 matchs de la tête. La performance des Expos avait de quoi impressionner.

Mais alors que les amateurs de Pittsburgh et New York se rendaient en masse encourager leurs idoles, les amateurs montréalais, eux, se faisaient encore tirer l'oreille. Le 6 juillet, un vendredi, seulement 15 806 amateurs sont allés voir Oil Can Boyd et les Expos affronter les Astros de Houston. Le 25 juillet, le dernier match d'une importante série opposant les Expos aux Pirates n'a attiré que 21 669 spectateurs.

Ce soir-là, les Expos ont nivelé la marque 4-4 en fin de 9e manche, comblant un déficit d'un point. Mais après que les Pirates eurent marqué trois fois en début de 10e manche, un très grand nombre de spectateurs déçus avaient lancé la serviette et quitté leur siège, convaincus de l'issue du match.

Mais en fin de 10e manche, Raines s'est rendu au premier après avoir été atteint par un lancer, Wallach a obtenu un but sur balles et, après un retrait, Andres Galarraga a fait marquer Raines à l'aide d'un simple, réduisant l'avance des Pirates à deux points. La recrue Marquis Grissom a alors propulsé un lancer du releveur Stan Belinda dans les gradins pour porter à la marque à 8-7 et sceller l'issue de la rencontre.

L'exploit de Grissom fut certainement un des moments les plus exaltants de la saison 1990 ; un exploit improbable, réalisé dans un match important. Malheureusement, sur les 21 669 partisans du début de soirée, il en restait moins de la moitié pour applaudir Grissom et les Expos.

Dans sa chronique du surlendemain dans *La Presse,* Buck Rodgers ne s'expliquait pas le manque d'appui du public montréalais et le pessimisme ambiant : « Les Expos se maintiennent dans la course au championnat, ils ont accompli de belles choses et pourtant, les journalistes et les gens que je rencontre me posent surtout des questions négatives. Dans 75 % des cas, on me demande quand les Expos vont s'écrouler.

« Je ne comprends pas cette attitude, poursuivait Rodgers dans son article. On dirait que tout le monde souhaite nous voir flancher. Plusieurs experts nous ont prédit une dernière place et nous avons déjoué leurs calculs. Nous ne méritons pas un tel traitement. Je me demande pourquoi les gens de Montréal ont tellement peur de se ranger derrière nous et de nous appuyer. Une chose est certaine : nous allons donner tout ce que nous pouvons et nous ne nous considérons certainement pas comme battus à ce stade-ci de la saison. »

Malheureusement pour Buck, les Expos ont perdu 9 de leurs 10 parties suivantes, 6 de ces défaites subies aux mains des Cubs de Chicago, une équipe d'avant-dernière place.

Le 1er août, lors d'un match contre les Mets au Stade olympique, les Expos menaient 4-3 en début de 9e manche quand, après deux retraits, le releveur Tim Burke a accordé un circuit d'un point à Tim Teufel des Mets. Trois manches plus tard, les New-Yorkais brisaient l'égalité pour l'emporter. Le (toujours) propriétaire Charles Bronfman devait raconter plus tard qu'il n'en avait pas dormi de la nuit.

Durant le séjour de l'équipe à Chicago, Dennis Martinez a de nouveau mis les pieds dans les plats alors qu'il répondait aux questions de Steve Stone, un de ses anciens coéquipiers à Baltimore devenu depuis analyste à la télévision à Chicago : « Buck Rodgers est un bon gars et un bon gérant, mais il n'a pas l'instinct du tueur qui faisait d'Earl Weaver (l'ex-pilote des Orioles) un gagnant. »

Le commentaire s'est évidemment rendu aux oreilles de Rodgers, qui n'a aimé ni la teneur des propos de son as lanceur ni le moment choisi pour les tenir. « Je sais qu'Earl Weaver a eu du succès comme gérant, mais je ne suis pas Earl Weaver et je n'ai pas son tempérament. Je fais les choses à ma façon. Quand on essaie d'être ce qu'on n'est pas, les joueurs s'en aperçoivent rapidement. Je suis heureux du travail que j'ai accompli ici. Évidemment, je ne suis pas heureux qu'on n'ait pas remporté de championnat, mais je fais du mieux que je peux avec les éléments qu'on me fournit. »

Martinez, qui n'avait pas l'habitude de se plaindre d'avoir été mal cité, s'est toutefois défendu d'avoir tenu de tels propos : « Mes paroles ont été détournées par des gens qui cherchaient à provoquer une autre confrontation entre moi et le gérant. Je n'ai rien dit de mal au sujet de Buck, j'ai seulement dit qu'il était calme en comparaison avec Weaver, qui avait tendance à exploser. » Martinez a conclu en disant qu'il envisageait maintenant de ne plus donner d'entrevue.

Or, la déclaration de Martinez a rapidement sombré dans l'oubli dans la foulée d'une autre déclaration, venue celle-là d'où on ne l'attendait pas.

Invité à s'exprimer sur le dossier de la vente du club, un des deux propriétaires minoritaires des Expos, Hugh Hallward (l'autre étant Lorne Webster), n'y était pas allé par quatre chemins : « Acheter les Expos n'est pas une bonne affaire. Moi, en tous cas, je déconseillerais à mes amis de s'embarquer dans cette aventure-là. »

Actionnaire du club depuis 1968, M. Hallward – qui détenait 15 % des actions du club – semblait en avoir soupé des nouveaux rapports de force en vigueur dans le baseball. «Nous ne pouvons plus concurrencer des villes comme New York avec leurs revenus de télévision locaux. Les Mets ont des revenus de 35 M$ par année alors que nous, c'est de 10 à 11 M$. Et les choses vont empirer. »

Le président d'Argo Construction – qui avait aussi des intérêts dans plusieurs autres entreprises – s'inquiétait également de la valeur en baisse du dollar canadien : « Le dollar canadien va bientôt se retrouver à 80 cents. Pour une entreprise qui paie ses salaires en argent américain, c'est désastreux. » (Les Expos souffriraient par ailleurs longtemps de la faiblesse du huard, le dollar canadien dégringolant à 62 cents au début de 2001.)

Monsieur Hallward constatait aussi que les tendances démographiques n'annonçaient rien de bon : « Mon fils œuvre dans le domaine des sondages et je lui ai commandé une expertise sur la population du grand Montréal. Trente pour cent des Montréalais disent n'avoir aucun intérêt pour le baseball et dans l'autre groupe, 20 % disent que rien au monde ne les inciterait à se rendre au Stade olympique. Par ailleurs, notre population est de plus en plus composée d'immigrants qui n'ont pas de culture de baseball. Comment va-t-on vendre des billets à ces gens ? »

« En somme, les gens ne sont pas intéressés, on ne joue pas à armes égales contre les clubs des grands marchés et tout indique que les salaires vont continuer d'augmenter. *Three strikes and you're out!* »

À 63 ans, M. Hallward reconnaissait qu'il était peut-être en burn-out du baseball, mais il voyait mal comment un entrepreneur pourrait avoir envie de s'engager dans une telle galère. « Je suppose qu'il doit bien y avoir des gens avec 25 M$ à perdre, dans le sens où ils n'obtiendraient aucun rendement pendant des années, mais les gens qui disposent de tels montants ne sont pas du genre à penser de cette façon. » Monsieur Hallward comprenait aussi que des entreprises puissent vouloir s'engager pour des raisons « civiques », mais ce n'était plus son cas : « Je ne crois plus que les fonds discrétionnaires que je suis prêt à donner par esprit civique soient le mieux utilisés dans une équipe de baseball. Je préfère amasser des fonds pour l'Hôpital des enfants. »

Certes, il s'attendait à un profit de capital au moment où la vente se concrétiserait, mais depuis sa mise de fonds initiale de 1,5 M$ en 1968, il avait dû réinjecter 2 M$ pour aider à éponger les déficits du club.

Même si elles s'appuyaient sur une frustration légitime, les déclarations de M. Hallward avaient de quoi surprendre, étant donné qu'il parlait tout de même d'une entreprise qu'il essayait de *vendre*. Certains observateurs ont cru qu'il s'agissait là d'une manœuvre pour décourager les acheteurs locaux potentiels, forçant une vente à des intérêts américains qui rapporterait bien davantage.

Quoi qu'il en soit, pour Claude Brochu et Jacques Ménard, qui travaillaient depuis le printemps à convaincre le milieu des affaires québécois à investir dans le club, la sortie de M. Hallward ne pouvait pas arriver à un pire moment.

Charles Bronfman est alors intervenu dans la tourmente pour calmer le jeu. « Hugh a parlé sur le coup de la frustration. Il est très attaché aux traditions entourant le baseball. Il est un vrai fan – bien davantage que moi – et il déplore énormément – comme moi, d'ailleurs – que le baseball soit devenu une partie de l'industrie de l'*entertainment* et ne soit plus vraiment ce que les Américains appellent le *National Pastime*. Mais je peux vous assurer qu'il ne l'a pas fait dans le but de maximiser son profit. Il a été un partenaire loyal au cours des années et il tient tout autant que moi à vendre à des Québécois. »

Le propriétaire majoritaire (73 %) des Expos avait fixé à 100 millions (dollars US) le prix à payer pour les acheteurs québécois. Certains observateurs jugeaient la somme excessive, étant donné que les Padres de San Diego et les Mariners de Seattle avaient récemment été vendus pour les sommes de 75 M $ et 82 M $ respectivement…

« La Ligue nationale accordera deux nouvelles concessions dans deux ans. Combien se vendront-elles, pensez-vous ? Tous les jours, on m'appelle des États-Unis pour que j'arrête de faire le fou et que j'accepte de vendre l'équipe au plus offrant. » Un acheteur américain avait même offert jusqu'à 135 M $, affirmant être prêt à verser 25 M $ sur-le-champ. « Nous avons mis son offre dans un classeur, comme les autres », a dit M. Bronfman.

Le (toujours) proprio du club a fait valoir que les Expos représentaient un bon investissement, justement à cause de l'augmentation constante de la valeur des concessions. Pour cette raison, il ne s'inquiétait pas d'un possible effet négatif de M. Hallward sur le processus de vente. « Les acheteurs intéressés ont tous les chiffres devant eux. »

Il confirmait par ailleurs que des progrès avaient été réalisés, des investisseurs ayant convenu d'investir 5 M $ chacun alors que « quatre ou cinq » autres entreprises s'apprêtaient à faire de même. De son côté, Jean Lajoie, du groupe Burns Fry, révélait que le Fonds de solidarité de la fédération des travailleurs du Québec (FTQ) – qui disposait de liquidités aux environs de 200 M $ – pourrait également être de la partie.

Même si ce n'était pas son scénario préféré, M. Bronfman se disait prêt à demeurer actionnaire minoritaire si cela pouvait contribuer à rassurer les acheteurs. Lorne Webster et même Hugh Hallward ne fermaient pas la porte à une participation dans le nouveau groupe, en autant qu'elle soit plus limitée que ce qu'elle avait été jusque-là.

Charles Bronfman avait fixé au 1er septembre la date butoir pour recevoir les offres des acheteurs intéressés. «Ce n'est pas une date lancée en l'air pour le plaisir. Si en septembre rien ne s'est matérialisé, je tenterai de vendre l'équipe à des étrangers tout en exigeant qu'ils gardent l'équipe à Montréal. Si j'échoue, la troisième voie sera alors envisagée : vendre l'équipe à des gens qui la déménageront. C'est sûr que si on se rend là, ce sera un jour triste pour tout le monde. » Mais le propriétaire se disait confiant : «J'ai une confiance sans borne en Claude Brochu. Et Claude me dit qu'il est convaincu que tout sera en place pour septembre. »

La glissade du début août des Expos les avait recalés à 10 matchs de la tête et les amateurs commençaient à se plaindre dans les tribunes téléphoniques que l'équipe les avait une fois de plus laissé tomber.

En réalité, les Expos étaient maintenant victimes de leur étonnant début de saison. Alors qu'ils auraient normalement dû consacrer leurs efforts à développer les jeunes, et donc moins s'inquiéter des colonnes de victoires et défaites, ils s'étaient retrouvés, contre toute attente, dans une autre course au championnat.

Ces espoirs étant manifestement envolés, les Expos ont fait un geste prouvant hors de tout doute qu'ils se tournaient désormais résolument vers 1991. Au lendemain d'un match où le gaucher Zane Smith (6-7, MPM de 3,23) a bien lancé en n'accordant que 3 coups sûrs et 2 points en 6 manches contre les Pirates à Pittsburgh, le gaucher prenait le chemin du vestiaire ennemi, les Expos l'échangeant à l'équipe même qu'ils avaient pourchassée jusqu'à tout récemment…

En retour, le DG Dave Dombrowski obtenait un autre gaucher, Scott Ruskin, un releveur de 27 ans dont le salaire (autour des 100 000 $) pesait autrement moins lourd que les 860 000 $ qu'on devait débourser pour les services de Smith.

Sauf que, comme cela deviendrait leur habitude dans les années suivantes, les Expos ont fait plus que se débarrasser d'un gros contrat (et, soit dit en passant, laissé partir un joueur qui avait exprimé son désir de sortir de Montréal) : ils ont tiré le maximum de la situation.

D'abord, ils ont obtenu deux autres joueurs en plus de Ruskin : un de ces joueurs était un voltigeur du nom de Moises Alou, un jeune homme de 24 ans qui ferait beaucoup parler de lui à Montréal. Ensuite, ils ont comblé l'absence de Smith en rappelant d'Indianapolis le jeune gaucher Chris Nabholz, un colosse de 6 pieds 5 pouces à qui ils confieraient immédiatement le rôle de cinquième partant.

Et voilà qu'au moment même où on croyait que l'équipe profiterait des dernières semaines du calendrier pour observer les jeunes et tenter quelques expériences, elle s'est mise à gagner : du 8 au 15 août, les Expos ont remporté 7 victoires d'affilée. Durant cette période, Dennis Martinez remporterait deux matchs et Chris Nabholz signerait la première de six victoires consécutives. Le 15 août, la troupe de Buck Rodgers était de nouveau dans la course, à 4 ½ matchs de la tête ! Les « expériences » devraient attendre encore un peu...

Alors que l'équipe entreprenait le dernier droit du calendrier, une autre balle courbe était lancée en direction de Claude Brochu et Jacques Ménard. Le quotidien *La Presse* avait obtenu copie du document de vente préparé par Burns Fry pour les acheteurs potentiels des Expos – un document confidentiel, il va sans dire.

Le document contenait un chiffre qui frappait l'imagination : 42,2 millions de dollars. C'était le déficit accumulé par les Expos depuis 1969. « Les Expos de Montréal sont en faillite technique », pouvait-on lire sur la page frontispice de l'édition du 21 août du quotidien. Selon les comptables de Price Waterhouse – qui avaient rédigé le bilan du club –, l'actif des Expos se chiffrait à 23 M $ alors que son passif dépassait légèrement les 40 M $. Durant les 5 dernières années, l'équipe n'avait affiché de profits nets qu'en 1987 (651 000 $) et le déficit de 1989 s'élevait à 4,2 M $.

Pour éponger une partie des déficits, Charles Bronfman et ses partenaires avaient dû investir 25,2 M $ (incluant les 10 M $ de mise initiale à l'achat du club). Autrement dit, si les Expos n'étaient pas en faillite, rapportait le quotidien, c'était bien parce que les propriétaires avaient maintenu l'équipe à flot à bout de bras.

Certes, pour les acheteurs déjà sollicités, la nouvelle n'en était pas une puisque ils connaissaient ces chiffres. Mais c'est sur le plan des perceptions que ces révélations – surtout à ce moment-ci – pouvaient faire le plus de dommages. En effet, comment réagiraient les actionnaires des entreprises envisageant d'investir dans le club à la lumière de ces divulgations ? Par ailleurs, comment d'autres entreprises ne s'étant pas encore manifestées réagiraient-elles à cette annonce ?

Interrogé par *La Presse*, Jacques Francoeur, ancien journaliste, fondateur du *Dimanche-Matin* et ex-dirigeant d'Unimédia, apportait un éclairage intéressant sur la situation : « Il est clair désormais que le rendement annuel n'est tout simplement pas là ; à mon avis, ça ne justifie pas un prix de 100 M $. Si on achète les Expos, c'est qu'on veut rendre service à la communauté et miser sur un gain de capital à long terme. Je n'ai aucun doute que la concession vaudra autour de 300 M $ dans 10 ou 15 ans. L'ennui, c'est qu'elle rapportera ce montant seulement si on la déménage… » Aux yeux de M. Francoeur, le problème particulier du dossier de la vente des Expos était que les millionnaires québécois de 60 et 65 ans n'avaient plus l'âge de s'engager dans une aventure qui ne rapporterait qu'à long terme, alors que ceux de 45 ou 50 ans n'avaient pas encore assez de liquidités, devant mobiliser tout leur argent et leur énergie dans leur entreprise.

Malgré tout, deux semaines plus tard – le 31 août – Claude Brochu et Jacques Ménard annonçaient avoir gagné leur pari : ils avaient trouvé suffisamment d'acheteurs pour affirmer que les Expos passeraient aux mains d'un groupe d'investisseurs québécois et, par conséquent, qu'ils demeureraient à Montréal. Une information confirmée par le ministre du Tourisme André Vallerand, qui avait pris connaissance des lettres d'intention de plusieurs acheteurs. De plus, la brasserie Labatt venait d'annoncer qu'elle poursuivrait – pour 5 années – son association avec les Expos, ce qui assurerait 27 M $ au club.

En dépit de cette annonce, des rumeurs avançaient que M. Brochu et M. Ménard n'avaient réuni que 55 M $ des 100 M $ du prix de vente.

L'identité des investisseurs ne serait pas dévoilée avant les assises de baseball en décembre, les acheteurs craignant qu'un refus des autorités du baseball d'approuver la transaction fasse mal paraître leur entreprise. Mais une semaine plus tard, des noms ont commencé à émerger : la chaîne d'alimentation Provigo et les Caisses populaires Desjardins s'engageaient pour 5 M $ chacune. En revanche, le Groupe Jean Coutu, après avoir dit « non », puis « peut-être », se retirait du projet. Molson et Imperial Tobacco ne seraient pas non plus de la partie.

Une des réserves les plus souvent entendues des entreprises refusant de s'engager concernait la structure de gestion d'entreprise proposée par Claude Brochu : une société en commandite. Dans ce scénario, M. Brochu agirait comme commandité et serait ainsi le seul à représenter l'équipe au sein des divers comités du baseball majeur. Le seul à prendre les décisions aussi. Autrement dit, même en investissant le même argent que d'autres entreprises (et moins, dans certains cas), M. Brochu serait « le plus égal parmi les égaux ».

La proposition n'était pas sans indisposer certains acheteurs potentiels, habitués à garder le plein contrôle de leurs affaires et à assurer une surveillance serrée de leurs investissements. *La Presse* citait les appréhensions d'une «source du milieu des affaires» : «Il est clair que Brochu veut être le *kingpin* et qu'il travaille pour centrer ça autour de lui. Il n'y a rien de mal à ça mais il y a du monde qui doit penser à se protéger.»

En fait, cette structure (société en commandite) était une condition *sine qua non* du baseball majeur, qui exigeait que les clubs s'expriment par le biais d'une seule voix. Comme Claude Brochu était le seul du groupe à connaître le baseball de l'intérieur, et comme il était aussi le seul du groupe à pouvoir consacrer son temps exclusivement aux Expos, il était de loin le mieux placé pour jouer le rôle de commandité.

Chez les Expos, on minimisait le problème. Certes, la structure en commandite ne pouvait pas être remise en question, mais ultimement, ce sont les investisseurs qui mettraient en place le processus décisionnel qui conviendrait à leurs besoins. Est-ce que les décisions se prendraient dans le cadre du conseil d'administration du club? Est-ce qu'on formerait plutôt un conseil exécutif pour encadrer la prise de décision? Tout cela restait à déterminer.

Sur le terrain, les Expos se tiraient d'affaires fort convenablement, les lanceurs ayant retrouvé leur aplomb du début de saison. Après avoir séjourné pendant 45 jours sur la liste des blessés durant la première moitié du calendrier, Tim Burke lançait de nouveau avec efficacité, reprenant son rôle de releveur numéro un (fiche de 3-2, 9 sauvetages, MPM de 1,73 dans la deuxième moitié de saison). Oil Can Boyd, quant à lui, connaissait une fin de saison à la hauteur de son talent.

Kevin Gross, par contre, semblait avoir perdu sa touche magique – sa dernière victoire remontait au 11 juin, avant sa blessure à la main – et Buck Rodgers l'a carrément retiré de la rotation. Gross se disait persuadé que les Expos cherchaient à lui nuire depuis qu'il avait refusé leur offre de 6 millions pour 3 ans plus tôt durant la saison. «Personne n'essaie de lui nuire sinon lui-même», de trancher Rodgers. Gross en était à ses derniers jours dans l'uniforme des Expos.

Pour le remplacer, les Expos ont rappelé du niveau AA le petit gaucher Brian Barnes. Dès son arrivée à Montréal, on l'a envoyé affronter les Pirates dans le premier match d'une importante série de trois. Barnes a tenu les frappeurs des Pirates en respect (2 points sur 4 CS) pendant

7 manches, retirant même 9 frappeurs sur des prises et les Expos l'ont emporté 4-2. Le lendemain, c'était au tour de Chris Nabholz de permettre au club de gagner alors que dans le troisième, un effort collectif de quatre artilleurs limitait les meneurs de la division à un coup sûr et un point.

Avec ces 3 victoires, les Expos n'étaient plus qu'à 5 ½ matchs des Pirates et du 1er rang. L'équipe qu'il leur fallait d'abord rejoindre était toutefois les Mets, qui chauffaient les Pirates à seulement ½ match.

Justement, les Expos avaient trois matchs à disputer contre ces Mets – à New York.

Dans le premier affrontement, Oil Can Boyd a eu le meilleur sur Dwight Gooden, n'accordant aucun point aux Mets en 6 manches : Expos 4, Mets 3. Comme la pluie a forcé le report du match du 19 septembre au lendemain, les Expos devraient maintenant disputer un programme double, une grosse commande pour un club cherchant à rattraper une équipe aguerrie comme les Mets de New York.

Les Mets enverraient au monticule Frank Viola (un candidat au trophée Cy Young en 1990) et Sid Fernandez, un autre vétéran solidement établi. Les Expos n'auraient pas le choix de répliquer avec deux recrues, des gars de 23 et 24 ans, Brian Barnes et Chris Nabholz. Deux gauchers dont les tailles respectives (5 pieds 9 pouces pour Barnes, 6 pieds 5 pouces pour Nabholz) leur avaient déjà valu le surnom de Mutt et Jeff de la plume des scribes montréalais.

Défiant toute logique, les Expos ont remporté les deux parties. Dans le deuxième match, le grand Nabholz a mystifié les New-Yorkais en n'allouant qu'un coup sûr et 3 buts sur balles en 9 manches, permettant à son club de l'emporter 2-0. Le coup de balai passé, les Expos n'étaient plus qu'à 2 matchs des Mets, à 4 ½ des Pirates et du sommet du classement.

Après avoir terminé la saison précédente en queue de poisson, les Expos réserveraient-ils maintenant au monde du baseball une finale digne des films de Disney ?

La double victoire des Expos sur les Mets avait en effet des allures d'histoire à la David contre Goliath : les trois lanceurs partants utilisés par les Mets durant la série avaient en poche des contrats totalisant 20,6 M$, ceux des Expos, 1,3 M$. Pourtant, l'équipe montréalaise avait remporté les trois matchs. Se pouvait-il qu'il y ait des limites au pouvoir de l'argent dans le baseball ? En Californie, la saison d'un lanceur du nom de Mark Langston (16 M$ pour cinq ans) se terminerait bientôt sur des chiffres décevants : 10 victoires, 17 défaites et une MPM de 4,40…

Après New York, les Expos ont pris la direction de Philadelphie, où ils disputeraient quatre matchs en autant de jours.

La série fut âprement disputée, deux des affrontements nécessitant 12 et 16 manches. Mais les Expos ont perdu quatre fois.

Durant la série, ils ont été limités à sept petits points. Une fois de plus, l'offensive s'était écrasée au pire moment. Comme en 1989, comme en 1987.

Dennis Martinez, qui devrait se contenter d'une fiche globale de 10-11 malgré 226 manches de travail, 7 matchs complets et une MPM de 2,95, ne s'est évidemment pas privé de commenter la situation : « Je suis ici depuis cinq ans et c'est toujours la même histoire : on parle constamment de l'importance des lanceurs mais ce sont toujours les frappeurs qui laissent tomber l'équipe. Je ne sais pas ce qui se passe avec ce club, mais on dirait qu'aussitôt qu'on vient tout près de gagner, on s'écrase. »

Les Expos ont finalement terminé la saison au 3e rang, avec une fiche de 85-77 et 10 matchs de recul sur les Pirates, les champions de la division.

Pour une équipe à qui on ne prédisait rien de bon en début de saison, c'était un bilan plus qu'honorable. Le succès de la saison 1990 avait été celui de toute l'organisation, de sa capacité à sélectionner, développer et encadrer de bons jeunes joueurs de baseball. Dans l'industrie, plus personne n'ignorait les noms de Dave Dombrowski, Dan Duquette (l'adjoint de ce dernier) et de Gary Hughes, le directeur du recrutement. Et quand la revue *Baseball America* a remis – pour la deuxième année consécutive – son prix de l'Organisation de l'année aux Expos, ils n'ont fait que confirmer ce que les *insiders* savaient déjà : cette équipe était intelligemment dirigée.

Le rideau est tombé sur l'étonnante saison 1990 en laissant toutefois plusieurs questions en suspens.

D'abord, tout indiquait que les Expos perdraient leurs deux partants les plus expérimentés. Kevin Gross et Dennis Martinez se déclareraient vraisemblablement joueurs autonomes dans les prochaines semaines. De plus, les Expos ne pourraient probablement plus se payer les services de Dave Schmidt, un de leurs rares artilleurs d'expérience. Les jeunes lanceurs – talentueux, certes, mais encore verts – pourraient-ils combler ces départs ?

Les Expos devraient ensuite trouver un moyen de renforcer leur attaque. Pour y arriver, ils seraient peut-être forcés de céder un joueur de premier plan. Les rumeurs pointaient de plus en plus du côté de Tim

Raines, celui-là même qui venait de dépasser Andre Dawson au chapitre dès coups sûrs à vie (1 575) dans l'uniforme des Expos.

Malgré une moyenne de ,287 et 49 buts volés, Raines n'était plus la bougie d'allumage du club depuis quelque temps et son jeu parfois indifférent – sur le pilote automatique depuis trois ans, disait-on ici et là – avait soulevé une question : Tim avait-il encore le feu sacré ?

Vers la fin de la saison, l'athlète de 31 ans s'était plaint de son utilisation comme troisième frappeur de l'alignement, arguant que sa véritable place était au premier rang : « Si on insiste pour me faire frapper au troisième rang, alors j'aimerais mieux ne pas revenir l'an prochain. » Le contrat de Raines était encore en vigueur pour un an – il lui vaudrait 2,1 millions en 1991 – mais la rumeur voulait qu'il cherche à renégocier cette dernière année à la hausse, les joueurs de sa trempe commandant désormais autour des 3 millions par année.

Or, chez les Expos, il n'était pas question de bonifier le salaire d'un joueur dont les performances avaient progressivement décliné depuis trois ans. Un échange leur permettrait non seulement de mettre la main sur un solide frappeur mais aussi d'utiliser l'argent désormais libéré pour renflouer le personnel de lanceurs. Mais il y avait toutefois un hic : comme vétéran « 10-5 » (10 années de service, dont 5 avec le même club), Raines pourrait s'opposer à une transaction qui l'enverrait dans une ville où il n'aurait pas envie d'aller. Les Expos ne disposeraient peut-être pas d'une très grande marge de manœuvre dans ce dossier-là.

Le statut de Buck Rodgers était tout aussi incertain.

Certes, dans l'entourage des Expos, tout le monde aimait Buck Rodgers, de son équipe d'entraîneurs adjoints aux employés des bureaux des Expos, en passant par les représentants des médias. Jamais les Expos n'avaient eu à leur tête un ambassadeur de cette qualité : un homme à la fois intelligent, affable, souriant, mais aussi franc, honnête, sans complaisance. Le temps ne l'avait pas changé non plus : l'homme que tous avaient trouvé si charmant à son arrivée dans le club en décembre 1984 était resté le même, dans les beaux jours comme dans les plus difficiles. Depuis quelques années, le plus populaire Expo n'était pas un joueur, c'était celui qui les dirigeait.

Sous sa gouverne, les Expos s'étaient plutôt bien tiré d'affaires aussi. Ils avaient joué bien au-delà de leur potentiel en trois occasions au moins : en 1985 (l'année de reconstruction suivant le départ de Gary Carter), en 1987 (91 victoires alors qu'on avait prédit au club une année misérable) et, évidemment, en 1990, l'année des recrues. Par ailleurs, Buck avait terminé la saison en remportant une 500e victoire dans l'uniforme des Expos, dépassant ainsi la marque de Gene Mauch, le premier gérant du club, qui en avait remporté une de moins.

Malgré cette solide feuille de route, l'homme de 52 ans se savait sur un siège éjectable, surtout avec Dave Dombrowski aux commandes. Car ce n'est pas Dombrowski qui avait choisi Rodgers, mais bien Murray Cook, le DG précédent du club.

La chimie entre les deux hommes n'avait jamais vraiment opéré : Dombrowski trouvait Rodgers un peu trop relax à son goût, pas assez bagarreur ; il n'appréciait pas non plus tout le temps que son gérant passait avec les membres des médias.

Rodgers, lui, ne voyait pas d'un bon œil que Dombrowski débarque aussi régulièrement dans le vestiaire de l'équipe – parfois même pour y prendre une douche aux côtés des joueurs, un comportement qui étonnait tout autant ceux-ci que les journalistes. Par ailleurs, il était arrivé que « DD » débarque dans le vestiaire pour semoncer un joueur ou un instructeur après une mauvaise performance. Après un certain temps, Rodgers a décidé que ça ne pouvait plus continuer : « Si tu as un problème avec un de mes instructeurs ou un de mes joueurs, ne viens pas le mettre dans l'embarras en l'engueulant devant tout le monde ; adresse-toi à moi », lui a demandé le pilote[13].

Alors que Dombrowski insistait pour que Rodgers – sous la pression de ses patrons, probablement – fasse plus de place aux jeunes dans la formation régulière, Rodgers préférait miser sur un équilibre entre vétérans et jeunes, ne voulant pas précipiter l'apprentissage de ces derniers. La performance d'un gérant des majeures est toujours mesurée par le nombre de victoires, non par ses capacités à enseigner. Buck n'avait pas envie de se mettre la tête sur le billot en envoyant sur le terrain une bande de jeunots. En 1976, les Expos avaient donné au gérant Karl Kuehl un club prometteur mais trop vert. Résultat : on lui avait montré la porte avant la fin de la saison.

Tous ceux qui suivaient l'équipe de près savaient que si Rodgers n'était pas l'homme de Dombrowski, il était celui de Charles Bronfman, qui appréciait non seulement ses qualités de meneur d'hommes, mais aussi sa personnalité avenante, son irrésistible charisme. Qu'arriverait-il le jour – et ce jour viendrait plus tôt que tard – où le plus grand allié de Buck ne serait plus dans l'entourage du club ?

Quoi qu'il en soit, le plus gros point d'interrogation demeurait évidemment la vente du club. Malgré les annonces encourageantes faites au début septembre, le dossier avançait à pas de tortue.

En octobre, les clubs du baseball majeur apprenaient qu'ils devraient payer des dommages à l'Association des joueurs dans le dossier de collusion – on parlait d'environ 10 millions par équipe. Comme on peut se l'imaginer, la nouvelle a rendu nerveux les actionnaires pressentis pour investir dans l'équipe. Bientôt, Claude Brochu et Jacques Ménard ont dû répondre à une nouvelle série de questions…

Déjà échaudé par une dure récession et un été mouvementé (la crise constitutionnelle provoquée par le déraillement de l'Accord du lac Meech ainsi que la crise autochtone d'Oka), le gouvernement du Québec cher- cherait probablement maintenant à éviter de faire des vagues en se mon- trant trop généreux dans le dossier des Expos.

Comme c'est souvent le cas quand est soulevée la question d'une aide financière gouvernementale à une organisation sportive professionnelle, l'opinion publique était majoritairement contre, comme la plupart des représentants des médias.

Durant l'été, le président et éditeur du journal *La Presse*, Roger D. Landry, avait déjà qualifié d'«aberration» l'idée d'injection de fonds publics dans l'achat des Expos. Dans un article paru dans l'édition du 7 novembre de ce quotidien, Philippe Cantin abondait dans le même sens: «Il est désormais clair que les entreprises québécoises n'ont pas les reins assez solides, ou un goût assez prononcé pour le baseball, pour accepter cette invitation (d'acheter le club). Mais en acceptant de s'associer à la vente des Expos, le gouvernement du Québec s'engagerait dans une voie dangereuse.» Cantin s'inquiétait du précédent que créerait l'initiative, ouvrant la porte aux Canadiens de Montréal, aux Nordiques de Québec ou à une équipe de hockey mineur cherchant de l'aide pour se doter d'un nouvel amphithéâtre.

Le gouvernement du Québec et la Ville de Montréal reviendraient-elles sur leur décision d'appuyer les Expos? Les entreprises ayant manifesté de l'intérêt pour les Expos changeraient-elles d'avis à la dernière minute comme d'autres l'avaient fait en 1968? On ne le saurait pas tout de suite: la date limite pour conclure la transaction venait de nouveau d'être repoussée, au 30 novembre, cette fois. Charles Bronfman devrait encore attendre un peu avant de réaliser son rêve de redevenir un simple fan…

Dans les derniers mois de 1990, alors qu'il cherchait encore à compléter la composition d'un nouveau groupe d'actionnaires pour les Expos, Claude Brochu a reçu des propositions de quelques entrepreneurs amé- ricains prêts à faire partie d'un consortium – et à garder l'équipe à Montréal.

Un de ces entrepreneurs avait pour nom Martin Stone. Il avait 62 ans et était ce propriétaire d'une équipe de baseball AAA (les Firebirds de Phoenix) qui avait jusqu'à récemment envisagé de piloter un groupe pour acquérir une des deux concessions que la Ligue nationale était en voie d'accorder, une expansion de ses cadres étant prévue pour 1993. Or, le prix des nouvelles concessions – 98 M $ – l'en avait dissuadé, et s'il avait renoncé définitivement à l'idée de doter Phoenix d'une équipe des majeures, il n'avait pas encore fait le deuil de devenir propriétaire d'un club des majeures.

Stone n'avait certainement pas les moyens d'un Charles Bronfman – on évaluait sa fortune à « seulement » 40 M $ – mais il serait épaulé par un ami, un type du nom de William Berkley, qui avait fait fortune dans le domaine de l'assurance et qui figurait dans le palmares de 1990 du Forbes 400 (les 400 personnes les plus riches aux États-Unis). On disait qu'à eux deux, ils pourraient injecter jusqu'à 35 M $ dans les Expos.

Alors que Berkley comptait s'embarquer dans l'aventure simplement parce que ça l'amusait, Stone, un véritable passionné de baseball, le faisait pour réaliser un vieux rêve : « C'est quand j'ai réalisé que je n'étais pas assez bon pour jouer au baseball que j'ai décidé qu'un jour, je posséderais une équipe. »

De la façon dont Stone voyait les choses, lui et Claude Brochu – les plus outillés sur le plan baseball – agiraient tous deux comme commandités. Ils consulteraient les vues de leurs partenaires mais en bout de ligne, ce seraient eux qui prendraient les décisions : « C'est impossible de faire marcher une équipe par comités », a affirmé le financier.

Au journaliste Denis Arcand de *La Presse* qui s'était rendu le rencontrer dans son immense ranch de Lake Placid, Stone a tenu à rassurer ceux que sa participation inquiétait : « Je n'ai aucune intention de racheter les autres partenaires et de déménager l'équipe. Il faut que les investisseurs locaux restent dans le consortium : les Expos ne réussiront pas sans racines locales. »

Selon lui, le problème d'assistance au Stade olympique s'expliquait par le stade lui-même : « C'est immense et le spectateur s'y sent perdu. » Mais il était confiant que les réaménagements prévus pour 1991 (réduction du nombre de sièges, création de deux nouvelles sections aux extrémités du champ extérieur, etc.) le rendraient beaucoup plus invitant pour les spectateurs.

Tout comme les autres investisseurs, Claude Brochu était ouvert à l'idée d'un partenaire américain – surtout s'il se présentait avec un pactole de cette envergure. Mais au bout de quelques rencontres, ils ont vite déchanté quand Stone a finalement révélé le montant qu'il était prêt à investir de sa poche : un million de dollars… Un million plus les six ou sept que valaient son équipe de baseball AAA (ce qui ne représentait pas de l'argent comptant). Brochu et ses partenaires étaient renversés : cet *outsider* visait la direction des opérations tout en investissant *un seul million* ? Les discussions ont rapidement pris fin.

Claude Brochu a ensuite entendu les propositions d'un autre entrepreneur, lui aussi amateur de baseball et propriétaire depuis peu des 89ers d'Oklahoma City, une équipe de l'Association américaine (AAA) affiliée aux Rangers du Texas. Cet homme s'appelait Jeffrey Loria et il devait sa fortune au flair et à l'opportunisme dont il avait fait preuve dans l'achat et la vente d'œuvres d'art.

Bien sûr, lui aussi, c'était le rôle de commandité qui l'intéressait. Mais alors que la présidence de Claude Brochu n'avait jamais fait l'objet d'une remise en question, Loria, lui, avait un autre plan en tête. Brochu resterait dans le conseil de direction du club, mais pas à titre de président. On lui confierait plutôt un rôle sans autorité réelle – et temporaire. « J'ai rapidement compris que cet homme-là négociait d'une seule façon : la sienne. Loria était à la fois affable et dur, convaincu d'une seule chose, d'avoir toujours raison[14]. »

Il va sans dire que le projet n'est pas allé plus loin. Or, Loria était un homme patient et il savait que le bon moment finirait bien par arriver un jour.

Claude Brochu et Jacques Ménard ont poursuivi leurs pourparlers avec divers investisseurs locaux, réalisant suffisamment de progrès pour tenir, le 29 novembre, une conférence de presse annonçant qu'une entente de principe était survenue entre Charles Bronfman et le groupe de nouveaux propriétaires.

Brochu ne pouvait pas confirmer l'identité des investisseurs (ni leur nombre) tant que la transaction ne serait pas officialisée, mais c'était désormais bien connu que Provigo, Bell Canada, le Canadien Pacifique, Télémédia, les Caisses populaires de Montréal et de l'Ouest du Québec, le Fonds de solidarité de la FTQ et Coca-Cola feraient vraisemblablement partie du groupe des acheteurs.

Restait encore à obtenir l'approbation du baseball majeur. Or, de ce côté, les choses se présentaient plutôt bien. Certes, bien des propriétaires avaient sourcillé quand ils avaient su que le gouvernement québécois et la Ville de Montréal feraient partie du montage financier – et certains, comme George W. Bush, s'étaient étouffés dans leur café en apprenant qu'un syndicat (!) serait aussi de la partie. Mais Charles Bronfman avait pris soin de les rassurer, leur expliquant que les partenariats État-entreprise privée étaient courants au Canada. Quant à la présence du Fonds de solidarité dans le consortium, Claude Brochu a expliqué aux magnats du baseball qu'il s'agissait en réalité d'un fonds d'investissement plutôt que d'un syndicat, et ils avaient fini par se rallier à l'idée.

En somme, le processus de transfert avançait rondement et bientôt, l'ère de Charles Bronfman comme propriétaire des Expos de Montréal serait chose du passé.

Le site de la conférence – l'hôtel Windsor – ne pouvait être mieux choisi : c'est là qu'en août 1968, un premier chèque avait été déposé à la Ligue nationale par Charles Bronfman et ses partenaires, c'est aussi là que, quelques semaines plus tard, s'était déroulé le repêchage où les Expos et les Padres de San Diego avaient chacun sélectionné 30 joueurs parmi les 10 équipes établies de la ligue.

John McHale – qui agissait dorénavant comme l'un des administrateurs honoraires du club – s'était déplacé à Montréal pour l'occasion. L'ancien président des Expos a rappelé combien Charles Bronfman avait été un propriétaire idéal : « Il a été un des meilleurs, toujours prêt à vous appuyer, sans jamais faire de *second-guessing*. De plus, il avait énormément de respect pour nous, les actionnaires minoritaires (McHale avait été l'un de ceux-ci). Aucune décision concernant le club n'était prise avant que nous nous mettions tous d'accord. Très peu de propriétaires agissent de cette façon. » Pour McHale, il ne faisait pas de doute que Bronfman avait toujours fait passer le bien de l'équipe, le bien du baseball, avant ses intérêts personnels. « Quand Montréal était en voie de perdre les Expos quelques mois après avoir obtenu une concession en mai 1968, Charles ne pouvait pas envisager ce scénario, a poursuivi McHale. Il disait que ce serait terrible pour la ville, pour le Québec, pour le Canada. C'est alors qu'il m'a dit : "Si tu acceptes de mettre l'équipe sur pied, je vais m'arranger pour que l'argent y soit." Le plus étonnant, c'est qu'à ce moment-là, on s'était rencontrés en personne deux ou trois fois seulement. »

Durant toutes ces années comme propriétaire du club, Charles Bronfman avait toujours pris la peine d'écrire une lettre personnalisée à tous les joueurs à leur arrivée dans l'organisation ainsi qu'à leur départ. En devenant membres de l'équipe, ils faisaient automatiquement partie de la famille.

Monsieur Bronfman a rappelé qu'il était un amateur de sports depuis l'enfance. « Quand j'avais 12 ans, je me rendais au Forum voir jouer les Canadiens et c'était comme si je m'impliquais autant que les joueurs. À mon retour à la maison, j'étais détrempé comme une lavette. Ma mère se demandait par où j'étais passé. »

Certes, il aurait pu, devenu adulte, se porter acquéreur d'un club comme les Canadiens, mais ce n'était pas ce qu'il avait envie de faire. Il préférait lancer quelque chose de nouveau, agir comme pionnier en quelque sorte. Une équipe de baseball des majeures, *ça* c'était un défi de taille.

« Bronfman ne laisse peut-être pas un héritage de victoires, mais sa gouvernance a été éclairée, écrivait Michael Farber le lendemain dans *The Gazette*. Il a laissé ses employés faire le travail pour lequel ils étaient engagés, il avait de l'égard pour ses partenaires minoritaires et – ce qui est peut-être encore plus important – de l'égard pour les fans, ce qui est dans l'ordre des choses puisqu'après tout, il était un fan, lui aussi. »

Pour la première fois en 22 ans, Charles Bronfman pourrait finalement redevenir « juste » un *fan*.

1991

Avant la fin de la saison 1990, Dave Dombrowski avait déjà une excellente idée de ce qui se trouverait sur sa liste de priorités pour la saison suivante. Tout au haut de celle-ci figurait l'acquisition d'un frappeur gaucher d'impact qui pourrait occuper le troisième rang de l'alignement.

En faisant leurs bagages pour Chicago, où auraient lieu les assises d'hiver, Dave Dombrowski et Buck Rodgers avaient bon espoir de trouver leur homme, d'autant plus qu'ils disposeraient d'une monnaie d'échange intéressante en Tim Raines. Or, ils sont repartis bredouilles, n'arrivant pas à s'entendre avec les équipes avec lesquelles ils avaient discuté, comme les Mets (qui ont plutôt investi leurs dollars sur Vince Coleman des Cards) ou les Cubs, qui cherchaient pourtant du renfort au champ extérieur.

Mais Dombrowski et Rodgers ne sont pas tout à fait revenus de Chicago les mains vides. En effet, le dénouement imprévu d'un dossier les avait soulagés d'un problème majeur : le départ appréhendé de leur meilleur lanceur des quatre dernières années, Dennis Martinez. Le vétéran lanceur de 35 ans était sous contrat avec les Expos jusqu'à la fin 1991, mais le jugement de l'arbitre Nicolau dans le (deuxième) dossier de collusion lui rendrait bientôt, à lui comme à d'autres, une pleine autonomie. Comme la relation de Martinez avec la direction avait connu quelques ratés ces dernières années, il y avait lieu de croire qu'il profiterait de la première occasion pour déguerpir de Montréal.

Toutefois, avant qu'il ne devienne officiellement agent libre, les Expos ont fait une ultime tentative pour le garder – comme ils l'avaient fait pour Mark Langston – en lui offrant 9,5 millions pour trois ans. Étonnamment, le 3 décembre, Martinez apposait sa signature au bas du contrat. Neuf millions et demi peuvent convaincre beaucoup de gens de trouver soudainement beaucoup de qualités à une organisation, mais Martinez a expliqué que sa décision était un geste de gratitude envers l'équipe qui lui avait fait confiance à un moment où aucune autre organisation n'était prête à miser sur ses chances de se sortir de ses problèmes d'alcool.

Avec ce solide contrat en poche, El Presidente disait maintenant se sentir pour la première fois membre à part entière de l'équipe, au point où il a accepté volontiers de se joindre à la caravane d'hiver du club – alors qu'il s'était jusque-là tenu loin de ces engagements promotionnels. «Peut-être que les joueurs qui signent de gros contrats devraient être tenus de prendre part à des initiatives du genre», a dit un Martinez plus conciliant que jamais.

Ce n'est finalement qu'à la veille de Noël que les Expos se sont offert le frappeur d'impact qu'ils cherchaient depuis quelques mois déjà. Le 24 décembre, ils ont envoyé Tim Raines (et son contrat de 2,1 M$), un lanceur des mineures (Jeff Carter) et un autre joueur (dont l'identité restait à déterminer) aux White Sox de Chicago en retour du voltigeur de 29 ans Ivan Calderon et de Barry Jones, un releveur de 28 ans.

Calderon n'avait peut-être pas la feuille de route d'un Kirk Gibson (il ne frappait pas de la gauche non plus), mais il était un frappeur de qualité. Si sa moyenne (,273 en carrière) et sa puissance (14 circuits à chacune de ses 3 dernières saisons à Chicago) n'étaient pas exceptionnelles, le Portoricain était en revanche un redoutable frappeur de doubles (44 en 1990, 34 en 1989), ce qui serait un atout considérable au Stade olympique, un terrain propice aux coups de deux buts.

En Barry Jones, les Expos obtenaient un lanceur établi, un des meilleurs de l'Américaine dans le rôle de releveur de 7e ou 8e manche, comme en témoignait son excellente fiche (11-4, MPM de 2,31) en 1990. Ce serait à lui que reviendrait la tâche de préparer la table pour Tim Burke.

Certains observateurs se sont dit déçus que les Expos n'obtiennent pas de plus grande valeur d'échange en retour de Raines. Après tout, Raines avait été l'un des joueurs les plus dominants de la dernière décennie, un des meilleurs frappeurs de premier rang de l'histoire du baseball.

Andres Galarraga était l'un de ceux que l'échange avait déçu : « Je ne connais pas bien Calderon mais je pensais qu'on obtiendrait davantage. » En plus de perdre un ami, Galarraga voyait son rêve de frapper au troisième rang compromis par l'arrivée du nouvel Expo. C'est que les Expos hésitaient à loger Andres si haut dans l'alignement, les 169 retraits au bâton dont il avait été victime en 1990 suffisant à refroidir leurs ardeurs. Cela faisait d'ailleurs trois ans que le Gros Chat dominait les frappeurs de la Nationale à ce chapitre.

Malgré ce qu'en pensait Galarraga, l'étoile de Tim Raines avait pâli au cours des 3 dernières saisons, les meilleures années de l'athlète de 30 ans étant peut-être derrière lui. Dans l'entourage des Expos, on était arrivé à la conclusion que Raines n'était pas le leader qu'on croyait. Et que rien n'indiquait qu'il ne serait pas encore en mode pilote automatique comme il l'avait été en 1990. Parfois, seul un changement de décor peut relancer un joueur sur une pente descendante.

Au début du camp d'entraînement, Dave Dombrowski levait un peu plus le voile sur les raisons qui l'avaient amené à se départir d'un des plus grands joueurs de l'histoire des Expos : « Je n'ai jamais cru que Tim puisse devenir un véritable leader, car ce n'est pas dans son tempérament. Mais j'aurais au moins espéré qu'il ne soit pas le gars qui arrive toujours à 11 h 29 m et 59 s dans l'autobus de 11 h 30… » Aux yeux du DG des Expos, Raines avait fait son temps à Montréal : « Si vos meilleurs vétérans deviennent nonchalants, c'est très difficile d'envoyer sur le terrain une équipe qui donne le maximum. »

Malheureusement pour les Expos et leur DG, le joueur clé obtenu dans la transaction, Ivan Calderon, n'avait pas la réputation d'être le joueur le plus vaillant du baseball. « Un paresseux », avait tranché le gérant Dick Williams, qui l'avait eu sous ses ordres à Seattle.

Ce n'était pas l'avis de l'agent du principal intéressé, du moins s'il fallait se fier à ses exigences monétaires. En effet, Calderon, qui avait commandé un salaire de 950 000 $ en 1990, ne se contenterait « certainement pas » de cette somme pour 1991. Il exigeait la « valeur du marché » (lire 2,5 millions annuellement), et rien de moins qu'un pacte de 4 ans. L'agent était formel : « Si on doit aller en arbitrage, eh bien tant pis, Ivan jouera une saison à Montréal en 1991 et après ce sera "au revoir". » Or, tout indiquait que le dossier se rendrait devant un arbitre, les Expos ayant arrêté leur offre à 1,7 M $. Pour un joueur n'ayant pas endossé une seule fois l'uniforme de sa nouvelle équipe, c'était toute une entrée.

Bill Stoneman, le vice-président aux opérations baseball, se disait inquiet de la tournure que prendraient les cas d'arbitrage du printemps, compte tenu des contrats fabuleux accordés par les clubs aux joueurs autonomes pendant l'hiver : « Certains joueurs portant leur cas en arbitrage sont supérieurs à plusieurs des joueurs autonomes à qui des équipes viennent de consentir des fortunes. Je sais que ce n'est pas la première fois qu'on dit ça, mais toute cette folie devra bientôt cesser, sinon un de ces jours, des clubs ne pourront pas respecter leurs engagements financiers. De notre côté, je peux vous assurer que nous ne laisserons pas la situation devenir hors contrôle. Nous allons mettre sur le terrain un équipe compétitive mais sans commettre ces erreurs salariales. »

Un autre joueur n'était pas très heureux de la philosophie des Expos en matière de contrôle des dépenses. Quand il a négocié une entente avec l'équipe après son arrivée à Montréal en 1990, Oil Can Boyd était ce qu'il convient d'appeler un joueur « à risque », ayant séjourné plusieurs fois sur la liste des blessés au cours des dernières années, chaque fois à cause d'une épaule droite endolorie, une source d'inquiétude considérable dans le cas d'un lanceur. Son agent et le club ont donc convenu d'un pacte assorti de bonis. Une de ces clauses stipulait que si Boyd entreprenait (au moins) 32 matchs durant la saison, il toucherait 250 000 $ de plus en 1991.

Or, le 2 octobre 1990, Buck Rodgers et les Expos lui ont fait sauter ce qui aurait été son dernier départ de la saison à la faveur d'un autre partant, Kevin Gross. Ces changements sont monnaie courante dans une saison, mais ce qu'il y avait de particulier dans ce cas, c'est que ce départ aurait justement été le 32e de La Canette… De plus, non seulement le match était-il sans importance au classement, mais Gross n'allait nulle part à ce moment-là et tous savaient qu'il deviendrait joueur autonome à la fin de la saison.

En faisant sauter un seul match à Boyd, les Expos économisaient d'un seul coup un quart de million de dollars, le salaire d'une année *complète* de deux recrues. Qui pouvait les en blâmer ? Boyd et son agent, bien sûr. Quelques jours après la fin de la saison, ils ont – comment auraient-ils pu faire autrement ? – déposé un grief contre le club. Mais les Expos restaient sur leur position : « Nous ne sommes pas très heureux qu'ils aient soulevé cette question et considérons que nous n'avons pas à renégocier le salaire de Dennis avant la fin de la saison 1991 », a répondu en substance le grand argentier des Expos, Bill Stoneman.

S'ils ont maintenu la ligne dure envers Boyd, les Expos ont en revanche accepté de faire un effort supplémentaire pour Ivan Calderon. On n'échange pas un Tim Raines contre un joueur qu'on gardera en location pendant six mois… Constatant que le dossier ne débloquait pas, Stoneman a demandé au DG Dombrowski d'intervenir en passant un coup de fil au voltigeur récalcitrant.

Parfois, tout ce qu'il faut, c'est qu'un dirigeant intervienne pour dire « salut » au joueur, pour lui parler directement. La communication par personnes interposées a ses limites... Dombrowski a longuement expliqué à Calderon la direction que comptait prendre l'équipe dans les prochaines années et de quelle façon il pouvait s'intégrer dans ces plans. Quelques jours avant le début du camp d'entraînement, les deux parties en venaient à une entente : un contrat de trois ans, qui vaudrait au nouveau voltigeur des Expos « entre 8 et 9 millions », selon les dires de son agent.

« Nous sommes heureux d'avoir signé, a déclaré ce dernier, même si nous avons accepté beaucoup moins que ce que nous demandions. Mais ce qui compte, c'est qu'Ivan va jouer pour les trois prochaines années avec un club jeune, excitant, qui aura des chances de gagner. »

Avant le début du camp, les Expos ont fait un autre heureux : Tim Wallach. Le doyen des Expos avait déjà un contrat en poche bon pour deux saisons lui valant 1,7 million par année. L'équipe a ajouté deux autres saisons (1993 et 1994) au contrat d'origine d'Eli, plus une année d'option pour la saison 1995, qui vaudrait en tout 11 millions au vétéran de 33 ans si l'équipe se prévalait de cette option. L'entente assurait ainsi l'équipe de la présence d'un solide vétéran dans son avant-champ pour les cinq prochaines années.

Certes, les Expos étaient – et demeureraient jusqu'à la fin – une des équipes les plus frugales quand venait le temps de discuter affaires, frôlant même parfois la pingrerie, comme dans le cas d'Oil Can Boyd. Mais, comme l'avait déclaré Bill Stoneman, le club avait tout de même la volonté de mettre sur le terrain une équipe compétitive. Les contrats à long terme offerts à des joueurs clés comme Wallach, Calderon et Dennis Martinez en étaient d'éloquents exemples.

Contrairement au printemps précédent où un conflit de travail avait privé les clubs de quatre semaines d'entraînement, Buck Rodgers et ses adjoints disposeraient d'un camp complet pour assembler le meilleur club possible.

Il ne faisait pas de doute que le contexte de cette nouvelle saison était plus propice à la préparation d'une équipe. Dave Dombrowski se réjouissait de l'atmosphère régnant dans les premiers jours du camp : « Tout le monde est sous contrat, tout le monde veut jouer, il y a déjà une trentaine de gars ici avec quatre jours d'avance, le stade (de West Palm Beach) a été repeint et il n'y a pas de lock-out!»

Malgré le fait que Dombrowski ait refusé à la fin de la saison précédente de prolonger son contrat, Buck Rodgers envisageait aussi la nouvelle année avec optimisme: «Je n'ai jamais été aussi confiant au début d'un camp d'entraînement. Nous avons connu une sacrée bonne saison l'an dernier. Nous avons accompli des progrès qui auraient dû nous prendre au moins deux ans et nous avons gagné le respect de pas mal de monde. Mais en 1991, ce qui m'intéresse, c'est qu'on finisse premiers!»

Le gérant était bien entendu enchanté de l'ajout d'Ivan Calderon à la formation. «Ça fait trois ans que je veux un troisième frappeur. Cette fois, je crois que je l'ai.» En 1990, les Expos avaient été la pire équipe de la Nationale au chapitre des coureurs en position de marquer abandonnés sur les buts, les pires aussi pour laisser un homme au troisième coussin alors qu'il y avait moins de deux retraits. Avec seulement 79 retraits au bâton en 607 présences, Calderon contribuerait certainement à améliorer le rendement de l'équipe à cet égard.

L'arrivée de Calderon au camp n'est pas passée inaperçue: le Portoricain portait assez de bijoux (pendentifs, boucles d'oreilles, bagues – un ensemble qu'on disait valoir plus de 22 000 $) pour que Rodgers s'inquiète de la sécurité de son nouveau voltigeur de gauche: «J'espère seulement qu'il ne se fera pas sauter dessus à sa sortie du stade», a lancé le gérant, l'œil moqueur.

En affichant ainsi toute cette quincaillerie, Calderon correspondait bien aux clichés souvent véhiculés sur les nouveaux riches. Il répondait aussi à une certaine image qu'on se fait ici et là des habitants des pays d'Amérique latine puisqu'on avait aussi appris que durant la saison morte, Calderon était éleveur de coqs de combat...

Quoi qu'il en soit, ce n'était pas pour son raffinement social qu'on avait engagé Ivan Calderon: «C'est un gars qui a hâte d'aller au bâton quand il y a des coureurs sur les buts et il sait comment s'y prendre. Il pourrait avoir un impact par son exemple sur les autres», a dit Rodgers.

Au début mars, Charles Bronfman est venu faire son pèlerinage annuel. «Je cherche Tim Raines. Où est-il?», a-t-il demandé à la blague à son arrivée au stade.

Il est aussitôt allé à la rencontre de Tim Wallach, avec qui il a bavardé pendant quelques minutes. «Avec l'absence de Raines, c'est comme si j'arrivais chez moi et que quelqu'un avait changé mes meubles. Mon lazy-boy – Raines – n'est plus là mais mon bon vieux divan – Wallach – y est toujours», a encore blagué M. Bronfman.

« C'est merveilleux de venir au camp ainsi, sans les soucis d'un proprio. Mais ça a été aussi merveilleux d'être propriétaire », de dire celui qui, techniquement, était encore à la tête du club.

Claude Brochu, sur place lui aussi, disait s'attendre à une réponse imminente du Comité des propriétaires du baseball majeur. « Nous avons satisfait à toutes les exigences du baseball et la balle est maintenant dans leur camp », a déclaré M. Brochu.

Une fois la vente approuvée par le Comité, il faudrait quelques semaines pour préparer les documents juridiques, à la suite de quoi les 25 autres propriétaires du baseball passeraient au vote. Pour que la transaction soit acceptée, il fallait l'approbation de 75 % des clubs de la Nationale et 50 % de ceux de l'Américaine. Sans dire qu'il s'agissait d'une formalité, Brochu a rappelé qu'à sa connaissance, les propriétaires n'avaient jamais voté contre une recommandation du Comité. Le président des Expos a dit s'attendre à ce que la vente soit officielle dès le début avril.

Réjean Tremblay de *La Presse* était pour sa part d'avis que Claude Brochu et les nouveaux propriétaires sauraient vendre le baseball aux Québécois, qu'ils arriveraient à rétablir le lien entre le club et les partisans, un lien perdu au cours des dernières années : « Quelque part en cours de route, d'écrire le chroniqueur, Québécois et Z'amours se sont perdus. Peut-être que les déclarations de Charles Bronfman, menaçant de déménager l'équipe en 1976, ont provoqué une première fissure. Peut-être que le mépris ouvert de certains joueurs pour Montréal a fini par trop choquer les amateurs. Et sans doute que les salaires déments payés aux prima donna du baseball ont éloigné les joueurs de leurs fans. Comment s'identifier à un garrocheur de balounes qui gagne 1,5 M $ par année quand on est soi-même menacé de chômage chaque fin de mois ? Les joueurs sont maintenant perçus pour ce qu'ils sont : des mercenaires étrangers qui se sentent forcés de venir gagner leurs millions chez les indigènes. »

L'opinion du chroniqueur vedette de *La Presse* avait beau reposer sur une perception, c'est une idée qui avait fait son chemin dans le grand public depuis au moins une décennie. Une écoute – même distante – des tribunes téléphoniques suffisait pour s'en convaincre : on regardait de plus en plus les athlètes professionnels avec un curieux mélange d'admiration, de méfiance et d'antipathie. Plus que jamais, il y avait autour des sports professionnels un *buzz* négatif, et peut-être plus encore pour le baseball, particulièrement au Québec, où une couche d'anti-américanisme ne sommeille jamais très profondément.

C'est – entre autres obstacles – contre cette vague de fond que Claude Brochu et les nouveaux propriétaires devraient se battre pour remettre les Expos au goût du jour à Montréal et au Québec. Tout un programme…

Étrangers à ces considérations sociologiques, les « mercenaires » portant l'uniforme des Expos se préparaient à une nouvelle saison.

Si Ivan Calderon a rapidement répondu aux attentes du club, s'avérant même un leader dans le vestiaire, les lanceurs partants, eux, ont mis du temps à se mettre en marche, seul Dennis Martinez étant à la hauteur de la tâche.

Le grand gaucher Chris Nabholz avait fait des poids et haltères tout l'hiver pour gagner de la force et être en mesure de se rendre plus loin dans les matchs. Ses lancers avaient gagné en vitesse mais perdu en effets, ce qui le rendait plus vulnérable aux frappeurs de balles rapides. Brian Barnes a éprouvé des difficultés avant d'être placé sur la liste des blessés – une élongation de l'épaule gauche –, tout comme Mark Gardner, qu'un malaise à l'épaule importunait aussi. Les Expos devraient se tourner vers d'autres partants en début de saison, comme Bill Sampen ou encore le vétéran Rick Mahler, qu'on avait mis sous contrat au début du camp.

En relève, Barry Jones tirait le maximum de ses atouts (une glissante et une tombante), s'acquittant adéquatement du rôle de releveur de 8e manche qu'on avait prévu pour lui. Il serait épaulé par les gauchers Steve Frey et Scott Ruskin, ainsi que par le jeune droitier Mel Rojas, qui avait fait bonne impression avec le grand club en 1990.

Derrière le marbre, il semblait bien que Rodgers devrait encore s'en remettre à un comité de receveurs, aucun de Nelson Santovenia, Gilberto Reyes, Ron Hassey (un vétéran obtenu pour encadrer les jeunes mais qui finirait par devenir le receveur désigné de Dennis Martinez) ou Mike Fitzgerald ne se démarquant suffisamment pour se voir confier le poste. Fidèle à son habitude, Fitz trouverait le moyen de finir le camp sur la liste des éclopés, victime cette fois d'une fracture de la main après avoir été atteint par un lancer. Le receveur d'avenir de l'organisation, un jeune homme de 21 ans du nom de Greg Colbrunn, célébré par *Baseball America* comme meilleur receveur offensif de tout le baseball mineur en 1990, aurait peut-être pu percer l'alignement, mais on a dû le retirer de la formation à la mi-mars, importuné qu'il était par des douleurs au coude droit. Colbrunn subirait une greffe de tendon en avril, le confinant au repos forcé durant toute la saison.

Un autre jeune joueur prometteur verrait sa saison compromise : Moises Alou, le voltigeur que les Expos avaient obtenu l'année précédente dans la transaction qui avait envoyé Zane Smith à Pittsburgh. Lors d'un match disputé en République dominicaine en novembre 1990, Alou s'était tordu l'épaule droite en plongeant pour regagner un but. Quand il s'est présenté au camp à la fin février, la blessure l'ennuyait encore et on s'est alors rendu compte qu'il souffrait d'une déchirure majeure du cartilage. En avril, il subissait une opération et ne jouerait plus de l'année. Tout comme Colbrunn, Alou avait excellé dans les rangs mineurs (le AA et le AAA) en 1990 et il était raisonnable de penser qu'il aurait pu se tailler une place avec le grand club. Les Expos devraient les attendre pendant une autre année.

La composition de l'avant-champ n'avait pas changé, Andres Galarraga, Delino DeShields, Spike Owen et Tim Wallach étaient assurés de leur poste, même si Rodgers avait laissé entendre que Galarraga pourrait être recalé aussi bas qu'au sixième rang des frappeurs s'il continuait d'être une proie aussi facile pour les retraits au bâton.

Wallach a connu un camp décevant mais ça n'a pas empêché Rodgers de lui octroyer le titre de capitaine de l'équipe, une première dans l'histoire des Expos. « Ce n'est pas une nomination symbolique. C'est un honneur. Il est un super joueur depuis 10 ans. Les joueurs le respectent et il est un exemple pour eux. En réalité, il était le seul candidat. » L'engagement de Wallach de rester à Montréal jusqu'en 1995 avait aussi pesé dans la balance : « Il s'est engagé à rester alors que d'autres vétérans ont préféré partir, ces dernières années. » Dennis Martinez n'a évidemment pas perdu l'occasion de commenter la nomination : « Je ne vois personne d'autre que Wallach comme capitaine. Mais peut-être veut-on ainsi m'empêcher de faire des déclarations sur ce qui ne va pas dans l'équipe. Mon premier réflexe sera d'en parler avec lui avant de m'adresser aux journalistes », a noté El Presidente.

Chez les voltigeurs, Ivan Calderon avait la mainmise sur la gauche, alors que Larry Walker – malgré un mauvais camp à l'offensive – semblait le choix logique pour occuper la droite.

Au début du camp, l'idée de Buck Rodgers était faite : il retournerait le jeune Marquis Grissom parfaire ses habiletés dans les mineures et alternerait Dave Martinez – un des meilleurs réservistes du club en 1990 – et Otis Nixon – qui avait volé 50 buts en seulement 119 matchs – au centre. Mais Grissom est venu mêler les cartes en connaissant un excellent camp (MAB de ,317). Malgré tout, Rodgers ne démordait pas de son plan : Grissom aurait de meilleures chances de se développer en disputant une pleine saison dans les mineures qu'en jouant à temps partiel à Montréal (son inexpérience avait d'ailleurs limité son utilisation à 98 matchs en 1990).

C'est alors que pour une des rares fois de sa présidence, Claude Brochu est personnellement intervenu dans une question d'alignement du club, sommant Dave Dombrowski de faire de la place à Grissom en laissant partir Otis Nixon. Le 1er avril, Nixon passait aux Braves d'Atlanta contre deux joueurs des mineures qui ne porteraient jamais l'uniforme des Expos.

Pour Dave Dombrowski, l'échange de Nixon a eu l'effet d'un présage : « Pour moi, ça a été la première indication que les affaires ne seraient plus conduites de la même manière. Cette transaction-là n'a été faite que pour des considérations financières[15]. »

Buck Rodgers n'était pas exactement emballé par l'idée de gérer un club de recrues et il ne s'est pas privé d'en informer la direction : « Si vous montez tous ces jeunes en espérant que je vais les faire jouer comme réguliers dans la dernière année de mon contrat, vous êtes cinglés ! Je ne vais pas construire cette équipe-là pour mon successeur. Si c'est ce que vous voulez faire, congédiez-moi tout de suite. Ma force est de travailler avec les jeunes, mais je vais le faire si j'ai un contrat de plus long terme[16]. » Malheureusement pour Buck, les Expos n'étaient pas à la veille de changer de philosophie. Ni de lui accorder une prolongation de contrat...

Sa formation complétée, l'équipe était prête à amorcer la 23e saison de son histoire. Dans leurs prévisions de début d'année, les observateurs ont cette fois pris soin de ne pas trop prendre les Expos à la légère, sachant désormais de quoi Buck Rodgers était capable à la barre d'un club. « Les Expos au 4e rang », ont annoncé les scribes du *Sports Illustrated*.

Dans les médias montréalais, on se gardait bien de prédire le championnat aux Expos mais on s'attendait à ce qu'ils soient dans la course. La principale ombre au tableau était cette épée de Damoclès pendant au-dessus de la tête de Rodgers. « Ce sera peut-être l'année du congédiement de notre bien-aimé gérant, a écrit Michel Blanchard dans *La Presse*. Buck a à se mouvoir sur une glace plutôt mince. Dave Dombrowski resserre l'étau autour de sa tête. Cet hiver, il a refusé de renégocier son contrat. Le message est clair, seul un championnat peut lui sauver son poste. »

Lors du premier match de la saison, leur as Dennis Martinez au monticule pour amorcer la campagne, les Expos ont assommé les champions de la division Est de l'année précédente par la marque de 7-0.

En sept manches complètes de travail, Martinez n'a accordé qu'un coup sûr et deux buts sur balles. En 4e, la défensive a commis 3 erreurs mais le vétéran est demeuré imperturbable, réussissant à sortir indemne de la manche. Barry Jones et Scott Ruskin sont venus compléter son travail en 8e et 9e manches, n'accordant aucun coup sûr à leurs rivaux. La dernière fois que des lanceurs avaient lancé un match d'un seul coup sûr dans un match d'ouverture remontait à 1964, alors les Expos étaient encore un vague projet.

Les frappeurs des Pirates avaient-ils été tétanisés par la foule de 54 274 spectateurs venus accueillir leur club ? Peut-être, mais l'offensive des Expos, elle, a tourné la situation à son avantage en cognant pas moins de 15 coups sûrs. Trois de ceux-ci sont venus du bâton d'Ivan Calderon. Le nouveau venu des Expos n'a pas raté son baptême de l'air : 3 CS (dont un circuit), 2 PP... En plus de Calderon, Dave Martinez et Larry Walker ont frappé 3 CS chacun et le premier frappeur DeShields a surpris les Pirates en y allant de la longue balle (il n'avait frappé que 4 circuits à sa première saison l'année précédente) alors que son équipe menait déjà 6-0.

Mais dans la semaine qui a suivi, les Expos ont perdu six matchs sur sept, malgré la solide contribution d'Ivan Calderon que rien ne semblait pouvoir arrêter. Malheureusement pour le club, le reste de l'offensive ne semblait pas vouloir emboîter le pas.

Le rendement du nouvel Expo n'était pas le point d'intérêt numéro un des amateurs de baseball québécois en ce début de saison : ils avaient plutôt les yeux rivés sur le début de carrière d'un lanceur recrue des Blue Jays de Toronto.

Les fans de baseball montréalais se découvraient-ils un intérêt soudain pour le baseball de la Ligue américaine ? Pour l'équipe torontoise ? Rien de tout cela : en fait, cette recrue était née et avait appris son baseball au Québec. Elle avait pour nom Denis Boucher.

Au camp, Boucher s'était taillé une place comme cinquième partant dans la formation des Blue Jays et le jour de son premier départ approchait. En plus de se demander comment le gaucher se débrouillerait parmi les meilleurs de sa profession, les amateurs de baseball d'ici se posaient surtout une question : comment les Expos avaient-ils pu négliger de le mettre sous contrat ?

En 1986, alors qu'il avait 18 ans, Denis avait participé aux Championnats mondiaux junior, impressionnant suffisamment d'observateurs pour être proclamé meilleur lanceur gaucher dans sa catégorie d'âge. Malgré cela, les Expos n'ont pas cru bon de lui offrir plus de 5 000 $ comme boni de signature. Le père de Denis lui a conseillé d'attendre et l'année suivante, en août 1987, alors que le jeune homme participait aux jeux PanAm à Indianapolis, les enchères ont commencé à grimper.

De 10 000 $, des équipes ont bonifié leur offre jusqu'à ce que les Yankees de New York déposent leur offre finale : 18 000 $. Chez les Blue Jays, on avait promis au clan Boucher d'égaler la meilleure offre ; finalement, c'est 20 000 $ qu'ils ont mis sur la table pour s'assurer les services du Québécois.

Pourquoi les Expos n'avaient-ils pas participé à l'enchère ? C'est qu'en août 1987, le bureau de direction du club se trouvait en pleine crise : le DG Murray Cook venait de démissionner, et les véritables raisons de son départ ne tarderaient pas à être dévoilées. Quand est venu le moment de miser sur le jeune homme, les dirigeants du club avaient tout simplement la tête occupée à autre chose.

On ne pouvait que s'en désoler maintenant : la présence d'un premier Québécois chez les Expos depuis le passage de Claude Raymond (de 1969 à 1971) aurait été un outil de marketing extraordinaire pour une organisation cherchant à faire le plein de spectateurs dans l'immense stade de béton où l'écho, certains soirs, avait de quoi ruiner l'atmosphère…

Le vendredi 12 avril, Denis Boucher s'est juché sur un monticule des ligues majeures pour la première fois alors que les Blue Jays affrontaient les Brewers de Milwaukee. Les 43 150 spectateurs torontois l'ont chaleureusement salué lorsqu'on leur a présenté leur compatriote : on pouvait seulement imaginer ce que ça aurait été à Montréal…

Dans les deux premières manches, le Québécois a retiré les frappeurs dans l'ordre. En 3ᵉ, il n'a accordé qu'un but sur balles et dans la manche suivante, il n'a encore rien donné. Après 4 manches, c'était 2-0 Toronto et Denis Boucher de Montréal, Québec, n'avait accordé ni point ni coup sûr.

Ce qui ressemblait à un conte de fée a brutalement pris fin en début de 5ᵉ manche. Après un retrait, Boucher a lancé à Dante Bichette une rapide à la ceinture qu'il avait voulu lancer à l'intérieur. La balle est arrivée en plein centre et Bichette l'a propulsée dans les gradins. Après un simple, le prochain frappeur, le vétéran Rick Dempsey, a porté le compte à 3 balles, 2 prises. Denis a voulu lancer une balle basse à l'intérieur, une rapide aux trois quarts. Mais il a trop voulu ralentir la balle et elle est arrivée à Dempsey un peu trop haut : un autre circuit.

Les Blue Jays ont nivelé la marque en fin de 5ᵉ manche et le gérant Cito Gaston a renvoyé Boucher dans le match. Denis a accordé un simple au premier frappeur Robin Yount et, après un retrait, un double à Franklin Stubbs qui a poussé le coureur jusqu'au troisième. La soirée de travail du jeune gaucher était terminée. À son premier match dans les grandes ligues, il avait lancé 5 ⅓ manches, accordé 5 CS, 4 points (dont 3 mérités), un but sur balles et retiré un frappeur sur des prises. Il n'avait pas été impliqué dans la décision puisque son équipe était revenue de l'arrière pour gagner 5-4. Pas une grande performance, mais rien de déshonorant non plus.

Le 15 avril, les Expos, de leur côté, amorçaient leur saison locale dans un match en après-midi contre les Cards de Saint Louis. Ils n'avaient peut-être pas de joueur québécois à offrir à leurs partisans, mais ils avaient un nouveau stade où les accueillir. Enfin, pas tout à fait nouveau. Amélioré, disons.

Les Expos avaient réussi à convaincre la Régie des installations olympiques d'investir environ 11 millions de dollars dans une «phase 1» de rénovations visant à rendre le stade plus convivial, plus intime. Le gouvernement du Québec faisant désormais en quelque sorte partie du «projet Expos», il était probablement moins réticent à se lancer dans des rénovations qui, ultimement, pourraient lui être profitables.

Pour créer plus de proximité pour les spectateurs, on a réduit le nombre de sièges de 60 011 à 43 739, on a érigé deux sections d'estrades populaires derrière la clôture du champ extérieur, on a rapproché le marbre et le terrain de 40 pieds des gradins et on a réduit la distance entre les lignes de démarcation et les gradins de 19 à 15 pieds.

Pour certains, l'effet était saisissant : «On a enfin un vrai stade de baseball, a écrit Michel Blanchard dans *La Presse* du lendemain. Un vrai stade comme partout ailleurs dans le baseball majeur. Avec des dizaines de bancs collés sur le jeu, d'où il est possible de suivre la trajectoire de la balle de la main du lanceur jusqu'à la mitaine du receveur. Les 35 238 spectateurs qui ont assisté au match d'hier ont été sidérés par la nouvelle configuration du stade. De la galerie de la presse, de l'ancien niveau 500, on a pu enfin suivre la trajectoire de la balle. Les joueurs ne nous apparaissent plus comme de petits figurants anodins mais comme les acteurs importants qu'ils sont. »

Les spectateurs ayant pris place dans l'un ou l'autre des 3 200 sièges des nouvelles «estrades populaires» disaient en avoir eu pour leur argent (4 $), en particulier les plus turbulents, qui avaient passé l'après-midi à injurier le pauvre Felix Jose, le voltigeur de droite des Cards.

Malgré les commentaires positifs de plusieurs spectateurs, certains disaient ne pas avoir remarqué tant de différences, si ce n'était sur le plan de l'ambiance.

À vrai dire, l'après-midi avait démarré sur une curieuse note côté ambiance quand des centaines de spectateurs dans les gradins du haut du Stade se sont mis à huer dès les premières notes du *Ô Canada*. Quand ils ont entendu les huées, les partisans assis au parterre se sont mis à entonner et à applaudir l'hymne plus fort, une réaction aussitôt suivie d'une riposte de huées.

Les joueurs des deux clubs semblaient se demander à quel jeu les spectateurs s'adonnaient. On ne saura jamais si quelqu'un s'est donné la peine de leur expliquer dans quel psychodrame constitutionnel le Québec se trouvait désormais après l'échec de l'Accord du lac Meech…

La foule a retrouvé son humeur des beaux jours quand le club local a pris les devants 4-2 en fin de 8ᵉ manche. Malheureusement, Tim Burke, venu en relève de Barry Jones en début de 9ᵉ, n'a pas été en mesure de retirer qui que ce soit, allouant un circuit, un simple et un triple avant que Rodgers ne le retire du match. Ce fut bientôt 5-4 et c'est sur ce pointage que le match se terminerait. Les Expos avaient à moitié réussi leur rentrée.

Le 27 avril, l'équipe n'avait pas pu faire mieux que de remporter 5 matchs sur 18, le pire début de saison de son histoire. Chez les réguliers cependant, Delino DeShields et Ivan Calderon auraient difficilement pu faire mieux – le premier réalisant 11 larcins en 11 tentatives, le second s'avérant une menace constante pour les lanceurs adverses – mais les autres offraient tous un rendement bien en deçà de leur potentiel. Le quatrième frappeur Tim Wallach ne frappait que pour ,219 et n'avait cogné la longue balle qu'une fois depuis le début de la saison. Le frappeur opportun qui avait produit 123 points en 1987 n'en avait que 4 à sa fiche en 18 matchs. Au cinquième rang de l'alignement, Andres Galarraga éprouvait aussi sa part de difficultés, sa moyenne oscillant autour des ,230.

Les recrues Marquis Grissom (,148) et Larry Walker (,170) frappaient comme des athlètes qui auraient pu bénéficier d'un peu plus de préparation dans les rangs mineurs. Grissom jouait sporadiquement, Buck Rodgers lui préférant la plupart du temps le plus expérimenté Dave Martinez dont la MAB (,218) n'avait pourtant rien d'emballant. Si Walker avait joué plus régulièrement, c'était surtout en raison de son rendement défensif. Larry couvrait beaucoup de terrain, jugeait bien la balle et, surtout, possédait un bras exceptionnel. Le 26 avril, lors d'un match à Saint Louis, il a égalé un record des majeures en obtenant deux assistances dans une même manche. Il a d'abord épinglé le coureur Ozzie Smith sur les sentiers après avoir saisi un ballon. Un peu plus tard, il récupérait une balle après un double pour la relayer à Andres Galarraga qui a complété le jeu en coupant au marbre le coureur Pedro Guerrero.

Chez les lanceurs, Dennis Martinez était, comme prévu, le meilleur du lot. Les autres (Boyd, Nabholz, Mahler) avaient été pour le moins chancelants et la direction du club attendait impatiemment le retour au jeu des blessés Mark Gardner et Brian Barnes.

Les misères de début de saison du club mettaient-elles le poste de Buck Rodgers en péril? Aucunement, s'il fallait en croire Dave Dombrowski. «Congédier Rodgers n'est même pas une considération. Il est notre gérant, gagne ou perd, ce soir, demain soir, n'importe quand.»

Étrangement peut-être, c'est l'avenir de Dennis Martinez avec le club qui semblait le plus incertain. Une rumeur persistante l'envoyait à Toronto, où les Expos étaient, disait-on, prêts à le laisser partir pour mettre la main sur un certain lanceur gaucher du nom de… Denis Boucher. Le scénario le plus évoqué envoyait à Montréal Boucher, le receveur Pat Borders et/ou le voltigeur Glenallen Hill. Les Blue Jays recevraient en échange, en plus de Martinez, un releveur gaucher, Steve Frey ou Scott Ruskin.

Les deux clubs canadiens n'avaient jamais conclu d'échange majeur et plusieurs observateurs trouvaient la rumeur farfelue. Toutefois, lorsque la question a été posée à Pat Gillick, le DG des Blue Jays, il n'a pas nié que des pourparlers avaient eu lieu. «C'est vrai, les Expos nous ont pressentis au sujet de Boucher. Des noms ont été mentionnés mais pour l'instant, rien ne presse, surtout pas de notre point de vue.»

La rumeur renvoyait à une interrogation: si les Expos étaient réellement prêts à se départir maintenant de leur meilleur artilleur, cela signifiait-il qu'ils avaient déjà mis une croix sur la saison en cours? Tant que la transaction ne serait pas conclue, la question demeurerait hypothétique.

Le dimanche 28 avril, dans le dernier match d'une série de trois contre les Cards à Saint Louis, les Expos ont disputé un match qui constituerait un des points tournants de la saison. Ils ont d'abord pris une avance de 5-0 en début de 5e manche. Puis les Cards se sont mis à gruger cette avance jusqu'à niveler la marque en fin de 7e manche.

Il y avait deux retraits et deux coureurs sur les buts en début de 8e manche quand Delino DeShields s'est élancé dans le vide sur les deux premiers tirs du lanceur Juan Agosto. Il s'est alors rappelé qu'Agosto ne lui lançait jamais de prises. Delino a alors laissé passer les quatre lancers suivants qui furent, comme de raison, quatre balles. Les buts étaient tous occupés. Le prochain frappeur Marquis Grissom connaissait une bonne journée jusque-là: deux simples, un double, un point produit. Ce qu'il voulait faire, maintenant, c'était frapper la balle en flèche. Grissom s'est élancé durement sur une courbe d'Agosto et le bâton a atteint la balle en plein centre. Elle ne devait pas retomber avant d'avoir traversé la clôture. Le grand chelem – accueilli avec force décibels par un Rodger Brulotte sur le bout de son siège – portait la marque à 9-5 Expos.

« C'est de loin ma meilleure partie dans les majeures, a raconté un Grissom aux anges après le match. La dernière fois que j'ai frappé un grand chelem, c'était quand j'étais à l'université ; je n'en ai même jamais frappé dans les mineures. » Le jeune homme de 24 ans disait qu'il se souviendrait de ce moment toute sa vie. « Le souvenir de ce match me soutiendra dans les moments difficiles. J'espère que ça changera ma carrière pour le mieux. » Marquis ne pouvait pas dire mieux : sa carrière de joueur des majeures, peut-être véritablement lancée ce jour-là, s'avérerait remarquable, tant sur le plan de la qualité que de la durée – 17 ans en tout.

Le match a peut-être aussi mis un frein à la transaction que préparaient Expos et Blue Jays. L'équipe torontoise avait envoyé un dépisteur à Saint Louis pour scruter à la loupe deux des joueurs dont les noms avaient été évoqués dans la rumeur. Or, Scott Ruskin a bousillé l'avance du club et Steve Frey a accordé un circuit au deuxième frappeur qu'il a affronté en 8e manche.

Pendant ce temps, du côté de Toronto, les choses ne se déroulaient pas mieux pour le Québécois Denis Boucher. Après son tout premier match, il avait effectué une superbe sortie de 7 manches contre les Tigers à Detroit, qu'il avait limités à 4 CS et un seul point. Mais ses deux départs suivants avaient été plus laborieux, Denis étant contraint de quitter le match en 6e puis en 5e. Peut-être fallait-il y réfléchir deux fois avant de se défaire d'un lanceur de la trempe de Dennis Martinez.

Quoi qu'il en soit, la performance de Marquis Grissom et des Expos dans ce fameux match contre les Cards a eu pour effet de relancer l'équipe. Le 30 avril, ils battaient les Dodgers au Stade olympique grâce à une magnifique prestation de Dennis Martinez – qui d'autre ? –, qui limitait la troupe de Tommy LaSorda à seulement 4 coups sûrs dans une victoire de 1-0.

Du 1er au 21 mai, les Expos ont remporté 12 matchs sur 18, portant leur fiche à 19 victoires, 19 défaites. Ce faisant, ils avaient grimpé de la dernière place de la division à la 4e, se rapprochant à seulement 5 matchs des Pirates et du 1er rang. Sans surprise, la 19e victoire du club (3-0 sur les Phillies) portait encore la signature d'El Presidente : match complet, jeu blanc, une 6e victoire en 9 décisions.

Comme ils l'avaient souvent fait par le passé, les Expos trouvaient encore le moyen de se faufiler parmi les prétendants aux honneurs alors qu'on n'attendait rien d'eux.

Il semblait bien maintenant que le poste du gérant Buck Rodgers n'était plus menacé. « Nous avons des antécédents très différents et nous n'abordons pas les situations de la même façon, reconnaissait Dave Dombrowski. Mais nous collaborons très étroitement. En fait, notre relation n'a jamais été aussi bonne que maintenant. Buck est l'un des cinq meilleurs gérants du baseball. »

Or, au baseball, le vent tourne parfois très subitement et après sa belle séquence du début et du milieu du mois, l'équipe a recommencé à cafouiller, perdant cinq matchs de suite du 22 au 26 mai.

Les journalistes affectés à la couverture des Expos n'ont pas perdu de temps à relancer Dave Dombrowski : Buck Rodgers était-il sur la corde raide ?

« Il n'est pas question de déloger Buck, a tranché Dombrowski. Si j'avais le remplacement du gérant en tête, pensez-vous que je me séparerais de l'équipe ? » On savait en effet que le DG des Expos ne suivrait pas l'équipe à son prochain voyage à Philadelphie, devant concentrer ses efforts sur le prochain repêchage amateur, qui aurait lieu en Floride le 3 juin. « Vous savez, je ne dirais pas une chose si j'avais l'intention de faire le contraire. Je ne répondrais pas à vos questions. »

Sans leur DG, les Expos ont pris le chemin de Philadelphie où ils ont perdu deux rencontres sur trois. De retour à Montréal pour un court séjour d'un week-end, ils ont été balayés par les Cubs de Chicago.

Le 3 juin, au lendemain du dernier match de la série contre les Cubs, Buck Rodgers apprenait son congédiement.

Durant le week-end, Buck Rodgers avait eu vent du retour incognito de Dave Dombrowski à Montréal. Il se doutait bien que ce n'était pas pour venir admirer le Stade olympique. Par ailleurs, Tom Runnells, l'instructeur au troisième but qui héritait maintenant du poste de Rodgers, lui avait demandé après un match s'il connaissait l'identité des lanceurs des Astros que les Expos affronteraient dans la série qu'ils iraient ensuite disputer à Houston. Il n'y avait pas de doute, quelque chose se tramait.

Le lundi matin, le téléphone du gérant sonnait à 6 h 30. « De toute évidence, il ne pouvait plus attendre », raconte aujourd'hui Buck Rodgers. Dombrowski lui a simplement dit qu'il le congédiait et qu'il était désolé. Il ne lui a pas dit pourquoi, sans doute parce que c'était inutile. Rodgers a raccroché et est retourné se coucher[17].

À partir d'un certain moment, le congédiement de Buck Rogers était écrit dans le ciel.
Force est d'admettre que Dombrowski n'a pas eu la main des plus heureuses en lui
désignant Tom Runnells comme successeur.
Club de baseball Les Expos de Montréal

En 6 ½ saisons à Montréal, Buck Rodgers avait remporté 520 victoires
– à l'époque, plus que tout autre gérant de l'histoire des Expos – et subi
la défaite 499 fois.

Plus tard en journée – une rare journée de congé dans le calendrier –,
Rodgers a participé à sa dernière conférence de presse à Montréal.
Organisée dans un bar-restaurant à son image (endroit sympathique et
sans prétention, où se trouvaient plusieurs jolies femmes), la conférence
n'avait certes pas des allures d'enterrement, Rodgers paraissant détendu
et souriant. Manifestement, son congédiement semblait déjà avoir à ses
yeux des airs de délivrance. «De toute façon, je serais parti à la fin de
l'année même si on avait remporté le championnat. Depuis qu'on m'a
refusé une prolongation contractuelle l'an dernier, je savais que ça ne
pouvait pas marcher.»

Quand il a été question de Dombrowski, Rodgers n'a pas cherché à
noyer le poisson. «Dave me suggérait toutes sortes de choses. Il aurait
voulu que je pique des colères, que je lance des coussins, comme Lou
Piniella (le gérant des Reds de l'époque). Mais ce n'est pas mon genre,
j'aurais eu l'air d'un faux-jeton. Il aurait peut-être aussi aimé que j'em-
brasse les joueurs comme Tommy LaSorda. En fait, je ne savais pas trop
ce qu'il voulait que je fasse parce que de toute façon, je m'en foutais pas
mal...»

Buck a quand même cherché à nuancer la perception existante sur sa relation avec le DG des Expos : « Je ne dis pas que j'avais toujours raison simplement parce que je n'étais pas toujours d'accord avec Dave. Et puis vous savez, il est en train de devenir un bon directeur général. » L'ancien gérant des Expos a soulevé l'hypothèse que la différence d'âge entre eux (Buck avait 52 ans, Dombrowski, 34) ait pu jouer un rôle dans leurs divergences d'opinion : « Tom Runnells et lui seront davantage sur la même longueur d'onde, en partie à cause de leur âge. » Le nouveau pilote des Expos avait 36 ans.

Dans les derniers mois, des observateurs s'étaient demandé si Dombrowski n'avait pas imposé Tom Runnells à Rodgers à la fin 1989 pour surveiller ce qui se passait dans le club. Pendant la conférence, un journaliste a abordé la délicate question avec Rodgers : « Je savais que Runnells et Dombrowski avaient des conversations, mais tant que ça ne nuisait pas à mon travail, je m'en foutais pas mal. Tom Runnells est un bon gars et il va bien s'arranger. »

Aujourd'hui, Rodgers confirme l'impression des observateurs : « Quand j'ai dit à David que je ne voulais plus de lui dans le vestiaire, il a fait monter Runnells dans le club. Tom était le rapporteur officiel de Dombrowski. Je le savais, mes adjoints le savaient[18]… »

La seule fois où Rodgers est devenu émotif pendant sa rencontre ultime avec les membres des médias, c'est lorsqu'il a parlé du coup de fil que lui avait passé Charles Bronfman en matinée. « Il m'a dit : "On a fait un bon bout de chemin ensemble, mon ami." Charles a été un bon ami. »

Tim Wallach a pris la responsabilité du congédiement de Rodgers au nom de ses joueurs : « Nous n'avons pas joué pour lui et maintenant c'est lui qui paie. Je suis déçu et je me sens coupable parce que je déteste voir quelqu'un perdre son poste à cause de la mauvaise performance d'autres personnes. Nous aurions dû être meilleurs », avouait le vétéran joueur de troisième but.

Dans les journaux du lendemain, les avis étaient partagés. Certains affirmaient que les Expos avaient hypothéqué leur saison en laissant Rodgers en place en début d'année. À leurs yeux, l'atmosphère dans le vestiaire était trop détendue, les joueurs en étaient arrivés à accepter la défaite trop facilement.

Mais la plupart des observateurs ont argué – non sans raison – que Rodgers avait fait des miracles avec les ressources qu'on lui avait données. Chose certaine, tous les proches du club déploraient le départ de l'homme, comme Michel Blanchard de *La Presse :* « Les Montréalais ont perdu hier plus qu'un gérant, ils ont perdu leur meilleur ambassadeur. Partout où il passait, Rodgers n'avait que de bons mots pour sa ville d'adoption. Chez les Expos, il était le plus populaire, le lien entre les joueurs et les amateurs, c'était lui. »

Blanchard rappelait les grandes qualités humaines de Rodgers : « Les gens prétentieux l'horripilent. Il lui est arrivé de mettre à sa place des journalistes un peu trop imbus d'eux-mêmes, comme il en sort souvent de New York. Il lui est arrivé des dizaines de fois aussi, dans son bureau du Stade olympique, d'aider des journalistes en difficultés. » Blanchard évoquait aussi les heures qu'avait consacrées Rodgers à lui enseigner patiemment les rudiments du baseball pendant les déplacements du club. Ce n'était pas une générosité à laquelle les membres des médias avaient eu droit avec les Gene Mauch et Dick Williams. Des hommes comme Buck Rodgers ne couraient pas les rues.

Rodgers a accordé un dernier long entretien aux journalistes de *La Presse* qui avaient agi comme *ghost writers* des chroniques qu'il avait périodiquement produites pour le quotidien depuis 1989. Plus libre d'exprimer ses vues que lorsqu'il était gérant, Rodgers a apporté un éclairage intéressant sur l'édition 1991 des Expos.

Il considérait Marquis Grissom comme le meilleur athlète de l'équipe et se disait convaincu qu'il deviendrait un des meilleurs voltigeurs de centre de la ligue. À ses yeux toutefois, Larry Walker était le jeune joueur de l'équipe qui possédait le plus de potentiel. Mais il trouvait que ses émotions jouaient trop souvent contre lui, et qu'il se mettait trop de pression sur les épaules. Buck a dit trouver Delino DeShields extrêmement talentueux mais très préoccupé par ses propres statistiques. Selon lui, l'entourage du jeune homme (son agent, son amis) le poussait à faire des choses dont il n'était pas capable, comme mener la ligue au chapitre des vols de buts, par exemple. Rodgers avait aussi l'impression que Delino n'aimait pas jouer au baseball autant que les autres.

L'ex-pilote des Expos se désolait des difficultés de Tim Wallach, souhaitant que sa nomination comme capitaine n'ait pas eu pour effet de lui nuire.

Il était par ailleurs d'avis que les meilleurs jours d'Andres Galarraga étaient derrière lui : « Il ne sera plus jamais capable de frapper 30 circuits et de produire 100 points. » Quant à Tim Burke, un autre joueur qui éprouvait des difficultés en 1991, Rodgers estimait qu'il avait perdu l'instinct du tueur : « Je respecte son désir d'adopter des enfants (Tim et son épouse avaient adopté des orphelins venus de pays en voie de développement), mais il ne doit pas oublier que c'est son salaire de joueur qui lui permet de le faire. » Buck était par ailleurs convaincu que les jours de Burke à Montréal étaient comptés.

Rodgers a aussi parlé d'Ivan Calderon – « une superbe acquisition » - et de Dennis Martinez, un des rares avec qui il avait eu maille à partir dans les dernières années : « Dennis est un très bon premier lanceur mais il fait parfois la mauvaise tête. Est-ce parce qu'il déteste perdre ou est-ce une raison pour perdre ? Certains joueurs ont besoin d'une béquille. Si on leur enlève, ils deviennent parfois moins bons. » Rodgers estimait que la sécurité d'un contrat de trois ans avait été la meilleure chose qui ait pu arriver à El Presidente. Par ailleurs, il ne regrettait pas d'avoir remis le lanceur à sa place lorsqu'il avait accusé Rodgers et la direction de racisme à la suite de la rétrogradation de Nelson Santovenia : « J'ai perdu un gars pour 15 jours, mais j'en ai gagné 24 pour le reste de la saison. »

Dans l'édition de *La Presse* du 5 juin, Rodgers a pris la plume une dernière fois pour saluer les gens de cette ville qu'il avait tant aimée. Et pour y exprimer aussi en des termes simples mais clairs les impressions qu'il avait de l'avenir des Expos et de Montréal.

« J'aime Montréal. J'aime ses gens et son atmosphère. En sept ans, je me suis fait de nombreux amis et j'ai vécu des expériences formidables parmi vous, a écrit Rodgers. Mais je ne suis pas rassuré quant à l'avenir des Expos. Je ne suis pas un expert des choses économiques, mais j'ai le sentiment que Montréal n'est pas une ville sur la lancée. Personne n'est capable d'exploiter une équipe des majeures sans le support corporatif. Les Expos doivent vendre des billets de saison. Il en faudrait au moins 15 000 pour procurer à l'équipe de solides assises financières. Présentement, les Expos n'en ont pas 10 000 (en 1991, ils en avaient vendu en fait un peu moins de 8 500). »

Avec son franc-parler caractéristique, Rodgers a même abordé la délicate question linguistique : « Je ne suis pas un politicien, je suis un réaliste. Nous vivons une époque excitante. L'Europe de l'Est s'ouvre aux investisseurs, la Chine aussi. Partout dans le monde, les affaires s'internationalisent et deviennent plus ouvertes. Montréal n'obtient pas sa part parce qu'il est difficile pour les entreprises de s'y implanter. Trop de restrictions leur sont imposées.

« Je suis arrivé à Montréal il y a sept ans. Ce n'est pas la même ville que je quitte. Suffit de se promener rue Sainte-Catherine, entre Atwater et Guy, par exemple, pour voir partout des pancartes *À vendre* et *À louer*. Dans le débat politique qui a cours au Québec, je n'ai aucune loyauté à défendre. J'ignore qui a raison, qui a tort. En fait, je ne sais même pas si quelqu'un a tort. Mais je sais que vous êtes en train de vous tuer. »

Buck Rodgers parle encore aujourd'hui avec énormément de chaleur de son séjour à Montréal. « Je me sens très reconnaissant de ce que Charles a fait pour moi, de ce que Montréal a fait pour moi. Je me sentais relax dans cette ville, je me sentais accepté autant dans les groupes francophones qu'anglophones. Toute mon expérience montréalaise a été bonne pour moi[19]. »

Tom Runnells avait le profil de ce qu'on appelle dans le milieu un « gérant de carrière ». Après avoir mis fin à sa carrière de joueur – il avait brièvement joué pour les Reds de Cincinnati en 1985 et 1986 – on l'a nommé, à 31 ans, gérant au niveau AA. Passé à l'organisation des Expos, le natif du Colorado a conduit Indianapolis (AAA) au championnat pendant sa seule saison à la barre du club en 1989. Dès la saison suivante, Dombrowski le promouvait à Montréal comme entraîneur au troisième but. Maintenant, à seulement 36 ans, Runnells prenait les rênes d'un club des majeures.

Chose certaine, il n'y aurait pas de conflit générationnel entre Runnells et son patron. « Runnells est taillé dans le même moule que le directeur général David Dombrowski, constatait Philippe Cantin dans *La Presse*. Ils parlent le même langage, celui de la nouvelle génération d'administrateurs d'équipes. Leur avenir est jonché d'"objectifs à atteindre" et la "communication" est au centre de leurs priorités. Ils s'expriment en pesant chaque mot et sont bien organisés. Leurs costumes sont conservateurs mais du dernier chic. »

Pour le journaliste de *La Presse* comme pour les gens de l'entourage du club, Runnells avait toutes les apparences d'un leader naturel : « On l'imagine très bien dans le rôle du jeune soldait courageux dans un film sur la Seconde Guerre mondiale », poursuivait Philippe Cantin – qui ne pouvait pas soupçonner l'étonnante surprise que Runnells réserverait à ses troupes le printemps suivant.

Depuis toujours, le baseball figurait dans les plans d'avenir de Tom Runnells. À huit ans, il savait qu'il deviendrait joueur. Il avait probablement davantage la fibre d'un gérant puisqu'un jour – il avait alors huit ou neuf ans – il avait envoyé une lettre à la direction de son équipe préférée, les Yankees de New York, leur suggérant des changements pour mettre fin à une mauvaise séquence. Le bureau des Yankees lui avait écrit une petite lettre pour le remercier de ses conseils…

En Tom Runnells, les Expos auraient un gérant passionné, intense, qui n'hésiterait pas à brasser la cage des vétérans se satisfaisant d'un effort moyen. « Les Expos ont beaucoup de talent, a dit celui à qui on avait déjà attribué un surnom (TR). Toutefois, certains joueurs ont perdu leur confiance ou leur concentration. Ce sera à moi de les préparer en conséquence. »

Dans les sports professionnels, il n'est pas rare qu'après le remplacement d'un entraîneur-chef, une équipe se mobilise et connaisse du succès. Les Expos n'ont pas fait exception : du 4 au 22 juin, ils ont remporté 13 matchs sur 19.

Le club a balayé les Braves et les Astros sur deux séries consécutives au Stade olympique, infligeant à ces derniers deux défaites en manches supplémentaires.

Le 16 juin, les Expos n'ont pas laissé une performance époustouflante de leur ancien voltigeur Otis Nixon (6 buts volés dans un même match !) les ébranler et ils remporté le match 7-6.

Lors du match du 18 juin – qui les opposait cette fois aux Astros –, le voltigeur de droite Dave Martinez a soulevé la maigre foule de 11 971 spectateurs en retirant 2 coureurs en début de 12e manche. Il a d'abord épinglé un coureur tentant de se rendre du premier au troisième but. Un peu plus tard, Martinez a réservé le même sort à un autre coureur, l'empêchant cette fois d'arriver sauf au marbre. Les Expos marqueraient le point gagnant en fin de 12e manche.

C'est durant ce séjour à domicile que la direction des Expos a finalement pu annoncer une nouvelle qui se faisait maintenant attendre depuis 18 mois : la vente du club était désormais chose faite.

Le 14 juin, lors d'une conférence de presse tenue au Salon 76 du Stade olympique, les Expos ont confirmé l'identité des actionnaires qui se portaient acquéreurs du club.

Autour de lui, Claude Brochu avait réuni 11 investisseurs privés. Si l'implication de la plupart d'entre eux était déjà connue, quelques noms étaient entendus pour la première fois.

Deux des investisseurs avaient injecté 7 millions chacun : la Fédération des caisses populaires de Montréal et de l'Ouest du Québec (Desjardins) et le Fonds de solidarité du Québec (de la FTQ). Six entreprises avaient fixé leur engagement à 5 millions chacune : Provigo, Bell, Télémédia, le Canadien Pacifique, McLelland and Stewart Sports et V.S. Services (une société torontoise qui assumait l'approvisionnement des concessions d'alimentation du Stade olympique).

À hauteur de 2 millions chacun, on retrouvait ensuite Cascades Inc., Freemark Investments Inc. (Mark Routtenberg) et Claude Brochu lui-même. Puis, fermant la marche à un million, Burns-Fry ltée (dont le VP était Jacques Ménard), la maison de courtage qui avait mené le dossier de la vente du club.

Jacques Ménard explique comme suit sa décision de participer aussi à l'achat des Expos : « M. Bronfman soupçonnait que Claude Brochu aurait besoin d'aide, surtout avec cette mosaïque complexe de diverses cultures d'entreprises, ce mélange de privé-public. Il m'a dit : "Jacques, j'aimerais que tu restes, et que tu sois le président du Conseil du partenariat[20]." »

Ce n'était pas le plan qu'avait envisagé Jacques Ménard mais l'idée de M. Bronfman avait du sens : après tout, il était celui qui connaissait le mieux les actionnaires, ayant siégé à divers conseils avec eux : « J'ai décidé d'embarquer, tout en me disant que ce serait pour quelques années seulement. C'est alors que j'ai dû aller voir mes associés : "Vous savez le million qu'on devait toucher pour le travail qu'on a fait dans ce dossier-là ? Me semble que ça serait une bonne chose de l'investir dans les Expos…" Plutôt que de recevoir un chèque, nous devions maintenant en faire un », rappelle M. Ménard[21].

En plus de ces investissements privés, 5 millions additionnels viendraient de Coca-Cola sous la forme d'engagements commerciaux à long terme. À ces 56 millions, il fallait ajouter l'investissement « temporaire » de 15 millions de la Ville de Montréal et le prêt de 18 millions du gouvernement du Québec (un prêt à 12 % d'intérêt sur 10 ans).

Le reste de l'argent provenait d'emprunts et d'un solde du prix de vente auquel avaient consenti les vendeurs, en plus d'un dernier cadeau de Charles Bronfman lui-même.

« Le baseball majeur trouvait qu'on n'avait pas suffisamment de capital dans notre structure financière, explique aujourd'hui Claude Brochu. On nous disait continuellement : "Trouvez du capital ! Trouvez du capital[22] !" » C'est alors que M. Bronfman s'est engagé à acheter 200 000 billets par année durant 10 ans : « Nous savons que tout le monde n'a pas les moyens d'assister à un match de baseball », a expliqué le cofondateur des Expos. « Ces billets seront distribués aux enfants de milieux défavorisés et aux personnes œuvrant dans le sport amateur. »

S'il y avait de quoi se réjouir dans le fait que le club demeurait entre des mains québécoises et canadiennes, il ne fallait pas oublier un fait incontournable : sans les engagements du gouvernement du Québec et de la Ville de Montréal, et sans la souplesse de M. Bronfman et de ses partenaires, les Expos auraient été vendus à des Américains et fort probablement relocalisés aux USA. Si la vente des Expos avait révélé quelque chose, c'était que la richesse n'abondait pas au Québec.

« Aucune entreprise n'était disposée à investir 20 millions de dollars. Il ne faut pas oublier que l'économie québécoise "de souche" n'a pas cent ans, a expliqué Jacques Ménard durant la conférence de presse. Nous n'en sommes qu'à la deuxième génération de gens d'affaires québécois. Au Québec, la richesse est institutionnelle. Dans cent ans, les choses auront sans doute changé. »

Monsieur Ménard voyait là un modèle pouvant assurer un contrôle local des entreprises québécoises et canadiennes. Dans les dernières années, des entreprises canadiennes comme Consolidated Bathurst ou le Groupe Commerce étaient passées à des mains étrangères (américaines et hollandaises respectivement), effritant un peu plus le patrimoine économique du pays. « En rétrospective, l'achat des Expos par un consortium majoritairement québécois nous apparaîtra peut-être un jour comme la première étape concrète de ce que d'aucuns ont appelé le "Québec Inc." », a ajouté Ménard.

Dans la nouvelle structure opérationnelle, Claude Brochu agirait donc comme président du club et commandité, et Jacques Ménard comme président du Conseil d'administration. Trois vice-présidents siègeraient au Conseil : Jocelyn Proteau des Caisses populaires, Claude Blanchet du Fonds de solidarité et Jacques Bérubé de Bell Canada. Tous Québécois, tous francophones.

Présent lors de la conférence de presse, le maire de Montréal de l'époque, Jean Doré, a lancé un appel aux entreprises n'ayant pas participé à l'achat du club : « Il faut acheter des billets des Expos, de la même façon que vous achetez des billets de concert de l'Orchestre symphonique pour vos clients. C'est un devoir civique que d'appuyer notre équipe. »

Pour Claude Brochu et Jacques Ménard, cette journée constituait le dénouement heureux d'un long et fort complexe processus qui les avait amenés à s'adresser à pas moins de 235 entreprises. « Avec tous les gens impliqués dans la transaction, c'est comme si on avait vendu les Expos 36 fois… Des dossiers comme celui-là, je n'en veux pas plus qu'un tous les 10 ans ! », s'est exclamé M. Ménard.

Il ne s'en inquiétait pas, du reste ; les Expos ne seraient pas à vendre avant longtemps : « Aucune entreprise impliquée dans l'aventure n'oserait vendre l'équipe dans le but d'empocher un profit rapide. Ce serait un acte d'un cynisme absolu. On perdrait notre crédibilité auprès du public », disait encore Jacques Ménard.

Aux yeux de Claude Brochu, il ne faisait pas de doute que l'avenir des Expos à Montréal était assuré : « Les gens oublient qu'à part une courte interruption après le départ des Royaux en 1960, il y a du baseball professionnel dans la métropole depuis 1889. Je suis convaincu que les Expos sont à Montréal pour 100 ans. »

À la suite de la conférence de presse du 14 juin, Hugh Hallward, un des désormais anciens propriétaires des Expos, a tenu à rappeler la fragilité d'une équipe de baseball majeur à Montréal : « Je souhaite bonne chance aux nouveaux propriétaires mais je veux leur rappeler que la route vers le succès sera parsemée d'embuches. On m'a beaucoup critiqué quand j'ai fait ces mises en garde il y a un an mais je ne le regrette pas : je ne voulais pas qu'on me reproche de ne pas avoir prévenu les acheteurs des difficultés de l'entreprise. »

Monsieur Hallward faisait écho aux propos tenus par Buck Rodgers à son départ de Montréal : « Les tendances économiques et démographiques de Montréal ne sont pas favorables à la bonne santé d'un club de baseball majeur. Il y a beaucoup de pauvreté ici. Les gens n'aiment pas avouer qu'ils n'ont pas les moyens d'acheter un billet mais lorsqu'on observe froidement la situation, il faut se demander si cela n'a pas un impact sur les assistances. »

Chose certaine, la performance du club aux guichets posait encore problème : durant un séjour de 9 programmes locaux à la mi-juin, les Expos n'avaient pas réussi à attirer 20 000 spectateurs une seule fois, la moyenne tournant plutôt autour de 14 000... Pourtant, l'équipe allait bien depuis le changement de gérant, lancée dans une séquence victorieuse de sept matchs. Si l'affluence aux matchs ne reprenait pas de vigueur, le club perdrait encore du terrain sur les chiffres de 1990 (1 421 388), eux-mêmes en baisse de plus de 300 000 en comparaison avec ceux de 1989...

Les joueurs – particulièrement ceux qui avaient connu l'époque bénie du début des années 1980 – trouvaient la situation préoccupante. « Jouer devant de petites foules ne me dérange pas vraiment. C'est un peu triste à dire mais je commence à m'y habituer, a dit Tim Wallach. Mais si la tendance se poursuit, il y a un risque que l'équipe quitte Montréal. Ce serait tellement dommage. Les gars aiment jouer ici. L'important, ce n'est pas que les gens se rallient derrière l'équipe, c'est qu'ils se rallient derrière eux-mêmes. S'ils veulent une équipe des majeures, ils doivent réagir. »

Une fois de plus, la question revenait sur le tapis : pourquoi les amateurs de sports n'allaient pas encourager l'équipe en plus grand nombre ? Était-ce, comme le suggérait Hugh Hallward, parce que plusieurs Montréalais n'avaient pas les moyens d'acheter des billets ? Était-ce l'atmosphère froide du Stade olympique ? L'intérêt des Montréalais pour le baseball était-il lui-même en cause ?

La Presse, elle, avait trouvé une réponse. Le 19 juin, cinq jours seulement après la conférence de presse annonçant la vente et, d'une certaine façon, la relance du club, le quotidien consacrait sa une au baseball et aux Expos : « C'EST PLATE ! », hurlait la manchette du jour en grosses lettres.

C'était là la conclusion que tirait le journal d'un sondage sur l'intérêt des Montréalais pour le baseball. Entre autres renseignements recueillis dans le sondage, on apprenait que 48 % des habitants de la métropole affirmaient ne pas s'intéresser au baseball, que les gens avaient du mal à s'identifier aux joueurs du club (comparativement aux têtes d'affiche du Canadien, par exemple) et que les subtilités du baseball échappaient encore à une majorité d'amateurs de sports de la métropole.

Le problème, c'était que le sondage était celui qu'avait commandé Hugh Hallward à l'été 1989, quand Charles Bronfman et lui envisageaient se départir du club. Or, dans l'évaluation de la validité d'un sondage, il est toujours utile de se demander quels résultats pourrait chercher à obtenir celui qui *commande* le sondage en question… Plus intéressée aux coups d'éclat, *La Presse* ne s'est pas embarrassée d'exposer le contexte du sondage à ses lecteurs, privilégiant plutôt les titres accrocheurs.

Quand il a pris connaissance des résultats du sondage à l'époque où il avait été complété (c'était avant l'annonce de la mise en vente du club par M. Bronfman), Claude Brochu n'y a pas accordé grande importance. Mais cette fois, la publication tapageuse des résultats du sondage *deux ans* après la compilation des résultats – alors même que le nouveau groupe s'appliquait à rebâtir les liens entre le club et le public – a parfaitement réussi à retenir son attention.

Monsieur Brochu – qui connaissait une chose ou deux sur les sondages, ayant lui-même œuvré en marketing – était hors de lui : « La recherche publiée vaut zéro. Prétendre que 48 % des gens trouvent le baseball "plate" est complètement faux. Ce que les chiffres disent, c'est que 40 % des gens ne s'intéressent pas au baseball et que 8 % trouvent ça "plate". D'autre part, d'autres études ont déjà révélé que 40 % de la population ne s'intéresse pas au sport professionnel. Le hockey et le football ne les intéressent pas davantage. Dira-t-on alors que la moitié des Québécois trouvent le hockey "plate" ? »

Une autre donnée du sondage (révélant cette fois que les Québécois accordaient une place plus grande dans leur culture au sirop d'érable qu'au baseball ou au hockey) l'avait particulièrement irrité : « Ça m'insulte qu'on compare la popularité du baseball et des Expos à du sirop d'érable. Qu'est-ce que ça vient faire là-dedans ? » Brochu n'appréciait pas non plus que le sondage remette en question les connaissances en baseball des Montréalais. « Quand je lis qu'il faut faire de l'éducation pour attirer des partisans, je trouve ça insultant. Les Québécois connaissent le baseball et s'y intéressent. »

Par-dessus tout, M. Brochu ne s'expliquait pas l'opportunité de sortir le sondage des boules à mites au moment même où l'organisation cherchait à reprendre son élan : « On a reçu des téléphones toute la journée. Les gens étaient furieux. L'équipe vient d'être vendue, on essaie de rebâtir et là, ces choses-là sont publiées. L'impact n'est pas seulement négatif, il est destructeur. Ça survient après toutes les prédictions de M. BIT et les rumeurs de déménagement de l'équipe. C'est épouvantable. »

Il n'y a peut-être pas de lien à établir mais quelques jours après la controverse, les Expos ont commencé une longue glissade qui les a vus perdre 11 matchs consécutifs. « C'est encore pire que quand Buck était ici », n'a pu s'empêcher de commenter Dennis Martinez alors que le bateau était en train de couler.

Le 27 juin, lors d'une rencontre contre les Mets à NY, les Expos ont laissé filer une avance de 3-0 pour perdre 4-3. Pendant ce temps-là, des vents violents accompagnés de fortes pluies sévissaient sur Montréal. La toile du Stade olympique n'a pas résisté aux intempéries, se déchirant – sur une longueur de 120 mètres – pour la 7e fois en 4 ans. Le raccommodage de la toile – qui coûterait au gouvernement du Québec pas moins de 1,5 million de dollars – ne pourrait débuter qu'à la fin de la saison. D'ici là, les Expos devraient disputer leurs matchs locaux à la merci des éléments. Bientôt (le 13 juillet), le club serait contraint de remettre son premier match à la maison depuis août 1986 (quand un incendie s'était déclaré dans la tour du Stade). Comme on le verra plus loin, les Expos n'en seraient pas à leur dernière tuile de la saison. Une mésaventure majeure les frapperait dès septembre.

Rappelons les mots que John McHale avait eus pour Claude Brochu quand il lui avait cédé la présidence du club en 1986 : « Tu verras, il n'y a jamais rien de facile pour cette équipe. Les Expos ont vraiment le reste du monde contre eux. » En effet, quand ce n'était pas l'équipe adverse ou la presse, c'était le mauvais temps ou encore le stade qui s'en donnait à cœur joie...

Le 8 juillet, à la pause de mi-saison, les Expos étaient au 5ᵉ rang, à 14 ½ matchs de la tête en vertu d'une fiche décevante de 35-47.

En 1991, le match des Étoiles avait lieu au Skydome de Toronto, une ville qui semblait plus que jamais aux antipodes de Montréal, du moins dans ses habitudes de consommation de produits de divertissement : cette année-là, 4 001 527 spectateurs franchiraient les tourniquets, une première dans toute l'histoire de ce sport.

Un des deux représentants des Expos, Dennis Martinez, (l'autre étant Ivan Calderon) a été envoyé dans le match en début de 3ᵉ manche. Après un retrait, il a accordé deux simples avant de voir arriver au marbre un de ses anciens coéquipiers à Baltimore : Cal Ripken. Ce dernier a cogné un circuit, infligeant à Martinez la première défaite d'un lanceur des Expos dans une classique de mi-saison.

Les Blue Jays avaient toujours un œil sur le lanceur des Expos et ces derniers, se sachant hors de la course d'ici la fin du calendrier, ne fermaient pas la porte à un échange. Toutefois, si cet échange impliquait les Blue Jays, le nom de Denis Boucher n'y figurerait pas : après l'avoir rétrogradé dans le AAA à la mi-mai, l'équipe torontoise l'avait cédé le mois suivant aux Indians de Cleveland en compagnie d'autres joueurs. Peut-être serait-il plus facile pour les Expos de tenter de rapatrier le lanceur Québécois à Montréal en négociant avec une équipe américaine…

Mais la date limite des échanges (le 31 juillet) approchait et il était assuré que les Expos – et leur intrépide directeur-gérant – ne resteraient pas là à regarder passer la parade.

Le 15 juillet, ils ont chassé le releveur Tim Burke – comme l'avait prédit Buck Rodgers – en l'envoyant aux Mets en retour de deux lanceurs : le partant Ron Darling ainsi qu'un lanceur des mineures. Gagnant de 86 matchs de 1984 à 1989, Darling était évidemment l'homme clé de la transaction pour les Expos mais une donnée incontournable assombrissait le portrait considérablement : il pourrait réclamer son autonomie à la fin de la saison…

Certes, les amateurs de baseball montréalais savaient que le départ de Burke était imminent, mais c'est tout de même avec un pincement au cœur qu'ils l'ont vu quitter Montréal. Après tout, il avait rendu de précieux services aux Expos pendant 6 saisons, faisant presque oublier Jeff Reardon après que l'équipe eut échangé ce dernier à l'aube de la saison 1987.

Mais quelque chose avait changé chez Tim Burke, ses priorités passant progressivement de la vie d'athlète professionnel à celle de père de famille.

Ces dernières années, Tim et son épouse, des chrétiens praticants, avaient adopté des enfants orphelins (ils en auraient finalement quatre : deux de la Corée, un du Vietnam et l'autre du Guatemala) et peu à peu, le rôle de lanceur dans les majeures lui avait semblé moins attrayant. Après de courts séjours chez les Mets et les Yankees en 1992, Tim annoncerait sa retraite définitive du baseball l'année suivante. Un livre autobiographique (*Major League Dad*) racontant son cheminement inusité – pour une star du sport professionnel – paraîtrait un an plus tard.

Le 21 juillet, les Expos disaient au revoir à un autre vétéran : Dennis Boyd. En retour de La Canette, les Expos obtenaient des Rangers du Texas deux lanceurs des mineures, Joey Eischen et Jonathan Hurst.

Dave Dombrowski ne cachait pas que des considérations financières avaient provoqué la sortie de Montréal des deux vétérans : « Quand on n'attire pas de fans, on ne peut pas payer l'argent que ces joueurs demandent, d'autant plus s'ils ne produisent pas en conséquence. » Tim Burke commandait un salaire de 2,1 millions que sa performance de l'année en cours (3 victoires, 5 matchs sauvegardés, MPM de 4,11) pouvait difficilement justifier. Oil Can Boyd gagnait 1,5 M $ et il avait fait savoir qu'il était à la recherche d'un pacte de long terme de 2,5 M $ annuellement. On voyait mal comment les Expos pourraient retenir Ron Darling (1,8 M $ en 1991) encore longtemps.

Il semblait bien que la vente de débarras n'était pas terminée. Andres Galarraga (2,3 M $) ne frappait pas son poids (,234 au 21 juillet) ; il avait raté tout le mois de juin en raison d'une élongation à la jambe, et la direction – qui souhaitait qu'il réduise son poids tout autant que le nombre de ses retraits au bâton – semblait avoir lancé la serviette dans son cas. Toutefois, le nom qui revenait le plus souvent dans les rumeurs d'échange était encore celui de Dennis Martinez, le vétéran de 36 ans qui avait certainement la meilleure valeur marchande parmi les joueurs susceptibles d'être sacrifiés pour des joueurs d'avenir.

À la fin juillet, les Expos ont pris la route de la côte Ouest pour y rencontrer les Padres, les Dodgers et les Giants. Quand ils rentreraient à Montréal le 1er août, ce serait vraisemblablement sans Martinez, Galarraga ou Darling. Peut-être même sans les trois.

Le vendredi 26 juillet, dans le premier match d'une série de trois contre les Dodgers, Mark Gardner, qui n'avait pu entreprendre sa saison qu'à la mi-mai en raison d'une blessure à l'épaule, a complètement dominé les frappeurs des Dodgers pendant 9 manches, ne leur allouant que 2 buts sur balles. Malheureusement pour lui, son équipe n'a pas beaucoup fait mieux contre les lanceurs des Dodgers (2 simples et aucun point face à

Orel Hershiser et Kevin Gross) et après 9 manches complètes, c'était toujours 0-0.

Ainsi, plutôt que de célébrer un match sans point ni coup sûr, les Expos ont dû rentrer à l'abri retrouver bâtons et casques. Retirés dans l'ordre (pour la 7e fois dans le match) en début de 10e, ils sont retournés en défensive avec Gardner en tête, espérant que celui-ci aurait encore quelques tours de magie dans son sac.

Le premier frappeur, un petit joueur de deuxième but du nom de Lenny Harris, a frappé vers l'arrêt-court un faible roulant suffisamment bien placé pour avoir le temps de filer au but avant le relais. Verdict du marqueur officiel : simple. Le toujours dangereux Eddie Murray a ensuite poussé le coureur au troisième à l'aide d'un autre simple, dans la droite celui-là. Toujours à la recherche d'un premier retrait, le gérant Tom Runnells a remplacé Gardner par Jeff Fassero, un releveur récemment promu d'Indianapolis. Comme de raison, le gérant a demandé à l'avant-champ et aux voltigeurs de s'avancer de quelques pas pour couper au marbre un point éventuel. Darryl Strawberry en a profité pour frapper la balle juste par-dessus la tête d'Ivan Calderon au champ gauche, permettant à Harris de croiser le marbre. La désolante ineptie des frappeurs des Expos avait transformé un match potentiellement historique en une plate défaite de 1-0.

Le lendemain, les frappeurs de l'équipe montréalaise ont de nouveau été blanchis (sur cinq coups sûrs, cette fois) par le lanceur adverse, le gaucher Bob Ojeda. Pour les lanceurs des Dodgers, il s'agissait d'un troisième jeu blanc d'affilée – ils avaient également passé le pinceau aux Phillies le 25 juin – et les fans de l'équipe de Tommy LaSorda se demandaient maintenant jusqu'où se poursuivrait la séquence. Collectivement, les lanceurs des Dodgers n'avaient pas accordé de points pendant 32 manches. Le record d'équipe était de 38 manches consécutives, établi en 1966 à l'époque de Sandy Koufax et Don Drysdale.

Le 28 juillet, ce serait donc vers l'excellent lanceur Mike Morgan (9-5, 2,70 jusque- là) que les yeux des amateurs de baseball friands de moments historiques seraient tournés. Ce jour-là – un dimanche après-midi radieux – 45 560 amateurs étaient au rendez-vous au Chavez Ravine de Los Angeles.

Déjà, on pouvait prédire un duel de lanceurs puisque les Expos enverraient au monticule leur meilleur partant, Dennis Martinez. La date limite des échanges étant fixée au 31 juillet, il était légitime de penser qu'il s'agirait peut-être là du dernier match de Dennis dans la formation montréalaise.

C'est sans difficulté que Morgan a disposé des trois premiers frappeurs des Expos (DeShields, Grissom et Dave Martinez), portant la marque du club à 33 manches consécutives sans accorder de points.

El Presidente a déjoué son premier rival Brett Butler – un frappeur difficile à retirer sur des prises – sur quatre lancers, dont trois courbes mordantes. Il a ensuite forcé les deux frappeurs suivants à frapper des roulants à l'avant-champ. Il semblait bien qu'on aurait droit au duel de lanceurs annoncé.

En 4e manche, aucune des deux équipes n'avait trouvé le moyen d'envoyer un seul coureur sur les sentiers – et la séquence de «0» des lanceurs des Dodgers se situait maintenant à 36.

Jusque-là en plein contrôle des frappeurs adverses, Dennis Martinez a éprouvé ses premières difficultés en fin de 4e manche : il a porté le compte à 3 balles, 2 prises au frappeur Brett Butler. Sur le lancer suivant toutefois – une rapide –, Butler a frappé un roulant à l'arrêt-court.

Le frappeur suivant, Juan Samuel, a ensuite cogné un roulant sec en direction du troisième-but Tim Wallach qui a récupéré la balle après un court bond pour la lancer avec précision au premier but.

Après avoir pris les devants 1-2 sur Eddie Murray, Martinez a demandé un temps d'arrêt à l'arbitre. Quelque chose semblait l'importuner. Bientôt, le receveur Ron Hassey, le gérant Tom Runnells et l'instructeur des lanceurs Larry Bearnarth se sont rendus lui parler au monticule. Son dos, et peut-être l'épaule aussi, semblaient raides. Il a fait faire quelques rotations à son bras et après deux lancers d'échauffement, il s'est dit prêt à continuer.

Le frappeur Murray n'a pas tardé à mettre Martinez à l'épreuve en cognant un dur roulant vers Larry Walker au premier but. Après un bond, la balle a frappé l'avant-bras de Walker pour rouler à sa droite. Alors qu'il récupérait la balle, Martinez a filé couvrir le premier but, arrivant à temps pour saisir le relais de Walker et mettre fin à la manche.

En 5e, aucun joueur des deux équipes n'a réussi à se rendre sur les sentiers et après 5 manches complètes, c'était toujours 0-0. Non seulement les Dodgers se trouvaient à une manche de leur record d'équipe, mais les deux lanceurs étaient, mine de rien, en voie de lancer chacun une partie parfaite !

En début de 6e, Ron Hassey a cogné un simple pour ouvrir la manche, mettant fin aux espoirs de perfection de Mike Morgan. Mais comme les Expos n'ont pu s'inscrire au pointage, la marque de 38 manches consécutives sans point était désormais égalée. Dans la dernière moitié de cette manche, Martinez a retiré le premier frappeur sur un roulant avant de voir Larry Walker sortir Delino DeShields d'embarras en récupérant

« El Perfecto, el Presidente ! » Le grand Dennis Martinez, un athlète aussi talentueux que coloré.
Club de baseball Les Expos de Montréal

habilement son relais imprécis. Le troisième frappeur, le lanceur Mike Morgan, a alors expédié une rapide haute de Martinez jusqu'à la piste d'avertissement du champ centre-gauche, où Marquis Grissom, reculant de quelques pas, est allé la cueillir.

En début de 7e, une erreur d'Alfredo Griffin a ouvert la porte aux Expos qui en ont profité pour s'inscrire au pointage pour la première fois de la série. Un triple de Larry Walker et une autre erreur de Griffin ont permis aux Expos de marquer deux fois. Tout compte fait, les lanceurs des Dodgers n'effaceraient pas le vieux record de Koufax et compagnie.

Un dernier enjeu majeur était toutefois encore en suspens : le match parfait du lanceur dans l'autre uniforme… Le deuxième frappeur à affronter El Presidente en fin de 7e, Juan Samuel, a tenté de surprendre la défensive des Expos avec un coup retenu, mais Martinez s'est précipité sur la balle pour la saisir de la main droite avant de la relayer – à genoux – au premier but.

C'était de nouveau au tour d'Eddie Murray, le troisième – et probablement le plus dangereux – frappeur de l'alignement des Dodgers. Martinez a travaillé prudemment, mélangeant balles à effet, rapides (ainsi qu'un changement de vitesse) jusqu'à un compte complet de 3 balles, 2 prises. Martinez a fait quelques pas derrière la plaque du lanceur, frotté la balle neuve que l'arbitre au marbre venait de lui remettre, replacé sa casquette et accepté le signal du receveur. Murray a fini par frapper un faible roulant au deuxième but.

En début de 8e, Martinez s'est rendu au bâton après un retrait. Probablement encore déçus d'avoir vu leur homme perdre sa partie parfaite, les fans ont à peine salué l'arrivée au bâton d'El Presidente.

Martinez a alors frappé un faible roulant – qui a tout de même traversé l'avant-champ du côté droit pour un simple.

Un autre simple l'a poussé au deuxième avant qu'une balle passée ne le conduise à se rendre à plein régime au troisième but. Après le dernier retrait de la manche, Martinez s'est lentement dirigé jusqu'à l'abri, question de reprendre son souffle pour la fin de la 8e manche.

Rien de tel qu'un séjour sur les sentiers pour casser le synchronisme d'un lanceur mais heureusement, la course autour des buts de Dennis n'a pas semblé l'ennuyer puisque c'est sans mal qu'il a retiré les 3 frappeurs à lui faire face en fin de 8e manche.

Puis, comme s'ils étaient pressés d'en arriver au dernier acte de la belle histoire qui était en train de s'écrire, les Expos se sont fait retirer dans l'ordre en début de 9e manche. La table était maintenant mise pour le dénouement de ce qui s'avérerait – s'il se réalisait – l'un des plus grands moments de l'histoire des Expos de Montréal.

Au marbre, on verrait défiler Mike Scioscia, Alfredo Griffin et très certainement un frappeur suppléant à la place du lanceur Morgan.

Sur la galerie de presse, la fébrilité était palpable : personne n'était sans savoir qu'une partie parfaite était un exploit d'une rareté inouïe. Depuis les débuts de l'ère moderne du baseball (à partir de 1900), des lanceurs y étaient parvenus seulement 10 fois. Et si le commentateur Vin Scully avait eu le plaisir de décrire 3 de ces matchs (le match parfait de Don Larsen dans la Série mondiale de 1956, ainsi que ceux de Sandy Koufax (1965) et de Tom Browning (1988), la plupart des représentants des médias présents n'avaient jamais eu cette chance.

Il faut dire que l'événement dépassait largement le cadre du Dodger Stadium : comme on avait pris l'habitude de le faire à chacun des départs de Martinez, la radio d'État au Nicaragua tenait ses auditeurs au courant du déroulement des parties des Expos. Ce match-ci ne faisait pas exception et après avoir obtenu les détails du déroulement de la rencontre, des commentateurs «recréaient» en différé l'évolution de l'affrontement pour leurs auditeurs.

Martinez a commencé la 9e manche en disposant facilement de Mike Scioscia sur un ballon dans la gauche. Le gérant Tommy LaSorda a alors rappelé au banc Alfredo Griffin, qui connaissait une bien mauvaise journée (deux retraits sur des roulants, deux erreurs coûteuses) pour le remplacer par le réserviste Stan Javier.

Javier a raté le premier lancer, une courbe, avant de laisser passer une rapide. Une balle, une prise. Martinez est revenu avec une courbe et l'élan du réserviste est passé au-dessus de la balle : 1-2. Le lancer suivant – une rapide – était hors cible et l'arbitre l'a jugée comme telle malgré les efforts du receveur Hassey pour la repositionner dans la zone des prises. Deux balles, deux prises. Martinez a alors servi une nouvelle courbe à Javier – qui a fendu l'air.

N'en manquait plus qu'un. Chris Gwynn, un autre réserviste, avait été désigné par Tommy LaSorda pour venir affronter El Presidente.

Bien sûr, Gwynn n'avait pas le talent de son frère Tony (la supervedette des Padres de San Diego) mais il n'était pas manchot non plus, ayant terminé la saison 1990 avec une MAB de ,284. Il avait le même gabarit que son frère et, comme lui, frappait de la gauche. À le voir se tenir au marbre, il n'avait pas l'air si différent de son aîné, celui qui terminerait sa carrière avec 3 141 coups sûrs.

Martinez a abordé Gwynn de la même façon qu'il avait lancé aux gros frappeurs de cette formation, les Murray, Strawberry ou Kal Daniels : en lui lançant une rapide à l'extérieur. Une balle. Le lancer suivant était une courbe que Gwynn a regardé passer. Une balle, une prise. Martinez et le receveur Hassey ont alors rappliqué avec une rapide. Frappée durement – mais avec un peu de retard –, la balle a filé en flèche vers le troisième, atterrissant tout juste à l'extérieur du but pour rouler le long de la ligne du champ gauche. La foule – maintenant du côté de Martinez – a poussé un long soupir de soulagement. Une balle, deux prises.

Le receveur Hassey savait où il voulait que Martinez loge la prochaine balle : bas et à l'intérieur. C'est ce qu'a tenté de faire Dennis mais – la fatigue se mettant de la partie – son lancer, trop haut, est arrivé juste à la hauteur de la ceinture. Gwynn a retroussé la balle avec force, loin au champ centre. Marquis Grissom, positionné au champ centre-gauche (il s'attendait à une frappe au champ opposé), a dû courir sur une longue distance. Heureusement, la balle était frappée en hauteur et il a pu se rendre jusqu'à elle pour l'emprisonner sans trop de mal dans le panier de son gant.

Dennis Martinez l'avait, son match parfait. Le commentateur de langue anglaise Dave Van Horne s'est aussitôt exclamé : « El Presidente, El Perfecto ! »

En 95 lancers seulement, il avait retiré chacun des 27 frappeurs qu'il avait affrontés. Une performance rien de moins que sublime. Ses coéquipiers se sont immédiatement rués au monticule pour célébrer avec lui l'improbable exploit.

Au Nicaragua, les commentateurs qui décrivaient les dernières manches du match ont arrêté leur boniment à l'instant même où ils ont appris la confirmation de l'exploit de leur compatriote. Les émissions de radio et de télévision ont aussitôt stoppé leur programmation pour annoncer la nouvelle. Peu après, des effusions de joie éclataient ici et là dans les rues du pays. Des gens sont descendus dans la rue, des coups de feu ont été tirés en guise de célébration, des feux d'artifice ont éclairé le ciel. L'événement dépassait de loin le simple exploit sportif.

Dans l'abri des Expos, un Dennis Martinez ébranlé a fondu en larmes. « Ses pleurs étaient sans doute autant des pleurs de soulagement que de joie, a écrit plus tard l'auteur Michael Coffey dans *27 Men Out*. Ce qui remontait à la surface, c'était tant de choses : ses luttes contre ses propres démons, ses combats contre tous ceux qui avaient douté de lui, mais aussi le spectre de tous les problèmes qui affligent sa terre natale[23]. »

El Perfecto avait du mal à comprendre ce qui lui arrivait : « Je n'avais jamais rêvé à un match parfait. C'est le plus beau moment de ma vie. Ce match-là, je le dédie à Dieu, à moi-même, ma famille, aux gens de mon pays et aux Expos.

« Je sais que je parle beaucoup de l'époque où j'étais alcoolique, a poursuivi Martinez. Mais je n'ai pas pris une goutte depuis sept ans et je sais qu'il y a quelque part des gens que l'alcool est en train de tuer et qui tentent d'avoir de l'aide qui ne vient pas. Ils peuvent me prendre en exemple. Ils peuvent me regarder et se dire qu'il n'est jamais trop tard. »

L'arrêt-court Spike Owen avait ceci à dire aux médias de Los Angeles : « Depuis que je suis ici, Martinez est passé par beaucoup de choses. C'est un gars émotif, controversé, qui n'a pas la langue dans sa poche. Il s'est mis dans le pétrin l'an passé quand il a accusé l'organisation de racisme et il ne se gêne pas pour critiquer quand on joue mal. Mais une chose demeure : ce gars-là donne son maximum à chaque match. »

Le lendemain, Jeff Blair du quotidien *The Gazette* résumait la journée comme suit : « Dennis Martinez est le meilleur lanceur des Expos. Mais dans une journée de carte postale, dans un environnement de carte postale, le meilleur est devenu plus que ça : il est devenu parfait. »

Le 31 juillet, les Expos ont procédé à une transaction quelques heures avant la date limite des échanges – et, bien entendu, Dennis Martinez n'en faisait pas partie. C'est Ron Darling, qui n'avait pas eu encore le temps de défaire toutes ses valises, qu'on a choisi de sacrifier – après seulement trois matchs dans l'uniforme des Expos. Il faut dire que la veille, les Giants de San Francisco avaient cogné quatre circuits contre lui… Les Expos trouveraient bien d'autres façons d'alléger leur masse salariale. El Presidente, lui, resterait un Expo.

Autant la partie parfaite de Dennis Martinez arrivait à un beau moment de sa carrière – alors qu'il avait 36 ans et encore quelques belles saisons devant lui –, autant il apportait un baume à cette organisation sur qui le mauvais sort semblait s'acharner depuis 3 ans.

Pour les nouveaux propriétaires du club, l'exploit d'El Presidente arrivait comme une bénédiction : non seulement l'organisation était maintenant associée à un accomplissement extraordinaire, mais les noms

«Expos» et «Montréal» feraient pour quelques semaines le tour des États-Unis et de toute l'Amérique latine. Quelle initiative de marketing aurait pu atteindre de tels résultats?

Les Expos ont connu un mois d'août atroce (9-19) mais «l'effet Martinez» ne semblait pas s'estomper. La direction du club a bien entendu souligné son exploit dès le retour de l'équipe au Stade olympique, et plus tard durant le mois, Dennis a effectué un aller-retour de quelques jours au Nicaragua où le gouvernement lui a remis une décoration de «fils très estimé de la Nation». En plus d'une cérémonie dans un stade de Managua, on l'a trimbalé un peu partout, d'une prison jusqu'à une usine de jambon, où «Dennis renouera avec d'anciens compagnons de travail», avait-on annoncé dans les communiqués officiels. (En réalité, Martinez n'avait jamais mis les pieds dans une usine de jambon…)

Les tentatives de récupération (par le parti au pouvoir et par l'opposition) n'ont pas manqué, mais Martinez naviguait adroitement dans ces eaux-là: «Moi, je ne suis ni à droite, ni à gauche. Je suis dans le milieu, avec le monde ordinaire. Toute cette attention vient d'abord et avant tout de mon match parfait, ce qui n'est quand même qu'une partie de baseball.»

Même avant le match parfait, on entendait souvent dire que s'il le voulait, Martinez pourrait se présenter à la présidence du pays et être élu – d'où son surnom d'El Presidente, d'ailleurs. Si le court séjour de Martinez lui avait révélé quelque chose, c'était bien l'impact incroyable qu'il avait sur les gens de son pays. «La politique? On ne sait jamais. Même si c'est dangereux. Ma femme n'aime pas du tout l'idée. Pour l'instant, je suis juste heureux d'être un petit morceau de chaque Nicaraguayen.»

C'est dans les semaines suivant la pause du match des Étoiles que Larry Walker est vraiment devenu le joueur dominant qu'il serait pendant une décennie. Détenteur de la plus forte moyenne au bâton de la Ligue (,338) durant la deuxième moitié du calendrier, Larry se révélait aussi de plus en plus un frappeur de puissance, et un de ses circuits (cogné le 17 septembre au stade Shea de New York) a été canonné au champ opposé à plus de 425 pieds.

C'est sur des joueurs comme lui, Marquis Grissom et Delino DeShields que se construiraient les Expos de l'avenir. D'autres noms commençaient aussi à émerger, comme ceux du releveur Mel Rojas ou du joueur d'intérieur Bret Barberie, que les Expos avaient promu le 2 août et qui, après 57 matchs, présenterait une MAB de ,353. Bien sûr, l'équipe pouvait aussi compter sur la présence à long terme de quelques vétérans comme Tim Wallach, Ivan Calderon et Dennis Martinez.

Il valait d'ailleurs mieux parler d'avenir car le présent, lui, n'avait rien de très emballant. Le mercredi 4 septembre, le commissaire du baseball Fay Vincent s'est rendu à Montréal assister à un match entre les Expos et les Braves d'Atlanta mais seulement 6 752 spectateurs ont eu la même idée que lui.

En toute honnêteté, il fallait vraiment être un fan fini pour aller au Stade ce soir-là : l'équipe croupissait au dernier rang, à 25 matchs de la tête. Comment voir un enjeu dans un tel contexte ? Mais le commissaire Vincent disait ne pas s'inquiéter pour l'avenir de la concession. Après tout, les Braves d'Atlanta avaient aussi connu des années difficiles sur le terrain et aux guichets, attirant moins d'un million de spectateurs en 1988, 1989 et 1990. Or, en 1991, ils étaient dans la course pour le 1er rang de l'Ouest de la Nationale et dépasseraient vraisemblablement la marque des 2 millions de spectateurs.

« Les Braves ont tout simplement offert une équipe gagnante à leurs partisans, a expliqué Vincent. Ça prouve qu'une équipe gagnante fait courir les foules. Je prévois la même chose pour Montréal dans un avenir rapproché. »

Le commissaire possédait-il une boule de cristal ? Peut-être, puis-qu'après sa déclaration, les Expos ont remporté huit de leurs neufs matchs suivants – dont celui auquel il avait assisté.

Mais rien n'étant jamais facile pour ce club, un nouveau malheur lui est tombé dessus – un malheur que personne n'aurait pu soupçonner. Le vendredi 13 septembre, l'équipe se trouvait à Chicago pour y affronter les Cubs quand une désastreuse nouvelle est arrivée en provenance de Montréal. À 7 h 5 ce matin-là, une poutre d'une centaine de pieds de longueur et d'une cinquantaine de tonnes s'était détachée d'un côté extérieur du Stade pour s'écraser dans une allée où les gens circulaient en temps ordinaire. Heureusement, personne n'était sur les lieux à ce moment-là et il n'y avait pas eu de blessés. Mais le Stade demeurerait fermé pour au moins une semaine.

Dennis Martinez n'en revenait pas : « C'est tout ce qui nous manquait ! Quelle année incroyable. » Le réserviste Tom Foley était tout aussi éberlué : « On a tout vu, le toit qui se déchire, un gérant congédié, des échanges, la vente du club, un match sans point ni coup sûr, un match parfait. Et maintenant, la structure du Stade qui s'effondre. »

Le président de la RIO, Pierre Bibeau, était accablé : « On essaie de recréer une perception positive du Stade dans l'esprit des gens, mais il y a toujours un nouveau problème. Si ce n'est pas la toile, c'est une poutre qui lâche... »

Si M. Bibeau a évoqué la possibilité d'une fermeture définitive de l'enceinte, il se gardait tout de même d'être trop pessimiste : « J'ai le sentiment que ça se répare et qu'on va finir par voir la fin des problèmes. Je vais recommander à mon conseil d'administration de se pencher sur des solutions. Est-ce qu'on continue de dépenser de l'argent en pure perte en "patchant" à chaque fois ? Est-ce que le problème est insoluble à cause de sa nature, de sa conception ? Chose certaine, je ne suis pas prêt à mettre le pic là-dedans. Avant de mettre un stade de 1,2 milliard (le coût du Stade atteindrait finalement les 1,6 milliard) à la poubelle, on va y penser deux fois. »

Dans l'immédiat, les Expos se retrouvaient avec un joli problème sur les bras : il leur fallait trouver un endroit où disputer les matchs de leurs deux prochaines séries à domicile contre les Mets et les Phillies.

Au départ, Claude Brochu a envisagé de reloger les matchs contre les Mets et les Phillies au Skydome de Toronto (les Blue Jays – qui se trouvaient à l'étranger – étaient disposés à leur laisser le stade) mais la direction de la Ligue nationale préférait que les Expos jouent ces matchs dans des villes de la Nationale. Les Expos ont donc disputé un programme double contre les Mets à New York avant de se rendre à Philadelphie les 18 et 19 septembre. Étrangement, il fut décidé que les Expos seraient considérés comme les visiteurs dans chacun de ces matchs. Or, comme ils étaient techniquement les visiteurs, ce qui fait qu'ils ne toucheraient que les 50 cents par billet que remettent les équipes locales aux visiteurs, l'annulation de ces 4 matchs locaux représentait donc des pertes d'environ 400 000 $ – seulement en prix de billets. Il fallait ajouter à ce montant les pertes des revenus des concessions alimentaires et les pertes de revenus de commanditaires.

Alors que les observateurs se demandaient comment les choses pourraient aller plus mal, les Expos ont appris que leur homme de baseball numéro un, le directeur-gérant Dave Dombrowski, avait décidé d'abandonner le navire. Il venait d'accepter une offre d'une nouvelle concession de la Ligue nationale, les Marlins de la Floride, qui disputerait ses premiers matchs en avril 1993.

Comme ceux qui l'avaient précédé et ceux qui le suivraient, Dave Dombrowski avait réalisé l'immensité de la tâche d'un directeur-gérant à Montréal : il fallait travailler avec des moyens limités, convaincre des athlètes de s'expatrier tout en leur faisant comprendre que la double imposition ne les conduiraient pas tout droit à la rue. Et, bien sûr, il fallait

Gary Hugues, Dave Dombrowski et Dan Duquette: un trio dont les expertises combinées ont hissé les Expos dans l'antichambre des équipes championnes.
Club de baseball Les Expos de Montréal

satisfaire une clientèle considérant comme allant de soi les parades printanières de la coupe Stanley.

« Un *timing* exquis, a écrit Michael Farber du journal *The Gazette*. En fait, ils sont plusieurs dans cette ville à penser qu'il s'agit là d'une des rares bonnes nouvelles de la saison. »

Farber n'était pas de cet avis: « En devenant DG ici, Dave Dombrowski avait accepté un des emplois les plus exigeants du baseball, un emploi rempli de contraintes, un job demandant l'intelligence d'un Whitey Herzog et l'âme d'un comptable, et s'il n'a rien renversé ici, il n'a pas complètement échoué non plus. Il lui fallait constamment jongler entre les victoires et les profits, et cette situation-là a fini par le rattraper cette saison. Dombrowski pourrait devenir un très bon directeur-gérant s'il apprend de ses erreurs à Montréal. »

La presse francophone, elle, était moins indulgente: « Ça commençait à sentir le roussi dans le public comme dans les journaux: Dombrowski a préféré filer à l'anglaise tout de suite, a écrit Denis Arcand dans *La Presse*. À l'hiver torride qui l'attendait à Montréal, il a préféré le climat doux de la Floride et la situation capitonnée d'une équipe où il ne sera pas obligé de livrer la marchandise avant six ou sept ans, au minimum. Un poste fait sur mesure pour lui. »

De leur côté, les joueurs disaient comprendre la décision de Dombrowski: « Un contrat de quatre ans offert par un propriétaire qui roule sur l'or, prêt à dépenser beaucoup de dollars pour mettre sur le terrain une équipe compétitive ? J'aurais fait la même chose que lui », a déclaré Dennis Martinez.

« Je suis parti parce que j'ai senti que le club serait mené autrement », dit pour sa part Dave Dombrowski, aujourd'hui président et directeur-gérant des Tigers de Detroit[24].

La situation du club n'était pas sans inquiéter le vétéran joueur de troisième but Tim Wallach : « Quand je suis arrivé ici, le club était dirigé de la façon qu'un club doit être mené. Les choses ne sont plus aussi stables. » Delino DeShields avait aussi remarqué un changement : « Depuis que Charles Bronfman a vendu le club, on dirait que tout ce qu'on fait, c'est reculer. »

Le jeudi 19 septembre, les Expos ont organisé une conférence de presse pour annoncer la nomination de Dan Duquette au poste de vice-président du personnel de joueurs et de directeur-gérant. Duquette, 33 ans, occupait depuis janvier 1990 le poste d'adjoint au DG. « Quand j'avais 17 ans, je rêvais de devenir directeur général d'une équipe des majeures. Mon rêve se sera réalisé plus rapidement que prévu. » Duquette a expliqué avoir appris le côté administratif du baseball quand il travaillait pour les Brewers de Milwaukee et leur propriétaire Bud Selig. L'expérience l'avait adéquatement préparé pour ce qu'il s'apprêtait à connaître avec les Expos : « Monsieur Selig se faisait un malin plaisir de revoir toutes nos dépenses. Il savait travailler avec un budget réduit. » Le nouveau patron des Expos a aussi révélé aux journalistes présents à la conférence que ses arrière-grands-parents étaient d'origine québécoise : « Mes enfants vont apprendre le français à l'école. »

Claude Brochu a expliqué que la raison pour laquelle il avait donné la permission à Dombrowski de discuter avec les Marlins, c'était que l'organisation lui avait promis cette liberté au moment de s'entendre avec lui. D'autre part, Brochu savait aussi que les Expos avaient en Dan Duquette un homme prêt à prendre la relève.

Le président des Expos était toutefois plus préoccupé par le match que le club devait disputer dès le lendemain au Stade olympique. Bien qu'il se dit « sûr à 99 % » que les ingénieurs-experts s'étant penchés sur la condition du Stade autoriseraient son utilisation, il n'en avait pas encore eu la confirmation.

Or, la possibilité que le Stade olympique reste fermé jusqu'à la fin de la saison de baseball – et même de façon permanente – existait toujours. Les Expos pourraient-ils, en cas de force majeure, retourner temporairement au parc Jarry ?

« Le parc Jarry n'est tout simplement pas une option. Nous ne le considérons même pas. » En effet, le petit stade où avaient évolué les Expos de
1969 à 1976 avait été remodelé pour accueillir les Internationaux de
tennis et il ne pouvait plus être question d'y jouer au baseball. « Nous
n'avons pas beaucoup d'options, admettait M. Brochu. On jouera au
Stade olympique ou alors nulle part. » En termes clairs, sans Stade olympique, les Expos seraient relocalisés dans une autre ville, aux États-Unis
vraisemblablement.

Le lendemain, les appréhensions de Claude Brochu et des Expos se
confirmaient : les ingénieurs en étaient arrivés à la conclusion que de
nouvelles inspections s'avéreraient nécessaires et que le Stade resterait
fermé jusqu'à nouvel ordre. À leur avis, une erreur humaine était à la
source du problème : les tiges de métal insérées dans le béton n'avaient
pas été soudées convenablement à la plaque de métal retenant la pièce
métallique servant d'appui aux poutres.

Erreur humaine ou pas, le résultat était le même : l'équipe devrait jouer
le reste de son calendrier local (neuf matchs contre les Cubs, les Phillies
et les Cards) à l'étranger. Avec la collaboration de la Ligue et des équipes
concernées, l'équipe s'est empressée de revoir son calendrier. Les Expos
disputeraient les 26 derniers matchs de leur saison « sur la route ».

Pour Claude Brochu, ce nouvel écueil avait tout d'une catastrophe : il
faudrait maintenant se battre contre la perception qu'aurait le public de
la sécurité du Stade olympique. C'était de loin le jour le plus sombre du
club depuis qu'il avait accédé à sa présidence.

Aux yeux de Terry Scott, de la Canadian Press, les Expos devaient
impérativement résilier leur bail au Stade et assembler un autre consortium qui s'appliquerait à faire construire un nouvel amphithéâtre uniquement conçu pour le baseball. Scott citait en exemple Baltimore (les
Orioles s'installeraient dans un nouveau stade en 1992) ainsi que Cleveland,
Detroit, Milwaukee, Arlington et San Francisco, qui envisageaient toutes
de construire de nouveaux stades dans les prochaines années.

Quant au Stade olympique, peut-être fallait-il limiter son utilité à une
attraction touristique – que les gens pourraient admirer… à distance.
« On pourrait alors utiliser les revenus de ces visites pour aider à financer
la construction d'un stade au centre-ville », concluait Scott non sans
ironie.

Stephen Brunt, du *Globe and Mail*, s'est adressé au nouveau gérant
(embauché en août) des Angels de la Californie, un certain… Buck
Rodgers, question de savoir comment il évaluait la situation des Expos.
Buck ne voyait pas comment l'équipe pourrait revenir à Montréal en 1992.

« J'ai de sérieux doutes sur l'an prochain. En fait, je ne sais même pas s'ils *veulent* revenir. Sans le Stade, ça ne marchera pas. À mon avis, ils devraient profiter de la situation pour sortir de là dès maintenant.

« Comprenez-moi bien. J'adore la ville. Elle est formidable et elle a été bonne pour moi. Mais le support n'est pas là – je ne parle pas de l'appui des amateurs, je parle surtout de l'appui corporatif. Autrefois, Montréal était le pivot du milieu des affaires au Canada, mais depuis le référendum du début des années 1980, les sièges sociaux de ces entreprises ont pris le chemin de Toronto. Or, ce sont les sièges sociaux qui achètent les billets de saison. Les 30 blocs de billets de saison qui étaient à Montréal il y a 10 ans sont à Toronto aujourd'hui », a poursuivi l'ancien gérant des Expos.

Contraints de vivre dans leurs valises pendant presque un mois – où ils ont parcouru un total de 6 526 milles en avion –, les Expos ont serré les rangs et remporté la moitié de leurs 26 matchs en sol ennemi. Leur saison 1991 a pris fin le 6 octobre sur une défaite de 7-0 aux mains des Pirates de Pittsburgh, les gagnants du championnat de la division Est. Le club terminait ainsi la saison au 6e rang, à 26 ½ matchs de la tête, en vertu d'une fiche de 71 victoires et 90 défaites.

La porte qui se refermait sur la campagne 1991 amenait une question rien de moins qu'existentielle : serait-ce la dernière saison de ce club à Montréal ? L'épopée du baseball majeur à Montréal se terminerait-elle bêtement ainsi, au terme d'une année aussi anarchique ?

Les dirigeants des Expos gardaient malgré tout la tête haute. Deux jours après la fin de la saison, Claude Brochu affirmait que les nouveaux propriétaires étaient toujours solidement derrière l'équipe : « Il y aura du baseball à Montréal en 1992. » Les Expos visaient des ventes de 15 000 billets de saison (le chiffre se situait à environ 8 500) et ils déploieraient beaucoup d'efforts pour y arriver. « Les entreprises qui ont refusé de participer à l'achat de l'équipe seront, à n'en pas douter, victimes d'un léger tordage de bras, écrivit Philippe Cantin dans *La Presse* du 9 octobre 1991. Jamais l'achat de billets pour les matchs des Z'Amours n'aura été autant identifié à un devoir civique. »

Cantin soulignait aussi que les revers de fortune des Expos pourraient avoir pour effet d'attirer la sympathie naturelle du public : « Il est en effet difficile de trouver une organisation plus malchanceuse que la leur, poursuivait le chroniqueur. Ils sont au baseball ce que Haïti est à la communauté internationale. »

La saison terminée, la guigne n'a pas quitté les Expos. En laissant le directeur-gérant Dave Dombrowski quitter le club dans le dernier mois de la saison 1991, Claude Brochu n'avait pas prévu les dommages collatéraux que ce départ causerait : une fuite massive de talent et d'expérience vers la Floride.

Tout était à faire chez les Marlins de la Floride avant que l'équipe ne dispute ses premiers matchs en 1993, et quantité de postes clés restaient à combler. Dombrowski pourrait donner un gros coup de main à ses nouveaux employeurs : des gens de baseball brillants, il en connaissait des masses, la plupart ayant d'ailleurs travaillé pour lui chez les Expos de Montréal...

Le réputé directeur du recrutement Gary Hughes – à l'emploi des Expos depuis 1986 – fut l'un des premiers à partir, froissé que l'équipe offre le poste de DG à Dan Duquette sans le pressentir pour le rôle. Après, ce fut au tour de John Boles, le directeur du développement, puis de Frank Wren, son adjoint. Mais ça ne s'est pas arrêté là, et quand Bill White, le président de la Ligue nationale, a décidé que c'en était assez, sommant Dombrowski et les Marlins d'arrêter le pillage de l'organisation montréalaise, ils avaient déjà attiré avec eux en Floride plus d'une douzaine de bonnes têtes de baseball.

Dave Dombrowski apporte aujourd'hui un éclairage nouveau sur les événements : « Quand je suis parti, les Expos devaient choisir entre Dan Duquette et Gary Hughes, et ils ont opté pour Duquette. Mais Dan n'avait pas la relation que j'avais avec Gary Hughes et plusieurs de ces dépisteurs. Il voulait s'entourer de son monde, ce qui est normal. Une fois que Gary a décidé de venir en Floride avec moi, ces dépisteurs-là ont décidé de le suivre. Ce n'est pas qu'ils ne voulaient plus être avec les Expos, c'est qu'ils voulaient continuer de travailler avec Gary. Par ailleurs, si les Expos avaient voulu garder tous ces gens, tout ce qu'ils auraient eu à faire, c'était de dire non[24] ! »

Malgré ce nouvel écueil, Jacques Ménard, tout comme Claude Brochu, affichait un optimisme à toute épreuve : « C'est sûr que les Expos ont connu une saison difficile, mais c'était une année de transition. Pensez-vous vraiment que les malheurs de l'équipe au cours des dernières semaines vont inquiéter les propriétaires ? N'oubliez pas que pour faire un succès de leurs entreprises, ils ont vaincu des obstacles. Ils ne se laisseront pas décourager par quelques revers de fortune. L'adversité tisse des liens de solidarité. » Ménard y trouvait même une inspiration additionnelle : « Moi, j'aime ça quand il faut résoudre des difficultés. Plus une situation est compliquée, plus je suis intéressé par le défi à relever.

Quand je vois un problème, je vois aussi une rampe de lancement vers sa solution. »

Évidemment, toute la bonne volonté du monde ne pourrait rien changer à la situation du club si leur demeure devait s'avérer non sécuritaire. Plus que jamais, les Expos avaient besoin d'un coup de pouce du destin.

Ils l'ont eu au début novembre quand André Vallerand, le ministre du Tourisme du gouvernement du Québec, a annoncé que le Stade satisfaisait pleinement aux normes de sécurité, que des travaux de rénovation (qui seraient de l'ordre d'au moins 10 millions de dollars) étaient en cours et que les Expos pourraient entreprendre la saison 1992 comme prévu.

Les Expos pouvaient maintenant s'attaquer à leur plan de relance. Personne ne s'en doutait encore, bien sûr, mais les années à venir s'avéreraient parmi les plus belles et les plus glorieuses de leur histoire.

CHAPITRE 4

Renaissance

(1992-1993)

Après le creux de vague de 1991, l'équipe fait une solide remontée
dès 1992. Retour au bercail de Gary Carter, ajout de deux lanceurs
d'impact, Ken Hill et John Wetteland ; nouveaux uniformes. Arrivée à
maturité des Grissom, DeShields, Walker, émergence de Moises Alou.
Égarements de Tom Runnells, bientôt remplacé par Felipe Alou.
Démission du commissaire Fay Vincent, imminence d'un nouveau
conflit de travail. Essor du baseball au Canada : victoires successives
des Blue Jays en Séries mondiales et arrivée des Lynx – filiale AAA
des Expos – à Ottawa. Un Québécois chez les Expos : Denis Boucher.
Saisons gagnantes de 87 et 94 victoires.

1992

Le nouveau DG Dan Duquette n'a pas attendu les assises d'hiver pour
passer à l'action. Ironiquement, le premier geste qu'il a fait pour construire
les Expos de l'avenir était directement lié au passé. Le 15 novembre, le club
prenait par surprise les amateurs de baseball montréalais en réclamant
un joueur laissé sans protection par les Dodgers de Los Angeles, un receveur de 37 ans du nom de… Gary Carter.

Sept ans après l'avoir échangé aux Mets de New York, les Expos pro-
jetaient maintenant de le ramener à la maison. Évidemment, bien des
choses avaient changé depuis que Carter avait quitté la métropole. Partis,
les Steve Rogers, Andre Dawson et Tim Raines. Seul Tim Wallach – qui
en serait à sa 12e saison complète avec les Expos en 1992 – était à Montréal
au moment où Carter avait fait ses valises pour New York. Même le propriétaire du club, celui qui était à l'origine du départ du Kid en 1984, n'était

plus là. Après 5 saisons chez les Mets, Gary avait passé une saison dans l'uniforme des Giants et une autre (en 1991) dans celui des Dodgers, avec lesquels il avait pris part à 101 matchs, conservant une MAB de ,246, avec 6 circuits et 26 points produits.

Les meilleures années de Carter étant – de l'avis de la plupart des observateurs – derrière lui, d'aucuns ont vu dans l'entreprise rien de plus qu'un coup de marketing, peu de joueurs de baseball ayant connu une popularité semblable à celle du Kid à Montréal.

Les Expos ne cachaient pas que la présence de Gary pourrait faciliter la vie à leurs gens de marketing, mais ils insistaient pour dire que c'était surtout du joueur de baseball dont ils avaient besoin. Non seulement le club bénéficierait de la présence du vétéran autour de tous ces jeunes, mais l'addition de Carter aiderait à stabiliser la situation derrière le marbre – qui était on ne peut plus précaire. Après sept saisons à Montréal (et bon nombre de jours passés dans la clinique du soigneur), Mike Fitzgerald avait décidé de tenter sa chance sur le marché des joueurs autonomes. Nelson Santovenia ne figurait plus dans les plans du club et serait bientôt libéré, et Gilberto Reyes, qui possédait un solide bras mais n'avait pas encore trouvé une façon de décoder les lanceurs des majeures (,217 en 83 matchs en 1991), serait bientôt suspendu pour 60 jours par le baseball pour avoir négligé de se conformer à un programme de réadaptation pour consommation de drogue. On ne pourrait probablement pas compter sur lui pour le début de la saison.

Alors qu'amateurs et médias commençaient à trouver du mérite au rapatriement de Carter, une rumeur a tôt fait de refroidir leurs ardeurs. Les Expos, qui avaient projeté d'offrir au vétéran l'équivalent de son salaire de 1991 (500 000 $), se sont fait répondre par son agent que Gary exigeait un contrat comparable à celui que venait de signer le vétéran receveur Carlton Fisk : 1,2 M $ pour une saison. L'agent en question avait pour nom Dick Moss, celui-là même avec lequel la direction des Expos s'était maintes fois chamaillée dans les dossiers de Carter, Andre Dawson, Steve Rogers et plusieurs autres durant les années 1980. Le coriace agent avait déposé plusieurs griefs contre l'équipe par le passé et si la direction du club avait changé depuis, personne n'avait oublié le nom de Dick Moss dans les bureaux du Stade olympique.

Moss était formel : même si son client n'avait plus la forme de ses 20 ans, il n'était pas question de vendre ses services à rabais. « Je vais prendre ma retraite avant d'accepter de jouer pour un salaire comme celui qu'on m'offre, a déclaré Carter. J'ai déjà dit que j'aimais tellement le baseball que j'accepterais de jouer pour rien. Mais les choses ont changé. Et c'est une question de principes, aussi. » Le retour du Kid à Montréal resterait peut-être au stade de projet, finalement.

Pendant que les négociations se poursuivaient, les Expos s'attaquaient à d'autres dossiers. Le 25 novembre, ils se délestaient d'Andres Galarraga et de son contrat de plus de 2 M$ par année en l'expédiant à Saint Louis. En retour, ils obtenaient Ken Hill (11-10, 3,57), un grand lanceur droitier de 26 ans, contre lequel les frappeurs adverses de la ligue n'avaient frappé que pour ,224 en 1991. Pour la première fois depuis le passage de Mark Langston avec le club trois ans plus tôt, les Expos auraient un véritable lanceur de puissance.

Les désolantes statistiques de Galarraga en 1991 (9CC, 33PP et une MAB de ,219) s'expliquaient en partie par des blessures, mais il semblait, à 30 ans, déjà sur le déclin. Son travail à la défensive restait impeccable, mais sa propension à se faire retirer sur des prises obligeait le gérant à le loger plus bas dans l'ordre des frappeurs. Or, un joueur commandant un salaire comme celui d'Andres doit pouvoir être utilisé au cœur de l'alignement des frappeurs. Tom Runnells et les Expos avaient déjà un plan de remplacement : ils muteraient Tim Wallach au premier but et installeraient le jeune Bret Barberie (et sa MAB de ,353) à sa place au troisième.

Le nouveau DG Dan Duquette ne s'est pas arrêté là. Il a réussi à trouver preneur pour Barry Jones, le releveur qui avait œuvré dans le plus grand nombre de parties (77) pour le club en 1991, mais qui avait rudement mis à l'épreuve les nerfs des habitués du Stade olympique en bousillant de nombreuses fins de matchs. En retour, les Expos – de moins en moins sûrs de l'issue des négociations avec Gary Carter –, ont obtenu des Phillies le jeune receveur Darrin Fletcher, qui avait pris part à seulement 46 matchs dans les majeures l'année précédente. Mais il avait la réputation de bien épauler ses lanceurs et avait quand même connu des succès offensifs en trois saisons dans le AAA.

Duquette venait de réaliser deux transactions qui s'avéreraient formidables. Mais le meilleur était encore à venir. Le 11 décembre, les Expos ont mis la main sur un lanceur qui transformerait radicalement l'équipe : un jeune releveur de 25 ans du nom de John Wetteland.

Wetteland avait été obtenu deux semaines plus tôt par les Reds de Cincinnati des Dodgers de Los Angeles. Mais les Reds, déjà bien servis par leurs releveurs étoiles Rob Dibble et Norm Charlton, se sont laissé convaincre par Duquette de se départir de Wetteland pour obtenir Dave Martinez, un bon réserviste qui n'avait jamais vraiment pu faire sa place comme régulier à Montréal, et Scott Ruskin, un gaucher principalement utilisé en longue relève.

Utilisé à la fois comme partant et releveur à ses débuts à Los Angeles, Wetteland semblait avoir trouvé sa voie comme releveur de fin de match en 1991 dans le AAA. Ceux qui l'avaient vu lancer étaient unanimes : ce type-là avait les attributs (une rapide à plus de 90 milles à l'heure et une courbe tombant brusquement en arrivant au marbre) et la personnalité (une rare intensité) pour devenir un *closer* redoutable.

En février 1992, après des mois de négociations, Gary Carter et les Expos en sont enfin venus à une entente. Le pacte, d'une saison, garantirait à Gary 850 000 $, une somme qui pourrait grimper jusqu'à plus ou moins un million en incluant les bonis. Le 6 février, les Expos ont organisé une conférence de presse au Stade olympique pour présenter aux (nombreux) médias locaux celui qui, évidemment, n'avait pas besoin de présentation. Première constatation, Carter n'avait rien perdu de son charisme ni de son sens des relations publiques : il se rappelait très bien les prénoms de tous les intervenants qui se sont adressés à lui…

« C'est un rêve devenu réalité, a dit celui qui récupérerait son numéro d'uniforme, le 8, qu'aucun joueur des Expos n'avait porté depuis son départ. Il y a beaucoup de joueurs de qualité dans cette équipe. Si des gars comme Tim Wallach, Ivan Calderon, Marquis Grissom et Larry Walker connaissent une bonne saison, on peut espérer de beaux résultats. Quant à moi, je suis en santé et je veux aider les Expos à atteindre leur objectif, la conquête du championnat. »

Le plan était de faire de Carter le receveur numéro deux du club, mais si aucun jeune receveur n'arrivait à s'imposer durant le camp, le poste de régulier lui reviendrait alors. Le Kid, lui, disait viser 400 présences au bâton (ce qu'il n'avait pas obtenu depuis 1988) : « Si les gens s'attendent à me voir frapper 20 circuits et produire 100 points, c'est sûr qu'ils vont être déçus. Mais si on me donne la chance de jouer, je produirai. Avec 400 tours au bâton, je pourrais alors – selon mon rang dans l'alignement – totaliser une quinzaine de circuits et une soixantaine de points produits. »

Chose certaine, Carter était loin de se plaindre de revenir jouer à Montréal. « Il se trouvera toujours des gens pour se lamenter, mais il faut s'impliquer dans la communauté pour la découvrir. Je parle en connaissance de cause puisque je l'ai fait pendant 10 ans. Les taxes ? La langue ? Les attentes aux douanes ? On fait des montagnes avec ça, mais ça devient des détails quand l'équipe a du succès. »

Le Kid a aussi dit ce que l'auditoire voulait bien entendre : « Avec les Expos, je me sens à la maison. Si un jour j'ai l'honneur d'être intronisé au Temple de la renommée à Cooperstown, je sais quelle casquette je porterai. »

Le lendemain, la bouille sympathique d'un Carter souriant à belles dents faisait la une du *Journal de Montréal*. « Je reviens à la maison », pouvait-on y lire en gros caractères. Il y avait longtemps que les journaux avaient consacré un espace de choix à une nouvelle positive concernant l'équipe de baseball montréalaise. On le sentait un peu partout dans l'entourage de l'organisation : le vent était en train de tourner pour les Expos de Montréal.

Quand les joueurs des Expos ont commencé leur entraînement au stade municipal de West Palm Beach au printemps 1992, la première chose qui a sauté aux yeux de tous, c'est qu'ils ne ressemblaient pas à des joueurs des Expos. En effet, quelques mois plus tôt, la direction avait fait l'annonce d'une nouveauté pour la prochaine saison : les joueurs arboreraient dorénavant un nouvel uniforme – incluant une nouvelle casquette.

Sans doute y avait-il dans l'initiative du club une volonté de faire peau neuve, non seulement de se démarquer de l'ancienne administration mais aussi de s'éloigner de l'image de ce club qui avait connu sa part de revers de fortune durant les dernières années.

Mais l'idée d'introduire un nouvel uniforme était tout aussi justifiée sur le plan esthétique, puisque le design utilisé par l'équipe depuis 1980 – une variation du modèle initial de 1969 – était peu à peu tombé en défaveur, tant auprès des joueurs que des amateurs. Certains trouvaient que l'ancien uniforme donnait aux joueurs des Expos des allures de joueurs de balle-molle (pas un compliment), une impression renforcée par le port de la célèbre casquette tricolore – qui elle aussi avait fait son temps.

Or, au début des années 1990, la tendance dans le baseball majeur était de revenir à des factures plus classiques, comme l'avaient fait les Braves, les Pirates et les White Sox, pour ne nommer que ceux-là, en revenant au design de leurs uniformes des années 1950 et 1960. C'est la voie qu'ont choisi d'emprunter les Expos.

Le nouvel uniforme était, de l'avis de la grande majorité des observateurs, une réussite sur toute la ligne. Le design, réalisé avec la collaboration du personnel administratif du club – on avait aussi consulté les amateurs –, était sobre mais net, assumé : rayures bleues sur fond blanc pour les joutes disputées à domicile (semblable à l'uniforme des Cubs de Chicago), fond gris (exit, le bleu poudre) pour les matchs à l'étranger.

Dans les deux cas, des lettres cursives figuraient à l'avant de la chemise, « Expos » sur l'uniforme blanc, « Montréal » sur le gris. Et en guise d'accent aigu sur le « e » de Montréal, une petite fleur de lys. Le coup d'œil de l'uniforme gris – avec ses lettres « Montréal » en script – n'était pas sans rappeler celui utilisé par les Royaux de Montréal, un joli clin d'œil à une équipe et une époque dont se souvenaient encore avec plaisir plusieurs amateurs de baseball plus âgés.

Bien que très différent de l'ancien uniforme, le nouveau design trouvait le moyen de récupérer habilement le populaire logo du club, d'abord sur la casquette, puis sur un écusson brodé sur une manche. De bleu-blanc-rouge, la casquette passait désormais à une seule couleur, le bleu royal. « Éliminer la casquette tricolore était une priorité, a expliqué Claude Brochu. D'abord, ça n'allait pas avec les rayures du nouvel uniforme. De plus, les joueurs, en général, ne l'aimaient pas. »

Si le nouveau costume de l'équipe s'est attiré des éloges unanimes, on ne peut certes pas en dire autant de l'accoutrement choisi par Tom Runnells à son arrivée au camp. Le gérant des Expos a fait sa première sortie sur le terrain en arrivant à bord d'une voiturette de golf vêtu de la tête aux pieds en habit militaire, conformément au code vestimentaire utilisé par le général Norman Schwarzkopf durant la guerre du Golfe de 1990-1991. Il portait aussi la casquette militaire et les lunettes soleil.

Évidemment, il s'agissait là d'un gag, une façon fantaisiste de rappeler à ses troupes que le patron, c'était lui, et que le camp se déroulerait de manière efficace et ordonnée.

Dire que le gag est tombé à plat serait un euphémisme. Ceux qui n'ont pas trouvé l'initiative déplacée, de mauvais goût ou tout bonnement stupide ont ressenti quelque chose comme un malaise. Alors qu'il avait probablement espéré déclencher quelques éclats de rire, Runnells avait plutôt provoqué un festival de haussements de sourcils.

Si l'incident a révélé quelque chose, c'est combien le gérant avait mal évalué son rapport avec ses joueurs. Même la meilleure blague du monde sera toujours reçue en fonction du contexte, de celui qui la fait, de sa relation avec celui qui la reçoit. Ce sont ces facteurs – au moins autant que la blague elle-même – qui vont faire que ça passe ou ça casse. Malheureusement pour Tom Runnells, cette fois, ça a cassé. Et il ne réussirait jamais à s'en remettre tout à fait.

Ce premier émoi passé, les joueurs ont pu se reconcentrer sur leur entraînement.

Quelques nouvelles têtes figuraient dans le groupe. Larry Bernearth, le vénérable instructeur des lanceurs – et bras droit de Buck Rodgers pendant la majorité de son séjour à Montréal –, n'étant pas de retour, les Expos avaient confié le rôle à Joe Kerrigan, un ancien de l'organisation (comme lanceur et instructeur) qui jouissait d'une très bonne réputation. Une autre figure familière revenait comme instructeur (de banc), l'ancien voltigeur vedette des Giants de San Francisco Felipe Alou.

Membre de l'organisation depuis 16 ans, Felipe avait dirigé des clubs à tous les niveaux (A, AA et AAA) pendant 12 saisons, présentant un dossier de 884 victoires contre 751 défaites. En 1979 et 1980 (sous Dick Williams) et en 1984 (sous Bill Virdon), il avait agi comme instructeur aux troisième et premier buts, et depuis 1986, il pilotait les Expos de West Palm Beach, une équipe de niveau A. Pour la première fois, Felipe et son fils Moises se retrouveraient dans le même club.

Chez les joueurs, en plus des lanceurs John Wetteland et Ken Hill, les nouveaux avaient pour noms Darrin Fletcher et Rick Cerone, ce dernier un vétéran de 37 ans, acquis au début du camp comme police d'assurance.

Évidemment, celui qui a attiré le plus d'attention est le numéro 8, à qui le nouvel uniforme du club semblait aller comme un gant. Enthousiaste comme à ses belles années à Montréal, Gary Carter a accepté de bonne grâce les nombreuses demandes de photos (ou de tournages de clips promotionnels) auxquelles on le soumettait quotidiennement.

Chez les anciens, Ivan Calderon s'est rapidement remis à frapper la balle avec autorité mais des inquiétudes planaient sur son état de santé. Il se disait remis d'une opération subie à la suite d'une blessure à l'épaule gauche (qui l'avait tenu à l'écart du jeu à la fin de la saison précédente) mais c'était maintenant son coude droit qui l'importunait.

Les journalistes ont tenté de le faire réagir aux propos qu'avait tenus Dennis Martinez en janvier sur lui et sur Tim Wallach. Jamais à court de conversation, El Presidente s'était dit déçu de ce qu'il avait perçu comme un manque de leadership de la part de Calderon : « Il m'a déçu parce qu'il affichait la rage de gagner avec les White Sox. Je trouve qu'il a bien caché cette flamme à Montréal. » Mais les déclarations de Dennis n'avaient pas troublé les vacances du voltigeur des Expos : « Dennis dit toujours de la merde. Moi, je n'écoute jamais ce qu'il dit. Les autres joueurs de l'équipe non plus. »

Tim Wallach n'avait pas beaucoup plus réagi aux propos de Martinez à son sujet. En gros, Dennis avait remis en question la nomination du vétéran comme capitaine du club (« Ça prendrait quelqu'un de plus extraverti »), suggérant également que le club devrait songer à échanger Wallach s'il s'opposait à être muté du troisième but au premier.

Le sujet de l'heure au camp était d'ailleurs ce projet qu'avait Tom Runnells de transformer Wallach en joueur de premier but – et de confier le troisième au jeune Bret Barberie. D'abord faite quelques mois plus tôt, la proposition avait été reçue froidement par le principal intéressé. Un transfert au premier but, c'est un sort qu'on réserve à un vétéran en fin de carrière, pas à un gars de 34 ans qui possède un des meilleurs gants de la ligue.

Le gérant savait qu'il marchait sur des œufs et lors du premier match présaison, il a laissé Wallach au troisième et a fait jouer le réserviste George Canale au premier. Toutefois, une semaine plus tard, avant un match contre les Yankees à Fort Lauderdale, Runnells remettait au vétéran un gant de premier-but. «Je savais qu'il n'en avait pas, alors quand le représentant de Rawlings est passé, j'en ai pris un pour lui», a dit Runnells, qui avait manifestement le sens pratique. En rentrant à l'abri, Wallach a lancé son nouveau gant à bout de bras. Le lendemain, il réclamait une transaction. Le comportement de Wallach pouvait être interprété comme celui d'un enfant gâté, mais il allait dans le sens des règles non écrites du baseball : les jeunes joueurs doivent gagner leurs galons, on ne leur donne pas l'emploi d'un vétéran seulement parce qu'ils viennent de connaître une bonne séquence...

«Je sais que Wallach n'aime pas ça mais la situation dure depuis trop longtemps, a expliqué Tom Runnells. Il faut commencer à faire les gestes qui vont nous aider à gagner. Je suis convaincu que nous serons meilleurs avec Tim et Bret Barberie tous les deux dans l'alignement.»

Durant l'hiver, les Expos avaient tenté d'obtenir un joueur de premier but en remplacement d'Andres Galarraga. Mais leur incapacité à y arriver – les bons joueurs à cette position n'étaient pas monnaie courante – avait maintenant pour effet de pénaliser Wallach. Dan Duquette a déclaré qu'il tenterait de parler à des clubs (de la perspective d'un échange) mais, manifestement, l'idée ne l'emballait pas.

Du temps a passé et la tempête s'est calmée. Wallach ferait ce qu'on lui demanderait : «Je ne suis pas emballé mais je jouerai au premier but si c'est ce qu'on veut», a déclaré Eli, qui se disait désolé pour le pauvre Barberie, plongé bien malgré lui dans cette controverse.

Le reste du camp s'est bien déroulé : Marquis Grissom et Larry Walker ont prouvé qu'ils seraient les piliers défensifs du club, et Delino DeShields, arrivé au camp la tête rasée, semblait animé d'une volonté encore plus grande que d'habitude. Il se jurait bien de ne plus contester les décisions des arbitres comme il l'avait fait l'année précédente – ce qui, d'ailleurs, ne l'avait pas exactement servi. Gary Carter a formidablement bien joué son rôle de réserviste (,325 en 40 présences au bâton), tout comme le vétéran Phil Bradley (,310 en 42 AB), un ancien voltigeur de la Ligue américaine qui tentait de revenir dans les majeures après avoir passé un an au Japon. Malheureusement pour ce dernier, les Expos ont retranché son nom dans les derniers jours du camp.

La surprise du calendrier présaison fut certainement le rendement du jeune Archi Cianfrocco, un joueur d'intérieur de grande taille (6 pieds 5 pouces) qui a suffisamment impressionné ses patrons pour mériter un des 25 postes de la formation majeure.

Le 28 mars, Dan Duquette mettait sous contrat le vétéran droitier Bill Landrum que venaient de libérer les Pirates de Pittsburgh. On le voyait donner un coup de main en longue relève à Jeff Fassero et Bill Sampen.

Du côté des partants, la rotation se présentait comme suit: Dennis Martinez, le nouveau venu Ken Hill, qui avait connu un excellent camp, Mark Gardner (qu'on avait essayé d'échanger en vain durant l'hiver), Chris Nabholz et le jeune Chris Haney, qui avait commencé 16 matchs pour le club dans la seconde moitié de saison 1991. Brian Barnes, lui, commencerait la saison dans le AAA.

Les Expos termineraient les matchs hors-concours avec une fiche de 20-12. Évidemment, ces matchs ne signifiaient rien pour la saison à venir, mais pour le club, ils ne comptaient pas pour des prunes. Il suffisait d'avoir vu quelques matchs des Expos durant le printemps pour comprendre qu'ils formeraient l'équipe la plus améliorée de la division Est. Malgré tout, *The Sporting News*, *Athlon Baseball*, *Bill Mazeroski's Baseball* et le *Sports Illustrated* étaient tous au même diapason, leur prévoyant la dernière place dans la division...

Il y avait longtemps que les Expos n'avaient pas été attendus de cette façon à Montréal. On ne les avait plus revus en ville depuis le début septembre de la saison précédente, et tous les malheurs qui s'étaient abattus sur eux dans la dernière année avaient fait en sorte de leur bâtir un certain capital de sympathie. De plus, depuis quelques semaines, des réclames publicitaires dans les médias écrits et électroniques mettaient en vedette Gary Carter, Dennis Martinez, Larry Walker et Marquis Grissom qui invitaient les fans – dans un français aussi approximatif que sympathique – à être «Expositifs» et à venir les voir jouer au Stade.

Une grève d'une dizaine de jours des hockeyeurs de la LNH avait par ailleurs irrité plusieurs amateurs de sports québécois, au point où plusieurs d'entre eux affirmaient maintenant vouloir tourner toute leur attention sur les Expos et leur nouvelle saison (il faut croire qu'ils avaient déjà oublié les nombreux conflits de travail du baseball des deux dernières décennies...).

Les samedi et dimanche 4 et 5 avril, les Expos avaient inscrit au programme deux matchs hors-concours au Stade contre les Blue Jays de Toronto. Des foules d'environ 15 000 personnes se sont déplacées pour acclamer bruyamment le retour de leurs Amours. Dans le match du dimanche, Tom Runnells a envoyé une recrue frapper à la place de Gary Carter en 6e manche, un jeune voltigeur du nom de Marc Griffin, de Sainte-Foy, en banlieue de Québec.

En décembre 1991, les Expos l'avaient acquis de l'organisation des Dodgers de Los Angeles. Après une saison prometteuse à Vero Beach (A) en 1989 (MAB de ,282), le jeune homme de 23 ans avait rongé son frein durant les deux saisons suivantes, les Dodgers préférant le laisser poursuivre son apprentissage dans le A plutôt que de le faire graduer au niveau suivant. Chaque année, les Dodgers comblaient un poste de voltigeur dans le grand club en embauchant un joueur autonome, bloquant la route aux recrues comme Marc Griffin. Peut-être que les choses débloqueraient plus rapidement pour le Québécois dans l'organisation des Expos, même si la présence de joueurs de talent comme Ivan Calderon, Larry Walker et Marquis Grissom ne lui rendrait pas la tâche facile.

Affrontant un grand droitier du nom de Ricky Trlicek, Griffin a regardé passer deux prises avant de fendre l'air sur un troisième tir. « J'étais nerveux parce que ce n'est pas mon genre de laisser passer les deux premiers lancers. Et puis je ne suis pas habitué à être utilisé comme frappeur suppléant. Mais je ne suis pas déçu. Je retourne dans les mineures mais je compte revenir bientôt », a déclaré le jeune homme. Un jour, se disait-on, un deuxième Québécois (après Claude Raymond) finirait bien par se tailler une place avec le club. Marc Griffin serait-il celui-là?

Après les deux matchs hors-concours contre Toronto, les Expos ont pris la route de Pittsburgh et New York pour entreprendre la vraie saison. Ils ont perdu les 2 premiers matchs par des marques serrées, mais ont remporté les 4 suivants de façon décisive (8-3, 4-0, 9-2 et 8-2), et quand ils sont rentrés à Montréal pour le match d'ouverture local, ils étaient seuls au 1er rang.

C'est tout un comité d'accueil qui attendait l'équipe le 13 avril 1992 (un lundi après-midi) pour son premier match de la saison : 40 907 personnes. Tant de gens s'étaient décidés à venir à la dernière minute que le club a dû retourner un millier de personnes à la maison, un phénomène qu'on n'avait pas vu depuis des lustres. « Ils ont retourné 1 000 personnes, vraiment ?, a demandé Tim Wallach. Je ne me rappelle pas qu'on ait dû refuser du monde… J'espère seulement qu'ils vont revenir. »

Ceux qui ont pu se frayer un chemin dans les gradins n'ont pas été déçus. Du spectacle d'avant-match (où Youppi est apparu à la foule en descendant d'une montgolfière suspendue au-dessus du terrain !) jusqu'au premier lancer, les amateurs ont pu crier leur bonheur de renouer avec leurs héros, à commencer par Gary Carter, qu'ils ont ovationné pendant deux minutes quand il leur a été présenté.

Grâce au nouveau tableau indicateur (un écran couleur géant de 31 x 42 pieds), les spectateurs ont pu constater combien Carter était touché. « J'ai failli perdre le contrôle après mon troisième coup de casquette, a dit le vétéran receveur après le match. C'est alors que Marquis Grissom m'a fait rire en me disant à la blague que j'étais le plus grand. J'ai déjà reçu des ovations semblables mais elles ne m'avaient pas touché autant. J'ai le sentiment qu'on m'a applaudi pour les années que j'avais passées avec les Expos. »

Le fun était dans le Stade et le match n'était pas encore commencé !

Le premier frappeur Delino DeShields a fait bondir les gens de leur siège en cognant un circuit dès la deuxième moitié de la 1re manche. À la manche suivante, Gary Carter, fidèle à son habitude de briller sous les feux des projecteurs, a ravi ses partisans en cognant un simple dès sa première présence au bâton, pavant la voie à une manche de deux points contre l'Acadien Rhéal Cormier, le lanceur des Cards (originaire de Saint-André, un village près de Cap-Pelé au Nouveau-Brunswick, Cormier en était à la 2e saison d'une fort belle carrière qui durerait 17 ans). Plus tard, les Cards ont grugé l'avance des Expos et après 8 manches, c'était 3-2 Expos.

Certains fans avaient encore en mémoire la cruelle défaite du club dans le match d'ouverture local de la saison précédente, quand ces mêmes Cards avaient défait les Expos – et le releveur Tim Burke – en début de 9e manche alors qu'ils tiraient de l'arrière 4-2. Mais 1992 n'était pas 1991. Le nouveau releveur John Wetteland a accordé un simple au premier frappeur, Ray Lankford. Après un retrait, Lankford a volé le deuxième, se rendant plus tard jusqu'au troisième sur un mauvais lancer. Un coureur au troisième et un seul retrait… Imperturbable, Wetteland a retiré sur des prises le frappeur suivant, Milt Thompson, avant d'affronter le redoutable Pedro Guerrero, le quatrième frappeur de la formation.

« Les fans ne pourront pas ne pas aimer John Wetteland, d'écrire Michael Farber dans *The Gazette*. Il arrive au monticule avec l'air de dire "va te faire f…", une qualité que vont adorer les amateurs montréalais après avoir été forcés de regarder les releveurs des dernières années par les espaces entre les doigts de la main, une précaution indispensable depuis qu'on a donné Jeff Reardon. »

Guerrero a profité d'un tir un peu haut de Wetteland pour prendre un élan complet. Il a cogné un long ballon vers la gauche qu'Ivan Calderon a réussi à récupérer après avoir reculé de quelques pas.

« C'est le genre de match qu'on aurait perdu l'an dernier, a déclaré Tim Wallach après la rencontre. Wetteland a l'attitude du releveur de fin de match. Il est comme Lee Smith, Rollie Fingers ou Jeff Reardon. Quand ces gars-là se font frapper, ils ne savent pas comment ça a pu leur arriver. Ils se croient imbattables. C'est ça qu'on espère d'un *closer*. »

Après le match, les journalistes ont été étonnés de voir un Gary Carter effacé dans le vestiaire, laissant toute la place à ses nouveaux coéquipiers, un énorme contraste avec le Kid d'antan que micros et caméras semblaient attirer comme des aimants. Jim Fanning – qui était encore dans l'entourage du club, cette fois à titre de conseiller spécial –, avait pour sa part été impressionné par le joueur de baseball : « J'ai revu le Carter d'il y a 10 ans. Il a encore d'excellents réflexes. Lui et Larry Parrish étaient les meilleurs quand le match était en jeu. »

La journée de retrouvailles entre les Expos et leurs fans avait été une réussite sur toute la ligne. On se serait cru aux beaux jours de l'équipe au tournant des années 1980. « L'ambiance était à la fête, on se serait cru en plein carnaval. Trompettes, bières, petites flasques, casquettes de travers…, a écrit Chantal Gilbert dans *La Presse*. Les mordus n'ont eu aucun remords à prendre congé du bureau, avec ou sans l'accord du patron, et plusieurs étudiants séchaient leurs cours, trop heureux de saluer leur équipe. » Chose certaine, personne ne semblait s'inquiéter de la sécurité des lieux. La catastrophe appréhendée – un boycott du Stade par les Montréalais – après la rupture de la poutre de 55 tonnes ne s'était pas matérialisée.

Tout au long du match, plein de gens s'étaient pressés devant les stands de souvenirs, prêts à se délester de 30 $ pour mettre la main sur l'une des nouvelles casquettes bleues du club. Mille casquettes s'étaient ainsi envolées et les Expos devraient maintenant en commander d'autres pour pouvoir répondre à la demande jusqu'à la fin du séjour à domicile du club.

Les amateurs sondés par divers représentants des médias ne se sont pas gênés pour exprimer leur désaffection pour les Canadiens et le hockey. La grève et le prix des billets – presque impossibles à trouver, par ailleurs – leur faisaient apprécier plus que jamais les Expos et le baseball, un spectacle beaucoup plus abordable (en 1992, les billets de parterre se vendaient 22 $).

Chez les Expos, on était prudemment optimistes : Claude Brochu disait s'attendre à ce que le club engrange des profits dès l'année en cours, même s'il avait subi un déficit de 5 M $ en 1991 (qui s'expliquait en partie par la fermeture du Stade vers la fin de la campagne). Pour faire leurs frais, les Expos devraient attirer au moins 1,4 M de spectateurs. Or, les projections du club les situaient au-dessus de la barre des 1,7 M, pointant vers des profits de 4 M $.

Évidemment, pour atteindre de tels chiffres, l'équipe devrait connaître sa part de succès. Or, après avoir remporté leur match inaugural à domicile, les Expos ont perdu sept de leurs huit affrontements suivants...

Le 15 avril, les Cards ont battu Ken Hill et les Expos 4-2 sans qu'aucun de leurs points soit mérité, Delino DeShields et Bret Barberie commettant chacun deux erreurs coûteuses. Les erreurs font partie du jeu mais le nouveau troisième-but des Expos en avait tout de même commis six en neuf matchs... La veille, Tim Wallach avait lui aussi été imputé d'une erreur au premier but. Ce n'était pas que les Expos n'avaient pas le bon personnel, c'était que les pions ne se trouvaient pas aux bonnes cases... On était loin de l'avant-champ de la saison précédente où les lanceurs pouvaient compter sur Wallach au troisième et Andres Galarraga au premier pour réaliser les jeux difficiles. Mais voilà : Tom Runnells pouvait-il redonner le troisième but à Wallach sans perdre la face ?

Si la controverse autour du rôle de Wallach restait vive, c'était davantage certaines décisions stratégiques de Runnells qui faisaient sourciller les observateurs. L'année précédente, l'équipe n'allait nulle part et les experts avaient accueilli les erreurs du gérant avec une certaine magnanimité, comme cette fois où il avait précipité le releveur Barry Jones dans un match en omettant de l'envoyer se réchauffer dans l'enclos. Mais maintenant, avec de meilleurs éléments en main, le gérant ne jouissait plus de la même indulgence. Il ne faut pas perdre de vue non plus que son patron n'était plus celui qui lui avait offert le poste de gérant ; celui-là vivait maintenant en Floride... Les cafouillages de Runnells seraient jugés plus sévèrement par Dan Duquette, le nouveau DG du club.

Dans *La Presse* du 17 mai, le journaliste Pierre Ladouceur recensait quelques-unes de ces erreurs.

Le 27 avril, à la fin de la 4ᵉ manche d'un match contre les Giants à San Francisco, les Expos tiraient de l'arrière 1-0 quand, après un retrait et avec un coureur adverse au troisième but, Runnells a demandé à son avant-champ de jouer rapproché pour retenir le coureur au troisième. Le frappeur suivant a alors frappé une balle tout juste au-dessus de la tête de Spike Owen, une balle qui aurait pu être facilement captée si Owen avait occupé sa position normale. Les Expos ont perdu le match 2-1. Puis, le 8 mai, toujours contre ces mêmes Giants, tandis que la marque était égale 3-3, Runnells a demandé à son releveur Jeff Fassero d'affronter le dangereux Will Clark alors que le premier but était inoccupé. Clark a cogné un circuit pour donner une avance de 5-3 à son équipe – avance que les Giants ne perdraient plus.

Deux jours plus tard, les Expos menaient 3-2 en début de 9e quand le premier frappeur de la manche pour les Giants, Kevin Bass, s'est amené au bâton. Runnells a omis de demander à ses joueurs de protéger les lignes de démarcation du premier et du troisième but, et Bass en a profité pour frapper un triple dans la droite. Bass a plus tard croisé le marbre et les Giants l'ont finalement emporté 8-3 en 11e manche.

« Les Expos n'ont pas la formation pour remporter le championnat, mais ils auraient pu ajouter quelques victoires à leur fiche si Runnells avait été un meilleur stratège », concluait Ladouceur dans son article.

Plusieurs joueurs et partisans du club se demandaient de plus en plus si Runnells était à sa place à la barre d'une équipe des majeures. « Il nous traite comme des collégiens, les gars ne le respectent pas », avait dit un Expo au début mai – sous le couvert de l'anonymat.

Le 20 mai, lors d'un match contre les Reds de Cincinnati au Stade, l'équipe visiteuse a marqué 5 points en 7e manche, chassant la plus grande part des spectateurs des gradins. Ceux qui sont restés ont copieusement hué Runnells quand il a dû se rendre au monticule deux fois pour changer de lanceur, entonnant des chants réclamant son congédiement.

Même si la saison était jeune et si la fiche des Expos n'était tout de même pas désastreuse (quelques matchs sous la barre des ,500 et en 4e position de l'Est), Dan Duquette a décidé qu'il était temps d'effectuer un changement.

Le 21 mai, l'instructeur Felipe Alou avait décidé de profiter d'une rare journée de congé pour aller taquiner le poisson sur un lac, près de Trois-Rivières, en compagnie de quelques amis. Après le dîner, Felipe a reçu un appel de Montréal : on lui demandait de rappliquer immédiatement au Stade olympique. En arrivant au Stade, il a appris qu'on lui offrait le poste de gérant. On avait tout prévu : si Felipe déclinait l'offre, on avait même dépêché en ville l'homme à qui on donnerait alors le poste : Kevin Kennedy, un ancien joueur qui avait récemment veillé au développement des joueurs des filiales des Expos. Le lendemain, la nouvelle était rendue publique : les Expos faisaient de Felipe Alou le 8e gérant de leur histoire.

À la conférence de presse organisée au Stade olympique, la question que se posaient les journalistes n'était pas tant de savoir pourquoi

Runnells avait été limogé; on cherchait plutôt à comprendre pourquoi le poste n'avait pas été offert plus tôt à un homme de baseball d'expérience comme Felipe Alou.

Alou avait en effet une feuille de route remarquable. Après une brillante carrière de 17 ans comme joueur, il avait géré des clubs-écoles de l'organisation pendant 12 ans, se révélant non seulement un mentor d'exception pour les jeunes joueurs, mais aussi un gérant capable de mener ses clubs à la victoire. En 1990, Felipe avait été élu Gérant de l'année dans la Ligue de la Floride alors que ses Expos de West Palm Beach avaient remporté 92 des 132 matchs qu'ils avaient disputés...

Comment un homme aussi qualifié avait-il pu échapper au radar des Expos où à celui d'autres clubs?

En réalité, les Giants de San Francisco lui avaient offert le poste de gérant du grand club en 1986. Mais Felipe avait décliné l'invitation des Giants, mal à l'aise avec l'idée qu'on ne lui proposait qu'une entente d'un an : «J'avais le sentiment qu'on voulait m'embaucher pour me congédier. Alors j'ai refusé», de dire Felipe.

Jim Fanning, qui a connu Felipe à Milwaukee dans les années 1960 alors qu'ils faisaient tous les deux partie de l'organisation des Braves, dit pour sa part que durant les années 1980, les Expos avaient eu en tête de préparer Alou au rôle de gérant du grand club, mais que celui-ci se montrait réticent[1].

En effet, après avoir été instructeur sous Dick Williams en 1979 et 1980, Alou avait demandé aux Expos d'être «rétrogradé» à West Palm Beach, au niveau A. Sa motivation était d'abord financière: «Pour un instructeur, le coût de la vie à Montréal était cher, en fait je perdais de l'argent à travailler ici. Lucie (sa conjointe québécoise) et moi avions un appartement en ville et ça nous coûtait cher. À West Palm Beach, je pouvais pêcher moi-même notre nourriture; nous pourrions vivre plus confortablement[2].»

John McHale avait été bien embêté par la demande de Felipe. Une organisation qui fait passer un instructeur d'origine latine des ligues majeures au niveau A, ça paraîtrait mal... Il a donc proposé à Alou d'aller gérer temporairement le club AAA des Expos, ce que celui-ci a fait pendant quatre saisons, et sans grand plaisir, d'ailleurs. «Le AAA est le purgatoire du baseball, explique aujourd'hui Felipe Alou. Les joueurs ont souvent une famille, des responsabilités. Ils rêvent tous de jouer dans les majeures. Dans le A, les jeunes n'ont pas ces préoccupations-là. Chaque fois qu'on fait graduer un joueur dans les majeures, les autres athlètes en veulent au gérant puisqu'ils estiment qu'il n'a pas assez défendu leur dossier devant les dirigeants du grand club[3].» Felipe, plus à l'aise dans le

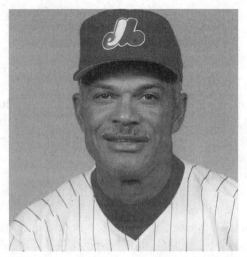

Certains se sont étonnés de voir Felipe Alou accéder si tard au poste de gérant dans les majeures, mais c'est bel et bien lui qui avait attendu son heure pour le devenir.
Club de baseball Les Expos de Montréal

développement de jeunes joueurs, ne se sentait pas à sa place dans le AAA.

C'est donc avec bonheur que Felipe avait repris le chemin de West Palm Beach, où il a géré l'équipe A des Expos avec succès pendant six ans (« Les Expos ont été généreux avec moi, ils n'ont pas réduit mon salaire », précise Alou). À la fin de la saison 1991, Dan Duquette lui a demandé de rejoindre le grand club pour donner un coup de main à leur jeune gérant qui entreprendrait sa première saison dans les majeures. La présence d'un adjoint expérimenté ne nuirait certainement pas. Felipe a refusé, lui suggérant de trouver quelqu'un d'autre. Mais il a laissé une porte ouverte : « Rappelle-moi si tu ne trouves personne. » Alou s'est alors rendu dans les ligues d'hiver pour gérer un club de la République dominicaine, question de mettre un peu de beurre sur le pain. Il avait presque oublié l'offre de Duquette quand celui-ci a rappliqué : « Nous te nommons instructeur de banc des Expos. » Craignant d'être congédié s'il refusait de nouveau, Alou a accepté[4]. Et maintenant, à peine deux mois après le début de la saison, il était propulsé dans le rôle de gérant.

Les médias n'ont pas manqué de relever la timidité de l'offre des Expos (un poste jusqu'à la fin de la saison), ce qui semblait faire de Felipe un gérant par intérim… Pendant la conférence de presse, Serge Touchette du *Journal de Montréal* a posé la question que tous avaient en tête : « Vous le connaissez depuis 16 ans. Pourquoi en faites-vous un gérant par intérim ? » Dan Duquette a répondu que le club voulait tout simplement se donner le temps de l'évaluer, ce à quoi Touchette a aussitôt rétorqué : « Ah, oui ? Et qui va l'évaluer ? »

Claude Brochu explique aujourd'hui que c'est Felipe lui-même qui voulait les choses ainsi : « Il savait que les gérants des majeures sont engagés pour être congédiés et il ne voulait pas compromettre son avenir dans l'organisation ; une entente plus "ouverte" lui convenait donc parfaitement[5]. »

Quoi qu'il en soit, Felipe Alou, vivrait, à 57 ans, sa première expérience à la barre d'une équipe des majeures. Il serait le 2e gérant seulement de toute l'histoire des majeures à provenir d'un pays d'Amérique latine (le premier étant Preston Gomez, un Cubain qui avait dirigé les Padres de San Diego à leurs débuts), et, bien sûr, le 1er Dominicain.

« Sur les plans tactique et stratégique, nous avons besoin d'un vétéran d'expérience, a dit Dan Duquette. Il nous faut un leader qui nous relancera. Nous pouvons être dans la course dès cette saison. »

Alou a dit qu'il n'apporterait pas de changements radicaux à l'équipe. Pourtant, il a tout de même effectué une série d'annonces indiquant qu'il ferait les choses à sa manière : il redonnerait le troisième but à Tim Wallach, ferait jouer occasionnellement Bret Barberie au deuxième, la recrue Archi Cianfrocco occuperait souvent le premier coussin, et le gaucher Jeff Fassero serait utilisé comme releveur de fin de match pour donner un répit occasionnel à John Wetteland. Le nouveau gérant ne craindrait pas de prendre des risques : « Je n'ai pas peur d'essayer des choses, parce qu'à mon âge, il n'y a pas grand-chose que les gens peuvent vous faire si ça ne fonctionne pas, a mentionné le nouveau gérant de l'équipe. Les Dominicains ne connaissent pas la peur. Certains d'entre eux tentent de traverser l'Atlantique dans un bateau de fortune pour se rendre aux États-Unis. La seule chose qu'ils ont en tête est de donner tout ce qu'ils ont. »

Tim Wallach était bien heureux d'apprendre qu'il retrouverait son ancienne position même s'il prétendait s'être fait à l'idée. « Au camp, tout le monde savait que je n'étais pas enchanté de la situation. Mais c'était réglé. Ce n'est pas aux joueurs de critiquer leur gérant, c'est le rôle de la direction et ils ont décidé de passer à l'action. TR a toujours travaillé très fort pour les succès de l'équipe. Quand un gérant travaille aussi fort que lui, on ne peut pas le critiquer. »

Mais le dévouement à la tâche n'avait pas réussi à sauver l'emploi de Tom Runnells. Les journalistes qui l'ont appelé pour lui parler ont tous constaté la même chose : l'homme avait le cœur brisé. « J'ai fait de mon mieux, j'ai donné 100 % tous les jours. Si c'était à refaire, je n'agirais pas autrement. » Il disait aussi n'en vouloir à personne et remerciait Claude

Brochu et Dan Duquette de lui avoir donné l'occasion de diriger une équipe des majeures. Felipe Alou a eu de bons mots pour son prédécesseur : « Runnells est un vrai gentleman. Il consultait ses adjoints. » Pour sa part, Dan Duquette se disait convaincu que Runnells retomberait sur ses pattes : « Tom a un bel avenir devant lui. »

Même s'il occuperait par la suite diverses fonctions dans le baseball – de gérant de clubs mineurs à instructeur dans les majeures –, Tom Runnells n'a à ce jour jamais plus piloté un club des ligues majeures. Son passage à Montréal restera une note en bas de page dans l'histoire de l'équipe : un gérant dévoué, fervent de discipline mais trop intense, trop tendu. L'histoire retiendra surtout l'image d'un type qui a eu la drôle d'idée de se présenter un jour à ses joueurs vêtu de la tête aux pieds en habits militaires.

Tout le brouhaha autour du changement de gérant des Expos ne pouvait faire oublier une malheureuse histoire concernant une figure bien connue des Montréalais.

Le 20 mai, après avoir disputé un long match de 12 manches contre les Yankees à New York, les joueurs des Angels de la Californie ont sauté dans deux autocars pour prendre la route en direction de Baltimore. Il était 2 h du matin quand le chauffeur du premier autocar a perdu le contrôle de son véhicule – probablement après s'être endormi. L'engin a foncé dans une rampe de protection puis dans une rangée d'arbres avant de glisser sur une pente qui donnait sur un ravin. Seul un arbre se trouvant miraculeusement sur la trajectoire du véhicule l'a empêché de basculer dans le vide et de s'écraser au fond du précipice.

Au moment de l'accident, l'ancien gérant des Expos Buck Rodgers (qui avait pris les rênes des Angels l'année précédente), était installé dans le siège du passager avant – la place habituellement réservée aux gérants d'équipe. Il a tout juste eu le temps de s'esquiver pour éviter la branche qui venait de faire voler en éclats le pare-brise du véhicule. Mais l'impact a fait des dommages ; des 12 joueurs blessés dans l'accident, Buck était de loin le plus mal en point : le genou gauche fracturé, le coude droit fracturé à 6 endroits et quelques côtes cassées.

Le pilote des Angels passerait les deux mois suivants confiné à un fauteuil roulant, ne revenant avec l'équipe qu'à la fin août. À son retour en uniforme, Rodgers boitait encore : « C'est dommage, je ne pourrai pas courir après les arbitres. Mais bon, ça ne fait rien, je marcherai lentement vers eux. Ça fera son effet », a lancé celui qui, manifestement, n'avait pas perdu son sens de l'humour.

L'accident a toutefois laissé des traces permanentes sur le gérant et on a dû lui reconstruire le coude et, plus tard, le genou. Buck reprendrait du service la saison suivante mais serait remplacé au cours de la saison 1994. « J'étais différent, plus impatient. Quand on frôle la mort, on tombe dans un mode plus pressé. Ça m'a pris une couple d'années pour me calmer. » Buck a géré une équipe de ligue indépendante pendant quelque temps jusqu'au moment où, le jour même de leur 60e anniversaire de mariage, ses parents ont été victimes d'un grave accident de la route. Sa mère a perdu la vie sur le coup, son père quelques mois plus tard. « Quand c'est arrivé, je me suis dit: "Ça y est, j'arrête". Et j'ai pris ma retraite[6]. »

Les joueurs n'ont pas mis de temps à réaliser que les choses seraient fort différentes sous l'égide de Felipe Alou. Il n'y aurait plus de ces réunions à propos de tout et de rien (une des dernières de l'ancien régime avait porté sur les raisons expliquant le grand nombre de défaites du club dans les matchs disputés en soirée...) et la plupart des règles imposées par Tom Runnells – comme ce couvre-feu fixé à 23 h – seraient levées. Il y avait en effet quelque chose d'absurde dans l'idée de demander à Gary Carter, un père de famille de 38 ans, de rentrer à la maison avant 23 h... « Je ne peux pas demander à des gars de respecter des règles que je ne suivais pas moi-même quand j'étais joueur », de dire Alou.

« Quand je suis entré dans mon nouveau bureau, j'ai trouvé des piles de dollars dans un tiroir, en plus de cinq chèques, raconte Felipe presque 20 ans après les événements. C'était l'argent d'amendes qui avaient été imposées aux joueurs. Les chèques étaient tous de Delino DeShields. Et on était seulement à la fin mai! Ce n'est pas que les amendes n'étaient pas justifiées, elles l'étaient (des retards, des manques d'effort), mais ça ne pouvait pas continuer comme ça. »

Dans sa première rencontre avec les joueurs, Felipe a abordé la question des règles – que les joueurs semblaient avoir du mal à suivre. Un joueur a expliqué que depuis le début de la saison, les joueurs avaient senti de la tension dans le vestiaire, de l'animosité.

« Très bien, on va relaxer ça », leur a dit le gérant. Il a dessiné deux cercles sur un tableau, un petit et un grand. « En ce moment, nous fonctionnons avec ce petit cercle, et plusieurs d'entre vous opèrent à l'extérieur du cercle. Maintenant, nous allons utiliser le plus grand cercle. Voyez, vous êtes maintenant tous à l'intérieur. Mais je vous préviens : si vous ne pouvez pas fonctionner dans ce cercle-là, vous ne pourrez pas travailler pour moi. »

Le message a été reçu 10 sur 10 et les joueurs n'ont pas récolté une autre amende de la saison[7].

La façon de faire de Felipe ressemblait beaucoup plus à un esprit propre aux grandes ligues : plus relax, plus cool, partant du postulat de base qu'un joueur des majeures est un adulte. Les règles ne seraient pas consignées dans un document distribué aux joueurs ; elles seraient en quelque sorte soufflées à l'oreille. Les joueurs n'avaient qu'à regarder du côté de Felipe pour comprendre ce qu'il attendait d'eux.

Alou n'était pas de ces leaders qui imposent le respect en s'appuyant sur leurs réalisations passées ; il l'obtenait par sa façon de se comporter à la tête d'un groupe d'hommes, par sa philosophie du jeu et de la vie. Avec lui, les joueurs n'avaient pas à craindre l'échec. Mais ils devaient jouer pour gagner, pas pour ne pas perdre. « Quand j'ai pris le club, il y avait beaucoup de jeunes joueurs inquiétés par la défaite. Quand on a peur de perdre, il n'y a pas grand-chose qu'on puisse faire », a argué Felipe. D'ailleurs, une des premières choses qu'il a dites à ses joueurs à titre de gérant, c'était qu'ils devaient commencer à se détendre un peu plus.

Le 22 mai, lors du premier match d'Alou comme gérant d'une équipe des majeures, les Expos et Dennis Martinez lui ont fait le cadeau de battre les Braves 7-1 à Atlanta. « Martinez a géré le club pour moi ce jour-là, se rappelle Felipe. Après le match, il m'a donné la balle en souvenir[8]. »

Le lendemain, comme promis, Alou a logé Tim Wallach au troisième but, ce qui a semblé réveiller le vétéran, lui qui en arrachait encore offensivement : il a cogné un circuit, produit deux points et réalisés quelques beaux jeux défensifs.

Si les Expos n'ont pas brûlé la ligue dans les semaines qui ont suivi, ils n'ont pas connu d'inquiétantes séquences de défaites comme ça avait été le cas en avril.

Ils ont maintenu une moyenne légèrement supérieure à ,500, démontrant à l'occasion pas mal de caractère – comme durant une séquence de six matchs consécutifs contre les Dodgers à Los Angeles.

Le 6, 7 et 8 juillet, l'équipe a dû disputer trois programmes doubles en trois jours contre l'équipe de Tommy LaSorda. Ce caprice du calendrier était dû à des circonstances exceptionnelles : à la fin avril, des émeutes raciales avaient éclaté à Los Angeles lorsqu'un jury avait acquitté quatre policiers des accusations de brutalité portées contre eux par Rodney King, un jeune Noir passé à tabac après avoir été intercepté sur la route en état d'ébriété. Captée par une vidéo amateur, la scène avait fait le tour du monde, soulevant l'indignation générale. Sans surprise, la décision du jury d'innocenter les policiers avait mis le feu aux poudres. La plus importante émeute raciale du XXe siècle aux USA avait fait une soixantaine de morts et provoqué l'arrestation de plus de 4 000 personnes, si bien que les trois matchs que les Expos devaient disputer aux Dodgers au début mai avaient tous été remis.

Le calendrier du baseball majeur laissant très peu de journées inoccupées, il fut convenu de transformer les trois programmes simples que devaient se disputer les deux clubs au début juillet en programmes doubles. Pour les Expos, qui n'étaient plus qu'à 3 ½ matchs des Pirates et du sommet de l'Est, la série revêtait une importance capitale : un balayage pourrait faire dérailler le reste de leur saison, pouvait-on lire ici et là.

Or, ce n'est certainement pas le message qu'a cherché à passer Felipe Alou à sa jeune équipe : « Ce ne sont pas ces matchs-là qui vont faire notre saison, a soutenu le gérant. De la façon dont les choses se passent dans notre division (les Expos se maintenaient dans la course avec une moyenne de seulement ,500), si on partage les honneurs de la série, ou si on sort de là avec une victoire de plus ou de moins que de défaites, on va être dans une bonne position. »

Après avoir perdu le premier double, personne n'a cédé à la panique : les Expos sont revenus en force le lendemain (victoires de 4-1 et 4-0), solidement épaulés par leurs lanceurs, dont le jeune Jonathan Hurst qui, à son troisième départ sous la grande tente, a blanchi les Dodgers pendant 7 ⅓ manches. Le fougueux John Wetteland a sauvegardé chacun des deux matchs.

Le troisième jour (les matchs étant disputés de jour, sage mesure de prudence pour une ville se remettant à peine de grands désordres civils), les Expos ont partagé le double dans deux matchs âprement disputés.

L'équipe venait de passer son premier vrai test de la saison – et nul doute que l'attitude apaisante de Felipe Alou y était pour quelque chose. Avant la nomination de Felipe, Delino DeShields se plaignait souvent de la pression que l'organisation mettait sur les épaules des jeunes ; on s'attendait à ce qu'ils se comportent avec assurance alors que plusieurs d'entre eux sortaient à peine des rangs mineurs – 19 joueurs sur 25 avaient moins de 3 ans d'expérience dans les majeures… Or, depuis quelques semaines, cette question ne semblait plus le préoccuper. En fait, le jeu de DeShields était meilleur que jamais (Joueur du mois en juillet) : « La meilleure idée qu'il ait eue dans mon cas, ça a été de me laisser tranquille », a révélé Delino.

Contrairement à ce qu'on avait vu en début de saison, les décisions du gérant n'étaient plus constamment remises en question par les joueurs : « Maintenant, les choses se passent comme elles doivent : les joueurs jouent et le gérant et les instructeurs font ce qu'ils ont à faire », a ajouté DeShields. Marquis Grissom avait remarqué le changement chez son ami : « Delino est le même gars que l'an passé ou que l'année d'avant. La différence, c'est qu'il a plus de plaisir à jouer. »

« Felipe laisse les gars jouer », a dit pour sa part Ken Hill, qui connaissait lui aussi une excellente saison. « Il ne parle pas beaucoup, mais quand il le fait, c'est parce qu'il a bien réfléchi à ce qu'il va dire », expliquait à son tour Bret Barberie.

Felipe Alou aussi avait plein de bonnes choses à dire sur ses joueurs : « Ils sont aussi bons qu'on m'avait dit qu'ils seraient. Dan Duquette m'a dit l'an passé que l'équipe était meilleure que ce qu'ils avaient démontré sur le terrain et je constate aujourd'hui qu'il avait raison. »

Le club était certainement supérieur à la fiche (44-44) qu'il présentait à la pause du match des Étoiles. La preuve ne tarderait pas à venir.

Après la trêve du match des Étoiles, les amateurs de baseball montréalais ont commencé à retrouver le chemin du Stade et les 25 et 26 juillet, des foules remarquables de 41 935 et de 46 620 spectateurs sont venues encourager leurs favoris. Les Expos les ont ravis en complétant un balayage de trois matchs contre les Dodgers. Les fans commençaient à se rendre compte que cette équipe alignait des joueurs de talent – et qu'elle était maintenant rudement bien dirigée.

Ken Hill s'avérait un lanceur aussi talentueux qu'imperturbable. Dans un match disputé en juin, il n'a accordé qu'un seul coup sûr en 9 manches aux Mets de New York au Stade olympique, un simple au champ intérieur frappé par le lanceur Anthony Young des Mets en 5e manche. Le roulant de Young a échappé à l'arrêt-court Tom Foley après avoir rebondi sur son gant, mais le marqueur officiel du Stade a jugé qu'il s'agissait d'un coup sûr. Après le match, Hill a minimisé l'importance de la décision, même si elle l'avait tout de même privé d'un match sans point ni coup sûr : « Ce n'est pas si mal, après tout, j'ai blanchi les Mets en accordant un coup sûr, non ? »

Il faut dire qu'après avoir signé un premier contrat avec l'organisation des Tigers de Detroit en 1985, le jeune Noir avait été rapidement confronté à l'adversité en subissant les railleries des spectateurs du club avec lequel il s'alignait en Caroline du Nord, où le racisme était encore bien présent. Comme Jackie Robinson 40 ans plus tôt, Hill avait dû apprendre à maîtriser ses émotions sur le terrain.

L'autre acquisition de Dan Duquette, John Wetteland, était en train de se forger toute une réputation dans la Ligue nationale. On le considérait déjà comme un des trois ou quatre plus redoutables releveurs du circuit.

La marque de commerce de Wetteland, c'était son intensité. Était-ce dû aux trois ou quatre triples expressos qu'il enfilait avant un match ? Peut-être, mais il demeure qu'il faisait preuve d'une remarquable force de concentration au monticule, défiant les frappeurs avec une rapide rien de moins qu'explosive (en 1992, il a maintenu une moyenne de 10,7 retraits au bâton par 9 manches). Quand il arrivait dans le match et que son équipe détenait une avance, on savait la victoire assurée.

Depuis quelques années, Wetteland et son épouse Michele s'étaient convertis au christianisme. Wetteland affirmait qu'il était devenu un meilleur lanceur depuis, se disant moins éparpillé – plus en paix intérieurement. Il fallait toutefois le croire sur parole puisqu'à l'évidence, l'athlète de 25 ans avait encore du mal à contrôler son tempérament : les proches du club ont été témoins à quelques reprises de scènes épouvantables où Wetteland ne s'est pas gêné pour enguirlander publiquement son épouse. C'était un type imprévisible, qui pouvait être tantôt chaleureux et prêt à engager la conversation, tantôt maussade et renfrogné.

Quoi qu'il en soit, la relève des Expos ne commençait pas et ne s'arrêtait pas avec John Wetteland. Après un camp médiocre, Mel Rojas avait été rétrogradé à Indianapolis (AAA) pour le début de saison. Mais on l'a rappelé dès le 20 avril, après quoi il s'est révélé le releveur parfait pour préparer l'arrivée dans le match de Wetteland. Se fiant à une excellente rapide et à une très efficace balle fronde (qu'il utilisait comme changement de vitesse), Rojas était – contrairement à Wetteland – un Roger-bon-temps qui aimait avoir du plaisir et qui ne s'en faisait pas outre mesure s'il accordait un circuit. Natif de Santo Domingo, en République dominicaine, Rojas était une figure familière dans l'entourage de Felipe Alou et ce n'est qu'après quelque temps qu'on a appris qu'il était en fait son neveu…

L'autre proche de Felipe était bien entendu Moises Alou, l'héritier. Après avoir perdu toute la saison 1991 à cause d'une blessure à l'épaule, Moises s'était taillé un poste dans la formation majeure dès le camp d'entraînement. Utilisé surtout comme réserviste, le jeune homme de 26 ans a eu sa chance quand des blessures se sont acharnées sur Ivan Calderon. Le vétéran voltigeur de gauche serait limité à seulement 48 matchs en 1992 et Alou s'est avéré un remplaçant plus qu'adéquat : en 115 matchs, il a conservé une MAB de ,282, héritant rapidement du troisième rang de l'alignement des frappeurs, celui réservé à Calderon.

Après deux saisons à peaufiner ses talents dans les majeures, Marquis Grissom arrivait maintenant à maturité. S'imposant dorénavant comme l'un des coureurs les plus menaçants sur les sentiers, Marquis dépasserait son propre sommet de buts volés (76) en réussissant l'exploit 78 fois en 1992, le leader à ce chapitre dans la Ligue pour 2 saisons consécutives.

Le 21 juillet, Grissom a volé 4 buts dans un match au Stade contre les Giants, puis, le 22 août, lors d'une rencontre contre les Reds, Grissom a encore électrisé la foule montréalaise avec un jeu pour le moins audacieux. Alors que les Expos menaient 2-1, le frappeur Moises Alou – qui s'apprêtait à déposer un amorti-suicide – a eu la surprise de sa vie en s'apercevant que son coéquipier n'était plus qu'à quelques pieds de lui. Alou s'est jeté au sol alors que le rapide Grissom croisait le marbre debout, sous le nez du receveur Joe Oliver, qui n'a pas eu le temps d'appliquer la balle que venait de lui lancer le releveur Norm Charlton.

Dans ce match, Grissom en a fait voir de toutes les couleurs à l'équipe visiteuse : un simple, un double, un circuit et un vol du troisième en plus de son vol du marbre. Occupant maintenant le premier rang des frappeurs, Grissom se révélait non seulement capable de conserver une bonne moyenne (,276), mais aussi de faire preuve de puissance à l'occasion (39 doubles et 14 CC en 1992). Marquis avait aussi produit 66 points, une statistique étonnante pour un premier frappeur.

On pouvait par ailleurs difficilement trouver de meilleur gars dans le baseball. Simple, d'une humilité sincère, Grissom était issu d'une famille de 15 enfants – il était le 14e – qui, sans être pauvre, avait toujours vécu sobrement : « Nous avions des cadeaux à Noël, mais pas ceux que nous aurions souhaité avoir, pas ceux des enfants de notre âge », a raconté Marquis. Bientôt, le voltigeur de centre de 25 ans aurait les moyens de pouvoir faire construire une nouvelle maison à ses parents dans leur banlieue d'Atlanta.

Il semblait de plus en plus évident que Larry Walker pouvait à peu près tout faire sur un terrain de baseball : frapper pour la moyenne, cogner la longue balle, démontrer une vitesse étonnante sur les sentiers pour un type de son gabarit, galoper jusqu'à la clôture pour cueillir une balle frappée à la piste d'avertissement et, bien sûr, relayer la balle avec force et précision pour épingler un coureur ayant osé défier son bras.

Le 4 juillet, Tony Fernandez des Padres était sûr d'avoir réussi un simple après avoir frappé une flèche au champ droit. Walker a récupéré la balle après un bond pour pincer Fernandez au premier avant qu'il n'atteigne le but. Le 24 septembre, dans un match contre les Pirates à Montréal, Walker réservait le même sort au lanceur Tim Wakefield. Le 8 juillet, une balle frappée par Darryl Strawberry semblait destinée à passer par-dessus la clôture jusqu'à ce que Walker atteigne la rampe et exécute un saut parfait pour l'attraper à huit pieds du sol. Un des deux représentants des Expos – l'autre étant Dennis Martinez – au match des Étoiles, Walker y avait fait bonne figure, semblant tout à fait à sa place parmi l'élite du baseball.

Le natif de Maple Ridge en Colombie-Britannique avait une autre qualité : jouer pour une équipe québécoise ne lui semblait pas la pire des malédictions. Il avait même décidé de passer l'hiver à Montréal où il s'était mis à l'étude du français, en plus de faire quelques sorties publiques pour le club : « C'est quelque chose de voir la tête d'un jeune quand on peut lui parler en français, a dit Walker. Je veux pouvoir leur parler dans leur langue. Je n'essaie pas de me faire des amis ou d'impressionner qui que ce soit. Je veux juste mieux communiquer avec eux. »

Gary Carter avait connu les années où les Expos présentaient ce qu'on disait être le meilleur champ extérieur du baseball, avec les jeunes Andre Dawson, Ellis Valentine et Warren Cromartie. « C'est difficile de faire des comparaisons mais Walker, Grissom et Alou ne sont pas loin. Ils forment probablement le meilleur jeune trio de voltigeurs du baseball ces temps-ci. » Andre Dawson, qui disputait ce qui serait sa dernière saison à Chicago, trouvait aussi que les trois jeunes voltigeurs des Expos avaient quelque chose de spécial. « Nous avions un peu plus de puissance mais ces gars-là ont plus de vitesse, arguait le Hawk. Larry Walker m'émerveille, il est un des gars les plus forts du baseball. Quand il "tire" la balle, il ne fait pas que la cogner, il la pulvérise. Et il est formidable défensivement. »

Forts d'un solide mois de juillet (19-11), les Expos se sont hissés en 1re place le 28 juillet. Dans le baseball, on commençait à se demander si les Expos ne rééditeraient pas l'exploit réalisé par les Braves d'Atlanta et les Twins du Minnesota en 1991 : remporter le championnat après avoir terminé dans la cave du classement l'année précédente.

Mais les Pirates de Pittsburgh n'ont pas tardé à reprendre possession du 1er rang. Depuis 1990, ils étaient l'équipe à battre dans la division Est de la Nationale. Barry Bonds quittait l'équipe à la fin de la saison mais pour l'instant, il était encore là, tout comme Andy Van Slyke et Doug

Drabek. Du 30 juillet au 10 août, les Pirates ont remporté 11 matchs d'af-filée, disposant des Cards 8 fois durant cette séquence. Or, malgré ces succès, ils n'ont pu semer les Expos qui se maintenaient toujours à 3 ½ matchs d'eux.

Le 15 août, les Expos ont perdu un match crève-cœur à Saint Louis. Ils voguaient vers une victoire de 4-2 quand, en fin de 8e, les Cards ont placé deux coureurs sur les sentiers – après un retrait – aux dépens du partant Mark Gardner. John Wetteland est entré dans le match et a aussitôt retiré le dangereux Ray Lankford sur décision. Mais le frappeur suivant a soutiré un but sur balles au releveur des Expos, ce qui plaçait des coureurs à tous les buts. Les Expos connaissaient bien le prochain frappeur, un type vulnérable aux retraits au bâton, nul autre qu'Andres Galarraga, qui connaissait une saison de misère (,229, 5 CC). Wetteland ne manquerait certainement pas de défier le Gros Chat avec sa balle rapide.

La rapide : c'est effectivement tout ce que Galarraga a vu. Sauf que quand il a fait contact, c'en fut tout un et la balle a poursuivi sa trajectoire jusque dans les gradins pour un grand chelem. Une manche plus tard, la victoire de 6-4 des Cards était confirmée. Secoués, les Expos ont perdu les 3 ren-contres suivantes et le 19 août, ils avaient glissé à 4 matchs des Pirates.

Dennis Martinez était d'avis que les Expos avaient besoin de renfort s'ils devaient espérer se maintenir dans la course jusqu'à la fin. Des joueurs (Gary Carter) montraient des signes de fatigue, d'autres (Moises Alou, Spike Owen, Larry Walker, Bill Landrum) avaient dû s'absenter pour soigner des blessures. Sans compter la situation préoccupante d'Ivan Calderon, qui avait dû séjourner trois fois sur la liste des blessés depuis le début de la saison.

Si certains joueurs partageaient l'avis de Martinez, d'autres, comme Spike Owen, ne voyaient pas en quoi l'ajout d'un joueur pourrait faire une si grande différence : « Nous nous sommes rendus là en vertu d'un effort d'équipe total. Felipe a fait jouer tout son monde et les gars qui sont venus prendre la relève ont toujours fait le travail. Le baseball, ça revient toujours à une question de lanceurs et de ce côté, nous sommes plutôt bien servis », de dire Owen. Felipe Alou reconnaissait qu'un échange peut secouer une équipe, mais que sa façon de faire avait été d'impliquer tout son monde : « Nous pouvons avoir les meilleurs joueurs du monde, mais ça ne veut pas dire qu'ils formeront une équipe. »

Des rumeurs ont circulé pendant un temps selon lesquelles les Expos cherchaient à obtenir les services d'un vétéran lanceur comme Frank Tanana des Tigers de Detroit ou Bob Ojeda des Dodgers. Mais quand, le 29 août, les Expos ont finalement procédé à un échange, ils se sont contentés d'obtenir des Royals de Kansas City le joueur d'intérieur Sean Berry et un lanceur des mineures (contre les lanceurs Bill Sampen et Chris Haney). Berry, un réserviste, n'avait frappé que pour ,133 en 31 matchs durant la saison, si bien qu'on ne pouvait pas exactement parler d'une transaction d'impact... Dan Duquette a eu se beau défendre en affirmant que Berry était à la veille de devenir un frappeur accompli, les joueurs n'étaient pas emballés. «Pour moi, ça signifie que les Expos ont pris l'engagement... de ne rien faire», a lancé Dennis Martinez, déçu, comme plusieurs autres joueurs, de l'incapacité (du refus?) de l'équipe à mettre la main sur un joueur de premier plan. Une semaine plus tôt, les Expos avaient rappelé le réserviste Jerry Willard, un agent libre obtenu en juin pour une bouchée de pain, un type qui pourrait jouer un peu partout, au premier et au troisième but, derrière le marbre... Rien de bien excitant là non plus.

Revenant sur ces années, Mark Routtenberg se désole aujourd'hui que la direction n'ait jamais fait l'effort additionnel pour aider le club à aller jusqu'au bout. «C'est l'histoire de la gestion de Claude (Brochu). Chaque fois qu'on est passé proche, il a refusé de prendre des chances[9].»

Quoi qu'il en soit, les troupes de Felipe Alou n'étaient pas sans ressources, et du 20 août au 15 septembre, ils ont remporté 16 matchs sur 24, portant leur fiche à 80-64. Les 16 et 17 septembre, les Expos – encore à 4 matchs de la tête – disputeraient deux matchs cruciaux contre les meneurs, les Pirates, au Three Rivers Stadium de Pittsburgh.

Avant le premier match, Felipe Alou disait ne pas comprendre toute l'agitation entourant la courte série: «Vous savez, ils ne pendent pas les gérants ou les joueurs après une défaite. Il n'y aura pas de meeting avant ou après la partie, c'est un match comme les autres. On ne se rendra pas meilleurs en se pompant. On joue mieux lorsqu'on est détendus et qu'on prend ça comme une *business*.»

Lorsque les Expos et les Pirates se sont retrouvés sur le terrain vers 17 h, la scène ressemblait plus à une réunion de famille qu'à des préparatifs de guerre. Les joueurs des deux clubs ont longuement bavardé entre eux et Barry Bonds est même venu faire ses étirements aux côtés de Marquis Grissom et Delino DeShields. «Ça faisait longtemps qu'on avait joué les uns contre les autres, alors on était contents de se revoir, a expliqué Ivan Calderon, lui-même de retour au jeu depuis deux semaines seulement. Mais tout à l'heure, ce sera strictement de la *business*.»

L'attitude qu'affichaient les deux clubs à la veille de la série est une éloquente illustration des changements ayant eu lieu dans le baseball depuis l'arrivée des Expos dans les majeures. Dans les années 1960, on n'aurait jamais vu un athlète intense comme Bob Gibson fraterniser avec un joueur adverse. Les salaires, l'autonomie des joueurs et l'esprit de corps qu'avaient développé les joueurs dans leurs conflits avec les propriétaires avaient changé le rapport des joueurs à la compétition.

Il faut aussi reconnaître que ces manières décontractées sont propres au baseball. On le sait, l'intensité, un facteur si important au hockey, est une arme à double tranchant au baseball. Si on ne contrôle pas ses émotions, elles peuvent rapidement se retourner contre soi. C'est pourquoi les Michel Bergeron et Jacques Demers n'affluent pas dans les abris d'équipes de baseball.

Quoi qu'il en soit, les amateurs de baseball ont eu droit à deux remarquables matchs qui les ont gardés sur le bout de leur siège pendant deux soirées. Des affrontements disputés âprement où ont afflué les stratégies et substitutions multiples, et où plusieurs points ont été arrachés grâce à une solide exécution des jeux de base.

Marquis Grissom a donné le ton dès son premier tour au bâton du match initial. Il a frappé un simple, volé le deuxième, puis le troisième avant de marquer sur un court ballon-sacrifice de Larry Walker. Si Ivan Calderon, de retour au jeu depuis une quinzaine, a contribué à l'offensive de son club avec un coup sûr, un but sur balles et un point produit, c'est vraiment Grissom qui a pris l'attaque en main avec un simple, un triple, un circuit et deux buts volés. Les lanceurs des Expos (Nabholz, Rojas, Fassero et Wetteland) ont bien contenu les Bonds et compagnie et les Expos sont sortis vainqueurs 6-3.

C'était le sixième gain des Expos en huit matchs contre les Pirates durant l'année. Une autre victoire et ils ne seraient plus qu'à deux matchs des Flibustiers. Les choses se présentaient plutôt bien d'ailleurs : leur meilleur lanceur, Dennis Martinez (16-11), affronterait Danny Jackson (7-11), un gaucher qui avait tendance à trop s'en remettre à ses tirs de puissance quand les choses se corsaient.

En 6e manche, aucune des deux équipes n'avait encore marqué quand, après un retrait, Gary Carter s'est amené au bâton avec un coureur au deuxième et un autre au premier. Toujours l'homme des grandes occasions, Carter a cogné une balle qui a filé au champ opposé (droit) pour un double, faisant marquer les deux coureurs. Expos 2, Pirates 0. De tout temps, la pression avait inspiré cet athlète d'exception : à Montréal alors qu'il était dans la vingtaine, à New York dans ses dernières «grosses» années, et maintenant, à 38 ans, de nouveau dans l'uniforme des Expos.

Les Pirates sont aussitôt revenus à la charge en fin de 6e quand Barry Bonds a frappé un double bon pour un point. La marque est restée

Expos 2, Pirates 1 jusqu'en fin de 8ᵉ manche. Venu en relève de Dennis Martinez après un simple accordé après un retrait, Mel Rojas a alloué à son tour un simple – à Bonds (encore lui).

Rojas a alors forcé le frappeur suivant, Jeff King, à frapper un roulant à l'arrêt-court –, un roulant qui avait toutes les apparences d'une balle à double-jeu. Mais Spike Owen a été incapable de maîtriser le roulant : un coureur a marqué du deuxième, Bonds est arrivé sauf au troisième et King a atteint le premier sans mal. Alors que la manche aurait pu prendre fin sur la séquence, les Pirates avaient nivelé la marque, des coureurs se retrouvaient aux extrémités du losange et il n'y avait toujours qu'un retrait. L'arrêt-court qui, en 1990, avait établi la marque du plus grand nombre de matchs consécutifs sans erreur chez les joueurs de sa position (63) avait choisi un bien mauvais moment pour montrer qu'il pouvait aussi être humain.

Solide comme toujours, Rojas a toutefois disposé des deux frappeurs suivants et les Expos se sont sortis de la manche sans trop de dommage. Aucune équipe n'ayant marqué en 9ᵉ, les Expos et les Pirates se sont retrouvés en manches supplémentaires. En fin de 10ᵉ, John Wetteland s'est mis dans une situation délicate en plaçant trois coureurs sur les sentiers après un seul retrait. Mais « Wild Thing » (comme l'appelaient maintenant quelques journalistes montréalais) a montré de quel bois il se chauffait en retirant les deux frappeurs suivants, dont le dernier sur des prises.

Les Expos ont menacé en début de 12ᵉ manche mais le frappeur suppléant Jerry Willard – le réserviste obtenu à bon marché durant l'été – a été retiré sur des prises avant que Tim Wallach (dont la MAB oscillait autour des ,230) ne soit retiré sur un ballon.

C'est en fin de 13ᵉ que le match a trouvé sa résolution. Le premier frappeur des Pirates, le réserviste Cecil Epsy, a frappé un triple aux dépens du releveur Kent Bottenfield, compliquant passablement la tâche de Felipe Alou puisque la défensive des Expos devrait maintenant affronter le haut de l'alignement.

Dans le « livre du baseball » (un document que personne n'a jamais vu, soit dit en passant…), il est de mise dans ces circonstances de donner une passe gratuite aux deux frappeurs suivants pour ensuite forcer un jeu au marbre. Felipe Alou a commandé un but sur balles au premier frappeur de la formation (Alex Cole), mais pas au suivant, Jay Bell. Pourquoi ? Simplement parce que Felipe savait que deux frappeurs plus loin, son lanceur aurait à affronter un certain Barry Bonds. Affronter Bonds les buts remplis ? Non, merci.

Mais voilà, Jay Bell a aussitôt cogné un simple et le coureur du troisième est venu croiser le marbre avec le point décisif.

Les Expos venaient de retomber à 4 matchs de leurs rivaux.

«Barry a été une force majeure de notre alignement toute la saison, a dit le gérant Jim Leyland, soulagé d'avoir pu remettre ces damnés Expos à distance. Toutes les équipes ont essayé d'éviter de lui lancer. Parfois, ils y arrivent, parfois non. Mais ils sont toujours conscients de sa présence.» Bonds avait frappé quatre fois en lieu sûr dans ce match. Mais c'est sa *présence* qui, cette fois, avait eu raison des Expos. «C'est un des meilleurs matchs dans lesquels j'ai été impliqué de toute ma vie – des petites ligues jusqu'à aujourd'hui, a soutenu Leyland. Les jeux défensifs, les lancers réalisés au moment où ils devaient être faits, le baseball peut difficilement être meilleur que ce qu'on a vu ce soir.»

«Une défaite est une défaite, s'est contenté de dire Felipe Alou. Si nous avions perdu les deux matchs, ça aurait été désastreux mais le fait d'avoir partagé les honneurs reste encore le deuxième meilleur scénario qui s'offrait à nous. On est encore dans la course», a conclu le pilote des Expos.

Mais la marge de manœuvre des Expos était maintenant extrêmement mince. Après une victoire de 10-4 contre les Mets à New York, les Expos ont perdu le match suivant 7-5. Il n'en fallait pas plus pour que *La Presse* ramène ce bon monsieur BIT à la une de son tabloïd sport. «LES EXPOS ÉLIMINÉS», pouvait-on y lire en grosses lettres. «Avant la rencontre d'hier, leurs chances de finir premiers s'établissaient à 10,1 %. Maintenant, elles ne sont plus que de 4,6 %», estimait l'informaticien Alain Bonnier.

«*Tell your statistics to shut up*», écrivait le lanceur Jim Bouton dans son célèbre récit *Ball Four*. Pour les Expos, ce n'était pas certes pas le moment d'écouter les rabat-joie leur dire qu'il ne servait plus à rien de lutter, que tout était fini : ne leur restait-il pas 14 matchs à jouer ?

Dans les journaux montréalais, toutefois, l'heure était déjà aux autopsies : «Quoiqu'il arrive aux Expos dans les deux dernières semaines, ils auront droit à une ovation et des félicitations sincères, écrivait Ronald King dans sa chronique de l'édition du 20 septembre de *La Presse*. Un gros bravo pour la tonne de buts volés, pour les coups retenus comme dans le bon vieux temps, pour les remontées en fins de match, pour les amortis-suicides, réussis et ratés, en 10ᵉ manche. Bravo pour les deux matchs fabuleux contre les Pirates la semaine dernière, bref, merci pour le show qui a rarement été ennuyant… »

Plus tôt ce mois-là – le 7 septembre, exactement – une nouvelle d'importance avait fait le tour du monde du baseball : le commissaire du baseball Fay Vincent remettait sa démission.

Précipité dans le rôle de commissaire à la suite de la mort subite de Bart Giamatti, Vincent s'était rapidement retrouvé sous les feux de la rampe. Peu avant le début du troisième match de la Série mondiale de 1989 entre les Giants de San Francisco et les A's d'Oakland, un terrible tremblement de terre avait secoué la baie de San Francisco, causant la mort de 67 personnes et des dommages atteignant des milliards de dollars.

Vincent s'était gagné beaucoup d'alliés en réagissant de façon calme et mesurée. Certes, le baseball ferait tout en son pouvoir pour poursuivre la série, mais il ne le ferait pas au mépris de la dignité de la communauté. Après un arrêt de 10 jours, les activités avaient pu reprendre, la Série mondiale contribuant à sa façon au processus de guérison des habitants de San Francisco.

Mais la lune de miel de l'industrie avec le commissaire avait été de courte durée. Dès le printemps suivant, le lock-out imposé par les propriétaires s'était avéré un (autre) échec pour ceux-ci, en partie parce que Vincent les avait obligés à renoncer à la plupart des mesures qu'ils cherchaient à imposer. Après 32 jours d'inactivité, les camps d'entraînement avaient rouvert, mais pour certains propriétaires, Fay Vincent était déjà dans un siège éjectable.

Bientôt, d'autres gestes faits par le commissaire lui mettraient à dos plusieurs dirigeants du baseball. Vincent n'a pas fait de quartier à George Steinbrenner quand des sources ont révélé qu'il avait secrètement payé une somme de 40 000 $ à un individu associé à la pègre pour obtenir des renseignements sur Dave Winfield, avec qui le propriétaire des Yankees était en brouille. Le commissaire a ouvert une enquête à la suite de laquelle il a décidé de bannir Steinbrenner du baseball pour deux ans. Aux yeux de certains propriétaires, Vincent avait dépassé son mandat en s'acharnant sur un des leurs. Évidemment, il s'était attiré la hargne de l'un des propriétaires les plus puissants et influents du baseball.

Plus tard, Vincent a indisposé plusieurs propriétaires en décidant unilatéralement d'inclure les anciens joueurs de la Negro League dans le plan d'assurance des majeures. Ce qu'il faut comprendre de Vincent, c'est qu'il était un immense fan de baseball, éprouvant un infini respect pour son histoire et ses icônes. Il n'était pas rare de le voir passer des heures en compagnie de quelques-unes des légendes du *National Pastime* qu'il avait admirées dans sa jeunesse, de Joe DiMaggio à Ted Williams (des années plus tard, il écrirait d'ailleurs quelques bouquins réunissant des anecdotes de joueurs.) Lors de la 300ᵉ victoire de Nolan Ryan, Vincent avait raconté à des journalistes la joie qu'il avait ressentie de s'asseoir dans l'abri aux côtés du grand lanceur après le match. Ce comportement n'impressionnait pas tellement certains des dirigeants de la ligue : « Nolan Ryan est un joueur de baseball, lui a dit Jerry Reinsdorf, proprio des White Sox. Tu es le commissaire, tu ne peux pas être en admiration devant ces gars-là ![10] »

À la fin de 1991, le Comité des relations avec les joueurs avait désigné un nouveau porte-parole en vue de la prochaine négociation de convention entre les clubs et l'Association des joueurs – un avocat du nom de Dick Ravitch. Dès son entrée en poste, Ravitch a demandé à Bud Selig (le président du Comité) s'il n'y aurait pas moyen de modifier certaines des formulations de l'entente du baseball avec le Bureau du commissaire, de façon à s'assurer que le commissaire n'impose pas sa loi pendant les négociations avec les joueurs. Dans le passé, Bowie Kuhn, Peter Ueberroth et Fay Vincent s'étaient systématiquement mêlés des conflits de travail, le résultat de leurs interventions favorisant ultimement les joueurs. N'y aurait-il pas moyen de prévoir des dispositions pour empêcher le commissaire d'intervenir dans les négociations entre les clubs et l'Association ?

Évidemment, Vincent ne voulait rien entendre de modifications qui affaibliraient l'autorité du commissaire. Comment le baseball pourrait-il alors se protéger de deux groupes (joueurs et proprios) ne pensant qu'à servir leurs propres intérêts ?

Le commissaire acceptait toutefois de se plier à certaines demandes des propriétaires. Il se tiendrait loin des négociations pendant les conflits de travail – à moins qu'on ne l'invite à y participer. Il ne discuterait plus directement avec les représentants de l'Association des joueurs sans la présence d'un porte-parole des propriétaires. Et il ne communiquerait plus aux médias les progrès des pourparlers[11].

Le renouvellement de la prochaine convention collective n'arrivant pas avant la fin 1993, Ravitch et les propriétaires ont temporairement remisé leur demande. Mais d'autres questions pressantes installeraient bientôt commissaire et propriétaires dans un duel à finir.

En 1992, la question de la disparité entre les clubs riches et ceux disposant de moyens limités monopolisait beaucoup de discussions dans le baseball majeur. Depuis 1985, la différence entre la plus grande et plus petite masse salariale avait augmenté de 30 M $ à 60 M $. Comme Bowie Kuhn et Peter Ueberroth avant lui, Fay Vincent trouvait la question préoccupante.

Les Braves d'Atlanta et les Cubs de Chicago disposaient d'un avantage considérable puisque leurs superstations télé (WTBS et WGN respectivement – qui diffusaient leurs émissions dans plus de 50 millions de foyers) leur rapportaient des millions auxquels les autres clubs n'avaient pas accès. Pis encore, en empiétant sur le marché national de télévision, ils privaient le baseball de 250 M $ de revenus par année. Vincent cherchait à convaincre les deux clubs de donner davantage que les 20 M $ combinés qu'ils remettaient annuellement au baseball. Comme il fallait s'y attendre, les deux clubs prônaient le *statu quo*.

À l'autre bout du continuum, les clubs de « petits marchés » exerçaient une pression sur le commissaire pour qu'il applique rapidement des formules de partage des revenus. Mais les résultats tardaient à venir, le dossier étant soumis à l'examen d'un comité. En somme, la liste des insatisfaits s'allongeait chaque mois.

La collision est venue en juillet, alors que les clubs débattaient de l'opportunité de repenser l'alignement des divisions de la Nationale.

En 1969, alors qu'on avait réparti les 12 clubs de la ligue en 2 divisions, on avait eu la curieuse idée de placer Chicago et Saint Louis dans la division Est et de loger Atlanta et Cincinnati dans l'Ouest. En fait, on avait voulu accommoder les Mets de New York, qui se désolaient de perdre des matchs contre les Dodgers et les Giants, des rivaux naturels qui suscitaient encore beaucoup d'intérêt dans la Grosse Pomme. Pour compenser les Mets en quelque sorte, on placerait deux équipes vénérables – les Cubs et les Cards – dans leur division.

Avec l'entrée en scène de deux nouveaux clubs – en Floride et au Colorado – en 1993, l'occasion était belle de réparer cette aberration géographique. La Ligue nationale a tenu un scrutin mais la motion a été défaite même si 10 équipes (dont les Expos) avaient voté pour le réalignement. Le problème, c'est qu'il fallait un vote unanime pour qu'une telle résolution soit adoptée. Ce sont les Cubs de Chicago qui ont bloqué le vote : ils voyaient d'un mauvais œil que plusieurs de leurs matchs soient désormais retransmis plus tard en soirée, ce qui aurait affecté négativement les cotes d'écoute de leur réseau de télévision. Les Mets ont aussi voté contre, mais par solidarité avec les Cubs.

Le président de la Ligue nationale, Bill White, était atterré, ce projet étant le sien depuis le début. Il s'est alors retourné vers Fay Vincent, question de discuter avec lui s'il ne pourrait y avoir une autre façon d'arriver à ses fins. Vincent n'en revenait pas que les propriétaires n'arrivent pas à s'entendre sur quelque chose d'aussi banal. Qu'est-ce que ce serait quand ils feraient face à de vrais enjeux – au moment du renouvellement de la convention, par exemple?

Le commissaire a alors décidé que les folies avaient assez duré. Le 6 juillet, il imposait unilatéralement le réaménagement des divisions pour 1993, cela dans «les meilleurs intérêts du baseball». Dans l'Est, on trouverait désormais Atlanta, Cincinnati, Montréal, New York, Philadelphie, Pittsburgh et Miami (la Floride) alors que la division Ouest comprendrait les villes de Chicago, Saint Louis, Houston, Los Angeles, San Francisco, San Diego et Denver (le Colorado).

Les Expos se réjouissaient de la décision du commissaire: «De notre côté, on n'a jamais eu d'hésitation, a dit Claude Brochu. C'est parfaitement logique. C'est sûr que ça va faire une division forte avec les Braves et les Reds dans notre division, mais les avantages seront plus nombreux que les inconvénients. Le réaménagement nous permet de maintenir les rivalités existantes tout en en créant d'autres (Atlanta et Floride). Aussi, tous les clubs de l'Est vont finir leurs matchs à la même heure. Finalement, ça va réduire les coûts de déplacement.»

Si d'autres dirigeants – comme Dave Dombrowski en Floride – ont bien accueilli la nouvelle, ce ne fut certes pas le cas du président de la Ligue nationale Bill White – qui a vu là une ingérence inacceptable de la part du commissaire – ni celui de la direction des Cubs, qui a aussitôt engagé des poursuites judiciaires contre Vincent.

Fay Vincent en était à ses dernières heures à titre de commissaire. Déjà, un groupe se mobilisait pour le forcer à quitter ses fonctions. Bientôt affublé du nom la «Bande des Grands Lacs», le groupe était constitué de Stanton Cook, le président du *Chicago Tribune* (le journal propriétaire des Cubs), Jerry Reinsdorf des White Sox, Carl Pohlad des Twins, Peter O'Malley des Dodgers et Bud Selig des Brewers.

Dans les mois qui ont suivi, les putschistes ont rallié assez de leurs collègues pour procéder à un vote de non-confiance. Le 3 septembre, lors d'une réunion à Chicago, les propriétaires ont voté contre Vincent à 18 contre 9. Pour sa part, Claude Brochu avait voté pour le garder en poste, n'oubliant pas l'appui que les Expos avaient reçu du commissaire quand on avait dû fermer le Stade à la fin 1991.

Alors qu'il avait déclaré en août que jamais il ne démissionnerait, Fay Vincent réalisait maintenant qu'il n'avait plus les appuis nécessaires lui permettant d'exercer ses fonctions. Le 7 septembre, il rendait les armes: «Occuper la fonction de commissaire sans se mettre à dos un propriétaire est une tâche impossible. Je ne peux pas toujours faire plaisir à chacun de mes 28 patrons. Des gens me disent que j'aurai été le dernier commissaire du baseball. Si c'est le cas, ce sera bien triste. J'espère que les propriétaires apprendront quelque chose de cela avant qu'il ne soit trop tard.»

Dans son autobiographie *The Last Commissionner – A Baseball Valentine*, Fay Vincent déplore l'avenue que les propriétaires ont choisi de prendre après sa démission. Aux yeux de Vincent, Steve Greenberg (le fils du célèbre baseballeur des années 1930 et 1940 Hank Greenberg), alors son adjoint au Bureau du commissaire, aurait été un superbe choix pour lui succéder : « Une des plus grandes erreurs que le baseball ait commise – et le baseball en a fait d'énormes – a été de ne pas nommer Steve Greenberg après mon départ, a écrit Vincent. Il était brillant, il adorait le baseball, il comprenait le côté affaires du baseball. Il avait la confiance de plusieurs joueurs et propriétaires, et aurait considérablement amélioré la relation entre les deux parties [...] S'il m'avait succédé, jamais la grève de 1994 n'aurait eu lieu, jamais l'annulation du reste de la saison ne se serait produite. Quand on a quelqu'un de cette qualité, on le garde.»

Qu'importent les qualités que possédait Steve Greenberg, il n'était pas celui que les magnats du baseball recherchaient. En limogeant Vincent, ils ne se débarrassaient pas seulement de l'homme, mais aussi de la fonction qu'il avait représentée. Car le baseball majeur savait parfaitement ce qu'il ne voulait plus : un commissaire pour lui dicter une ligne de conduite. Les propriétaires ne voulaient plus de Landis, Chandler, Kuhn, Ueberroth ou Vincent.

Quand il est entré en fonction comme commissaire en 1945, Albert Benjamin «Happy» Chandler avait reçu ce conseil du propriétaire des Indians de Cleveland, Alva Bradley : «Vous verrez, quand nous avons à le faire, nous trichons tous. Un tel triche, un autre triche ; moi aussi, je triche. Nous trichons tous.» Chandler avait répliqué : «Pour dire vrai, M. Bradley, j'aurais aimé savoir cela avant d'entreprendre cette aventure-là. Je n'ai pas accepté de quitter le Sénat américain pour présider une bande de voleurs. Alors, comprenez-moi bien, si je vous prends à tricher, je ne vous laisserai pas faire.» C'est alors que Bradley lui aurait répliqué : «Vous allez devoir apprendre à faire un clin d'œil à ceux qui brisent les règles[12].»

«Fay Vincent adhérait parfaitement au mythe qui veut que le commissaire est le protecteur de l'intégrité du baseball, celui qui doit assurer la pureté du jeu pour les fans, précise Leonard Koppett dans *Koppett's Concise History of Major League Baseball*. Il considérait que le commissaire devait agir comme arbitre de tous les conflits internes entre les propriétaires, qu'il était l'architecte de "ce qui est le mieux pour le baseball", le représentant de la Loi du baseball de la même façon que le roi ou la reine d'Angleterre est le représentant de la Couronne[13].»

Alors qu'il était directeur de l'Association des joueurs, Marvin Miller ne manquait pas une occasion de se moquer des prétentions d'impartialité de Bowie Kuhn, qui soutenait, tout comme Fay Vincent, que le commissaire devait défendre les «meilleurs intérêts du baseball», être impartial et représenter aussi bien les amateurs que les joueurs et les propriétaires. «Kuhn n'a que lui-même à blâmer pour avoir cru à cette fiction-là», écrit Miller dans son autobiographie *A Whole Different Ballgame*. Il était à l'emploi de propriétaires – un point c'est tout – et chaque fois qu'il a oublié cette réalité, il s'est rendu misérable – et a rendu le baseball misérable[14].»

Cette fois, les dirigeants du baseball ne se hâteraient pas de nommer un nouveau commissaire, comme ils l'avaient fait après le décès de Bart Giamatti. Immédiatement après avoir chassé Fay Vincent, les propriétaires ont nommé un des leurs – Bud Selig, des Brewers de Milwaukee – à la présidence de leur conseil exécutif. La nomination du nouveau commissaire, elle, devrait attendre.

Le rôle de président du conseil exécutif ayant toujours été occupé par le commissaire du baseball, la nomination faisait-elle de Bud Selig le nouvel empereur du baseball? Techniquement, non – le poste de commissaire demeurait vacant –, mais bientôt les médias commencèrent à parler de Bud Selig comme du «commissaire par intérim» du baseball. L'incongruité d'installer un propriétaire d'équipe dans un rôle s'apparentant à celui de commissaire n'avait bien sûr échappé à personne, mais les dirigeants du baseball se sont empressés de préciser que Selig ne serait de toute façon dans le rôle que pour une période de deux à quatre mois. Selig lui-même ne cessait de répéter que le poste de commissaire ne l'intéressait pas.

Finalement, les M. BIT et autres prophètes de malheur du monde avaient eu raison, une fois de plus : les Expos ne réaliseraient pas de miracle. Après les deux «matchs de championnat» à Pittsburgh, ils n'ont pu remporter qu'une seule de leurs cinq joutes suivantes. Le 22 septembre, les Expos avaient chuté à 7 matchs de la tête.

Quelques jours plus tard, Gary Carter annonçait que la saison qui s'achevait serait sa dernière. Le match que les Expos disputeraient aux Cubs de Chicago le dimanche 27 septembre serait son dernier à Montréal.

Pendant l'été, Carter avait à quelques reprises sondé Felipe Alou sur la question : «Felipe, penses-tu que je devrais prendre ma retraite?» Alou lui avait chaque fois répondu : «Je ne peux répondre à ça, Gary, il y a juste toi qui peux le faire. » Carter avait 38 ans, deux mauvais genoux, il avait de plus en plus de mal à tenir son bout. Mais Alou savait combien il est difficile pour un joueur d'en arriver à la conclusion qu'il est le temps d'arrêter. La dernière fois que le Kid a posé la question à son gérant, la réponse l'a pris par surprise : « Gary, prends donc ta retraite[15] ! »

Dans une conférence de presse organisée au Stade, Carter a expliqué aux médias qu'il aurait pu subir une opération aux deux genoux, se remettre en condition durant l'hiver et revenir en 1993. Mais certains signes ne trompaient pas : « Je n'ai pas envie de prendre ma retraite mais mon corps me dit d'arrêter. Quand je joue, mon corps me fait souffrir – et j'ai ensuite besoin de quelques jours pour récupérer... Bien des balles que je sortais jadis du terrain ne sortent plus. Avant, je défiais tout coureur d'essayer de voler un but et ils me craignaient. Maintenant, j'espère juste avoir une chance de les retirer ! »

Carter excluait l'hypothèse de prolonger un peu plus sa carrière sous d'autres cieux. « Non, c'est ici que je descends. Montréal est ma patrie. C'est ici que j'ai commencé et c'est ici que je veux m'arrêter. Cette fois, ce n'est pas comme mes derniers jours à San Francisco (1990) et à Los Angeles (1991). Cette fois, je suis en paix. »

Jim Fanning était directeur-gérant quand Carter avait fait ses premiers pas dans l'organisation des Expos : « Il était enthousiaste, on l'entendait toujours crier sur le terrain, a révélé Fanning à Pierre Ladouceur de *La Presse*. La première impression qu'il laissait, c'était celle d'un athlète passionné pour le baseball. Cette passion, il l'a eue tout au long de sa carrière. De plus, au cours de sa carrière et encore aujourd'hui, Carter a toujours été à l'écoute de ses coéquipiers, des gens des médias et des amateurs. C'est le genre de personne qui ne refuse jamais une entrevue, jamais un autographe. On ne peut rien dire de mal d'un tel individu. »

Fanning se disait encore étonné par la mémoire phénoménale du receveur : « On pouvait avoir été deux mois sans avoir affronté les Padres de San Diego et Gary pouvait vous réciter d'un seul trait les forces et les faiblesses de tous leurs frappeurs. » Ce qui impressionnait le plus Fanning, c'était évidemment la capacité qu'avait Carter à livrer la marchandise sous pression : « Il a toujours été un *money player*. C'est lui qui obtenait plus souvent qu'autrement le gros coup sûr, qui faisait le gros jeu. À mon sens, il n'y a pas de doute qu'il sera le 1er joueur issu de l'organisation des Expos à être intronisé au Temple de la renommée à Cooperstown. Et Andre Dawson devrait être le 2e. »

Le destin a voulu que les deux joueurs soient réunis – dans des uniformes différents – pour le dernier match de Carter.

Les 41 802 spectateurs – venus à la fois saluer Carter et Dawson ont eu droit à un spectacle digne des meilleurs scénarios hollywoodiens.

Tout a commencé par un long duel de lanceurs entre Kent Bottenfield des Expos et l'excellent Mike Morgan des Cubs (15-7). Pendant six manches, les Expos ne sont pas parvenus à placer un coureur plus loin que le premier but et Gary Carter, le cinquième frappeur de la formation, a été tenu en échec à ses deux premières présences au bâton.

À cause de la condition des genoux de son receveur, Felipe Alou avait projeté de le retirer du match après un coup sûr de sa part ou encore cinq manches de travail. Mais son excellente direction des lancers de Bottenfield l'avait persuadé de laisser le Kid dans le match un peu plus longtemps.

En fin de 7e, la marque était toujours de 0-0 quand, après deux retraits, Larry Walker a obtenu un but sur balles. Gary Carter aurait donc une autre – et vraisemblablement dernière – présence au bâton. Avant même que son nom ne soit annoncé, la foule s'est levée pour l'applaudir à tout rompre.

À son précédent tour en 5e manche, Carter avait été retiré sur décision par Morgan. Après qu'il eut frappé deux fausses balles sur les deux premiers tirs du lanceur des Cubs, il semblait bien que le scénario se répéterait. Mais la foule, elle, continuait d'encourager Carter à hauts cris.

«Je me suis dit: "C'est ta dernière présence de toute ta vie ici"», de révéler le Kid après la rencontre. Le croyant qu'est Gary Carter a alors senti la même force qui l'avait habitée quand il s'est retrouvé dans une situation sans lendemain dans la Série mondiale de 1986 : «Comme la fois où j'ai affronté Calvin Shiraldi des Red Sox après deux retraits, j'ai ressenti une grande paix. Quand je me suis élancé sur le tir de Morgan, j'ai senti qu'Il s'élançait avec moi.»

Normalement le type de frappeur qui tirait la balle, Carter l'a cette fois frappée au champ opposé, là où se trouvait son vieux rival Andre Dawson: «Andre a reculé avec la balle et j'ai cru qu'il l'attraperait. J'ai pensé: "Non, ne l'attrape pas!" Puis la balle est passée au-dessus de lui.» La balle a poursuivi sa route jusqu'à la rampe alors que Larry Walker, parti du premier but, galopait jusqu'au marbre pour donner l'avance 1-0 à son club. Carter, lui, a trouvé le moyen de boiter jusqu'au deuxième but. Dans le Stade, c'était la frénésie.

Une fois de plus, Gary Carter avait trouvé le moyen de briller alors que les caméras étaient braquées sur lui. Comme Ted Williams qui, des années plus tôt, avait cogné un circuit à son tour ultime au bâton, l'autre Kid, celui des Montréalais, mettait un terme à sa carrière avec un panache inouï.

Ironie du sort, c'est aux dépens d'Andre Dawson, éternel second derrière Carter durant ses années à Montréal, que le grand receveur avait
réalisé son exploit.

Alors que Carter, toujours au deuxième but, brandissait triomphale-
ment le poing, Felipe Alou a fait signe au jeune Tim Laker – un receveur
d'avenir de l'organisation qu'on avait rappelé d'Indianapolis en août –
d'aller remplacer Carter comme coureur. La nouvelle génération suivant
les pas de la précédente : une touche presque poétique signée Felipe Alou.

Carter a trotté jusqu'à l'abri pour une dernière fois en soulevant sa
casquette pour la foule qui l'acclamait maintenant depuis plus de quatre
minutes. C'était une fin de conte de fée – pour une carrière de conte de
fée. L'état de ses genoux le rendant trop fragile, Carter ne participerait
pas aux derniers matchs que le club disputerait à l'étranger pour terminer
la saison. Ce match, ce tour au bâton, serait bel et bien les derniers.

En fin de 8ᵉ, les Cubs ont eu une rare occasion de s'inscrire au tableau
quand ils ont placé deux coureurs sur les buts après deux retraits. Le
prochain frappeur avait pour nom Andre Dawson. Le gérant des Expos
a alors remplacé son lanceur – le gaucher John Fassero – par un droitier :
John Wetteland. Quelques minutes plus tard, Wild Thing passait Dawson
dans la mitaine.

Après le match, on a invité Carter à prendre la parole durant la cérémonie soulignant la fin de saison. Gary a saisi l'occasion pour faire plaisir
à ses fans en commençant son allocution en français : « Mes amis, je vous
aimerai toujours. Ce fut un grand honneur de jouer à Montréal. J'ai joué
ici durant 11 ans et j'en garderai des souvenirs formidables pour le reste
de ma vie. »

Plus tard, dans le vestiaire, Tim Laker était encore ébranlé du moment
qu'il venait de vivre par procuration : « Au dernier tour au bâton de Gary,
on était tous sur le bout de notre siège, on voulait tellement qu'il frappe
un coup sûr. Et là, il frappe un double qui fait marquer le point gagnant.
Ça ne pouvait pas arriver à un meilleur gars… Je suis tellement heureux
d'avoir été une toute petite partie de ce match prodigieux. J'ai été le premier à lui serrer la main et à voir son regard tellement heureux. Et il m'a
serré dans ses bras. Je me souviendrai toujours de ça », a dit le jeune
receveur.

Dennis Martinez – pourtant rarement surpris en train de lancer des
fleurs à quiconque – a aussi encensé le nouveau retraité : « Après une
saison avec Carter, je peux témoigner qu'il fait ce qu'un vrai joueur de
baseball devrait faire, il joue à ce jeu comme on est supposé le faire. Il
a été mon receveur pendant presque tous mes matchs et il m'a souvent

Jusqu'à sa dernière présence au bâton dans les majeures, Gary Carter a trouvé le moyen de faire vibrer les amateurs et de voler le spectacle.
Club de baseball Les Expos de Montréal

inspiré. Il a beaucoup de passion pour le baseball et il est le genre de leader dont cette équipe avait besoin.»

Dennis étant Dennis, il a aussi trouvé le moyen de glisser une critique: «Je suis toutefois d'accord avec ce qu'Andre Dawson a déclaré samedi [Dawson avait dit que le jour où il prendrait sa retraite, il ne convoquerait pas de conférence de presse pour en faire l'annonce…]. Je ne crois pas qu'on devrait annoncer sa retraite d'avance. Mais peut-être que l'organisation a incité Gary à agir de la sorte pour vendre plus de billets.»

Pour Carter, cette fin de carrière en beauté avait aussi eu l'effet de boucler la boucle sur son amer départ des Expos en 1984. Il avait adoré le formidable esprit de cette jeune équipe, senti l'immense respect qu'on lui portait et apprécié au plus haut point l'absence totale de mesquinerie et de jalousie qui avait tant gâché le climat du vestiaire du club au début des années 1980. Ces jeunes joueurs ne perdaient pas de temps à se plaindre ou à comparer leurs salaires, choisissant plutôt de se concentrer sur ce pourquoi on les avait embauchés: le baseball.

Après la saison, Gary Carter a subi une opération à chaque genou. Prenant du mieux, l'envie de jouer lui est alors progressivement revenue. Il a passé un coup de fil à Felipe Alou: «Skip, je pense revenir au jeu. Qu'est-ce que tu en penses?» Mais Felipe n'avait pas changé sa réponse: «Gary, prends ta retraite[16]!»

En 1992, les Expos – qui terminaient la saison avec une fiche de 87-75 – avaient attiré 1 731 566 spectateurs au Stade. Ces succès permettaient au club de réaliser des profits de plus de 4 millions de dollars, comme l'avait prédit Claude Brochu en début d'année. La première saison complète des nouveaux propriétaires du club se révélait donc un beau succès. Après les heures sombres de la fin 1991, l'avenir du club semblait maintenant plus radieux que jamais.

L'autre club de baseball majeur au pays, les Blue Jays de Toronto, vivait de son côté les plus belles heures de sa courte histoire.

Gagnants trois fois (1985, 1989 et 1991) du championnat de la division Est de l'Américaine, les Blue Jays s'étaient chaque fois butés en série de championnat au club qui remporterait la Série mondiale (les Royals, les A's et les Twins). Se sachant près du but en 1992, l'équipe torontoise n'avait pas lésiné sur les moyens en faisant les acquisitions de la super-étoile Dave Winfield, du vétéran lanceur Jack Morris, de l'arrêt court Alfredo Griffin et, plus tard en saison, du lanceur étoile David Cone. La sagesse populaire dit qu'on ne peut pas acheter de championnat, mais l'ajout de bons joueurs a tendance à mettre les chances de votre côté… Non seulement les Blue Jays ont de nouveau remporté le championnat de leur division, mais ils ont aussi eu raison de leurs rivaux de l'Ouest, les A's d'Oakland, dans la série de championnat de l'Américaine. Ils affronteraient maintenant les puissants Braves d'Atlanta, champions de la Nationale pour une deuxième année consécutive. Pour la première fois de toute l'histoire du base-ball, des matchs de Série mondiale seraient disputés à l'extérieur des États-Unis.

Après avoir perdu le premier affrontement, les Blue Jays ont remporté les trois suivants, deux fois en vertu de remontées dramatiques de 9e manche. Les Braves sont revenus à la charge en remportant le match suivant, forçant un sixième match devant leurs partisans. Chaudement disputé, le match a nécessité plus de 9 manches et en 11e, le quarantenaire Dave Winfield – qui n'avait pas connu beaucoup de succès jusque-là dans la série – a cogné un double bon pour 2 points, des points s'avérant suffisants pour assurer la victoire ultime aux Blue Jays. Soudainement, son salaire de 2,3 M $ pour la saison (ce serait par ailleurs sa seule à Toronto) avait l'allure d'un investissement sensé.

Solidement appuyés par ses propriétaires (la brasserie Labatt à 90 % et la Banque canadienne impériale de commerce à 10 %), la direction du club avait fourni les munitions au gérant Cito Gaston, les nouveaux joueurs avaient livré la marchandise (Morris, 21 victoires ; Winfield, 26 CC, 108 PP) et les amateurs de baseball de Toronto leur avaient inconditionnellement donné leur appui, dépassant la barre des 4 millions pour la 3e saison consécutive. Dans leurs reportages sur le triomphe des Blue Jays, très peu de journalistes se sont attardés à discuter du bilan financier du club. Après tout, il y avait une victoire en Série mondiale à célébrer.

1993

L'après-saison 1992 des Expos a rapidement pris des airs de déjà-vu lorsque, le 26 octobre, l'arrêt-court Spike Owen s'est prévalu du statut de joueur autonome.

Il ne fait pas de doute que le vétéran de 31 ans aurait pu être encore utile aux Expos, tant pour stabiliser la défensive (seulement 9 erreurs en 122 matchs en 1992) que pour prêter main-forte à l'offensive (MAB de ,269). Mais Owen représentait très bien ce type de joueur que les Expos ne voulaient plus se payer : un vétéran fiable et efficace mais sans plus – et, surtout, un athlète en voie de signer le meilleur contrat de sa carrière.

De plus, le club avait déjà sa solution de rechange : Wil Cordero, un jeune homme de 21 ans dont on disait de fort belles choses. Felipe Alou, qui l'avait employé occasionnellement en 1992 après qu'on l'eut rappelé des mineures durant l'été, se disait convaincu que sa présence à l'avant-champ améliorerait la défensive du club : « Il couvre beaucoup plus de terrain que Spike Owen. Il est encore très jeune, mais quand il va apprendre à jouer avec plus d'agressivité, il va devenir une supervedette du baseball. »

Le 8 décembre, les Expos ont allégé encore plus leurs obligations salariales en expédiant à Boston le voltigeur Ivan Calderon pour une bouchée de pain (les lanceurs Mike Gardiner et Terry Powers). Après une excellente saison à ses débuts à Montréal en 1991, Calderon, ralenti par une série de blessures, avait été limité à 170 présences au bâton l'année suivante, ne frappant la longue balle qu'à trois occasions.

Durant la dernière saison, sa présence dans l'entourage du club s'était principalement résumée à la salle d'entraînement du Stade, où, accompagné d'un *six-pack* de bières, il s'exerçait sur une bicyclette stationnaire ou alors séjournait dans le sauna. Constatant qu'ils n'obtenaient pas un très gros retour sur leur investissement (le salaire du grassouillet Calderon grimperait à 3 M$ pour la saison 1993), les Expos ont préféré miser sur la jeunesse, une décision parfaitement compréhensible, d'autant plus qu'ils comptaient déjà sur un solide trio de voltigeurs : Marquis Grissom, Moises Alou et Larry Walker.

Puis, le 24 décembre, les Expos ont laissé partir un des rouages les plus importants du club dans la dernière décennie en échangeant Tim Wallach aux Dodgers de Los Angeles. En retour, Dan Duquette a obtenu un joueur d'intérieur de 24 ans du nom de Tim Barker. En 1992, Barker avait évolué au niveau AA – et commis 27 erreurs en 97 matchs... Le seul point commun entre les deux athlètes semblait être leur prénom – Barker n'a d'ailleurs jamais gradué dans les majeures.

« Je sais qu'ils veulent gagner, a déclaré Eli en faisant ses valises, mais ils veulent le faire à meilleur coût et je comprends leur raisonnement. C'est évident qu'ils aiment bien Sean Berry – et il leur coûte pas mal moins d'argent –, mais il reste que le champ intérieur pourrait connaître de gros ennuis à la défensive. » En 1993, Wallach commanderait un salaire de 3 360 000 $; Berry, lui, devrait se contenter de 121 000 $…

À la décharge de la direction des Expos, il demeure que les deux dernières saisons du troisième-but de 35 ans (MAB successives de ,225 et ,223) pointaient plutôt vers une fin de carrière. « Nous ne voulions plus d'un retrait automatique face aux lanceurs droitiers de la ligue », a dit Claude Brochu pour expliquer le départ de Wallach.

Tim Wallach quittait les Expos après avoir atteint des marques d'équipe qui ne seraient jamais dépassées. Il est le joueur ayant disputé le plus de matchs (1 767), frappé le plus grand nombre de coups sûrs (1 694), de doubles (360), produit le plus grand nombre de points (905) et obtenu le plus fort total de buts (la somme de simples, doubles, triples et circuits) – 2 728.

De Wallach, on garderait le souvenir d'un superbe joueur de troisième but doté d'un gant habile et d'un bras puissant. On se rappellerait aussi un frappeur intelligent, un athlète résilient, imperturbable, qui a souvent joué en dépit de blessures douloureuses.

En deux mois, les Expos avaient donc perdu les services de trois vétérans établis en n'obtenant à peu près rien en retour.

En marge de ces départs, la direction n'avait fait de cadeau à personne : le club avait refusé de commencer à négocier avec Dennis Martinez (dont le contrat venait à terme à la fin de 1993) et avait fait la vie dure à Marquis Grissom, qui avait porté son cas en arbitrage. Après avoir entendu les arguments du club devant l'arbitre (un plaidoyer cherchant à minimiser sa contribution), Grissom était sorti ébranlé de l'exercice : « Je voulais passer toute ma carrière à Montréal mais après ce que j'ai entendu là, j'ai changé d'idée. » De plus, l'arbitre avait tranché en faveur des Expos, qui lui verseraient 1 500 000 $ en 1993 au lieu des 1 950 000 $ qu'il avait cherché à obtenir. Moises Alou avait pour sa part vu le club renouveler automatiquement son contrat – conformément aux règlements – après avoir échoué dans sa tentative de s'entendre avec son agent. Lui aussi était en furie contre la direction du club.

La philosophie des Expos avait beau heurter les joueurs tout comme les fans, elle leur permettrait tout de même d'économiser une somme de 7 à 8 millions de dollars.

Il semblait bien que les récents succès de l'équipe n'inciteraient pas Claude Brochu et ses partenaires à déroger de leur grand plan de match. La stratégie privilégiée par M. Brochu prévoyait un cycle de cinq ans : une phase où on développait un groupe de jeunes joueurs fraîchement sortis des rangs mineurs (préférablement des produits de l'organisation), une deuxième phase où ces jeunes atteignaient collectivement leur plein potentiel (et permettraient peut-être au club, si tout se mettait en place, d'atteindre les plus hauts sommets) et, finalement, une nouvelle phase de reconstruction, une fois le noyau de joueurs trop coûteux sorti de Montréal.

Si ce plan était compris – et cautionné – par les copropriétaires, on ne peut pas dire qu'il était aussi clairement communiqué aux amateurs, peut-être parce qu'il ne constituait pas une proposition très alléchante pour un public habitué à une équipe de hockey visant la coupe Stanley chaque année (les succès passés des Canadiens de Montréal ne leur permettant tout simplement pas d'inclure le mot reconstruction dans leur vocabulaire). Les médias montréalais – particulièrement ceux de langue anglaise – ne trouvaient pas non plus grand mérite à ces mesures d'austérité, leur faisant douter de la volonté réelle du club de gagner.

Mais les Expos n'étaient pas les seuls à composer avec un budget serré. Durant l'hiver, des clubs comme les Pirates, les Cubs, les Padres ou encore les Brewers avaient procédé à des rationalisations beaucoup plus sévères que celles que venaient de faire les Expos. Même les champions Blue Jays avaient dû laisser partir plusieurs joueurs trop onéreux.

Les champions de la division Est de la Nationale, les Pirates de Pittsburgh, ont perdu à l'autonomie leur meilleur joueur (Barry Bonds, peut-être aussi le meilleur joueur de tout le baseball de l'époque) et leur as lanceur Doug Drabek, qui ont accepté des offres venant de San Francisco et Houston, respectivement, des départs qui ont plongé le club sur une pente descendante qui dure depuis deux décennies (après leur championnat de 1992, les Pirates n'ont plus jamais joué – au moment d'écrire ces lignes – pour une moyenne de ,500). Les Cubs de Chicago, eux, ont vu Greg Maddux et Andre Dawson choisir la voie de l'autonomie et aboutir à Atlanta et à Boston. La désertion de Maddux a porté aux Cubs un dur coup qu'ils ressentiraient longtemps.

Or, si certains clubs optaient pour la prudence, d'autres ouvraient bien grandes les portes du coffre-fort. Les Giants de San Francisco, qui s'étaient trouvé de nouveaux propriétaires durant le cours de l'hiver – évitant *in extremis* un déménagement quasi certain vers Tampa Bay –, avaient accordé le plus important contrat jamais offert à un joueur de baseball en consentant 43,75 M $ à Barry Bonds pour six saisons. Même un joueur de calibre moyen comme Spike Owen toucherait un pactole auquel il n'avait peut-être même jamais rêvé : 7 millions pour trois saisons avec les Yankees de New York. En 1993, le salaire moyen se chiffrait dorénavant à un peu plus d'un million de dollars, 300 des 700 joueurs du baseball majeur figurant dans ce groupe de millionnaires.

À la fin de la saison suivante, la convention collective serait échue et on pouvait déjà prévoir la tempête qui secouerait l'industrie de 1,6 milliard : les propriétaires devraient trouver une façon de partager plus équitablement les revenus (particulièrement les revenus des télés locales, extraordinairement disparates), un système qu'on chercherait très certainement à lier à l'imposition d'un plafond salarial. Il faudrait également négocier une nouvelle entente avec les réseaux de télévision nationaux (une tâche potentiellement ardue puisque ceux-ci affirmaient avoir perdu 200 millions à la suite de l'entente précédente) et s'entendre sur un possible réalignement des divisions ainsi que sur l'ajout du nombre de clubs accédant aux séries d'après-saison – que l'on souhaitait faire passer de 4 à 8 dès 1994.

Or, tous ces pourparlers, d'abord entre propriétaires et, par la suite, avec les joueurs et leur association, devraient s'amorcer en l'absence d'un commissaire. Au lendemain de la démission forcée de Fay Vincent en septembre 1992, les autorités du baseball avaient formé un comité – un groupe de travail mené par William C. Bartholomay, le président du conseil d'administration des Braves d'Atlanta – pour dénicher un nouveau commissaire. Mais au printemps 1993, ils n'avaient toujours pas trouvé leur homme, si bien que pour la première fois depuis 1921, une saison de baseball s'ouvrirait sans commissaire. Dans un contexte où il y avait tant de dossiers cruciaux à régler, l'absence d'un « arbitre suprême » avait de quoi inquiéter. Déjà, plusieurs observateurs évoquaient l'imminence d'un lock-out pour la saison 1994.

« Ça me fait tout drôle, avait dit Larry Walker durant la caravane des Expos en janvier. Il n'y a pas si longtemps, je jetais un œil autour de moi et il y avait ces vétérans que je regardais avec de grands yeux. Maintenant, le vétéran, c'est moi. »

Le départ des Gary Carter, Ivan Calderon, Spike Owen et Tim Wallach faisait de Walker le deuxième joueur en ancienneté du club – à l'âge de 26 ans.

La moyenne d'âge de l'équipe se situait maintenant à plus ou moins 24 ans ; le doyen du champ intérieur – jadis mené par Wallach et Owen – serait Delino DeShields, qui venait d'avoir 24 ans. DeShields avait déclaré durant la dernière saison que les Expos mettaient trop de pression sur leurs jeunes joueurs – et c'était au moment où l'équipe comptait encore quelques vétérans. Cette fois, DeShields et ses jeunes collègues Walker et Marquis Grissom n'auraient pas le choix : c'est à eux qu'incomberait la tâche d'assumer le leadership de l'équipe.

Dès le début du camp, les Expos se sont affairés à consolider leur avant-champ, particulièrement aux postes de premier et troisième buts, qui demeuraient ouverts. Au premier but, Felipe Alou et ses adjoints devraient décider qui de Greg Colbrunn, John Vander Wal, Archi Cianfrocco ou du nouveau venu Lee Stevens (obtenu dans une transaction avec les Angels en janvier) hériterait du poste.

On prévoyait confier le troisième but à Sean Berry, qui avait montré de belles aptitudes offensives en 24 matchs à Montréal en 1992 ou bien à Frank Bolick, obtenu dans une transaction d'ordre mineur durant la saison morte. Bret Barberie, celui à qui le gérant Tom Runnells avait confié le poste un an plus tôt, n'était plus dans le décor, ayant été réclamé par les Marlins de la Floride lors du repêchage d'expansion de novembre 1992.

Derrière le marbre, les Expos utiliseraient probablement encore un comité de receveurs constitué de Darrin Fletcher, Tim Laker et d'un nouveau venu, Tim Spehr.

La situation au champ extérieur était moins préoccupante, Walker, Grissom et Moises Alou constituant un des plus solides trios de voltigeurs des majeures.

Au monticule, Dennis Martinez et Ken Hill seraient encore les partants numéros un et deux, Chris Nabholz figurant comme troisième malgré des performances inconstantes depuis son arrivée chez les Expos en 1990. Comme Mark Gardner avait été échangé au terme de la dernière saison, les Expos n'avaient plus de quatrième partant attitré. Il leur faudrait observer les Brian Barnes, Kent Bottenfield ou encore Mike Gardiner, obtenu dans l'échange Calderon.

Si l'un ou l'autre ne se taillait pas de place dans la rotation, on les emploierait alors en longue relève pour appuyer le gaucher Jeff Fassero. Dans les rôles de releveur de fin de matchs, les Expos pourraient encore compter sur les excellents Mel Rojas et John Wetteland qui, à 300 000 $ et 315 000 $ respectivement, représentaient de réelles aubaines.

Le plan de match de Felipe Alou a toutefois été bousculé dès la première journée du calendrier de la Ligue des pamplemousses. John Wetteland lançait pendant l'exercice au bâton – avec la même fougue et détermination que lorsqu'il affrontait un frappeur en fin de 9ᵉ manche – quand un de ses tirs n'a pas suivi la trajectoire escomptée. Furieux, Wetteland a balancé un coup de pied sur l'écran protecteur se trouvant devant lui, se fracturant le gros orteil du pied droit. L'auteur de 37 matchs sauvegardés en 1992 serait sur la touche pour 6 semaines.

L'état-major des Expos était furieux: perdre un joueur clé à la suite d'une blessure fait partie du jeu, mais le perdre en raison d'un mouvement d'humeur? «Je vais parler aux joueurs de l'impor-tance d'être en contrôle physique-

John Wetteland, un athlète au caractère ombrageux et aux coups de pieds parfois aussi vigoureux que ses lancers...
Musée McCord, Montréal, M2005-51-5199

ment et mentalement quand ils s'adonnent à des exercices», a déclaré Felipe Alou après l'incident. Wetteland n'était pas fier de lui, évidemment: «La prochaine fois, je balancerai mon pied sur Joe (Kerrigan, l'instructeur des frappeurs). Ce sera plus mou.»

«Wetteland est disponible en forfait seulement, a écrit Denis Arcand de *La Presse* après l'incident. Il vient avec de 35 à 45 victoires protégées, mais aussi avec une personnalité étrange en plus d'une colère et d'un coup de pied à la mauvaise place à l'occasion. C'est à prendre ou à laisser.»

Quelques jours plus tard, un geste d'un tout autre ordre a créé une petite commotion dans l'entourage du club. Après avoir lu dans un journal que George Steinbrenner des Yankees serait intéressé par ses services, Dennis Martinez – encore frustré du refus des Expos de renégocier son contrat – s'est présenté sur le terrain avant un match contre les Yankees en arborant une casquette de l'équipe new-yorkaise. Apercevant le gérant Buck Showalter des Yankees, Martinez lui a aussitôt lancé: «Hey, tu diras à George que je suis prêt à prendre son argent!»

Informé de la frasque de son lanceur, Claude Brochu ne l'a pas trouvée drôle, mais le club n'a pas tardé à remettre les pendules à l'heure: il n'y aurait pas de discussions avec les Yankees de New York au sujet de Dennis Martinez.

Hormis ces incidents, le camp s'est déroulé sans histoires. Wil Cordero a excellé, cognant 22 coups sûrs en autant de matchs, Kent Bottenfield a mérité le rôle de quatrième partant et le jeune Mike Lansing s'est taillé une place comme réserviste à l'avant-champ. Deux années plus tôt, Lansing évoluait pour le Miracle de Miami, un club de baseball indépendant, quand les dépisteurs des Expos l'ont remarqué. Après une excellente saison en 1992 – il fut nommé arrêt-court tout-étoile de la ligue Eastern – à Harrisburg (AA), Lansing s'était montré tout aussi convaincant à l'entraînement.

Jugeant qu'ils avaient besoin de renfort au premier but, les Expos ont offert un contrat de ligues mineures au vétéran Jack Clark, l'ancienne star des Cards et des Giants. Manifestement pas dans la meilleure des formes, Clark, 37 ans, n'a participé à aucun match, les Expos préférant lui accorder du temps avant d'envisager de le promouvoir dans le grand club. Quand l'équipe a quitté West Palm Beach, Clark y est resté, le plan de Felipe Alou étant de le rappeler à la fin avril. Mais le projet ne s'est jamais matérialisé et Clark n'a plus joué dans les majeures.

Avant la fin du camp, les Expos ont décidé de libérer un autre joueur de premier but, Lee Stevens, qui n'a pas su convaincre l'équipe qu'il pourrait les aider offensivement. Son renvoi n'a pas plu aux joueurs des Expos. «Parfois, je me demande à quoi pense cette organisation», a lancé un Larry Walker contrarié. Après un séjour de 3 saisons dans les mineures, Stevens referait surface sous la grande tente, d'abord au Texas puis de nouveau à Montréal, où il cognerait 22 et 25 circuits en 2000 et 2001.

Malgré l'inexpérience de plusieurs joueurs et malgré plusieurs points d'interrogation à des postes clés, la plupart des revues spécialisées avaient choisi les Expos pour terminer en tête de la division, en partie en raison de la faiblesse relative de leurs rivaux de l'Est, mais aussi parce qu'on s'attendait à ce que la présence d'un Felipe Alou pendant une saison complète ait un impact considérable. Par ailleurs, il était évident qu'on vouait une certaine admiration à cette organisation qui ne disposait pas des moyens de la majorité de ses rivaux.

Les médias francophones montréalais se révélaient magnanimes dans leur évaluation de la philosophie du club (plus que leurs vis-à-vis du quotidien *The Gazette*), peut-être par solidarité pour la direction majoritairement francophone du club. «Brochu a dirigé ses Expos comme un président de compagnie responsable, écrivait Michel Blanchard de *La Presse* dans son édition du 5 avril. En assurant d'abord et avant tout la survie de l'équipe. Il a sabré dans les dépenses. Refusé de s'embarquer dans la montée effrénée des salaires. Il a obligé ses hommes à faire beaucoup plus avec beaucoup moins. Il a aussi fait confiance aux jeunes et a eu un coup de génie en nommant Felipe Alou gérant. Malgré une masse salariale de 15 millions, une des plus basses au baseball majeur, les Expos, sur le terrain, soutiennent la comparaison. Les Québécois s'identifient à leur équipe. J'ai comme l'impression que la véritable histoire d'amour entre les Expos et leurs partisans ne fait que commencer. »

Le match inaugural de la saison 1993 des Expos – contre les Reds, à Cincinnati – a donné lieu à une première. Quand Tony Perez et Felipe Alou sont sortis de leur abri respectif pour remettre leur alignement à l'arbitre Terry Tata, une nouvelle page d'histoire du baseball venait de s'écrire : jamais deux gérants originaires de pays d'Amérique latine ne s'étaient affrontés dans un match des ligues majeures.

Ironiquement, les lanceurs partants ce jour-là étaient également latins : Dennis Martinez et Jose Rijo, les meilleurs artilleurs des Expos et des Reds. « J'étais très fier de me présenter au marbre et je sais que Tony l'était aussi », a dit Alou. « Nous sommes fiers de montrer ce que nous pouvons faire dans le baseball », a dit de son côté Dennis Martinez, dont c'était le 6e départ consécutif pour les Expos dans des matchs inauguraux.

Les deux lanceurs ont d'ailleurs été à la hauteur de leur réputation, particulièrement Rijo, qui a été intraitable pendant huit manches. Martinez a bien lancé aussi, mais il a accordé un circuit en solo en 2e manche avant de voir les Reds ajouter un deuxième point en 5e sur deux jeux ratés à l'avant-champ. D'abord, après deux retraits, John Vander Wal a laissé filer un relais quelque peu hors cible de Wil Cordero. Quelques instants plus tard, le troisième-but Frank Bolick n'a pu retirer le frappeur suivant sur un roulant à l'avant-champ, un jeu qu'aurait probablement réalisé un Tim Wallach. C'est le point qui a fait la différence dans la victoire de 2-1 des Reds.

Déjà fragile, l'avant-champ des Expos s'est vu privé de son élément le plus stable quand Delino DeShields, ayant attrapé la varicelle, a dû être retiré de l'alignement dès le lendemain. C'est l'occasion qu'attendait le réserviste Mike Lansing pour se faire valoir : dans ses 5 premiers matchs au deuxième but, il a cogné 12 CS (dont 2 circuits) et produit 8 points. Felipe Alou devrait trouver une façon de l'insérer dans l'alignement une fois DeShields rétabli…

Après la série à Cincinnati, les Expos ont pris la route pour Denver où ils affronteraient pour la première fois un des deux nouveaux clubs de la Nationale, les Rockies du Colorado.

Le match du 9 avril précédait toute une semaine de célébrations à Denver, où l'arrivée de la nouvelle concession avait été reçue comme un cadeau. En attendant qu'un nouveau stade ne soit construit (le Coors Field ouvrirait ses portes en 1995), l'équipe évoluerait dans le Mile High Stadium, une enceinte multifonctionnelle servant aussi de domicile aux Broncos de Denver de la Ligue nationale de football.

Pas moins de 80 227 spectateurs (un record pour un match de baseball majeur) ont assisté à ce match historique, ce qui a manifestement inspiré les Rockies : ils ont cogné 18 CS et assommé les Expos 11-4.

Peut-être intimidés par le vacarme ambiant – dans ce stade, le son explosait –, les jeunes Expos (cinq recrues dans la formation de départ) ont semblé figés devant le lanceur adverse, une figure bien connue à Montréal, le vétéran Bryn Smith, qui les a forcés à frapper la balle au sol durant tout le match. Le partant des Expos, Kent Bottenfield, qui avait récemment déclaré qu'il visait le titre de Recrue de l'année dans la Nationale, a de son côté été lamentable, accordant 4 points dès la 1re manche.

Les jeunes Expos ont cafouillé en défensive, le troisième-but Frank Bolick commettant trois erreurs, seule une largesse du marqueur officiel l'empêchant de se rendre à quatre. L'avant-champ des Rockies a pour sa part joué un match solide, conforté peut-être par la présence rassurante de leur joueur de premier but, un autre ancien Expo, Andres Galarraga (au camp, le Gros Chat, libéré par les Cards, s'était informé de la possibi-lité de revenir à Montréal mais Dan Duquette ne s'était pas montré intéressé, pour des raisons financières, peut-on supposer.) Galarraga devait non seulement remporter le championnat des frappeurs, il a par la suite connu de nombreuses saisons fort productives avec les Rockies, puis les Braves. Les Expos, eux, passeraient la saison 1993 à chercher un joueur de premier but adéquat.

La foule s'est bien moquée de l'équipe visiteuse quand Moises Alou, sur le point de réussir un triple, a été retiré après avoir dépassé le coussin dans sa glissade. Pour peu, on aurait pu croire que l'équipe de l'expansion dans ce match, c'était les Expos.

De nouveau piqués par les Rockies le lendemain (défaite de 9-5), les Expos sont toutefois revenus à la charge le dimanche en matraquant leurs rivaux 19 à 9 sur 22 CS et 5 circuits (dont 2 par Mike Lansing).

L'historique série de trois matchs avait attiré pas moins de 212 475 spectateurs, et à la fin de la saison, 4 483 350 amateurs auraient assisté à un match des Rockies, un chiffre colossal, du jamais vu dans le baseball majeur. Tout ça pour un club qui clôturerait la saison avec une fiche de 67-95...

Après le Colorado, les Expos sont rentrés à Montréal où ils disputeraient le 13 avril le 25ᵉ match inaugural local de leur histoire. La direction célébrerait l'anniversaire de diverses façons tout au long de la saison. Pour ce premier match, ils ont eu la jolie idée d'inviter un des pères fondateurs de la concession à lancer la première balle, l'ex-conseiller municipal Gerry Snyder. Certes, vaut mieux tard que jamais, mais c'était tout de même incompréhensible qu'on ait mis 25 ans avant de rendre hommage à celui sans qui le baseball majeur ne se serait probablement jamais établi à Montréal.

L'ancien bras droit du maire Jean Drapeau avait porté à bout de bras la candidature de Montréal pour l'obtention d'un club de la Ligue nationale, se heurtant en cours de route à une longue série d'obstacles : pas d'investisseurs intéressés, pas de stade de calibre majeur – et beaucoup plus de scepticisme que d'enthousiasme dans les médias. Mais une foi inébranlable en son projet et un travail de coulisses acharné avait réussi à retourner favorablement la situation.

« La partie la plus difficile de mon travail était de convaincre le comité d'expansion que nous pouvions accueillir une équipe même si nous n'avions pas encore de stade, s'est rappelé M. Snyder. Mais Montréal avait alors une réputation internationale, avec son exposition mondiale et son métro. Le propriétaire des Dodgers de Los Angeles, Walter O'Malley, était heureux de nous voir solliciter une concession, il connaissait bien Montréal et il y avait fait beaucoup d'argent avec les Royaux. »

Monsieur Snyder disait ne pas s'être inquiété de voir le club quitter Montréal quand Charles Bronfman a décidé de le mettre en vente : « Nous étions sûrs que Montréal avait des gens d'affaires assez solides pour garder l'équipe ici. » Évidemment, il se réjouissait de voir le club connaître un regain de popularité : « Il y a des hauts et des bas dans la vie d'une équipe de baseball. Les Expos viennent de passer un creux mais ils semblent maintenant se diriger vers les sommets. Tant mieux. »

Si la foule présente à ce match d'ouverture était une indication de la cote d'amour des Montréalais pour leur équipe de balle, la direction du club pouvait être rassurée : 51 539 personnes qui abandonnent leurs occupations habituelles pour aller au baseball un mardi après-midi du mois d'avril, ce n'est pas rien. Les Expos ont perdu 9-6, mais personne ne semblait regretter d'avoir passé son après-midi au Stade.

Trois jours plus tard, un autre match inaugural – historique, celui-là – avait lieu à 200 kilomètres de Montréal, celui d'une toute nouvelle équipe de la Ligue internationale (AAA), le nouveau club-école des Expos, les Lynx d'Ottawa.

Durant la dernière décennie, le baseball professionnel mineur était devenu un véritable phénomène aux États-Unis, le public y trouvant les échos d'une époque révolue où il y avait – en apparence, du moins – plus de proximité entre les athlètes et les fans. De plus en plus d'amateurs de baseball affirmaient éprouver davantage de plaisir à assister à des matchs de ligues mineures, dans des stades à dimension humaine – et à des prix (billets, concessions alimentaires, souvenirs) beaucoup plus abordables que dans les majeures. C'est dans cette mouvance qu'un entrepreneur de la ville d'Ottawa, Howard Darwin, s'est mis à rêver d'attirer un club de la Ligue internationale dans la capitale canadienne.

En réalité, l'initiative était venue du maire d'Ottawa de l'époque, Jim Durrell, lui-même un fervent amateur de sports. Durrell avait non seulement obtenu la tenue du match de la coupe Grey dans sa ville en 1988, mais il avait même été nommé à la présidence des Sénateurs – le nouveau club de hockey de la Ligue nationale qui entreprendrait ses activités à l'automne 1992 – alors qu'il était encore le premier magistrat de la ville... En 1988, Durrell savait déjà qu'il ne se représenterait pas à la mairie en 1991, et il a décidé que ce qu'il voulait accomplir avant de quitter son poste, c'était d'aider à dynamiser la ville en lui obtenant une autre concession de sport professionnel. Le baseball de la Ligue internationale (la prestigieuse ligue de calibre AAA à laquelle avaient jadis appartenu les Royaux de Montréal, l'ancien club-école des Dodgers de Brooklyn) lui semblait le produit tout indiqué, d'autant plus que le circuit s'apprêtait à élargir ses cadres en accueillant deux nouveaux clubs.

C'est alors que Durrell s'est mis en contact avec Howard Darwin, un promoteur immobilier bien connu des amateurs de sports de la capitale puisque c'est lui qui, en 1967, avait donné à la ville les 67 d'Ottawa, le populaire club de hockey de la Ligue junior de l'Ontario. Darwin ne connaissait pas beaucoup le baseball mais il s'est montré intéressé et a répondu qu'il y songerait. Quelques semaines plus tard, il embarquait à fond dans l'aventure.

C'est en décembre 1988, durant les assises d'hiver du baseball majeur (qui avaient lieu à Atlanta), que les premières portes se sont ouvertes. Jim Durrell et quelques membres de son conseil y étaient, obtenant même l'autorisation d'organiser un dîner-causerie auquel ils ont convié quelques têtes influentes, dont Harold Cooper, le commissaire de la Ligue internationale. Après une allocution convaincante du maire, Cooper s'est levé et a lancé : « Monsieur le maire, je crois qu'Ottawa fera bientôt partie de notre ligue. »

La réaction du commissaire a attiré l'attention de deux hommes, Claude Brochu et Jim Fanning, qui étaient tous deux sur les lieux. Le lendemain, le groupe d'Ottawa recevait une invitation à rejoindre Charles Bronfman dans sa suite de l'hôtel – où se trouvaient aussi quelques membres de la haute direction du club. Le propriétaire des Expos de l'époque a dit à Durrell et Darwin que s'ils réussissaient à faire construire un stade et obtenir une concession, les Expos relogeraient leur équipe AAA (alors à Indianapolis) à Ottawa. Bronfman était à ce point convaincu qu'il a offert à Darwin d'acheter 25 % du club pour lui enlever un peu de poids financier des épaules. Darwin l'a remercié de son offre, mais il trouverait le moyen de défrayer seul les coûts (5 millions) de la concession.

Fort de ces appuis, le tandem Durrell-Darwin devait maintenant rallier le Conseil municipal d'Ottawa – ce qui s'avérerait le plus gros casse-tête de Howard Darwin. Il a dû aller à l'hôtel de ville *neuf* fois pour tenter de vendre sa salade, et malgré l'appui du maire, il a vu son projet d'utiliser l'un ou l'autre des deux sites superbement situés près du canal Rideau être rejeté par le Conseil, ce qui semblait, selon toute apparence, porter un coup fatal au projet. C'est alors que Jim Durrell a repéré un terrain vacant sur le chemin Coventry, en bordure de l'autoroute 417, un vaste espace qui servait de dépotoir à neige durant l'hiver. Soudainement, tout redevenait possible.

Une fois certains obstacles administratifs levés (le site appartenait à la Commission de la capitale nationale, pas à la Ville), et après que le Conseil municipal eut approuvé une étude de faisabilité, les deux hommes ont pu s'attaquer à l'autre partie de leur plan : obtenir une franchise de la Ligue internationale.

Or, la partie était loin d'être gagnée : en 1989, 18 autres villes étaient dans la course pour l'obtention d'une des deux concessions, parmi lesquelles figuraient de grosses pointures comme Jacksonville et la Nouvelle-Orléans. Après quelques représentations devant le comité d'expansion de la ligue, le nombre de villes demeurant dans la course avait été réduit à cinq, Ottawa étant la seule ville canadienne du lot (les autres villes étaient Annapolis, Birmingham, Charlotte et Tulsa). C'est finalement en septembre 1991 que le circuit annonçait l'identité des deux villes gagnantes : Charlotte et Ottawa.

Au départ, le stade – dessiné par un architecte d'Ottawa du nom de Brian Dickey – devait coûter un peu plus de 20 M $. Mais lorsque le gouvernement ontarien a réduit sa participation financière de 4 à 2 millions, le projet a été ramené à des proportions plus modestes. On a ainsi éliminé la section supérieure de gradins – située derrière le marbre –, ce qui a réduit le nombre de sièges à 10 332 et ramené le coût total de la facture à 16,9 M $. Le stade aurait tout de même une trentaine de loges privées, un restaurant de 200 places et une passerelle moderne et spacieuse où accueillir les membres des médias.

Le soir de la grande première, les fans qui ont envahi le stade – malgré un temps froid et pluvieux – ont pu constater l'extraordinaire convivialité des lieux : des sièges près du terrain, une vue exceptionnelle du jeu de chaque section des gradins, bref, un environnement idéal pour regarder un match de baseball. Pour certains, le site rappelait les stades de la Ligue des pamplemousses de Floride ; pour d'autres, il évoquait l'intimité du parc Jarry.

Quand les joueurs des Lynx ont sauté sur le terrain, les spectateurs n'ont pas manqué de remarquer le logo qu'ils arboraient sur une manche de leur chandail : celui des Expos de Montréal. L'équipe avait tenu la promesse faite par Charles Bronfman en 1988, et dès que la concession avait été accordée à Ottawa, on avait entrepris des démarches pour y transférer les Indians d'Indianapolis.

En 1993, la pérennité du baseball dans l'Est du pays semblait reposer sur de solides assises : une équipe championne dans un stade ultra moderne à Toronto, une autre équipe en pleine renaissance à Montréal, et puis, désormais, un club de calibre AAA dans la capitale nationale. C'était un portrait qui augurait fort bien pour les amoureux de ce sport.

« C'est seulement le début, avait déclaré Jim Durrell dans la semaine qui a précédé le match d'ouverture. Avant 20 ans, Ottawa aura son club des ligues majeures. »

Malgré un bon début de saison (11-6), les Expos n'ont jamais pu s'emparer du 1er rang, surpris – comme tous les experts, d'ailleurs – par l'excellent début de saison des Phillies de Philadelphie. Après être demeuré à courte distance des meneurs durant presque un mois, les Expos ont perdu un peu de terrain lors d'un infructueux séjour sur la côte Ouest (2-5).

Le 2 mai, dans un match contre les Giants à San Francisco, les deux équipes n'avaient pu faire de maître pendant les 9 premières manches de jeu, le pointage s'arrêtant à 3-3. Mel Rojas et John Wetteland – ce dernier ayant repris du service le 23 avril – avaient blanchi leurs rivaux pendant les 4 dernières manches et après avoir remplacé Wetteland par un frappeur suppléant en début de 11e , Felipe Alou a remis la balle au gaucher Jeff Fassero.

Après un retrait et un coureur au deuxième but, c'était à la nouvelle star des Giants, Barry Bonds, de s'amener au bâton. Alou s'est alors dirigé au monticule pour signifier à son receveur de «gaspiller» ses deux premiers tirs, soit à l'extérieur ou à l'intérieur de la zone des prises (atteindre Bonds n'était pas exclu non plus). Si celui-ci ne mordait pas sur l'un ou l'autre des tirs, on lui concéderait alors le premier but. Felipe n'avait pas eu le temps de se rasseoir sur le banc que Fassero a servi une balle en plein centre du marbre à Bonds, ce dernier sautant sur l'occasion pour cogner un simple – et faire marquer le point gagnant.

Après la défaite, les Expos se retrouvaient maintenant à 5 ½ matchs de la tête. Inutile de préciser que le lanceur a été contraint de passer quelques minutes dans le bureau du gérant après le match…

Le 15 mai, les Expos ont profité du passage à Montréal des Mets de New York pour rendre hommage à un autre pionnier de leur histoire. Le numéro 10 de Rusty Staub serait officiellement retiré – la première fois qu'on honorerait ainsi un ancien joueur des Expos.

Première grande vedette du club, et sans doute son meilleur ambassadeur toutes époques confondues, Rusty – qui avait maintenant 49 ans – était depuis sa retraite du jeu un des commentateurs des matchs des Mets à la télévision.

Les Expos ont organisé une cérémonie sobre et de bon goût. En plus d'inviter tous les membres de la famille de Rusty, ils ont fait appel à Charles Bronfman et à Jean Béliveau (l'ancien capitaine du Canadien et ami de Staub) pour lui rendre hommage. Le Grand Orange a failli fondre en larmes quand on a montré à l'écran une vidéo de quelques-uns de ses meilleurs moments dans l'uniforme des Expos.

Invité à prendre la parole, Staub s'est adressé à la foule en français pendant plus de quatre minutes : «Je me souviendrai toujours de votre ville. J'ai beaucoup aimé tout ce qui m'est arrivé ici. Pour tout ce que vous avez fait pour moi, je vous remercie.» Plus tard, Staub a été invité à se rendre jusqu'au champ droit, où avec l'aide de Larry Walker, il a dévoilé une immense plaque commémorative portant son nom et son numéro.

Parmi les gens qui étaient venus le saluer, on comptait Charlemagne Beaudry, un des premiers actionnaires de l'équipe, Fernand Lapierre, l'organiste du temps du parc Jarry, et même Claude Desjardins, le gigueur des gradins du parc Jarry. «Quand je pense à mes années avec les Expos, c'est tout de suite le stade Jarry qui me vient à l'esprit, a dit Rusty. L'ambiance qui régnait là était incroyable. Les gens applaudissaient tout le temps, parfois sans raison. Une belle fille qui passait dans une allée pouvait recevoir une ovation debout.»

Certes, Rusty n'avait passé que 3 saisons (1969, 1970 et 1971) – ainsi que la moitié d'une autre, en 1979 – dans l'uniforme des Expos, mais son impact sur le baseball au Québec avait été plus fort que celui de tout autre joueur. «Il a donné une crédibilité instantanée au club, a rappelé Claude Brochu. Les Montréalais l'ont tout de suite adopté et il s'est bien occupé de leur rendre la faveur. Dans l'histoire des Expos, personne n'a été plus important que lui.»

Certaines personnes ont fait remarquer que le 10 avait également été le numéro d'Andre Dawson – et sur une plus longue période. N'aurait-il pas été approprié d'honorer The Hawk par la même occasion? Richard Morency, le vice-président aux communications, a souligné que les Expos penseraient à Dawson quand il aurait mis un terme à sa carrière (Andre évoluait désormais avec les Red Sox de Boston). Pour l'instant, la journée était celle de Rusty Staub.

Plus tard dans la saison, les Expos réserveraient le même honneur à une autre étoile de leur histoire, le nouvellement retraité Gary Carter (qui n'était finalement pas revenu sur sa décision). Comme Staub, son numéro (le 8) ornerait une des rampes du Stade olympique.

Plusieurs Expos s'étaient démarqués par l'excellence de leur jeu pendant les deux premiers mois du calendrier. Marquis Grissom, le Joueur du mois de mai chez les Expos, prouvait non seulement qu'il pouvait tenir son bout dans le baseball majeur mais qu'il faisait maintenant partie de son élite. Il était parfaitement à sa place comme troisième frappeur de l'alignement, se distinguant bientôt comme meilleur producteur de points du club (il en totaliserait 95 à la fin de la saison). Il remporterait aussi un Gant d'Or, comme meilleur voltigeur de centre défensif de la Nationale.

Larry Walker a continué d'allier vitesse et puissance, jouant avec l'abandon qui l'avait caractérisé dès sa première saison complète avec les Expos en 1990. Le 19 mai, lors d'un match contre les Braves à Atlanta, Walker a effectué un plongeon spectaculaire pour capter une balle frappée en flèche, glissant de tout son long dans le gravier de la piste d'avertissement. Dans la semaine qui a suivi, il a voulu rester dans l'alignement mais a dû se résoudre à séjourner une quinzaine de jours sur la liste des blessés (contusion aux côtes). À la fin de la saison, Larry serait seulement le 2e Expo à frapper au moins 20 circuits et voler au moins 20 buts, Andre Dawson ayant réalisé l'exploit à 5 reprises. Malgré une saison écourtée à 138 matchs à cause de blessures, Walker amasserait 22 CC et 86 PP.

Le dernier venu du trio de voltigeurs, Moises Alou, semblait en voie de connaître la meilleure saison de sa carrière. Utilisé le plus souvent comme cinquième frappeur, Moises s'est avéré lui aussi un solide producteur de points (85), une statistique qu'il aurait certainement bonifiée si une blessure de fin de saison ne l'en avait empêché. Tout comme Walker, Alou ne ménageait jamais ses efforts sur un terrain, ce qui le rendait évidemment plus vulnérable aux blessures.

Parmi les autres têtes d'affiche, Mike Lansing (,307 à la fin mai) semblait maintenant indélogeable au troisième but, Delino DeShields consolidait son rôle de leader de l'avant-champ (peut-être aussi de tout le club) et Darrin Fletcher, qu'on savait doué pour tirer le meilleur de ses lanceurs, apportait aussi une solide contribution offensive (,260). Bientôt, Felipe Alou le ferait jouer sur une base quotidienne.

Au monticule, Ken Hill (6-0) semblait en voie de connaître la saison de sa carrière et John Wetteland, d'abord hésitant à son retour au jeu, avait retrouvé son arrogance, une mauvaise nouvelle pour les frappeurs adverses.

Malgré ces performances, le club a bouclé les deux premiers mois du calendrier avec une fiche de 27-22. Devant eux, à 7 matchs, se trouvaient toujours les Phillies de Philadelphie, une équipe sans grande vedette mais construite autour d'un groupe de batailleurs comme leur as lanceur Curt Schilling, le premier-but John Kruk (l'archétype du col bleu), le musclé receveur Darren Daulton, le voltigeur Lenny Dykstra (une peste) et l'intense releveur Mitch Williams, répondant aussi au surnom de Wild Thing (le nom lui allait mieux qu'à Wetteland : il était encore plus imprévisible que ce dernier).

Chaque année, au baseball, toutes les pièces du casse-tête se mettent en place pour une ou deux équipes qui, contre toute attente, connaissent une saison de conte de fée. Au début de la saison, les experts avaient cru que cette équipe serait les Expos, ou alors les Braves d'Atlanta. On n'avait certainement pas imaginé que ce serait les Phillies, ce club qui avait terminé la dernière saison au dernier rang de sa division, ne parvenant à remporter que 70 parties.

Si les amateurs de sports de Philadelphie avaient trouvé leur équipe Cendrillon de l'année, ceux de Montréal avaient aussi repéré la leur : celle qui disputait ses matchs au Forum. Au printemps 1993, les Canadiens de Montréal et leur nouvel entraîneur Jacques Demers semblaient être touchés par la grâce, et après avoir surpris le monde du hockey en battant d'entrée de jeu les talentueux Nordiques de Québec, ils avaient ensuite balayé les Sabres de Buffalo avant de vaincre les Islanders de New York en 3e ronde. Bientôt, ils triompheraient des Kings de Los Angeles du grand Wayne Gretzky, remportant 10 victoires consécutives en prolongation, un exploit tenant du prodige.

Toute l'attention médiatique – méritée, il va sans dire – accordée aux Canadiens et à leur fameux gardien Patrick Roy ne manquait pas de faire de l'ombre aux Expos – qui semblaient de nouveau glisser dans le rôle d'éternels seconds.

Fin mai, une série de trois matchs contre les Cards de Saint Louis n'a attiré au total qu'un peu plus de 40 000 personnes et trois semaines plus tard (à la mi-juin, la saison de hockey maintenant terminée), de décevantes foules de 13 235, 13 142 et 14 231 personnes se sont déplacées pour voir les Expos se mesurer à leurs rivaux de Philadelphie. Il semblait qu'aux yeux des amateurs de sports montréalais, le sort d'une équipe de baseball à 10 ½ matchs du sommet était scellé. Il y avait dans cette ville beaucoup plus de fans des Expos que d'amateurs de baseball, si bien que quand l'équipe stagnait ou piquait du nez, on trouvait autre chose à faire de ses soirées.

Il faut aussi mentionner que les Montréalais avaient désormais une foule de choix : le Festival de jazz, le festival Juste pour rire, les feux d'artifice, etc., des événements offrant dans leur programmation une impressionnante quantité de spectacles gratuits. La situation économique de la métropole étant ce qu'elle était – et est toujours –, cela finissait par peser lourd dans le choix des loisirs des Montréalais.

Si la tendance observée jusque-là se maintenait, l'équipe devrait se contenter d'une assistance totale pour l'année sous la barre du 1,5 million – le plus faible score des 28 clubs des majeures. Heureusement pour les Expos, la campagne de vente de billets de saison du dernier hiver avait été fructueuse (11 000 billets vendus), ce qui assurait une base indispensable, mais quand on attirait des foules de 15 000 personnes, ça voulait dire que seulement 4 000 spectateurs avaient pris la décision d'acheter un billet.

Comme Buck Rodgers avant lui, Felipe Alou ne comprenait pas pourquoi les gens ne se rangeaient pas plus derrière leur club. « Il y a actuellement une quinzaine d'équipes qui ont une fiche inférieure à la nôtre et qui attirent plus de monde que nous. Nous vendons moins de billets que les

Pirates de Pittsburgh, qui ont pourtant laissé partir Barry Bonds, Doug Drabek, John Smiley et Bobby Bonilla! Je tremble juste à imaginer ce qui se passerait si nous laissions partir Larry Walker ou Marquis Grissom. En ce moment, notre équipe compte plusieurs joueurs excitants – d'ailleurs, des joueurs excitants, il y en a toujours eu à Montréal. Je ne sais pas quel est le problème», a déclaré Felipe Alou à Denis Arcand de *La Presse*.

« Moi, je m'en fous que le Canadien attire 20 000 personnes à un match de balle-molle à Laval. Ça n'a rien à voir. En tant que personne qui vit ici durant une bonne partie de l'année, qui a trois enfants qui jouent dans les petites ligues ici, je sais que Montréal est une ville de baseball. Les gens me reconnaissent partout où je vais, ils suivent la saison d'Andres Galarraga, ils me parlent de la série de matchs consécutifs avec au moins un coup sûr de John Olerud, ils me parlent de la blessure de Jose Canseco. Mais ils ne viennent pas au Stade. »

Quant à ceux qui réclamaient une grosse transaction ou souhaitaient que les Expos sortent leur portefeuille pour embaucher un joueur autonome de talent, Felipe rejetait leur raisonnement du revers de la main : « Ça m'agace d'entendre ça parce que ce sont des gens qui ne connaissent rien au baseball qui propagent cette idée. Il me semble que ça devrait être clair pour tout le monde qu'une équipe ne se bâtit pas à coup d'argent. Les Astros ont payé des millions pour obtenir Doug Drabek et Greg Swindell et ils sont à 12 matchs de la tête, comme nous, sauf que ça leur coûte deux fois plus cher en salaires. »

La réputation de frugalité de la direction pouvait-elle nuire à la popularité du club? « Ce sont les propos d'une minorité de personnes qui ne savent pas de quoi ils parlent, arguait de son côté Claude Brochu. La majorité des gens nous appuient. Mais c'est vrai que l'argent est un facteur important dans nos décisions. Si les Astros m'appelaient demain pour se débarrasser du salaire de Doug Drabek (5 M $), je leur dirais, les salaires de fou, non merci. On ne veut pas des problèmes des autres », a expliqué le président des Expos.

« Je ne voudrais pas qu'on passe pour des braillards », a déclaré Richard Morency, le vice-président aux communications des Expos. Mais les gens doivent comprendre qu'on a besoin d'eux. S'ils ne viennent pas au Stade, ce sera difficile de gagner. C'est une simple question de revenus. Des assistances de 20 000, 25 000 personnes, ça donne à la fin de l'année 1,5 million de spectateurs. Et 1,5 million de spectateurs, ça produit une masse salariale de 15 millions. C'est pas compliqué à comprendre. Pourquoi les Blue Jays de Toronto ont une liste de paie de 40 millions? Parce qu'ils attirent 4 millions de personnes! »

« L'an dernier, les Phillies ont terminé au dernier rang mais ils ont quand même attiré 2 millions de spectateurs, a ajouté Felipe Alou. Et ça leur a permis de consacrer 5 M $ à l'embauche de 4 nouveaux joueurs : Pete Incaviglia, Milt Thompson, Jim Eisenreich et Danny Jackson. Ces gars-là font une différence. » Claude Brochu insistait lui aussi sur l'importance de l'assistance : « Nous devons absolument augmenter nos assistances. La moyenne dans la Ligue nationale est de 31 000 spectateurs par match. Nous en attirons 18 000... »

Avec leur masse salariale d'environ 17 M $ (25e équipe sur 28), les Expos souffraient d'un navrant manque de profondeur, et quand Ken Hill (blessure à l'aine) et Mel Rojas (étirement du muscle derrière le genou) ont dû séjourner sur la liste des blessés au début juillet, certains ont craint le pire.

Ce qui émergeait une fois de plus, c'était – comme l'avait déploré Delino DeShields l'année précédente – combien l'organisation demandait à de jeunes athlètes de porter un lourd fardeau, de jouer « au-dessus de leur tête », d'accomplir des choses pour lesquelles ils n'étaient pas vraiment prêts.

Le 22 juin, dans un match contre les Mets à New York, Felipe Alou s'est rendu au monticule pour avoir un petit entretien avec son neveu Mel Rojas, en voie de saboter une avance de 6-0. Venu rejoindre les deux hommes au monticule, le receveur Darrin Fletcher n'a rien compris du sermon servi par Alou dans la langue de Gabriel Garcia Marquez, mais c'était évident que le bonhomme ne prenait pas des nouvelles de la famille. Saisi, Rojas a soudainement retrouvé son aplomb et mis fin à la manche. Interrogé après le match sur la teneur de ses propos, Felipe a résumé la conversation simplement : « Je lui ai demandé s'il avait mal au bras, aux jambes, s'il était malade ou blessé. Il m'a dit que non. Alors je lui ai dit de lancer la foutue balle ! »

Le 4 juillet, dans la première moitié de la 11e manche d'un match au Stade contre les Dodgers de Los Angeles, les visiteurs avaient placé un coureur sur les sentiers après un retrait quand le frappeur Dave Hansen a frappé un roulant vers l'arrêt-court Mike Lansing – une parfaite balle à double-jeu. Quand Lansing a levé la tête vers le deuxième but, il s'est rendu compte que DeShields brillait par son absence... Il s'est donc pressé de lancer hors d'équilibre au premier où le coureur est arrivé sauf. Le prochain frappeur, Mike Piazza, a frappé un autre roulant vers Lansing mais son relais vers DeShields (qui, cette fois, y était) n'a pu être maîtrisé et l'arrêt-court des Expos a été débité d'une deuxième erreur. Avec les buts remplis, le releveur Jeff Shaw a lancé une balle qui a échappé au jeune receveur auxiliaire (23 ans) Tim Laker et le coureur du troisième est venu marquer ce qui s'avérerait le seul point du match.

Après la rencontre, Felipe Alou tentait de garder les choses en perspective : « Nous avons de jeunes joueurs, ça ne donne rien de leur tomber dessus. N'oubliez pas que Lansing et Laker évoluaient dans le AA l'an passé. »

Dans *La Presse* du lendemain, Philippe Cantin décrivait la scène dans le vestiaire : « Le jeune receveur est demeuré longtemps assis devant son casier, la tête entre les mains, comme si le poids du monde pesait sur ses tendres épaules. » Évoquant plus loin les erreurs débitées à Mike Lansing, Cantin éraflait au passage la direction de l'équipe : « Que vous dire de lui, sinon qu'il est surutilisé pour un joueur de son niveau. Au début de la saison, la direction se pétait les bretelles en vantant les mérites de ce jeunot qu'elle n'attendait pas. Les éloges sont plus pondérés aujourd'hui. Voilà un bon *kid*, un autre dans cette équipe très verte ; comme plusieurs de ses camarades, il a besoin de faire ses classes. »

Dans un autre article de la même édition, le journaliste abordait d'un autre angle la récurrente question de la « saine gestion des finances » du club : « La vigilance administrative de Claude Brochu est fréquemment citée en exemple dans les médias. Tant et si bien qu'on a parfois l'impression d'encourager l'entreprise de l'année plutôt qu'une équipe de baseball, poursuivait Cantin. Les Expos termineront au 3e rang ? Pas grave, ils boucleront leurs frais pendant que les champions de division accuseront un déficit d'exploitation de 10 millions ! Allez, bon peuple, venez encourager le club doté des plus beaux états financiers du sport professionnel, catégorie petits marchés ! »

Le commentaire du journaliste de *La Presse* résumait parfaitement ce qui diviserait les amateurs et cette administration jusqu'à la fin des années 1990. En clair, l'équipe disait : « Venez en grand nombre et nous irons vous en chercher, des joueurs. » De leur côté, les fans répliquaient par une logique inversée : « Offrez-nous une équipe gagnante et nous irons l'encourager. »

En toute honnêteté, les deux raisonnements se tenaient. D'une part, la direction du club ne pouvait pas courir le risque de cumuler des déficits qui pourraient mettre en péril la survie même de l'entreprise. Dans le passé, quantité de clubs avaient commis l'erreur de couvrir d'or des joueurs qui n'avaient pas livré la marchandise. Dans d'autres cas, l'ajout d'une ou deux stars avait peut-être permis à un club d'atteindre les séries d'après-saison, mais l'organisation s'était néanmoins retrouvée avec un bilan financier négatif. Tout compte fait, ne valait-il pas mieux former une équipe de jeunes à bas coût et espérer que tout se mette en place dans une même année ?

Du point de vue de l'amateur, le raisonnement était peut-être bien logique, mais dans le contexte du sport-spectacle, il ne tenait pas la route. Une organisation qui reconnaît (même implicitement) ne pas mettre le rendement du club tout au haut de ses priorités envoie un bien curieux message au public. Les amateurs – d'ici ou d'ailleurs – ont absolument besoin de croire que leur club fait toujours tout ce qu'il faut pour gagner. Sinon, pourquoi y mettraient-ils eux-mêmes temps et argent ? Pourquoi investir toutes ces émotions dans une équipe de balle si l'organisation, elle, garde le pied sur le frein ?

Ken Hill ne s'expliquait pas que la direction n'encadre pas mieux les jeunes, comme l'avaient fait les Marlins de la Floride : « J'aurais au moins aimé entendre dire qu'ils avaient manifesté de l'intérêt pour Gary Sheffield », a-t-il déploré. « On a l'impression que les dirigeants de l'équipe vivent d'espoir, qu'ils espèrent qu'un joueur leur donnera toujours la saison de sa carrière », a dit de son côté Dennis Martinez.

À la pause de mi-saison, les Expos (48-40) étaient au 3e rang de l'Est, à 8 ½ matchs des Phillies. Les deux prochaines semaines seraient déterminantes. Si le club glissait à plus de 10 matchs de la tête, le DG Dan Duquette serait alors probablement contraint de laisser partir un ou deux vétérans – et de commencer à préparer la saison suivante.

Comme par les années passées, c'est le nom du vétéran Dennis Martinez qui revenait le plus souvent dans les rumeurs de transaction. On racontait que les Blue Jays tenteraient peut-être de le « louer » pour la durée de la course au championnat, comme ils l'avaient fait en acquérant le lanceur David Cone en août 1992. « J'espère terminer la saison à Montréal, a dit Martinez. J'aime bien cette jeune équipe et je crois que nous avons un bon potentiel. Mais je vais devenir joueur autonome à la fin de la saison et c'est bien évident que je ne signerai pas mon prochain contrat avec les Expos. » L'organisation torontoise n'était pas la seule à s'informer de la disponibilité du vétéran de 38 ans, les Giants et les Yankees avaient également manifesté de l'intérêt.

Toutefois, si les Expos connaissaient un bon départ dans la deuxième moitié de saison – et si les Phillies commençaient à fléchir –, la direction hésiterait peut-être alors à se départir de son as lanceur. Irait-elle même jusqu'à bifurquer de sa politique et tenter de faire l'acquisition d'un lanceur de premier plan ou du premier-but Fred McGriff (dont les Padres de San Diego essayaient maintenant de se départir pour alléger leur masse salariale)? Les rumeurs abondaient dans ce sens depuis quelque temps déjà.

Quelques signes annonçaient une éclaircie pour le club. Confrontés à l'absence de leur partant le plus efficace (Ken Hill), les Expos ont rappelé d'Ottawa un jeune lanceur de 22 ans du nom de Kirk Rueter. Aussitôt débarqué à Montréal, il a blanchi les Giants de San Francisco de Barry Bonds et Will Clark en ne leur accordant que 3 coups sûrs en 8 ⅓ manches de travail. À l'instar de l'ancien Expo Woodie Fryman, le gaucher Rueter travaillait rapidement, atteignant avec régularité les coins du marbre. Les 13 593 spectateurs du Stade olympique, peu nombreux mais enthousiastes, lui ont accordé 3 ovations debout.

Trois jours plus tard, Felipe Alou ajoutait un autre gaucher à sa rotation de lanceurs. Mais celui-là était déjà dans sa cour: le lanceur de longue relève Jeff Fassero. Après une première sortie réussie le 10 juillet (un seul point cédé aux Padres en cinq manches), Fassero s'est révélé un des partants les plus fiables du club, au point où Felipe Alou s'est demandé qui donc, dans les rangs mineurs, avait un jour pris la décision d'en faire un releveur... Soudainement, Alou pouvait compter sur une rotation comprenant deux solides gauchers.

Au retour du match des Étoiles, les Expos ont pris la route de l'Ouest, où ils disputeraient 11 matchs en autant de jours contre les Dodgers, les Padres et les Giants. S'il y avait un moment pour relancer leur saison, c'était bien celui-là. Or, dans la première moitié du voyage, les Expos ont connu les jours les plus sombres de leur saison, perdant six de leurs sept premiers matchs.

À l'issue du match du 21 juillet – perdu 4-3 aux mains des Giants –, le moral du club était à son plus bas. En milieu de match, le nouvel espoir Kirk Rueter a dû déclarer forfait lorsqu'un relais malhabile du premier-but Frank Bolick l'a placé dans une position vulnérable sur un jeu serré au premier. Après le match – alors qu'on craignait une sérieuse blessure au genou du jeune lanceur –, plusieurs Expos semblaient découragés, la saison leur paraissant désormais vaine. Après tout, l'équipe venait de s'enfoncer un peu plus, à 11 ½ matchs des meneurs.

Dans l'avion transférant l'équipe de la côte Ouest jusqu'à Pittsburgh, où les Expos disputaient leur prochaine série, les joueurs se sont lancés dans un furieux combat de... popcorn dans les dernières rangées de l'appareil. Le lendemain, Felipe Alou, encore abasourdi par la scène à laquelle il avait assisté, a convoqué une réunion d'équipe, arguant qu'il tenait à la bonne réputation du club auprès des transporteurs aériens et des hôtels. Du reste, il était important de donner le bon exemple aux jeunes joueurs qui continueraient de se joindre à l'équipe jusqu'à la fin de la saison… Les jeunes qui devaient donner l'exemple aux plus jeunes ? Pas de doute, ce club était résolument bien vert…

Dans la deuxième semaine d'août, les propriétaires de clubs se sont réunis dans une bucolique station balnéaire de Kohler, non loin de Milwaukee, au Wisconsin, pour discuter du nouveau contrat de travail qu'ils soumettraient sous peu aux joueurs. À l'ordre du jour : trouver une formule de partage des revenus qui serait acceptable pour tous. Cette fois, les clubs pourraient finalement discuter entre eux sans craindre qu'une intervention du commissaire du baseball ne vienne leur mettre des bâtons dans les roues. « L'affaire est très confidentielle et il n'est pas question d'en laisser filtrer le moindre détail », a déclaré Richard Ravitch, le directeur du Comité des relations avec les joueurs – celui qui négocierait la nouvelle entente collective au nom des propriétaires. Ravitch a tout de même révélé aux médias qu'il était confiant de voir les propriétaires en arriver à un accord (une entente nécessitait l'approbation des trois quarts des participants).

« Je ne suis pas très optimiste quant à la proposition qu'ils vont nous faire », a déclaré Paul Molitor des Blue Jays de Toronto, un des membres du Comité exécutif de l'Association des joueurs. Molitor devinait bien que la proposition de partage des revenus serait assortie d'un plafond salarial, une hérésie aux yeux des leaders de l'Association. Les joueurs disaient maintenant envisager une grève dès septembre, puisqu'une telle stratégie pénaliserait davantage les équipes que les joueurs : « Dans ce scénario, nous ne perdrions qu'un sixième de nos salaires alors que les propriétaires, eux, essuieraient des pertes d'environ 250 millions. Si nous attendons la fin du contrat de travail (le 31 décembre), ils seront alors en bonne position pour imposer le plafond salarial et éliminer le système d'arbitrage », a précisé Molitor.

Ce que Molitor ne pouvait pas savoir, et ce que Ravitch avait tu, bien sûr, c'était qu'à Kohler, le diable était aux vaches. La rencontre de deux jours fut la plus houleuse et la plus destructrice à laquelle les participants avaient jamais assisté. « Je n'avais jamais vu une telle colère, a révélé Bud Selig, des années plus tard. C'était pire que terrible. Tous les gens qui y étaient, incluant George W. Bush (alors copropriétaire des Rangers du

Texas) ont dit n'avoir jamais rien vu de tel. Les gens se disaient des choses horribles[17]. »

À l'époque, le partage des revenus entre les clubs était encore négligeable : les clubs de la Nationale ne partageaient que 5 % des recettes aux guichets avec l'équipe visiteuse et le partage des revenus de télédiffusion sur le câble était insignifiant. La disparité entre riches et pauvres était spectaculaire : pour des Yankees de New York qui empochaient 50 millions par année de revenus de télé locale, il y avait les Expos et leurs 7 millions. Le système comportait aussi quelques aberrations : « Quand nous allions jouer à Los Angeles, par exemple, on ne recevait strictement rien des Dodgers, leurs matchs étant diffusés à la télé conventionnelle, explique aujourd'hui Claude Brochu. Or, si nous diffusions ces matchs sur RDS ou TSN, il fallait leur verser une partie de ces revenus, parce qu'il s'agissait de chaînes spécialisées diffusant sur le câble[18]... »

Dans ses arguments en faveur d'un partage des revenus, Claude Brochu faisait valoir à ses vis-à-vis que si une entente ne survenait pas entre les clubs, sept ou huit organisations pourraient bien ne pas survivre, ce qui pourrait ouvrir la porte à la création d'une deuxième ligue majeure, une ligue qui s'empresserait d'installer des équipes non seulement dans des villes comme Hartford ou Phoenix mais aussi dans de gros marchés comme Chicago, Toronto ou New York, menaçant le marché d'équipes existantes. Brochu n'en démordait pas : sans partage des revenus, le baseball majeur ne pourrait pas survivre à Montréal.

Évidemment, les propriétaires des équipes les mieux nanties n'étaient certainement pas prêts à changer l'ordre des choses. Ils ont d'ailleurs passé les deux jours de la réunion à servir le même mantra aux représentants des autres clubs : « Vous ne mettrez pas vos mains dans nos poches[19] ! »

Après le désastre de Kohler, Bud Selig s'est demandé comment le groupe pourrait de nouveau travailler en collaboration : « Cette fois-là, on a vraiment atteint le fond du baril. Ça brisait le cœur de voir ça. J'ai dû en appeler plusieurs le lendemain pour leur dire : "Messieurs, il faut arrêter ça sinon on ne pourra jamais plus remettre de l'ordre dans la baraque"[20]. » Les propriétaires n'arrivant même pas à se parler entre eux, comment les choses se passeraient-elles quand il leur faudrait s'adresser aux joueurs et à leur Association ?

« Le baseball est malade », écrivait Philippe Cantin dans l'édition du 5 août de *La Presse*. « Le manque de vision des propriétaires et l'arrogance des joueurs ont provoqué un profond désabusement au sein du public. »

Cantin citait l'exemple des Giants de San Francisco, qui, après avoir crié au désastre financier, avaient balancé des millions dans la cour du joueur autonome Barry Bonds. Il évoquait aussi la malsaine désinvolture de ce même Bonds, qui refusait maintenant d'accorder toute entrevue. *I'm Barry Bonds, And You're Not*, était d'ailleurs le titre qu'avait choisi de retenir le *Sports Illustrated* pour coiffer un article cinglant sur le meilleur joueur de balle d'Amérique.

Après avoir fait leur promotion durant la saison morte autour de leurs joueurs vedettes, rappelait Cantin, les dirigeants des Padres avaient procédé quelques mois plus tard à une grande vente de liquidation, chassant du club les Fred McGriff, Benito Santiago et Gary Sheffield de San Diego. Résultat : des partisans s'estimant victimes de fausse représentation menaçaient maintenant de traîner le club devant les tribunaux ! Le chroniqueur voyait des similitudes avec la situation des Expos : « À Montréal, les Expos suscitent la colère des spectateurs en ne faisant pas d'effort véritable pour améliorer l'équipe. La direction rétorque en blâmant les gens de demeurer à la maison plutôt que de venir au Stade. »

En fait, c'est toute cette industrie de 1,6 milliard qui semblait sur la voie de l'autodestruction. Au moment même où ce sport connaissait une popularité jamais égalée en Amérique du Nord, d'aucuns craignaient maintenant une sorte d'implosion. « Une grève en septembre ? Un lock-out en mars 1994 ? Allez-y, messieurs, ne vous gênez pas, concluait Philippe Cantin. Mais ne vous surprenez pas si, à la reprise du jeu, vos cotes d'écoute à la télé, le vrai signe de santé d'un sport professionnel, continuent de chuter. »

Le 14 août, anniversaire de la naissance officielle du club, les Expos ont annoncé une première : la création d'un Temple de la renommée qui honorerait les principaux acteurs de l'histoire de l'équipe. Comme il se doit, le premier intronisé serait celui sans qui toute l'aventure n'aurait jamais eu lieu : le père fondateur des Expos, Charles Bronfman.

Lors d'une cérémonie d'avant-match, Claude Brochu a dévoilé une plaque qui demeurerait en permanence sur une des rampes du champ extérieur. De la foule de 25 820 spectateurs, M. Bronfman a reçu des applaudissements polis – entremêlés de quelques huées. C'était une attitude pour le moins déroutante : après tout, il avait sauvé le club du naufrage au moins deux fois, d'abord en s'en portant acquéreur quand tous les autres investisseurs potentiels avaient détalé comme des lapins, puis, en 1990, en consentant à vendre le club à moindre coût pour le garder à Montréal. Cette réception était-elle le reflet d'une relation toujours restée distante entre les amateurs et le premier propriétaire du club? Y trouvait-on des séquelles des déclarations de M. Bronfman à la veille des élections de 1976?

Il est possible que la réaction ait également été le reflet d'une certaine morosité entourant la situation du club. Le mois d'août – celui qui brise les reins de tant d'équipes – avait plutôt mal commencé, les Expos n'ayant remporté que 6 matchs sur 14…

M. Bronfman déplorait le cul-de-sac vers lequel le sport semblait se diriger à grande vitesse: «Nous avons été idiots, nous, les propriétaires d'équipe, de ne pas nous entendre plus tôt sur le partage des revenus. Il y a assez d'argent dans le baseball majeur pour contenter les propriétaires et les joueurs. Si on avait agi plus tôt, les fans n'auraient pas l'impression de lire les pages économiques en consultant la section des sports. »

Les Expos vivraient-ils assez longtemps pour fêter leur 50ᵉ anniversaire? « Le baseball doit absolument régler ses problèmes, a dit M. Bronfman. Des villes comme Montréal, San Diego, Milwaukee et plusieurs autres ne peuvent lutter financièrement avec les Mets et les Dodgers. Et si vous êtes incapables de compétitionner sur le plan budgétaire, vous ne pouvez le faire sur le terrain. »

L'ex-proprio du club a aussi parlé du lien entre les assistances décevantes et la demeure des Expos: «Montréal est une ville romantique, a dit M. Bronfman au représentant de *La Presse*. Un stade romantique, avec un cachet bien à lui, ferait sans doute une différence. Quand le maire Jean Drapeau et l'architecte Roger Taillibert ont ébauché les plans du Stade olympique, ils ne nous ont pas consultés. Pourtant, nous avions demandé d'être inclus dans le processus de réflexion. »

En août, Dennis Martinez était toujours à Montréal, mais il semblait à côté de ses pompes. Le 5 août, El Presidente a connu ce qu'il a qualifié de sa «pire sortie en 10 ans alors que j'étais à Baltimore, à l'époque où je buvais». En 4 ⅓ manches, il a accordé 9 points sur 10 coups sûrs aux Mets. Puis, à son départ suivant, contre les Phillies à Philadelphie, il accordait 3 coups de circuit en 6 manches de travail. Dans ce même match, les Expos perdaient les services de Delino DeShields, blessé au pouce lors d'une glissade sur un jeu serré. Le Joueur du mois du club en juillet, qui présentait une moyenne de ,302 à ce moment-là, devrait s'absenter pour 4 semaines… Son départ rendrait l'avant-champ encore plus vulnérable, le jeune Wil Cordero en arrachant défensivement (il commettrait 36 erreurs en 1993) au point où

Felipe Alou avait tenté de limiter les dégâts en le mutant de l'arrêt-court au troisième but. « C'est frustrant, a dit Moises Alou après la série. On dispute des séries sans avoir les armes des autres équipes. Combien de joueurs de troisième et de premier but on a utilisés cette année ? »

Durant la même période, la parution d'un article dans *Sportif*, un nouvel hebdo québécois, a créé une certaine controverse quand on a fait dire à Larry Walker qu'il voulait quitter les Expos – sans toutefois obtenir une citation où il affirmait la chose en termes aussi directs. Dans l'article, on rapportait aussi que Walker avait cessé de suivre ses cours de français, qu'il s'était présenté à une clinique de baseball pour jeunes sans porter l'uniforme du club, qu'il avait pris part à une séance de signatures coiffé d'un foulard... « Était-ce un Expo ou un... Pirate ? », demandait le scribe Daniel Caza.

Walker était furieux : ce qu'il avait dit en réalité, c'était que si les Expos voulaient vraiment le garder à long terme à Montréal, il faudrait qu'ils en viennent à une entente au cours de l'hiver : « S'ils attendent la fin de mon contrat (à la fin 1994), je serais idiot de ne pas tester le marché des joueurs autonomes. »

L'histoire en était restée là mais le « malentendu » avait rappelé à tous une réalité inéluctable : au-delà de 1994 – et peut-être même avant – les Expos ne pourraient probablement pas garder intact leur noyau de vedettes montantes ; l'un ou l'autre de Walker, Grissom ou DeShields devrait probablement partir. D'autres rumeurs se faisaient persistantes à un autre niveau : le directeur-gérant Dan Duquette ne reviendrait peut-être pas en 1994...

Alors que tout pointait vers une fin de saison désolante, les Expos ont surpris les Montréalais – et le monde du baseball – en connaissant non seulement la meilleure séquence de leur saison, mais une des plus fructueuses de toute leur histoire. À partir du 21 août – alors qu'ils accusaient un retard de 14 ½ matchs – les Expos ont remporté 19 de leurs 21 matchs suivants !

Le déclencheur a probablement été un événement survenu le 25 août, pendant un match contre les Cubs de Chicago au Stade olympique.

En plein milieu de la rencontre, le vétéran Dennis Martinez, qui n'était pas de l'alignement, s'est levé pour distribuer, le sourire aux lèvres, des poignées de main à ses coéquipiers sur le banc. Puis, après avoir échangé quelques mots avec Felipe Alou, il est rentré dans le vestiaire. Les amateurs qui suivaient le match à la télé – il était diffusé à la télévision d'État – ont alors appris qu'El Presidente venait selon toutes les indications d'être échangé aux Braves d'Atlanta. Personne ne connaissait encore l'identité du joueur obtenu par les Expos – qui ne serait révélé que le lendemain quand la transaction serait officialisée. Tous avaient par ailleurs compris le sous-entendu de la transaction : on lançait la serviette sur la saison 1993.

Martinez étant un vétéran de 5 saisons avec le même club et de 10 ans dans les majeures, il pouvait s'opposer à l'échange – un dénouement tout de même rarissime. Or, Dennis Martinez était justement un individu rarissime et, après réflexion, il a décidé de refuser la transaction.

Ce n'est pas que Martinez avait du mal à se séparer de Montréal ou de l'organisation des Expos. C'est plutôt que son agent, Ron Shapiro, avait appris que le rôle de Dennis chez les Braves serait « limité » (après tout, ils alignaient déjà les fabuleux Greg Maddux, Tom Glavine, John Smoltz et Steve Avery dans leur rotation) et qu'il n'obtiendrait aucune compensation financière dans l'échange. Les discussions ont aussitôt pris fin. Dennis Martinez restait un Expo et le premier-but Brian Hunter, qu'auraient obtenu les Expos dans l'échange (moyenne au bâton de ,138 pour la saison...), restait un Brave. Les meilleures transactions sont parfois celles... qui n'aboutissent pas.

En apprenant la décision de Martinez, Claude Brochu avait raté deux roulés sur le vert où il se trouvait à ce moment-là. Celle-là, il ne l'avait pas vu venir. Bon, Martinez refusait d'être échangé. Comment se comporterait-il désormais sur le terrain, sachant qu'on n'en voulait plus à Montréal ?

Felipe Alou n'avait pas ces inquiétudes, assurant que Martinez ne sauterait pas un départ du reste de l'année. Était-il surpris de la décision du vétéran ? « Ni surpris, ni choqué, ni heureux, ni malheureux », a répondu le gérant, « mais il donne aux jeunes l'exemple d'un athlète qui sait se tenir debout et faire respecter ses droits. » Le 27 août, El Presidente reprenait le boulot contre les Astros de Houston et les battait 3-1.

Le 28 août, avant le match opposant le club à ces mêmes Astros au Stade olympique, les amateurs ont eu droit à la pièce de résistance des activités célébrant le 25e anniversaire de l'équipe : les Expos de l'époque du parc Jarry – dirigés par Gene Mauch – joueraient quelques manches contre ceux des années de Dick Williams. C'est avec délectation que les 24 203 spectateurs ont pu revoir à l'œuvre les Mack Jones, John Boccabella, Balor Moore, Ron Hunt, Bob Bailey ou Boots Day, tout comme les Steve Rogers, Warren Cromartie, Rodney Scott, Ron LeFlore ou Bill Lee.

Il faisait bon de voir qu'Ellis Valentine semblait avoir remis de l'ordre dans sa vie : « Dix ans dans les majeures, ça donne une perspective de la vie qui n'a pas de sens. Je me promenais dans la vie avec la main tendue parce que je pensais que tout m'était dû, a raconté Valentine à Denis Arcand de *La Presse*. Imaginez que vous êtes un jeune homme qui n'a pas de valeurs très solides, comme c'était mon cas, et qu'on vous paie 5 000 $ pour signer des autographes pendant une heure. Qu'est-ce que vous croyez que ça fait à la tête ?

« J'étais sur le party mais le gars que j'admirais était Chris Speier, à cause de sa vie rangée. C'est ça que je voulais mais j'étais trop égocentrique et égoïste pour m'en rendre compte. Je voulais juste du plaisir instantané, un coup de circuit, une fille, un relais du champ au marbre pour retirer un coureur, un *high* de coke », confiait celui qui travaillait depuis sept ans comme thérapeute dans un centre de désintoxication de Californie.

Willie Davis disait ne pas envier les joueurs de l'ère moderne, malgré leurs salaires pharamineux : « J'ai même de la peine pour eux. Ils ne savent plus ce que c'est une vraie équipe, où il faut s'aider les uns les autres, enseigner ce que l'on sait aux jeunes qui poussent… On voit bien qu'ils ne s'amusent pas. Et le baseball, chaque jour, quand on ne s'amuse pas, c'est l'enfer… »

La journée s'était déroulée dans la convivialité et la bonne humeur, une anecdote n'attendant pas l'autre. Warren Cromartie a relaté la fois où pendant un orage électrique au stade Shea, il avait détalé de sa position au champ extérieur pour aller se cacher dans l'abri. Gene Mauch s'est rappelé la fois où le deuxième-but Marv Staehle, se relevant après avoir plongé au sol pour saisir un roulant, a exécuté un pivot pour lancer la balle sur… son pied gauche !

En somme, la fête avait été une belle réussite, parvenant à rappeler que même si, 25 ans, c'est court, l'équipe avait déjà une riche histoire derrière elle, ainsi qu'une impressionnante galerie de personnages hauts en couleurs…

Au moment où ils croyaient encore que la transaction envoyant Dennis Martinez aux Braves se concrétiserait, Claude Brochu et Dan Duquette avaient trouvé un moyen de dorer la pilule aux fans : en remplacement de Martinez, ils rappelleraient un des meilleurs lanceurs des Lynx d'Ottawa, un gaucher de 25 ans dont le nom était désormais bien connu des amateurs de baseball québécois : Denis Boucher.

Après ses débuts avec les Blue Jays de Toronto en 1991, Boucher était passé dans l'organisation des Indians de Cleveland, puis dans celle des Padres de San Diego, où il avait lancé au niveau AAA, à Las Vegas, hélas sans grand succès. Sa valeur était au plus bas quand, le 10 juillet, les Expos ont sauté sur l'occasion de faire son acquisition, l'envoyant aussitôt retrouver ses moyens chez les Lynx d'Ottawa. Depuis, Denis avait suffisamment bien travaillé (6-0, 2,72 en 11 matchs) pour mériter une nouvelle chance dans les majeures.

Emballé d'être rappelé par le grand club, Denis s'est rendu sans tarder à Montréal seulement pour apprendre aussitôt qu'il devait rentrer à Ottawa puisque Martinez n'allait nulle part, après tout… Mais ce n'était que partie remise puisque quelques jours plus tard, le 1er septembre, la direction annonçait la promotion de Denis Boucher à Montréal.

Plus tôt durant la saison, à Las Vegas, Boucher avait atteint le fond du baril. «Ça allait tellement tout croche, a raconté le lanceur à Réjean Tremblay de *La Presse*, qu'un lendemain de match où ça avait été encore plus mal, j'ai ramassé mon gant, mes souliers, ma ceinture, mes effets personnels dans mon casier et je le les ai apportés avec moi sur le monticule. Et j'y ai mis le feu! J'avais entendu parler d'un joueur qui avait fait quelque chose de semblable et je me suis dit que ça pouvait changer ma *luck*.»

À l'arrivée de Boucher chez les Expos, le club était déjà sur sa lancée, dans le dernier droit d'une séquence de neuf victoires consécutives. Boucher avait rapidement été impressionné par l'attitude du groupe: «C'est une jeune équipe mais il y a beaucoup de talent ici. Et on sent que même s'ils sont à 10 matchs de la tête, ils espèrent encore quelque chose, ils veulent gagner.»

C'est finalement le 6 septembre, dans le premier match d'une série de trois contre les Rockies du Colorado au Stade olympique, que Denis ferait sa grande rentrée montréalaise. «Jouer pour les Expos, c'est un rêve d'enfance que je réalise, un rêve que j'ai dû faire une centaine de fois», a déclaré l'artilleur. L'événement n'était rien de moins qu'historique: pour la première fois depuis 1971, alors que Claude Raymond lançait pour les Expos, un Québécois porterait l'uniforme tricolore du club.

À maintes occasions par le passé, l'absence de joueurs locaux dans l'équipe montréalaise avait été décriée dans divers cercles. Certes, l'organisation avait à l'occasion mis sous contrat un athlète prometteur (le lanceur Gaétan Groleau, le premier-but René Marchand et les Derek Aucoin et Tony Marabella, qui faisaient toujours leurs classes dans les filiales des Expos), mais dans d'autres circonstances, ils avaient carrément manqué le bateau. Tant dans le cas de Boucher ou dans celui du voltigeur Marc Griffin, les Expos avaient hésité à sortir le chéquier, si bien que ces joueurs leur avaient filé sous le nez. Bien sûr, le club s'était par la suite racheté en rapatriant ces deux joueurs, mais quantité d'observateurs demeuraient perplexes: quand on sait combien le sentiment d'identification joue un rôle important dans la popularité d'une équipe, pourquoi les Expos n'avaient-ils pas, au fil des ans, déployé plus d'efforts pour acquérir et développer des joueurs locaux ?

Quoi qu'il en soit, cette fois, les Expos ont pleinement saisi le potentiel commercial de la présence d'un joueur québécois (un lanceur partant, par-dessus le marché) et ils ont pris soin d'annoncer à l'avance la date du premier départ à Montréal de Denis Boucher : ce serait le 6 septembre 1993 – un lundi après-midi de la fête du Travail. Le public a répondu avec enthousiasme, 40 066 personnes se pressant dans le grand Stade Taillibert.

Parmi ces gens, on retrouvait quelques têtes d'affiche du monde politique comme Gilles Duceppe du Bloc québécois (amateur de baseball), le chef de l'opposition officielle Jacques Parizeau (pas précisément connu comme amateur de baseball), et Pierre Bibeau, de la RIO. Ce dernier, dans un élan d'enthousiasme, a lancé que Denis Boucher serait « une grande vedette des Expos au moins jusqu'à l'an 2000 ». « Tout le monde qui ne vient jamais au Stade était comme par hasard au baseball hier pour s'associer au nouveau héros instantané du Québec, écrirait le lendemain Denis Arcand dans *La Presse*. La preuve que les élections sont à nos portes. »

Dans la foule se trouvait aussi Claude Raymond qui, exceptionnellement, observerait le match installé dans les gradins, parmi la foule. Pour l'ancien lanceur devenu commentateur, l'événement avait une connotation tout à fait personnelle : lui aussi avait connu la grande sensation de lancer pour une première fois devant ses partisans. En fait, ça lui était arrivé deux fois, d'abord en mai 1969 comme membre des Braves, puis plus tard durant la même saison, comme porte-couleurs des Expos.

Denis Boucher n'avait pas encore affronté de frappeur qu'il avait déjà fait l'objet de trois ovations debout : à son arrivée sur le terrain, en se rendant au monticule d'échauffement puis en début de match. Lui et son receveur Joe Siddall (de Windsor en Ontario) formeraient la première batterie (duo lanceur-receveur) d'origine canadienne à évoluer au niveau majeur depuis 1883.

C'était évidemment une pression énorme pour un jeune homme, mais Denis Boucher a superbement relevé le défi, limitant ses adversaires à six coups sûrs et un seul point en six manches. Il a quitté le match avec une avance de 2-1 ; son équipe perdrait ensuite cette avance pour ultimement revenir de l'arrière et l'emporter 4-3. Le Québécois n'avait pas été crédité de la victoire mais il avait gagné son pari haut la main.

« Boucher a brillamment réussi son arrivée à Montréal », écrivait encore Arcand de *La Presse*, donnant six manches de plaisir pur à tous les amateurs présents lors du plus beau cas d'identification à un athlète individuel, de projection et d'association vécu par la foule sportive montréalaise depuis les victoires de Gilles Villeneuve. »

Ça n'avait pas été de tout repos. Boucher avait dû affronter neuf frappeurs droitiers, devant recourir à un mélange de rapides, changements de vitesse et courbes pour garder les frappeurs adverses hors d'équilibre. Denis n'était pas ce genre de lanceur de puissance qui peut catapulter une balle de feu pour se sortir d'impasse, il lui fallait viser les coins de marbre, varier la vitesse de ses tirs, travailler à partir des faiblesses des frappeurs.

En 3e manche, l'arbitre du marbre et le receveur des Rockies Joe Girardi ont fait interrompre le match pour se plaindre – comme d'autres équipes l'avaient fait durant la saison – des images défilant sur le tableau indicateur, des distractions, selon eux. L'interruption a duré une bonne dizaine de minutes, affectant peut-être le synchronisme de Boucher puisqu'en début de 4e, il a raté un changement de vitesse qu'Andres Galarraga a canonné loin dans les gradins du champ centre-droit. En 6e manche, avec deux coureurs sur les buts, il a dû affronter Charlie Hayes, qui avait déjà deux simples à son actif. Après avoir porté le compte à 3 balles, 2 prises, Boucher a lancé une prise à l'intérieur qu'a regardé passer Hayes.

Les deux dernières manches ayant été plus ardues pour le jeune lanceur, Felipe Alou a décidé de le retirer du match même si Denis aurait eu à affronter le bas de l'alignement dans la manche suivante. Le gaucher a eu droit à une autre ovation debout, des coéquipiers le pressant de sortir de l'abri pour saluer la foule. « C'est très dur ce qu'il a vécu aujourd'hui, a dit Alou. Il a lancé devant beaucoup de gens qui lui voulaient du bien, et c'est très difficile de résister à ce genre de pression. Or, non seulement il ne s'est pas écroulé mais il a montré qu'il est sans peur et c'est le genre d'hommes dont nous avons besoin ici. »

Pendant tout le match, Claude Raymond avait eu les mains moites et des papillons dans l'estomac : « C'était important que ce gars-là lance bien pour l'avenir du baseball au Québec, pour celui de l'organisation des Expos, et pour son avenir à lui, bien sûr. Malgré toute cette pression, il a prouvé qu'il est capable de lancer dans les majeures. »

C'est après le match que, pour la première fois, les émotions ont eu raison de Denis Boucher. Lors de la conférence de presse organisée pour les circonstances, on lui a demandé d'exprimer ce qu'il ressentait : « Le plus beau jour de ma carrière », a répondu le lanceur, laissant cette fois échapper une larme.

Denis Boucher, le deuxième des trois lanceurs qui auront endossé l'uniforme des Expos – un remarquable accomplissement.
Club de baseball Les Expos de Montréal

Après avoir balayé une série de trois matchs contre les Rockies, les Expos ont réservé le même sort aux Reds de Cincinnati. À son 2e départ en 6 jours, Denis Boucher a de nouveau ravi ses fans (au nombre de 29 353 cette fois) en limitant les Reds à 4 coups sûrs et un seul point en 5 manches, décrochant sa 1re victoire comme Expo et aidant son club à l'emporter 4-2. Dans le troisième match, disputé le 12 septembre, c'est un simple de Larry Walker en fin de 9e manche qui a permis à l'équipe montréalaise d'arracher la victoire 3-2.

En quête d'une 100e victoire dans l'uniforme des Expos, Dennis Martinez n'a pas été crédité du gain, mais il a fort bien lancé, n'accordant que 4 coups sûrs en 7 manches. Depuis la décision de Martinez de rester à Montréal, l'équipe présentait une fiche de 10-1, une coïncidence qui n'était pas passée inaperçue du principal intéressé. « Je ne veux pas prendre le crédit, a déclaré le vétéran lanceur, mais quand j'ai refusé cet échange, j'ai dit ouvertement que je demeurais ici pour aider les Expos à s'assurer du 2e rang. Les gars ont compris ma décision et ont joué avec plus d'enthousiasme depuis. » Après cette poussée, l'équipe, qui avait passé la majeure partie de l'été à plus de 10 matchs de la tête, n'était désormais plus qu'à 5 matchs du sommet… Les plus âgés évoquaient maintenant la spectaculaire débandade des Phillies de 1964. L'histoire était-elle en voie de se reproduire ?

Sans vouloir enlever quoi que ce soit à Dennis Martinez, l'arrivée de forces fraîches des filiales avait aussi contribué à ragaillardir les Expos. D'abord, le 31 août, le voltigeur Rondell White (« un frappeur qui ne craint rien », dixit Felipe Alou) avait été rappelé d'Ottawa après avoir brûlé la ligue (,380 en 150 présences au bâton). La promotion de Denis Boucher avait aussitôt suivi, et maintenant c'était au tour du voltigeur Curtis Pride et, bientôt, du premier-but Cliff Floyd – le joyau parmi les futurs Expos, disait-on – de faire leur entrée à Montréal.

Felipe Alou ne tarissait pas d'éloges pour ses troupes : « Les gars ont tellement de cœur, c'est incroyable ! Ils continuent de se battre. J'ignore ce qui les motive : la fierté, le prestige ou les bonis liés à la 2e position... mais ils luttent jusqu'au bout. » Dennis Martinez ne regrettait pas sa décision de terminer l'année à Montréal : « La période que nous traversons présentement est très excitante. Chaque fois que nous nous présentons sur le terrain, nous avons le sentiment que nous allons gagner. »

Les Expos prenaient maintenant la direction de Saint Louis, où ils affronteraient les Cards trois fois avant de rentrer à Montréal pour y disputer une série capitale de trois matchs contre leurs rivaux de l'Est, les Phillies de Philadelphie. Rétabli de sa blessure à la main, Delino DeShields rejoindrait le club à Saint Louis, ce qui augurait fort bien pour la suite – même si son remplaçant, le réserviste Randy Ready, s'était avéré un second très adéquat.

Expos et Cards se sont partagé les deux premiers affrontements, et dans le troisième match, c'était 4-3 Montréal quand Moises Alou a amorcé la 7e manche avec un simple au champ gauche. Courant avec sa fougue caractéristique, Alou a contourné le premier et amorcé sa course vers le deuxième. S'apercevant qu'il ne pourrait pas atteindre le deuxième coussin avant le relais, Moises a brusquement mis les freins pour revenir au premier but ; c'est alors que son crampon est resté coincé dans la surface synthétique du terrain. La jambe et la cheville de la jambe gauche ont cédé sous son poids et Moises s'est écrasé au sol, le pied atrocement retourné.

Les témoins de la scène ont tout de suite compris qu'il s'agissait d'une blessure grave : l'arbitre du deuxième but s'est retourné pour ne pas voir, le premier-but Gregg Jefferies a aussi été très ébranlé. Moises, lui, croyait qu'il s'était fracturé toute la jambe : « J'avais mal et j'étais effrayé. Je n'avais jamais vu une telle dislocation », a dit le jeune voltigeur des Expos. La blessure était sévère : fracture du péroné et dislocation de la cheville.

Felipe Alou était bien évidemment très affecté par l'accident. Certes, il venait de perdre son meilleur producteur de points (85 au moment de la blessure) et probablement son joueur le plus combatif au pire moment de la saison, à la veille de la série de matchs contre les Phillies. Mais il y avait plus : cette inquiétude bien réelle que son fils ne se remette jamais tout à fait de la blessure. « C'est une blessure qui arrive aux joueurs intenses, a dit le gérant, qui affichait une mine sombre dans l'avion ramenant l'équipe à Montréal. Mais y a-t-il une autre façon de jouer ? », a-t-il demandé.

L'accident de Moises a déclenché un courant de sympathie qui dépassait les Expos et leur entourage. En plus de l'avalanche de messages qu'ont reçus Moises et Felipe du public montréalais, les Pirates ont envoyé un panier de fruits à l'hôpital où séjournait Moises, Jose Rijo des Reds a passé un coup de fil au vestiaire du club après avoir vu l'incident à la télé, tout comme une douzaine d'autres représentants d'équipes rivales. « Moises est un gars sympathique, bien apprécié de ses coéquipiers et des joueurs des autres clubs », a dit Felipe.

« On a toujours dit qu'on n'était pas obligés de gagner, a poursuivi le gérant. La seule obligation du joueur professionnel, c'est de jouer avec intensité et d'offrir une performance à la hauteur de son talent. Dans ce sens, Moises devrait servir d'inspiration pour ses coéquipiers. Je suis fier de mon fils parce qu'il a été victime d'une blessure d'intensité. Il est tombé comme un homme. »

Vingt-quatre heures plus tard, Felipe affirmait maintenant ne pas douter du rétablissement de Moises : « Je suis absolument convaincu qu'il reviendra au jeu parfaitement guéri. N'oublions pas que nous parlons du même gaillard qui s'est fait reconstruire la coiffe du rotateur de l'épaule droite, qui a dû rater une saison complète et faire de la physiothérapie pendant des mois. Il a surmonté ces difficultés et est maintenant un des voltigeurs dont les relais sont les plus craints dans la ligue. Il reviendra de cette blessure aussi. »

Le jeune Alou – en fauteuil roulant, la jambe gauche plâtrée jusqu'au genou – a tenu à venir saluer ses coéquipiers à Montréal avant la série cruciale qu'ils s'apprêtaient à disputer au Stade contre les Phillies. « Je ne voulais pas en faire un truc d'inspiration ou quoi que ce soit. Mais je leur ai quand même dit de botter quelques derrières. »

La série a été une des plus chaudement disputées que les amateurs de baseball montréalais auraient le privilège de voir de toute l'histoire du club.

Dans le premier match – pour lequel 45 757 fans s'étaient déplacés – les Expos et Dennis Martinez menaient 3-0 jusqu'à ce que les Phillies explosent pour 7 points en début de 6e manche. Après avoir répliqué avec un point en fin de 6e, les Expos sont revenus à la charge en 7e en plaçant 2 coureurs sur les sentiers. Felipe Alou a alors envoyé au marbre un frappeur suppléant qui n'en était qu'à sa 2e présence au bâton à vie dans les majeures : un jeune homme de 24 ans du nom de Curtis Pride.

Obtenu par les Expos comme agent libre en décembre 1992, Pride avait commencé la saison à Harrisburg, dans le AA, où il avait excellé (,356, 15CC en 180 présences au bâton), justifiant une promotion à Ottawa au milieu de l'été. Après avoir brillé là aussi (,302), Dan Duquette n'a pas hésité à le promouvoir lors de ses rappels de septembre.

Partout où il était passé, Pride avait soulevé l'intérêt des médias et du public, pas seulement à cause de la qualité de son jeu, mais également – surtout, probablement – à cause d'une particularité rare pour un athlète de haut niveau : il était sourd de naissance à 95 %. Depuis 1945, Curtis était le seul joueur malentendant à atteindre les majeures, le 5ᵉ seulement de toute l'histoire de ce sport.

Quand on sait combien la route vers les ligues majeures est semée d'obstacles, on peut à peine commencer à imaginer ce que c'est pour un joueur qui doit en plus composer avec un tel handicap. C'est probablement ce que se sont dit les fans quand Pride a cogné un tir du releveur Bobby Thigpen au-delà de la tête du voltigeur de centre – un double bon pour deux points. Ils se sont levés en bloc pour l'ovationner pendant plus de quatre minutes, le temps qu'a mis le lanceur suivant pour se réchauffer. Au deuxième but, Pride n'a pas mis longtemps avant de comprendre la commotion qu'il venait de déclencher : « Je pouvais entendre l'ovation ici, a dit par la suite le jeune homme en se touchant la poitrine. Je pouvais sentir les vibrations. » Quelques instants plus tard, il venait marquer le point égalisateur sur un simple de Marquis Grissom. Les amateurs qui ont eu la chance d'assister à l'événement parlent encore de cette ovation avec émotion, probablement le moment fort de cette étonnante fin de saison.

Plus tard, en fin de 12ᵉ manche, Grissom a cogné un double pour ensuite voler le troisième but avant de marquer le point gagnant sur un ballon-sacrifice. Les Expos n'étaient maintenant plus qu'à 4 matchs du sommet. Deux autres victoires contre les Phillies, et ils se retrouveraient à 2 petits matchs de la tête.

Le lendemain soir, le samedi 18 septembre – un match retransmis à la télévision d'État –, 50 438 spectateurs se sont pressés au Stade olympique où leur était offert un alléchant deux pour un : un match de course au championnat, doublé d'un départ de leur enfant chéri, Denis Boucher.

Dans l'atmosphère survoltée du Stade, Boucher a bataillé fort, composant du mieux qu'il a pu avec un contrôle couci-couça et une courbe qui refusait de fonctionner. Malheureusement pour lui, le premier frappeur en 3ᵉ manche a atteint le premier sur une erreur du jeune arrêt-court Wil Cordero, ce qui a bientôt ouvert la porte à 2 points – et quand Denis a quitté le match après 5 manches, c'était 3-1 Phillies.

Pendant que Tommy Greene continuait de mater les frappeurs des Expos, ses coéquipiers lui ont fourni 2 points additionnels, en 6ᵉ et 7ᵉ manches. Mais la combative équipe montréalaise n'avait pas dit son dernier mot et en fin de 8ᵉ, après des simples successifs de Sean Berry et John Vander Wal, Wil Cordero a soulevé la foule avec un circuit de

3 points qui réduisait l'écart à 5-4. À la manche suivante, les Expos sont venus tout près d'égaler la marque quand, après un retrait, Larry Walker a atteint le premier but en vertu d'un but sur balles, se rendant au deuxième sur une erreur du lanceur avant d'atteindre le troisième sur un vol. Mais Mike Lansing (retrait au bâton) et Sean Berry (ballon au champ extérieur) ont été incapables de le faire avancer de 90 pieds. Les Phillies avaient gagné et repris une avance de 5 matchs.

Le dimanche après-midi, 40 047 fans ont eu droit à un autre classique affrontement Expos-Phillies, devant attendre jusqu'aux derniers instants du match pour en connaître l'issue. Les Phillies menaient 5-4 quand les Expos se sont présentés au bâton en fin de 9e manche. Avec un retrait, DeShields (qui tirait de l'arrière 0-2) a frappé un simple puis s'est rendu au deuxième sur un vol de but. Après que Rondell White eut atteint le premier grâce à un but sur balles, Larry Walker a frappé un roulant à l'avant-champ et a couru comme un désespéré au premier, glissant tête première pour arriver tout juste avant le relais dans un nuage de poussière. Le premier-but John Kruk (débité d'une erreur sur le jeu) et le releveur Mitch Williams ont vivement protesté, convaincus que la balle était arrivée avant Walker… Après le match, Larry avouait ne pas savoir ce qui lui avait pris de glisser au premier but : « Peut-être que j'ai eu l'instinct que ça pouvait déstabiliser l'arbitre : au lieu de décider si j'étais sauf ou pas à l'aide du son de mon pied sur le coussin et du bruit de la balle dans le gant, l'arbitre a vu un gros nuage de poussière. »

Quoi qu'il en soit, il y avait maintenant trois coureurs sur les buts et un seul retrait. Sean Berry, victime du retrait final du match de la veille, avait une occasion en or de se racheter. Il n'a hélas pu faire mieux que de retrousser un ballon au premier but pour un deuxième retrait. Le sort du club appartenait maintenant à Wil Cordero, dont le coup de bâton opportun des dernières semaines faisait dorénavant taire les huées qu'avaient provoquées les nombreuses erreurs qu'il avait commises depuis le début de la saison.

Cordero s'est élancé sur un lancer de Mitch Williams, dirigeant la balle au champ gauche pour un simple. DeShields est facilement venu marquer du troisième, bientôt suivi de Rondell White (le point gagnant). Sur la passerelle, Rodger Brulotte s'est tellement époumoné à hurler « WILFREDO CORRRDERRRO ! » que les réseaux de radio américains se sont fait un plaisir de faire entendre l'extrait à leurs auditeurs dans leurs reportages du lendemain.

Ces damnés Expos étaient de nouveau à 4 matchs des Phillies et de la tête – bref, toujours dans la course.

Après le match, Felipe Alou avait un message pour les sceptiques : « J'espère qu'on a effacé tout doute dans l'esprit de ceux qui ne croyaient pas aux Expos. » Durant le week-end (et en incluant le match du vendredi), 136 242 nouveaux croyants avaient franchi les tourniquets du Stade, ce qui a fait dire à Claude Brochu que si l'assiduité aux matchs se maintenait d'ici la fin, l'équipe pourrait peut-être clore la saison avec un bilan financier positif.

À 4 matchs de la tête et 13 parties à jouer, tout était encore possible. La prochaine série au Stade opposerait la troupe de Felipe aux Braves d'Atlanta et à trois de leurs fameux partants : John Smoltz, Steve Avery et Greg Maddux. Rien de facile. Mais les Expos n'étaient-ils pas quasi invincibles à la maison, présentant le meilleur dossier à domicile des majeures (52-23) ?

On a découvert que les Braves n'avaient pas que des lanceurs : dans le premier match de la série, les Otis Nixon, Ron Gant, Fred McGriff, Terry Pendleton et compagnie ont malmené Ken Hill et les *six* releveurs qui l'ont suivi : 16 CS et 3 CC dans un match à sens unique de 18-5.

À la fin août, la direction avait signifié qu'elle ne croyait plus aux chances du club en tentant d'échanger Dennis Martinez. Maintenant, c'était au tour des fans d'abandonner : pour le deuxième match de la série, disputé au lendemain de la cuisante défaite aux mains des Braves, ils n'étaient plus que 18 132. Comme les Expos ont gagné ce match, l'assistance a été meilleure pour le troisième et dernier affrontement de la série : 25 219.

C'est vraiment au compte-goutte que l'amateur de sports montréalais octroyait son affection à l'équipe. Au lendemain d'une victoire, le « walk-up » (les amateurs qui décident de se procurer un billet le jour même du match) pouvait atteindre les 10 000 ; après une défaite, le club pouvait perdre le même nombre de clients pour le match du lendemain. Cette volatilité se manifestait certes dans d'autres villes d'Amérique, mais jamais autant qu'à Montréal. Dans cette ville, l'équipe de baseball devait d'abord fournir des preuves pour qu'on lui consacre quelques-uns de ses dollars-loisirs.

Les Expos ont terminé la saison à 3 matchs des Phillies, avec une fiche de 94-68, une seule victoire de moins que leur plus haut total à vie, 95, réalisé en 1979.

L'équipe n'avait peut-être pas réalisé de miracle, mais sa poussée inespérée de fin de saison malgré des écueils importants (refus de la direction de lui fournir du renfort en cours de route, blessures coûteuses à Walker et Moises Alou) avait quelque chose d'admirable. « Felipe et sa bande de jeunes ont fait fi des difficultés, de l'indifférence du public, d'une direction préoccupée davantage par le budget que le classement; ils ont fait fi de la réputation et de l'avantage insurmontable des Phillies pour plonger tête première dans la bagarre, écrivait Réjean Tremblay de *La Presse*. On a le choix. On fait comme d'habitude et on se désole qu'ils n'aient pas gagné le championnat ou bien on jouit de l'extraordinaire leçon de *guts* qu'ils nous donnent. »

Dans les derniers jours de la saison, Dennis Martinez avait finalement remporté sa 100e victoire avec les Expos – ce qui faisait de lui un des rares gagnants de 100 matchs dans chaque ligue (il avait remporté 108 matchs avec les Orioles). Une fois de plus, Martinez s'était avéré le meilleur partant du club (15-9), Ken Hill (handicapé par une élongation à l'aine) éprouvant des difficultés en deuxième moitié de saison.

Devant la tournure des événements, on avait demandé à Dan Duquette s'il y avait des chances que les Expos tentent de retenir Martinez. Le DG avait répondu prudemment: «Il faudra évaluer si nous avons les moyens de nous payer un lanceur de son statut», ce qui, bien sûr, signifiait «non».

Fidèle à lui-même, Martinez, de son côté, ne tournait pas autour du pot: «Une équipe a besoin de quelques vétérans pour devenir championne, a déclaré le vétéran à Réjean Tremblay et Pierre Ladouceur de *La Presse*. Il faut garder ensemble un noyau de très bons joueurs. Mais les dirigeants des Expos passent leur temps à trouver de nouvelles excuses pour justifier la perte probable de leurs bons joueurs. Ils parlent toujours des assistances aux matchs de l'équipe et de la situation économique. Mais vous devez garder vos joueurs pour attirer votre clientèle. S'ils ne sont pas capables de tenir le coup dans le business du baseball, qu'ils changent de travail, qu'ils vendent des maisons…

«Il faut que le produit soit bon, a poursuivi le vétéran lanceur. Nous offrons présentement un très bon produit mais ils doivent prouver aux acheteurs que le produit va rester bon. Les gens savent qu'année après année, le produit change tout le temps. Je suis le seul Expo qui était ici il y a cinq ans. Comment voulez-vous convaincre les partisans de se passionner pour leur équipe si leurs favoris partent les uns après les autres? Comment peut-on seulement penser à laisser partir Marquis Grissom un jour? »

Le 2 décembre 1993, le joueur autonome Dennis Martinez, 38 ans, signait un contrat de 3 saisons avec les Indians de Cleveland qui lui rapporterait, pour 1994 seulement, un salaire de 4 M $, plus 500 000 $ en boni de signature. Il va sans dire qu'à ce prix, les Expos n'ont sûrement pas pensé une seule seconde à lui faire une offre. Contrairement aux Indians, l'équipe montréalaise ne pouvait pas compter sur l'ouverture d'un nouveau stade qui générerait d'importants revenus supplémentaires.

Si El Presidente demeure la plus grande star du baseball au Nicaragua, il reste certainement une des figures dominantes de l'histoire du baseball à Montréal, sans doute le meilleur lanceur – avec Steve Rogers et Pedro Martinez – à avoir endossé l'uniforme du club. Un type inoubliable, aussi : parfois enquiquineur, pas toujours diplomate – et c'est là un euphémisme –, mais surtout un être absolument attachant, aux yeux rieurs, souvent moqueurs. « De tous les joueurs des Expos, a écrit Réjean Tremblay, il aura été le plus intéressant à interviewer. Le plus gentil aussi. Encore plus que Gary Carter parce que plus accueillant, probablement plus sincère. »

Après leur effroyable rencontre au sommet d'août, les propriétaires d'équipe avaient soigneusement évité d'aborder de nouveau la délicate question de partage des revenus, préférant détourner la conversation vers un sujet plus agréable : un changement de format qui leur mettrait potentiellement pas mal d'argent dans les poches.

Le 9 septembre, après des discussions qui duraient depuis des mois, les clubs ont approuvé (par un vote de 27 contre 1) l'ajout d'une nouvelle ronde éliminatoire ainsi qu'un réalignement des divisions. Dorénavant, 8 clubs se qualifieraient pour les séries d'après-saison, deux fois plus que le prévoyait la formule adoptée en 1969. De plus, les clubs seraient regroupés en trois divisions par ligue plutôt que deux. Les équipes terminant au 1er rang de chaque division accéderaient aux séries ; une quatrième – celle qui aurait la meilleure fiche parmi les autres, l'équipe *wild card* (on traduirait en français par « meilleur deuxième », « quatrième as » ou « carré d'as », selon les préférences des utilisateurs) – serait également invitée à participer aux rondes éliminatoires.

Comme de raison, les Expos continueraient d'évoluer dans la division Est de la Nationale, en plus des Mets de New York, des Phillies de Philadelphie, des Marlins de la Floride et des… Braves d'Atlanta, une équipe jusque-là logée (au mépris de toute logique) dans l'Ouest. Question de s'épargner d'inévitables contentieux, les équipes avaient convenu de maintenir un calendrier équilibré, une formule selon laquelle un club disputait grosso modo le même nombre de matchs à chacun de ses adversaires.

C'est évidemment la perspective d'augmenter les revenus (plus de clubs profiteraient de la manne qu'apportent les matchs d'après-saison, plus d'équipes resteraient plus longtemps dans la course) qui avait motivé les magnats du baseball de rompre avec la tradition. Toutefois, il faut reconnaître que le changement tombait sous le sens : n'admettre que 4 clubs sur 28 à des matchs d'après-saison prenait, en 1993, des airs de reliquat. D'autres circuits professionnels n'avaient pas cette sobriété : la LNH n'invitait-elle pas 16 de ses 24 concessions au grand bal de fin d'année ?

Pour les Expos, le réalignement signifiait qu'ils devraient jouer du coude avec deux puissances : les Phillies et les Braves (pour les Blue Jays, ce ne serait guère mieux, il leur faudrait cohabiter avec les Yankees et les Red Sox...). Mais c'était pour les Expos probablement le seul élément négatif découlant de la nouvelle structure du baseball majeur. Une étude réalisée par une firme montréalaise avançait que la formule permettrait à l'équipe d'attirer plus de 2 millions de spectateurs, ce qui leur assurerait des revenus supplémentaires de 5 à 8 millions de dollars.

« C'est difficile de confirmer ces chiffres, a déclaré Claude Brochu lorsque mis au courant de la recherche. Je reconnais néanmoins que les spectateurs québécois tendent à plus encourager une équipe qui bataille pour une participation aux séries de fin de saison. Et comme nous avons affiché la meilleure moyenne de victoires-défaites dans la Ligue nationale lors de la décennie 1980, c'est évident que nous aurions attiré plus de spectateurs à nos matchs si la formule avait été en vigueur, aucun doute là-dessus (l'étude parlait de 58 M $ additionnels que le club aurait touché depuis 1980). »

« Avec un avenir qui s'annonce aussi rose, a écrit Michel Blanchard de *La Presse*, il sera intéressant de voir comment les Expos vont réagir. Claude Brochu a-t-il vraiment le choix ? Les Expos n'ont-ils pas maintenant la nécessité de garder à Montréal les Walker, Grissom et DeShields ? »

Le président des Expos affirmait vouloir garder le cap, continuer de miser sur les clubs-écoles et d'ignorer les joueurs autonomes. « Regardez ce qui est arrivé aux Mets et aux Dodgers, ça ne leur a pas tellement réussi. Toutefois, il est tout aussi faux de prétendre que nous allons procéder à une vente de feu. Dans la mesure du possible, nous allons tenter de garder notre équipe intacte. »

Or, le 19 novembre, les Expos annonçaient une transaction choc qui a instantanément provoqué la colère des médias et des fans : l'équipe échangeait son deuxième-but régulier des 4 dernières saisons, Delino DeShields, aux Dodgers de Los Angeles contre un jeune releveur de 22 ans du nom de Pedro Martinez.

Celle-là, personne ne l'avait vue venir, pas la moindre rumeur n'ayant circulé à ce sujet. « C'est le genre d'échange qui vous tient éveillé la nuit, a dit Dan Duquette. Fred Claire (le DG des Dodgers) et moi savions que nous étions pour nous faire varloper chacun de notre côté par les fans et les médias.» «Fallait ne pas avoir froid aux yeux pour conclure une telle transaction», a admis Claire.

Échanger deux joueurs en pleine ascension l'un contre l'autre est en effet un geste hautement téméraire, que peu de clubs ont osé faire dans l'histoire du baseball. De l'avis de quantité d'observateurs, Delino DeShields était en voie devenir une des supervedettes des majeures. Son coup de bâton donnait du punch du côté gauche à un alignement constitué surtout de frappeurs droitiers, il était le pilier de l'inexpérimenté avant-champ du club, et il sortait d'une autre très belle saison (MAB de ,295, 43 buts volés) malgré une absence d'un mois due à une blessure à la main. Et il possédait une rare assurance pour un athlète de son âge. Alors que la plupart des observateurs s'entendaient pour dire qu'il était le meilleur joueur de deuxième but de l'histoire de la concession, on le chassait de Montréal – à 24 ans. «Ça nous brise le cœur d'échanger Delino, a dit Duquette, mais il nous fallait ajouter un partant.»

En retour, les Expos obtenaient un lanceur de longue relève qu'ils espéraient convertir en partant (il avait agi dans ce rôle dans les filiales des Dodgers) pour compenser la perte de l'autre Martinez, Dennis. Tant qu'à laisser partir DeShields, se demandait-on, pourquoi les Expos n'avaient-ils pas tenté d'obtenir un partant chevronné, Ramon Martinez par exemple, le frère aîné de Pedro, qui avait remporté 20 et 17 victoires en 1990 et 1991? Peut-être, ont suggéré certains, que c'était tout simplement parce que Ramon commanderait un salaire de plus de 2,6 M $ en 1994 (tout comme DeShields), alors que le benjamin, lui, ne gagnerait que 200 000 $…

Jeff Blair, du quotidien *The Gazette,* ne s'expliquait pas le raisonnement de la direction des Expos : «Vous sortez d'une année où vous avez obtenu la 2ᵉ meilleure fiche de l'histoire de la concession et provoqué une course au championnat que personne n'avait vu venir, puis vous parlez de garder intact le noyau de l'équipe, peut-être même d'offrir à certains joueurs des pactes à long terme. En d'autres mots, vous agissez comme d'autres équipes des majeures. Puis, vous vous retournez et échangez un de vos meilleurs joueurs, certainement le plus populaire : Delino DeShields.»

«Je pensais qu'il était le gars autour duquel on continuerait de bâtir l'équipe», s'est étonné Ken Hill. «Il faut que ce soit une affaire d'argent, a dit DeShields, que la transaction avait complètement pris de court. Ils ne m'ont jamais dit que quelque chose n'allait pas dans ma façon de jouer.» Larry Walker a pour sa part déclaré qu'il ne croyait pas que l'équipe s'était améliorée.

Felipe Alou reconnaissait que les Expos avaient laissé partir une future superstar en DeShields : « C'est un très gros échange dans l'histoire de ce club. » Mais Felipe avait vu Martinez lancer dans les ligues d'hiver et il savait qu'il avait du talent et du cœur au ventre.

« Les médias nous ont ramassé sans bon sens après cet échange, explique aujourd'hui Claude Brochu. Mais nos dépisteurs étaient formels : "Si vous avez la chance de mettre la main sur Pedro Martinez, ne la ratez pas." Quand l'échange a été conclu, Dan Duquette m'a dit : "Claude, nous allons remporter le championnat."

« Évidemment, nous connaissons maintenant la suite de l'histoire, mais je vous assure que nous savions ce que nous faisions, et que ce n'était pas une histoire d'argent. Mais c'était difficile pour le public et les médias de comprendre ça, personne ne connaissait encore Pedro Martinez[21]. »

Aux journalistes qui cherchaient à comprendre, Dan Duquette a donné comme exemple le dernier tiers de la saison qui venait de prendre fin. « Nous avons commencé à gagner seulement quand notre rotation s'est stabilisée, quand Kirk Rueter a été rappelé et quand Jeff Fassero a été muté dans le rôle de partant. Je pense que personne ne voulait vraiment voir dans quel état était notre rotation quand nous avons terminé le camp d'entraînement. Vous savez, ce sont les lanceurs qui font gagner un club, particulièrement les lanceurs de puissance. Et maintenant, avec Ken Hill, Jeff Fassero et Pedro Martinez, nous en avons trois. »

Duquette aurait pu ajouter une autre donnée à l'équation, tout aussi importante : DeShields aurait accès à l'autonomie à la fin 1995 ; les Expos n'auraient donc pu le garder que pour un maximum de deux ans. Mais ils pourraient compter sur cinq années de services de Pedro, celui-ci ne pouvant pas se déclarer joueur autonome avant la fin 1998. Vu sous cet angle…

Cette transaction a certainement été une des plus importantes des 36 années d'histoire des Expos. Ce fut aussi une des meilleures. En 2001, le réputé journaliste Peter Gammons du *Boston Globe* a affirmé que l'échange DeShields-Martinez était à ses yeux le 4e en importance de toute l'histoire du baseball.

Les 11 et 12 mai 1993, les Blue Jays de Toronto, les champions en titre du baseball majeur, se sont fait malmener deux fois de suite – 12-7 et 13-8 – par l'équipe au sommet de la division, les Tigers de Detroit.

Pour les Blue Jays, il s'agissait d'une 4e défaite de suite ; ils se retrouvaient maintenant sous la barre des ,500, au 4e rang de l'Est de l'Américaine, à 4 ½ de la tête. Éprouvait-on un sentiment de morosité à Toronto? Une impression de lendemain de veille? Pas précisément: des foules de 50 493 et 50 488 spectateurs avaient assisté aux deux matchs. Mais alors maintenant, sûrement les deux défaites refroidiraient-elles l'ardeur des fans pour le dernier match de la série, non? On voudrait sans doute passer un message aux joueurs en restant chez soi, non? Aucunement: le 13 mai, ils étaient encore plus nombreux (50 507) pour applaudir leurs favoris. Il n'y a peut-être pas de lien à établir, mais l'équipe a remporté 10 de ses 12 matchs suivants, en route vers un autre championnat.

Les Winfield, Gruber, Key, Henke et Cone ayant quitté le navire au terme de la saison 1992 pour gagner plus d'argent ailleurs, la direction des Blue Jays a tout de suite trouvé des remplaçants qui pourraient immédiatement aider le club, embauchant l'excellent lanceur Dave Stewart, ainsi que deux futurs membres du Temple de la renommée, Paul Molitor et Rickey Henderson. L'objectif était clair: demeurer au sommet. Et c'est ce qu'ils ont fait, remportant 95 matchs (un seul de plus que les Expos de 1993, soit dit en passant).

Après avoir éliminé les White Sox de Chicago en six parties dans la série de championnat de la Ligue américaine, les Blue Jays se sont retrouvés face à face avec les grands rivaux des Expos en saison régulière, les Phillies de Philadelphie.

Dans le sixième match, disputé devant une salle comble de 52 195 amateurs, les Phillies ont comblé un déficit de 5-1 pour prendre les devants 6-5 en 7ᵉ manche. En fin de 9ᵉ, les nouveaux venus Henderson et Molitor ont atteint les sentiers, préparant le terrain pour un des dénouements les plus exaltants de toute l'histoire du baseball: le circuit de 3 points de Joe Carter.

Alors que Carter contournait les sentiers et que la foule du Skydome explosait de joie, Tom Cheek, le commentateur des matchs des Jays de l'époque, a lancé au micro une phrase qui passerait à l'histoire: « *Touch 'em all, Joe, you'll never hit a bigger homerun!* »

Vingt ans plus tard, les amateurs de baseball – non seulement canadiens, mais de partout en Amérique – n'ont toujours pas été témoins d'un «plus gros» coup de circuit.

Si la philosophie des Expos (austérité budgétaire, développement de joueurs) avait ses mérites, la façon Blue Jays (propriétaires riches, direction ayant les coudées franches, fans loyaux), ressemblait, elle, à quelque chose comme une formule gagnante.

CHAPITRE 5

La meilleure équipe du baseball
(1994)

Départ de Dan Duquette, débuts à Montréal de Pedro Martinez.
Excellence des Hill, Fassero, Wetteland, Rojas, Alou, Walker et
Grissom. Leadership de Felipe Alou. Une fièvre de baseball s'empare
de Montréal de la mi-saison jusqu'au... 12 août, journée de début
de la grève, alors que les Expos présentent la meilleure fiche
du baseball majeur. Quelques semaines plus tard, Bud Selig annonce
l'annulation du reste de la saison – et des séries.

1994

Après avoir vu son club connaître deux saisons décevantes d'affilée, le président des Red Sox de Boston, John Harrington, a décidé de démettre de ses fonctions son directeur-gérant Lou Gorman pour lui confier un autre rôle dans l'organisation. Parmi les candidats susceptibles de prendre la relève, un nom revenait plus souvent que les autres : Dan Duquette.

L'ennui, c'est que Duquette avait déjà un emploi de DG. Et que ses employeurs, les Expos de Montréal, étaient plus que satisfaits de son travail. Qui plus est, il était sous contrat jusqu'à la fin 1994. Or, quand il a su que l'équipe de la Nouvelle-Angleterre l'avait dans sa mire, Duquette, se sentant déjà un Red Sox, s'est précipité dans le bureau de Claude Brochu pour lui demander la permission de parler à Harrington et, le cas échéant, de résilier le contrat qui le liait aux Expos. Pour Duquette, c'était une question de maintenant ou jamais, la longévité étant une des caractéristiques des directeurs-gérants des Red Sox (Gorman était entré en poste en 1984). S'il ne sautait pas sur l'occasion maintenant, elle ne se représenterait peut-être plus.

Brochu n'était pas sans savoir que Duquette, natif de la petite ville de Dalton, dans le Massachusetts, avait dans sa jeunesse été un grand fan des Red Sox, rêvant, dès l'âge de 18 ans, de diriger l'équipe. Le président des Expos connaissait aussi une des grandes lois non écrites de la gestion de personnel : ne pas empêcher un employé de s'épanouir dans son cheminement professionnel.

Deux ans plus tôt, Claude Brochu avait vu un de ses plus brillants administrateurs – Dave Dombrowski – quitter le bateau, tout comme une douzaine d'hommes clés de l'organisation. Par ailleurs, le club en était à un stade critique de son histoire, risquant de perdre dès l'année suivante quelques-uns de ses meilleurs éléments alors même qu'il s'apprêtait à prétendre aux plus grands honneurs. Finalement, il y avait toute l'incertitude liée au renouvellement de l'entente entre propriétaires et joueurs. En somme, ce n'était vraiment pas le moment de tout recommencer avec un nouveau DG. « Laisse-moi y penser, Dan, lui a dit le président des Expos, mais je veux que tu saches que mon intention, c'est de dire non. J'ai besoin de toi ici[1]. »

Duquette n'était pas content et il est revenu à la charge plus d'une fois, proposant même à son patron de négocier une entente selon laquelle il resterait à Montréal en 1994 pour se joindre aux Red Sox à la fin de la saison. « Pour lui, c'était à la fois un rêve à réaliser et une occasion de faire beaucoup plus d'argent, explique aujourd'hui Claude Brochu. De plus, à Boston, il travaillerait dans des conditions plus favorables qu'à Montréal puisqu'il disposerait de beaucoup plus de moyens. Ultimement, quand un de tes employés a une grosse opportunité, tu ne peux pas lui dire non. Même si ça te fait mal[2]. »

Duquette a obtenu la permission de parler au président du club bostonnais et le 25 janvier, il était engagé comme DG. Claude Brochu n'a pas demandé d'argent ou de joueurs aux Red Sox, mais il a obtenu de Duquette l'assurance qu'il ne viendrait pas puiser dans les rangs du club pour bâtir son équipe.

Dan Duquette n'aura été DG des Expos de Montréal que pendant un peu plus de deux ans. Étonnamment, il ne considérait pas que son plus grand fait d'armes pendant ses deux années chez les Expos ait été l'embauche de Felipe Alou ou l'acquisition de John Wetteland : « Je pense que notre meilleur coup a été d'engager Gary Carter pour sa dernière saison. D'abord, il nous a permis de renouer avec nos fans. Mais surtout, beaucoup de bonnes choses qui sont arrivées récemment à ce club résultent du passage de Gary ici. »

Les Expos n'ont pas eu à chercher bien loin pour trouver un remplaçant : ils ont nommé un des leurs, Kevin Malone, 36 ans, qui était directeur du recrutement depuis la fin 1991. C'était à lui que reviendrait la délicate tâche d'aider le club à aller au bout de ses possibilités et ce, autant que possible, dès 1994, puisque personne ne pouvait prédire ce que l'avenir réservait à ce club – et à toute l'industrie du baseball.

Après les déboires entourant les premières discussions sur un plan de partage des revenus, Bud Selig, le président du Conseil exécutif du base-ball, s'est immédiatement retroussé les manches, s'employant à jouer le rôle auquel il excellait le plus, celui de *dealmaker*. Parfait politicien, Selig passait littéralement toutes ses journées au téléphone, rassurant les uns, cajolant les autres, négociant les appuis un à un, tout en se gardant bien de trop se ranger dans un camp ou dans un autre.

Parallèlement aux efforts de Selig, d'autres forces commençaient à se mobiliser pour faire débloquer le dossier de la péréquation. Le propriétaire des Cards de Saint-Louis, August A. Busch III, des brasseries Anheuser-Busch, s'était toujours opposé au principe du partage des revenus jusqu'à ce qu'un groupe de propriétaires de petits marchés lui rappelle les risques d'une telle prise de position sur ses affaires hors baseball. David Glass (des Royals de Kansas City) était le président de la chaîne Wal-Mart, Drayton McLane Jr.(depuis peu le proprio des Astros de Houston) en était le vice-président et Peter Magowan (des Giants de San Francisco) présidait aux affaires de Safeway, la 3ᵉ chaîne d'alimentation en importance aux USA. Tous les trois étaient des clients importants de la Anheuser-Busch et chacun d'eux militait ardemment pour le partage des revenus… Bientôt, Busch III consentirait à ce qu'on lui présente une formule acceptable de redistribution de la richesse. L'impasse était dénouée et rapidement, d'autres clubs à forts revenus se rallieraient au principe[3].

Le 18 février 1994, à Fort Lauderdale, les propriétaires votaient unani-mement un plan de partage des revenus qui prévoyait le transfert de 53 M$ des clubs riches aux clubs à revenus modestes. Toutefois, cette disposition était assortie d'une autre – un plafond salarial – qui nécessi-terait l'aval des joueurs, ce qui ne s'avérerait pas une mince tâche.

Le groupe s'était aussi entendu sur un autre point : on ne nommerait pas de commissaire avant que ne soit entérinée la prochaine convention. Depuis la démission forcée de Fay Vincent en septembre 1992, le comité mis en place pour trouver son successeur avait annoncé à quelques reprises l'imminence de la nomination, mais 16 mois plus tard, le poste était toujours vacant. Plusieurs noms avaient circulé, dont ceux de George

W. Bush (le copropriétaire des Rangers du Texas qui deviendrait plutôt gouverneur de cet État plus tard dans l'année), de Colin Powell, le chef d'état-major de l'armée américaine (qui deviendrait secrétaire d'État sous Bush – celui-ci devenu président), George Mitchell, un sénateur démo-crate, ou encore Bud Selig lui-même, qui continuait toutefois d'affirmer que le poste ne l'intéressait pas.

En reportant la nomination à plus tard, les propriétaires voulaient s'assurer qu'un *outsider* ne viendrait pas forcer une résolution de conflit, comme l'avaient fait Bowie Kuhn, Peter Ueberroth et Fay Vincent. Cette fois, le conflit – car tout indiquait qu'il y en aurait un – se résoudrait selon leurs termes à eux et, pour une fois l'espéraient-ils, à leur avantage.

Malgré l'unanimité du vote pris en janvier, les propriétaires restaient divisés sur la question du partage des revenus ainsi que sur le concept de plafond salarial. Des clubs comme les Yankees, les Red Sox ou les Blue Jays avaient du mal à accepter de limiter leur pouvoir de dépenser alors qu'ils avaient les moyens de se payer à peu près tous les joueurs dont ils rêvaient. Dans l'autre camp, des équipes comme San Diego, Pittsburgh, Minnesota, Milwaukee et Montréal insistaient sur l'urgence d'instaurer un système de péréquation. « On court un gros risque dans le baseball majeur, a déclaré Claude Brochu à *La Presse* en janvier. Si la situation ne change pas, seules les équipes riches auront les moyens d'aligner les meilleurs joueurs. Or, le produit que nous vendons, c'est la compétition. Si les équipes ne sont pas équilibrées, l'intérêt disparaît pour les amateurs. Dans pareil cas, nous sommes tous perdants. »

Aux yeux de M. Brochu, les équipes les mieux nanties profiteraient aussi du partage des revenus : « Ce qu'on leur suggère, c'est de mettre 50 cents sur la table pour empocher un dollar. Prenez l'exemple des Blue Jays de Toronto. Leur liste de paie avoisine les 50 millions. Le partage des revenus les obligerait à verser 6 ou 7 millions à la caisse centrale. En revanche, leur masse salariale diminuerait de 15 millions. En fin de compte, ils mettraient 8 ou 9 millions dans leurs poches. La NFL et la NBA ont implanté le système de partage des revenus et de plafond salarial, a dit encore le président des Expos. Nous n'avons pas le choix, c'est la voie de l'avenir. »

Les propriétaires s'étant formellement engagés en août 1993 à ne pas recourir à un lock-out au printemps 1994, Felipe Alou et ses adjoints savaient qu'ils pourraient compter sur un camp d'entraînement complet pour préparer leur jeune équipe, particulièrement leur champ intérieur, responsable de 111 des 159 erreurs du club en 1993.

Non seulement l'avant-champ était-il le maillon faible du club mais le départ de Delino DeShields le rendait maintenant carrément suspect, les Cliff Floyd, Mike Lansing, Wil Cordero et Sean Berry n'ayant ni l'expérience ni l'assurance des DeShields, Andres Galarraga, Spike Owen et Tim Wallach, les locataires du losange des années passées.

Or, si l'expérience du quatuor faisait défaut, le potentiel, lui, y était incontestablement. Cliff Floyd était certainement le joyau du groupe, pointé par quantité d'experts comme la prochaine grande vedette du baseball. Choix de 1re ronde en 1991, l'imposant athlète de 6 pieds 4 pouces avait outrageusement dominé la ligue Eastern (AA) en 1993, parvenant à enregistrer 26 CC et 101 PP en seulement 101 rencontres (il avait aussi volé 31 buts et maintenu une moyenne au bâton de ,329. Tôt ou tard, la puissance et la vitesse de cet athlète d'exception – que l'on comparait déjà à l'ancienne vedette des Giants Willie McCovey – lui permettraient d'exceller au niveau majeur. Il n'avait après tout que 21 ans…

Les Expos espéraient que la présence d'un joueur de premier but fiable, un type sur qui on peut compter pour gober les relais imprécis, aurait un impact important sur la performance de l'arrêt-court Wil Cordero, un autre joueur hautement estimé par la direction de l'équipe. Certes, il avait commis 36 erreurs à sa première saison complète dans les majeures, mais il aurait certainement mieux paru avec l'appui d'un gant solide au premier.

Mike Lansing, pressenti pour occuper le deuxième but, ne semblait pas craindre la pression de remplacer DeShields : « Ça ne m'embête pas. Il y a toujours de la pression dans ce métier. » Quant au troisième-but Sean Berry, on souhaitait qu'il devienne plus alerte défensivement et qu'il démontre plus d'agressivité au bâton. Malgré tout, il avait démontré de belles aptitudes offensives dans la deuxième moitié du calendrier de 1993 et il y avait lieu de croire qu'il serait un 8e frappeur supérieur à la moyenne.

Derrière le marbre, les Expos pourraient enfin compter sur un receveur numéro un, Darrin Fletcher s'étant révélé durant la dernière saison plus qu'un bon guide pour les lanceurs, apte aussi à manier le bâton (,255, 60 PP). Le club remportait la plupart des matchs que Fletcher commençait derrière le marbre (65-39 en 1993), une statistique révélatrice.

Les fans des Expos savaient que leur club comptait sur un bon groupe de lanceurs, mais ils ne pouvaient pas encore pleinement mesurer combien ils étaient bons. Pas moins de 6 lanceurs pouvaient être considérés comme

Pedro Martinez n'a jamais oublié les amateurs de baseball montréalais, et il en fit plus d'une fois la démonstration éclatante.
Club de baseball Les Expos de Montréal

lanceurs de puissance : les tirs des Pedro Martinez, Ken Hill, Jeff Fassero, Tim Scott, Mel Rojas et John Wetteland dépassaient régulièrement les 90 milles à l'heure. Quatre autres artilleurs s'ajoutaient au personnel de lanceurs, les gauchers Kirk Rueter, invincible en 1993 (8-0, MPM de 2,73) et Denis Boucher, qui semblait en voie de poursuivre ses succès de la deuxième moitié de la dernière saison, ainsi que les droitiers Gil Heredia (excellent à Ottawa en 1993) et Jeff Shaw, un lanceur de longue relève qui avait rendu de bons services aux Expos durant la dernière année en leur donnant un peu moins de 100 manches.

Bien entendu, le centre de l'attention était le nouveau venu, Pedro Martinez. Ce qui frappait le plus quand on voyait Pedro pour la première fois, c'était son gabarit… pas exactement imposant. Le guide de presse du club lui donnait 5 pieds 11 pouces et 170 livres, mais ça semblait une estimation plutôt généreuse. À Los Angeles, on l'avait converti en releveur justement parce qu'on ne croyait pas qu'il avait la résistance d'un partant apte à lancer sept manches ou plus. À l'époque où il développait son art à l'Académie de baseball des Dodgers en République dominicaine, un instructeur l'avait mis à l'amende quand il l'avait vu courir pour s'entraîner. Pas question que Pedro perde une seule livre, lui qui n'en pesait que 135… Souhaitant tout de même maintenir la forme, Pedro avait commencé à courir la nuit, à l'abri du regard de l'instructeur en question.

Ainsi, quand des journalistes montréalais lui ont demandé s'il ne risquait pas de manquer de gaz durant l'été, particulièrement dans les chaleurs d'Atlanta ou de la Floride, ils foulaient un terrain miné : « Voyons, faut vraiment ne rien connaître au baseball pour poser une question comme ça, leur a lancé Martinez. Tom Glavine pèse à peine dix livres de plus que moi et regardez-le lancer. » Plus tard, en le voyant lancer avec autant de force, un scribe lui a demandé s'il ne craignait pas d'atteindre des frappeurs. La réponse n'a pas tardé : « Je n'ai peur de rien quand je suis au monticule. » Le public montréalais ne tarderait pas à découvrir combien le jeune homme disait vrai.

Une fois de plus, les Expos compteraient sur un trio de voltigeurs exceptionnel avec Larry Walker dans la droite, Marquis Grissom au centre et Moises Alou dans la gauche. Frappeurs dangereux, bras puissants, trois potentiels Gants dorés, ils avaient produit 266 des points des Expos en 1993.

Walker était désormais une vedette établie du baseball, de l'avis de la plupart des experts le meilleur voltigeur de droite du circuit. Lui et Pat Rooney, son agent, se faisaient d'ailleurs une assez bonne idée de sa valeur, et quand, durant l'hiver, les Expos ont offert à Larry 12,5 M$ pour trois ans, Rooney a déclaré à la presse : « Ils sont tellement loin de ce qu'on recherche qu'il n'y a rien à négocier. » En réalité, le clan Walker cherchait plutôt une entente de cinq ans lui garantissant une somme avoisinant les 25 millions.

Le Canadien de la Colombie-Britannique était un personnage singulier, pas précisément soucieux de présenter l'image soignée d'un athlète professionnel inspirant les masses. Il se faisait un devoir de lâcher un rot retentissant au moment propice (alors qu'un coéquipier accordait une entrevue radio non loin, par exemple) ou encore de larguer une odorante flatulence dans les circonstances les moins appropriées possibles – dans un ascenseur bondé lors d'une visite officielle au Parlement canadien, par exemple. Ces dernières années, sa notoriété montante l'avaient rendu encore plus insupportable.

Une fois un match commencé, toutefois, Walker était tout un joueur de baseball, pouvant à peu près tout faire sur un terrain – cogner la balle solidement, parcourir de longues distances pour récupérer une balle, la relayer avec force et précision – sans jamais ménager ses efforts. Malheureusement, les amateurs de baseball montréalais n'auraient probablement qu'une autre saison pour apprécier les aptitudes du grand Larry.

Marquis Grissom faisait lui aussi partie de l'élite du baseball. Premier frappeur hors pair, il s'était aisément transformé en formidable producteur de points (95) quand Felipe Alou l'avait logé au troisième rang ; puis, quand Delino DeShields avait dû s'absenter en août en raison d'une blessure, il était retourné avec succès au premier rang, complétant la saison avec une MAB de ,298 et 53 buts volés. Marquis jouait dur, sans retenue, demeurant dans l'alignement malgré des blessures. À 26 ans, il était déjà un des leaders du club, un gars qui commandait le respect. Il récolterait un salaire de 3 575 000 $ en 1994, un pactole reflétant bien sa valeur sur le marché mais qui tranchait net avec la philosophie d'austérité financière du club. Lui aussi en serait peut-être à sa dernière saison à Montréal.

La présence même de Moises Alou au camp d'entraînement était en soi un petit miracle. Après la grave blessure qu'il avait subie en septembre, même les plus optimistes s'attendaient à ce qu'il rate le début de la saison. Mais Moises avait pris sa rééducation au sérieux, faisant la navette entre Montréal, West Palm Beach et la République dominicaine pour y subir traitement après traitement. « La saison morte m'a paru interminable, a déclaré Alou à Martin Leclerc du *Journal de Montréal*. Au lieu de profiter d'un repos, il m'a fallu travailler comme un forcené pour retrouver mes moyens. » Il ne doutait pas des résultats, cependant : « Ceux qui pensent que je me ménagerai se trompent. Je redeviendrai le même joueur. Mais il me faudra chasser la crainte de courir sur les sentiers, ce qui demandera quelques semaines. Tout ça m'a permis de réaliser combien j'aime le baseball. »

Le 18 mars, Moises s'est retrouvé pour la première fois sur les sentiers dans le contexte d'un match et il a semblé hésitant. Conséquemment, Felipe Alou a indiqué qu'il ne précipiterait pas son retour au jeu : « Nous ne prendrons pas de chance avec sa santé. Il courra de nouveau dans les prochains jours et on évaluera son état. »

Si le retour de Moises devait tarder, les Expos disposaient d'une solution de rechange fort intéressante : Rondell White.

Un athlète évoquant un jeune Andre Dawson, White avait été repêché par les Expos dans la 1re ronde du repêchage de 1990, un choix obtenu des Angels en compensation de la perte du joueur autonome Mark Langston. Il avait fort bien progressé chaque saison, et une superbe campagne en 1993 (dans le AA et le AAA) lui avait valu le 3e rang au titre de Joueur de l'année dans les ligues mineures, derrière Cliff Floyd et Manny Ramirez. Sa seule faiblesse semblait être la force de son bras, mais Felipe Alou ne s'en inquiétait guère : « Andre Dawson n'avait pas un bras exceptionnel quand il s'est joint aux Expos mais il s'est amélioré avec les années. » À 22 ans, White semblait prêt à faire le saut dans les majeures. Seul problème : lui trouver un endroit où jouer... Lou Frazier, un réserviste fort efficace en 1993 (,286), remplierait le même rôle en 1994.

En somme, les Expos constituaient une fort belle équipe dont le principal défaut était peut-être d'évoluer dorénavant dans la même division que les puissants Braves d'Atlanta. D'ailleurs, si les experts tenaient les jeunes Expos en haute estime, tous leur prédisaient le 2e rang derrière les Braves qui, précisons-le, avaient remporté le championnat de l'Ouest dans chacune des 3 dernières saisons, atteignant l'impressionnant total de 104 victoires en 1993 grâce, entre autres, à leur exceptionnelle rotation de partants (3 gagnants d'au moins 18 victoires...). De quelle façon l'équipe montréalaise pourrait récupérer la quinzaine de victoires qu'avait l'habitude de leur offrir Dennis Martinez? Comment l'avant-champ se débrouillerait-il en l'absence de son pilier, Delino DeShields? Et puis, si l'équipe connaissait un mauvais départ, la direction procéderait-elle à une grande vente de liquidation comme les Padres l'avaient fait en 1993?

Heureusement pour les Expos et leurs fans, 1994 serait justement la saison où le baseball admettrait quatre clubs par ligue au grand bal d'après-saison. À défaut de battre les Braves, les Expos pourraient toujours se faufiler comme meilleurs deuxièmes et prolonger leur saison d'une semaine ou deux. Ça, bien sûr, c'était si les Phillies, les Reds ou les Dodgers ne les coiffaient pas à la ligne d'arrivée…

« Les gens nous sous-estiment, a dit Marquis Grissom durant le camp. On a de la vitesse, de la puissance et de l'agressivité. Il n'y a pas beaucoup de clubs plus excitants que les Expos dans les majeures. À Boston et à New York, ils adoreraient avoir un club comme le nôtre. »

« Mais on a besoin de l'appui des fans, ajoutait-il pour Philippe Cantin de *La Presse*. S'ils ne croyaient pas qu'on méritait leur support l'an dernier, il y a quelque chose qui ne va pas. S'ils croient qu'on passe toujours près de gagner sans aller jusqu'au bout, eh bien qu'ils viennent nous voir passer près! Ils auront du fun, c'est certain! »

Le printemps avait apporté son lot habituel d'interrogations (à quoi ressembleraient ces courses au championnat nouveau genre?), de révélations (les sérieux problèmes de dépendance à l'alcool de l'ancien Yankee Mickey Mantle) et de surprises, comme l'étonnant projet de la star de basketball Michael Jordan qui, après avoir annoncé sa retraite des Bulls de Chicago, tentait maintenant, à 31 ans, de se tailler une place avec un autre club de la Ville des vents, les White Sox de la Ligue américaine (périlleuse entreprise qui n'aboutirait pas, du reste).

Évidemment, les spéculations les plus récurrentes dans les divers camps de la Floride et de l'Arizona tournaient autour des pourparlers au sujet du renouvellement de l'entente entre joueurs et proprios. En mars, Richard Ravitch, le négociateur représentant les clubs, a rencontré des groupes de joueurs pour leur exposer les raisons pour lesquelles le baseball devait se doter d'un plafond salarial. Le *statu quo* n'était plus une option : des clubs comme Pittsburgh avaient, prétendait-il, perdu plus ou moins 50 millions dans les six dernières années. Les Pirates, tout comme les A's, les Twins, les Royals et les Padres étaient à vendre, et les acheteurs ne se bousculaient pas au portillon.

Le sombre portrait que leur a dressé Ravitch n'a pas semblé émouvoir ses interlocuteurs qui répliquaient que les clubs en difficulté avaient tout simplement mal administré leurs affaires…

Les joueurs ne se disaient pas contre l'idée de partage des revenus, mais ils ne voulaient rien savoir d'en payer les frais en acceptant un plafond salarial. Ils avaient vu l'effet du plafond salarial au football et au basket-ball : des joueurs autonomes n'ayant pas pu se trouver de travail. Quelques semaines plus tôt, les Giants de New York avaient libéré le vétéran quart Phil Simms, le plafond ne leur permettant pas d'insérer son salaire de 2,5 millions à leur masse salariale. Les joueurs étaient formels : jamais ils ne consentiraient à un système qui ressemble de près ou de loin à un plafond salarial.

Les véritables pourparlers n'avaient pas encore débuté, les propriétaires n'ayant toujours pas fignolé les détails de leur position ; tout ça viendrait probablement en mai ou en juin. Le plan de l'Association était clair : on entreprendrait la saison comme prévu, et si les pourparlers n'allaient pas comme espéré, les joueurs déclencheraient la grève au moment où un arrêt de travail ferait le plus mal aux clubs : dans le dernier mois de la saison, pendant les courses au championnat et juste avant les séries d'après-saison, de loin les périodes les plus rentables de l'année.

Depuis 1972, chaque fois qu'était venu le temps de renouveler la convention collective, les négociations avaient débouché sur un arrêt de travail, 7 en tout : 3 grèves, 4 lock-out. Au printemps 1994, tout laissait croire que l'histoire se répéterait.

À la veille du match inaugural du 4 avril à Houston, les médias montréalais ont souligné l'importance de commencer la saison du bon pied, rappelant combien les faux pas de début de saison reviennent souvent hanter les clubs en fin de calendrier.

« Bah, il ne faut pas faire tout un plat de ces matchs, a dit Felipe Alou. Pour nous, les matchs importants seront ceux que nous jouerons en Série mondiale. Nous pourrons alors parler de matchs importants. Ici, nous avons un joueur de deuxième but (Lansing) qui en est à sa seconde saison, c'est la même chose pour notre joueur d'inter (Cordero) et notre troisième-but (Berry). Notre premier-but (Floyd) est une recrue. Je veux minimiser l'importance de ces matchs-là pour ne pas nuire au développement de nos jeunes. »

Ce qu'il y avait de plus réjouissant dans ce match d'ouverture, c'était sans doute la présence dans la formation du troisième frappeur de l'alignement, un certain voltigeur de gauche du nom de Moises Alou. « Il n'a pas retrouvé ses moyens à 100 % mais je tenais à le faire jouer pour le moral des troupes », a dit le doyen Alou.

« Quand je l'ai vu étendu sur le sol en septembre dernier, je me suis dit qu'il lui faudrait deux ou trois ans pour se remettre, a poursuivi le pilote des Expos. Il faut donner du crédit au médecin, aux soigneurs et à Moises lui-même. Il lui en a fallu, de la force et du courage pour remonter la pente. Cet hiver, en République dominicaine, quand nous allions à la pêche, je le voyais avec son plâtre et il boitait. Je ne croyais pas qu'il allait réussir. »

Pour le match d'ouverture, les Expos ont confié la balle à Jeff Fassero, devenu, depuis le départ de Dennis Martinez, le vétéran du personnel de lanceurs à l'âge de 31 ans. Après avoir lancé 6 manches – et accordé 3 points –, Fassero a cédé sa place à Mel Rojas en 7e, puis à John Wetteland en 9e, comme cela avait souvent été le cas durant les deux dernières saisons. Or, comme c'était encore l'égalité (3-3) après 9 manches, Felipe Alou a dû plus tard faire appel à sa deuxième équipe de releveurs. Tim Scott s'est bien tiré d'affaires en fin de 11e manche mais après que les Expos lui eurent donné 2 points d'avance en début de 12e, il a accordé un but sur balles et un simple aux deux premiers frappeurs. Lancé dans la mêlée, Jeff Shaw a retiré sur des prises le premier frappeur avant d'accorder un simple, installant le point gagnant au premier coussin. C'est alors que Felipe Alou a demandé à Denis Boucher de venir affronter le gaucher Luis Gonzalez.

Le rôle de releveur n'était pas très familier à Boucher, mais comme il semblait qu'on aurait du mal à l'insérer dans la rotation en début de saison, on l'avait utilisé dans ce rôle à l'entraînement et il s'était malgré tout fort bien tiré d'affaires (2,00 en 18 manches de travail). Denis n'a pas mis de temps à retirer Gonzalez sur décision. Ken Caminiti, blanchi jusque-là en cinq présences, s'est amené au bâton. Denis a tenté de le confondre avec un changement de vitesse, mais le tir était en plein centre du marbre : le cogneur des Astros a frappé une longue flèche au centre qui semblait destinée à traverser la clôture. Mais la balle a bondi sur la rampe alors que les coureurs filaient au marbre avec les points égalisateur et gagnant. Astros 6, Expos 5.

Apparemment pas décontenancés par la défaite, les Expos ont remporté les deux matchs suivants, 5-1 et 9-3. Après avoir été blanchi dans le premier match puis remplacé par Rondell White dans le deuxième, Moises Alou a cogné un circuit dans la 3ᵉ manche du dernier match. À son retour dans l'abri, ses coéquipiers sont tour à tour venus lui souhaiter la (re)bienvenue. « J'ai senti que j'étais finalement de nouveau membre à part entière de cette équipe », a expliqué un Moises soulagé.

Après Houston, les Expos feraient leur rentrée montréalaise contre les Cubs de Chicago dans une série de trois disputée pendant un week-end.

La direction du club s'attendait à une excellente foule pour le match d'ouverture : comme d'habitude, c'étaient les matchs suivants qui inquiétaient. C'est pour cette raison que les Expos ont décidé de lancer la Journée d'ouverture pour les enfants, qui aurait lieu dans l'après-midi du samedi 9 avril. « Avant la rencontre, a expliqué Claude Brochu, il y aura des animaux du zoo de Granby, des camions de pompiers et plusieurs mascottes. »

« On va s'adapter au comportement des amateurs plutôt que d'essayer de le changer, a dit le président des Expos. Nos recherches ont démontré que le Québécois n'achète pas son billet des Expos longtemps à l'avance. Il décide le matin s'il viendra au Stade le soir. Ce comportement n'est pas unique au baseball, c'est la même chose avec un produit comme le REER. Les gens investissent à la dernière minute. Ce n'est pas comme à Toronto, par exemple, où l'amateur décide en début d'année qu'il ira voir les Blue Jays en août. »

L'histoire ne dit pas si les 47 001 spectateurs à franchir les tourniquets lors du premier match ont pris leur décision le matin même, mais ils se sont déplacés en masse, faisant preuve d'un enthousiasme communicatif, en particulier les deux fois où Moises Alou a cogné des doubles. Malheureusement, les Expos n'ont frappé qu'une seule autre fois en lieu sûr et ils ont perdu 4-0.

Les amateurs avaient pu apprécier la fougue du nouveau porte-couleurs du club, Pedro Martinez. En six manches de travail, il a retiré huit frappeurs sur des prises, ses tirs étant aussi forts à la fin qu'au début. N'hésitant jamais à lancer à l'intérieur (il avait même atteint deux frappeurs), il avait véritablement imposé son ordre du jour aux frappeurs. « Il se sert des deux côtés du marbre et ce n'est certainement pas moi qui vais le décourager d'agir ainsi, a dit Felipe Alou. Les tirs à l'intérieur existent depuis toujours dans le baseball. »

Après un mauvais départ – il a concédé un but sur balles au premier frappeur puis un double bon pour un point au suivant –, Martinez s'est ressaisi et a retiré le cœur de la formation. Après le match, on lui a demandé s'il s'était senti nerveux en début de match. « Non. Pourquoi je l'aurais été ? », a été sa réponse. Pas de doute, ce jeune homme avait du cran.

Les Expos ayant aussi perdu le match suivant (la Journée d'ouverture pour les enfants, qui avait attiré une très belle foule de 38 635 jeunes – et moins jeunes), ils ont conséquemment convaincu seulement 16 183 personnes de venir les voir le dimanche. Dans la série suivante les opposant aux Reds de Cincinnati, des foules décevantes d'un peu plus de 12 000 personnes se sont présentées au Stade. Même un départ de Denis Boucher dans un de ces matchs ne leur a pas fait prendre la direction de l'avenue Pierre-de-Coubertin.

Ce qui embêtait la direction des Expos, c'était que plusieurs entreprises n'avaient pas renouvelé leurs billets de saison, ce qui laissait le club avec plus ou moins 8 000 billets de saison vendus. Ailleurs dans le baseball, la moyenne tournait aux environs des 15 000 abonnements. «Notre problème, ce ne sont pas les gens ordinaires; eux, ils viennent au Stade, disait Claude Brochu. Notre problème, c'est notre clientèle corporative. Elle ne veut pas venir dans le secteur.»

«La vérité est simple, a expliqué Richard Morency à Réjean Tremblay de *La Presse*. Les hommes d'affaires ne veulent rien savoir de l'est de la ville. Ils ne veulent pas venir dans le secteur, ils ne veulent pas y inviter de clients, ils ne veulent rien savoir. Je le sais, même pour nos lunchs d'affaires, faut aller dans le centre-ville. Je ne suis pas capable de convaincre les clients de venir souper aux alentours et de se rendre au baseball après.»

Comme quelques joueurs clés commandaient maintenant un salaire important, la masse salariale de l'équipe était passée à presque 20 millions. L'équation était simple: pour assumer ces dépenses sans se retrouver dans le rouge, le club devrait attirer 2 millions de spectateurs. Or, les Expos n'avaient pas atteint ce seuil depuis 1983. Pour penser y arriver, l'équipe devrait rapidement connaître du succès, et souhaiter que le public entende rapidement la bonne nouvelle.

Hélas, les Expos n'avaient pas entrepris la saison de manière très convaincante, ne ressemblant pas à l'équipe fougueuse qu'on avait vue à l'œuvre à la fin de 1993. Le 18 avril, ils présentaient seulement 4 victoires contre 9 défaites alors que la machine des Braves s'était emballée (13-1!), l'équipe du gérant Bobby Cox s'accaparant seule le 1er rang. Au dernier échelon de la division, les Expos accusaient déjà un retard de 8 ½ matchs sur leurs nouveaux rivaux de l'Est…

«Nos adversaires ne nous craignent plus parce que nous sommes trop relax, nous avons perdu notre intensité, s'est plaint Ken Hill. On ne peut pas enlever le cœur et l'âme d'une formation et penser que ça n'aura aucune conséquence.» Évidemment, Hill faisait allusion à Delino DeShields. «Je ne veux rien enlever à Pedro Martinez ou Mike Lansing, mais nous avons besoin de quelqu'un qui déclenche les choses dans le haut de l'alignement », a poursuivi le lanceur.

Le travail de Sean Berry était aussi une source de préoccupation : « Certains gars n'arrivent pas à bien répondre aux exigences de jouer tous les jours, a souligné Felipe Alou en parlant de son joueur de troisième but. Les gens ne réalisent pas combien c'est difficile d'être prêt mentalement et physiquement jour après jour. »

Un malheur n'arrivant jamais seul, le nom de John Wetteland a dû être inscrit sur la liste des blessés (15 jours) lorsqu'il s'est étiré un muscle de la jambe droite.

Des Expos qui tardent à se mettre en marche, une équipe quasi invincible qui s'apprête à connaître sa meilleure saison des dernières années, un releveur numéro un sur la touche, tout cela augurait bien mal pour la suite de la saison.

Puis, contre toute attente, dans le deuxième match d'un doublé contre les Giants à San Francisco, le vent a tourné. En fin de 8ᵉ, Felipe Alou a amené Mel Rojas dans le match alors qu'il y avait deux coureurs sur les buts. Rojas a aussitôt forcé le prochain frappeur à retrousser un ballon pour compléter la manche. Moises Alou – qui serait nommé Joueur du mois chez les Expos – a cogné un circuit en solo en début de 9ᵉ pour donner une avance de 4-3 à son club et Rojas a fermé les livres en fin de manche.

L'équipe a ensuite remporté 11 de ses 13 matchs suivants, Rojas inscrivant 2 victoires et 8 (*huit*) sauvetages pendant la séquence ; il avait été directement mêlé à l'issue de 10 gains en deux semaines !

Durant l'hiver, les Expos, se trouvant déjà bien garnis en relève, avaient (en vain) tenté d'échanger Mel Rojas. Puis, après avoir perdu sa cause en arbitrage (il demandait 1,2 M $ alors que les Expos lui offraient 850 000 $), Mel a demandé d'être échangé. Il en avait marre d'être deuxième releveur ; ce qu'il voulait, c'était agir comme partant ou releveur de fin de match, ce qu'il ne pouvait pas faire à Montréal. Il s'était présenté en retard au camp d'entraînement (« Je voulais leur montrer comment je me sentais »), mais avait connu du succès dans les matchs présaison et était toujours un Expo quand l'équipe est remontée au nord. Il était maintenant l'un de ceux qui avaient relancé l'équipe. Le 4 mai, à la fin de la séquence victorieuse, la troupe de Felipe était maintenant au 2ᵉ rang, à ½ match des Braves…

Le lendemain, l'équipe entreprenait un séjour de trois matchs à Atlanta, justement. On verrait si les Expos pourraient tenir leur bout face aux meilleurs…

Manque de chance, les deux premiers lanceurs à les affronter s'appelaient Greg Maddux et Tom Glavine. Résultat : en 18 manches, les frappeurs des Expos n'ont pu faire mieux que de s'inscrire une seule fois au pointage : défaites de 5-0 et 2-1.

Dans le troisième match, devant un John Smoltz intraitable – et une bruyante foule de 49 742 fans –, ils ont encore été limités à un seul point (sur un ballon-sacrifice...), mais leurs lanceurs Ken Hill (7 manches) et John Wetteland (de retour au jeu) ont été encore meilleurs, ne concédant que 3 coups sûrs. Expos 1, Braves 0.

Ces deux semaines ont été un point tournant dans la saison de l'équipe : ils venaient soudainement de renouer avec leur combativité des derniers mois de 1993, ravivant ce sentiment qu'ils pouvaient rivaliser avec n'importe quel club. Y compris les Braves. Au moins une fois sur trois...

L'équipe a gardé le cap en mai (15-12), ne permettant pas à leurs rivaux d'Atlanta de les distancer par plus de 4 matchs.

Pedro Martinez n'était un Expo que depuis deux mois mais tous les amateurs de baseball du Québec savaient désormais fort bien qui il était, comme si le souvenir de Delino DeShields (qui en arrachait avec les Dodgers) commençait à s'effacer peu à peu de leur mémoire.

Après sa première sortie lors du match d'ouverture – le jour où il avait atteint deux frappeurs –, Pedro a ébloui les amateurs qui ne l'avaient pas encore vu à l'œuvre en retirant dans l'ordre les frappeurs des Reds de Cincinnati pendant sept manches. En début de 7e, il a reçu un formidable coup de main de Larry Walker, qui a miraculeusement saisi au sol une solide flèche cognée par Hal Morris.

C'est après un retrait en fin de 8e manche que s'est envolée la chance du jeune lanceur de lancer un match parfait quand un de ses tirs a atteint le frappeur Reggie Sanders. Le voltigeur étoile des Reds a sans doute été solidement sonné puisqu'il s'est immédiatement rué au monticule pour faire un mauvais parti à Martinez. C'était une décision pour le moins déroutante : pensait-il *vraiment* que Pedro aurait sacrifié un match parfait pour avoir le plaisir de le frapper ? Quoi qu'il en soit, les deux bancs se sont vidés et une courte échauffourée a suivi, sans toutefois que personne ne soit expulsé du match.

La sortie suivante de Martinez fut tout aussi convaincante. Il a limité les Giants à 5 CS en 7 manches, retirant 10 d'entre eux sur des prises – et atteignant de nouveau 2 frappeurs. Deux départs plus tard, Pedro a atteint un frappeur en 4ᵉ manche avant de faire la barbe à Derek Bell à la manche suivante. Bell s'est aussitôt mis à la poursuite de Pedro, et les deux bancs se sont vidés. En cinq matchs dans l'uniforme des Expos, Senor Plunk (une trouvaille des médias anglophones montréalais) avait atteint six frappeurs et provoqué deux mêlées générales. C'est ce qu'on appelle une entrée en scène remarquée.

« Moi, il faut que je lance à l'intérieur pour avoir du succès, s'est défendu le Dominicain. Je vais toujours lancer à l'intérieur, même si j'atteins un millier de frappeurs. » Néanmoins, l'instructeur des lanceurs Joe Kerrigan avait commencé à travailler les tirs à l'intérieur de son poulain, lui faisant lancer à quelques pouces d'une cible en carton. À ses sept départs suivants, Pedro n'a atteint aucun frappeur. Mais il n'avait pas pour autant cessé de lancer à l'intérieur…

Alors que Martinez se révélait peu à peu un des meilleurs de la rotation du club, Kirk Rueter, lui, semblait avoir perdu son invincibilité de la saison précédente. Certes, il avait remporté ses deux premières décisions (portant sa fiche dans les majeures à 10-0), mais mis à part un match, il n'avait pu se rendre plus loin que la 7ᵉ manche. Le grand gaucher était très affecté par la maladie de sa mère, atteinte du cancer, et il sauterait quelques départs pour se rendre à son chevet. Sa mère s'est éteinte à la fin mai et le jeune Rueter, malgré quelques bonnes performances ici et là, terminerait la saison sans avoir complété un match, présentant une MPM élevée de 5,17.

Denis Boucher est un autre lanceur gaucher qui n'a pas réussi à renouer avec ses succès de 1993. Après son lancer raté à Caminiti dans le match d'ouverture, Boucher s'était vu donner la balle pour deux départs. Mais après avoir échoué les deux fois à dépasser la 4ᵉ manche, on l'a relégué dans l'enclos où il a été utilisé sporadiquement. Sa vulnérabilité à la longue balle – on l'avait touché pour 6 circuits en 18 ⅔ manches de travail – a contribué à décider les Expos de le retourner à Ottawa, question de lui permettre de se rétablir comme partant. On le rappellerait plus tard quand on serait en manque de bras.

Avec les Lynx, Boucher a progressivement retrouvé ses moyens, mais les succès d'autres lanceurs – dont le gaucher Butch Henry, rappelé dans le grand club en avril – ont changé les plans de Felipe Alou et de Kevin Malone, si bien que l'appel n'est jamais venu. Denis est retourné à Ottawa en 1995 mais des ennuis à l'épaule ont limité son travail à une cinquantaine de manches. L'année suivante, il a de nouveau repris du service mais chaque fois que venait le temps de rappeler un lanceur, les Expos optaient toujours pour un plus jeune, un plus prometteur. La belle confiance qui habitait Denis à la fin 1993 semblait s'être évaporée. Libéré à la fin de 1996 après une saison difficile, Denis a obtenu une invitation au camp des Blue Jays le printemps suivant. C'est finalement dans un club de baseball indépendant qu'il a passé la saison avant de décider, à 29 ans, d'accrocher son gant pour de bon.

Ainsi se font et se défont les carrières dans le baseball majeur : des années d'apprentissage, de travail acharné et d'espoirs fous, quelques grands émois (dans le cas de Denis, ses premiers matchs au Skydome et au Stade olympique), entrecoupés de périodes de doutes, de déceptions. Puis, la fin, presque toujours abrupte, pour laquelle on n'est jamais prêt. Denis Boucher avait quand même réussi là où tant d'autres échouent : il a pris part à 4 saisons de grandes ligues, s'est mesuré aux meilleurs joueurs de baseball au monde sur 146 manches. Il est l'un des 3 *enfants de la patrie* – car un 3e suivrait bientôt – à avoir endossé l'uniforme des Expos, l'un de la trentaine de joueurs issus du Québec à avoir atteint les grandes ligues dans toute l'histoire de ce sport. Somme toute, une réalisation extraordinaire.

En 1994, le baseball connaissait un essor rarement égalé au pays : on estimait à 500 000 le nombre de jeunes inscrits dans des ligues d'un bout à l'autre du Canada, et dans certains coins du pays, on devait refuser des inscriptions, le nombre de parcs ne suffisant pas à la demande. Au Québec, les diverses associations de baseball accueillaient près de 50 000 membres (ce chiffre passerait à moins de 20 000 après le départ des Expos en 2005), et si le soccer gagnait du terrain, le baseball était encore un des loisirs estivaux privilégiés des jeunes Québécois. Par ailleurs, on estimait que le nombre de Canadiens s'adonnant régulièrement à la balle-molle dépassait les 2 millions. Aux yeux de Duncan Grant, le directeur de Baseball Canada à l'époque, ces nouvelles percées du baseball étaient sans contredit dues à la présence de deux clubs de niveau majeur au Canada – et à leurs succès.

Pas moins de 7,4 M de téléspectateurs avaient été témoins du circuit de Joe Carter lors de la Série mondiale de 1993 ; la radiodiffusion des matchs des Expos au réseau français atteignait, règle générale, plus d'un million d'auditeurs.

Depuis 3 ans, les Blue Jays attiraient des foules annuelles de plus de 4 millions et à Ottawa, les Lynx jouaient la plupart du temps à guichets fermés. À sa première saison en 1993, le club AAA des Expos avait battu le record d'assistance de toute l'histoire de la Ligue internationale (693 043 spectateurs en incluant les matchs d'après-saison et un match hors-concours disputé aux Expos).

Les sondages commandés annuellement par Claude Brochu confirmaient la hausse de popularité du baseball : 57 % des répondants disaient « suivre le baseball », alors que ce chiffre était de 42 % quelques années plus tôt ; l'écart entre l'intérêt des Québécois pour le hockey et le baseball (jadis à 30 % en faveur du hockey) n'était plus que de 12 %.

Pourtant, en dépit de cette mouvance, les Expos avaient encore du mal à attirer des foules dignes de ce nom au Stade olympique. Du 6 au 8 juin, lors d'une série de trois matchs contre les Astros de Houston, l'équipe – au beau milieu d'une séquence de 6 victoires – a dû se contenter de foules de 14 322, 17 283 et 17 289 spectateurs.

Moises Alou était exaspéré par le peu d'appui du public montréalais : « J'adore la ville, j'adore les gens d'ici – ils ont été si corrects avec moi pendant l'hiver –, mais ils n'aiment pas le baseball. Si notre équipe se trouvait dans une autre ville, ce serait rempli tous les soirs. »

Le journaliste Jack Todd du journal *The Gazette* était tout aussi décontenancé. Après avoir rapporté sommairement les événements du second match de la série contre Houston, Todd a livré le fond de sa pensée sur la situation : « C'était juste un match de baseball, pas plus, pas moins. Je vous en ai fait un résumé partiel parce que vous, comme beaucoup d'autres amateurs de baseball à Montréal, étiez absents. Je le sais parce qu'il y avait seulement 17 283 personnes dans le stade, même pas la moitié des foules qu'attirent en semaine les Blue Jays, qui occupent, soit dit en passant, le dernier rang. Je sais qu'il y a plus que 17 283 personnes qui aiment le baseball dans cette ville.

« Je vous ai écrit cette description du match parce que vous voudrez peut-être y faire référence un jour, quand cette équipe ne jouera plus à Montréal. Pour expliquer leur départ, vous pointerez du doigt Bill Virdon, Youppi, le Stade olympique, l'échange Singleton-Torrez, Dave Dombrowski, Tom Runnells, Rick Monday et probablement Claude Brochu, aussi. Vous oublierez que ce soir-là, par votre absence, vous avez voté sur l'avenir de cette concession. C'est votre choix. Ce pays est un pays aussi libre que le plus libre que vous trouverez sur la planète et la décision d'aller voir un match ou non vous appartient entièrement. Seulement, j'ai pensé que vous voudriez peut-être découper cet article et le mettre de côté pour que, quand vous vous sentirez nostalgique, un soir d'août 1998, vous puissiez le relire et vous rappeler comment c'était quand Montréal avait une équipe de baseball – et que personne ne venait la voir. »

Claude Brochu trouvait la pente en plus en plus raide à remonter. « Ça commence à être dur à prendre, confiait-il à Marty York du *Globe and Mail*. J'aime notre équipe. Elle est formidable : compétitive, excitante, une des meilleures des majeures. Mais nos problèmes me frustrent. Il y a tellement de forces destructives qui se liguent contre nous. Je ne sais pas combien de temps encore je vais pouvoir endurer ça. »

Parmi ces « forces destructives » figuraient la Régie des installations olympiques, le gouvernement du Québec, le milieu des affaires (et son tiède engagement envers les Expos), les joueurs (insatisfaits du traitement de la direction), les amateurs (volages) et les médias (que Brochu jugeait négatifs). Tout ça, c'était évidemment sans compter le spectre d'un imminent arrêt de travail risquant de compromettre la saison.

Depuis leur installation au Stade olympique en 1977, les Expos avaient toujours été à couteaux tirés avec la RIO et rien n'indiquait que les relations prendraient du mieux.

Résolus à doter le Stade olympique d'un toit fixe au cours de l'été 1995, la RIO a demandé aux Expos de s'absenter pendant un mois, une requête que leur a bien sûr refusée le club. Ensuite, on leur a demandé de libérer le Stade pendant des blocs de 15 jours à 4 reprises, une autre proposition inacceptable (quand on sait combien de longs séjours à l'étranger peuvent être fatals pour un club). Il y avait aussi une question d'affichage commercial, pour lequel la RIO réclamait 2 millions aux Expos. Ces questions étaient allées en arbitrage et même en cour, coûtant temps et argent à l'équipe.

Pendant le mois de juin, les Expos se sont retrouvés avec un sérieux problème sur les bras alors qu'une canicule accablante rendait l'atmosphère du Stade extrêmement inconfortable. Or, personne de la RIO n'a pu être joint pour régler la ventilation. « C'était une journée où ils étaient tous partis au golf », a expliqué un Claude Brochu exaspéré.

Un hiver, les Expos avaient eu l'idée d'organiser une activité gratuite de type *Fan Fest* au Stade. Mais comme la RIO refusait de donner accès au stationnement au public sans lui faire payer des frais de 10 $, le projet a été abandonné. Des histoires comme celles-là étaient légion. « Le baseball n'a jamais été prioritaire pour eux, soutient Claude Brochu, ils étaient plus intéressés par présenter des motocross ou autres activités du genre qui étaient de leur initiative. C'est comme si la présence des Expos dérangeait. À leurs yeux, la situation idéale, ç'aurait été un stade vide, sans spectateurs pour le salir[4] ! »

« Tout ce que je demande à la RIO, c'est de nous laisser travailler en paix, disait Claude Brochu à l'amorce de la saison. On n'est pas des quêteux, on investit dans le Stade. La restauration en est une preuve : on a payé pour les installations, comme on a payé pour les nouveaux sièges VIP dans les loges. »

De son côté, Pierre Bibeau de la RIO affirmait ne plus savoir quoi faire pour satisfaire les Expos : « En renouvelant leur bail en 1991, nous leur avons consenti des accommodements de 3 millions par année, en plus de dépenser 30 millions pour rénover le Stade et remplacer le tableau indicateur. »

« Si nous pouvions trouver un nouveau stade à Montréal, a dit Claude Brochu, soyez assuré que nous partirions. C'est impossible de s'entendre avec la RIO, et ça empire d'année en année. »

Les Expos avaient aussi un litige avec le gouvernement du Québec, qui sommait l'équipe de lui verser les primes d'assurance-santé sur tous les revenus des joueurs, incluant ceux des matchs disputés aux États-Unis. « Les Blue Jays n'ont jamais eu une telle demande du gouvernement ontarien », a dit M. Brochu. Si les tribunaux donnaient raison au gouvernement, les Expos auraient à lui verser un million par année…

Quant aux doléances des joueurs, elles venaient sous toutes les formes : on reprochait à la direction des Expos de jouer trop dur au moment de discuter de contrat, de faire des changements de personnel toujours en fonction de considérations monétaires ; en somme, d'être grippe-sou. Récemment, les joueurs avaient déploré le fait que les Expos, contrairement à d'autres équipes, ne fournissaient à leurs joueurs ni voiture, ni téléphone portable…

Quand Larry Walker a été suspendu pour quatre matchs parce qu'il avait couru vers le monticule pour s'en prendre à un lanceur des Pirates de Pittsburgh, l'équipe a décidé de ne pas lui verser son salaire pendant la durée de la suspension (contrairement à ce que font la plupart des équipes). Soulagé ainsi de 96 000 $, Walker a déposé un grief contre le club et refusé de participer aux exercices au bâton avant les matchs. « Nous sommes d'avis que nous n'avons pas à le payer s'il ne joue pas », a dit le DG Kevin Malone. « Nous ne sommes pas comme les autres organisations parce que nous avons plus de restrictions budgétaires qu'elles, s'est défendu Claude Brochu. Si on est pour s'en sortir, va falloir travailler ensemble. »

« Je ne sais pas à quel jeu veut jouer la direction mais ça me semble bien enfantin », a dit Walker. Quelque temps après, Mel Rojas était à son tour suspendu pour quatre matchs (après avoir atteint Barry Bonds d'un de ses tirs). Les Expos ont alors décidé de lui verser son salaire durant son absence, revenant aussi sur leur décision de ne pas payer Larry Walker.

Quoi qu'il en soit, le mal était fait. Pour Ken Hill, ces histoires n'aidaient pas l'image des Expos : « Des choses comme celles-là font que les Expos ont la réputation d'être une piètre organisation, une organisation de deuxième classe. La seule façon pour nous de changer ça, c'est en gagnant le championnat. »

À voir jouer les Expos depuis quelques semaines, il semblait bien que c'est ce qu'ils s'apprêtaient à faire, car après deux premiers mois satisfaisants mais sans véritable élan (27-22), l'équipe a remporté 12 de ses 14 premiers matchs de juin, se rapprochant à seulement deux matchs des Braves d'Atlanta et de la tête.

Ken Hill connut en 1994 la plus remarquable saison de sa carrière, avec une fiche de 16-5.
Club de baseball Les Expos de Montréal

Mark Routtenberg se rappelle avoir rassuré les joueurs qui s'inquiétaient de la tiédeur de l'appui du public montréalais : « Vous allez voir qu'à notre prochain séjour à domicile, ça va changer. Les gens seront au rendez-vous[5]. »

C'est exactement ce qui s'est produit. Du 27 au 29 juin, une série à domicile de début de semaine contre les Braves d'Atlanta a attiré des foules de 45 292, 40 623 et 45 960 spectateurs. Les Expos ont remporté deux de ces matchs, dont un en vertu d'une spectaculaire remontée de fin de match orchestrée par Wil Cordero (un circuit de 2 points en 8e puis un simple avec les buts remplis en 9e).

Une équipe fougueuse, dominante, des foules survoltées : il y avait, dans ce qui était en train de prendre forme, des échos qui évoquaient le début des années 1980.

Onze matchs en onze jours sur la côte Ouest n'ont rien fait pour endiguer la déferlante Expos : ils ont partagé les honneurs d'une série de quatre contre les Giants, vaincu les Dodgers deux fois sur trois et balayé les Padres dans une série de quatre matchs, et par des pointages on ne peut plus convaincants : 7-0, 14-0, 5-1 et 8-2.

À la pause du match des Étoiles, ils étaient désormais seuls au 1er rang (54-33), un match en main sur les Braves.

Pour la première fois depuis 1983, les Expos auraient 5 représentants au match des Étoiles. Moises Alou, Marquis Grissom, Ken Hill, Wil Cordero et Darrin Fletcher (en remplacement de Darren Daulton des Phillies, blessé) se joindraient aux meilleurs joueurs des majeures pour participer au match disputé au Three Rivers Stadium de Pittsburgh.

Alors que les regards étaient tous tournés vers les stars de l'heure (les Ken Griffey Jr et Frank Thomas), trois Expos ont profité de l'occasion pour se mettre en valeur: Ken Hill a lancé 2 manches quasi parfaites et Marquis Grissom a cogné un circuit donnant l'avance à la Nationale en 6e manche. C'est toutefois Moises Alou qui a porté le coup fatal aux représentants de l'Américaine en cognant un double décisif en fin de 10e manche, une frappe faisant marquer le point gagnant.

Le retour en forme de Moises Alou était une histoire rien de moins qu'exceptionnelle. Après sa grave blessure à la cheville, il avait non seulement entrepris la saison avec le grand club mais s'était tout de suite imposé comme un des meilleurs de son équipe (Joueur du mois des Expos en avril et juin). Et maintenant, dix mois après son accident, il faisait marquer le point de la victoire dans la classique des Étoiles!

Invité comme adjoint par Bobby Cox, l'entraîneur-chef de la Nationale, Felipe Alou était aux premières loges pour assister à l'exploit de Moises – on s'en doute, un moment de grande émotion pour le paternel.

En réalité, père et fils se connaissaient comme adultes depuis peu de temps. Depuis le camp d'entraînement de 1992, en fait. À l'époque, Moises se remettait d'une autre blessure sérieuse (à l'épaule, cette fois) qui lui avait fait rater toute la saison 1991; Felipe, lui, était de retour à Montréal, promu de West Palm Beach pour épauler le gérant Tom Runnells et, bientôt, lui succéder. Felipe devenait alors le 5e gérant de toute l'histoire des majeures à compter un fils dans son club.

Le doyen Alou s'était donné comme ligne de conduite de traiter Moises exactement comme les autres joueurs. Évidemment, c'était là une mission impossible: il ne pouvait pas le laisser dans l'alignement s'il connaissait une léthargie ou fermer les yeux sur une infraction aux règlements du club, comme il aurait pu le faire avec d'autres. De tels comportements auraient été vus, craignait-il, comme du favoritisme. «À cause du caractère particulier de la situation, expliquait Felipe à Steve Marantz du *Sporting News* en 1993, il faut que je sois plus dur avec Moises. Notre rapport n'est pas un rapport ordinaire. Nous sommes observés par les médias, les fans, le reste de ma famille et mes autres enfants. Alors tant que je serai le gérant et qu'il jouera ici, je devrai le traiter comme les autres joueurs, sauf que s'il déroge des règles, je ne pourrai pas passer l'éponge[6].»

Felipe reproduisait ainsi la philosophie de son propre père. À un jeune âge, Felipe accompagnait parfois son père, Jose Rojas, quand ce dernier partait en mer pêcher le repas de la famille. Felipe pouvait emmener avec lui quelques amis, en autant qu'il donne l'exemple. « Mon père disait : "Si tu ne te comportes pas comme il faut, Felipe, comment je vais pouvoir garder les autres dans le rang ?" »

Comme la plupart des Dominicains de l'après-guerre qu'exploitait sans vergogne le dictateur Rafael Trujillo, les Alou vivaient dans une grande indigence. Quand Felipe avait 13 ans, il a reçu en cadeau de son père sa première paire de chaussures à crampons (usagée). Mais peu de temps après, Jose Rojas – qui était menuisier et forgeron – a dû les lui emprunter pour aller travailler puisqu'il n'avait lui-même pas de chaussures. Il a donc dû en couper les crampons. C'est seulement à 16 ans que le jeune homme a eu – d'un de ses oncles dans l'armée de Trujillo – son premier gant de baseball[7].

Si Felipe rêvait d'une carrière athlétique (il excellait au baseball et en athlétisme), ses parents espéraient le voir devenir médecin. Les frais de scolarité étant assumés par l'État, Alou a entrepris une première année de médecine à l'Université de Santo Domingo. Mais après une année, réalisant que les coûts accompagnant les études (vêtements, nourriture, livres) dépassaient largement leurs moyens, les parents de Felipe ont consenti à lui laisser signer le contrat que lui offrait l'organisation des Giants.

À 20 ans, Felipe s'est retrouvé aux USA pour la première fois. Le plan de l'organisation était de le faire jouer à Lake Charles, en Louisiane. Mais la ligue à laquelle l'équipe appartenait refusait d'intégrer des joueurs à la peau noire. Or, il y avait justement un débat quant à la couleur de peau de Felipe : était-il un Noir ou pas ? Sa mère, Virginia Alou, native d'Espagne, était blanche ; les Rojas étaient Noirs ; Felipe, un peu des deux.

Après une semaine, les autorités de la ligue ont décrété que Felipe était Noir, et qu'il devrait être transféré à Cocoa, en Floride, où les Noirs avaient la permission d'évoluer, en autant qu'après les matchs, ils demeurent d'un côté du chemin de fer qui traversait la ville.

Après la saison, Felipe est revenu en République dominicaine pour jouer dans les ligues d'hiver. « J'avais maintenant 21 ans, j'avais goûté à la liberté de la vie adulte mais à la maison, il fallait encore que je sois au lit à 9 heures ! Ce n'est pas pour rien que moi et mes frères (Jesus et Matty Alou) avons connu de longues carrières. C'est à cause de la formation et de la discipline qu'on a reçues à la maison. Je remercie mes parents chaque fois que je le peux de nous avoir préparés à toutes les éventualités. Quand nous sommes partis de chez nous, nous étions prêts. »

Felipe avait 22 ans quand il s'est marié avec Maria Beltre, une Dominicaine, en 1959. De cette union sont nés Felipe II, Maria, Luis et, en 1966, le petit Moises. Mais deux ans après sa naissance, Felipe et Maria se séparaient, et Moises n'a pas eu la chance de grandir auprès de son père. Les parents avaient gardé une bonne relation, et Moises voyait son père quand celui-ci passait en ville. Sinon, il écrivait aux enfants depuis les États-Unis où se poursuivait sa carrière.

La figure paternelle de Moises, c'était surtout Felipe II, de cinq ans son aîné. « À 14 ou 15 ans, il avait le comportement d'un homme de 25 ou 30 ans, d'expliquer Moises. Il m'emmenait à la pêche, on jouait au basketball. Il ne me laissait pas quitter la table sans que j'aie terminé mon repas. Nous jouions beaucoup ensemble, les quatre enfants. Et c'était toujours moi et Felipe contre Maria et Luis. »

Un jour, alors qu'il avait 16 ans, Felipe II a plongé dans une piscine dont les eaux brouillées n'étaient pas assez profondes. Il est mort sur le coup. Sa mort a dévasté le benjamin, alors âgé de neuf ans. « J'aimerais qu'il soit toujours vivant et qu'il puisse venir me voir jouer », dit Moises. Au moment de l'accident, Felipe était avec les Expos à Orlando, en Floride. On l'a joint au téléphone pour lui annoncer l'atroce nouvelle. « C'était un bon athlète, au baseball comme au basketball. Qui sait ce qu'il serait devenu ? », dit le paternel.

Dans les années qui ont suivi le décès du jeune homme, Felipe a eu d'autres enfants : Felipe III et Luis, issus de son troisième mariage, puis Valérie et Felipe IV, les deux enfants qu'il a eus avec la Québécoise Lucie Gagnon. Il avait aussi eu trois filles lors d'un deuxième mariage (avec une Américaine). « Dieu m'a donné beaucoup d'enfants après la mort de mon fils », a dit Felipe.

« J'ai eu de très bons moments familiaux avec chacune de ces femmes, disait Alou au reporter dans le même article du *Sporting News*. Et je me suis marié avec chacune d'elles. Dans les pays d'Amérique latine, il y a beaucoup d'enfants dans les rues, issus de relations que des hommes ont eues avec des maîtresses. Je n'ai jamais eu de maîtresses. J'ai toujours fait en sorte que mes enfants aient un toit. Tous mes enfants ont un nom et une maison[8]. »

C'est Maria, la mère de Moises, qui a déclenché la carrière de Moises en lui obtenant une bourse pour participer à un camp de baseball en Californie quand il avait 17 ans. Il a tout de suite impressionné les organisateurs en faisant tout (lancer, attraper et frapper) avec le plus grand naturel du monde.

Les Pirates de Pittsburgh l'ont réclamé en 1re ronde au repêchage des agents libres en janvier 1986. Après 4 saisons dans les rangs mineurs,

Moises est passé aux Expos en août 1990 dans une transaction qui avait envoyé le vétéran Zane Smith aux Pirates – une autre initiative budgétaire. Ceux qui croient que Felipe Alou y était pour quelque chose se leurrent : ce n'est que deux semaines plus tard qu'il a appris que son fils se retrouvait maintenant dans la même organisation que lui.

Moises profitait maintenant – finalement – de la présence de son père sur une base quotidienne. Et même s'il trouvait son père moins patient avec lui qu'avec les autres joueurs, il appréciait le modèle qu'il représentait, un exemple qui l'aidait déjà à définir une ligne directrice pour l'éducation de son propre fils, Moises Felipe : une discipline en douceur mais ferme, un accent mis sur la courtoisie, le respect des lois et l'écoute des besoins des autres.

Les athlètes faisant montre au jeu d'une extrême intensité ont toujours payé un lourd tribut à leur sport : les blessures. Le populaire Moises Alou n'a pas fait exception à la règle.
Musée McCord, Montréal, M2005-51-5209

Quant à Felipe, il reconnaissait en son fils un des traits de tant d'autres Dominicains : une ténacité hors du commun. « Nous sommes des survivants. Nous n'abandonnons jamais. Nous lâchons prise seulement quand nous mourons. C'est l'esprit de l'Amérique latine. Nous sommes un peuple dont on ne dispose pas facilement. »

Quand Moises Alou a produit le point gagnant du match des Étoiles à Pittsburgh, tous les joueurs de la Nationale l'ont entouré pour célébrer non seulement l'exploit, mais tout le courage qui l'avait précédé. Car Moises, tout comme son père, était un de ces survivants.

Le 14 juin, les propriétaires ont présenté aux joueurs et à leur association les propositions sur lesquelles ils s'étaient entendus une semaine plus tôt.

En gros, les clubs proposaient aux joueurs une entente construite sur de toutes nouvelles bases :

— Partage 50-50 de tous les revenus, incluant les revenus de produits dérivés.

— Plafonnement des masses salariales (à pas plus de 110 % de la masse salariale moyenne, mais aussi à pas moins de 84 %). Installation progressive – sur une durée de 4 ans – du système de plafond (et plancher) salarial.

— Élimination complète de l'arbitrage salarial mais accessibilité à la pleine autonomie après 4 années de service (plutôt que les 6 courantes).

— Établissement d'une échelle de salaires pour les joueurs ayant moins de 4 ans de service.

La réponse des joueurs, dévoilée le 18 juillet – plus d'un mois plus tard – n'a surpris personne : non seulement rejetaient-ils en bloc le modèle des propriétaires, mais ils demandaient que la période d'admissibilité à l'arbitrage soit rétablie à 2 ans, une augmentation du salaire minimum (de 175 000 $ à 200 000 $) ainsi que d'autres concessions.

Une semaine plus tard, au terme d'une séance de négociations de trois heures, Richard Ravitch refusait la contre-proposition des joueurs au nom des propriétaires. «Accepter les demandes des joueurs coûterait 700 millions aux clubs», a soutenu Ravitch. Le lendemain, les joueurs annonçaient que si une entente ne survenait pas avant le 12 août, ils déclencheraient la grève.

Le choix de la date de débrayage avait fait l'objet de longues discussions au sein des représentants des joueurs. Certains avaient parlé de déclencher la grève à la pause du match des Étoiles. Mais si la grève devait se prolonger, avait-on fait valoir, les joueurs risqueraient de sacrifier une trop grande portion de leur salaire de l'année en cours. D'autres avaient suggéré d'attendre la fin de la saison, mais il y avait le risque que les propriétaires imposent unilatéralement leurs conditions pour la saison suivante. L'Association a alors fait le pari qu'un arrêt de travail à la mi-août inciterait les clubs à vouloir régler rapidement, la perspective de perdre les lucratifs revenus de fin de saison agissant comme un puissant incitatif. Lors de chaque négociation depuis 1972, la crainte de voir s'envoler d'importantes entrées d'argent avait eu raison de la volonté des propriétaires. Pourquoi en serait-il autrement cette fois-ci ?

Au retour de la trêve du match des Étoiles, les Expos sont revenus au Stade olympique pour trois séries contre des clubs de l'Ouest. Après 4 défaites d'affilée contre les Giants qui les ont fait glisser au 2e rang, les Expos sont tout de suite revenus en force contre les Padres et les Dodgers, balayant les deux séries. Dans le dernier affrontement contre les Dodgers, disputé le dimanche 24 juillet, le voltigeur recrue Rondell White a connu le meilleur match de sa jeune carrière en produisant 7 points (1 circuit, 1 double et 2 simples), tous les points des Expos dans leur victoire de 7-4.

« C'est malheureux qu'un gars aussi talentueux ne puisse pas jouer plus régulièrement, a déclaré Felipe Alou après le match. La balle explose en frappant son bâton. L'an prochain, il aura une place régulière avec nous. »

Comme cela se produit presque toujours chez les équipes gagnantes, tout le monde mettait l'épaule à la roue. Cet après-midi-là, l'équipe a frappé 16 coups sûrs. En plus de White, Cliff Floyd avait cogné quatre coups sûrs, Moises Alou, trois.

Dans le baseball majeur, on s'inquiétait maintenant de l'impact qu'aurait une grève sur les superbes lancées de joueurs ou d'équipes. Matt Williams et Ken Griffey Jr cognaient des circuits à un rythme ahurissant, au point où on leur accordait maintenant de bonnes chances de battre le record de 61 circuits établi par Roger Maris en 1961. Tony Gwynn des Padres flirtait avec une moyenne de ,400 : tiendrait-il le coup jusqu'à la fin de la saison, devenant le premier à réaliser l'exploit depuis Ted Williams ? Les Yankees de New York détenaient la meilleure fiche de l'Américaine et semblaient destinés à être des séries pour la première fois depuis 1981. Les Indians de Cleveland, galvanisés par leur nouveau stade et l'effet instantané qu'il avait eu sur la fréquentation des fans aux matchs, planifiaient eux aussi l'impression de billets pour des matchs après-saison.

Si toutes ces quêtes risquaient un peu plus chaque jour d'être court-circuitées par une grève, la plupart des observateurs s'entendaient pour dire que les Expos de Montréal étaient le club qui aurait le plus à perdre d'un arrêt de travail. L'équipe jouait comme elle ne l'avait pas fait depuis des lustres et le public se rendait enfin massivement au Stade olympique. Mais le pire, c'était peut-être que quelques-uns des grands responsables des succès de l'équipe arrivaient au terme de leur contrat et seraient hors de prix en 1995 – et donc hors de Montréal.

Le succès des Expos – à ce moment-ci de leur histoire – était une sorte de cadeau empoisonné pour Claude Brochu, qui se retrouvait entre l'arbre et l'écorce. Dans les derniers mois, il s'était solidement positionné du côté des propriétaires souhaitant une réforme en profondeur de l'industrie. Tout comme les dirigeants des Padres, des Pirates, des Mariners, des Royals et des Twins (pour ne citer que ceux-là), le président des Expos était déterminé à instaurer un plafond salarial et un partage des revenus.

Sans la refonte du système, prétendaient-ils tous, quelques-unes de ces villes pourraient perdre leur club dans un avenir rapproché. Autrefois un des plus militants du groupe, Bud Selig s'était récemment fait plus discret sur la question du partage des revenus, question de ne pas indisposer ceux qui s'opposaient encore à l'idée. Il préférait laisser Claude Brochu et d'autres porter ce flambeau-là.

Défendre les principes de plafond salarial et de partage des revenus même au prix de sacrifier la saison n'était pas précisément le discours que les amateurs de baseball montréalais avaient envie d'entendre. Pas quand ils avaient sous les yeux un club semblant touché par la grâce.

La prise de position de M. Brochu en rendait d'autres tout aussi mal à l'aise. Jacques Ménard se rappelle que le Conseil d'administration du club n'était pas du même avis que le commandité sur le prix à payer pour imposer les conditions de la partie patronale. Si l'affluence de spectateurs au Stade se maintenait jusqu'à la fin de la saison, c'est plus de 2,2 M d'amateurs que le club attirerait en 1994. À ces recettes, il faudrait bien entendu ajouter celles qu'engrangeraient des matchs d'après-saison. Par ailleurs, si les Expos devaient se rendre jusqu'à la Série mondiale – et, qui sait, peut-être la gagner – la victoire aurait un impact incalculable sur l'avenir de l'organisation.

« Je situe la première fissure entre Claude Brochu et le consortium à ce moment-là, explique aujourd'hui Jacques Ménard. On a vraiment senti durant cet épisode que ses allégeances ont penché du côté de Bud Selig et du baseball majeur. Ça se voyait qu'il était très fier d'être reconnu et apprécié dans le cercle très sélect des dirigeants du baseball majeur. Peut-être aussi sentait-il qu'il en devait une au baseball après le soutien que nous avions eu dans le dossier de la vente du club, qui avait été plus long et plus ardu que prévu. En définitive, c'est comme s'il n'avait pas pris en considération que les Expos seraient parmi les premiers à payer le prix d'une grève. Chose certaine, en se positionnant comme il l'a fait, il venait de se faire donner tout un *I owe you* par Selig[9]. »

Mark Routtenberg se rappelle la pression que subissait Claude Brochu de la part des autres clubs pour garder le cap : « J'ai entendu le président des Braves d'Atlanta lui dire : "Claude, il faut que tu restes avec nous. Les petits marchés ont besoin de toi. Si on reste unis, on va briser le syndicat." Mais nous, nous nous battions pour notre vie à Montréal, et il nous fallait sauver cette saison-là. Brochu aurait pu bloquer le front commun des propriétaires mais il ne l'a pas fait[10]. »

Routtenberg se souvient aussi du jour (en 1993) où Claude Brochu était revenu d'une rencontre des clubs sur le réalignement des divisions. Les propriétaires des Expos et les joueurs étaient réunis au chalet de Routtenberg pour un party : « À la blague, j'ai lancé à Claude : "Ne me dis pas qu'on va se retrouver dans la même division qu'Atlanta!" Il était fâché que je dise ça : "Il faut penser à long terme, Mark, il faut faire ce qui est bon pour le baseball[11]". »

Claude Brochu envisageait la négociation en cours avec la même philosophie : les meilleurs intérêts du baseball d'abord. À ses yeux, un plafond et un partage des revenus profiteraient à toute l'industrie – et, bien évidemment, à ses Expos, qui pourraient enfin générer des revenus récurrents leur permettant d'être compétitifs à long terme. Sauver la saison, oui, autant que possible, pensait-il, mais pas au prix de rater une chance historique de remettre de l'ordre dans l'industrie.

Le 27 juillet, les journaux montréalais rapportaient une nouvelle qui a surpris bon nombre de lecteurs : l'équipe envisageait de construire un stade à ciel ouvert au centre-ville, un stade assorti d'un toit léger et amovible. On avait même en tête un terrain avoisinant l'ancienne brasserie Molson, non loin du site où on était en train d'ériger le nouvel amphithéâtre du Canadien. L'espace n'était pas énorme et nécessiterait l'assemblage de plusieurs segments de terrain, mais la chose n'était pas impensable. Interviewé par *La Presse*, un administrateur du Service des finances de la Ville de Montréal a réagi plutôt positivement à l'idée : « On sursaute quand on entend ça mais à force d'écouter les gens, on se rend compte que ce n'est pas si fou que ça. »

Quand les Canadiens de Montréal ont décidé de se construire une nouvelle demeure, ils s'étaient vus offrir un terrain gratuit... dans l'est de la ville. Ils ont refusé, préférant s'installer au centre-ville (une décision, constate-t-on aujourd'hui, d'une infinie sagesse). Les Expos souhaitaient donc suivre la tendance amorcée aux États-Unis quelques années plus tôt en se rapprochant du centre-ville et de son dynamisme. De cette façon, se disait Claude Brochu (l'instigateur de l'idée), on pourrait beaucoup plus facilement persuader les grandes entreprises de se procurer des billets de saison (sur les 1 000 plus grosses entreprises de la province, 865 n'avaient pas d'abonnement).

Récemment, dans une allocution prononcée à la Chambre de commerce du Montréal métropolitain, Claude Brochu avait commencé à préparer le terrain en expliquant à son auditoire que l'emplacement du Stade olympique était mauvais et que le Stade lui-même ne convenait pas au baseball. Dans un monde idéal, avait-il argué, c'est au centre-ville que se situerait le domicile des Expos.

Dès le lendemain de la parution de la nouvelle, Claude Masson, l'éditeur adjoint de *La Presse*, tombait à bras raccourcis sur l'intention de M. Brochu de quitter l'est de la ville, coiffant son texte d'un titre fort en émotivité : « Les Expos sont méprisants pour l'est de Montréal. » « Lorsqu'ils citent l'emplacement du stade comme étant un obstacle majeur, écrivait Masson, les Expos deviennent méprisants. Ils déprécient une partie importante de la population montréalaise qui habite l'est de la ville. Ils se mettent à dos surtout des francophones et des allophones qui demeurent dans le nord, le sud et l'est de la métropole, que ce soit dans la ville même ou en proche banlieue. Les gens qui sont nés ou ont élu domicile dans l'est de Montréal ne sont pas des sous-citoyens par rapport à ceux qui habitent l'ouest. »

La réaction de l'éditeur adjoint n'était qu'un avant-goût de la levée de boucliers qui attendrait M. Brochu au détour quand son plan de construction d'un nouveau stade prendrait davantage forme.

Un jour, l'ancien président des Expos John McHale avait eu cette réflexion sur l'emplacement du Stade olympique : « Le maire Jean Drapeau a choisi ce site-là pour la tenue des Jeux olympiques parce qu'il y avait autour du Stade 250 000 résidents à distance de marche. Ce qu'il a oublié dans son calcul, c'est qu'il s'agissait de 250 000 personnes qui n'ont aucun intérêt pour le baseball. »

À la fin août, les Expos ont disputé trois matchs à l'étranger contre leurs grands rivaux dans la division, les Braves. Et comme la fois précédente où les deux clubs s'étaient affrontés, l'équipe montréalaise a remporté deux matchs sur trois, battant même le quasi invincible Greg Maddux 5-3. « En 1994, nous savions que rien ne pouvait vous arrêter », a dit plus tard le lanceur Tom Glavine à Felipe Alou. Alors que leur équipe était au début d'une longue dynastie qui durerait jusque dans les années 2000, les joueurs des Braves savaient que les Expos de 1994 étaient vraiment dans une classe à part.

Lorsque les Expos prenaient les devants dans les six premières manches, l'adversaire sentait que la côte à remonter serait terriblement raide. En longue relève, Gil Heredia, Tim Scott et Jeff Shaw formaient un solide trio. Une fois qu'ils avaient gardé en respect les frappeurs adverses, Felipe Alou pouvait remettre la balle à Mel Rojas et John Wetteland et ne pas

Pendant 10 saisons à la barre des Expos de Montréal, Felipe Alou a brillamment veillé au développement de quantités de jeunes joueurs – avant de les voir l'un après l'autre partir pratiquer leur art ailleurs. Felipe détient le record de victoires pour un gérant des Expos (691).
Musée McCord, Montréal, M2005-51-5194

Durant ses quatre saisons à Montréal, Delino DeShields s'est imposé, malgré son jeune âge, comme le leader de l'avant-champ.
Musée McCord, Montréal, M2005-51-5191

Marquis Grissom a brillamment succédé à Tim Raines, frappant pour la moyenne tout en menant l'équipe au chapitre des buts volés. Il a également remporté deux Gants d'or comme voltigeur de centre.
Musée McCord, Montréal, M2005-51-5205

Le Canadien Larry Walker possédait les atouts des plus grandes vedettes: la puissance, la vitesse, l'intensité au jeu et un bras exceptionnel.
Musée McCord, Montréal, M2005-51-5201

En dépit d'une grave blessure à la jambe qui aurait pu mettre un terme à sa carrière en 1993, Moises Alou a superbement rebondi dès l'année suivante, devenant une inspiration pour ses coéquipiers et le favori des supporteurs des Expos.
Musée McCord, Montréal, M2005-51-5210

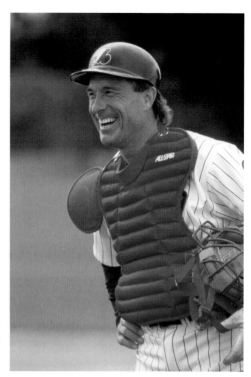

À son retour avec les Expos, au début des années 1990, le grand Gary Carter a joué un rôle primordial dans la relance du club.
Musée McCord, Montréal, M2005-51-5195

En plus de bien diriger ses lanceurs, le receveur Darrin Fletcher était un maître dans l'art de bloquer le marbre.
Musée McCord, Montréal, M2005-51-5189

L'intense releveur John Wetteland a inscrit 106 sauvetages en seulement 3 saisons à Montréal et fut l'une des quatre vedettes sacrifiées lors de la grande liquidation de 1995.
Musée McCord, Montréal, M2005-51-5199

Mel Rojas, le neveu de Felipe Alou, a excellé dans l'enclos des releveurs pendant la majorité de ses sept saisons à Montréal.
Musée McCord, Montréal, M2005-51-5206

Rondell White fait partie de cette longue lignée de voltigeurs talentueux qu'ont développés les Expos au fil des ans. Malheureusement, des blessures l'ont empêché d'atteindre son plein potentiel.
Musée McCord, Montréal, M2005-51-5217

On a longtemps annoncé le premier-but Cliff Floyd comme le prochain Willie McCovey, mais une grave blessure à une main a freiné sa progression.
Musée McCord, Montréal, M2005-51-5188

Obtenu en retour de Delino DeShields, une transaction décriée par les fans et les médias montréalais, Pedro Martinez s'est révélé, pendant ses quatre saisons à Montréal, un des meilleurs lanceurs de la l'histoire de la concession. Il est le seul lanceur des Expos à avoir remporté le Cy Young dans l'uniforme du club.
Musée McCord, Montréal, M2005-51-5216

s'inquiéter de la suite de l'histoire. Cette équipe avait une inébranlable confiance en ses moyens, ce qui la rendait redoutable pour tous ses adversaires, y compris les Braves d'Atlanta. Jamais une édition des Expos n'avait joué avec autant de cohésion et d'assurance.

Après la série contre les Braves, les Expos avaient augmenté leur avance à 2 ½ matchs. Ils ont ensuite balayé les Marlins en trois puis, une fois de retour au Stade, ont enlevé les trois premiers matchs d'une série de quatre contre les Cards devant des foules rien de moins qu'extatiques. Le lundi 1er août, dans le match initial de la série, Marquis Grissom a littéralement fait trem-

Opportuniste, rapide, constant, fiable au bâton comme en défensive, exemplaire dans sa conduite sur et hors du terrain, Marquis Grissom était le rêve de tout entraîneur.
Club de baseball Les Expos de Montréal

bler le Stade en fin de 10e manche alors que le pointage était de 2 à 2. Premier frappeur à se présenter au bâton, Marquis a cogné une flèche au-dessus de la tête du voltigeur de centre Gerald Young. Alors que celui-ci s'empressait de récupérer la balle, Grissom a pris les jambes à son cou sans jamais s'arrêter. Quand la balle est revenue à l'avant-champ, Marquis avait déjà croisé le marbre. Un circuit à l'intérieur du terrain pour décider de l'issue d'un match, c'était là un exploit aussi spectaculaire que rarissime.

« Le Marquis a eu de l'aide, a écrit Pierre Ladouceur dans *La Presse* du lendemain. À partir du premier but, 30 359 spectateurs couraient avec lui sur les sentiers. »

Deux jours plus tard, les Expos malmenaient les Cards 8-3, un match dans lequel ils ont cogné 14 coups sûrs. Larry Walker a égalé un record d'équipe en cognant trois doubles. « Ils sont déchaînés », est le titre qu'a retenu *La Presse* du lendemain.

Or, autant les Expos enchantaient les Montréalais, autant il leur était impossible de goûter pleinement au spectacle sans arrière-pensée. Dans un peu plus d'une semaine, peut-être que cette formidable lancée s'arrêterait net. « C'est comme tomber follement amoureux – de quelqu'un qui déménage en Mongolie le mois prochain », écrivit Jack Todd dans *The Gazette*.

« Pour les Expos, poursuivait le chroniqueur, le *timing* ne pourrait pas être plus mauvais. Les fans viennent de sauter dans le train, les frappeurs cognent, les lanceurs lancent, le gérant gère et l'avant-champ complète les doubles-jeux. Ces malchanceux Expos ont enfin la saison qu'on attend d'eux depuis 1981. Mais on est à une pelure de banane de l'enfer : si la grève est déclenchée, pour Montréal, ça voudra dire plus que la perte de quelques semaines de baseball. Ça pourrait signifier la perte d'une Série mondiale. Et la perte de la concession.»

Indomptables, les Expos ont alors pris la route de Philadelphie où ils ont balayé une série de trois matchs contre les Phillies. Ils ont ensuite mis le cap sur Pittsburgh, triomphant trois fois – ce qui portait leur fiche à neuf victoires d'affilée sur la route, un record d'équipe – avant d'échapper le dernier match de la série de quatre. Celui-ci ayant eu lieu le 11 août, la veille de la date désignée par l'Association des joueurs comme journée de débrayage, il est possible que quelques Expos aient eu la tête ailleurs.

Le 10 août, une dernière ronde de négociations entre les représentants des deux parties s'était soldée par un échec. «La grève est une quasi certitude, a dit Claude Brochu. C'est très malheureux, particulièrement pour nous qui connaissons une saison extraordinaire. Personne ne souhaite un arrêt de travail, ni les joueurs, ni les propriétaires. Ce sera la grève de Don Fehr (le directeur de l'Association des joueurs).»

Monsieur Brochu et ses alliés parmi les clubs à faibles revenus affirmaient toutefois préférer une grève à une entente bâclée. «Le dommage causé par une longue grève pourrait être moindre que celui causé par un règlement signé précipitamment», a soutenu de son côté le propriétaire des A's d'Oakland.

Cette fois, aucun commissaire ne forcerait la main des propriétaires pour empêcher in extremis un arrêt de travail. Bud Selig s'était juré de rallier les propriétaires autour d'objectifs communs et il semblait bien qu'il avait gagné son pari. Sur le coup de minuit, le 12 août 1994, les joueurs du baseball majeur étaient en grève.

Il n'a pas fallu beaucoup de temps avant que la nouvelle solidarité des propriétaires ne soit ébranlée par l'un d'eux. Sans grande surprise, le coup fut porté par George Steinbrenner, le proprio des Yankees de New York. Dans une entrevue accordée à un quotidien de Philadelphie, le *Boss* mettait en doute l'affirmation de certains de ses vis-à-vis selon laquelle le baseball courait à sa perte sans plafond salarial. À son avis, une gestion efficace avait plus à voir avec les succès d'une équipe que l'importance de sa masse salariale. «Prenez les Expos, a dit Steinbrenner. Ils ont la deuxième plus petite masse salariale du baseball et ils présentent la meilleure fiche de tous les clubs. Les Twins du Minnesota ont remporté la Série mondiale deux fois dans les sept dernières années, sans jamais faire sauter la banque.»

Informé des propos du controversé patron des Yankees, Claude Brochu n'a pas tardé à répliquer. «Nos succès de cette saison tiennent du miracle. On ne pourra pas maintenir un tel rythme année après année. Si on garde tous nos joueurs l'an prochain, notre liste de paie va passer de 18 à 30 millions. C'est l'évidence: si on ne change pas les règles du jeu, on va devoir échanger nos joueurs les plus productifs aux équipes à gros revenus, comme les Pirates l'ont fait il y a deux ans.»

Plus tôt dans le mois, Jerry Reinsdorf, l'influent propriétaire des White Sox de Chicago, avait également remis en question la stratégie de ses pairs: «Moi, je peux très bien vivre sans plafond salarial. La meilleure solution pour mon club, ce serait le maintien du *statu quo.*»

Malgré ces brèches dans la position patronale, le président des Expos ne s'inquiétait pas d'un éventuel effritement de la résolution des propriétaires: «Ceux qui pensent que nous ne sommes pas solidaires seront surpris.»

Au moment où tout s'est arrêté, les Expos étaient sans contredit l'équipe de l'heure dans le baseball. Ils avaient remporté 19 de leurs 21 dernières rencontres et avaient pris une sérieuse option sur le 1er rang de la division, leur avance sur les Braves étant de 6 matchs. Leur fiche de 74-40 (,649) pointait – s'ils arrivaient à maintenir ce rythme-là, bien sûr – vers une saison d'environ 105 victoires, eux qui n'en avaient jamais remporté plus de 95 (en 1979).

Le 12 août aurait normalement dû marquer le retour de l'équipe au Stade pour deux séries opposant les Expos aux Mets et aux Rockies. À la place, les joueurs, rentrés de Pittsburgh la veille, sont passés au Stade chercher leurs effets avant de repartir chez eux.

Venu rencontrer les joueurs, Mark Routtenberg a bavardé quelques instants avec Moises Alou. Quand ils se sont quittés, Moises lui a lancé: «Au revoir, *boss*. À l'an prochain…» C'est à ce moment-là que Routtenberg s'est vraiment rendu compte du sérieux de la situation. «J'ai alors compris que la saison était fichue», dit-il aujourd'hui[12] .

Catastrophé à l'idée que la formidable saison de ses Yankees demeure une œuvre inachevée, George Steinbrenner déplorait que les propriétaires ne puissent pas parler pour eux-mêmes, représentés plutôt par des tiers: «Il ne faut pas laisser les négociations dans les mains d'une bande d'avocats qui seront les seuls à faire de l'argent avec cette grève.» Pour une fois, l'Association des joueurs était d'accord avec une affirmation des propriétaires. Don Fehr s'était lui-même plaint de devoir s'adresser à Dick Ravitch (dont il n'appréciait pas la personnalité extravertie) sans jamais pouvoir parler directement aux propriétaires.

Une rencontre impliquant directement les principaux intéressés a été organisée et le 24 août, 21 joueurs et 8 représentants de l'Association ont rencontré 12 représentants de clubs et leurs 6 avocats. La rencontre fut un désastre, personne ne négociant quoi que ce soit.

Don Fehr a prononcé ce qui ressemblait à un discours sur les cartels, les joueurs ont rappelé les torts historiques causés par des propriétaires d'équipe qui n'étaient même plus dans le baseball. David Glass, le propriétaire des Royals de Kansas City, s'est lancé dans un soliloque sur la façon dont les joueurs pouvaient aider le baseball à prendre sa part du dollar de divertissement dont dispose le consommateur. Jerry Reinsdorf a sommé les joueurs de leur dire ce qu'ils voulaient: «Quel pourcentage vous voulez? Donnez-nous un chiffre!» «Et vous, combien de profits vous voulez faire?», a rétorqué Don Fehr[13]. Tout cela n'allait nulle part.

Le propriétaire des Rockies du Colorado, Jerry McMorris, était un de ceux qui voulaient à tout prix sauver la saison, son club connaissant une autre saison exceptionnelle aux guichets. Avec la permission de Bud Selig, il a entrepris un dialogue avec Don Fehr. Une série de conversations téléphoniques a préparé le terrain pour un souper privé.

McMorris avait une idée nouvelle à soumettre à la partie syndicale: et si, à la place d'un plafond, le baseball se dotait d'une «taxe de luxe»? Un club dont la liste de paie excéderait (de 20% ou plus, par exemple) la moyenne des masses salariales du baseball devrait payer une taxe (selon une échelle déterminée en fonction du dépassement) qui serait par la suite distribuée aux clubs à faibles revenus. Fehr s'est montré intéressé par le principe, affirmant à McMorris qu'il reviendrait avec des propositions.

C'était maintenant une course contre la montre. Le 2 septembre, Bud Selig a annoncé que si les parties n'en arrivaient pas à une entente avant le 9 septembre, le reste du calendrier et les séries seraient annulés.

Après avoir examiné de nouvelles données sur le partage des revenus que leur avait fournies les propriétaires, Don Fehr a rappliqué le 8 septembre en déposant une proposition de taxes en escalier, des taxes auxquelles seraient soumises les 16 équipes ayant les plus fortes masses salariales et les 16 équipes ayant les plus forts revenus (qui n'étaient pas forcément les mêmes). L'argent serait redistribué aux 12 clubs se situant aux derniers échelons des deux catégories.

Le 9 septembre, Selig annonçait que les propriétaires rejetaient la solution de l'Association. Il reportait toutefois de quelques jours encore la date de l'annulation du reste de la saison.

John Harrington des Red Sox et Stan Kasten des Braves ont alors fait un ultime effort, suggérant à l'Association d'autres formules de taxation. « Ils ont démoli tout ce qu'on leur a proposé », a dit Kasten. « Nous vous avons fait une bonne offre, leur a dit un avocat de l'Association. Si vous voulez de nous une mesure qui va décourager les clubs de faire des offres aux joueurs, oubliez ça, vous ne l'aurez pas[14]. »

Dans l'après-midi du 14 septembre, Bud Selig annonçait en conférence de presse l'annulation du reste du calendrier et de l'après-saison.

Deux guerres mondiales et un tremblement de terre monstre n'avaient pas réussi à interrompre la continuité des saisons dans le baseball majeur ; il avait fallu une bisbille monétaire entre joueurs millionnaires et propriétaires multimillionnaires pour y parvenir. C'était à donner le vertige.

« C'est un jour triste, a déclaré Selig dans son allocution. Personne ne voulait un tel dénouement mais la grève des joueurs ne nous laisse pas d'autre choix. Nous avons atteint le point où il n'est plus possible de compléter la saison ou de préserver l'intégrité des séries éliminatoires. »

« Le 14 juin, a dit aussi Selig, les clubs ont présenté une offre raisonnable à l'Association des joueurs, laquelle assurait aux joueurs une garantie d'un milliard de dollars en salaires et bénéfices. Depuis, les clubs ont demandé de négocier un partage raisonnable des revenus entre les joueurs et leurs équipes ou d'élaborer un plan visant à contrôler la hausse des salaires afin d'assurer une saine compétition entre tous les clubs. Le syndicat a refusé de négocier les coûts en adoptant une ligne dure et en croyant que les clubs céderaient encore une fois aux demandes des joueurs. Ce fut une grave erreur et nous en payons tous le prix aujourd'hui. »

Claude Brochu évaluait que l'annulation de la saison coûterait aux Expos au moins 20 millions de dollars. « Il nous restait 29 matchs locaux à disputer. Je crois sincèrement que nous aurions pu maintenir une moyenne de 35 000 spectateurs par match, ce qui aurait porté notre total pour l'année à 2,2 ou 2,3 millions. De plus, notre participation aux éliminatoires nous aurait permis de toucher au moins 5 millions de dollars.

« J'ai l'intention de récupérer l'argent perdu. Je ne m'en cache pas, il faudra sabrer dans la masse salariale. Il n'est pas question que je fouille dans mes poches pour combler ce déficit. Mes partenaires ne le feront pas non plus. »

Normalement réservé dans ses commentaires, M. Brochu a haussé le ton en parlant des représentants de l'Association des joueurs : « Ce syndicat a manqué de civisme et a affiché un comportement méprisant lors de nos rencontres. Ce qui me révolte, c'est de voir comment il n'y a que le dollar qui compte pour eux et comment ils se fichent de voir disparaître les petits marchés en autant que leurs membres ne perdent pas leurs privilèges. »

Malgré sa frustration, Claude Brochu affirmait ne pas désespérer : « Vous savez, beaucoup de clous ont été plantés dans notre cercueil depuis 1990. En voilà un autre. Ça ne me dérange plus. Nous avons connu toutes sortes d'ennuis depuis quelques années et nous nous en sommes toujours sortis. »

Sauf que ce clou-là avait davantage l'allure d'un pieu. « Il y a des amateurs qui ne reviendront pas, a déploré Rene Lachemann, le gérant des Marlins de la Floride. Et rien de ce que nous ferons ne pourra les ramener. » « Il y a beaucoup d'apathie chez les fans et ça m'inquiète, a déclaré de son côté Paul Beeston, le président des Blue Jays de Toronto. Les gens réalisent que sans le baseball, le soleil se lève quand même et leur vie peut continuer. Et ça doit nous inquiéter, pas juste à Toronto, mais partout en Amérique. »

Dans son ouvrage *Koppett's Concise History of Major League Baseball*, Leonard Koppett exprime éloquemment la gravité de l'impact de la décision du baseball majeur : « Ça envoyait un message que personne ne pouvait ignorer. L'essence du plaisir qu'éprouve l'amateur à connaître le résultat d'un match vient de sa disposition à croire à *l'importance suprême* de l'issue d'une compétition. Tout comme la suspension de l'incrédulité est essentielle à l'appréciation d'une œuvre de fiction, la *volonté de croire* est indispensable pour prendre plaisir à assister à une compétition. Le spectateur doit avoir à cœur la victoire de son club, tout comme il doit croire que *les participants ont à cœur de gagner*. Le message envoyé par l'annulation de la fin de la saison était : "Nous ne croyons pas que la tenue de la confrontation finale est si importante quand il nous faut d'abord régler une dispute portant sur des questions d'argent." Or, si le baseball majeur ne pense pas que c'est important, pourquoi devrions-nous le penser ? Comment pouvons-nous continuer à croire que c'est important ?[15] »

Pour sa part, Ronald King de *La Presse* ne voyait pas comment la grève pourrait faire perdre le goût du baseball aux Américains. « Il faut avoir observé l'amateur de baseball américain pour comprendre. Quand il étend ses jambes et sort son livre de marqueur, quand il installe sa petite bière sur l'accoudoir du siège, le bonheur lui sort par les oreilles. Dans certaines villes, on peut en trouver jusqu'à 20 000 au stade en plein après-midi de semaine. Ils se sont débrouillés pour prendre congé, le patron a été conciliant et ils se rendent au *ballpark* pour s'évader de tout ce qui les emmerde dans la vie. La relaxation complète sur la planète baseball.

« L'amateur US y revit ses rêves de jeunesse profonds, il se transforme en lanceur, en gérant, en directeur-gérant, il déplace sa défense, demande un lancer à l'intérieur, il en renvoie certains dans les mineures, prépare un échange, assure l'avenir du club. Le baseball fait partie de la fibre US. Quand le jeu va reprendre, il ne faut pas croire que les amateurs vont boycotter. Ils se rendront au stade en courant, toute rancœur effacée. »

King n'était toutefois pas convaincu que l'amateur de baseball québécois aurait les mêmes réflexes : « Comme nous ne sommes pas aussi attachés à la balle que les Américains, il n'est pas certain que nous allons retourner au stade en courant. Surtout si nos meilleurs sont partis. »

Avec le recul, on constate que le journaliste de *La Presse* avait visé dans le mille. Pour les fans de baseball d'Amérique, la grève de 1994 est une période sombre dans l'histoire de ce sport, tout comme la période de l'ère des stéroïdes du tournant des années 2000. Pas de doute, ces épisodes ont changé à jamais l'image qu'ils se faisaient du *National Pastime*. Mais pour la plupart d'entre eux, le baseball est resté le baseball.

En revanche, aujourd'hui, dans l'esprit des amateurs de baseball québécois de 30 ans et plus, il y a l'avant et l'après 1994. Les fans d'ici se situent dans deux catégories : ceux qui ont, malgré tout, suivi les Expos jusqu'à la fin (et qui, dans certains cas, s'intéressent toujours au baseball) et les autres. Ceux qui ne sont jamais revenus.

Dans son édition du 26 septembre 1994 portant sur l'annulation de la saison, *The Sporting News* a reproduit en page frontispice un extrait de la lettre ouverte qu'avait écrite Bart Giamatti lors du conflit de travail de 1981 qui avait interrompu le jeu pendant deux mois : « Le peuple américain a à cœur le baseball, pas vos misérables petites chamailleries. Retrouvez votre dignité et rappelez-vous que vous n'êtes que les gardiens temporaires d'un précieux bien public. »

Deuxième partie

CHAPITRE 6

La tête haute

(1995-1996)

Le camp de 1995 s'ouvre avec des joueurs de remplacement.
La grève prend fin au début avril; Wetteland, Hill, Grissom et Walker
passent à d'autres équipes. Après un début de saison surprenant,
l'équipe s'essouffle en deuxième moitié de saison et termine au
dernier rang. Étonnant retournement de situation en 1996,
avec la solide contribution des David Segui, Henry Rodriguez,
Mike Lansing et Mark Grudzielanek. Habilement dirigés par Felipe
Alou, les Expos sont dans la course au meilleur deuxième jusqu'à la
fin du calendrier. Alors que partent Jeff Fassero, Mel Rojas et Moises
Alou à la fin 1996, le club confirme son intention de s'installer
dans un nouveau stade au centre-ville.

1995

Au tournant de la nouvelle année, l'Association des joueurs du baseball majeur était en grève depuis cinq mois, et aucune négociation n'avait eu lieu depuis la mi-décembre. Les pourparlers avaient cessé quand les parties n'avaient pu s'entendre sur l'importance de la « taxe de luxe » à laquelle on souhaitait soumettre les clubs. La partie patronale proposait une taxe importante alors que l'Association n'accepterait de parler de taxe que si le pourcentage était négligeable (on parlait de 2 %).

Déclarant que les négociations étaient dans une impasse, les propriétaires ont décidé qu'à partir du 23 décembre (1994), ils appliqueraient les principes qu'ils avaient défendus pendant les pourparlers : un plafond salarial, l'abolition de l'arbitrage et la création d'une nouvelle catégorie d'agents libres «restreints», les joueurs ayant atteint quatre années de service.

Les joueurs ont aussitôt dénoncé la mesure comme contraire aux pratiques du travail. À leur point de vue, il était faux de prétendre qu'il y avait impasse puisqu'il n'y avait pas eu de négociation de bonne foi. Conséquemment, ils porteraient le dossier au Conseil national des relations de travail.

Le dialogue a repris à partir de février mais les interventions d'un tiers (Bill Usery, un médiateur fédéral) et même du président américain Bill Clinton n'ont pas réussi à dénouer quoi que ce soit. Usery avait proposé l'imposition d'une taxe de 50% sur les masses salariales de plus de 40 millions et la pleine autonomie après 4 ans. L'Association des joueurs a dit non. De son côté, le président Clinton avait suggéré de soumettre les points litigieux à l'arbitrage. Cette fois, ce sont les clubs qui ont refusé.

Les propriétaires ont alors décidé d'exercer la pression sur le syndicat en annonçant qu'ils ouvriraient les camps (et, si nécessaire, la saison régulière aussi) en mettant sur le terrain des «joueurs de remplacement».

Évidemment, parler de «joueurs de remplacement», c'était parler de briseurs de grève, de *scabs*. D'une part, c'était servir tout un camouflet aux joueurs et à leur syndicat. De l'autre, c'était ouvrir tout un panier de crabes.

D'abord, qui seraient ces joueurs? Des joueurs des ligues mineures n'arrivant pas à percer dans les grandes ligues? Des joueurs de ligues indépendantes? Des jeunes des calibres inférieurs ou des vétérans mis de côté par le baseball organisé en raison de blessures ou de problèmes d'autre nature? Si on parvenait à rafistoler 28 équipes à temps pour débuter la saison, quel serait le calibre de jeu? Le public se déplacerait-il pour voir ça? Pourrait-on exiger les mêmes tarifs aux guichets? Les performances de ces joueurs seraient-elles accompagnées d'astérisques dans les ouvrages de statistiques? La prochaine saison promettait d'être pour le moins chaotique...

Après l'annonce de l'annulation de la saison, Claude Brochu et les autres actionnaires ont dû faire face à un sérieux problème de liquidités. En temps normal, chaque équipe reçoit, à la fin de la saison, une part des profits de la retransmission du match des Étoiles et des séries d'après-saison. Cette fois, la plus grande part de cet argent ferait cruellement défaut. Pour les clubs riches, ce manque à gagner pouvait être compensé par d'autres sources de financement – les revenus de leur propre réseau de télé, par exemple – ou en rationnalisant leurs dépenses. Les Expos n'avaient pas cette marge de manœuvre. La seule façon de traverser la tempête serait d'emprunter de l'argent ou d'obtenir une marge de crédit.

Justement, un des actionnaires du club, Jocelyn Proteau, était président et chef de la direction des Caisses populaires Desjardins de Montréal et de l'Ouest-du-Québec ; il pourrait la leur accorder, cette marge de crédit. L'ennui, c'est que Claude Brochu et Jocelyn Proteau étaient à couteaux tirés depuis quelque temps déjà. Dans son livre-témoignage *La saga des Expos – Brochu s'explique*, l'ancien commandité raconte combien Proteau se plaignait sans arrêt, s'opposant constamment à ses idées en cherchant à imposer les siennes. Un type qui « jappait fort mais mordait peu[1]. »

Quand Claude Brochu et Jacques Ménard se sont rendus le rencontrer pour obtenir cette marge de crédit, le refus fut instantané. « Proteau était ferme mais sa position était irrationnelle. Les Expos valaient 150 millions alors que la dette de l'équipe était d'à peine 10 millions. N'importe quel banquier aurait accepté de nous dépanner pour quelques mois… sauf Proteau[2]. »

Les Expos ayant cédé l'exclusivité de leurs services financiers à Desjardins (une des conditions de la participation de la Caisse à l'achat du club), ils ne pouvaient pas se tourner vers une autre institution financière canadienne. Claude Brochu a donc dû s'adresser en catastrophe au Bureau des finances du baseball majeur. Son appel arrivait à temps, le vice-président du bureau étant justement en train de conclure une entente regroupant d'autres équipes en difficulté. Les Expos se sont joints au groupe et ont ainsi pu obtenir de la CityBank de New York 50 millions canadiens sous forme de marge de crédit.

L'incident est une éloquente illustration du schisme qui était en train de s'installer entre les actionnaires et Claude Brochu.

Quand la proposition d'investir dans les Expos avait été faite aux partenaires, tous avaient accepté le mode décisionnel propre à une société en commandite. Le commandité pourrait entendre les suggestions qu'on lui ferait mais les décisions seraient de son ressort. « Au début, nous avons créé un comité de direction, dit M. Brochu. Il était purement consultatif mais comme ils auraient voulu que ça se passe à la façon d'un conseil d'administration, on a rapidement dû le démanteler[3]. » Il devenait apparent que si les partenaires acceptaient le principe du fonctionnement d'une société en commandite, ils avaient du mal à en vivre les applications.

Mais Jocelyn Proteau n'était pas le seul à rendre la vie dure à Claude Brochu. Quand les Expos ont congédié Buck Rodgers, Avie Bennett (McLelland et Stewart) a reproché à Claude Brochu de ne pas avoir consulté les actionnaires. Aussi, comme il fallait s'y attendre, les partenaires du Fonds de solidarité se sont opposés au projet d'employer des joueurs de remplacement, une mesure contrevenant bien entendu aux principes d'un syndicat. Plus tard, quand Brochu voudrait aller de l'avant dans son projet de déménagement au centre-ville, Claude Blanchet (Fonds de solidarité) s'y opposerait, jugeant que l'initiative allait à l'encontre des intérêts de l'est de la ville.

La gestion par consultation et la recherche du consensus – un modèle bien québécois – n'étaient pas exactement adaptées à un modèle de société en commandite. Aux yeux de Claude Brochu, il y aurait trop de gens mêlés aux divers dossiers, trop de piétinements et de délais, trop de fuites d'information faisant inévitablement leur chemin jusque dans les journaux. Ça ne pouvait pas être une façon de mener une équipe de baseball.

Les partenaires découvraient aussi que leur statut de copropriétaire ne leur donnait pas nécessairement accès à des informations privilégiées. Pire, ils apprenaient la dernière transaction du club dans les journaux, comme tout le monde. « Dans les cocktails ou sur les terrains de golf, on ne pouvait pas se vanter de savoir ce qui se passe derrière les portes closes des bureaux du club… », écrit Claude Brochu dans ses mémoires[4].

Ce *Québec Inc.* (les actionnaires), habitué d'influencer les décisions des entreprises auxquelles ils étaient rattachés (ou d'en être carrément les grands patrons), avait du mal à accepter qu'un *outsider* – qui n'était même pas le principal investisseur – mène la barque seul.

Par ailleurs, le consortium de propriétaires des Expos, un assemblage bigarré d'entreprises moyennes et grandes auxquelles s'étaient greffés une institution financière, une centrale syndicale et deux paliers de gouvernement, n'était-il pas condamné dès ses premières heures à une dysfonctionnalité chronique?

« Dès qu'ils sont arrivés avec ce montage-là, j'ai su que ça ne marcherait jamais », dit aujourd'hui Roger D. Landry, l'ex-président et directeur de *La Presse* (il avait aussi été vice-président et directeur du marketing des Expos pendant quelques années)[5]. L'avenir, hélas, lui donnerait entièrement raison.

Le 16 février, les camps d'entraînement ont ouvert sans qu'aucun joueur des formations régulières des 28 équipes soit sur place.

Pour les Expos, c'est à Lantana, au sud de West Palm Beach, que ça se passait, sur quatre terrains de balle entourant une grande école secondaire. Ils étaient plus d'une centaine à s'être présentés, des joueurs ayant évolué dans les réseaux du club, à Burlington, West Palm Beach, Harrisburg ou Ottawa. Quelques têtes plus connues, comme Joe Siddall, Howard Farmer, F.P. Santangelo (le favori des foules à Ottawa) ou Denis Boucher, qui espérait avoir une autre chance dans les majeures. Contrairement à d'autres clubs qui avaient invité un certain nombre de vétérans n'ayant plus d'emploi dans le baseball – comme Oil Can Boyd, par exemple –, Claude Brochu et Kevin Malone avaient préféré inviter les jeunes de l'organisation.

Une des exceptions était le voltigeur Marc Griffin, 26 ans, qui avait annoncé sa retraite au début de la saison 1994. Le président des Expos lui avait passé un coup de fil, lui promettant un boni de 5 000 $ s'il commençait la saison avec les Expos. Griffin a accepté, à la condition que si le projet ne fonctionnait pas, on lui trouve un emploi dans l'organisation. Claude Brochu a tenu promesse, et en avril, après avoir été retranché comme joueur, Marc a été embauché comme coordonnateur des promotions du club. Bientôt, il commencerait à œuvrer comme analyste à la télévision, un rôle dans lequel il a rapidement excellé.

Or, si certains souhaitaient se tailler une place comme joueur de remplacement – et toucher, pendant quelques semaines, un salaire enfin décent –, d'autres, comme Boucher et Santangelo, par exemple, avaient déjà signifié qu'ils ne participeraient pas aux matchs présaison. « Je suis ici pour me préparer à jouer pour l'équipe d'Ottawa, a déclaré Boucher. Je ne peux pas prendre le risque de gaspiller une chance de revenir dans les majeures en voulant jouer dans les équipes de remplacement. »

En effet, ceux qui resteraient pour disputer des matchs faisaient face à un sérieux dilemme. En saisissant une chance unique de se faire valoir, ils risquaient aussi de se mettre à dos la puissante Association des joueurs et d'être perçus à tout jamais comme des parias par leurs pairs. Un joueur du nom de Steve Hinton, qui avait évolué à West Palm Beach et à Burlington en 1994, était parfaitement conscient des enjeux concernant les athlètes dans sa situation : « Personne n'aime se faire traiter de briseur de grève, a expliqué le jeune homme aux médias. Mais nous crevons de faim dans les mineures (à son niveau, le salaire était de 6 000 $ par année…) et les vedettes des majeures n'ont jamais levé le petit doigt pour nous autres. Pourquoi on se battrait pour eux alors qu'ils ne nous regarderont même pas après le règlement du conflit ? »

Dans les deux dernières décennies, la disparité entre les revenus des joueurs des majeures et ceux des rangs mineurs était devenue vertigineuse. Récemment, des porte-parole des joueurs des mineures s'étaient adressés à des représentants de l'Association pour leur demander de verser dans une cagnotte leur étant destinée 2 % des revenus des produits licenciés. Don Fehr avait rejeté la demande du revers de la main, répondant que l'Association n'était pas une œuvre de charité.

Si certains gérants d'équipe s'étaient montrés ambivalents à l'idée d'entraîner des joueurs de remplacement (Sparky Anderson avait pour sa part décidé de rester chez lui en Californie), ce n'avait pas été le cas de Felipe Alou et de son équipe d'entraîneurs : « Je n'ai pas à faire payer à ces jeunes les bêtises de ceux qui se battent au-dessus de leurs têtes, a déclaré Felipe. Il y a des petits gars que j'ai dirigés à West Palm Beach il y a à peine trois ans. Nous, les Expos, croyons qu'il faut être respectueux. Ces jeunes sont ici pour s'entraîner et pour s'améliorer et nous allons faire en sorte qu'ils atteignent leurs objectifs. » Mais Felipe n'était pas pour autant emballé par le plan de match des propriétaires, qui à ses yeux manquait de « sens commun ».

Alou était comme chez lui à Lantana puisque c'est sur ces terrains qu'il préparait ses équipes alors qu'il dirigeait le club de calibre A à West Palm Beach. « J'ai passé sept ans ici. Je connais tous les lapins qui se faufilaient dans le champ gauche en passant sous la clôture… »

Le gérant admettait volontiers se sentir mal à l'aise à l'idée d'entreprendre la saison en envoyant dans la mêlée une équipe de calibre inférieur : « On ne leurrera pas les amateurs. Ils connaissent le baseball. Quand la saison va commencer, nous serons dans une ville de ligues majeures, avec des organisations de baseball majeur, mais les joueurs ne seront pas des gars de ligues majeures. C'est ça la vérité. »

Le président du club Claude Brochu ne s'attendait pas à ce que les gens accourent aux matchs mais il prévoyait attirer au Stade olympique des foules d'environ 10 000 personnes. Le prix des billets serait coupé de moitié.

La légitimé d'utiliser des joueurs de remplacement avait été soulevée dans l'entourage des Expos et des Blue Jays, mais le ministère de l'Immigration et de la Citoyenneté avait indiqué que la loi ne les en empêcherait pas, étant conçue pour empêcher des travailleurs de l'extérieur de remplacer des travailleurs canadiens en grève. Comme il était question dans ce cas de travailleurs étrangers remplaçant d'autres travailleurs étrangers, le problème ne se posait pas. Pour les Blue Jays, l'histoire serait différente, puisqu'une loi ontarienne les en empêchait. Peter Angelos, qui avait récemment fait l'acquisition des Orioles de Baltimore, avait déjà annoncé qu'il n'emploierait pas de joueurs de remplacement (précédemment, Angelos avait plaidé comme avocat pour des syndicats, et il n'avait aucune intention d'engager des briseurs de grève).

D'autres questions concernant l'intégrité du baseball commençaient à émerger ici et là : qu'adviendrait-il, par exemple, du record que s'apprêtait à établir Cal Ripken (plus grand nombre de matchs disputés sans interruption, record appartenant jusque-là à Lou Gehrig)? Si les Orioles décidaient d'entreprendre la saison avec des joueurs de remplacement, la séquence de Ripken serait-elle interrompue?

Alors que le baseball se dirigeait vers un début de saison désordonné, une intervention extérieure est venue dénouer – en quelque sorte – l'impasse.

Tout a commencé quand l'Association des joueurs a porté plainte auprès du Conseil national de relations de travail lorsque les clubs ont décidé d'imposer, entre autres mesures, un plafond salarial et l'élimination de l'arbitrage salarial. Le 26 mars, le Conseil votait en faveur du dépôt d'une injonction en cour fédérale pour empêcher les clubs d'appliquer les nouvelles dispositions. On demandait aussi que les anciennes règles soient remises en place jusqu'à ce qu'une nouvelle entente soit négociée.

Tout de suite après, les joueurs ont voté pour un retour au travail si l'injonction était retenue par la cour fédérale. Le 31 mars, la juge Sonia Sotomayor produisait une injonction préliminaire contre les propriétaires, leur ordonnant de réinstaurer les clauses de la dernière convention collective (accès à l'arbitrage, à l'autonomie après six ans, etc.) jusqu'à ce qu'une nouvelle entente soit entérinée. Le jour même, les joueurs annonçaient leur retour au travail. Quelques jours plus tard, une cour d'appel rejetait la demande des propriétaires de bloquer l'injonction.

Le 2 avril, Bud Selig annonçait le report du début de la saison régulière. On apprendrait trois jours plus tard qu'on reprendrait le calendrier initialement prévu pour 1995, mais en y retranchant les trois premières semaines. Tous les clubs disputeraient un total de 144 matchs (plutôt que les 162 habituels) ; la saison des Expos, elle, s'amorcerait le 26 avril.

La plus longue grève de l'histoire du baseball aurait donc duré 232 jours, annulant un total de 921 matchs de saison régulière. Les conséquences? Une Série mondiale annulée, une bête interruption de la longue histoire du baseball. Le résultat? Le rétablissement intégral des dispositions de l'ancienne convention collective. Tout ça pour ça...

« Le grève n'a absolument rien réglé, dit Jacques Ménard aujourd'hui. Le baseball a mal jugé la résilience des joueurs. Ça a été une grave erreur de jugement[6]. » Mark Routtenberg va dans le même sens : « Claude Brochu disait que la bataille valait la peine d'être menée parce qu'il croyait que les salaires baisseraient et que le partage des revenus nous permettrait de garder nos joueurs. Il s'est complètement fourvoyé[7]. »

De son côté, M. Brochu ne voit pas les choses du même œil. « Certes, 1994 a été *tough* pour les Expos mais pour le baseball, ça a été une bonne affaire. C'est là qu'a vraiment commencé le système de partage des revenus[8]. » « Ce sont d'autres facteurs qui sont entrés en jeu, rétorque Mark Routtenberg. La taxe de luxe est demeurée négligeable. Ce que le baseball n'avait pas prévu, c'est l'augmentation de l'argent de la télé et du *licensing*, les revenus provenant d'Internet. C'est cet argent-là qui est partagé par les clubs[9]. »

En définitive, les clubs de « petits marchés », croyant leur fin proche si ce combat-là n'était pas mené, avaient joué l'affrontement comme s'il s'agissait de vie ou de mort. Et ils avaient perdu, n'obtenant aucune concession des joueurs et perdant des millions de dollars au détour. Pour les Expos en particulier, l'hécatombe était colossale puisqu'ils avaient dû sacrifier ce qui s'apprêtait à devenir la plus belle saison de leur histoire. Sans exagérer, on peut affirmer que c'est aussi leur avenir qu'ils ont sacrifié en 1994.

Certes, M. Brochu n'a pas tort de prétendre que la grande grève de 1994 n'a pas été sans bénéfice. En effet, à partir de ses décombres s'est développée l'adhésion des clubs au principe d'un réel partage des revenus qui, ces temps-ci, dépasse les 300 millions annuellement. Aujourd'hui, les Pirates, les Brewers et les Marlins de la Floride d'un certain Jeffrey Loria bénéficient tous largement des fruits de cette péréquation. L'ennui, évidemment, c'est que les Expos de Montréal ne sont plus là pour profiter de quoi que ce soit.

Les anciennes règles de l'entente collective s'appliquant de nouveau, la donne changeait encore du tout au tout. Soudainement, les Expos avaient – de nouveau – six joueurs étoiles admissibles à l'arbitrage : Ken Hill, Marquis Grissom, John Wetteland, Moises Alou, Jeff Fassero et Mel Rojas. Larry Walker, lui, avait réclamé son autonomie et les Expos étaient résolus depuis plusieurs mois à le perdre. Déjà, les rumeurs l'envoyaient à Toronto, à Boston ou en Floride. Walker était à la recherche de 25 millions pour cinq ans.

Si la majorité ou tous ces joueurs remportaient leur cause – et, compte tenu de la saison qu'ils avaient connue, la chose était plausible – les Expos seraient incapables de respecter leurs engagements financiers, risquant très sérieusement la faillite et une mise en tutelle par le baseball. À eux seuls, les 6 joueurs admissibles à l'arbitrage pourraient commander 18 millions en 1995 – presque le budget total de l'équipe l'année précédente (18,6 M $).

Si les Expos avaient participé à la Série mondiale, ce sont des profits de 20 millions dont ils auraient disposé pour mettre sous contrat quelques-uns de ces joueurs et lancer un gros blitz de mise en marché. On était désormais loin de ce scénario.

Il n'y avait aucun doute dans l'esprit de Claude Brochu: il fallait que les plus gros salariés soient largués – et le plus rapidement possible, avant que leur cause ne soit entendu par un arbitre. Ces joueurs-là avaient pour nom Ken Hill et Marquis Grissom (qui pourraient obtenir environ 5 millions chacun en arbitrage) et John Wetteland, qui n'aurait sûrement pas de mal à obtenir 4 M $. Le président des Expos a donné l'ordre à Kevin Malone de se défaire des trois joueurs en moins de deux semaines: « Claude se disait qu'on serait la risée du baseball si on se retrouvait en arbitrage avec Grissom, Hill et Wetteland », dit aujourd'hui Mark Routtenberg[10].

« Il y avait deux écoles de pensée, explique aujourd'hui Jacques Ménard. Il y en a qui étaient disposés à garder l'un ou l'autre des joueurs mais les autres ne voulaient rien savoir. Claude voulait faire en sorte que personne du consortium ne subisse trop de pertes – à commencer par lui-même – et il avait confiance en la capacité de nos clubs-écoles de compenser la perte de ces joueurs[11]. » Parmi ceux qui souhaitaient retenir un ou deux joueurs se trouvaient Mark Routtenberg et Avie Bennett, probablement les deux plus grands fans de baseball dans le consortium. Routtenberg se désole que les Expos n'aient même pas tenté de retenir Larry Walker: « On aurait pu avoir Walker pour moins que la valeur du marché. D'autre part, en gardant un ou deux de ces joueurs, les Expos auraient pu se révéler l'équipe des années 1990[12]. » Paul Delage Roberge, un des actionnaires minoritaires, se rappelle pour sa part que la question n'a pas été débattue très longtemps: personne n'avait envie d'allonger un dollar de plus[13].

Alors que Kevin Malone se débattait comme un diable dans l'eau bénite pour tenter d'obtenir *quelque chose* en retour des trois athlètes, les joueurs réguliers des majeures faisaient leur entrée dans les divers camps de la Floride et de l'Arizona. Lou Whitaker s'est présenté au camp des Tigers en limousine; Lenny Dykstra des Phillies venait de se faire voler sa Mercedes, mais il roulait déjà en Porsche. Ken Hill est arrivé à West Palm Beach en coup de vent – l'histoire ne précise pas quelle marque de voiture il pilotait –, refusant de s'adresser aux journalistes avant de se réfugier dans la salle de traitements. La vie était vraiment de retour à la normale dans le merveilleux monde du baseball.

Le premier à partir fut John Wetteland. Le 5 avril à 11 h, Kevin Malone a convoqué la presse pour annoncer la nouvelle. En retour de celui qui était probablement le meilleur releveur de fin de match de tout le baseball, les Expos avaient obtenu un voltigeur de 20 ans du nom de Fernando Seguignol, qui était encore à quelques années d'être prêt pour les grandes ligues, ainsi qu'une somme d'argent indéterminée. Malone a piqué une colère quand un journaliste a insisté pour connaître le montant en question : « C'est ça le problème dans le monde aujourd'hui. Les gens ne parlent que d'argent. L'argent, l'argent, toujours l'argent. Je suis fatigué d'en parler. Moi, je suis un gars de baseball. Alors parlez-moi donc de baseball ! »

Selon Mark Routtenberg, c'est Claude Brochu qui a conclu la transaction directement avec George Steinbrenner, rencontré par hasard dans le train alors que les deux hommes rentraient de la Floride : « Claude m'a aussitôt appelé : "Mark, je viens de me débarrasser de Wetteland. On a eu 2 millions *cash*."[14] »

Seulement trois heures après la première conférence de presse, Kevin Malone avait d'autres nouvelles pour les membres des médias. Cette fois, c'était pour annoncer le transfert de Ken Hill à Saint Louis (l'équipe même qui avait échangé le lanceur aux Expos trois années plus tôt). Les Expos obtenaient trois autres inconnus, le lanceur de longue relève Bryan Eversgerd, ainsi que deux joueurs des mineures, Kirk Bullinger (releveur) et DaRond Stovall, un voltigeur prétendument prometteur.

Le lendemain, c'était au tour de Marquis Grissom de changer de camp. Dorénavant, il porterait l'uniforme des Braves d'Atlanta.

Comme Marquis était un produit de l'organisation et un type sympathique fort apprécié de ses coéquipiers, c'est probablement son départ qui a fait le plus mal. C'est aussi contre ses services que Malone a obtenu le plus de valeur d'échange : le vétéran voltigeur Roberto Kelly (30 ans), le voltigeur Tony Tarasco (24 ans) et un jeune lanceur, Estaban Yan (20 ans), qu'on ne verrait probablement pas à Montréal avant quelques années (en fait, on ne le verrait jamais).

Kevin Malone avait cherché à obtenir le très prometteur (et bon marché) jeune voltigeur Ryan Klesko, mais les Braves – sachant les Expos au pied du mur – avaient refusé. Au moins, avec Kelly et Tarasco, les Expos auraient des voltigeurs pour patrouiller le centre et la droite, quoique, bien entendu, on ne parlait pas de joueurs du calibre de Marquis Grissom et Larry Walker. Roberto Kelly était un joueur établi qui gagnerait 3,4 millions en 1995, mais les Braves contribueraient à assumer une partie de son salaire puisqu'ils avaient aussi accepté de verser une somme d'un peu moins de 2 millions à l'équipe montréalaise.

En réussissant à obtenir Grissom, les Braves venaient damer le pion à Dave Dombrowski et ses Marlins de la Floride, qui caressaient le projet de le mettre sous contrat comme joueur autonome, tout comme ils avaient eu l'intention de le faire pour Ken Hill (si les nouvelles règles imposées par les propriétaires étaient demeurées en vigueur, les deux joueurs seraient devenus agents libres). À l'instar des Braves, les Marlins de la Floride semblaient ne plus savoir que faire de leur argent.

La conférence de presse organisée durant la soirée du 6 avril pour annoncer la transaction Expos-Braves a peut-être été un des jours les plus sombres de l'histoire de la concession. Arrivé à l'heure pour l'événement, le pauvre Kevin Malone, l'air défait, est demeuré seul sur la tribune à attendre que daigne se présenter John Schuerholz, le directeur-gérant des Braves. Voyant que son vis-à-vis n'arrivait pas, Malone a composé un numéro sur son téléphone portable… pour réaliser que la pile était morte. Sans dire un mot, il a attendu de nouveau de longues minutes devant les journalistes avant de partir pour revenir, cette fois en compagnie de Schuerholz.

« Le contraste entre les deux hommes est saisissant, a écrit Philippe Cantin dans *La Presse* du lendemain. Malone, un gars de baseball, sait qu'il vient d'offrir la Série mondiale aux Braves en leur cédant Grisssom. Éprouvé, il le reconnaît candidement quand les caméras tournent enfin. Schuerholz, lui, est souriant et débonnaire. Comme le gars qui vient de gagner le gros lot, comme le ministre qui aime bien faire patienter son chauffeur une quinzaine de minutes.

« En dix ans de couverture sportive, poursuivait Cantin, je n'ai jamais vu un directeur général aussi finement humilié que Malone ce soir-là. Je ne connais pas John Schuerholz, il est peut-être le meilleur des hommes. Il ignorait peut-être que Malone était déjà arrivé. Mais il aurait dû prendre les moyens pour le savoir. Il n'avait pas le droit de laisser Malone sécher comme ça devant plusieurs journalistes […] Jeudi soir, jamais les Expos n'ont autant eu l'air d'une équipe de petit marché. Jamais le contraste entre les clubs riches et les pauvres n'a pris un visage si humain. »

Les deux clubs, qui partageaient le stade municipal de West Palm Beach, ne semblaient d'ailleurs pas vivre sur la même planète. Les Braves occupaient des bureaux confortables installés dans l'enceinte du stade alors que les Expos devaient se contenter d'un local en marge du stade – situé du côté du troisième but – qui ressemblait à s'y méprendre à une roulotte.

Le 8 avril, la nouvelle qu'on attendait depuis quelques mois déjà est tombée. Larry Walker avait paraphé une entente de quatre ans avec les Rockies du Colorado qui lui vaudrait 22 millions (une moyenne de 5,5 millions par saison). On comprenait mieux aujourd'hui combien les Expos (et leur offre de 12,5 millions pour trois ans) n'avaient jamais été dans la course.

« La décision de laisser partir Wetteland, Hill et Grissom, c'est moi qui l'ai prise, reconnaît sans problème Claude Brochu aujourd'hui. C'était tout simplement une question de survie de la concession[15]. »

« Le départ de Wetteland, Hill, Grissom et Walker a été un choc violent auprès de nos partisans, dit de son côté Jacques Ménard, une renonciation à une promesse qu'on leur avait faite de garder une équipe compétitive sur le terrain. C'est venu comme un *reality check* qui a surpris les partenaires du consortium. Moi, ce qui m'avait étonné, c'était l'envergure des coupures. Je n'ai rien contre une chirurgie, mais ça, c'était une amputation[16]. »

Contrairement à Mark Routtenberg, Claude Brochu croit toujours que la décision de garder deux joueurs n'aurait rien changé : « Un déficit de 15 millions plutôt que 25 millions nous aurait conduit à la faillite de toute façon[17]… »

Les médias montréalais étaient plus sur le mode de la sage résignation que sur celui de l'indignation, comme si les événements des derniers jours les avaient eux aussi confrontés plus que jamais à la dure réalité financière du sport professionnel des années 1990.

« La première impulsion est de critiquer les dirigeants des Expos, écrivait Réjean Tremblay dans *La Presse*. On a tous le goût de rêver et de jouer avec l'argent des autres. J'ai été tenté, tout comme vous, de leur crier d'investir dans le talent des vedettes de l'an dernier, j'ai été tenté d'écrire que Claude Brochu aurait dû prendre le risque de tout gagner. Mais c'était le cœur et les tripes qui parlaient, pas la raison. La raison, elle, dit que les Expos n'étaient pas assurés de tout gagner ; la raison, elle dit surtout que les partisans des Expos sont des partisans bien frileux qui attendent d'être certains que les Expos sont dans une course au championnat pour se déplacer et encourager leur équipe. La raison, elle dit que Claude Brochu a bien fait de "vendre" ses joueurs et de miser sur l'éternelle reconstruction de ses Z'Amours. Y a rien d'autre à faire. Pas parce que Montréal est une petite ville [...] Montréal est une grande ville de ligue majeure, ce sont les partisans qui sont des partisans de ligues mineures. C'est ça la vérité et si j'étais Claude Brochu, et que c'était mon argent et celui de mes partenaires financiers qui était sur la table, c'est ça que je ferais. »

Ailleurs dans le baseball, on avait observé avec intérêt la grande vente de liquidation des Expos et on se posait des questions – pas tant sur le geste des dirigeants du club que sur le contexte qui l'avait provoqué. « En 20 ans de baseball, je n'ai jamais vu de gens abattre du meilleur boulot que le gérant Felipe Alou et le propriétaire Claude Brochu, a déclaré George Steinbrenner. Ils ont mis sur pied une équipe comptant la deuxième plus petite masse salariale du baseball mais qui a remporté plus de matchs que toutes les autres. Si leurs fans ne veulent pas supporter ça, ils ne méritent pas une équipe. »

Le vétéran Don Mattingly des Yankees abondait dans le même sens : « Je ne sais pas si Montréal mérite une équipe. Les partisans avaient la meilleure équipe du baseball et ils ne sont pas allés au Stade. Mettez cette équipe à Charlotte (en Caroline du Nord) et je vous garantis que les gens courront la voir jouer. » Deux anciens joueurs des Expos, Andre Dawson et Delino DeShields ont joint leurs voix à celles-là, traçant un portrait négatif de Montréal en tant que terre d'accueil pour le baseball.

« Le baseball ne marche pas à Montréal, a écrit Tom Keegan du *New York Post*. Seuls le hockey et la mode marchent. La journée la plus dévastatrice de l'histoire des Expos n'était même pas la plus grosse nouvelle de sport dans les journaux du lendemain. »

Quand on tient compte de son formidable rendement de 1994, il est vrai que l'équipe aurait mérité qu'on la soutienne davantage. La moyenne de spectateurs par match (18 189) était loin derrière celle de l'ensemble des majeures (31 256).

Mais fallait-il pour autant se demander si Montréal « méritait » une équipe ? Même si les comparaisons sont toujours boiteuses, il demeure que les Expos avaient attiré une moyenne de spectateurs supérieure à celle des Canadiens (qui jouaient à l'époque au Forum), et qu'ils le faisaient sur 81 matchs, pas 42. De plus, en 1994, les Expos ne figuraient tout de même pas au bas de la liste au chapitre de l'assistance : dans la Nationale, les Padres, les Pirates et même les Mets avaient attiré moins de spectateurs qu'eux. N'oublions pas non plus que les Expos disputaient leurs matchs dans une enceinte mal aimée – et dans un secteur de la ville qui n'était pas des plus attrayants.

Justifiées ou pas, les récentes critiques sur la tiédeur des amateurs de baseball montréalais correspondaient assez fidèlement à un glissement dans la perception américaine de la réputation de Montréal comme « ville de baseball ». Dans une entrevue accordée à Philippe Cantin de *La Presse*, Claude Brochu confirmait cette impression : « En toute honnêteté, il n'y a plus beaucoup de gens sympathiques à Montréal dans le baseball. Les joueurs, le syndicat et les propriétaires voteraient unanimement en faveur du déménagement de l'équipe si cette possibilité leur était offerte. Je ressens des pressions indirectes quand on discute de partage des revenus, par exemple. »

Le journaliste se demandait pourquoi le président des Expos continuait à croire pouvoir renverser la tendance alors qu'il n'avait ni l'appui inconditionnel du monde corporatif ni celui du public : « Si Montréal veut être une grande ville d'Amérique du Nord, elle ne peut pas abandonner son club des majeures. On est quand même des Nord-Américains, pas seulement des Québécois. On fait partie de l'ensemble du continent », a répondu M. Brochu.

« Une équipe des majeures, c'est une mesure et un critère qui projettent qu'on est une ville importante. On ne doit pas analyser sa présence uniquement dans un contexte microsportif. Il faut tenir compte des aspects économique, social et culturel. Ne minimisons pas l'impact des Expos pour Montréal et pour tout le Québec. Ça vaut la peine de se battre pour leur survie. »

Comme au printemps 1990, le camp d'entraînement a été une affaire de quelques semaines ; pour les Expos, le « vrai » calendrier présaison a été réduit à 11 matchs. La surprise du camp a été l'étonnant rendement de l'arrêt-court de 24 ans Mark Grudzielanek, qui a produit 11 points sur 13 CS en seulement 10 rencontres. Joueur de l'année de la Ligue Eastern (AA) en 1994, Grudzielanek a convaincu ses patrons de le « monter » dans le grand club, même s'il n'avait jamais évolué au niveau AAA et même si le poste d'arrêt-court était en principe celui de Wil Cordero.

Parmi les nouvelles têtes figurait un joueur qui rappellerait de bons souvenirs aux amateurs des Expos, Carlos Perez – le frère cadet de Pascual, l'ancien des Expos dont la carrière avait complètement dérapé après son départ pour New York. C'est sous la recommandation de Pascual (à l'époque où il était encore à Montréal) que le club avait mis sous contrat le lanceur gaucher alors âgé de 17 ans. (Pascual n'était pas le seul de la famille à précéder Carlos dans les majeures : avant celui-ci étaient aussi venus Melido, Valerio, Vladimir et Reuben Dario…)

Carlos avait roulé sa bosse dans les ligues de recrues et dans le A pendant cinq saisons, ratant la majeure partie de la saison 1992 en raison de blessures et d'une suspension pour des raisons disciplinaires (non-respect du couvre-feu). Mais en 1994, le benjamin s'était avéré un des meilleurs artilleurs à Harrisburg et Ottawa. Lui aussi resterait à Montréal, où on lui confierait bientôt un poste de partant (derrière Jeff Fassero, Pedro Martinez, Kirk Rueter et Butch Henry).

Le 7 avril, les Expos ont invité à West Palm Beach un des meilleurs releveurs des années 1980, peut-être le meilleur de l'histoire du club avec Mike Marshall et John Wetteland : Jeff Reardon. Après un séjour au Minnesota et ensuite à Atlanta – où il avait aidé les deux clubs à se rendre jusqu'en Série mondiale –, Reardon avait brièvement séjourné avec quelques équipes avant d'être libéré par les Yankees en mai 1994.

Ses lancers n'avaient plus leur mordant d'autrefois, mais peut-être que son expérience pourrait profiter – à bon marché – à ce jeune club, tout comme la présence de Gary Carter avait été positive pour les jeunes Expos de 1992. Hélas, Reardon n'a pas réussi à se convaincre lui-même qu'il pouvait encore exceller au niveau majeur et le 20 avril, il accrochait ses crampons.

De retour dans le Nord, joueurs et instructeurs y sont allés de leurs traditionnelles prévisions optimistes : « Nous sommes un groupe confiant, jeune, prêt à se serrer les coudes, qui croit en ses chances de gagner » (Darrin Fletcher). « Malgré le départ de Ken Hill et John Wetteland, nous possédons l'un des meilleurs groupes de lanceurs de la ligue » (Joe Kerrigan, instructeur des lanceurs). « Outre le départ de Wetteland, nous avons le même enclos de releveurs » (Jeff Fassero).

Felipe Alou, lui, demeurait réaliste : « J'aime notre talent mais nous avons quand même perdu quatre gros noms. Je ne sais pas à quoi m'attendre mais l'an dernier non plus, je ne savais pas à quoi m'attendre. Il faudra être patient avec tous ces athlètes en développement. Je crois trop en Dieu pour faire des prédictions mais je peux affirmer que nous allons nous botter le derrière chaque jour. » Alou trouvait son club rapide, pourvu d'un bon potentiel offensif et d'une défensive solide. Il admettait toutefois que les lanceurs constituaient un point d'interrogation.

Le directeur-gérant Kevin Malone a fait de son côté une évaluation plus globale – et plus sombre – de la situation des Expos. Il avait entendu les critiques provenant de l'autre côté de la frontière demandant si Montréal méritait une équipe des majeures. Il ne niait pas que 1995 pourrait être la dernière année du club à Montréal et que les propriétaires analysaient toutes les options, incluant la vente à des intérêts américains. Il se faisait effectivement du travail en coulisses du côté d'un groupe de la Virginie et d'un autre de Caroline du Nord qui cherchaient à faire l'acquisition d'une concession en difficulté. Et même si c'était désagréable de l'admettre, un peu plus de trois ans après le rachat du club par un groupe d'actionnaires québécois, on ne pouvait nier que les Expos de Montréal étaient une concession en difficulté.

On le verrait bientôt, les concessions en difficulté dans l'univers du sport professionnel des années 1990 pouvaient très rapidement décider de sortir d'un marché. L'échec des clubs de la LNH à mettre un frein à la hausse des salaires lors du conflit de travail qu'avait aussi connu le hockey l'année précédente, et le refus du gouvernement du Québec de participer à la construction d'un nouvel amphithéâtre avaient convaincu Marcel Aubut, le propriétaire des Nordiques de Québec, de vendre son club. Peu après les séries éliminatoires de la coupe Stanley de 1995, l'équipe (pourtant solidement appuyée aux guichets par les amateurs de hockey de la capitale) passait subitement à un groupe d'acheteurs américains. Dès l'automne, les Nordiques devenaient l'Avalanche du Colorado, et le printemps suivant, dans un karma évoquant une certaine équipe de baseball montréalaise, ils remportaient la 1re coupe Stanley de l'histoire de la concession.

Plutôt que de faire valoir ce que Montréal et le Québec perdraient si les Expos quittaient le pays, Kevin Malone posait la question autrement. À ses yeux, c'est d'abord le baseball qui serait perdant en laissant les Expos quitter Montréal, justement en raison de sa spécificité culturelle et de la diversité qu'elle apportait au baseball. Si l'industrie tenait vraiment à s'internationaliser, elle devait trouver une façon de demeurer dans le plus grand marché francophone d'Amérique du Nord.

« Le baseball est une grande famille de 28 membres, et chaque membre devrait être traité avec patience et compassion. On ne devrait pas présenter un modèle dysfonctionnel à nos fans, arguait le DG. Ceux qui veulent déménager des franchises contribuent sans grande sagesse à la rupture de la famille américaine (et canadienne). C'est comme dans un mariage. Quand ça ne fonctionne pas, beaucoup de gens optent pour la solution facile et se séparent. Les gens n'accordent pas suffisamment de soin à leurs relations. L'Amérique cherche toujours la voie facile. Et la voie facile n'est pas nécessairement la bonne. »

Depuis plusieurs semaines, les observateurs se demandaient comment le public sportif nord-américain accueillerait les grévistes rentrés au travail. Ils n'ont pas tardé à avoir leur réponse.

Le match d'ouverture des Expos avait lieu le 26 avril à Pittsburgh. Venus en moins grand nombre qu'à l'accoutumée pour un match d'ouver-

ture (34 841), les amateurs ne se sont pas gênés pour exprimer leur mécon-
tentement aux joueurs des deux clubs. Pendant tout le match, les joueurs
se sont fait huer – en particulier Jay Bell, le représentant syndical chez les
Pirates –, les fans jetant toutes sortes d'objets (bouteilles de bière, balles
– même des bâtons) sur le terrain tout en invectivant les joueurs. Pierre
Arsenault, le coordonnateur des releveurs chez les Expos, disait en avoir
entendu de toutes les couleurs : « Les gens nous criaient des insultes au
sujet de la grève et des salaires ; il y avait beaucoup de frustration. Tout le
monde nous demandait des balles. Quand on leur a expliqué qu'on ne
pouvait pas leur en donner, ils sont devenus encore plus en colère. » Sean
Berry, le troisième-but des Expos, se disait consterné : « Je suis très déçu.
Le pire, c'est que ce sont des adultes qui faisaient tout ce grabuge, pas des
jeunes. Ils lançaient des projectiles qui auraient pu être dangereux s'ils
avaient frappé des jeunes assis dans les premières rangées. »

Felipe Alou s'attendait à des réactions de frustration, mais pas de cette
virulence : « On voit des choses aux États-Unis qu'on ne voyait pas avant.
Ce genre de comportement s'observe au Venezuela ou en République
dominicaine, mais je ne croyais jamais voir ça ici, aux États-Unis.

Le lendemain, les amateurs étaient tout aussi fâchés mais leur colère
s'est exprimée autrement : seulement 7 047 spectateurs se sont donné la
peine de se rendre au Three Rivers Stadium.

À Toronto, au lendemain de leur match d'ouverture, les Blue Jays se
sont produits devant « seulement » 31 073 spectateurs, la plus faible foule
depuis l'ouverture du Skydome à l'été 1989. En réalité, ce chiffre correspondait au nombre de billets vendus sur place, ils étaient beaucoup moins
nombreux que cela.

Quel type de réception les amateurs de baseball montréalais réserveraient-ils aux héros du losange ? Comment exprimeraient-ils leur frustration
d'avoir été privés d'une fin de saison potentiellement extraordinaire ?

Prouvant qu'ils étaient vraiment des fans comme nulle part ailleurs,
les Montréalais ont réservé un accueil triomphal à leurs Expos, les 46 515
spectateurs manifestant joyeusement tout au long du match. Ils se sont
époumonés quand l'équipe a marqué 6 fois en 3ᵉ manche, tout comme ils
ont réservé une ovation debout à Felipe Alou quand il a piqué une colère
(une histoire de substitution refusée) entraînant son expulsion par l'arbitre. Ils avaient déjà ovationné le bien-aimé gérant lors de la présentation
d'avant-match.

Personne n'a chahuté Darrin Fletcher (le représentant syndical des
Expos), un spectateur a facétieusement retourné sur le terrain une balle
qu'un joueur du club adverse avait frappée pour le circuit – une tradition

du Wrigley Field –, et la foule a longuement scandé A-LOU, A-LOU quand son favori Moises Alou a cogné un double puis un long coup de circuit. Les Expos ont battu les Mets 9-6 et les fans sont repartis comblés.

L'accueil délirant des Montréalais mettait un bémol sur le concert de critiques entendu sur la prétendue tiédeur des amateurs de baseball de la ville. « À Montréal, les choses se passent toujours différemment, constatait Claude Brochu, heureux de la tournure des événements. Nos partisans n'en veulent pas à nos joueurs parce que ceux-ci ont été également victimes de ce conflit. »

La veille du match inaugural, le président des Expos s'était rendu rencontrer les joueurs avant leur entraînement sur le terrain du Stade pour faire le point sur toutes les rumeurs qui avaient affecté le club dans les dernières semaines. Il était bien au courant de la frustration de Moises Alou, dont les négociations en vue d'un contrat à long terme tournaient en rond, tout comme de la colère de Pedro Martinez, qui, pour une deuxième année de suite, avait vu les Expos renouveler automatiquement son contrat pour une somme (270 000 $) nettement en dessous de sa valeur. Furieux, Martinez avait d'ailleurs récemment boycotté un des entraînements du club.

Flanqué de Kevin Malone, Claude Brochu a dit aux joueurs qu'il comprenait leur déception d'avoir vu partir quatre des meilleurs joueurs de l'équipe. « Même s'il faut vivre avec les contraintes de notre marché, je veux que vous sachiez que nous voulons maintenant signer des ententes à long terme avec nos joueurs vedettes. Nous voulons aussi tout faire pour que vous soyez heureux à Montréal. On va orienter nos efforts vers la famille. On veut que vous et vos familles vous sentiez chez vous avec les Expos. »

Un peu plus tôt dans la semaine, Kevin Malone avait juré aux journalistes que le club ne se débarrasserait pas du nouveau venu Roberto Kelly (et de son salaire de 3,4 millions) à la première occasion. Mais le DG ouvrait tout de même une petite porte : « Mais si une occasion de transaction bénéfique pour le club devait se présenter… »

Felipe Alou avait apprécié l'initiative de Claude Brochu : « Ses paroles venaient du fond du cœur et les joueurs ont apprécié. Depuis leur arrivée au camp, les joueurs avaient entendu toutes sortes d'histoires. Le discours de M. Brochu a nettoyé l'air. »

Pour faire leurs frais, les Expos devraient attirer 1,7 million de spectateurs en 1995. Or, malgré la grève et la grande vente de liquidation du début avril, l'objectif, en ce début de saison, ne semblait pas irréalisable. Le public avait envoyé un excellent premier signal au club mais, surtout, l'achat récent de 2 000 billets de saison par le groupe Pharmaprix avait porté le nombre d'abonnements à 9 000, un chiffre fort respectable dans le contexte que l'on connaissait. Ce plateau de 9 000 billets de saison, c'était après tout bien près du sommet du club (10 300) établi en 1983, alors que les Expos avaient obtenu leurs meilleurs scores aux guichets, soit 2 320 651 spectateurs.

Une fois de plus, alors qu'on ne donnait plus cher de leur peau, les Expos semblaient de nouveau prêts à rebondir.

Le club a connu un très bon départ et à la mi-mai, après avoir enlevé trois matchs de suite aux Mets à New York, il présentait une fiche de 11-7.

Moises Alou, Tony Tarasco et Roberto Kelly menaient l'offensive, bien appuyés par Rondell White, dont le solide coup de bâton forçait Felipe Alou à lui trouver une place dans l'alignement. Wil Cordero continuait son bon travail à l'avant-champ, Mark Grudzielanek s'imposait comme un réserviste plus qu'adéquat et Darrin Fletcher était une force stabilisante derrière le marbre. Jeff Fassero et Pedro Martinez apportaient de l'aplomb à un personnel de lanceurs inexpérimenté.

Lors du quatrième match de la série contre les Mets, les Expos ont connu leur première infortune de la saison. Après avoir frappé un faible roulant du côté gauche du monticule, Todd Hundley des Mets a couru à plein régime vers le premier but. Récupérant la balle, le lanceur Gil Heredia l'a rapidement relayée à Cliff Floyd. Le tir étant devant le but, Floyd a étendu le gant pour toucher Hundley au passage. Le gant a frappé l'épaule du coureur, renversant complètement la main du malheureux joueur de premier but. Floyd est tombé à genoux en hurlant de douleur, la balle sortant de son gant sur le jeu. C'était loin d'être la plus fâcheuse conséquence de l'incident : Floyd venait de subir des fractures et dislocations à six des huit os à la base du poignet, se déchirant aussi des ligaments : le genre de blessure qui peut facilement mettre fin à une carrière.

Le pauvre Floyd a dû demeurer plusieurs jours à l'hôpital avant de subir la première de trois opérations – suivies par une longue période de rééducation.

La recrue de 22 ans, annoncée depuis 3 ans comme la future grande vedette du baseball, ne connaissait peut-être pas un début de saison convaincant sur le plan offensif (,173), mais son travail à la défensive rehaussait considérablement le jeu de ses partenaires du losange.

Pressé de trouver un remplaçant au jeune homme, Kevin Malone a fait l'acquisition du premier-but Henry Rodriguez et du joueur d'intérieur Jeff Treadway, des Dodgers de Los Angeles. Pour mettre la main sur ces joueurs, les Expos cédaient le lanceur Joey Eischen et, surprise, surprise, Roberto Kelly et son dodu salaire...

Le 24 mai, lors d'un match contre les Padres à Montréal, Rodriguez s'est rapidement signalé en frappant un simple à sa première présence au bâton et un circuit (produisant le point gagnant) en fin de 8e. Henry deviendrait un des grands favoris de la dernière décennie de l'histoire des Expos – mais il faudrait attendre encore un peu, car une semaine plus tard, il quittait un match en raison d'un spasme à la jambe droite. Le lendemain, on découvrait qu'il souffrait d'une fracture au tibia, une blessure qu'il s'était infligée alors qu'il portait l'uniforme des Dodgers... Le 2 juin, le nom de Rodriguez était inscrit sur la liste des blessés et on ne le reverrait pas avant la mi-août.

Mike Lansing venait d'être mis au rencart (élongation à la jambe), et Rondell White et Sean Berry soignaient aussi des blessures.

Quand une équipe demande à ses joueurs de se pousser constamment à fond, c'est le risque qu'elle court. « Il nous faut être combatifs, a dit Felipe Alou, alors nous poussons les chevaux au maximum, soir après soir. Mais le prix à payer, ce sont les blessures. »

Malgré tout, l'équipe tenait son bout. Au début juin, les Expos étaient au 2e rang de l'Est, à seulement 3 matchs des Phillies de Philadelphie. Étonnamment, les Braves, au 3e rang, jouaient pour à peine plus de ,500.

Une des raisons des succès des Expos de début de saison avait été l'arrivée du flamboyant lanceur Carlos Perez. « Un Pascual gaucher », avait dit Felipe Alou en cherchant à le décrire durant le camp d'entraînement. Comme Pascual, Carlos était spectaculaire : il claquait des doigts après un bon tir, pompait du poing après un retrait, imitait le geste d'un arbitre annonçant une prise.

En République dominicaine, Felipe Alou avait vu à l'œuvre Juan Perez, le père de Pascual, Carlos et compagnie, et il voyait bien d'où ils tenaient leur inspiration.

Plusieurs joueurs trouvaient Carlos rigolo (« Il est toujours de bonne humeur et passe son temps à raconter des histoires à ses compatriotes espagnols, a dit Tim Laker. Ça me donne envie d'apprendre l'espagnol. ») Mais même si quelques adversaires appréciaient son style (« Il est coloré et c'est bon pour le baseball. On a besoin de gars comme lui pour ramener les fans », pensait Bret Boone des Reds), d'autres appréciaient moins son style *hot dog*. Le lanceur Tim Pugh des Reds a déclaré qu'il lui lancerait dessus si l'occasion lui en était donnée et le gérant des Dodgers Tommy LaSorda s'est demandé comment il se comporterait quand une équipe« lui botterait le derrière ». Pour l'instant, il n'y avait pas moyen de le savoir puisque Carlos avait remporté ses 5 premiers départs (MPM de 1,54).

« Étrangement, une de ses forces, c'est qu'il ne connaît pas les frappeurs qu'il affronte, a dit Felipe Alou. L'autre jour, quand je l'ai complimenté sur la façon dont il avait lancé à Jeff Bagwell (alors une des vedettes des Astros de Houston), j'ai vu à son regard qu'il n'avait aucune idée de qui était Jeff Bagwell. »

Carlos Perez a été un autre de ces talentueux jeunes athlètes à qui tous les espoirs étaient permis et dont la carrière a tourné court.
Club de baseball Les Expos de Montréal

D'autres lanceurs avaient contribué aux succès des Expos, comme Jeff Fassero (7-1), Mel Rojas (11 matchs sauvegardés) et celui dont on découvrait encore le grand talent, Pedro Martinez.

Dans un match disputé le 3 juin à San Diego, Pedro a complètement muselé les frappeurs des Padres pendant 9 manches, aucun des 27 frappeurs à l'affronter n'ayant pu se rendre sur les sentiers. Mais alors qu'il aurait pu devenir le 2ᵉ Expo de l'histoire à lancer un match parfait, Pedro a dû remonter sur le monticule en 10ᵉ manche puisque son club avait été incapable de lui fournir un seul point.

Or, en début de 10ᵉ manche, les Expos se sont finalement inscrits au pointage, marquant un point sur un simple du réserviste Jeff Treadway. En retournant au monticule en fin de 10ᵉ, Pedro Martinez devenait seulement le 2ᵉ lanceur de l'histoire à poursuivre un match parfait jusqu'en manches supplémentaires (l'autre étant Harvey Haddix des Pirates qui, en 1959, avait lancé 12 manches parfaites avant d'être battu en 13ᵉ manche).

Mais Bip Roberts, le premier frappeur à se présenter au marbre en fin de 10ᵉ, a rapidement fait tomber Pedro de son nuage en cognant un double dans la droite. Felipe Alou a aussitôt remplacé son lanceur par le releveur Mel Rojas et trois retraits plus tard, la victoire de 1-0 était confirmée. Malheureusement pour Pedro, son exploit ne serait pas considéré comme un match parfait, puisque pour que ce soit le cas, le lanceur doit compléter le match.

C'était la deuxième fois en deux saisons que Pedro flirtait avec la perfection. Joueurs et dirigeants de la Ligue nationale commenceraient-ils enfin à le voir comme autre chose qu'un chasseur de têtes? Pas encore, semblait-il : l'idée qu'on s'était faite de lui était tenace et Pedro s'était de nouveau retrouvé au centre de controverses, non sans raisons toutefois (il atteindrait 11 frappeurs en 1995, comme en 1994).

Felipe Alou en avait marre d'entendre les gens se plaindre de la façon de lancer de Martinez : «Ils n'aiment pas voir un petit Noir de la République dominicaine, un petit bonhomme de 165 livres, lancer une partie parfaite. Quand Don Drysdale lançait à l'intérieur, personne ne s'en formalisait. Qu'est-ce que Pedro peut faire de plus? Il a une fiche de 15-6 depuis son arrivée avec nous, il compte des tas de retraits au bâton. Contre les Padres, il lançait des rapides à 94 MPH qui bougeaient et qu'il plaçait où il voulait.

«Pedro est un jeune lanceur que nous tentons de développer. J'ai vu des jeunes comme Steve Blass ou Rich Wortham voir leur carrière prendre fin avant le temps parce qu'ils avaient peur de lancer à l'intérieur. Il y a des gens qui ne connaissent pas la *game* et qui jugent Pedro. Mais Pedro vaut mieux que tous ces gens...», avait conclu le gérant des Expos.

Après le retrait de l'alignement d'Henry Rodriguez, Kevin Malone s'était immédiatement remis au téléphone et le 8 juin, il obtenait le jeune vétéran (28 ans) David Segui des Mets de New York, contre un lanceur, Reid Cornelius.

Confiné au rôle de réserviste chez les Mets, Segui n'avait pas l'intention de subir le même sort à Montréal. Dans ses 23 premiers matchs, il a frappé pour une moyenne de ,359, méritant le titre de Joueur du mois de juin. Puis, en juillet, il a entrepris une série de 18 matchs avec au moins un coup sûr, ce qui lui a de nouveau valu d'être élu Joueur du mois. Segui apportait au club plus qu'un coup de bâton : sa présence imposante en a fait un leader instantané dans un vestiaire peuplé de joueurs encore en perfectionnement. Son acquisition serait – avec celle d'Henry Rodriguez – l'un des principaux faits d'armes de Kevin Malone avec les Expos.

Mais un joueur ne fait pas un club et une semaine après son arrivée, les Expos ont amorcé une glissade qui leur a valu de perdre 13 matchs sur 15. Depuis les débuts de Felipe Alou à la barre de l'équipe, jamais l'équipe n'avait connu un tel passage à vide.

Après le formidable début de saison de Jeff Fassero, on avait commencé à parler de lui comme d'un candidat sérieux au Cy Young. Coïncidence ou non, le gaucher a ensuite subi quatre défaites de suite. Pedro Martinez lançait bien, mais les victoires ne suivaient pas. Carlos Perez avait perdu de son infaillibilité de début de saison, et un peu de sa chance aussi : le 25 juin, alors qu'il était assis dans l'abri des joueurs, une fausse balle frappée en flèche l'avait atteint à l'arrière de la tête, l'envoyant au pays des rêves pendant une dizaine de minutes.

Moises Alou – peut-être déconcentré par l'interminable renégociation de son contrat – ne frappait pas avec l'aplomb de 1994. Bientôt sa saison serait affectée par une blessure sérieuse – et une tragédie familiale.

Le 13 juillet, Alou s'est blessé à l'épaule droite en plongeant pour capter une balle ; le 14 août, il aggravait la blessure en donnant contre la rampe dans un match à Philadelphie. Après deux séjours sur la liste des blessés, Moises a dû interrompre sa saison pour subir une arthroscopie à chacune des épaules. Il ne participerait qu'à 93 rencontres en 1995.

Sur le plan personnel, Moises a vécu une année particulièrement éprouvante. Son épouse connaissait déjà une grossesse difficile quand elle a appris le double meurtre de son père et de son frère dans un hold-up de leur épicerie de Brooklyn.

D'autres joueurs ne connaissaient pas leur succès de 1994. Mike Lansing semblait perdu au bâton, Wil Cordero s'est remis à lancer la balle de travers et Sean Berry était en train de perdre la confiance de Felipe Alou par son jeu de pieds erratique et son incapacité à produire avec des coureurs sur les buts.

« Le départ des quatre joueurs avant la saison a brisé l'équilibre de notre équipe, déclarait Felipe Alou quelque temps avant la pause du match des Étoiles. Ça a nui au développement de nos jeunes joueurs. On a sept ou huit recrues qui n'ont pas de coéquipiers d'expérience pour les encadrer. Mais je crois encore à nos chances d'être de la course au championnat. En 1993, nous étions à 15 matchs des Phillies avant de revenir dans la course. Je ne lance pas la serviette. Je ne lancerai jamais la serviette. Jamais. Nous avons le même club qu'en début de saison ; nous allons revenir et remporter une large part de matchs, j'en suis convaincu. »

Or, le club qui gagnait sa part de matchs en juillet 1995, c'était les Braves d'Atlanta : 9 victoires de suite avant le congé de mi-saison. Résultat : ils occupaient maintenant seuls le 1er rang, devançant les Phillies par 4 matchs. La troupe de Felipe Alou (32-37) suivait en 3e, à 11 ½ parties du sommet. Il ne fallait pas se surprendre : en retranchant Marquis Grissom de leur alignement et en le transférant à leurs rivaux de l'Est, les Expos leur avaient quasiment servi le championnat sur un plateau d'argent.

Les Expos ont bien commencé la deuxième moitié de saison, remportant 7 des 9 matchs d'un séjour à domicile pour ramener leur moyenne de victoires-défaites à ,500. Mais ils n'ont pu faire mieux que de se rapprocher à 10 matchs des Braves, l'équipe de l'heure. Bientôt une évidence s'imposerait : les Braves étaient trop forts et les Expos, bien que comptant sur quelques joueurs de talent, n'avaient ni l'expérience ni la profondeur qu'avait l'édition de 1993, celle qui avait sérieusement inquiété les Phillies en fin de calendrier. En août et septembre, le club a vu l'écart le séparant des Braves passer de 12 à 24 matchs, et si une poussée victorieuse (8-2) du début août a fait rêver quelques amateurs, une déroute de 6 défaites consécutives les a vite ramenés sur terre. C'est durant cette période qu'ils ont perdu les services de Moises Alou et du partant Butch Henry (coude gauche). L'équipe n'avait tout simplement pas assez de ressources pour se relever de ces revers de fortune. Il ne restait donc plus qu'à poursuivre le développement des joueurs et préparer la prochaine année.

Rondell White avait connu une fin de saison formidable, et la presse l'avait élu Joueur du mois en août et septembre. Rondell ne faisait pas que frapper pour la moyenne (,295), ses claques étaient retentissantes (un impact bâton-balle que Felipe Alou comparait à de la foudre) : le 22 septembre, un élan sur un lancer de Steve Avery des Braves a propulsé la balle sur une distance de 422 pieds dans les gradins du champ gauche au Stade olympique.

Plus tôt dans la campagne, le 11 juin, White avait cogné 6 coups sûrs en 7 (dont un carrousel – simple, double, triple et circuit) dans un match contre les Giants à San Francisco. En réalité, il connaissait même une meilleure saison que son prédécesseur Marquis Grissom, et il bouclerait l'année avec 13 CC, 57 PP et 25 buts volés.

Pedro Martinez dominerait les lanceurs au chapitre des victoires avec 14, une de plus que Jeff Fassero, 4 de plus que Carlos Perez.

La fin de saison de Perez a vraiment été à son image : imprévisible. On l'a vu parfaitement capable du meilleur… comme du pire.

Le 22 août, lors d'un match contre Los Angeles au Stade olympique, Perez a contesté la légitimité d'un circuit des Dodgers (il arguait que la balle était fausse), bousculant l'arbitre du marbre. La direction de la Ligue nationale l'a suspendu pour quatre matchs.

De retour au jeu après une semaine (il avait aussi raté trois jours pour soigner un mal de dos), Perez a commencé un match contre les Giants à San Francisco avec la consigne de ne pas dépasser les 60 lancers. Or, en 7e manche, Carlos avait dépassé ce seuil mais il était sur le point de lancer un match sans point ni coup sûr. Il avait déjà retiré deux frappeurs des Giants (Deion Sanders et Barry Bonds) quand il a accordé un but sur balles à Matt Williams, le quatrième frappeur de l'alignement. Le dernier lancer de Carlos à Williams étant son 83e de la soirée, Felipe Alou est sorti de l'abri et l'a sorti du match – sous les huées des fans des Giants, qui auraient bien aimé assister à un moment historique, même aux dépens de leur club.

Étonnamment, Perez n'en voulait aucunement à son gérant : « Je comprends. Je suis même surpris qu'on m'ait permis de lancer autant. Je tiens à remercier Felipe de m'avoir laissé lancer en 6e et 7e manches. »

Malheureusement, une victoire de 1-0 s'est transformée en défaite de 2-1 quand Mel Rojas, venu en relève en 9e, a failli à la tâche. « Comme tout le monde, je veux voir un de nos jeunes réussir un match sans point ni coup sûr, a expliqué Felipe Alou après le match. Mais je veux le voir lancer dans cinq jours. De plus, l'état de son dos me préoccupe : en trois présences au bâton, il ne s'est pas élancé une seule fois (il s'était contenté de tenter des coups retenus). »

C'est lors d'un séjour de fin de saison à Atlanta qu'est apparu le côté Mister Hyde de Carlos Perez. Après lancé (et perdu) le match que disputait son équipe aux Braves le 22 septembre, Perez a fait la rencontre d'une jeune femme dans un bar. Après une ou deux consommations, il l'aurait forcée à le suivre dans un taxi puis jusque dans une chambre d'hôtel où il aurait tenté de la violer. Le lendemain, alors que les Expos disputaient un autre match aux Braves, Perez était détenu provisoirement dans une prison d'Atlanta. Il ne lancerait plus de la saison.

Plus tôt dans le mois, les joueurs des Expos avaient collectivement fait la démonstration d'un flagrant manque de jugement en saccageant l'intérieur d'un avion les ramenant de San Francisco à Montréal. Ils avaient endommagé 18 sièges de l'engin et renversé tellement de bière sur le tapis qu'il devrait être remplacé.

C'est le comportement d'un des joueurs du club, le deuxième-but Mike Lansing, qui a surtout retenu l'attention. Alors que l'agente de bord d'Air Canada donnait les instructions de sécurité en français, un Lansing avec quelques bières dans le corps s'est mis à la haranguer, sans doute pour faire rigoler ses camarades : « On n'a pas à écouter cette merde. Tout le monde ici comprend l'anglais. »

Le *timing* de Lansing ne pouvait pas être plus mauvais : le jour où l'histoire est sortie dans les journaux, le gouvernement du Parti québécois venait tout juste de rendre publique sa question référendaire en vue de la consultation publique qui aurait lieu le 30 octobre suivant. Bref,

Mike Lansing n'a pas toujours eu la meilleure manière de se faire apprécier des amateurs montréalais hors terrain, mais il était un féroce compétiteur estimé par ses coéquipiers.
Club de baseball Les Expos de Montréal

la question identitaire était de nouveau au cœur des préoccupations des Québécois. Pour les Expos, toujours soucieux de créer un pont entre les joueurs et le public, les frasques de Lansing représentaient un vrai cauchemar de relations publiques.

«Mes propos ont été sortis de leur contexte, a par la suite déclaré un Lansing rapidement mis en mode *damage control*. Tout a été grandement exagéré. Si j'ai insulté qui que ce soit, je m'en excuse. La vérité, c'est que je n'ai que du respect pour les gens d'ici.» À sa décharge, il est probable que l'esclandre s'était voulu plus irrévérencieux que dénigrant. Mais Lansing pouvait bien tourner la chose comme il le voulait, le mal était fait et l'incident marquerait à jamais son passage dans l'équipe.

Au moment de graduer avec les Expos au début de 1993, Lansing était un jeune homme heureux d'être à Montréal, savourant pleinement – et avec modestie – sa chance d'être passé du baseball indépendant au baseball majeur. Mais le rythme de vie des grandes ligues – et aussi, dans une certaine mesure, sa fréquentation de types à l'humour caustique comme Larry Walker –, lui avait fait perdre en route une partie de sa bonhomie. Comme Walker, il faisait maintenant dans l'humour politiquement incorrect. Un jour, dans le cadre d'une émission de télé, il s'est baladé dans les rues de Montréal suivi d'une caméra, demandant aux passants s'ils avaient déjà entendu parler d'un joueur des Expos du nom de Mike Lansing. Certaines des personnes interrogées semblant à peine savoir que les Expos étaient un club de baseball, Lansing et l'équipe de production avaient bien rigolé. Disons qu'on était loin des efforts de Rusty Staub et Gary Carter pour faire apprécier leur sport aux Québécois...

Quant au comportement délinquant des joueurs pendant le vol, la réaction de la direction fut sans appel : «Dès que nous saurons le nom des responsables des dommages, ces joueurs-là recevront une facture pour dédommager le transporteur», a dit Bill Stoneman, le vice-président aux opérations du club.

Il aura fallu une fantaisie – concoctée par le releveur Greg Harris avec la complicité du gérant Felipe Alou – pour apporter un peu d'air frais à cette désolante fin de saison.

Harris, un lanceur droitier, s'amusait parfois dans les entraînements à lancer de la gauche, ce qu'il faisait avec passablement d'aisance. Il avait longtemps entretenu le projet de lancer des deux côtés du monticule dans un match officiel mais l'occasion ne s'était jamais vraiment présentée. Felipe était au courant de l'ambition de son lanceur et trouvait l'idée originale. Sans que Harris lui en fasse la demande, Felipe a abordé le sujet avec lui alors que l'équipe se trouvait en Floride pour son dernier séjour à l'étranger de la saison. «Pourquoi on ne le ferait pas devant nos partisans?», lui a suggéré le gérant.

Les puristes du baseball n'aiment pas trop les initiatives de ce genre, les considérant comme des entorses à l'intégrité du jeu. Felipe Alou n'était pas de cet avis, trouvant plutôt qu'elles étaient bonnes pour le baseball.

Le 28 septembre, dans un match sans réelle signification où les Expos tiraient de l'arrière 9-3 en 9ᵉ manche contre les Reds de Cincinnati, Greg Harris s'est rendu au monticule avec un gant à six doigts qu'il avait fait spécifiquement fabriquer pour l'occasion. Après avoir affronté comme droitier le premier frappeur à lui faire face (un retrait sur un roulant), Harris a surpris les joueurs adverses (et sûrement quelques-uns des 14 581 spectateurs) en changeant son gant de main: c'est comme gaucher qu'il affronterait le frappeur suivant, le gaucher Hal Morris.

Nerveux, Harris a lancé une première balle complètement hors cible qui a roulé jusqu'à la rampe derrière le marbre. Les trois lancers suivants étaient plus précis mais des balles, néanmoins. Malgré le fait qu'il venait d'allouer un but sur balles, et malgré qu'il lançait moins fort de la gauche, c'est encore comme gaucher qu'il a affronté le prochain frappeur (gaucher), Ed Taubansee. Il a porté le compte à 3 balles 2 prises avant de forcer Taubansee à frapper un faible roulant devant le receveur Joe Siddall. C'est finalement comme droitier que Harris a disposé du frappeur droitier Bret Boone pour mettre fin à la manche.

C'était la première fois depuis 1888 – alors qu'un lanceur de l'Association américaine avait fait le coup – qu'un lanceur des grandes ligues travaillait de la droite et de la gauche dans un match. Le gant employé par Greg Harris se trouve maintenant au Temple de la renommée du baseball à Cooperstown.

Quelques jours plus tard, la saison des Expos prenait fin sur une défaite, encore aux mains des Reds, ce qui leur en faisait 78 pour la saison (contre 66 gains). L'équipe terminait ainsi au 6ᵉ rang, à 24 matchs des champions, les Braves d'Atlanta, qui, quelques semaines plus tard, remporteraient la Série mondiale.

La glissade des Expos de « meilleure équipe du baseball » à dernière au classement de l'Est de la nationale était loin d'être un mystère : cette équipe-là n'avait tout simplement pas été assemblée pour aspirer aux grands honneurs (pas plus que l'équipe de 1994, d'ailleurs). En fait, la dernière édition du club réellement bâtie pour remporter le championnat avait été celle de 1989 – l'année précédant la mise en vente de l'équipe par Charles Bronfman. Jamais plus une autre formation ne serait constituée pour cet objectif-là. D'une année à l'autre, la direction bouclait le budget et « préparait l'avenir », priant pour que d'heureuses surprises transforment miraculeusement les Expos en de sérieux aspirants.

À ses débuts comme DG à Montréal, Kevin Malone avait adhéré à cette philosophie, mais la dernière année avait été un véritable calvaire pour lui, au point où, durant la saison, le fervent chrétien qu'il était avait déclaré aux médias que le baseball était contrôlé par Satan... Le 2 octobre, l'homme de 38 ans annonçait sa démission.

Or, contrairement à Dave Dombrowski et Dan Duquette avant lui, Kevin Malone ne quittait pas les Expos pour une autre organisation ; lui, il ne voulait tout simplement plus travailler pour le club : « Ce qui m'intéresse dans ce métier-là, c'est de construire des équipes, pas de les démanteler. » Il a donc refusé la prolongation de deux ans à son contrat que venait de lui consentir la direction – une offre « très correcte, dans la moyenne de ce que gagnent les directeurs-gérants », a reconnu Malone en conférence de presse.

« Pour réaliser mes ambitions, a déclaré le DG démissionnaire, je veux me joindre à une organisation qui possède suffisamment de ressources financières pour tenter de remporter le championnat chaque année. » Précédemment, Malone avait dit qu'une équipe devait disposer d'une masse salariale d'au moins 20 millions si elle voulait avoir des chances de gagner. Or, en 1995, il avait dû composer avec une masse salariale plafonnée à 13 millions et, manifestement, la situation ne changerait pas de sitôt. Homme de principes, Kevin Malone avait préféré le chômage à continuer à travailler dans ces paramètres.

Ce saut dans le vide ne semblait pas l'inquiéter outre mesure : « Je crois que Dieu a des projets pour moi, a-t-il déclaré. J'ai confiance que j'obtiendrai un autre emploi dans lequel je pourrai trouver la paix intérieure et le bonheur. »

Durant la même conférence de presse, Claude Brochu a réitéré sa volonté de respecter les limites d'un petit budget : « Ceux qui se joindront à nous à l'avenir devront accepter de vivre avec cette réalité-là. Ça ne changera pas. »

En plus d'adhérer à la politique fiscale du club, le candidat devrait avoir une bonne formation sur le plan du dépistage et de l'évaluation des joueurs. Les spéculations sur le nom d'un successeur allaient bon train, le nom du commentateur de radio et télévision Rodger Brulotte étant même évoqué ici et là. « J'ai discuté avec lui à plusieurs reprises, a répondu Claude Brochu à un journaliste qui lui posait directement la question. Il faudrait cependant qu'il souhaite laisser sa carrière de commentateur et qu'il soit prêt à faire ses classes dans notre système. Mais il subirait sûrement plus qu'une légère baisse de salaire… »

Claude Brochu a profité de la conférence de presse pour balayer du revers de la main les rumeurs d'un déménagement possible du club : « Le match inaugural local de la prochaine saison va être disputé le 5 avril 1996 contre les Rockies du Colorado, et Moises Alou et David Segui feront partie de la formation partante des Expos. Et le match sera disputé au Stade olympique à Montréal et pas en Virginie ou en Caroline-du-Nord », a assuré le président des Expos.

1996

À l'automne 1995, quelques jours avant le dernier retrait confirmant la victoire en Série mondiale des Braves d'Atlanta (un ballon au champ centre capté par nul autre que l'ex-Expo Marquis Grissom), Claude Brochu et les Expos annonçaient avoir trouvé leur nouveau directeur-gérant en la personne de Jim Beattie, un ancien lanceur des Yankees de New York et des Mariners de Seattle, le directeur du développement des joueurs et l'adjoint du directeur-gérant des Mariners depuis 1989. Beattie était le 4e homme à occuper ce poste en 5 ans.

Manifestement, l'attrait du rôle avait eu le dessus sur les contraintes accompagnant le poste de DG à Montréal. En 1996, les Expos disposeraient d'une masse salariale d'un peu plus de 15 millions (en comparaison, les Yankees de New York, eux, dépenseraient plus de 60 millions pour leurs 25 joueurs.)

Désormais à l'emploi des Orioles de Baltimore comme adjoint au directeur-gérant (pour un salaire trois fois moins élevé que ce qu'il gagnait à Montréal), Kevin Malone avait repris le goût au baseball : le club disposait de 50 millions pour payer les Cal Ripken, Roberto Alomar, Mike Mussina et Rafael Palmeiro… «Je me promène dans le vestiaire et j'ai l'impression d'être au match des Étoiles», a déclaré Malone pendant le camp d'entraînement.

Malone a avoué regretter d'avoir trop ouvert son cœur aux partisans et aux journalistes pendant son séjour à Montréal: «J'ai dit que nos moyens financiers nous empêchaient de lutter contre les meilleures équipes. J'ai su par la suite que Claude Brochu n'avait pas apprécié mes propos. Je m'en suis excusé, car il est un homme que je respecte. Je n'ai jamais voulu lui faire de mal.

«Je reconnais que c'était facile de parler ainsi parce que ce n'était pas mon argent qui était en jeu. Mais je continue de penser que quand on opère un club des majeures, on doit faire le nécessaire pour gagner. Et ça signifie prendre des risques. Si ça avait dépendu de moi, j'aurais fait en sorte de garder Larry Walker et John Wetteland.»

Chose certaine, Claude Brochu et la direction des Expos n'auraient pas à craindre des déclarations à l'emporte-pièce de la part de leur nouvel employé. Jim Beattie, 41 ans, projetait l'image d'un père de famille sérieux, rangé. Il était peu enclin aux effusions, s'exprimant avec circonspection, une qualité qui le servirait fort bien lorsqu'il aurait à laisser partir un joueur de concession, ce qui, de toute évidence, arriverait plus tôt que tard. Car un des premiers dossiers à se retrouver sur le bureau de Beattie était celui de Moises Alou.

Réticents ces dernières années à offrir des contrats de plus d'un an, les Expos avaient néanmoins annoncé, après leur grande liquidation d'avril 1995, leur volonté de travailler en amont et de mettre sous contrat à plus long terme quelques joueurs du noyau de l'équipe *avant* qu'ils ne deviennent hors de prix. En 1993, Darrin Fletcher avait signé un pacte de trois ans, David Segui venait d'accepter une entente de deux ans, et le 12 mars, c'était maintenant au tour de Rondell White de parapher un pacte de cinq ans plus une année d'option (*six ans!*). Tout cela était fort encourageant pour ceux qui avaient à cœur le succès et la pérennité du club.

Mais la mise sous contrat de Moises Alou serait manifestement une affaire plus compliquée. Moises était un gars talentueux, excellant dans toutes les facettes du jeu, une des étoiles de la Ligue nationale: il ne signerait donc pas à bon marché. Cependant Moises avait dû interrompre sa dernière saison à la mi-août, mis au rencart par une blessure à l'épaule. En octobre, il avait dû subir une arthroscopie aux deux épaules… Quand on ajoutait à ce bilan médical sa grave blessure à la cheville à la fin 1993 et son absence du jeu pendant un an en 1991 (un autre problème d'épaule), on pouvait considérer Moises comme un «joueur à risque». Mais les fans l'adoraient, et il avait tout de même ce lien filial avec le gérant : ne pas lui faire d'offre eût été inconcevable.

Les Expos lui ont donc offert un pacte de trois ans valant environ 9 millions de dollars. Comme Larry Walker avant lui, Alou a trouvé l'offre beaucoup trop courte – en temps et en argent. Les joueurs de sa trempe décrochaient maintenant des contrats de quatre et cinq ans, et passablement plus d'argent. Il irait donc probablement en arbitrage – puisqu'il y avait aussi un écart considérable entre ses plans pour la saison 1996 et ceux du club (il voulait 3,4 millions et les Expos lui offraient 2,7 millions, 300 000 $ de moins qu'en 1995…)

Mais voilà, plutôt que d'avoir à se soumettre à cet affligeant exercice qu'est l'arbitrage, Moises a préféré accepter un compromis (3 millions) avec lequel il pourrait vivre pendant une année. De toute façon, il aurait bien l'occasion de se reprendre, car si les négociations en cours entre les propriétaires et les joueurs débouchaient sur une nouvelle convention collective, il pourrait – si tout allait selon les désirs de l'Association – obtenir son autonomie dès la fin 1996.

Car l'ancienneté figurait maintenant comme monnaie d'échange dans les pourparlers entre joueurs et propriétaires. Comme on l'a vu, la saison 1995 s'était ouverte sans nouvelle convention collective. Peu de discussions significatives avaient eu lieu durant la campagne et c'est seulement en novembre que les clubs avaient soumis une nouvelle offre (taxe de 25 % pour les clubs dont les dépenses en salaires de joueurs excédaient 44 millions). En février, Don Fehr et l'Association sont revenus avec une contre-proposition d'une tout autre nature (taxe de 2,5 % sur les salaires de joueurs, report à 1999 de l'application de la taxe de luxe), en y ajoutant, sans surprise, d'autres revendications.

Une de celles-ci demandait aux clubs de créditer aux joueurs les mois d'ancienneté qu'ils n'avaient pu amasser pendant la grève. Si cette demande était acceptée, des joueurs comme Moises Alou et Mel Rojas se qualifieraient comme joueurs autonomes dès la fin de la campagne. Dans un tel cas, les Expos ne pourraient certainement pas se payer un Moises Alou.

Si, à court terme, on pouvait donc prévoir l'exil d'autres gros salariés des Expos, une nouvelle percée dans le dossier du partage des revenus laissait entrevoir à moyen et long terme de meilleurs jours pour le club.

En effet, le 21 mars, les propriétaires se sont entendus pour une première fois sur un plan de partage des revenus. Selon ce plan, un pourcentage des revenus de chaque équipe (60 % en 1997, 80 % en 1998, 85 % en

1999 et 100 % à partir de 2000) serait taxé à 15 %. L'argent serait versé dans une cagnotte pour être ensuite redistribué comme suit : 85 % du montant serait partagé également entre les 28 équipes, 15 % de la somme irait exclusivement aux clubs à faibles revenus.

Pour les Expos, ça voudrait dire une rentrée de fonds d'environ 3,5 millions tant en 1996 qu'en 1997. C'était peu, bien sûr, mais la somme doublerait trois ans plus tard, et elle augmenterait encore dans les années suivantes. Cet argent additionnel permettrait au club de poursuivre ses efforts de mettre sous contrat à long terme certains joueurs clés, de colmater des brèches durant le cours d'une saison ou tout simplement de jouer moins serré dans ses négociations avec les joueurs.

À West Palm Beach, un Claude Brochu flottant sur un nuage parlait d'une « grande journée » pour le baseball et les Expos. Flanqués de plusieurs des membres du consortium, Claude Brochu et Jacques Ménard ont répété que les Expos étaient à Montréal pour y rester : « C'était notre engagement avant même d'avoir ce partage des revenus, ça l'est encore plus. Nous n'avons pas acheté les Expos, nous n'avons pas fait tout ce que nous avons fait pour sortir l'équipe de Montréal. Les gens peuvent cesser d'avoir des craintes ou des doutes, ils ont leur réponse. »

« La grève a atrocement fait mal aux Expos […], écrivit Réjean Tremblay dans *La Presse*. Mais sans cette grève, il n'est pas dit qu'on aurait pu fêter cette nouvelle entente révolutionnaire pour le baseball. Il fallait sans doute que les deux parties se rendent jusqu'au bout dans leur bras de fer […] Claude Brochu travaillait depuis cinq ans à convaincre ses partenaires du baseball majeur, surtout les riches, qu'il leur fallait partager leur ballon s'ils voulaient des ti-culs pour jouer dans leur cour. C'est beau être riche comme les Braves d'Atlanta, mais si les Expos et les Pirates sont trop pauvres pour se payer des joueurs, ils vont affronter qui, les Braves ? »

Évidemment, les dispositions de l'entente demeuraient sujettes à l'approbation de l'Association des joueurs, ce qui, on s'en doutait, serait une autre paire de manches. Mais Claude Brochu avait tout de même raison de se réjouir : pour la première fois de son histoire, le baseball majeur approuvait le principe d'un vrai partage des revenus entre les clubs. Dans l'univers ultra conservateur du baseball, cette entente était en effet rien de moins que révolutionnaire.

Dès son embauche, Jim Beattie avait déclaré qu'il voulait renforcer le personnel de lanceurs, principalement sur le plan de la relève. La situation derrière le marbre le préoccupait aussi.

En 1995, on avait confié le rôle de releveur de fin de match à Mel Rojas. Il s'était fort bien acquitté de la tâche, mais les 7e et 8e manches avaient posé problème, Tim Scott s'avérant trop vulnérable aux vols de buts (son élan lent donnait un avantage considérable aux coureurs). Le 20 décembre, Beattie envoyait Sean Berry aux Astros de Houston, obtenant en retour le releveur Dave Veres (5-1, 2,26 en 72 matchs) et un receveur, Raul Chavez.

Berry avait eu une belle saison offensivement (14 CC 55 PP ,318) mais il ne semblait jamais trouver le moyen de gagner la confiance de Felipe Alou, un peu comme l'enfant mal aimé de la famille. Il pouvait très bien jouer pendant plusieurs matchs, mais à la première faille, Felipe le collait sur le banc.

Shane Andrews, dont la première saison dans les majeures n'avait pas été convaincante offensivement – défensivement, il était supérieur à Berry –, voyait une occasion de s'emparer à temps plein du poste de troisième-but.

Le 10 janvier, Beattie a poursuivi la transformation extrême du côté gauche du losange (bancal en 1995) en envoyant l'arrêt-court Wil Cordero (et le lanceur Bryan Eversgerd, obtenu un an plus tôt dans l'échange Ken Hill) à Boston contre le lanceur gaucher Rhéal Cormier – l'Acadien évoluant jadis à Saint Louis –, un premier-but réserviste (Ryan McGuire) et un lanceur de longue relève (Shayne Bennett). Le départ de Cordero ouvrait les portes toutes grandes pour le réserviste Mark Grudzielanek.

Au milieu du camp, Beattie a effectué une autre transaction, cédant Tony Tarasco aux Orioles en retour d'un autre voltigeur, Sherman Obando. Les Expos auraient de nouveau une équipe transformée à présenter à ses partisans.

Avec les Braves dans leur division, les chances de voir les Expos finir en tête étaient à peu près nulles. Mais il ne fallait pas pour autant les exclure des séries : après tout, la formation comptait encore quelques éléments de la fameuse équipe de 1994.

Le personnel de lanceurs partants était supérieur à la moyenne, avec Jeff Fassero, Pedro Martinez, Carlos Perez, Rhéal Cormier et Kirk Rueter (quatre gauchers sur cinq…). Fassero avait fait porter son cas en arbitrage et l'arbitre avait tranché en sa faveur (2,8 millions plutôt que les 2 millions offerts par le club), une décision qui avait consterné les Expos et leur négociateur Bill Stoneman, dont c'était la première défaite en 5 cas d'arbitrage depuis 1991.

Avec l'ajout du releveur Dave Veres, Mel Rojas serait probablement mieux entouré qu'en 1995. Le losange serait plus solide en défensive avec les Andrews, Grudzielanek, Lansing et Segui, mais l'absence du coup de bâton des Wil Cordero et Sean Berry se ferait probablement sentir. Au champ extérieur, Rondell White – qui avait cogné pour ,352 dans les deux derniers mois de la saison précédente – était une valeur sûre, tout comme Moises Alou, qui rebondirait probablement après ses malheurs de 1995. La gauche serait sans doute partagée entre Sherman Obando (droitier, frappeur de flèches) et Henry Rodriguez (gaucher, frappeur de puissance).

Évidemment, les Expos pourraient encore compter sur la présence rassurante de Felipe Alou.

L'indigence de la direction du club ne semblait pas lui donner l'envie de fuir Montréal, comme l'avaient fait Dave Dombrowski, Dan Duquette et Kevin Malone. Dans un monde où les directeurs-gérants sont normalement plus longtemps en place que les gérants, la relation de Felipe Alou avec les Expos était vraiment un cas rare. En 1996, Felipe commencerait d'ailleurs sa 21e année dans l'organisation.

Après avoir été élu Gérant de l'année à la fin de 1994, Alou avait accepté une prolongation de deux ans à son contrat. Des gens lui avaient alors dit qu'il était fou de ne pas écouler la dernière année de son terme puis de faire le saut avec une équipe américaine bien nantie. «Ça ne m'intéresse pas. Je ne crois pas que l'herbe est plus verte dans la cour du voisin. Et je suis trop vieux pour changer», avait expliqué Alou à Philippe Cantin de *La Presse*.

Felipe se disait reconnaissant envers les Expos de ne l'avoir jamais congédié. «Dans le baseball, le roulement de personnel est une affaire courante. Je suis sûr qu'à un moment ou un autre, ils se sont demandé s'ils avaient encore besoin de moi. Mais j'ai toujours été loyal envers les Expos et ils l'ont apprécié.»

Le gérant était aussi très attaché à Montréal et au Québec. «L'affection et le respect que m'ont témoignés les Québécois m'a toujours touché. Ce traitement, je ne l'avais même pas obtenu dans mon pays, la République dominicaine. Alors pourquoi je voudrais quitter les Expos? Dans la vie, l'argent n'est pas tout. Il y a d'autres satisfactions. Comme celles engendrées par les contacts avec les gens que l'on côtoie. On m'a donné un bateau en cadeau, moi qui n'avais jamais rien reçu de ma vie. On m'a fait membre honoraire d'un club de chasse et pêche. Ailleurs qu'à Montréal, mes liens avec la communauté seraient-ils aussi forts?»

Bien sûr, son mariage avec une Québécoise du quartier Saint-François de Laval avait largement contribué à renforcer ces liens. «Lucie a du mérite : elle a épousé un gars qui, à l'époque, avait 50 ans, faisait 25 000 $ par année à gérer une équipe de niveau A, et n'avait pas grand avenir devant lui », a dit Felipe.

Le rapport qu'entretenait la communauté avec Felipe était de la même nature : « Dès ma première visite dans le voisinage de Lucie, les gens ont été gentils avec moi. Et ils n'agissaient pas ainsi parce que j'étais connu, ça, c'est certain. Dans ces années-là, seul un vrai connaisseur de baseball aurait pu identifier mon boulot. »

Felipe n'apportait pas seulement de la stabilité à l'organisation ; il était devenu l'un des gérants les plus respectés du baseball, reconnu pour sa grande connaissance du jeu, sa façon d'utiliser tous les éléments du club pour gagner des matchs et, bien sûr, sa formidable capacité à enseigner le baseball aux jeunes joueurs.

Les experts avaient beau louanger le travail du gérant, la plupart prédisaient tout de même une remontée beaucoup plus lente que ne l'avait été la chute du club durant la dernière année. L'absence d'un vrai partant numéro un ainsi que d'un gros frappeur de 30 circuits et 100 points produits empêcheraient le club d'aspirer aux honneurs. Cette équipe, pouvait-on lire ici et là, n'avait tout simplement pas assez de punch offensif. Même Michel Blanchard de *La Presse*, normalement optimiste à cette période de l'année, broyait du noir : « Je ne pardonnerai jamais à Brochu de n'avoir pas su retenir un des quatre grands sacrifiés du printemps dernier. Il en avait les moyens.

« L'important pour Brochu, de poursuivre le chroniqueur, c'est de boucler son budget. L'important pour les amateurs, dans quelque sport que ce soit, c'est de voir les dirigeants faire l'impossible pour décrocher un championnat. Aux yeux de Claude Brochu, la saison dernière a été une bonne année puisque les Expos n'ont pas perdu d'argent [...] Les Expos de cette année boucleront encore leur budget. Mais ils continueront à perdre de nombreux adeptes. »

Le match d'ouverture de l'édition 1996 des Expos devait avoir lieu le 1er avril à Cincinnati. Or, tôt en matinée, de la neige était tombée sur la ville, et on avait craint un instant devoir remettre le match. Mais la neige avait cessé et on avait pu préparer le terrain à temps pour commencer la rencontre à l'heure prévue.

Après avoir retiré les deux premiers frappeurs des Expos, le lanceur partant Pete Schourek des Reds a lancé deux tirs au suivant, Rondell

White, avant de voir l'arbitre du marbre, John McSherry, demander un temps d'arrêt.

Un type corpulent de 6 pieds 2 pouces, 328 livres (mais qui avait l'air d'en peser 400), McSherry a reculé de quelques pas, fait un signe de la main à Steve Rippley, l'arbitre du deuxième, avant de se retourner pour marcher en direction de la sortie menant au local des arbitres. Mais avant d'atteindre la porte, il s'est lourdement affaissé au sol, inconscient. Rapidement, on a compris qu'on avait affaire à quelque chose de sérieux – un foudroyant infarctus – et l'équipe médicale des Reds a tout fait pour le réanimer. Moins d'une heure plus tard, le décès de John McSherry, 51 ans, était confirmé à l'hôpital University de Cincinnati. Plutôt que de participer à la fête que représente toujours un match d'ouverture, les amateurs de baseball de Cincinnati avaient assisté à une mort en direct.

McSherry avait déjà connu des problèmes de santé par le passé, s'évanouissant pour cause de déshydratation pendant un match en 1991, et devant en quitter deux autres en 1992 et 1993 à la suite de coups de chaleur. Sujet, entre autres, à de la haute pression, l'arbitre était suivi de près par un médecin et devait lui rendre visite le lendemain du match pour une question d'arythmie cardiaque.

La tragédie a sérieusement ébranlé ses trois collègues arbitres et les joueurs des deux clubs, d'autant plus que McSherry était un type affable, humain (admettant à l'occasion en avoir « échappé une »), un des arbitres les plus appréciés du baseball, un célibataire qui avait consacré toute sa vie à son sport.

Les trois arbitres se sont dits prêts à continuer – en hommage à leur collègue – mais les joueurs des deux clubs ont convenu que ce serait inapproprié de le faire. Après de longues minutes, les Reds ont annoncé à la foule de plus de 50 000 personnes que le match serait reporté au lendemain.

Une des personnes qui aurait souhaité qu'on poursuive le match n'était pas la moindre : Marge Schott, la propriétaire des Reds de Cincinnati. Démontrant un talent inouï pour se tirer dans le pied, elle a déploré la guigne s'acharnant sur elle : « De la neige ce matin et maintenant ça. J'ai du mal à le croire. Je me sens trompée. Ces choses-là ne sont pas censées nous arriver, pas à nous, ici, à Cincinnati. »

Réalisant sa bourde, Schott s'est défendue en expliquant qu'elle déplorait le fait que tant de gens se soient déplacés pour rien. Le lendemain, elle a tenté de se racheter en envoyant des fleurs au local des arbitres. Plus tard, on apprenait qu'elle avait en fait recyclé un bouquet qu'on lui avait envoyé la veille, arraché la carte qui l'accompagnait en la remplaçant par une autre sur laquelle elle avait écrit ses condoléances.

La dame de 67 ans – une veuve à la voix rauque d'une fumeuse à la chaîne – n'en était pas à ses premières frasques ; en 1993, elle avait été suspendue du baseball pendant un an pour avoir émis des commentaires racistes. En attendant le début d'un appel conférence avec d'autres propriétaires, des témoins l'avaient entendue déclarer : « Je n'engagerai plus d'autres Nègres. J'aimerais mieux embaucher un singe instruit qu'un Nègre. »

Bientôt, elle se mettrait encore dans le pétrin par une déclaration à un journaliste de *Sports Illustrated* : « Hitler était OK au début, il a réparé toutes les routes et tout ça. C'est juste qu'après, il est allé trop loin. » Marge Schott venait elle-même de dépasser les bornes : le baseball l'a de nouveau suspendue et, en 1999, pressée par ses partenaires minoritaires, elle vendait la majorité de ses actions dans le club. Elle est morte en 2004 des suites d'une pneumonie.

La mort de John McSherry a ultimement servi à quelque chose : elle a sensibilisé l'industrie à l'importance d'un programme de mise en forme pour ses arbitres – dont quelques-uns souffraient à l'époque d'un important excédent de poids. De nos jours, on ne voit plus d'hommes en bleu avec la corpulence d'un John McSherry sur les terrains des ligues majeures.

En avril, les Expos ont pris le monde du baseball par surprise en se révélant une redoutable force offensive. Durant le mois, ils ont dominé la Ligue nationale avec 39 circuits, 176 points, une moyenne au bâton de ,303 et une moyenne de puissance de ,492. Dans le seul mois d'avril, l'équipe comptait déjà six grands chelems, Shane Andrews et Darrin Fletcher en obtenant deux chacun. Entre le 19 et le 26 avril, ils ont remporté 8 victoires consécutives avant de s'incliner 6-5 en 13 manches devant les Rockies au Colorado. Le 27 avril, ils revenaient en force en pulvérisant cette même équipe par la marque de 21-9 !

Les Expos n'avaient jamais marqué autant de fois dans un même match – et ils n'atteindraient plus cette marque du reste de leur histoire (dans le passé, le club avait marqué 19 points à 6 reprises ; c'était la première fois qu'on passait le cap des 20 points).

Le succès des Expos n'était pas difficile à expliquer : *sept* de leurs réguliers affichaient une moyenne au bâton de plus de ,300 : David Segui (,386), Mike Lansing (,383), Mark Grudzielanek (,366), Darrin Fletcher (,333),

Henry Rodriguez (,321), Moises Alou (,305) et Rondell White (,300). Seul Shane Andrews (,242) ne présentait pas une moyenne aussi convaincante, mais il avait tout de même produit 14 points.

À la fin avril donc, cette équipe qu'on disait faible offensivement s'était emparée seule du 1er rang, devant les Braves d'Atlanta. Ils y resteraient d'ailleurs pendant 45 jours puisqu'en mai, ils ont connu une autre séquence victorieuse (9-1), portant leur fiche à 26-12.

Leurs succès avaient de quoi faire ouvrir bien des yeux, d'autant plus qu'ils y étaient arrivés malgré l'absence du troisième partant de la formation, Carlos Perez, qui s'était retrouvé sur la liste des blessés dès les premiers jours du calendrier en raison d'une tendinite à l'épaule gauche. Perez fut opéré un mois plus tard et on ne le reverrait pas de la saison.

Une autre blessure survenue durant la séquence victorieuse a privé le club d'un de ses meilleurs éléments : Rondell White. Lors du fameux match du 27 avril, remporté 21-9 par les Expos aux dépens des Rockies, l'ex-Expo Larry Walker s'est fait voler un double certain quand White a heurté de plein fouet la clôture du champ centre en fonçant pour capter la balle frappée en flèche.

Rondell a conservé la balle dans son gant mais est demeuré étendu durant de longues minutes, victime, devinait-on, d'une sérieuse blessure. Après l'avoir aidé à quitter le terrain, on l'a acheminé dans un centre médical où des spécialistes ont diagnostiqué une contusion au rein gauche et une lacération de la rate. Le voltigeur de centre ne reviendrait pas au jeu avant le 16 juillet.

L'incident rappelait combien la gestion d'une équipe professionnelle est une aventure périlleuse. Voilà un joueur autour duquel le club voulait bâtir son avenir en lui accordant un contrat de cinq ans (plus une année d'option). Deux mois plus tard, il tombait au combat à la suite de cet accident qui aurait pu mettre sa carrière en péril.

Quoi qu'il en soit, l'absence de White a permis à un autre joueur de se faire valoir : la « recrue » F. P. Santangelo. Étiqueté depuis quelques années comme « *career minor leaguer* », le voltigeur de 28 ans avait été repêché en 20e ronde par les Expos en 1989. Depuis, il était passé par Jamestown, West Palm Beach, Harrisburg, Indianapolis, puis Ottawa, où il avait séjourné pendant trois longues années, assez longtemps pour être adopté par les fans des Lynx, qui voyaient en lui un modèle de persévérance dans l'adversité (l'équipe retirerait d'ailleurs son chandail en 1998). Peu de gens lui donnaient une chance de graduer dans les majeures, et au camp, Rodger Brulotte, ne craignant pas jouer au prophète, avait lancé en ondes : « On ne verra jamais ce Santangelo à Montréal. »

Frappeur ambidextre, F.P. (pour Frank Paul) retenait surtout l'attention par son ardeur au jeu, représentant l'exemple classique du joueur de talent moyen qui fait sa place en se dévouant entièrement à son sport. Dans le passé, les Expos avaient aligné quelques-uns de ces athlètes au grand cœur (Ron Hunt, Woodie Fryman) et ils en accueilleraient d'autres plus tard (Jamey Carroll); certes, tous ces joueurs ont occupé des seconds rôles, mais les amateurs de baseball québécois ne les ont pas oubliés.

Or, si le public apprécie l'effort, il préfère quand même les feux d'artifice. Et en 1996, celui qui a les a allumés s'appelait Henry Rodriguez.

Obtenu un an plus tôt dans la transaction qui avait envoyé Roberto Kelly à Los Angeles, Rodriguez était presque passé inaperçu à Montréal puisqu'il avait passé une partie de l'année sur la liste des blessés, si bien qu'au début de la saison 1996, Felipe Alou lui avait annoncé qu'il partagerait le poste de voltigeur de gauche avec Sherman Obando – même si Henry avait été le meilleur frappeur des siens à l'entraînement.

Partout où il était passé dans l'organisation des Dodgers, Rodriguez avait excellé, s'avérant un frappeur opportun, frappant pour la moyenne tout en démontrant ici et là de la puissance (28 circuits dans le AA en 1990). Mais ce à quoi on assistait en ce début de saison était tout simplement exceptionnel. En avril seulement, Henry a frappé 9 circuits (4 de ceux-ci frappés dans des matchs consécutifs) et produit 27 points. À la fin mai, il avait déjà frappé 20 circuits, un record de tous les temps, le plus grand nombre frappé par un joueur avant le 1er juin. À ce rythme-là, le record d'équipe de 32 circuits (Andre Dawson en 1983) serait pulvérisé bien avant la fin de la saison. Rodriguez serait-il celui qui battrait enfin la fameuse marque de 61 circuits (Roger Maris en 1961) que d'autres, comme Ken Griffey Jr, avaient récemment menacée?

Un jour, un animateur radio a mentionné que si Rodriguez continuait de la sorte, il faudrait bien nommer une tablette de chocolat en son honneur (comme cela avait été le cas pour Babe Ruth et Reggie Jackson). «En fait, a rétorqué en ondes un collègue de l'animateur, la tablette de chocolat existe déjà: la Oh Henry!»

Cela avait suffi pour que des amateurs aient l'idée d'apporter au Stade des spécimens de ladite tablette. Quand Henry a canonné une balle de l'autre côté de la clôture, ils ont lancé leurs tablettes de chocolat sur le terrain. L'initiative a rapidement fait boule de neige: désormais, chaque fois que le numéro 40 claquait un coup de quatre buts, un déluge de Oh Henry! inondait le terrain.

Une série à domicile disputée entre les Expos et les Astros de Houston fut particulièrement mouvementée à cet égard.

Avant de connaître sa saison de 36 circuits en 1996, Henry Rodriguez n'en avait cogné que 23 en 6 ans de carrière !
Club de baseball Les Expos de Montréal

Le vendredi 10 mai, il y avait beaucoup de spectateurs au Stade (30 315), la direction du club ayant « garanti » la victoire aux fans : si le club perdait, on leur donnerait un billet gratuit pour assister à un autre match.

Rodriguez a lancé les festivités de la soirée en cognant un circuit dès la 1re manche. Une première bordée de tablettes de chocolat a forcé les arbitres à stopper le match pour que soient ramassés les débris. Puis, en fin de 8e manche, alors que le pointage était de 2-2 et qu'il y avait deux coureurs sur les buts, les Astros ont envoyé au monticule le lanceur gaucher Jeff Tabaka pour affronter le gaucher Rodriguez.

Mettant le « livre » de côté comme il n'hésitait pas à le faire à l'occasion, Felipe Alou a laissé Henry se rendre au marbre. Résultat : circuit de trois points et nouvelle pluie de friandises. « Les colonnes de béton ont bougé, a écrit Mathias Brunet de *La Presse*. La foule, plongée dans une frénésie collective, lui a offert une ovation terrible. Le Stade a un nouveau héros. »

Le lendemain, les Expos ont de nouveau ravi leurs fans en comblant un déficit de 8-2 grâce à 3 manches de 2 points en 7e, 8e et 9e manches. S'attendant désormais aux poussées de fin de match de leurs favoris, les 26 084 fans ne s'étaient pas pressés aux sorties comme ils le faisaient jadis, restant bien assis pour la suite des choses.

En fin de 13e manche, Moises Alou, qui avait jusque-là connu une atroce soirée (il avait frappé dans deux doubles-jeux et avait été retiré au bâton à trois reprises), a fait marquer Mike Lansing du deuxième but à l'aide d'un simple. Mais les fans avaient dû garder leurs tablettes de chocolat sur eux, leur nouveau favori étant limité à deux simples (il avait aussi été retiré sur des prises deux fois et reçu trois buts sur balles, dont deux intentionnels).

C'est tôt dans le match du dimanche après-midi que les fidèles d'Henry Rodriguez ont finalement pu se délester de leur friandise chocolatée. En fait, ils n'ont pas attendu le circuit ; un double de deux points a été suffisant pour les faire bondir de leur siège, leur Oh Henry ! en main.

Cette fois, l'arbitre du troisième Harry Wendelstedt en a eu ras le bol de devoir encore interrompre un match pour une raison aussi puérile : il a donc ordonné aux joueurs des deux clubs de quitter le terrain. Si les fans reprenaient une autre fois leur petit jeu, il annulerait le match et accorderait la victoire aux Astros.

Celle-là, Felipe Alou l'a vraiment avalée de travers. Il est immédiatement allé à la rencontre de l'arbitre pour avoir des explications. La discussion s'est rapidement envenimée et quelques instants plus tard, un Felipe en furie – on ne l'avait jamais vu comme ça – était expulsé du match.

Après la rencontre, Felipe n'avait pas encore décoléré quand il a répondu aux journalistes. « Tout se négocie dans la vie, a-t-il dit. Sauf le manque de respect. » Le gérant ne s'expliquait pas que l'arbitre n'ait pas d'abord demandé à l'annonceur-maison d'avertir la foule avant de retirer les joueurs du terrain : « Jamais il n'est venu me voir pour m'expliquer ce qu'il faisait. J'ai passé 30 ans dans le baseball majeur comme joueur, coach et gérant. J'ai aujourd'hui 61 ans, et j'ai droit au respect. Personne ne va me manquer de respect sans entendre ma façon de penser. »

Après l'expulsion du gérant, le match avait repris, remporté 7-6 par les Expos, en partie grâce aux cadeaux à répétition offerts par le receveur Jerry Goff des Astros (un ancien des Expos) qui avait été débité de 6 balles passées (égalant ainsi un record des majeures).

Pas de doute là-dessus, les spectateurs en avaient encore une fois eu pour leur argent. « Explosif ! » était le titre retenu par Mathias Brunet dans son compte rendu du match. « À défaut de faire sauter la toile orange du stade, ces étonnants Expos vont finir par provoquer une émeute. »

La vague de folie déclenchée par les exploits d'Henry Rodriguez ne s'est pas arrêtée là. Le 30 mai, lors d'un match hors-concours disputé à Ottawa entre les Expos et les Lynx, leur club-école AAA, les amateurs de baseball de la capitale fédérale avaient décidé de se joindre à la fête en glissant dans leur sac une ou deux des fameuses tablettes de chocolat.

Mais Howard Darwin, le propriétaire des Lynx, craignant du désordre (et l'abandon provisoire de ses concessions alimentaires), a demandé aux employés du parc Jetform d'intercepter à l'entrée tous les sacs des visiteurs, qu'ils contiennent ou non la désormais célèbre friandise.

L'opération a causé un désordre encore plus grand, indisposant tous ceux qui avaient dû abandonner leur sac à dos dans une montagne d'autres sacs. En repartant après le match, plusieurs fans, frustrés d'avoir eu à chercher longtemps pour récupérer leurs biens, ont juré qu'ils ne remettraient plus jamais les pieds dans le stade. Quelques jours plus tard, le directeur du marketing et des ventes Murray Wilson (un ancien joueur des Canadiens de Montréal) claquait la porte, incapable d'endosser ce fiasco.

Pour les Lynx, cette histoire survenait à un bien mauvais moment. Ils avaient beau avoir remporté les grands honneurs de la Ligue internationale dans les séries de 1995, la fréquentation du stade avait commencé à diminuer, l'attrait de la nouveauté étant déjà vraisemblablement passée, trois ans seulement après les débuts de la concession.

Dans la capitale, on reprochait à Darwin de manquer d'imagination : peu de publicité, très peu de *giveaways*, ces «cadeaux» promotionnels offerts aux partisans, et une politique d'embauche népotiste (son frère, ses deux fils et sa fille occupaient des postes clés et disaient toujours au grand patron ce qu'il avait envie d'entendre), démoralisante pour les employés. Pour Darwin, il semblait que le mythe du *Build it and they will come* suffisait. Le stade était construit, mais le public, lui, commençait déjà à ne plus suivre et notre homme semblait n'avoir aucune idée de comment renverser la tendance.

L'incident Oh Henry! a coïncidé précisément avec le moment où la franchise des Lynx d'Ottawa a commencé son long déclin. En 2000, découragé par la désaffection du public, Darwin vendait la concession à un acheteur américain qui, après avoir fait de vaillants efforts pour reconquérir les amateurs de baseball de la région, déménageait l'équipe au sud de la frontière à l'issue de la saison 2007.

À Montréal toutefois, le phénomène continuait à faire des heureux. Récupérant l'affaire, le chocolatier Hershey a mis Rodriguez sous contrat et passé une entente avec les Expos, qui ont rapidement organisé une Journée Oh Henry! dans la soirée du 24 juin. Chacun des 23 736 spectateurs traversant les tourniquets a reçu un chandail promotionnel Oh Henry! Mais ce ne fut pas tout. Le centre de toute cette attention a aussi réservé un cadeau de son cru à ses fans : deux coups de circuit.

Le 21 mai, les Expos ont rappelé un lanceur de leur filiale d'Ottawa, un des principaux artisans de la victoire des Lynx de la Coupe du gouverneur en 1995, le droitier Derek Aucoin, de Lachine, Québec. Il serait le 13e Canadien et 3e Québécois à porter l'uniforme des Expos (avec Claude Raymond et Denis Boucher) en 28 ans.

Un grand gaillard de 6 pieds 7 pouces, Aucoin avait été mis sous contrat en juillet 1989 par le dépisteur René Marchand (lui-même ancien prospect

du club). Il avait ensuite franchi avec succès les échelons dans l'organisation, jusqu'à devenir le spécialiste de fin de match des Lynx en 1995.

Ayant besoin de bras pour les dépanner dans une série contre les Giants
à San Francisco, les Expos lui ont demandé de les rejoindre le temps de
quelques matchs, après quoi on le retournerait à Ottawa pour qu'il puisse
continuer d'y lancer régulièrement.

Amené dans le match en 6e manche alors que le pointage était de 5
à 5, Aucoin a accordé un coup sûr à Shawon Dunston. Il a par la suite
accordé un but sur balles et un autre coup sûr – qui a produit un point
– avant de mettre fin à la manche.

Quatre jours plus tard, dans un match disputé à Montréal, Felipe Alou
a ramené Derek au monticule en remplacement de Rhéal Cormier. C'était
la première fois depuis Claude Raymond et Ron Piché (en 1963) que deux
Canadiens de langue française évoluaient dans un même match. Le jeune
homme de 26 ans a lancé 2 manches sans accorder de points.

Comme prévu, les Expos l'ont ensuite retourné à Ottawa. Évidemment,
quand on goûte aux grandes ligues, reprendre le chemin des mineures est
toujours décevant, même si c'est ce qui avait été convenu. À son retour à
Ottawa, Derek a déclaré amèrement qu'il valait mieux «flipper des ham-
burgers» chez McDonald's que de jouer pour un salaire des ligues mineures.
Son état d'esprit semblait avoir affecté son contrôle puisqu'il a accordé 21
buts sur balles dans ses 16 premières manches de travail. Dans les semaines
qui ont suivi, Aucoin a vu avec un pincement au cœur quelques-uns de ses
coéquipiers être rappelés alors que son tour à lui ne venait pas.

En 1997, Derek a été brièvement de retour avec les Lynx à Ottawa avant
d'être libéré. Il n'a jamais eu de deuxième chance dans les majeures.

Quand les Expos ont connu une baisse de régime à la mi-mai lors d'un
infructueux séjour en Californie, les Braves d'Atlanta en ont profité pour
se hisser au 1er rang, et même un très bon mois de juin (16-10) n'a pas
permis au club de rattraper le chemin perdu. À la pause du match des
Étoiles, le 7 juillet, les Expos (49-38), au 2e rang de la division, étaient
désormais à 5 matchs de la tête. Or, en vertu du nouveau format de séries
adopté en 1994, les Expos se trouvaient en tête dans la course au meilleur
deuxième – le carré d'as – devançant les Padres de San Diego par 3 matchs.

«À mon avis, l'histoire de cette première moitié de saison, a déclaré
Felipe Alou à un groupe de journalistes, c'est l'attitude de nos joueurs qui
n'ont tout simplement pas cru les prédictions désastreuses qu'on avait

faites sur leurs chances », une allusion à peine voilée au discours pessimiste de plusieurs de ces journalistes en avril.

Les partisans du club, tout comme les joueurs (et, sans doute, le gérant),
espéraient maintenant que la direction trouve le moyen d'aller chercher
un joueur d'impact avant la limite de la date des échanges (le 31 juillet).
Personne n'aurait osé rêver à la location d'une vedette, mais l'ajout d'un
lanceur partant pressait : on avait eu du mal à remplacer Carlos Perez
(quoique les jeunes Jose Paniagua et Uguetta Urbina avaient donné de bons
départs à Felipe Alou), et Kirk Reuter, qui avait du mal à s'entendre avec
l'instructeur des lanceurs Joe Kerrigan, connaissait une saison en dents
de scie. En relève, le nouveau venu Dave Veres n'avait pas été à la hauteur
de la situation – cela changerait cependant dans la deuxième moitié de la
campagne –, et un peu d'aide de ce côté-là aurait aussi été utile.

Le 11 juillet, les Expos ont réclamé au ballotage le grand lanceur droitier
Jeff Juden (6 pieds 8 pouces), qui avait commencé la saison à San Francisco
avant d'être libéré par les Giants. Quand l'annonce de son acquisition a
été faite, des journalistes de Philadelphie, qui l'avaient connu quand il
était dans l'organisation des Phillies, ont souhaité « bonne chance » à
divers membres des médias montréalais. C'est qu'il s'était acquis là-bas
la réputation d'une tête folle, d'un type ingérable – capable, toutefois, de
lancer des balles de feu.

Puis, tout juste avant la fin de la période des échanges, Jim Beattie a
annoncé l'acquisition du partant Mark Leiter des Giants de San Francisco,
obtenu au prix de deux lanceurs, Tim Scott et Kirk Rueter. Avec les Giants,
le droitier avait maintenu jusque-là une fiche de 4-10, mais l'année précédente, il avait connu une excellente seconde moitié de saison (6-2, 1,71),
terminant la campagne avec 7 matchs complets. Principal bémol : il avait
tendance à accorder beaucoup de circuits...

Les amateurs de baseball du Québec qui attendaient l'ajout d'un joueur
de premier plan ont une fois de plus été déçus. Felipe Alou devrait se
débrouiller avec les cartes qu'on lui distribuait.

En juillet, les Expos ont semblé manquer de souffle. Leur locomotive
du début de saison, Henry Rodriguez, limité à 3 coups de circuit durant
le mois, n'a frappé que pour une MAB de ,218 – tout en continuant de
fendre l'air plus souvent qu'à son tour. Certes, les retraits au bâton sont
souvent l'apanage des cogneurs de longues balles, mais quand le quatrième frappeur de l'alignement ne met pas la balle en jeu avec régularité,
les coureurs sont abandonnés sur les sentiers, les ralliements avortent.
Felipe Alou commençait de plus en plus à voir Henry Rodriguez comme
un joueur à une seule dimension.

Mais il y avait plus encore : Henry était un Roger-bon-temps qui ne se défonçait pas toujours au travail. Il traînait les pieds quand il se rendait au champ extérieur au début d'une manche ; il n'était pas non plus le genre de voltigeur à plonger pour récupérer une balle frappée dans l'allée. Rapidement, ces comportements l'ont rendu suspect auprès de Felipe, et le gérant lui ferait sauter quelques matchs, particulièrement dans le dernier mois de la saison.

Alou n'avait certes pas ces préoccupations avec Mark Lansing et Mark Grudzielanek. De l'avis de plusieurs le joueur le plus utile du club dans la première demie – et ce, malgré les exploits de Rodriguez –, Lansing s'avérait un modèle de stabilité, tant en défensive qu'à l'attaque. Il commettrait seulement 11 erreurs en 1996, en plus de récolter 183 CS (dont 40 doubles). « Il est l'esprit de cette équipe », a dit Felipe Alou.

Représentant des Expos au match des Étoiles (avec Rodriguez et Pedro Martinez), Grudzielanek était à mi-chemin d'une saison qui le verrait cogner 201 coups sûrs, la première fois qu'un joueur des Expos atteignait ce cap depuis Al Oliver (204 en 1982). Dépêché au premier rang de l'alignement après la blessure de Rondell White, il s'était magnifiquement acquitté de cette tâche, maintenant une moyenne au bâton au-dessus de ,300 et volant sa part de buts (il terminerait la saison avec 33). On comparait la vélocité de son élan au bâton (*bat speed*) à celle de Paul Molitor.

Au premier but, David Segui se révélait un frappeur d'un formidable opportunisme, frappant pour une moyenne de ,327 avec des coureurs en position de marquer et pour ,338 à compter de la 7e manche. Malheureusement, une série de blessures ont réduit son temps de jeu, en particulier une fracture du pouce droit – subie en captant un relais au premier but – qui l'a rendu indisponible au jeu du 4 juillet au 16 août.

Chez les voltigeurs, F.P. Santangelo continuait son excellent travail en l'absence de Rondell White (on le nommerait Joueur par excellence de l'équipe en août) et Moises Alou retrouvait son opportunisme des beaux jours (96 PP à la fin de la saison), malgré les rumeurs d'échange circulant à son endroit.

Jeff Fassero donnait beaucoup de manches à son équipe (231 ⅔ pour la saison) et continuait de faire preuve de contrôle (2,1 buts sur balles par 9 manches), le confirmant dans son rôle de partant numéro un. Il fut d'ailleurs élu Joueur du mois de l'équipe en juin et juillet.

Chez les partants, c'est toutefois Pedro Martinez qui avait la meilleure étoffe (une glissante ravageuse et un superbe changement de vitesse), ce qui le plaçait parmi les meilleurs de la Ligue dans le ratio de retraits sur trois prises par neuf manches lancées. Sa réputation de chasseur de têtes laissait peu à peu la place à celle d'un artilleur de grand talent, animé d'un féroce désir de vaincre.

À 350 000 $ par année, il constituait toute une aubaine, et les Expos n'étaient pas sans le savoir. Durant la saison, ils ont d'ailleurs offert de prolonger son contrat : 6 millions pour trois ans. Mais Pedro n'était pas pressé : il ferait de son mieux jusqu'à la fin de la saison, porterait son cas en arbitrage au début de la prochaine année (obtenant probablement gain de cause) et il deviendrait ensuite joueur autonome.

Rhéal Cormier n'avait peut-être pas le talent de Pedro, mais son travail acharné avec l'entraîneur des lanceurs Joe Kerrigan avait donné des résultats, lui gagnant l'estime de Felipe Alou, qui lui confierait 27 départs.

Malgré la contribution de tous ces joueurs, il est devenu évident dans les derniers jours du mois d'août que les Expos – à une dizaine de matchs des Braves – ne les rattraperaient pas. Quand Steve Avery, le quatrième partant de l'équipe du richissime Ted Turner, est tombé au combat, la direction des Braves a tout de suite fait l'acquisition de Denny Neagle des Pirates (2,3 millions par année) pour le remplacer. Les Braves étaient tout simplement trop riches – et trop bons.

Mais tout n'était pas perdu pour autant puisque la course au quatrième as (*wild card*), elle, était encore loin d'être terminée. Depuis le début de la deuxième moitié de saison, les Expos étaient d'ailleurs en tête de cette course en parallèle.

Il faut mentionner que depuis l'ajout d'une nouvelle ronde de séries en 1994, les fins de saison dans le baseball majeur avaient pris un tout autre visage. En fait, les courses au championnat comme on les avait connues depuis des générations avaient littéralement été rayées de la carte par le nouveau système, excluant pour toujours les épiques duels de fins de saison comme ceux que s'étaient livrés les Dodgers et les Giants en 1951, les Red Sox, Tigers, Twins et White Sox dans l'Américaine en 1967, les Yankees et les Red Sox en 1978 ou encore les Giants et les Braves en 1993 (considéré maintenant comme la dernière vraie course au championnat).

En fait, on avait remplacé une formule unique dans tout le sport professionnel (qui avait son charme et qui donnait tout son sens à la longue saison de 162 matchs) par une autre, plus convenue : la « lutte pour une place dans les séries ». Le baseball avait – en était-il pleinement conscient ? – sacrifié une de ses plus belles institutions (le *pennant race*) à des impératifs surtout économiques.

L'expérience sur deux saisons de la nouvelle formule agissant maintenant comme pièce à conviction, les puristes pouvaient désormais plus facilement étoffer leurs arguments. Dans un long et percutant article publié dans *The Sporting News* le 25 août 1997, le réputé commentateur Bob Costas donnait, entre autres exemples, le cas de la fin de saison 1996 dans la division Ouest de la Nationale. Après 161 matchs, non seulement les Dodgers et les Padres étaient à égalité, mais le calendrier faisait en sorte qu'ils s'opposeraient dans le dernier match de la saison. Or, ce qui aurait pu constituer un affrontement classique est devenu un non-événement puisque les deux clubs étaient assurés d'une place dans les séries.

Pour Costas, les dommages de la nouvelle formule dépassaient largement une fin de saison dépourvue d'enjeu, c'était toute l'*anticipation* d'une course au championnat que cela venait compromettre: «Si vous lisez le journal le 1ᵉʳ août et voyez deux clubs nez à nez dans une division, vous vous racontez des histoires si vous anticipez une course au championnat. Car même si le classement semble chaudement disputé, le système va faire en sorte de court-circuiter toute fin dramatique.»

«Dans tous les sports, de poursuivre Costas, l'anticipation de ce qui va peut-être se passer est presque aussi important que ce qui arrive réellement. Un match sans point ni coup sûr ou un grand chelem en fin de 9ᵉ sont des événements rares, mais si vous saviez en cours de match que ces issues étaient impossibles, ça ne changerait pas seulement la façon dont vous vous sentez en 9ᵉ manche, ça changerait aussi votre expérience du match en 4ᵉ ou 5ᵉ manche. On vous enlèverait l'anticipation de quelque chose de mémorable. C'est ce que le baseball a fait de ses courses au championnat. Quand on regarde ça froidement, en 1969, le baseball est passé de 2 courses au championnat à 4. En 1994, il est passé de 4 courses à 0.»

Si les arguments de Bob Costas étaient solides, il faut reconnaître qu'il y avait tout de même un autre côté à cette médaille. En adoptant un nouveau format ouvrant la porte des séries à huit clubs, le baseball avait non seulement augmenté le nombre de marchés pouvant rêver à des séries d'après-saison, mais il avait éliminé ces soporifiques courses en solitaire où un club dominait si largement sa division que les dernières semaines du calendrier étaient dépourvues d'enjeu (les Pirates de 1991, les A's de 1988 ou les Mets de 1986). Dans l'ancien système, les Expos de 1996, voyant les Braves les distancer à mesure que la saison avançait, auraient probablement laissé partir quelques-unes de leurs têtes d'affiche dès la fin juillet et ils auraient consacré le reste de la campagne à «tenter des expériences» avec leurs jeunes joueurs. Or, grâce à la nouvelle formule, les amateurs de baseball montréalais auraient droit à une fin de saison enlevante jusqu'aux derniers jours du calendrier.

Le 27 août, les fans des Expos, en examinant le calendrier de septembre, ont tôt fait de remarquer les *huit* rencontres qui opposeraient les Expos aux Braves durant le mois, dont les trois matchs ultimes de la saison. Les Braves ayant 11 matchs de priorité sur les Expos, c'était davantage des clubs comme les Cards, les Astros, les Dodgers et les Padres qu'il fallait avoir à l'œil, ces formations-là ayant toutes une chance de se tailler une place dans les séries, comme premiers de division ou alors comme meilleurs « deuxièmes ».

Du 27 au 29 août, les Expos disputaient justement trois matchs aux Dodgers de Los Angeles au Stade. Après avoir divisé les honneurs des deux premiers matchs, les équipes ont envoyé dans la mêlée deux partants se connaissant bien : Ramon et Pedro Martinez. Les amateurs ont eu droit à un superbe duel de lanceurs, remporté toutefois 2-1 par les Dodgers et l'aîné des deux frères Martinez, malgré les 12 retraits au bâton réalisés par Pedro.

La série a été suivie d'une autre, tout aussi cruciale, contre les Padres de San Diego. Les Montréalais ont perdu le premier match 6-0, avant de reprendre l'initiative dans les deux autres, remontant à ½ match seulement des Padres et du quatrième as.

La ferveur de la foule dans ces matchs était quelque chose à voir. Dans un article intitulé *Vive les Expos !* (en français dans le texte), le *Globe and Mail* de Toronto citait un partisan des Blue Jays qui avait fait le voyage à Montréal pour assister au match – et qui déboulonnait quelques mythes au sujet de la soi-disant apathie des amateurs de baseball : « On a annoncé une foule de 18 235 personnes mais il semblait y avoir beaucoup plus de monde. Contrairement au silence engourdi du Skydome, l'enthousiasme était partout.

« Même les vendeurs de bière sont plus animés. Et en plus, leur produit est en bouteille et servi froid ! L'annonceur-maison et la sono sont meilleurs qu'à Toronto. Le tableau indicateur est plus créatif et interactif, la mascotte semble aimer son boulot et les prix dans les concessions alimentaires sont moins chers : "Tout cela m'amène à un verdict clair : au Canada, le baseball majeur commence et finit au Québec." »

Tous ceux qui ont déjà passé une ou deux soirées au Stade olympique peuvent en témoigner : quand on leur donnait quelques raisons de s'emballer, les amateurs de baseball québécois manifestaient leur enthousiasme avec une ferveur et une bonne humeur exceptionnelles, et même une foule de 15 000 personnes arrivait à faire trembler les colonnes de béton de l'amphithéâtre. Certes, la quantité n'y était pas toujours (17 283 et 14 930 spectateurs se présenteraient au Stade au plus fort de la course, les 17 et

18 septembre), mais on ne pouvait certainement pas accuser ces amateurs d'être blasés.

Par ailleurs, un phénomène était en train de se produire au Stade olympique au milieu des années 1990: le renouvellement de la clientèle. Une nouvelle génération de fans commençait à s'intéresser au baseball, apportant avec elle sa fougue et son goût de la fête.

Après un court et fructueux séjour à domicile (5-1) contre les Marlins et les Mets, les Expos, à un match du quatrième as et des Padres, se sont envolés vers Altanta, où ils disputeraient, du 19 au 23 septembre, 5 matchs en 5 jours aux Braves.

Ces matchs, prévus au calendrier en début d'année à cause de la tenue des Jeux olympiques d'été – qui avaient lieu à Atlanta –, ne pouvaient pas tomber plus mal pour les Expos, une équipe destinée, semblait-il, à toujours être à la mauvaise place au mauvais moment.

Or, les Expos ont remporté le premier match de la série 5-1, grâce, entre autres, aux efforts combinés de Pedro Martinez et de Ugueth Urbina, utilisé désormais comme releveur (et avec succès).

À la suite de ce gain, non seulement les Expos se retrouvaient-ils à égalité avec les Padres dans la course au meilleur deuxième, mais ils n'étaient plus qu'à 5 matchs des Braves. Avec encore 7 matchs à jouer contre leurs rivaux d'Atlanta – dont les 3 derniers à la maison – tout devenait possible, même une 1re place de l'Est.

Felipe Alou a étonné quelques observateurs en laissant sur le banc son frappeur de longue balle, le gaucher Henry Rodriguez, pour les trois premiers affrontements de la série, les trois lanceurs des Braves prévus pour ces matchs étant gauchers. À sa place, Felipe avait inscrit dans la formation le nom d'une recrue fraîchement arrivée d'Harrisburg (AA), un jeune homme du nom de Vladimir Guerrero.

Depuis plusieurs mois déjà, on parlait de Guerrero comme de l'héritier naturel de Moises Alou, le comparant à Roberto Clemente, Andre Dawson et Barry Bonds. On disait qu'il possédait tous les atouts: la puissance au bâton, une connaissance exceptionnelle de la zone des prises, un bras en or, un instinct de jeu renversant. Un «naturel», quoi. «Le meilleur joueur que j'aie vu dans les mineures», affirmait d'emblée Felipe Alou.

En le faisant graduer dans le club alors qu'il n'avait que 20 ans (et jusque-là seulement un peu plus de 1 000 présences au bâton dans les mineures), la direction avait surtout voulu lui permettre de prendre le pouls de la vie dans les majeures. Mais voilà que Felipe Alou l'envoyait dans la mêlée, en pleine course au championnat, affronter les fameux lanceurs des Braves d'Atlanta…

En réalité, Guerrero s'est bien débrouillé, obtenant même deux coups sûrs (dont son premier circuit) lors de son troisième match. Mais après leur premier gain, les Expos ont perdu les deux matchs suivants et Felipe a remplacé Rodriguez dans sa formation.

Une autre décision de Felipe – prise lors du deuxième match – a suscité quelques interrogations. Le pointage était égal en fin de 8e manche quand le gérant a choisi de « jouer le livre » en envoyant au monticule le gaucher Dave Leiper – qui n'avait pas eu beaucoup de succès depuis son retour avec les Expos en août – affronter les deux prochains frappeurs des Braves, les gauchers Fred McGriff et Ryan Klesko. Pourtant, il était connu que McGriff, même s'il frappait de la gauche, connaissait davantage de succès contre les gauchers.

McGriff a cogné un double pour donner l'avance aux Braves, et est venu marquer ce qui serait le point gagnant quelques secondes plus tard. Le vent venait de tourner et les Braves ont remporté les trois matchs suivants, s'assurant ainsi l'emprise du 1er rang.

Après le deuxième match, les journalistes affectés à la couverture de l'équipe se sont fait répondre plutôt sèchement quand ils ont cherché à connaître le raisonnement derrière les décisions du gérant. Comme la majorité des pilotes des majeures, Felipe avait horreur du *second-guessing*, de la propension qu'ont les gens à jouer les gérants d'estrade, jugeant après coup de l'opportunité d'une décision...

Si Atlanta s'était assuré une place dans les séries, la lutte pour le quatrième as, elle, n'était pas encore terminée, les Expos étant encore aux trousses des Padres (2 ½ matchs).

Après avoir divisé les honneurs des deux premiers matchs d'une série de trois à Philadelphie, les Expos tiraient de l'arrière 2-1 en début de 6e manche quand Henry Rodriguez est venu se mesurer à l'imposant Curt Schilling alors qu'il y avait 3 coureurs sur les sentiers. Oh Henry a canonné une balle au champ opposé par-dessus la clôture : le grand chelem, son 1er en carrière (et le 9e du club pour la saison) donnait à son club une avance qu'il ne perdrait plus (pour Henry, il s'agissait là de son 36e et dernier circuit de la saison).

Les Expos n'étaient maintenant plus qu'à un match des Padres, qui eux-mêmes talonnaient les Dodgers. Et il leur faudrait disputer trois autres matchs aux Braves...

Le vendredi 27 septembre, 33 133 spectateurs se sont rendus au Stade olympique où deux des meilleurs lanceurs de la Nationale, John Smoltz et Jeff Fassero, s'affronteraient dans ce qui serait probablement un duel de lanceurs.

Peut-être épuisé par toutes ces manches lancées depuis le début de la saison (231), Fassero n'a pas pu dépasser la 4e manche, les Braves prenant une avance de 3-1. Après le départ aux douches du gaucher, pas moins de sept releveurs des Expos se sont succédé au monticule. Les Braves ont ajouté à leur avance, les Expos tentant un ralliement tardif en fin de 9e qui s'est arrêté net quand Mark Grudzielanek a frappé un roulant à l'avant-champ. Braves 6, Expos 4.

Plus tard en soirée, une victoire en 10e manche de Padres sur les Dodgers portait leur avance sur les Expos à 2 matchs. Avec seulement deux rencontres à disputer, les chances des troupes de Felipe Alou ne tenaient maintenant plus qu'à un fil. Une seule autre défaite – ou une seule victoire des Padres – les exclurait des séries.

Le samedi, les Expos se sont donc préparés à leur match – prévu pour 19 h 30 – en regardant attentivement le match se terminant à Los Angeles. Quelques minutes avant le début de la rencontre Braves-Expos, la victoire des Padres était confirmée, excluant du coup l'équipe montréalaise des séries. Les 34 125 spectateurs devraient se contenter d'un match sans enjeu que des Expos démotivés ont perdu 4-0.

Après que les Expos eurent perdu les quatre derniers matchs de la série de cinq à Atlanta, Mike Lansing et David Segui avaient eu des critiques à formuler à l'endroit de la direction: «Je ne suis pas sûr qu'ils veulent gagner autant que nous», avait déclaré Lansing.

«On a la preuve qu'on est vraiment près des Braves, a dit David Segui. Mais pour qu'on ait une chance de battre les équipes championnes, la direction va devoir passer aux actes. Il y a un noyau de joueurs ici qu'il faut absolument préserver. On a vu trop de merde se produire ici ces dernières années, et c'est pour ça que beaucoup de joueurs finissent pas partir.»

Les joueurs n'avaient pas tort de s'exprimer ainsi. Au moment où ceux-ci se débattaient encore sur le terrain avec l'énergie du désespoir, Claude Brochu avait déjà annoncé que la masse salariale du club resterait autour des 15 ou 16 millions. «Il n'y aura pas de vente de feu, avait dit Jim Beattie, mais si nous gardons tous nos joueurs l'an prochain, nous allons dépasser largement notre budget. Nous n'irons pas dans cette direction.» Des déclarations qui n'avaient rien pour motiver les troupes…

Presque assurés de perdre Moises Alou, les fans des Expos commençaient déjà à se résigner à l'idée de voir partir les Mel Rojas, Jeff Fassero,

David Segui, Darrin Fletcher et peut-être même le populaire Henry Rodriguez. « Si ces gars-là ne reviennent pas, je demanderai à être échangé, a déclaré Pedro Martinez après le dernier match de la saison. Je joue au baseball pour gagner, pas pour faire de la figuration. »

Avant la grève, les dirigeants des Padres de San Diego menaient leurs affaires selon le même modèle économique que les Expos, à la petite semaine : l'équipe avait du mal à faire ses frais, elle croupissait dans les bas-fonds de sa division, et elle éprouvait des difficultés aux guichets. Et une fois la saison terminée, on procédait à une vente de feu.

Puis, en 1994, l'équipe était passée aux mains d'un nouveau propriétaire qui avait décidé d'investir dans le club. Depuis, la masse salariale était passée de 10 à 30 millions – on avait fait l'acquisition de quelques joueurs de premier plan comme Ken Caminiti et Steve Finley –, les amateurs étaient revenus en masse (plus de 2 millions en 1996) et l'équipe avait remporté le championnat de sa division (doublant les Dodgers lors du dernier match de la saison). N'était-ce pas là un modèle que pourraient suivre les Expos ?

Claude Brochu répondait par une question : les *trois* victoires de plus qu'avaient eues les Padres (91 contre 88 pour les Expos) valaient-elles les 15 millions additionnels qu'elles leur avaient coûtées ?

« Il n'est pas question d'emprunter la voie des Padres, a tranché le président et commandité du club. S'ils sont prêts à perdre 15 ou 20 millions, c'est leur choix. Quand nos propriétaires ont investi pour acheter l'équipe de Charles Bronfman en 1991, ils ont accepté de ne pas faire d'argent avec cet investissement-là. Ce ne serait donc pas logique d'aller leur en redemander. Une équipe de baseball doit s'autofinancer. Sinon, on court au désastre. Nous allons devoir prendre les bonnes décisions pour donner aux Montréalais une équipe compétitive en 1997. Les amateurs doivent nous faire confiance. »

Faire confiance, certes, mais cette confiance devait-elle pour autant être aveugle ? Les détenteurs de billets de saison n'étaient-ils pas en droit d'obtenir certains engagements avant de renouveler leur abonnement ? « Claude était toujours fier de nous dire que de toutes les équipes des majeures, les Expos étaient celle qui avait le meilleur ratio dollar-victoire[18] », dit Mark Routtenberg, que cette statistique n'impressionnait guère.

« Depuis l'achat de l'équipe par le consortium de M. Brochu, a écrit Philippe Cantin de *La Presse*, les Expos ont mis de bonnes équipes sur le terrain [...] En revanche, on n'a jamais senti l'organisation animée par le désir d'accrocher une participation aux séries à son palmarès. Personne ne demande aux Z'amours de faire grimper leur masse salariale à un niveau mettant en danger la survie de la concession. Mais quand, à la fin du mois de juillet, ils ont une superbe chance d'atteindre les séries éliminatoires, le public est en droit d'espérer une acquisition significative.»

Alors que le rideau tombait sur la campagne 1996, Jim Beattie a déclaré que sa priorité était de renforcer la défensive et le personnel de lanceurs: «Nous ferons tout en notre pouvoir pour garder Jeff Fassero. Il a connu une grande saison (15-11, MPM de 3,30) et nous voulons le garder. Mais il coûtera cher et nous devrons sans doute faire quelques sacrifices ailleurs.»

Le 29 octobre, Jeff Fassero, un des trois meilleurs gauchers de la Ligue nationale, était échangé aux Mariners de Seattle contre le receveur Chris Widger et les lanceurs Matt Wagner et Trey Moore, 3 jeunes totalisant une expérience de 46 matchs dans les ligues majeures.

Avant la fin du mois, les Expos ont confirmé aux médias la rumeur qui circulait depuis quelque temps déjà: ils mèneraient une étude de faisabilité pour déterminer s'ils iraient de l'avant avec la construction d'un stade au centre-ville.

Un espace était déjà ciblé: un terrain de 530 000 pieds carrés (pas énorme mais juste assez grand), logé dans le quadrilatère formé par les rues Notre-Dame, de la Montagne, Saint-Jacques et Peel; au sud du nouveau Centre Molson (rebaptisé Bell depuis) qu'avaient inauguré les Canadiens de Montréal en début d'année.

L'étude comprendrait entre autres une évaluation des coûts de construction (qui ne devraient pas dépasser les 200 millions) ainsi qu'une estimation du potentiel commercial du nouveau stade.

Si les résultats de l'étude ne s'avéraient pas concluants, le projet serait abandonné définitivement. Cette issue pourrait-elle alors sonner le glas de la concession? Claude Brochu disait ne pas vouloir s'avancer là-dessus: «Je ne pense même pas à ça.»

«Chose certaine, a expliqué le président du club, le stade serait modeste, sans tape-à-l'œil coûteux, et nous ne ferons pas de menaces publiques de déménager le club comme stratégie pour obtenir du financement.» Tous avaient frais en mémoire la stratégie du couteau sur la gorge employée par Marcel Aubut auprès de la Ville de Québec et du gouvernement provincial avant de vendre les Nordiques en mai 1995.

«Nous n'irons de l'avant que si nous obtenons la conviction que le projet a de fortes chances de succès», a encore dit M. Brochu.

Le niveau de confiance de Claude Brochu quant à la faisabilité de l'entreprise devait être bon, puisque le club dépenserait 500 000 $ pour mener l'étude. Le consortium aurait en main les résultats de l'analyse dès le printemps suivant.

En août, Don Fehr et des représentants de l'Association des joueurs avaient multiplié les rencontres avec Randy Levine, le nouveau négociateur nommé par les propriétaires. Alors que les Yankees de New York – et leur releveur de fin de match John Wetteland – célébraient leur victoire en Série mondiale, Fehr et Levine en sont arrivés à un accord de principe incluant «taxe de luxe» sur les plus fortes masses salariales, partage des revenus pour venir en aide aux clubs à faibles revenus, crédit du temps d'ancienneté des joueurs perdu durant la grève, augmentation substantielle du salaire minimum et autres modifications mineures, toutes à l'avantage des joueurs.

Le 6 novembre, les propriétaires rejetaient la proposition à 18 contre 12, exigeant la modification de certains articles ainsi que des clarifications. Pour les clubs opposés à l'entente (dont les Expos, les Brewers de Bud Selig et les White Sox de Jerry Reinsdorf), la signature d'un accord comme celui-là conduirait rapidement le baseball au désastre économique. Don Fehr a répondu que les joueurs avaient fait assez de concessions et qu'il ne reprendrait pas les pourparlers. Les deux parties évoquaient déjà la possibilité d'un nouvel arrêt de travail pour 1997.

Puis, 20 jours plus tard, les propriétaires faisaient une spectaculaire volte-face et appuyaient l'entente à 26 contre 4, sans qu'une seule ligne en ait été modifiée. Comment en était-on arrivé là? Un geste de Jerry Reinsdorf, propriétaire des White Sox de Chicago, a servi d'élément déclencheur.

Dans les années menant à la grève, Reinsdorf était devenu, avec Bud Selig, l'un des plus ardents défenseurs d'une nouvelle entente axée sur un plafond salarial et le partage des revenus, arguant qu'ils étaient indispensables à la survie des marchés à faibles revenus. Compte tenu qu'il était lui-même propriétaire d'un club de grand marché, son discours pouvait paraître paradoxal, mais il clamait haut et fort que c'était toute la santé financière de l'industrie qui en dépendait. Selig et lui avaient convaincu leurs collègues d'adopter la ligne dure et c'est bien sûr ce qui avait mené le baseball à l'impasse et à une grève dévastatrice.

Mais voilà que le 6 novembre, le jour même où les proprios avaient voté contre l'entente Fehr-Levine, Reinsdorf a fait un geste ahurissant: il a offert le plus gros contrat jamais offert à un joueur de baseball en consentant au joueur autonome Albert Belle 52,5 millions sur cinq ans.

En faisant le contraire de ce qu'il avait prêché pendant quatre ans, Reinsdorf s'est instantanément mis à dos la plupart de ses alliés. « Jerry, voilà quatre ans que nous t'écoutons, a dit Larry Lucchino, le président des Padres de San Diego. Tu as été de tous les comités et chaque fois que tu nous as demandé de faire quelque chose, nous t'avons écouté pour réaliser ensuite que tu avais tort. Il serait temps que tu arrêtes de parler et que tu t'enlèves du chemin. » Bientôt, d'autres clubs abandonneraient la ligne dure et Reinsdorf se retrouverait isolé, appuyé seulement par trois autres clubs, les A's, les Indians et les Royals. Bud Selig et Claude Brochu, du côté de Reinsdorf depuis le début, se sont joints à ceux qui voulaient en arriver à une entente avec l'Association.

La capitulation des propriétaires était – une fois de plus – complète : les règles entourant l'arbitrage et l'autonomie restaient les mêmes, l'idée de plafond salarial avait été complètement abandonnée, le salaire minimum augmenterait comme l'avaient demandé les joueurs (de 109 000 $ en 1996, il passerait à 150 000 $ en 1997 puis à 200 000 $ en 1999), le temps d'ancienneté perdu pendant la grève serait pleinement crédité.

Et si l'accord prévoyait de nouvelles dispositions, comme une « taxe de luxe » sur les masses salariales (pour 1997, tous les clubs ayant une masse salariale supérieure à 51 millions de dollars seraient taxés à hauteur de 35 %), le partage des revenus et même l'ajout de matchs interligues au calendrier (une innovation qui serait à l'essai en 1997 et 1998), aucune d'entre elles n'aurait d'effet négatif sur la rémunération globale des joueurs.

Il ne fait pas de doute que les Expos étaient déçus de la tournure des événements, l'accord ne prévoyant rien de significatif pour freiner l'écart toujours grandissant entre équipes riches et pauvres. Pourtant, Claude Brochu se disait plus soulagé que malheureux : « Il y avait consensus dans le groupe alors nous avons conclu qu'il fallait aller de l'avant, a-t-il dit. Certains sont fâchés mais pas nous. Au moins, on sait où on s'en va. Bien sûr, Moises Alou et Mel Rojas vont devenir joueurs autonomes mais au moins, je suis heureux de voir qu'on a reconnu le principe de partage des revenus. À cet égard, nous devrions recevoir 3,5 millions pour 1996 et le même montant pour 1997. »

Le 7 décembre, Moises Alou et Mel Rojas devenaient joueurs autonomes.

Quelques jours plus tard, Rojas – qui avait terminé la saison en obtenant 23 sauvetages consécutifs sans un seul sabotage – signait une entente d'un peu moins de 14 millions pour trois ans avec les Cubs de Chicago. Puis, le 12 décembre, les Marlins de la Floride annonçaient s'être entendus pour cinq ans avec Moises Alou pour la rondelette somme de 25 millions.

« Moises Alou sera difficile à remplacer, a écrit Jeff Blair dans *The Gazette*. Il signait des autographes et souriait aux gens sans jamais donner l'impression de vouloir être ailleurs. Certes, il lui arrivait de râler contre la gestion de bas de laine de la direction, mais il n'a jamais donné l'impression de ne pas aimer la ville. Alou et l'uniforme des Expos, ça allait bien ensemble. »

Aujourd'hui, Felipe Alou estime que les départs des Fassero, Rojas et Moises Alou à la fin 1996 ont été encore plus dévastateurs que la vente de feu du printemps 1995 : « Nous étions vraiment sur le chemin du retour et après la saison, ils nous ont appliqué le coup de grâce. À partir de là, c'est comme si on ne s'attendait plus à nous voir remporter des matchs de baseball. »

CHAPITRE 7

La saga
(1997-1999)

Sur le terrain, arrivée d'une future grande vedette : Vladimir Guerrero.
Le lobbying pour le nouveau stade se transforme progressivement en
saga : saboté de l'intérieur, le train de Claude Brochu finit par dérailler,
malgré ses appuis au sein de la MLB. Les ventes de feu se poursui-
vent : Pedro part vers Boston, un Cy Young dans ses valises. L'équipe
joue sous la barre des ,500, les assistances continuent de baisser, les
rumeurs de déménagement de l'équipe refont surface annuellement.
Le bras de fer hors terrain traîne en longueur, Claude Brochu accepte
de passer le flambeau, non sans avoir été pleinement compensé par
les actionnaires du club. Jacques Ménard se retrouve à l'avant-scène,
Felipe Alou vient tout près de quitter les Expos puis décide de rester.
Les actionnaires québécois trouvent un nouveau commandité : un
marchand d'art venu de New York du nom de Jeffrey Loria.

1997

L'hiver avait été le plus pénible de la vie de Felipe Alou.

À mi-chemin durant la dernière saison, il avait commencé à se sentir
fatigué, se levait souvent la nuit pour aller aux toilettes. Absorbé par la
course de son équipe pour une place dans les séries jusqu'au dernier
samedi de la saison, Felipe ne s'était pas trop attardé à sa condition.

Une fois la saison terminée, Felipe a fait un court séjour en République
dominicaine où il s'est affairé à réaliser des travaux sur son bateau avant
de rentrer chez lui à West Palm Beach. C'est là qu'il s'est aperçu de la
présence de sang dans son urine.

Le lendemain, le gérant de 61 ans, qui avait l'air d'en avoir 20 de moins
et qui n'avait jamais été malade de sa vie (il ne connaissait ni le mal de

tête, ni le mal de cœur), s'est finalement résolu à consulter un médecin. Au début, on a pensé à des calculs rénaux, mais, quelques jours plus tard, un autre verdict est tombé : augmentation de la taille de la prostate et présence d'une petite tumeur sur la vessie. En somme, possibilité bien réelle d'un cancer de la prostate.

On a rapidement procédé à une première intervention chirurgicale pour extirper la tumeur (qui s'est heureusement révélée bénigne), puis à une deuxième pour réduire la taille de la prostate. Felipe a passé deux mois entre son lit et la clinique et ce n'est qu'à la mi-janvier que les saignements ont cessé.

« Tout ce temps, j'entendais des rumeurs selon lesquelles j'allais accepter l'offre de telle ou telle équipe, a raconté Felipe à Jack Todd de *The Gazette* durant le camp d'entraînement. Moi, je me demandais juste si je serais là au printemps. Je pensais que j'allais mourir.

« Sur le plan spirituel, je suis prêt, je n'ai pas peur de mourir. Je viens d'une grande famille et j'ai souvent été confronté à la mort. J'ai vu plusieurs personnes de ma famille combattre la mort jusqu'au dernier jour. Je crois qu'il y a une vie spirituelle après la mort, je ne pense pas que c'est une invention ou une image ; je ne sais pas quelle forme cette vie prend, mais je crois qu'elle est là. »

Alou était toutefois préoccupé par sa famille. Parmi ses 10 enfants, 4 avaient moins de 18 ans : « Il m'est apparu que je n'avais pas assez préparé l'avenir de ma femme et de mes enfants. Quand mon père nous a envoyés, moi, Jesus et Matty, aux États-Unis pour jouer au baseball, il nous a dit qu'il ne savait pas si nous serions de bons joueurs là-bas. Mais il savait qu'il envoyait trois *hommes* dans le monde. »

Alors qu'il était en période de repos, Felipe a négocié une nouvelle entente avec les Expos, une prolongation de son contrat qui le maintiendrait à la barre du club jusqu'à la fin 1999, plus une autre année de « services personnels » dont la nature resterait à déterminer : « Ils m'ont fait une bonne offre, surtout quand on tient compte du fait qu'ils la soumettaient à un homme malade. Par ailleurs, on m'a dit que le club prendrait maintenant les moyens pour mettre sous contrat à long terme quelques piliers du club. »

Bien sûr, il aurait pu attendre la fin de la saison et espérer de meilleures offres : « Je suis dans le baseball depuis longtemps, je sais ce qui se trouve ailleurs. Mais je ne voudrais pas que mes enfants pensent que je suis parti à cause de l'argent, que je quitte un endroit à cause de l'argent. J'ai été heureux à West Palm Beach, à gérer une équipe de calibre A pendant huit ans pour très peu d'argent. Quand je pensais que j'allais mourir, je savais que l'argent ne pourrait pas me sauver. Alors j'ai décidé de rester sur la terre de ma femme et de mes plus jeunes parce que je crois en la loyauté», concluait Felipe.

Quand le camp d'entraînement a ouvert à West Palm Beach, Felipe était à son poste, de nouveau en uniforme. Un peu amaigri, les cheveux plus blancs mais visiblement heureux d'avoir encore le loisir de se préoccuper de questions d'alignement et de rotation de partants...

Dans la foulée des départs de Moises Alou et de Mel Rojas, Jim Beattie avait déclaré son intention de déposer une offre significative à un des meilleurs releveurs des majeures : nul autre que John Wetteland des Yankees de New York, le Joueur par excellence de la dernière Série mondiale...

À l'été, alors que les Yankees amorçaient une poussée qui les conduirait jusqu'à la victoire ultime, Wetteland avait déclaré qu'il ne serait pas de retour à New York. Il disait en avoir assez du cirque autour du club et souhaitait retrouver un environnement plus simple, comme ce qu'il avait connu à Montréal, où il résidait à Saint-Sauveur, à une heure de voiture du Stade olympique. «J'avais toujours envie d'aller jouer, j'adorais jouer pour Felipe Alou, et j'avais l'appui total des entraîneurs, avait-il confié au journaliste Danny Gallagher pour le quotidien torontois *The Globe and Mail*. Les joueurs qui disent ne pas aimer Montréal n'ont tout simplement pas pris la peine de la connaître. Moi, j'accepterais d'y retourner pour des "pinottes". »

«John Wetteland a publiquement manifesté son désir de revenir avec les Expos, alors nous allons exploiter cette ouverture, a déclaré Beattie. J'ai déjà parlé à son agent et je lui ai dit qu'on était prêt à lui offrir 4 millions par année pour 3 ou 4 ans. Il pourra sans doute obtenir plus ailleurs, mais comme il s'est dit souhaiter à revenir avec nous... »

Wetteland avait peut-être sincèrement envie de revenir à Montréal, mais une offre arrivant du Texas tomberait rapidement dans la catégorie de celles qu'on ne peut pas refuser : contrat garanti de 23 millions pour quatre ans. Se ralliant sans doute aux arguments de son agent – et peut-être aussi à ceux de l'Association des joueurs, qui n'aimait pas trop l'idée de voir ses membres offrir leurs services à rabais – Wetteland a pris le chemin du Texas.

Beattie s'est alors appliqué à attirer un autre agent libre : le lanceur droitier Jim Bullinger, 31 ans, qui venait de connaître une atroce saison avec les Cubs de Chicago (6-10, 6,54) ; exactement le profil de joueur que les Expos pouvaient se payer. C'est ce que 525 000 $ (annuellement) pouvaient acheter dans le marché de 1997.

Après les départs successifs de Jeff Fassero, Mel Rojas et Moises Alou, la fuite de de talents s'était étonnamment colmatée et à l'arrivée du printemps, les joueurs les plus susceptibles d'être échangés – David Segui, Henry Rodriguez, Darrin Fletcher et Mike Lansing (cinq des six millionnaires de l'équipe) – étaient toujours membres des Expos.

Comme le club n'avait à peu près pas de joueurs sous contrat à long terme, il avait fallu recommencer, comme chaque année, de nouvelles rondes de négociations.

Tout au haut de la liste de priorités se trouvait bien sûr Pedro Martinez, de loin le meilleur lanceur du groupe – et le plus cher. Claude Brochu laissait entendre depuis quelque temps que l'équipe était sérieuse dans sa volonté de mettre Pedro sous contrat à long terme, allant jusqu'à faire cette audacieuse prédiction : « Pedro est ici pour rester. *And you can take that to the bank.* »

Mais ce projet semblait maintenant de plus en plus incertain, Martinez répétant qu'il ne se signerait rien tant que l'équipe ne s'engagerait pas à garder son noyau de joueurs établis. Alors que les discussions semblaient mener tout droit à l'arbitrage (Pedro voulait 3,9 millions, les Expos lui en offraient 3,1), les deux parties se sont évité ce détestable exercice en coupant la poire en deux : 3,5 millions. Pedro ne deviendrait pas joueur autonome avant la fin de 1998 ; en principe donc, l'équipe pourrait compter sur lui pour deux autres saisons. On pouvait toutefois imaginer le salaire qu'il commanderait s'il connaissait une autre bonne saison en 1997... Les plus pessimistes disaient maintenant s'attendre à voir partir Pedro à la fin de la saison, peut-être même avant.

Durant l'hiver, les Expos avaient tenté d'échanger Henry Rodriguez mais n'avaient trouvé aucun preneur : dans l'industrie, on considérait son rendement de 1996 comme un accident de parcours qui ne se reproduirait plus. Comme Pedro, Henry s'était évité l'arbitrage en acceptant 2,3 millions, un demi-million de moins que ce qu'il avait demandé.

Si le retour de Rodriguez était une bonne nouvelle pour le département de marketing des Expos (c'est d'ailleurs la photo d' « Oh Henry » qui ornait le calendrier de poche du club), ce n'était pas la même histoire pour Felipe Alou. Non seulement devrait-il composer avec un joueur unidimensionnel – et en apparence insouciant –, mais la présence d'Henry dans l'alignement bloquerait encore le chemin à Cliff Floyd, qui n'avait pas trouvé le moyen de refaire sa place après sa malheureuse blessure au poignet de mai 1995. Rodriguez, lui, était enchanté de la tournure des événements : « Je suis tellement content de revenir avec les Expos. J'ai hâte de retrouver mes fans. »

Après sa formidable campagne de 1996, Mark Grudzielanek avait espéré que les Expos fassent preuve de gratitude… Mais la politique d'austérité du club était immuable, et l'arrêt-court devrait se contenter de 220 000 $ pour la saison à venir, un salaire bien modeste pour un gars qui avait évolué pendant deux manches aux côtés de la supervedette Ozzie Smith dans le dernier match des Étoiles… Piqué, Grudz a boycotté une journée du camp et l'histoire a semblé l'ennuyer pendant toute la saison.

Au début du camp, Felipe Alou et ses entraîneurs se disaient confiants en le potentiel du club qu'ils offriraient aux Montréalais. Mais la question restait de savoir si les jeunes auraient la maturité pour prendre adéquatement la relève de ceux qui étaient partis. « Va falloir se montrer imaginatif, a dit le gérant. On utilisera plus souvent l'amorti-suicide, le double-vol et le frappe-et-court. En 1994, le club était si puissant que j'avais peu à faire. Cette année, je devrai gérer agressivement. »

Le plus gros point d'interrogation demeurerait le personnel de lanceurs. Qui serait le partant numéro deux derrière Pedro Martinez ? Personne n'en savait rien. Ça se jouerait entre le nouveau venu Jim Bullinger, Matt Wagner – le grand droitier obtenu en échange de Fassero – ou encore Carlos Perez, s'il était rétabli non seulement de sa blessure à l'épaule mais d'un autre accident survenu alors qu'il évoluait dans les ligues d'hiver.

D'abord, le mot avait couru que Perez s'était infligé une coupure à un doigt de la main gauche – celle avec laquelle il lançait – qui avait nécessité, selon les premiers rapports, une douzaine de points de suture. La blessure, avait-on appris, s'était produite quand Carlos était tombé en prenant sa douche. Une autre hypothèse plus plausible – une altercation avec un joueur des ligues d'hiver ou peut-être une femme – s'était ajoutée à l'histoire de la douche, mais ce que les instructeurs des Expos ont surtout retenu en le voyant lancer au camp, c'est que les dommages étaient moins importants qu'on l'avait cru (5 points de suture et non 12) et que Perez lançait avec aisance. Par ailleurs, l'accusation d'agression sexuelle dont il faisait l'objet était encore à l'étape de l'enquête et tout indiquait qu'il serait de la formation – du moins pour le début de la saison.

Le rôle de cinquième partant reviendrait peut-être à Rhéal Cormier, muté en relève dans les dernières semaines de 1996, à Omar Daal, un gaucher surtout employé en relève l'année précédente, à Jose Paniagua, ou encore… à Dennis Martinez, El Presidente lui-même.

Après 3 saisons passées à Cleveland – où il avait ajouté 32 victoires à sa fiche – Martinez était redevenu agent libre. Une de ses motivations à poursuivre sa carrière (il avait 41 ans) était d'ajouter au moins 4 victoires à son palmarès (il en avait 239), ce qui lui permettrait de dépasser l'ancien lanceur des Giants Juan Marichal, au premier échelon de tous les lanceurs d'Amérique latine.

Martinez habitait à Miami et il avait tenté d'intéresser les Marlins de la Floride à ses services, mais ces derniers avaient jugé que l'état de son coude – incertain depuis la dernière saison – comportait trop de risques pour même lui offrir un contrat des mineures. Toujours à la recherche d'une belle aubaine, les Expos lui ont offert de se rendre à West Palm Beach pour un essai sans salaire, promettant toutefois de défrayer ses coûts de déplacement et de logement s'il se taillait une place dans le club. Comme l'objectif de Martinez était d'abord personnel, et puisqu'il avait tout de même empoché la rondelette somme de 14 millions dans les trois dernières années seulement, Jim Beattie a pensé qu'il accepterait ces conditions. L'ennui, c'est qu'El Presidente était encore plus radin que la direction de l'équipe. Il s'est dit contrarié par la proposition et a déclaré qu'il y repenserait. Quelques jours plus tard, il signait un contrat de ligues mineures avec les Mariners de Seattle. C'est finalement en 1998 – avec les Braves d'Atlanta – qu'il battrait le record de Juan Marichal.

Le mois précédent, les Expos avaient pris une initiative semblable en offrant un contrat de ligues mineures au vétéran releveur Lee Smith, 39 ans, alors le détenteur du record de sauvetages en carrière (il en avait 473). S'il se taillait une place dans le club, Smith serait de ceux qui mettraient la table pour Ugueth Urbina, qui chausserait dorénavant les souliers de Mel Rojas. Comme le vétéran était vraiment en fin de parcours, son salaire – 400 000 $ – ne bousculerait pas trop le budget du club.

Vers la fin du camp, la situation des lanceurs se précisait un peu plus chaque jour : Jim Bullinger avait fort bien lancé et avait mérité le deuxième rang de la rotation, Carlos Perez n'avait plus mal au bras et Ugueth Urbina semblait bien rétabli de l'arthroscopie au coude qu'il avait subie durant la saison morte. En revanche, Matt Wagner et Rhéal Cormier avaient éprouvé des malaises au bras et on ignorait quelle serait leur disponibilité en début de saison.

La vraie histoire du camp, toutefois, c'était Vladimir Guerrero, qui en a mis plein la vue à tous pendant toute la durée de l'entraînement (24 CS, ,358). « Si on ne l'a pas amené au camp l'an dernier, a dit Felipe Alou, c'est qu'on avait peur qu'il soit le meilleur du groupe et qu'on soit obligés de le garder avec l'équipe ! » Guerrero avait ainsi pu profiter d'une saison additionnelle dans le AA où il avait fait la pluie et le beau temps avant de sauter directement dans le grand club en septembre sans passer par le AAA.

Tous ceux qui le voyaient à l'œuvre étaient stupéfaits par son jeu. Déjà, on l'avait vu réussir un circuit à l'intérieur du terrain et lancer, de sa position au champ droit, une prise au marbre pour épingler un coureur. Gary Hughes, le directeur du développement des joueurs chez les Marlins, disait que c'était le joueur le plus excitant qu'il ait vu « depuis des années ». Henry Rodriguez le disait encore meilleur que Raul Mondesi, la star montante des Dodgers. Vladimir avait tout autant impressionné l'équipe d'entraîneurs des Orioles de Baltimore : « On lui a lancé des balles à effet les premières fois et il a étendu les bras de l'autre côté de la plaque pour frapper la balle en lieu sûr, a raconté Ray Miller, l'entraîneur des lanceurs des Orioles. J'ai alors dit à nos lanceurs de le défier avec des rapides à l'intérieur. Au prochain tir, il a pivoté sur lui-même et cogné la balle sur la ligne pour un double. On commence à être à court d'idées. »

Il ne faisait plus de doute pour personne que le poste de voltigeur de droite serait maintenant – et pour quelques années encore – celui de Vladimir Guerrero, ce qui créait soudainement une certaine congestion parmi les voltigeurs. À gauche, on aurait Henry Rodriguez en alternance avec F.P. Santangelo. Au centre, Rondell White, et à droite, Guerrero. On pourrait compter sur la présence de Sherman Obando comme auxiliaire mais qu'adviendrait-il de Cliff Floyd ?

Devant l'évidence, Floyd a demandé d'être échangé. Désespérément à la recherche de bons bras, Jim Beattie ne s'est pas fait prier longtemps : le 26 mars, il l'envoyait aux Marlins de la Floride en retour d'un lanceur de relève du nom de Dustin Hermanson et d'un voltigeur réserviste, Joe Orsulak.

Après l'avoir considéré et « vendu » aux fans comme le joueur d'avenir de la concession, les Expos avaient cédé Cliff Floyd (le joueur le plus prometteur des rangs mineurs de tout le baseball en 1993) dans le seul but, semblait-il, de combler une lacune ponctuelle de la formation. Ébranlé, Rondell White, le grand compagnon d'armes de Floyd, de Harrisburg à Montréal en passant par Ottawa, a pleuré pendant une heure dans un coin du vestiaire avant de pouvoir rencontrer les médias.

Les amateurs de baseball montréalais étaient en colère. Certes, Floyd aurait eu du mal à décrocher un poste régulier en 1997. De plus, il avait admis avoir peur de jouer de nouveau au premier but, encore traumatisé par la grave blessure qu'il y avait subie. Mais il constituait ou bien une belle police d'assurance en cas de blessure à un régulier, ou encore une formidable monnaie d'échange pour obtenir un joueur de premier plan.

Mais voilà : tout ce qu'avait pu aller chercher Beattie, c'était un *releveur* (le club avait besoin de partants) dont l'expérience dans les majeures consistait à 45 manches lancées pour les Padres en 1995 et 1996 (MPM de 6,82 et 8,56…) et un vétéran (Orsulak, ,221 en 1996) qui jouerait de façon sporadique. « Je sais que les amateurs sont déçus du départ de Cliff, a dit le DG des Expos. Mais je suis payé pour prendre des décisions difficiles et ne regrette absolument pas celle-ci. Le bras de Hermanson est exceptionnel ; j'ai réalisé cette transaction parce que je suis convaincu qu'elle améliore l'équipe. »

Trois jours après la transaction, Vladimir Guerrero se fracturait un os du pied gauche, résultat d'une fausse balle. En son absence (d'au moins un mois), c'est le réserviste Joe Orsulak qui patrouillerait le champ droit. La transaction paraissait soudainement encore plus mal…

Malgré ce revers de fortune, la plupart des experts donnaient les Expos troisièmes pour 1997, derrière les Braves d'Atlanta et les Marlins de la Floride. Après ce qu'on avait vu dans les dernières années, plus personne ne doutait de la capacité de Felipe Alou de tirer le maximum des joueurs qu'on mettait à sa disposition ; aucun soi-disant connaisseur n'aurait osé parier contre Alou et ses Expos.

Malheureusement pour les amateurs de baseball québécois, les Expos évoluaient dans une division de plus en plus compétitive – ou du moins qui prenait les moyens de l'être. En effet, après les Braves, voilà que les Marlins de la Floride et leur propriétaire Wayne Huizenga (fondateur, entre autres, de Blockbuster Video) avaient décidé de jouer dans la cour des grands en débloquant pas moins de 89 millions de dollars pour mettre la main sur Moises Alou (Expos), le troisième-but Bobby Bonilla (Orioles), le lanceur Alex Fernandez (White Sox), les voltigeurs Jim Eisenreich (Phillies) et John Cangelosi (Houston), et même un des meilleurs gérants des majeures, Jim Leyland (Pirates), qui en avait marre de gérer un club qui, comme les Expos, laissait partir ses meilleurs éléments, année après année.

Coincés dans la même situation, Felipe Alou et Jim Leyland avaient choisi des voies diamétralement opposées : « Je veux seulement avoir une chance de gagner, a déclaré Leyland après sa défection vers Miami. J'avais une vie confortable à Pittsburgh, je faisais un million par année, j'habitais à 10 minutes du stade, tout était bien : bonne ville, bon rapport avec les gens. Mais on se faisait régulièrement botter le derrière et ça me tuait. »

La situation des Marlins avait décliné depuis leur arrivée dans la Nationale en 1993. L'effet de nouveauté passé, la vente des billets de saison avait glissé de 19 500 à 12 500 en deux ans, et l'assistance avait chuté d'une moyenne de 32 830 à 21 835. « Compte tenu du prix qu'on a payé la concession (95 millions), a dit le président du club Don Smiley, nous ne pouvions plus continuer de fonctionner de cette façon. Nous avons essayé toutes les formes de marketing possibles pour attirer les gens. Le seul ingrédient qui manquait était d'avoir un club prétendant au trône. »

Les Marlins avaient invité son DG Dave Dombrowski à se constituer la meilleure équipe possible. Pour y arriver, Dombrowski avait rassemblé un groupe de joueurs qui coûteraient au club tout juste un peu moins que 50 millions en 1997. Le proprio Huizenga ne cachait toutefois pas ses intentions : si les fans ne répondaient pas favorablement à ses efforts, il mettrait l'équipe en vente.

Le monde du baseball garderait un œil intéressé sur le sort des Marlins, puisque la suite des choses contribuerait certainement à répondre à une question préoccupant quantité d'observateurs du sport professionnel : pouvait-on acheter un championnat ? Aussi, était-ce la façon la plus avisée de gérer une équipe ?

Les Expos, bien évidemment, se situaient tout à fait à l'opposé du spectre. Une question de philosophie (et de moyens), certes, mais aussi une affaire de plan stratégique. Car, dans le grand plan de match de Claude Brochu, il y avait un enjeu plus important qu'une course au championnat : la survie du club. Et dorénavant, à ses yeux, celle-ci passait par l'installation des Expos dans un nouveau stade du centre-ville – qui surviendrait pour l'ouverture de la saison 2001. Dans le plan Brochu, le club serait de nouveau compétitif à ce moment-là, comme les Indians de Cleveland l'avaient été chaque année depuis l'ouverture du Jacobs Field en 1994.

Ce « grand plan de match », bien sûr, serait mené au détriment des trois ou quatre prochaines saisons de l'équipe. Ces années s'annonçaient dures, en effet : l'équipe évoluait dans une division d'organisations fortunées, les quatre autres équipes de l'Est disposant de beaucoup plus de moyens que les Expos et leurs 18 millions de masse salariale : outre les Marlins et leurs 48 millions, on retrouvait les Braves (50 millions), les Mets (38,5 millions) et les Phillies (35,5 millions). En outre, les ventes de feu des 3 dernières saisons avaient contribué à éroder l'appui corporatif : l'équipe comptait désormais sur un peu moins de 7 000 billets de saison vendus. Claude Brochu, qui avait déjà annoncé un déficit de 4,5 millions pour 1996 s'attendait à essuyer des pertes encore plus importantes durant l'année.

En avril 1997, les études de faisabilité de Claude Brochu n'étaient pas encore complétées mais tout indiquait que le club irait de l'avant dans son intention de se doter d'une nouvelle demeure. À preuve, l'équipe avait soumis dès janvier une option d'achat sur le terrain au sud-ouest de l'aréna des Canadiens.

« Une fois les données rassemblées, les plans et devis mis sur pied, il faudra trouver un mode de financement, a dit Claude Brochu alors que le club s'apprêtait à quitter West Palm Beach pour Montréal. Le temps des loteries et des demandes de subventions massives aux gouvernements est révolu », a-t-il ajouté, dans une allusion à peine voilée à Marcel Aubut et à la façon « cow-boy » dont il avait mené le dossier des Nordiques.

« Financer un complexe sportif d'importance sans constamment aller fouiller dans les poches des contribuables, c'est faisable, avait poursuisvi le président des Expos. C'est notre plus grand défi et j'ai bon espoir d'y parvenir. »

« Au fond de lui-même, écrivait Philippe Cantin de *La Presse*, le président des Expos est convaincu que le projet est réalisable. Chaque jour, en se rendant à son bureau du Stade olympique, il passe au coin des rues Notre-Dame et de la Montagne. En apercevant ce grand terrain vague sur lequel son organisation a pris une option d'achat, il ferme un instant les yeux et imagine 40 000 personnes dans les gradins, heureuses d'assister à un match de baseball en plein air.

« À moins d'une surprise, de poursuivre Cantin, les Expos annonceront bientôt qu'ils amorcent la phase II de leur opération nouveau stade. On sera encore très loin du dénouement, mais le projet deviendra plus concret et des idées de montage financier circuleront. M. Brochu est un optimiste. Mais trouver les 200 millions pour la concrétisation de son rêve nécessitera une incroyable dose d'énergie et d'imagination. »

Le journaliste aurait pu ajouter que Claude Brochu aurait surtout besoin de la pleine confiance et collaboration de ses partenaires du consortium. Car ultimement, plus que l'énergie et l'imagination, c'est ce qui lui ferait le plus cruellement défaut.

À son dernier départ de la saison 1996, Pedro Martinez s'était fait expulser du match pour avoir tenté de s'en prendre au lanceur Mike Williams des Phillies qui venait de lancer deux fois *derrière* lui. En plus de l'expulsion, le bureau de discipline du baseball lui avait collé une suspension de huit matchs, ce qui lui ferait manquer ses deux premiers départs de la saison.

C'est de cette façon que Jim Bullinger s'est retrouvé avec l'honneur de commencer le premier match de la nouvelle saison, qui aurait lieu contre Saint Louis au Stade olympique. Après lui, viendraient le grand droitier Jeff Juden et Carlos Perez. Pour dire vrai, on était bien loin de la rotation de partants des Braves d'Atlanta…

Or, contre toute attente, les trois ont excellé à leur première sortie : Bullinger a accordé un seul point en six manches, Juden a complété sept manches et limité les Cards à un point sur deux coups sûrs et Perez a remporté son match malgré les quatre points qu'il a accordés dans les trois premières manches. Puis, dans les jours qui ont suivi, Dustin Hermanson a si bien paru (11 retraits au bâton dans ses 5 premières manches) qu'il a offert au gérant de tenter sa chance comme partant – lui qui n'avait pas commencé de matchs depuis le collège. Felipe a acquiescé à sa demande et Hermanson s'est étonnamment révélé l'un des partants les plus fiables de la rotation en 1997, au grand soulagement de Jim Beattie...

L'émergence d'Hermanson ne pouvait pas tomber mieux, puisque Rhéal Cormier, ennuyé par une tendinite au coude, a dû séjourner sur la liste des blessés. Cormier subirait en juin une greffe de tendon (la fameuse opération Tommy John), tout comme Matt Wagner, qu'on a dû soumettre à une arthroscopie à l'épaule. On ne verrait plus ces deux lanceurs de la saison. En fait, Wagner disparaîtrait finalement complètement du décor.

Évidemment, tous s'attendaient à ce que le retour de Pedro Martinez lève un fardeau des épaules des partants, mais personne n'avait pu prédire ses succès de début d'année. Le jeune homme – il avait alors 25 ans – a remporté ses 8 premiers départs, complétant 3 de ceux-ci. Trois fois, il avait retiré au moins 10 frappeurs sur des prises.

Le 1er mai, il n'a accordé que 3 coups sûrs en 9 manches aux Astros de Houston. À son départ suivant, contre les Giants de San Francisco, il avait lancé quatre manches parfaites quand il a atteint Jeff Kent d'un de ses tirs. Comme Reggie Sanders des Reds l'avait fait en 1994, un Kent en colère s'est avancé vers le monticule, oubliant une évidence toute simple : un lanceur qui a l'occasion de lancer un match parfait ne vise normalement pas les frappeurs adverses...

Dans le baseball, on commençait à saisir pleinement à quel point Pedro Martinez était un phénomène rare. Son apparence physique – aussi frêle qu'à son arrivée avec les Expos – et le relatif anonymat de son équipe l'avaient presque dissimulé aux radars des grands médias américains. Ce n'était désormais plus le cas. On disait que sa rapide était une des cinq meilleures du baseball, ses balles à effet parmi les dix meilleures. Son changement de vitesse, extraordinaire, était reconnu comme le plus efficace des deux ligues. « Je n'ai jamais vu de lanceur qui possède à la fois une rapide et un changement de vitesse supérieurs à la moyenne », a dit Randy Johnson des Mariners.

Après avoir été nommé Joueur par excellence du club en avril et mai, Pedro n'a jamais ralenti par la suite : à chacun de ses 6 départs de juin, il n'a jamais retiré moins de 10 frappeurs au bâton (12, 13, 14, 12, 11 et 10). S'il continuait à ce rythme, c'est rien de moins qu'un trophée Cy Young qui l'attendrait à la fin de la saison.

Les Expos ne jouaient pas exactement comme une équipe sacrifiant le présent au profit de l'avenir : le 7 mai, ils ont marqué 13 points durant une seule manche, la 6e, écrasant les Giants 19-3. Dans cette seule manche, 17 frappeurs avaient défilé au marbre, Mike Lansing frappant un circuit à chacune de ses deux présences au bâton. Après le match, le gérant des Giants Dusty Baker a accusé les Expos de s'adonner au vol de signaux. Imperturbable, Felipe Alou s'est contenté de faire un peu de diversion en répondant qu'il était déçu de voir un gérant d'un groupe minoritaire (Baker était Noir) s'en prendre à un autre gérant d'un groupe minoritaire.

Puis, le 16 mai, toujours contre les Giants mais au Stade olympique, les Expos ont réalisé la plus spectaculaire remontée de leur histoire. Après 3 manches, ils tiraient de l'arrière 11-2 mais dès la manche suivante, ils ont commencé à combler l'écart en marquant 4 points ; à la fin de la 6e manche, ils avaient pris les devants 12-11, remportant finalement le duel de coups de bâton 14-13 sur un simple de David Segui en fin de 9e manche.

Le 21 mai, dans un match les opposant aux Braves et Greg Maddux, Felipe Alou a démontré ce qu'il avait voulu dire quand il avait déclaré au camp qu'il devrait gérer le club plus agressivement. Les Braves menaient 1-0 en 7e quand, après un retrait, les Expos ont placé deux coureurs, Henry Rodriguez et Vladimir Guerrero, respectivement aux troisième et au deuxième buts. Le frappeur Doug Strange a alors frappé un long ballon au champ centre-droit, assez loin pour permettre facilement à Rodriguez de venir marquer après le catch. Mais les Braves ont eu la surprise de leur vie quand ils se sont aperçus que les Expos avaient donné le signal à Guerrero de filer lui aussi jusqu'au marbre ! Il est arrivé avant le relais, donnant une avance de 2-1 au club.

Marquer du deuxième coussin sur un ballon-sacrifice n'était qu'une autre des surprises que réservait Vladimir Guerrero à ses adversaires depuis qu'il avait repris le jeu le 2 mai. Le jeune homme frappait à tous les champs, s'élançait sur de mauvais tirs tout en faisant solidement contact, ramenait la balle à l'avant-champ avec force et précision. En revanche, son inexpérience lui jouait parfois des tours : il relayait la balle au mauvais but, tentait d'épingler lui-même un coureur au troisième ou au marbre en omettant d'atteindre l'intercepteur... À l'occasion, il s'employait à retourner la balle avant de l'avoir bien maîtrisée dans son gant. Ses 12 erreurs furent un sommet dans la Nationale en 1996.

Vladimir était vraiment un diamant à l'état brut qui, c'était l'évidence, deviendrait très certainement un des meilleurs de sa profession à mesure que son art se raffinerait.

Or, les exploits individuels n'étaient pas le seul apanage des Expos de 1997. Du 6 au 16 juin, ils ont remporté 10 victoires de suite, égalant une marque d'équipe établie en 1979 puis rééditée en 1980. Leur fiche de 39-28 les plaçait au 3ᵉ rang, à un seul match des Marlins, à 3 ½ matchs des Braves et de la tête. Cette performance avait de quoi étonner, compte tenu des blessures qui avaient décimé l'équipe dès le début du calendrier : Guerrero d'abord, puis Rhéal Cormier, Matt Wagner et le troisième-but Shane Andrews, dont la saison serait compromise par une étrange blessure (irritation du nerf thoracique).

Il semblait bien qu'une fois de plus, les Expos avaient trouvé le moyen de mettre sur le terrain une équipe intéressante ; une fois de plus, Felipe Alou avait formé un groupe capable de se faufiler dans le peloton de tête. « Au risque de le canoniser, a écrit Jerry Crasnick dans *The Sporting News*, Felipe Alou n'est rien de moins que le meilleur gérant sur la planète. » L'ancien instructeur des lanceurs Joe Kerrigan, qui avait rejoint Dan Duquette à Boston, était du même avis : « Felipe est peut-être le meilleur gérant de tous les sports majeurs. » Le premier-but des Expos David Segui figurait également parmi les admirateurs inconditionnels du gérant : « On voit des gérants supposément brillants échouer avec une équipe remplie de stars. Lui, on lui donne une nouvelle bande de joueurs chaque année et on lui demande de sortir un lapin de son chapeau. Et il le fait chaque fois. »

Le 20 juin, les Expos ont rappelé à tous qu'une autre joute – plus cruciale que toutes les autres –, se jouait hors terrain en conviant les membres des médias à une importante conférence de presse pour dévoiler les détails de leur grand plan de match.

L'étude commandée par Claude Brochu avait confirmé son postulat de base : les Expos ne pourraient pas survivre au Stade olympique. Comme tout indiquait que les salaires des joueurs continueraient d'augmenter dans les prochaines années, le club devrait générer des revenus beaucoup plus importants pour suivre la parade. Pour y arriver, il faudrait emprunter la voie qu'avaient déjà choisie (et que choisiraient bientôt) d'autres villes américaines : construire un nouveau stade. Selon les estimations de l'étude, les revenus générés par le stade permettraient aux Expos de se positionner à 80 ou 90 % de la moyenne des masses salariales des clubs des majeures.

Un nouveau stade au centre-ville, à ciel ouvert, conçu uniquement pour le baseball, ramènerait, croyait-on, non seulement les fans rebutés par la froideur du Stade olympique, mais aussi – surtout – le monde corporatif (qui démontrait depuis longtemps son peu d'enthousiasme pour l'est de la ville), pour lequel on avait prévu 62 loges. Les projections faites par la firme Saine Marketing établissaient à 18 500 le nombre potentiel d'abonnements saisonniers, ce qui, bien sûr, représenterait un progrès colossal en comparaison avec les 7 000 que comptaient les Expos pour la saison en cours. Le coût du nouveau stade de 35 118 sièges était estimé à 250 millions de dollars canadiens.

Le plan de financement du stade comportait deux volets. Premier volet : les entreprises ou individus devraient d'abord acheter une « licence », c'est-à-dire un siège, ce qui leur donnait le droit d'acquérir un billet de saison. En somme, on demandait de payer avant de payer, un peu comme on le fait dans les clubs de golf… Une invention bien américaine, cette formule – dite du *Personal Seat Lincensing* – était en vogue depuis quelques années et c'est de cette façon que les Panthers de la Caroline, une équipe de la NFL, avaient pu financer une part importante de leur stade. Le prix des sièges varierait considérablement : de 10 000 $ pour les meilleurs sièges à 500 $ pour les plus éloignés. De cette façon, l'équipe financerait de 70 à 80 millions des coûts de construction du stade, à peu près le tiers des coûts totaux de la construction.

Le deuxième volet – qui s'attaquerait au financement des 180 millions restant à trouver – baignait dans un flou artistique. Irait-on de nouveau solliciter le milieu des affaires par la voie de commandites ? Quelles seraient, au juste, ces « solutions créatives » dont avait parlé M. Brochu ? On s'en remettrait certainement aux gouvernements, murmurait-on ici et là après la conférence de presse, Claude Brochu s'étant fait évasif sur les détails de ce deuxième volet. On savait toutefois ceci : le président des Expos se donnait un an pour compléter le montage financier.

Le plat de résistance de la conférence est venu lorsqu'on a dévoilé la maquette – superbe – du nouveau parc. Construit au coût de 250 000 $, le modèle donnait une impression saisissante du bâtiment.

L'architecte du projet, Daniel Arbour, était sur place pour présenter les caractéristiques de l'édifice imaginé par lui et son groupe d'associés. La présentation qu'il a faite du stade et de sa situation avait de quoi faire rêver même les plus sceptiques.

D'abord, le parc était d'une formidable accessibilité. On pouvait y arriver par deux stations de métro (Lucien-L'Allier et Bonaventure), et les autobus de banlieue s'arrêtaient tout à côté de la station de métro Bonaventure.

Dans un rayon de 10 minutes de marche du stade, le public aurait aussi accès à 20 000 places de stationnement hors rues – beaucoup plus que ce qu'on trouvait aux abords du Stade olympique.

Quant à l'édifice lui-même, il s'agissait d'un bâtiment urbain, qui s'intégrerait naturellement à l'environnement, s'inspirant de l'ancienne gare Bonaventure (construite à la fin du XIXᵉ siècle et détruite au début des années 1950), et dont le revêtement serait en brique rouge. Le bâtiment aurait 8 étages mais serait enfoui de 15 pieds dans le sol, ce qui l'harmoniserait davantage à son milieu.

Une autre des caractéristiques intéressantes du projet était ce parc (situé le long de la rue Peel) de plus de 20 000 pieds carrés qu'on aménagerait aux abords du stade : on y trouverait la billetterie, des restaurants, des aires de pique-nique où pourraient s'arrêter les familles pour profiter d'un coup d'œil sur le champ extérieur du terrain. Cet espace serait un véritable parc urbain où se vivraient les avant-matchs, les fameux *tailgate partys* (si chers aux Américains) qui créent l'*attente* de l'événement et font partie intégrante de l'expérience globale que constitue un match de baseball.

À l'intérieur du stade, les spectateurs auraient, en tournant le regard vers le champ extérieur, une des plus belles vues de Montréal : les plus impressionnants édifices du centre-ville avec, à l'arrière-plan, le mont Royal. Les sièges seraient plus rapprochés du terrain que ceux du Stade olympique parce que dans une pente plus inclinée, la quasi totalité des sièges offrant une vue du jeu exceptionnelle. Le stade comporterait trois promenades à trois niveaux différents, offrant toutes une vue du terrain.

Pour ceux qui s'inquiétaient des intempéries d'avril, mai et de la fin septembre, on avait prévu un toit léger et amovible, qui se déploierait (en 15 minutes) sur une structure légère constituée d'une série d'éléments (de longues tiges métalliques) séparés entre eux d'environ 80 pieds. Par ailleurs, les sièges du premier palier seraient chauffants, ce qui augmenterait le confort du spectateur lors des journées froides.

Quand on s'y arrête un instant, la proposition du président des Expos était brillante, parfaitement adaptée à l'esprit de Montréal et des Montréalais. Le stade doterait la ville d'un espace public comme aucun autre sur l'île, un « grand parc urbain » qui serait autrement plus rassembleur que le centre Molson-Bell, ne serait-ce que pour une raison : l'été. Les Montréalais l'attendaient durant huit mois, cet été, et quand il arrivait enfin, ils voulaient en goûter chaque instant. C'est en grande partie la raison pour laquelle ils hésitaient tant à se rendre rue Pierre-de-Coubertin pour passer un après-midi ou une douce soirée d'été enfermés dans un stade de béton couvert d'une toile de Kevlar. Le nouveau stade apporterait dans cette partie de la ville le même milieu de vie bouillonnant créé par la présence du Wrigley Field à Chicago ou du Camden Yards à Baltimore. Tout cela n'aurait rien à voir avec l'atmosphère (quelle atmosphère ?) des environs du stade Taillibert. Il était facile de s'imaginer, un soir de juillet, descendre la rue de la Montagne et d'être surpris par la clameur montante d'une foule célébrant un circuit de Vladimir Guerrero. De quoi donner des frissons.

Les journaux du lendemain voyaient eux aussi les possibilités offertes par le projet de Claude Brochu. Dans la page éditoriale du quotidien *La Presse*, Frédéric Wagnière était séduit par l'idée. « L'argument le plus intéressant de M. Brochu et le plus difficile à vérifier porte sur l'effet tonifiant que le stade aurait sur ce centre-ville. Le dépérissement du centre-ville est la hantise de toutes les grandes villes d'Amérique du Nord et la construction d'un petit stade accueillant constituerait un moyen d'inverser cette tendance.

« Si cette théorie est effectivement vraie, poursuivait l'éditorialiste, toutes les entreprises et les commerces qui font des affaires à Montréal et qui payent des taxes ont un intérêt à ce qu'un nouveau stade aide à relancer l'économie. Ils devraient normalement écouter le message de M. Brochu et participer au projet. Les Expos pourraient alors solliciter la collaboration de la Ville et du Québec sur une base financière saine, tant pour les contribuables que pour l'avenir de l'équipe. Monsieur Brochu s'est donné un an pour trouver le moyen de financer le nouveau stade. C'est un an pour que Montréal manifeste sa confiance dans son avenir de grande métropole nord-américaine. »

Dans le quotidien *The Gazette*, le chroniqueur Jack Todd insistait quant à lui sur l'effet psychologique de la réussite ou de l'échec d'un projet comme celui-là : « Tout cela n'est pas une affaire de joueurs ou de propriétaires millionnaires. Ça ne concerne pas le baseball, les Expos ou Claude Brochu. Ça a plutôt à voir avec Montréal. Ça concerne les nids de poules, les hôpitaux fermés, les éternels référendums, les convulsions politiques des 25 dernières années qui ont fait chuter cette ville dans une spirale vers le bas. Ça a tout à voir avec l'idée de changer le climat poli-tique et psychologique de cette ville, avec l'idée de croire de nouveau que nous pouvons accomplir quelque chose de grand comme communauté, sans nous comporter toujours comme des camps ennemis divisés par la Main. »

Or, si le projet était manifestement réfléchi et potentiellement rassembleur, il émanait toutefois de la conférence de presse et de l'allocution de M. Brochu l'impression d'une machine ne tournant pas tout à fait rondement.

D'abord, il y avait eu le ton. Pendant la conférence, Claude Brochu avait davantage eu l'air d'un homme soucieux que d'un entrepreneur véritablement emballé par son projet et heureux de le présenter au public. Pourtant, les circonstances – l'annonce officielle d'une proposition excitante, le dévoilement d'une formidable maquette – se prêtaient bien à un certain débordement d'enthousiasme. Les problèmes – et l'inquiétude – viendraient bien assez vite, non ? Ne fallait-il pas faire de cette conférence de presse un événement inspirant, mobilisateur ? Comment l'instigateur du projet réussirait-il à emballer le milieu des affaires s'il ne l'était pas lui-même ?

L'appel que M. Brochu avait fait aux entreprises avait d'ailleurs davantage l'air d'un reproche que d'une invitation : « Vous nous avez dit que vous viendriez au baseball si le stade était situé au centre-ville. C'est maintenant le temps de le prouver. Si la vente se fait au compte-gouttes et sous pression, ça ne fonctionnera pas. »

Ce reproche était aussi accompagné d'un sous-entendu : si la construction du nouveau stade ne se matérialisait pas, le club serait vendu – et très certainement déménagé. Ainsi, sans que Claude Brochu l'affirme aussi explicitement, la une de *La Presse* du lendemain lui faisait dire : « Un stade ou on s'en va. » Pourtant, quelques mois plus tôt, le président du club avait déclaré qu'il ne lancerait pas d'ultimatum à qui que ce soit…

À la décharge de M. Brochu, il faut dire que la veille de la conférence de presse, le premier ministre Lucien Bouchard, qui dressait le bilan de la dernière session parlementaire, lui avait lancé toute une *curve* en y allant d'une de ces formules dont il avait le secret : « Quand on ferme des hôpitaux, je ne suis pas sûr qu'on ouvre des stades. » Monsieur Bouchard était un maître de ces phrases lapidaires visant à déstabiliser l'adversaire, et si celle-ci était à la limite du sophisme, elle a quand même marqué l'imaginaire public et constitué une vilaine épine au pied de Brochu pendant toute la durée de sa levée de fonds pour le stade.

Qu'est-ce qui avait incité le premier ministre à s'exprimer comme il l'avait fait sur le projet des Expos au moment même où Claude Brochu préparait le texte de sa conférence ?

La réponse se situe peut-être du côté des actionnaires du club. En effet, Claude Brochu n'avait plus beaucoup de supporteurs dans le groupe d'actionnaires, l'arrivée de Pierre Michaud dans le groupe – il était récemment devenu le président du conseil de Univa (Provigo) – n'ayant rien fait pour assainir l'atmosphère. « Pour moi, l'arrivée de Pierre Michaud – un petit coq – au sein du consortium n'a pas été une bonne affaire. Il s'est aussitôt rangé du côté des frustrés[1]. » Michaud avait d'abord rapidement tenté de vendre les actions de Provigo dans le club mais n'avait pu trouver preneur.

À la fin 1996, quand Claude Brochu avait présenté aux actionnaires un bilan financier négatif – une perte de 4,5 millions – ils étaient tombés des nues. Pour Claude Blanchet (du Fonds de solidarité des travailleurs du Québec), le problème en était d'abord un de marketing.

Mais le président des Expos savait que même le meilleur plan de marketing ne changerait pas fondamentalement la donne. Non, le problème nécessitait un coup de barre beaucoup plus important : seule la construction d'un stade engrangerait suffisamment de revenus pour permettre à l'équipe de suivre la parade. Claude Brochu proposait donc à ses partenaires de commencer par une étude de faisabilité. Malheureusement pour lui, la proposition n'avait pas trouvé beaucoup d'oreilles sympathiques.

Dans son livre *La Saga des Expos – Brochu s'explique*, Claude Brochu résume la position des partenaires. Mark Routtenberg – pourtant le plus grand fan de baseball du groupe – ne voyait pas la pertinence de construire un nouveau stade alors que les amateurs hésitaient à appuyer un des clubs les plus excitants du baseball (M. Routtenberg trouvait aussi qu'un stade ouvert ne se prêtait pas au climat québécois). Jocelyn Proteau (de Desjardins) cherchait d'abord à protéger son investissement et craignait que le projet oblige les actionnaires à verser de nouvelles sommes. Paul Roberge (des boutiques San Francisco), lui, ne voyait pas en quoi le Stade olympique était inadéquat.

En fait, ce que proposaient plutôt Routtenberg, Proteau, Pierre Michaud, Roberge et Avie Bennett (McLelland and Stewart), c'était la préparation du plan B : la vente du club.

« Jacques Ménard, Louis Tanguay (Bell) et Alain Lemaire (Cascades) hésitaient encore, écrit M. Brochu. Mais on voyait que la perspective de vendre les séduisait. » Quant à Claude Blanchet (du Fonds de solidarité), il était manifestement mal à l'aise de participer à l'exode d'une autre institution québécoise, le Fonds FTQ ayant aussi été mêlé au départ des Nordiques. En réalité, un seul partenaire se disait favorable au projet de stade, Bill Stinson du Canadien Pacifique.

Des partenaires ont suggéré la mise sur pied d'un « comité aviseur » pour travailler de concert avec M. Brochu. Une fois formé, le comité s'est réuni une fois et a produit, selon Claude Brochu, « quelques observations sensées, mais peu de choses concrètes[2] ». Jacques Ménard était d'avis qu'il fallait repousser à plus tard l'étude de faisabilité.

Claude Brochu ne voyait pas de mérite à maintenir le *statu quo*, le passage du temps ne pourrait qu'aggraver la situation financière du club.

Et puis l'idée de laisser un héritage pour Montréal et le Québec faisait de plus en plus de chemin dans son esprit : « Je voulais laisser quelque chose de concret derrière moi, des installations dont les amateurs de baseball et de sport en général pourraient profiter pendant des années[3]. »

C'est donc sans l'appui de son consortium que Claude Brochu a pris l'initiative de rencontrer Bernard Landry, à l'époque vice-premier ministre et ministre des Finances du Québec. Le 26 novembre 1996, Brochu et Richard Le Lay (son conseiller auprès du gouvernement québécois) ainsi que Jacques Ménard et Claude Blanchet (invité à la réunion à la suggestion de Ménard) ont rencontré M. Landry et Raymond Bréard, le chef de cabinet de ce dernier. Alors que le président des Expos présentait le dossier à un auditoire qui s'avérait réceptif, Claude Blanchet est soudainement intervenu : « Moi, j'y crois pas du tout à ce nouveau stade. »

Brochu et Le Lay étaient stupéfaits. Quelle mouche l'avait piqué, celui-là ? Alors qu'il était en principe venu défendre le dossier avec eux, voilà qu'il leur faisait une jambette en pleine course ! Landry et Bréard étaient évidemment étonnés, se demandant bien ce qui motivait son intervention.

Informé plus tard de l'initiative de son employé, Clément Godbout, le directeur de la FTQ, aurait, selon les dires de Claude Brochu, piqué une sainte colère.

Malgré tout, Landry n'avait pas fermé la porte et Claude Brochu était bien résolu à poursuivre son initiative. Mais il comprenait désormais que, non seulement il n'avait pas l'appui de ses partenaires, mais que ceux-ci le laisseraient agir seul dans l'espoir de le voir « se casser la gueule ». Une fois qu'il aurait perdu la face, il serait obligé de laisser sa place à la tête du consortium[4].

Il y avait lieu de se demander ce qui avait motivé le premier ministre Bouchard à faire sa déclaration sur les stades et les hôpitaux. Avait-il agi de sa propre initiative ou est-ce qu'un des actionnaires du club – quelques-uns étaient très proches du Parti québécois – l'avait informé des problèmes au sein du consortium ?

Chose certaine, les partenaires ne feraient pas la vie facile à Brochu. Le lendemain de la conférence de presse, *The Gazette* rapportait qu'un des actionnaires – on ne disait pas qui – avait confié qu'il n'accordait pas plus de 15 à 20 % de chances à Claude Brochu de réaliser son rêve de construire le stade. Qu'espérait-on donc accomplir en laissant couler une telle information, sachant qu'elle se retrouverait dans les journaux ?

« Quand Claude nous est arrivé avec cette idée-là, dit aujourd'hui Jacques Ménard, la conjoncture économique était défavorable (le gouvernement québécois était lancé dans un grand exercice de réduction de la dette) et il y avait un certain cynisme dans l'opinion publique.

« Je trouvais que l'idée de construire un stade au centre-ville était porteuse, mais le plan de financement n'était pas clair, précise M. Ménard. Les "licences de sièges" n'avaient pas beaucoup de précédents au pays, et même si Claude affirmait de pas vouloir demander de subventions directes au gouvernement, on n'avait pas d'idée précise de comment il comptait procéder. De plus, on avait à la tête du projet un homme qui n'était pas particulièrement chaleureux dans la mobilisation citoyenne qu'il faisait autour du projet du stade. La communication n'était pas son plus grand talent, il n'avait pas le charisme d'un Pierre Boivin (l'ancien président du Canadien), par exemple[5]. »

Certes, le projet de nouveau stade était porteur, emballant à plusieurs égards, mais sa mise en œuvre était plutôt mal partie. Les sommes à recueillir étaient colossales, le contexte économique plutôt mauvais, et le (seul) porte-parole de l'initiative n'était pas le mieux outillé des vendeurs. Et comme si ce n'était pas assez, il y avait des gens prêts à lui glisser une pelure de banane sous les pieds à la première occasion.

Le baseball n'avait pas pleinement retrouvé son élan d'avant la grève. L'assistance moyenne globale avait chuté de 31 251 en 1994 à 25 022 en 1995 pour remonter légèrement à 26 510 en 1996. À la recherche de façons de créer un nouvel intérêt du public pour le *National Pastime*, les autorités du baseball avaient examiné deux voies qu'ils jugeaient prometteuses : les matchs interligues et une réorganisation radicale des divisions.

L'idée de matchs interligues était une proposition séduisante. Les clubs disputeraient un certain nombre de matchs durant la saison (pas plus de 20 par club) contre des clubs de l'autre ligue. On verrait donc, pour la première fois de l'histoire de ce sport, un match de saison régulière entre, par exemple, les Yankees et les Mets, les Cubs et les White Sox ou les Expos contre les Blue Jays. D'une part, la confrontation de certains rivaux naturels (Yankees-Mets) susciterait certainement beaucoup d'intérêt ; d'autre part, un amateur de baseball de Saint Louis, par exemple, pourrait pour la première fois voir en chair et en os un joueur vedette comme Cal Ripken.

Même si le projet faisait voler en éclats une tradition centenaire (les clubs des deux ligues ne s'affrontaient qu'en matchs pré et post saison),

son potentiel commercial était si porteur que les clubs ont décidé de l'inclure dans l'entente collective de 1996. L'expérience serait tentée dès 1997, répétée en 1998 et réévaluée par la suite.

L'autre changement proposé par le baseball majeur – Bud Selig en était le principal défenseur – consistait en un réalignement radical des divisions, qui amènerait une quinzaine de clubs à changer de ligue. Dans un des scénarios envisagés, les Expos se seraient retrouvés dans la Ligue américaine, dans la même division que les Yankees, les Red Sox, les Mets et les Blue Jays...

L'élément déclencheur du projet de réalignement avait été l'arrivée de deux nouveaux clubs de l'expansion en 1998, Tampa Bay et Phoenix (Arizona). Si un club intégrait la Nationale et l'autre l'Américaine, chaque ligue accueillerait un nombre impair d'équipes, ce qui impliquerait l'inclusion au calendrier d'un match interligue par jour.

Personne n'était trop intéressé par cette formule et on a décidé que les deux clubs joueraient dans la même ligue, portant le nombre d'équipes à 16 dans une ligue et 14 dans l'autre. Les appuis à un réalignement radical sont peu à peu tombés, et les Brewers de Milwaukee (de Bud Selig, justement) ont finalement été le seul club à faire le saut dans l'autre ligue (de l'Américaine à la Nationale) au début de la saison 1998. L'autre nouveau club de la Nationale serait celui de l'Arizona alors que Tampa Bay irait dans l'Est de l'Américaine.

Un réalignement radical aurait vraiment brisé un lien fondamental du baseball avec son histoire, soit l'identité propre des deux ligues. Le baseball était prêt à bien des concessions au dieu Dollar, mais pas au prix d'abandonner une de ses traditions les plus distinctives.

Quoi qu'il en soit, les matchs interligues, eux, ont fait leur entrée avec fracas. La première vague de ces matchs – commencée à la mi-juin 1997 – s'est avérée un succès sur toute la ligne (une moyenne d'assistance de 35 939 spectateurs), sauf à... Montréal, où les amateurs ont perçu la série de trois matchs des 13 au 15 juin contre les Tigers de Detroit comme une série ordinaire (moyenne de 19 998 spectateurs par match). Le passage des Expos à Baltimore a semblé frapper beaucoup plus l'imaginaire des amateurs de baseball du sud de la frontière, un peu plus de 47 000 personnes ayant assisté à chacun des trois matchs, pourtant disputés en début de semaine. Seuls les Québécois semblaient ne pas avoir saisi le caractère exceptionnel de ces affrontements...

À Toronto, toutefois, l'intérêt historique des matchs interligues n'a pas échappé aux amateurs de baseball, surtout quand les Expos se sont amenés en ville. Le 30 juin, 37 430 spectateurs ont vu Pedro Martinez et Pat

Hentgen se livrer un superbe duel de lanceurs, remporté ultimement 2-1 par Martinez et les Expos. Une fois de plus, Pedro avait été trop fort pour ses rivaux : 9 manches lancées, 3 coups sûrs alloués, 10 retraits au bâton. Sa fiche était maintenant de 10-3.

Le lendemain, 1er juillet, c'était jour férié et 50 436 personnes se sont massées au SkyDome pour voir le match numéro deux de la série ; c'était la première fois qu'on jouait à guichets fermés à Toronto depuis avril 1995.

Cette fois, ce serait au tour de l'as des Blue Jays, Roger Clemens (12-2), d'affronter les Expos. Obtenu sur le marché des joueurs autonomes avant le début de la saison (24,75 millions pour trois saisons), Clemens, 34 ans, était en voie de remporter un 4e trophée Cy Young en carrière, se révélant aussi dominant qu'à ses jours de gloire à Boston. Pour l'affronter, les Expos donneraient la balle à Jeff Juden, qui s'était taillé une belle place dans la rotation du club (9-2), devenant contre toute attente le meilleur partant de l'équipe après Pedro Martinez.

Tout de même, les forces ne semblaient pas exactement égales : on avait, d'un côté, le lanceur le mieux payé du baseball, une légende vivante du baseball moderne encore au sommet de son art, et de l'autre, un jeune lanceur qui avait remporté un total de 17 victoires dans les majeures et dont la grande idole de jeunesse s'appelait... Roger Clemens.

Dans un des moments les plus captivants de la saison, Juden a tenu tête à son héros en limitant les frappeurs des Blue Jays à deux coups sûrs et un point en 8 ½ manches, tout en retirant 14 frappeurs sur des prises. Les Expos ayant trouvé le moyen d'inscrire deux points en début de match contre Clemens, ce sont ainsi eux qui remportaient la « bataille du Canada ».

À sa sortie du monticule en 9e manche, Juden a été ovationné par les spectateurs, et pas seulement par des amateurs des Blue Jays appréciant un bel effort : il y avait, dans cette foule, une impressionnante quantité de casquettes des Expos. Si certains d'entre eux étaient peut-être des Montréalais s'étant exilés à Toronto à la fin des années 1970 et au début des années 1980, d'autres étaient des fans de la première heure, à l'époque où la bande de Gene Mauch, Rusty Staub et Mack Jones était la seule équipe de baseball au pays.

Outre Juden et Clemens, un des joueurs les plus applaudis de la journée avait été F.P. Santangelo, pour lequel les amateurs torontois – après ceux d'Ottawa et de Montréal – s'étaient rapidement pris d'affection. Au Canada, le public apprécie bien ces gars qui semblent appartenir à la race des mortels, ces athlètes à qui il est possible de s'identifier. Santangelo n'en revenait pas : « Je me sens comme chez moi ici. »

Par ailleurs, la nouvelle formule de matchs interligues a semblé bien profiter aux Expos puisqu'en 1997, ils ont remporté 12 des 15 matchs qu'ils ont disputé aux clubs de l'Américaine.

À la pause du match des Étoiles, les Expos présentaient une honorable fiche de 47-39 et ils se trouvaient à seulement 2 ½ matchs du quatrième as. Pourtant, les seules rumeurs qu'on entendait à propos d'échanges que pourrait conclure le club concernaient l'allégement de sa masse salariale : Segui ou Lansing pourrait être sacrifié, peut-être même les deux. Plutôt que de parler de solutions pour renforcer le club, il semblait bien que ça discutait encore de budget dans les bureaux des Expos... Ces histoires agaçaient profondément Felipe Alou : « Ça m'ennuie que personne de la direction se donne la peine de nier les rumeurs. »

Le 31 juillet, les Expos ont procédé à un échange qui n'avait rien à voir avec une question d'argent, mais qui a quand même stupéfié les fans de l'équipe : ils envoyaient un de leurs meilleurs, Jeff Juden (11-5), aux Indians de Cleveland contre un lanceur des mineures, Steve Kline. La réaction des amateurs était unanime : le font-ils exprès ?

Mais la transaction, injustifiable au premier coup d'œil, n'avait surpris aucun des coéquipiers de Juden puisque ce type était devenu un cancer dans l'équipe.

Un bonhomme taciturne qui ne se mêlait pas trop aux autres, son surnom était « Nuke », allusion au personnage déjanté que jouait Tim Robbins dans le film *Bull Durham*. Juden entretenait des relations avec des individus non recommandables du centre-ville ; récemment, lors d'un vol en avion, notre homme en était presque venu aux coups avec Pedro Martinez et F.P. Santangelo. Les gens de Philadelphie savaient de quoi ils parlaient quand ils avaient souhaité « bonne chance » aux membres des médias locaux après l'acquisition du grand droitier.

Personne n'a déploré le départ de Nuke, mais Darrin Fletcher avait cependant apporté cette précision : « Jeff essaie beaucoup d'avoir l'air intimidant et les médias ont envie de croire qu'il est un mauvais garçon. » Plus tard, on apprit qu'il y avait un drame dans la vie de Juden. Alors qu'il avait huit ans, sa sœur cadette était décédée à l'âge de six ans des suites d'un cancer, un événement traumatisant pour la famille et pour le jeune Jeff. La carapace de « dur de dur » qu'il s'était constituée était peut-être une des conséquences de cette tragédie.

Malheureusement pour lui, son passage à Cleveland serait de courte durée, tout comme ses séjours à Milwaukee, Anaheim et New York en 1998 et 1999. Il a pris sa retraite du baseball à la fin 1999, tentant 5 ans plus tard un retour dans le baseball indépendant.

Son moment de gloire aura sans contredit été son improbable victoire aux dépens de son idole, durant ce bel après-midi de l'été 1997.

Au retour du match des Étoiles, quelques Expos se sont rapidement signalés, donnant espoir aux fans qu'une course au quatrième as demeurât possible.

Le 13 juillet, Pedro Martinez a muselé les Reds de Cincinnati sur un seul coup sûr en 9 manches (un simple en 5ᵉ), retirant – une fois de plus – sa part de frappeurs sur des prises (9). De plus en plus, on le disait le meilleur artilleur de la Nationale, et le favori pour remporter le trophée Cy Young.

Bobby Cox, l'entraîneur de la Nationale au match des Étoiles, lui avait préféré Greg Maddux comme partant, mais quand Pedro a pris place sur le monticule en fin de 6ᵉ, il a montré à toute l'Amérique de quel bois il pouvait se chauffer. Il a d'abord retiré sur élan la vedette montante des Mariners de Seattle, Alex Rodriguez, avant de disposer de Ken Griffey Jr (flèche au champ droit). Mark McGwire (encore avec les A's d'Oakland pour quelques jours – on l'échangerait bientôt aux Cards pour couper dans le budget) a alors fendu l'air pour mettre fin à la manche.

Le 17 juillet, Mark Lansing a cogné son 13ᵉ circuit de la saison dans une victoire de 5-4 des siens, un record d'équipe pour un joueur de deuxième but. Après le match, aucun journaliste de la presse francophone n'est allé à sa rencontre. Les frasques commises par Lansing dans un avion deux ans plus tôt faisaient toujours l'objet d'un boycott des scribes de langue française. Quoi qu'il en soit, Lansing connaissait une autre magnifique saison (il terminerait la campagne avec une moyenne au bâton de ,281, 45 doubles et 20 CC), ce qui ferait très certainement grimper son salaire (2,7 millions) bien au-delà de la barre des 3 millions. En réalité, Lansing empocherait 3 950 000 $ en 1998. Bien sûr, ce ne serait pas dans l'uniforme des Expos.

Trois jours plus tard, lors d'un match disputé aux Rockies au Stade olympique, les Expos se sont présentés au bâton en fin de 9ᵉ manche avec un retard de 4-3. Quand Henry Rodriguez s'est amené au marbre avec deux retraits et trois coureurs sur les buts, Felipe Alou a pensé à sa der-nière présence au bâton (un retrait sur élan), ainsi qu'à ses trois précé-dentes (trois roulants à l'avant-champ) en se demandant s'il ne devait pas envoyer un autre frappeur à sa place. Mais les réservistes (Orsulak, Fletcher et Obando) avaient déjà été employés ; Felipe n'avait pas le choix, il devrait s'en remettre à son voltigeur de gauche.

Henry a rapidement retroussé un tir du releveur Darren Holmes dans les gradins du champ droit pour son 2ᵉ grand chelem de la saison (il frapperait 26 CC durant l'année). Pointage final: Expos 8, Rockies 4. Il n'y avait pas de doute: Rodriguez avait vraiment un flair pour les moments dramatiques. Ce devait être un des derniers faits d'armes d'Oh Henry dans l'uniforme des Expos et à la fin de la saison, lui aussi passerait à un autre club.

En juillet, le calendrier prévoyait sept matchs contre les Astros de Houston. Les Expos ont perdu les *sept* matchs. Après 4 défaites consécutives à l'Astrodome du 24 au 27 juillet, ils se retrouvaient à 12 ½ parties des Braves, à 6 des Marlins et du quatrième as. En août, ils ont remporté 12 matchs et en ont perdu 17. Il fallait dorénavant oublier 1997.

Les fans n'auraient plus que des performances individuelles à se mettre sous la dent: le jeu spectaculaire de Vladimir Guerrero (,302, 22 doubles, 11 CC) malgré une saison malchanceuse, interrompue par 3 séjours sur la liste des blessés; l'excellence de Lansing (9 erreurs seulement) et Grudzielanek (54 doubles!), les occasionnels feux d'artifice d'Henry, le beau retour en forme de Rondell White, Joueur par excellence en septembre.

Surtout, il y avait Pedro.

En août, le Dominicain a été sublime (4-1, 1,09, 3 matchs complétés en 6 départs), mais les Montréalais, déjà conditionnés par la direction à le voir partir à la fin de la saison, n'ont pas eu le cœur de se déplacer pour le voir exercer son art lors de ses derniers départs au Stade. Le 4 septembre, 9 447 personnes l'ont vu se mesurer aux Phillies; une semaine plus tard, ils étaient 10 139 à le voir vaincre les Pirates. Le 25 septembre, pour un match qui serait vraisemblablement son dernier dans l'uniforme des Expos, 12 094 personnes se sont rendues au Stade.

«En septembre, j'ai vu Pedro Martinez se "désâmer" au monticule pour nous et il n'y avait même pas 11 000 personnes, déplore Claude Brochu aujourd'hui. Il était à ce moment-là le meilleur lanceur des majeures, on savait qu'il s'en allait vers un Cy Young et les gens ne venaient pas. Je savais que les gens crieraient quand on le laisserait partir, mais moi j'avais envie de leur dire: "Quand c'était le temps, étiez-vous là?" L'appui des fans était très erratique. En 1996, nous avions été dans la course jusqu'à la fin et les gens avaient beaucoup tardé à embarquer. Si j'avais vu qu'il y avait un appui qui suivait, j'aurais augmenté la masse salariale de 18 à 30 millions.»

Claude Brochu n'a pas tort de déplorer que peu de gens aient vu Pedro lancer ses derniers matchs à Montréal. Mais à la décharge des fans, on doit admettre qu'il fallait être un tantinet masochiste pour aller admirer le meilleur lanceur des majeures en sachant que ses valises étaient déjà faites. On a beau apprécier l'art de lancer...

Pedro Martinez terminerait la saison avec une fiche de 17-8, une MPM de 1,90 et 305 retraits au bâton, fracassant l'ancien record du club de 251 établi en 1971 par Bill Stoneman. Quelques semaines plus tard, Pedro remportait le trophée Cy Young, la 1re fois qu'un lanceur des Expos de Montréal méritait cet honneur. Ce serait aussi la dernière.

Les Expos ont terminé la saison 1997 sous la barre des ,500 (78-84), à 14 matchs du meilleur deuxième. Les Marlins de la Floride, avec Moises Alou, Cliff Floyd et quantité de locations coûteuses dans leur alignement, ont remporté la Série mondiale, prouvant ce que nombre d'observateurs savaient déjà : bien sûr qu'on pouvait acheter un championnat…

À la fin de la campagne, les Expos ont annoncé qu'ils subiraient des pertes de 13 millions en 1997, et qu'il leur faudrait en conséquence réduire leur masse salariale de 18 à 10 millions. On pouvait déjà oublier 1998 et 1999 ; l'objectif, c'était 2001. L'équipe qui inaugurerait alors le nouveau stade serait compétitive. D'ici là…

L'édition 1997 de la grande vente de débarras annuelle des Expos s'est ouverte avec le départ de 5 joueurs se prévalant de leur autonomie : Jim Bullinger, Sherman Obando, Darrin Fletcher, David Segui et Rhéal Cormier.

Puis, le 18 novembre, le gagnant du trophée Cy Young de la Nationale était échangé aux Red Sox de Boston – c'était la 2e fois en 4 ans que le DG Dan Duquette mettait la main sur Pedro Martinez. Durant la même journée, Mike Lansing est passé aux Rockies du Colorado contre trois inconnus qui ne joueraient jamais à Montréal. Puis, le 12 décembre, Henry Rodriguez prenait le chemin de Chicago.

Cette fois, l'équipe que Felipe Alou avait patiemment reconstruite chaque année depuis 1995 était véritablement décimée. Il n'y aurait plus de lapins cachés sous le chapeau du gérant. L'agonie des Expos et de ce qui leur restait de fidèles partisans venait de commencer.

1998

Le 26 novembre 1997, Claude Brochu a donné une conférence de presse pour faire le point sur la prévente de sièges du nouveau stade. Il s'agissait du premier point de presse sur la question depuis qu'on avait présenté la maquette aux médias et au public.

En gros, les nouvelles étaient (assez) bonnes. L'équipe avait recueilli 20 millions en vertu de la prévente de 25 loges d'entreprises sur 60, la plupart de celles-ci à 110 000 $. Quant aux sièges, ceux qui s'étaient le plus vendus étaient ceux à 10 000 $ (986 sur les 1 314 disponibles à ce prix). Sur les 18 000 sièges de disponibles (tous prix confondus), seulement 2 313 avaient trouvé preneurs.

« On aurait aimé amasser 80 millions, a dit Claude Brochu quand on lui a demandé s'il était satisfait des résultats. Mais il faut comprendre que cette première phase ciblait surtout les détenteurs de billets de saison (1 850 personnes) et les 500 plus grosses entreprises du Québec. »

M. Brochu se réjouissait toutefois du faible taux de refus essuyé par le club : seulement 15 % des grosses entreprises avaient répondu ne pas être intéressées ; 20 % avaient dit oui et 65 % se disaient « en réflexion ».

Tout de même, on ne pouvait pas dire qu'on sentait une ferveur populaire comme cela avait été le cas à Baltimore et Cleveland, par exemple.

Par ailleurs, les actionnaires du club (Desjardins, Provigo, le Fonds de solidarité, etc.) ne faisaient rien pour promouvoir le projet, pour la simple raison qu'aucune de ces entreprises n'était disposée à investir des sommes supplémentaires dans les Expos, considérant avoir fait leur part. Il eût en effet été incongru pour Provigo, par exemple, de faire la promotion d'abonnements alors qu'eux-mêmes n'en achetaient pas. De plus, comme on l'a vu, certains des actionnaires n'étaient pas eux-mêmes convaincus par l'idée d'un nouveau stade…

Au départ, Claude Brochu avait fixé l'objectif de vente de sièges à 18 500, mais si à l'été le montant ne s'élevait qu'à 12 000, par exemple, l'équipe considérerait l'objectif atteignable, puisqu'on aurait jusqu'à 2001 pour vendre ces sièges. On supposait qu'à partir du moment où une première pelletée de terre serait levée, la vente profiterait d'un effet d'entraînement.

Si tout allait bien, et si le club recueillait 80 ou 100 millions du privé pour la construction de l'édifice, la question resterait alors de savoir où ils iraient chercher les 150 millions qui manqueraient. Claude Brochu assurait qu'il ne demanderait pas de subventions directes aux gouvernements, mais personne ne pouvait dire exactement de quelle façon le club solliciterait de l'aide. La réaction initiale de Lucien Bouchard laissait entrevoir une longue pente à remonter, d'autant plus qu'avec des élections provinciales s'annonçant pour l'automne 1998, on savait déjà que le gouvernement ferait en sorte de ne pas déplaire à l'électorat.

Quoi qu'il en soit, la date butoir était toujours fixée au 30 juin. Si la vente n'avait pas gagné de momentum d'ici là, si la base de loges et de sièges vendus s'avérait insuffisante, les démarches ne seraient pas poursuivies, les acheteurs seraient remboursés et l'équipe mise en vente.

Il n'y avait pas de doute possible : la saison 1998, la 30ᵉ de l'histoire du club, serait celle de la survie.

Le camp d'entraînement s'est ouvert sur une formidable vision d'avenir pour les membres de l'entourage des Expos : un stade tout neuf. Celui-ci n'était toutefois pas à Montréal, mais bien à Jupiter, en Floride, un peu au nord de leur ancien domicile de West Palm Beach.

Après avoir passé 21 printemps à s'entraîner au vieux (1963) stade municipal de West Palm Beach, les Expos prépareraient dorénavant leurs saisons dans le nouveau complexe Roger Dean, tout comme les Cards de Saint Louis, les colocataires du stade. Construit sur une période d'un an au coût de 28 millions de dollars, le stade de 7 000 sièges était bordé d'une douzaine de terrains d'entraînement, une superficie totale de 44 hectares. En entrant dans le stade, on était tout de suite saisi par la proximité des sièges du terrain : « Vous ne pourriez pas être plus proche sans porter l'uniforme », avait d'ailleurs déclaré le directeur général du stade.

Dans l'immédiat, le complexe se dressait seul dans un grand espace désert, mais dans les années qui suivraient, un projet s'étendant sur 830 hectares accueillerait plus de 6 000 familles, un collège, un secteur commercial, un terrain de golf, un complexe récréatif, etc. L'intention du promoteur de ce qui serait la nouvelle communauté d'Abacoa était de créer pour le reste de la Floride un modèle de petite ville où le centre commercial serait installé à cinq minutes de marche des quartiers résidentiels, réduisant ainsi la dépendance des citoyens à l'automobile. On disait vouloir intégrer le plus naturellement possible commerces, sources de loisirs et espaces verts. Et tout ça commencerait par le stade de baseball.

On avait invité sur place les actionnaires du club pour qu'ils puissent prendre la mesure de l'effet créé par de nouvelles installations. « Le fait de visiter le stade et de constater l'enthousiasme qu'il suscitait chez les joueurs a modifié bien des perceptions, a dit Jacques Ménard, le président du Conseil de la société en commandite. S'il y en avait parmi nous qui avaient encore des réticences, ils les ont vite perdues. Les propriétaires sont plus solidaires que jamais. »

Dans ses mémoires, Claude Brochu apporte toutefois un autre éclairage sur la réaction des actionnaires. Il avait invité Laurier Carpentier, vice-président aux finances des Expos et maître d'œuvre du projet, à prendre la parole devant les partenaires. L'allocution de Carpentier avait été accueillie par un silence glacial. « Le projet de nouveau stade en Floride ne représentait aucun intérêt pour eux. Une fois de plus, les partenaires démontraient qu'ils ne saisissaient pas l'importance d'un tel projet ou son impact sur l'organisation. Et en plus, ils ne savaient pas vivre, manquant de la plus élémentaire politesse à l'endroit de ceux qui avaient mené à bonne fin ce projet[6]. » Lorsque les dirigeants des Cards de Saint Louis (partenaires des Expos dans le projet) ont eu l'occasion de rencontrer M. Carpentier, ils l'ont chaleureusement félicité.

Quoi qu'il en soit, les choses avaient commencé à débouler en début d'année. En janvier, alors que Montréal était encore paralysée par la désormais célèbre tempête de verglas de 1998, des membres de la Chambre de commerce de Montréal étaient allés à la rencontre de Jacques Ménard. Ils voulaient faire quelque chose pour Montréal et ils considéraient que la construction du stade était un projet prometteur. On a alors convenu d'obtenir l'aide de personnalités montréalaises et de diverses associations de gens d'affaires.

C'est Jacques Ménard lui-même qui est entré en contact avec trois têtes d'affiche du milieu des affaires, Jean Coutu (des pharmacies du même nom), Serge Savard (dans ses mémoires, Claude Brochu affirme toutefois que c'est lui qui a pressenti l'ancien défenseur étoile des Canadiens de Montréal) et Red Wilson, de Bell Canada. Bientôt, d'autres noms connus s'ajouteraient au groupe, comme ceux de Laurent Beaudoin (Bombardier) et John Cleghorn (Banque Royale). Leur engagement spontané à la levée de fonds semblait donner un second souffle au projet.

Les actionnaires restés jusque-là silencieux commençaient à se manifester. Jocelyn Proteau avait livré un vibrant discours à la Chambre de commerce portant sur l'importance des Expos pour Montréal. D'autres commençaient à solliciter leurs relations d'affaires. On s'apprêtait à créer une pyramide de sous-comités chargés de frapper à la porte d'entreprises de divers secteurs d'activité (tourisme, assurance, commerce de détail, transports, communications, etc.), l'objectif étant de vendre 300 paires de billets dans chaque secteur. L'initiative s'était même donné un nom : Opération 2001.

En novembre 1997, le projet des Expos avait reçu un coup de pouce accidentel quand les Alouettes de Montréal avaient dû s'exiler du Stade olympique le temps d'un match pour permettre au groupe rock U2 d'y donner un spectacle. L'équipe avait dû se rabattre vers le vieux stade Molson (sur le campus de l'Université McGill, où elle avait évolué de 1954 à 1967) pour y disputer un match de séries. Mais la réponse du public avait été si enthousiaste que la direction du club avait décidé d'y déménager le club. On avait une preuve de plus que les Montréalais avaient vraiment très envie d'assister à des événements sportifs dans des espaces ouverts, conviviaux. L'idée de Claude Brochu commençait à rallier de plus en plus d'adeptes.

« Y a-t-il encore, dans la salle, quelqu'un qui oserait parier contre les chances de survie des Expos ? », se demandait Martin Leclerc dans le *Journal de Montréal* du 31 mars 1998.

Si l'avenir à moyen terme du club semblait soudainement plus prometteur, la formation qu'on mettrait sur le terrain pendant cette année transitionnelle avait, on s'en serait douté, de quoi éveiller les soupçons.

En réduisant leur liste de paie de moitié, de 18 à 9 millions, les Expos offriraient aux amateurs une effarante quantité d'illustres inconnus.

À part Carlos Perez et Dustin Hermanson, seul Marc Valdes avait un peu d'expérience comme partant. Les autres, Javier Vazquez et Trey Moore, n'avaient jamais même évolué au niveau AAA. Un des deux lanceurs obtenus dans la transaction envoyant Pedro Martinez à Boston, le jeune Carl Pavano, 22 ans, commencerait la saison dans les mineures, un malaise au bras l'ayant importuné tout au long du camp.

Dans l'enclos, Ugueth Urbina, que Jim Beattie venait de mettre sous contrat pour 3 saisons, serait la seule tête connue hormis Anthony Telford (4-6, 3,24 en 65 matchs en 1997). Tous les autres (Miguel Batista, Shayne Bennett, Mike Maddux ou Rick DeHart) représentaient de gros points d'interrogation.

Autour du losange, le receveur Chris Widger devrait se débrouiller sans la présence rassurante de Darrin Fletcher. Il occuperait le poste de receveur numéro un en attendant que le jeune Michael Barrett, un des joueurs les plus prometteurs de l'organisation, soit prêt à faire le saut dans les majeures. Brad Fullmer – bon coup de bâton, défensive suspecte – tenterait de faire oublier David Segui au premier but. On avait prévu offrir le deuxième but au jeune Orlando Cabrera mais une sérieuse panne offensive (4 CS en 63 présences au bâton : 0,63 de MAB) durant le camp a changé les plans de Felipe Alou, qui s'en remettrait plutôt à un comité formé de F.P. Santangelo, Mike Mordecai et du jeune Jose Vidro.

Si Mark Grudzielanek était toujours avec l'équipe, c'était en partie parce qu'il avait raté son admissibilité à l'arbitrage par *une* journée. Les Expos ont donc pu renouveler son contrat à leurs conditions : 350 000 $ pour la saison. Certes, Grudzielanek n'avait pas connu en 1997 la saison de sa carrière (32 erreurs), mais dans le baseball de la fin des années 1990, un joueur qui dominait la ligue au chapitre des présences au bâton (649) et des doubles (54, un record du club) était en droit de s'attendre à toucher beaucoup plus qu'un million.

Bien que déçu – une fois de plus – du traitement de la direction, Grudz ne passerait pas la saison à faire la tête puisqu'il savait trop bien que son tour de passer à la caisse viendrait bientôt. Sachant qu'il serait admissible à l'arbitrage à la fin de la saison, Jim Beattie ne tarderait sûrement pas à l'expédier ailleurs.

Au troisième but, les Expos n'auraient pas le choix de faire de nouveau confiance à Shane Andrews, qu'une blessure au thorax avait mis sur la touche pendant la plus grande partie de la dernière saison.

Pour la première fois depuis longtemps, le champ extérieur du club suscitait des doutes. Vladimir Guerrero était bien évidemment assuré du poste de voltigeur de droite, mais ce qui était moins sûr, c'était de savoir combien de matchs il disputerait avant de foncer dans une rampe, de se casser des côtes en plongeant pour attraper une balle ou encore de se fracturer une cheville en contournant un but à pleine vapeur. Car la dernière saison avait soulevé des questions quant à sa vulnérabilité aux blessures. « Vladimir Guerrero pourrait s'avérer le plus grand joueur de l'histoire de l'équipe ou l'athlète qui leur coûtera le plus d'argent en frais d'hôpitaux », a écrit Stephanie Myles de *The Gazette*.

« Je sais qu'il n'est pas fragile, a précisé Felipe Alou. C'est seulement qu'il ne se connaît pas encore très bien. Il manque d'expérience, il ne sait pas encore comment faire les choses. Quand il se lance en direction d'une balle ou quand il court sur les buts, il le fait dans un abandon complet. Personne ne va pouvoir le changer mais il devra revoir son approche du jeu. D'ici là, il va demeurer un athlète vulnérable. Pas fragile mais vulnérable. Moises était comme ça. Maintenant, il contrôle mieux son jeu et il n'est plus blessé. »

Rondell White avait lui aussi l'assurance d'un poste (voltigeur de centre), mais il mettait plus de temps que prévu à se remettre d'une opération au genou. L'auteur de 28 CC et 82 PP en 1997 avait dû lui aussi modérer sa façon de jouer après sa grave blessure de 1996. On espérait une saison complète de celui qui écoulerait la troisième année d'un pacte de cinq ans. Quant au poste de voltigeur de gauche, on procéderait par comité (Santangelo, Ryan McGwire, Derrick May), tout comme au deuxième but.

Si les matchs présaison étaient une indication de ce à quoi il faudrait s'attendre, les amateurs de baseball montréalais devraient alors faire preuve de beaucoup de magnanimité : pas beaucoup d'offensive ni de vitesse, des partants jeunes mais talentueux, et un enclos de releveurs qui était loin d'avoir fait ses preuves. S'il fallait se fier au ratio victoires-défaites, le pire de toute l'histoire du club (8-23), cette équipe en reconstruction ne ferait pas beaucoup mieux que les Expos de 1976, qui n'avaient remporté que 55 victoires (contre 107 défaites).

Heureusement, ils avaient Felipe Alou, la véritable pierre d'assise de l'équipe.

Alou en serait à sa 7e saison à la barre du club, et tout ce que les observateurs espéraient, c'était qu'il ne se lasse pas de ces éternels recommencements. Mais Felipe ne parlait pas comme quelqu'un qui s'apprête à faire ses valises ou à accrocher ses crampons. Il disait avoir du plaisir et affirmait être convaincu que l'équipe de 2000 – celle qui comprendrait Michael Barrett, Orlando Cabrera, Jose Vidro et Hiram Bocachica – serait formidable. Son seul regret semblait être toutes ces belles journées de pêche qu'il avait dû sacrifier au baseball au fil des ans. « Il y a de ces choses qui sont sacrées : la famille et la pêche. Tu vas à la pêche, tu reviens à la maison et tu prends le souper avec ta famille. Ça, c'est sacré. »

Felipe appréciait son statut avec les Expos, un statut comme il s'en trouvait peu dans le baseball. Claude Brochu avait souvent répété qu'Alou serait en poste aussi longtemps qu'il le désirerait, et que le plus longtemps serait le mieux. « Si jamais je suis renvoyé, a dit Felipe, j'espère seulement qu'ils ne me diront pas ce qu'on dit toujours aux gérants : que "le club souhaite prendre une autre direction". Cette équipe a pris cinq nouvelles directions depuis que je suis ici. »

« Alou ne sera jamais congédié, du moins pas à Montréal, écrivit Jack Todd dans *The Gazette*. Juste l'idée de penser le laisser aller serait un suicide, et la direction le sait bien.

« Brochu espère qu'Alou va décider de rester au moins jusqu'en 2001 si les Expos demeurent à Montréal parce que l'ouverture d'un nouveau stade sans Alou est quasi impensable, de poursuivre le chroniqueur. Le contrat d'Alou est valide jusqu'à la fin de 1999, et il inclut aussi une clause de "services personnels" en 2000, qui le maintiendrait dans l'organisation dans le rôle de son choix. Or, le rôle que les Expos veulent faire jouer à Alou est évidemment celui qu'il joue si bien depuis qu'il a remplacé Tom Runnells le 22 mai 1992 : perché sur la marche supérieure de l'abri, une paire de lunettes sur le nez, un maître joueur d'échecs voyant à tous les détails sur le terrain. »

Déjà, Felipe avait laissé entendre que si l'équipe déménageait au sud de la frontière, il n'était pas certain qu'il suivrait. « Une des raisons pour lesquelles je demeure dans le baseball, c'est Montréal. Ma femme est de Montréal et nous y avons beaucoup d'amis. »

Avec Felipe dans les rangs, il était plus facile de croire en l'avenir des Expos de Montréal.

Le 1ᵉʳ avril 1998, les Expos ont lancé la 30ᵉ saison de leur histoire en accueillant les Pirates de Pittsburgh. La foule fut moins nombreuse que les années passées (31 220), personne ne se faisant d'illusions sur les chances de cette équipe. Comme d'habitude, Felipe Alou a reçu la plus belle ovation au moment de la présentation des joueurs. « C'était presque gênant. J'ai apprécié, mais je commençais à espérer que les gens cessent de m'applaudir. On est humain et ces ovations font chaud au cœur. Mais j'aurais vraiment voulu la partager avec des joueurs. »

Malheureusement, ces joueurs, pour la plupart inconnus du public, n'ont pu faire mieux que de frapper 5 coups sûrs et les Expos se sont inclinés 4-0. Le lendemain, il n'y avait que 6 396 spectateurs pour voir le club perdre de nouveau, 4-3 cette fois. L'équipe a ensuite perdu les 5 matchs suivants, portant sa fiche à 0-7, son pire départ à vie. Le ton de la saison était donné. « Tournés vers l'avenir », le slogan du club pour 1998 semblait parfaitement choisi puisque le présent, lui, ne promettait manifestement rien de bien transcendant.

Évidemment, il y a toujours pire que soi : les Marlins de la Floride, par exemple.

Après avoir fait le pari qu'une pluie de dollars apporterait victoires, spectateurs et prospérité, les Marlins s'étaient réveillés au lendemain de leur triomphe en Série mondiale avec un sérieux problème sur les bras : des pertes annoncées de 34 millions de dollars.

Alors que le gérant Jim Leyland et ses troupes célébraient leur victoire devant 67 204 spectateurs, Wayne Huizenga, le propriétaire des Marlins, avait déjà décidé de vendre son club. Pour le rendre plus attrayant auprès d'acheteurs potentiels, Huizenga a décidé de procéder à une vente de liquidation qui faisait paraître presque anodines les ventes de feu des Expos des dernières années.

En quelques mois seulement, les Marlins ont expédié vers d'autres cieux *douze* joueurs de l'équipe championne de 1997 dont Moises Alou, Kevin Brown, Dennis Cook, Jeff Conine, Devon White et Robb Nen... Puis, en mai 1998, ils ont complété le grand nettoyage en se débarrassant des joueurs vedettes Bobby Bonilla et Gary Sheffield ainsi que de leur receveur régulier Charles Johnson. Jamais n'avait-on assisté à un démantèlement d'équipe de cette envergure ; même Connie Mack, qui, durant les années

1920, avait dû saborder une superbe équipe pour effacer un déficit, n'était pas allé aussi loin.

L'ironie, bien sûr, c'était qu'il était revenu au directeur-gérant Dave Dombrowski d'accomplir la sale besogne, lui qui avait quitté les Expos précisément parce qu'il en avait assez de se plier à des limites budgétaires. Bientôt, il chercherait à quitter la Floride, tout comme le gérant Jim Leyland. Une nouvelle absurdité affectait le baseball moderne : dirigeants et joueurs voulaient tous jouer pour des clubs gagnants. Autrement dit, riches. Le problème, c'était que ces clubs ne représentaient que le tiers de toutes les équipes des majeures...

Après avoir remporté leur premier match de 1998, les Marlins ont perdu les 11 suivants, en route vers une saison de misère qui se terminerait avec une atroce fiche de 54-108. Un an plus tard, l'équipe était vendue.

C'était précisément ce scénario cauchemardesque qu'avait voulu éviter Claude Brochu aux Expos en prônant une gestion serrée des finances du club. En dépensant sans compter, le propriétaire des Marlins s'était certes offert une équipe championne, mais les victoires ne s'étaient pas traduites en gains financiers, l'assistance aux matchs ayant grimpé de 1 746 767 spectateurs en 1996 à 2 364 387 l'année suivante, une augmentation notable mais ne permettant pas d'assumer le salaire d'une douzaine de stars.

Toute l'expérience corroborait la thèse des sables mouvants défendue par Jim Beattie. Le DG des Expos expliquait que si un club était incapable de s'offrir une masse salariale de 55 millions et plus, il valait alors mieux le bâtir autour de jeunes joueurs plutôt que d'y consacrer une somme mitoyenne de 35 millions sur plusieurs saisons, une avenue qui ne permettait pas réellement de prétendre aux plus grands honneurs. C'est cette zone mitoyenne qu'il désignait comme sables mouvants, une zone dans laquelle un club pouvait s'enliser pendant des années. « Ne pas gagner et ne pas générer de revenus suffisants pour couvrir les salaires, c'est la pire combinaison. Ça crée une pression immense sur une organisation. »

Philippe Cantin de *La Presse* reprenait une déclaration faite au *Sports Illustrated* par Sandy Anderson, le président des A's d'Oakland : « Dans la deuxième moitié des années 1980, Kansas City, Minnesota et Oakland ont remporté la Série mondiale. Mais c'est de l'histoire ancienne. La structure économique du baseball a été bouleversée au cours des cinq dernières années. La construction de nouveaux stades financés publiquement et la chute des droits de télévision ont rendu les équipes riches plus riches et les pauvres plus pauvres. » En effet, les observateurs n'avaient pas manqué de remarquer que les invités au grand bal de fin de saison des dernières années étaient tous des clubs dont la masse salariale se situait dans le premier tiers.

Quand on tenait compte de ces données, on réalisait combien la décision de Claude Brochu de doter son équipe d'un nouveau stade était parfaitement concordante avec la mouvance en cours dans les sports professionnels des années 1990. Pour suivre la parade, il fallait augmenter les revenus, et pour augmenter les revenus, il fallait de nouvelles infrastructures.

Malgré cela, des doutes continuaient d'être soulevés – non sans raison – dans les médias : les revenus additionnels générés par le nouveau stade seraient-ils suffisants pour permettre aux Expos d'être compétitifs ? Le pactole de 75 millions pour six ans que venaient d'accorder les Red Sox de Boston à Pedro Martinez laissait supposer que la hausse vertigineuse des salaires n'était pas à la veille de s'arrêter. Si les Expos, malgré un budget bonifié dans un nouveau stade, se retrouvaient encore en queue de peloton dans les masses salariales, n'en reviendrait-on pas au même point ?

« En dévoilant notre projet, expliquait Claude Brochu, nous avions prévu que les salaires doubleraient au cours des cinq prochaines années. C'est un des effets pervers de la construction de 18 nouveaux stades dans une courte période de temps. On assistera ensuite à une stabilisation au chapitre des salaires parce qu'il n'y aura pas de nouvelles sources de revenus. » D'après les études qu'ils avaient menées, les Expos estimaient que la masse salariale moyenne passerait de 36,8 millions à 66,56 millions lors des 5 prochaines années. Dans le nouveau stade, les Expos établiraient leur masse salariale à environ 54,6 millions, soit 82 % de la moyenne des majeures.

Dans leurs calculs, les Expos partaient du principe qu'ils maintiendraient une moyenne de spectateurs d'environ 35 000 personnes par match dans le nouveau stade. Mais si, plus réalistement, le club devait se contenter de 20 000 spectateurs en moyenne (ou moins encore), serait-il replongé dans le même cercle vicieux ? La question restait en suspens.

Une autre interrogation souvent soulevée par les médias – américains, surtout – concernait les retombées économiques découlant de la présence d'une équipe de sport professionnel – et d'une infrastructure adéquate – dans une communauté. Dans leur argumentaire, les clubs prétendaient bien évidemment que les retombées étaient importantes à plusieurs points de vue : emplois directs et indirects, collecte d'impôts sur le salaire des athlètes, impact sur le tourisme, etc.

Au fil des ans, Claude Brochu et les Expos avaient commandé plusieurs de ces études à des firmes telles Ernst & Young, Saine Marketing ou encore la maison de sondage Léger et Léger. Sans surprise – il faut garder à l'esprit que les études contredisent rarement les hypothèses de ceux qui les commandent –, toutes concluaient que les Expos représentaient une mine d'or pour Montréal. Dans une de ces études, la firme Ernst & Young arrivait à la conclusion que la construction du nouveau parc des Expos engendrerait des entrées annuelles de 77,1 millions en taxes et impôts pour les gouvernements provincial et fédéral. On rappelait aussi que les joueurs du club payaient de l'impôt – au fédéral et au provincial – sur 40 % de leur salaire même s'ils résidaient aux États-Unis.

Or, pour chaque étude soulignant l'impact positif de la présence d'une équipe de sport (ou de la construction d'un stade), une autre arrivait à une conclusion bien différente. Une étude conduite par la Régie des installations olympiques (RIO) avait déjà conclu que l'impact économique des Expos équivalait à celui du tourisme religieux de l'Oratoire Saint-Joseph, du Cap-de-la-Madeleine et de Sainte-Anne-de-Beaupré… Plusieurs études américaines avaient déjà avancé que quand une équipe professionnelle quitte une ville, les gens dépensent leur argent-loisir autrement, bref, que l'impact d'un club à ce point de vue est négligeable.

Dans la foulée de l'arrivée des nouveaux stades aux USA, plusieurs analystes économiques avaient publié articles et ouvrages pour dénoncer la sollicitation de contributions financières des gouvernements, une pure extorsion de fonds publics selon eux ; les véritables bénéficiaires de ces subsides étant les propriétaires d'équipe et les joueurs. Un ouvrage publié en 1997 avait attiré l'attention de beaucoup d'observateurs : *Major League Losers*, écrit par Mark Rosentraub, un professeur de l'Université d'Indiana.

Rosentraub, un spécialiste de l'étude de l'impact économique des sports professionnels dans les milieux urbains, soutenait que la présence d'une équipe dans une communauté produisait peu d'emplois, peu de revenus de taxation, et avait un impact négligeable sur les quartiers attenant aux installations. À ses yeux, les ententes que passaient les villes et les États avec les équipes sportives – aux USA, le financement des infrastructures se faisait principalement par le biais d'argent public – entraînaient des dépenses colossales que les Américains n'avaient pas les moyens d'assumer.

Dans son ouvrage, l'auteur consacrait même un chapitre à la situation des Expos à Montréal. Il ne voyait pas comment, dans un contexte de stricte réduction de déficit, le gouvernement du Québec pourrait fournir de l'aide à un club de baseball, d'autant plus qu'il venait d'en refuser à une équipe de hockey (les Nordiques)[7].

Claude Brochu disait ne pas se préoccuper outre mesure de ces écrits qui étaient à ses yeux l'œuvre d'un petit groupe de cinq ou six universitaires américains que peu de gens écoutaient. «Dans toutes les villes américaines où l'on trouve du sport professionnel, le point de vue de ces universitaires ne passe jamais. Chaque ville finit par construire ses infrastructures. Les élus ne sont quand même pas des imbéciles. D'ailleurs, les gouvernements n'ont pas contesté les chiffres que nous leur avons fournis», a dit M. Brochu.

Si, au départ, l'accent avait été mis sur la contribution de la communauté des affaires, l'attention se retournait maintenant vers le rôle que pourrait jouer l'État dans le financement du projet de stade.

À cet égard, le 5 mai, Claude Brochu s'est adressé au sous-comité des sports des Communes à Ottawa. Essentiellement, il leur a dit que la survie des Expos passait inévitablement par une aide gouvernementale. «Les gouvernements municipal, provincial et fédéral devront faire des choix, a affirmé M. Brochu, sinon les Expos devront plier bagage. On ne peut pas vivre avec l'empilage de taxes foncières, de service de la dette, de taxes à la consommation, de taxes sur le capital, de charges sociales et de taux de change et espérer demeurer compétitifs. À Montréal, les taxes sont de 11 % plus élevées que dans les villes américaines.»

M. Brochu a expliqué qu'aux USA, les nouveaux stades étaient financés à 80 % par les gouvernements. Il a donné l'exemple du nouveau stade de Jupiter en Floride, pour lequel le comté de Palm Beach avait émis pour 29 millions d'obligations dont les intérêts étaient non imposables. On avait aussi introduit une taxe de 1 % sur les nuitées des hôtels du comté qui servirait à rembourser les détenteurs d'obligations. En somme, disait-il, il y avait moyen de trouver des solutions créatives qui n'impliqueraient pas de subventions directes. Il se disait toujours confiant de réunir 100 millions du milieu des affaires avant la fin juin, mais pour les 150 millions additionnels, les gouvernements seraient appelés à «prendre une décision d'affaires». Monsieur Brochu a aussi fait valoir que les gouvernements étaient les seuls à profiter financièrement d'un nouveau stade en vertu des revenus de taxes et d'impôt.

Finalement, il a dit que s'il obtenait l'appui des gouvernements, il consentirait à «ouvrir ses livres», ce qu'il avait refusé de faire jusque-là. Récemment, un article du *Financial World* avait avancé que les Expos avaient touché des profits dans les dernières années, une «affirmation fausse», avait rétorqué M. Brochu.

Dans *La Presse* du lendemain, Philippe Cantin parlait de «désastre de relations publiques».

« Monsieur Brochu n'a jamais été un grand communicateur, a écrit le journaliste. Plus habile, il aurait pressenti que sa sortie contre les charges fiscales, combinée au manque de transparence à propos des livres de l'équipe, susciterait la colère des observateurs. Du coup, l'idée qu'il défend, celle d'un partenariat entre les secteurs privé et public, a été emportée par une image dévastatrice, celle d'un gestionnaire prêt à saigner les gouvernements à l'avantage d'une poignée de baseballeurs millionnaires. » Aux yeux de Cantin, le président des Expos avait été incapable de livrer l'essence de son message.

Or, on le sait, plusieurs membres du consortium étaient déjà de cet avis, critiquant tant les talents de communicateur de M. Brochu que son approche stratégique. Bientôt, certains d'entre eux n'hésiteraient plus à le dire publiquement.

« À un moment donné, dit aujourd'hui Jacques Ménard, je me suis rendu compte que dans l'esprit de Claude, le stade était un bien public qui ne pouvait être financé que par les instances publiques[8]. »

Le 4 mai, alors que les Expos disputaient un match aux Reds devant seulement 6 616 spectateurs au Stade olympique, un de ces « baseballeurs millionnaires » a créé tout un émoi en prenant place dans les gradins du Stade en 3e manche, aux côtés de Mark Routtenberg, un des actionnaires du club.

Profitant d'une rare journée de congé, Pedro Martinez, la nouvelle star des Red Sox de Boston, avait fait le trajet à Montréal pour y rencontrer son ami Routtenberg, mais aussi pour avoir la chance de saluer ses anciens coéquipiers et, surtout, les partisans des Expos. À l'entraînement, il avait déclaré qu'il trouvait dommage que les amateurs montréalais n'aient même pas eu la chance de revoir, ne serait-ce qu'une fois, le seul gagnant du trophée Cy Young de l'histoire des Expos. Avec la complicité de Routtenberg, il réparait maintenant ce tort.

Quand ils l'ont aperçu, les spectateurs lui ont accordé une ovation à tout rompre, et il a passé de longues minutes à serrer des mains et distribuer des accolades. Pedro avait vraiment été un des favoris des Montréalais au cours des dernières années et c'était avec une grande émotion qu'on le retrouvait. La visite avait aussi beaucoup touché le Dominicain : « Je suis saisi d'émotion. Ça me fait quelque chose de revoir mes anciens coéquipiers mais ça me rend triste aussi de voir comment ils en arrachent. Tout ce que je leur souhaite, c'est de garder ce noyau de joueurs et qu'ils puissent finalement se battre pour un championnat.»

Hélas, ce ne serait pas pour tout de suite: les Expos ont été limités à 4 coups sûrs et ont perdu 4-1. Mais l'histoire du match avait vraiment été la visite surprise du fameux lanceur, ce qui avait, aux dires de Mark Routtenberg, «soulevé la colère» du président des Expos[9].

Le 2 juillet, Pedro Martinez était cette fois en uniforme quand les Expos se sont amenés au Fenway Park de Boston pour y disputer une série de trois matchs. Après deux défaites, les Expos ont confié la balle du troisième match au jeune Carl Pavano – obtenu dans la fameuse transaction envoyant Pedro à Boston – pour affronter le gagnant du Cy Young, justement. Les Expos ont perdu 15-0.

Le 19 mai, les Expos ont disputé un match à domicile à ciel ouvert, la toile de Kevlar (la toile originale du Stade, installée en 1987 mais qui avait à l'époque déjà une dizaine d'années de vie) ayant été démontée lors d'un voyage du club en Californie. À la fin de la saison, on la remplacerait par une nouvelle toile en fibre de verre.

Le dernier match en plein air à Montréal avait eu lieu le 8 septembre 1991, quelques jours avant la chute d'une poutre qui avait forcé la fermeture du Stade.

À voir le ciel ainsi, c'était presque comme si les Expos l'avaient, leur nouveau stade. «Depuis qu'il a perdu son toit orange, a écrit Richard Milo de la Presse Canadienne, le Stade olympique est un stade transformé. Il y a de l'air frais, du soleil et des étoiles. C'est le bonheur en bouteille. Enfin, du baseball du bon vieux temps.»

La réaction des joueurs était tout aussi positive. «Ce sera du vrai baseball, a dit F.P. Santangelo. En après-midi, le soleil sera au monticule et le marbre sera à l'ombre. Ce sera difficile de frapper. Les matchs de jour seront courts.»

«J'aime ça, a dit de son côté Chris Widger, c'est ensoleillé et il y a de l'air frais.» Felipe Alou aussi appréciait l'allure d'un stade à toit ouvert: «C'est un plus bel endroit quand on est au soleil.» Alou se rappelait combien ça pouvait être difficile pour les frappeurs de voir la balle. «Quand Steve Carlton s'amenait ici, il fallait espérer du temps couvert. Le jour où Bill Gullickson a retiré 18 frappeurs au bâton (en 1980), les Cubs n'avaient pas vu la balle de l'après-midi.»

Les Expos ont battu les Astros 4-2 dans ce premier match à ciel ouvert. Mais deux jours plus tard, alors que le match était disputé en après-midi, les Expos, peut-être confondus par le jeu de l'ombre et de la lumière, ont perdu 6-0.

Malgré l'unanimité autour des vertus du baseball en plein air, le déménagement du club dans un stade du centre-ville semblait encore loin d'être acquis. En effet, le dossier du nouveau stade ne progressait pas comme escompté. La vente des droits de sièges n'avait pas atteint les 40 millions, stagnant après la première ronde de vente, et les critiques ayant suivi le témoignage de Claude Brochu aux Communes continuaient à se faire entendre. La position du gouvernement du Québec ne semblait pas avoir changé depuis la remarque lapidaire du premier ministre Bouchard, et du côté d'Ottawa, la seule garantie obtenue par les Expos concernait l'acquisition du terrain au coin des rues Notre-Dame et de la Montagne.

Or, de nouvelles rumeurs circulaient maintenant à l'effet qu'un groupe formé de Jean Coutu, Serge Savard, Red Wilson et André Bérard (de la Banque Nationale) avait réuni les fonds nécessaires à la construction du stade ! Mais une condition serait rattachée à l'engagement de ces sommes : des modifications à la structure de direction. Le groupe, disait-on, souhaitait remplacer la formule de société en commandite par une forme corporative plus classique, une société à capital-actions dans laquelle le président se rapporte à un conseil d'administration qui veille à fixer les grandes orientations de l'entreprise. Évidemment, une telle restructuration aurait pour conséquence de réduire considérablement les pouvoirs de Claude Brochu.

Le vice-président aux finances du club, Laurier Carpentier, se disait étonné de ces rumeurs. « Ces gens-là auraient certainement besoin de données financières. Or, tous ces renseignements passent par mon bureau puisque c'est moi qui pilote le dossier du stade. Pourtant, je n'ai rien entendu au sujet d'un tel groupe. » Quant à Claude Brochu, il avait du mal à croire au bien-fondé de ces rumeurs, n'oubliant pas tout le mal que Jacques Ménard et lui avaient eu à rassembler 64 millions auprès du milieu des affaires pour acheter le club au début de la décennie. Il a aussi déclaré qu'un modèle corporatif classique compliquerait passablement la gestion de l'équipe ; c'était d'ailleurs pour cette raison que la majorité des équipes fonctionnaient selon la formule de société en commandite.

Dans son ouvrage *La Saga des Expos – Brochu s'explique*, l'ancien président des Expos explique que ces rumeurs – fausses –, lancées par Jean Coutu lui-même, ont eu pour effet de nuire à la campagne de financement.

La vision globale de Claude Brochu (un stade consacré au baseball, situé au cœur du centre-ville) était certainement la bonne, mais une conjoncture défavorable et de multiples autres facteurs en vinrent finalement à bout.
Club de baseball Les Expos de Montréal

Certaines entreprises, croyant l'objectif atteint, ont décidé de reporter à plus tard leur engagement, se sentant libérées de celui-ci[10]...

Le dossier avançait toutefois sur un autre front : le 28 mai, les Expos annonçaient en conférence de presse avoir signé une entente historique avec la brasserie Labatt assurant des revenus de 100 millions sur 20 ans en échange des droits du nom du nouveau stade et du maintien du brasseur comme premier commanditaire du club (40 millions pour le nom, 60 pour la commandite). Si cette nouvelle représentait certes un pas dans la bonne direction – bien sûr, le nom « parc Labatt » était moins évocateur que ne l'aurait été un « parc Jackie-Robinson », par exemple –, des observateurs ont fait remarquer que 5 millions en 2001 suffiraient à peine pour que l'équipe puisse se payer... un cinquième voltigeur !

Comme les sommes ne commenceraient à être versées qu'à partir de 2000-2001, elles ne serviraient pas à défrayer les coûts de la construction du nouveau stade ; de toute façon, les Expos ne voulaient pas que leurs revenus d'opération (billets, publicité, commandites) servent à financer le stade, cette façon de faire ayant posé des problèmes dans d'autres villes comme Ottawa avec les Sénateurs, par exemple.

Les médias ont profité de l'occasion pour interroger le président des Expos sur l'évolution des pourparlers du club avec les divers paliers de gouvernement. Claude Brochu a dit avoir rencontré le ministre des Finances, Bernard Landry, mais ne voulait pas s'étendre sur la nature de la discussion, se contentant de dire que les choses évoluaient normalement.

Présent à la conférence de presse, Serge Savard, un des membres les plus en vue d'Opération 2001, a dit ne pas comprendre qu'une bonne part de la population s'opposât au financement public du stade (dans un sondage, 54 % des Montréalais interrogés se disaient contre un prêt sans intérêt aux Expos) : « Pourquoi les gens considèrent-ils normal que les gouvernements allongent des sommes importantes à Canadair, Kenworth ou GM et s'insurgent à l'idée qu'ils viennent en aide aux Expos ? Pourquoi ne considère-t-on pas l'équipe comme une entreprise aussi ?

« Ça me choque quand j'entends dire qu'on veut subventionner une gang de millionnaires alors qu'on ferme des hôpitaux, a déclaré Savard. Si j'étais au gouvernement, je me demanderais ce que l'État perdrait en raison du départ de l'équipe. Des études estiment les retombées à plus de 100 millions, d'autres à zéro. Se peut-il que la vérité soit entre les deux ? »

Deux semaines plus tard, une chronique de Réjean Tremblay de *La Presse* a secoué le petit monde des Expos. L'influent chroniqueur affirmait qu'il était temps que Claude Brochu cède sa place à d'autres leaders pour mener le dossier du nouveau stade.

« Si les Expos veulent avoir leur stade Labatt au centre-ville, ils doivent tasser Claude Brochu d'ici le 15 juin et annoncer rapidement qu'ils donnent un sursis à leurs partisans avant de confirmer la vente de l'équipe à des intérêts américains.

« Claude Brochu doit laisser la place à d'autres leaders parce que les sportifs et trop de gens d'affaires n'ont pas confiance dans ses intentions. Ce que j'entends le plus souvent depuis des mois c'est que Brochu accumule les erreurs pour mieux foutre le camp avec les Expos et empocher son profit.

« Personnellement, je crois en la sincérité de Claude Brochu, poursuivait le chroniqueur. Je pense qu'il veut garder les Expos à Montréal. Je suis convaincu de son honnêteté intellectuelle dans ce dossier. Je trouve difficile à accepter sa démarche de faire payer par les hommes d'affaires et les fans SON stade Labatt mais je suis quand même capable de vivre avec son projet. Mais j'ai parlé avec trop de gens depuis quelques semaines pour me fermer les yeux. Si Claude Brochu s'entête dans sa démarche jusqu'au 30 juin, ce sera un échec. Et les Expos auront foutu le camp en l'an 2000. »

Plusieurs ont deviné que les « gens » consultés par le branché journaliste étaient en fait certains des « dissidents » du consortium.

Le jour même de la parution de l'article, Jacques Ménard a émis un communiqué pour affirmer que le président des Expos avait son appui et celui des partenaires. « Je travaille avec Claude Brochu depuis huit ans et rien ne me permet de douter de son intégrité. Il est le premier à avoir posé le diagnostic qu'un transfert au centre-ville était essentiel à notre survie. Au sein de notre conseil d'administration, j'avoue avoir été, avec Jocelyn Proteau des Caisses populaires, un des plus réticents à appuyer ce projet. Ce ne fut pas facile pour nous d'admettre qu'on devait quitter l'est de Montréal.

« Aucun de nous ne souhaite le départ de Claude Brochu, a assuré le président du Conseil de la société en commandite. Certains peuvent ne pas apprécier son style, critiquer son sens des communications ou son degré d'émotion. Mais c'est normal dans le monde des affaires. Il demeure le mieux placé pour piloter le dossier », a-t-il soutenu.

« Au Québec, on a tendance à personnifier à l'extrême les entreprises et les enjeux, a poursuivi M. Ménard. Quand un projet réussit, on félicite son principal responsable et on oublie le travail de ses partenaires. Inversement, en cas de difficultés, on s'en prend à celui qui tient la barre. Si des gens ont des critiques à formuler aux Expos, ils devraient s'en prendre à moi, à Jocelyn Proteau, Paul Roberge et aux autres actionnaires. Quant à la vente de certains joueurs, Claude Brochu ne décide pas seul de la masse salariale, nous décidons ensemble d'une enveloppe. Ce n'est pas correct d'en faire l'unique bouc émissaire. Maintenant, nous devons créer un consensus au sein de notre groupe. Pas l'unanimité mais un consensus. »

Hélas, la sage mise au point de Jacques Ménard n'a pas véritablement calmé le jeu. « Des rumeurs laissent entendre que les propriétaires sont divisés, transposant le débat sur la personnalité de Claude Brochu, a écrit Philippe Cantin de *La Presse*. Si cette tendance s'accentue, les gouvernements, déjà pas très chauds à l'idée de s'impliquer dans le dossier, montreront encore plus de réticence.

« Il est évident que certains actionnaires de l'équipe souhaitent le remplacement de Claude Brochu. Ceux-ci, pas du tout familiers avec l'administration d'un club de baseball majeur, ont vu certaines de leurs suggestions rejetées au fil des ans. Bref, les intérêts divergents des copropriétaires provoquent inévitablement des conflits avec le commandité. Et cela laisse des traces. »

Cantin rappelait que le commandité bénéficiait de l'appui inconditionnel du Comité exécutif du baseball, le groupe sélect – et puissant – dont il faisait partie. « On n'apprendra rien à personne en affirmant qu'au plan légal, le remplacement de M. Brochu sans son accord ouvrirait forcément un panier de crabes. »

Deux jours après la mise au point de Jacques Ménard, les Expos annonçaient que la date butoir du 30 juin était repoussée au 30 septembre.

Comme certains des 19 sous-comités mis en place en avril dans le cadre d'Opération 2001 commençaient à peine leur travail, on avait décidé de leur accorder un délai additionnel. « Bien sûr, nous préférerions avoir déjà vendu 18 000 sièges, reconnaissait Claude Brochu. Mais le fait d'admettre que nous n'avons pas encore atteint notre objectif n'est pas un constat d'échec. »

Dans l'immédiat, cela signifiait que la présence des Expos à Montréal en 1999 était quasi assurée, l'annonce du transfert d'une équipe devant être faite dans des délais raisonnables, entre autres pour permettre à la ligue d'établir le calendrier de la saison à venir. Pour l'instant, c'était à peu près la seule certitude qu'avaient les amateurs de baseball montréalais sur l'avenir de leur équipe.

Si les Expos de 1998 étaient « tournés vers l'avenir », Vladimir Guerrero, lui, était certainement une des grandes vedettes du moment : « Il sera bientôt considéré comme le meilleur joueur de tout le baseball », avait dit Rondell White.

Ses adversaires ne semblaient pas savoir comment l'affronter : les artilleurs lançant volontairement « autour du marbre » voyaient régulièrement leurs tirs cognés solidement à un ou l'autre champ ; dans les mineures, on avait déjà vu à deux reprises Vladimir frapper un double à partir d'une balle ayant touché le sol devant le marbre ! Avec Guerrero au bâton, on ne savait jamais quel chat sortirait du sac ; avec lui, même un retrait au bâton était un moment qui valait la peine d'être vu. Ses tirs du fond du champ droit sifflant à travers l'avant-champ avant de faire un bond en arrivant au troisième but étaient des événements dont les spectateurs parlaient encore en quittant le stade.

Guerrero avait une telle confiance en ses instincts qu'il n'étudiait jamais les vidéos sur les lanceurs adverses ni ne consultait les rapports de dépisteurs ; en fait, souvent il ne connaissait même pas le nom des lanceurs qu'il affrontait. Le talent le plus naturel depuis Roberto Clemente, disait-on de lui maintenant partout dans le baseball. Vlad serait élu Joueur du mois du club en juin, juillet et août, la première fois qu'un Expo méritait l'honneur trois mois de suite. Avant la fin de la saison, il établirait 6 records du club, dont celui du plus grand nombre de circuits en une seule saison (38).

Qu'un jeune homme comme lui, issu d'un milieu d'une extrême pauvreté, ait réussi à se rendre là où il se trouvait maintenant tenait vérita-

En seulement huit saisons, dont seulement six complètes, Vladimir Guerrero a réécrit presque à lui seul le livre des records des Expos.
Musée McCord, Montréal, M2005-51-5221

blement du prodige. À Nizao Bani, en République dominicaine, sa famille n'avait ni eau courante ni électricité, si bien que Vladimir et sa famille (quatre garçons, une fille – il avait aussi quatre demi-frères et sœurs) devaient s'abreuver dans les flaques d'eau se trouvant à proximité.

Un jour, la maison rudimentaire dans laquelle les Guerrero vivaient avait perdu son toit à la suite d'un ouragan ; la famille avait dû s'entasser dans la même chambre pendant de longs mois, devant se partager deux lits.

Enfant, il travaillait dans les champs à cueillir tomates, melons ou oignons, ratant beaucoup de jours d'école avant d'arrêter complètement ses études après la 5ᵉ année.

Plus tard, il s'est présenté à un camp d'essai organisé par les Expos en portant des souliers dépareillés, en tassant une chaussette dans le bout de celui qui était trop grand[11]. Fred Ferreira, le dépisteur du club montréalais pour les Caraïbes, lui a fait signer un contrat (2 100 $) après l'avoir vu une seule fois au bâton.

Après quatre saisons passées à jouer en Amérique du Nord, Vlad ne parlait toujours pas un mot d'anglais et était d'une telle timidité qu'il pouvait sembler distant, indifférent même à ceux qui ne le connaissaient pas. Le 31 juillet, les Expos firent preuve de sensibilité en faisant l'acquisition de son frère aîné Wilton (un joueur d'intérieur) des Dodgers de Los Angeles en compagnie du voltigeur Peter Bergeron, d'un lanceur (Ted

Lilly) et d'un autre joueur en retour de Mark Grudzielanek, Carlos Perez et du prospect Hiram Bocachica. La compagnie quotidienne de Wilton faciliterait certainement l'intégration du jeune homme de 22 ans.

À défaut de présenter une équipe réellement compétitive sur le terrain, les Expos avaient trouvé le moyen de fournir aux amateurs une attraction de première classe, probablement l'athlète le plus naturel, le plus instinctif de toutes les équipes professionnelles de l'histoire du Québec.

Le 1ᵉʳ août 1998, Bud Selig devenait officiellement le 9ᵉ commissaire de l'histoire du baseball. Après avoir agi comme président du Comité exécutif du baseball pendant 6 ans – et affirmé tout ce temps qu'il n'était PAS commissaire par intérim, et nullement intéressé par le rôle non plus –, Selig, 63 ans, acceptait un mandat de 5 ans qui lui rapporterait un salaire annuel estimé à 3 millions de dollars. Du coup, il démissionnait de la présidence des Brewers de Milwaukee, remettant les rennes du club à sa fille, Wendy Selig-Prieb.

Dans son rôle de non-commissaire, Selig s'était avéré être précisément l'homme que les propriétaires recherchaient : un administrateur qui les représenterait (et non une autorité suprême cherchant à défendre les intérêts des clubs, joueurs et fans), un rassembleur constamment à l'écoute de chacun des propriétaires, un leader prêt à aller au front et à prendre la responsabilité d'un échec devant les médias et les fans.

Quand les propriétaires avaient exprimé le désir de se débarrasser du commissaire Fay Vincent, Selig (avec le concours de Jerry Reinsdorf des White Sox de Chicago) avait préparé le terrain pour le faire congédier ; il n'avait pas cherché à s'immiscer dans le conflit de travail de 1994-1995 en imposant un règlement de dernière heure aux propriétaires, il avait introduit deux innovations (le réalignement des divisions et les matchs interligues) qui avaient connu un succès populaire et financier, et il avait réussi à faire accepter le concept de partage des revenus par les clubs les plus récalcitrants. Plus récemment, il avait opté pour la politique du laissez-faire quand Wayne Huizenga, le propriétaire des Marlins, avait liquidé la moitié de son club (des années plus tôt, le commissaire Bowie Kuhn avait empêché Charlie Finley des A's d'Oakland de vendre trois de ses meilleurs joueurs aux Red Sox de Boston, évoquant les « meilleurs intérêts du baseball »).

Bud Selig avait une interprétation moderne, plus pragmatique, des « meilleurs intérêts du baseball », et cette vision plaisait énormément aux propriétaires. Le propriétaire Carl Pohlad des Twins disait de lui qu'il était « le leader politique le plus efficace que j'aie rencontré de ma vie ».

Lors de son discours d'acceptation devant les propriétaires, Selig a affirmé que son plus important défi serait de réduire l'acrimonie entre les joueurs et les propriétaires – et entre les propriétaires eux-mêmes : « Mon père était un grand pacificateur et je crois avoir hérité de ce trait de caractère. Je n'aime pas perdre de l'énergie dans des conflits[12]. »

Dans son ouvrage *The Last Commissionner*, Fay Vincent rapporte une mise en garde que lui avait faite Chuck O'Connor (porte-parole des proprios dans les négociations avec les joueurs au tournant des années 1990) au sujet de Selig alors qu'il (Vincent) était commissaire. « Fais attention à lui : il veut ton job. Il pense que le poste de commissaire du baseball est l'un des titres les plus importants de la vie publique américaine. Il croit que ça ferait de lui un grand Américain, une figure historique[13]. »

Comment expliquer alors que Bud Selig ait attendu six longues années avant d'accepter le rôle de commissaire ? Et pourquoi avait-il inlassablement répété que le rôle de l'intéressait pas ?

Il est probable que le redoutable politicien qu'est Bud Selig ait volontairement repoussé la soumission de sa candidature pour pouvoir manœuvrer plus librement – surtout à l'approche du renouvellement de la convention en 1994 –, sans avoir à composer avec la méfiance que suscitait le titre de commissaire. Après des années de travail de coulisses – et sans jamais tordre le bras de quiconque –, il avait patiemment gagné la confiance et l'estime des propriétaires, au point d'être perçu comme le seul candidat logique au poste. Il y a des avantages à se faire désirer et c'est ainsi qu'il avait pu se négocier un salaire de 3 millions par année alors que son prédécesseur Fay Vincent, lui, n'avait gagné « que » 650 000 $ à sa dernière saison à ce poste. À la fin des années 2000, la rémunération annuelle de Selig grimperait à plus de 17 millions de dollars.

À la mi-août 1998, à l'initiative de Claude Brochu, les Expos ont invité 70 représentants du milieu politique (comme le maire de Montréal de l'époque, Pierre Bourque) et du monde des affaires à se rendre à Baltimore pour voir le fameux Camden Yards, la formidable réussite architecturale qui avait largement contribué à revitaliser le centre de cette ville d'un peu moins de 700 000 habitants. La visite avait évidemment pour but de rallier ces gens à la cause du stade au centre-ville.

Or, la veille du départ du groupe pour Baltimore, Jean Coutu, invité à s'exprimer sur le dossier du stade par le journaliste Paul Arcand, a donné à celui-ci plus que ce que le client en demandait en se lançant dans une attaque en règle contre Claude Brochu, affirmant qu'il n'était pas l'homme de la situation et qu'il devait céder sa place.

Dans les réunions du groupe d'actionnaires, M. Coutu avait depuis peu pris de plus en plus de place, bombardant Claude Brochu de questions (pourquoi une formule de *licensing* ? À qui appartiendra le stade ?, etc.), lui demandant constamment de fournir des chiffres. Même sans avoir investi d'argent dans le club, le pharmacien exigeait des garanties sur la propriété du stade, menaçant de dénoncer publiquement le président des Expos s'il n'obtenait pas de réponses. C'était désormais chose faite.

Serge Savard s'est tout de suite porté à la défense de Brochu : « Il a planifié et structuré le projet de stade depuis le début, a dit Savard. Il n'a pas fait un mauvais boulot jusqu'ici et il serait préférable de se ranger derrière lui. » L'ancien capitaine du Canadien savait une chose ou deux sur l'importance de l'esprit d'équipe : « Il faut que tout le monde s'entraide. C'est comme ça qu'on a toujours gagné chez le Canadien. Les propriétaires doivent oublier les petits défauts de chacun, il faut penser au but commun. »

Le président de la FTQ et du Fonds de solidarité Clément Godbout déplorait aussi la sortie de Coutu : « Il donne une jambette à Brochu à un très mauvais moment. On a la responsabilité collective d'éviter le drame. »

Quelques jours plus tard, les médias rapportaient que les partenaires s'étaient réunis sans avoir invité Claude Brochu à se joindre à eux. « Le gouffre demeure profond entre les proprios », pouvait-on lire dans *La Presse* du 29 août. La bisbille au sein des actionnaires des Expos était maintenant une affaire bien publique. Or, malgré toute cette tourmente, le club continuait de préparer le terrain pour 2001.

Question de mettre de l'avant quelques nouvelles positives, le club annonçait fin août une initiative visant – pour la première fois depuis le début de la campagne de financement – à mettre le public à contribution.

Pour 299 $, un fan pourrait acheter une « brique » du nouveau stade. En réalité, cette somme achèterait 10 billets d'admission générale pour 2001, une paire de billets pour un match au Stade olympique en 1999 et 2000 et – c'était la pièce de résistance de la proposition – le privilège de voir son nom gravé sur une brique du nouvel édifice. Bien que tardive, l'initiative était intéressante.

Puis, le 1er septembre, les Expos ont annoncé la mise sous contrat de Vladimir Guerrero pour 5 ans, une entente qui lui vaudrait 28 millions. « Nous voulons lancer un message clair aux partisans des Expos, a déclaré

Jim Beattie. Nous n'essayons plus seulement de survivre. Nous tentons de bâtir une équipe championne pour l'année de notre déménagement au parc Labatt. ».

Pour Felipe Alou, il s'agissait là d'une grande nouvelle pour le baseball à Montréal. « C'est un geste formidable. Cela va ouvrir des portes, toucher des cœurs, éveiller des consciences. Ça veut dire qu'on le verra jouer quand il sera à son sommet. C'est un joueur qui a tellement de talent.

« Les joueurs qui le côtoient peuvent se considérer chanceux, a dit le gérant des Expos. Il est un exemple de travail, d'agressivité, de détermination. Et puis il ne critique jamais. Il ne se plaint jamais du vent, de la météo, des lanceurs lors de l'exercice au bâton. Il y a des choses chez lui dont ses coéquipiers peuvent s'inspirer pour devenir de meilleures personnes... »

Malheureusement, cette heureuse nouvelle serait rapidement éclipsée par une autre, désastreuse. Un événement qui, aux dires de Claude Brochu, a définitivement scellé le sort des Expos de Montréal.

Après une première rencontre avec le ministre des Finances Bernard Landry en novembre 1996 – la fois où Claude Brochu avait été ahuri d'entendre son soi-disant partenaire Claude Blanchet lancer en pleine rencontre qu'il ne croyait pas au projet de stade –, le président des Expos avait eu d'autres entretiens avec M. Landry.

En Bernard Landry, Claude Brochu avait trouvé un interlocuteur ouvert au projet des Expos de construire un stade. À mesure que des pistes de solution s'élaboraient, M. Landry avait recommandé au président des Expos de ne pas informer ses partenaires de ce qu'ils préparaient tous les deux : « Il me disait : "Parle pas de ça à ta gang, ça va sortir publiquement, laisse-moi préparer le terrain." M. Landry comprenait très bien l'apport culturel et social d'un club de baseball », explique aujourd'hui M. Brochu[14].

Il semblait bien que la charge de Jean Coutu contre Claude Brochu et les rumeurs de querelles intestines dans le consortium n'aient pas ébranlé la confiance dans le projet de Bernard Landry et, le 31 août, ce dernier a déclaré à Paul Arcand sur les ondes de CKAC que le gouvernement était sur le point de trouver une solution au financement du nouveau stade. « Une solution qui ne choquera personne », avait précisé le ministre.

La solution dont M. Landry parlait, c'était grosso modo que le gouvernement du Québec remette aux Expos les impôts perçus à même les salaires des joueurs (40 %) pendant une dizaine d'années. Une fois le stade payé, l'État toucherait de nouveau ces sommes. Or, quelques jours plus tôt, Lucien Bouchard s'était déjà exprimé publiquement sur cette formule, la jugeant inadéquate. D'autres rumeurs évoquaient une contribution du gouvernement de l'ordre de 50 millions.

L'intervention de Bernard Landry à l'émission d'Arcand a précipité les événements. Dès le lendemain, Richard Le Lay, l'adjoint de Claude Brochu dans ses rapports avec les instances publiques, a reçu un coup de fil d'Hubert Thibault, chef de cabinet de Lucien Bouchard. Thibault voulait savoir pourquoi les Expos n'avaient pas sollicité d'entrevue avec le premier ministre. Du même souffle, il a invité Le Lay à écrire le plus tôt possible à Lucien Bouchard pour lui demander une rencontre, lui suggérant aussi d'inviter Jean Coutu. Jean Coutu ?! Thibault ne pouvait pas ne pas être au courant des récentes déclarations de l'homme d'affaires… Tout ça était décidément bien étrange.

Néanmoins, Claude Brochu a rédigé la lettre. Le lendemain (!), il était convoqué dans le « bunker » de Lucien Bouchard dans la Grande Allée à Québec.

Outre Claude Brochu, les Expos étaient représentés par Jacques Ménard, Richard Le Lay et Serge Savard (sans surprise, personne n'avait cru opportun d'inviter le pharmacien…) Retenu en Europe, Clément Godbout (FTQ) n'avait pu se joindre à eux, mais il avait eu ce conseil pour Claude Brochu : « Il est très possible que Bouchard vous dise non, mais il va laisser une porte ouverte. C'est un avocat, un négociateur. Après, on travaillera à partir de cette ouverture[15]. »

Après avoir attendu quelques minutes dans une pièce sans fenêtres, Claude Brochu et ses partenaires ont vu entrer Lucien Bouchard, suivi d'Hubert Thibault, Jean-Roch Boivin (conseiller de Lucien Bouchard et ancien chef de cabinet de René Lévesque) et de quelques autres. Finalement, Bernard Landry est apparu à son tour. Claude Brochu raconte avoir rapidement compris que quelque chose n'allait pas : « M. Landry évitait mon regard, était nerveux, ne tenait pas en place et son visage était tout rouge, comme s'il était fâché[16]. »

Le premier ministre a alors invité Claude Brochu et son groupe à présenter leur projet. Après avoir exposé les grandes lignes du projet, Claude Brochu a soudainement vu Jacques Ménard sauter dans la mêlée : « Il y est allé d'une tirade interminable, selon son habitude. Dans ce genre de situation, Ménard semble incapable de synthétiser sa pensée. Il parle, parle, parle, comme s'il prenait plaisir à s'écouter. Habituellement, ça ne porte pas à conséquence. Mais ici, devant le premier ministre, un tel verbiage pouvait entraîner des dérapages[17]. »

Toujours selon Claude Brochu, Jacques Ménard aurait alors lancé au premier ministre : « Évidemment, nous n'avons aucune certitude que les Expos vont survivre à Montréal même avec un nouveau stade au centre-ville. »

Brochu et Le Lay n'en revenaient pas. Comment pouvait-il commettre une bourde semblable ?

Plus tard, sans que Bernard Landry intervienne une seule fois, Lucien Bouchard a répondu au groupe que son gouvernement devait faire des choix de société et qu'il avait décidé de ne pas contribuer au financement du stade. Le refus était formel, aucune porte n'était laissée ouverte.

C'est à ce moment-là que Claude Brochu a compris ce qui s'était passé : avant la réunion, le premier ministre avait retiré le dossier des mains de son ministre des Finances. Le meilleur allié de M. Brochu était contraint au silence, et Lucien Bouchard avait suivi l'avis de son entourage. « Bouchard a été convaincu par ses conseillers (et ceux-ci par certains de mes partenaires) que le projet n'était pas bon, qu'il allait gêner le gouvernement. Ils lui ont dit : "Le problème, c'est Claude Brochu. Arrangez-vous pour lui dire non. Une fois qu'il aura cédé sa place (ce qui, commodément, arriverait probablement après les élections provinciales), nous vous reviendrons avec un nouveau plan"[18]. »

En acquiesçant à la suggestion d'Hubert Thibault de demander rapidement une rencontre, Brochu était tombé dans le piège tendu par le premier ministre. Ce meeting précipité avait non seulement permis à Bouchard de désavouer son ministre, mais aussi de profiter d'un moment où la direction de l'équipe était plus affaiblie que jamais après les critiques formulées par Jean Coutu et certains partenaires. Le public comprendrait sans mal la décision du gouvernement de ne pas appuyer une organisation sérieusement minée par la bisbille.

Quant à la prestation de Jacques Ménard ce jour-là, M. Brochu l'explique ainsi : « Ménard devait surveiller ce qu'il disait puisqu'à titre de président du conseil d'administration d'Hydro-Québec, il se rapportait à Jean-Roch Boivin, dont un des dossiers était justement de suivre la société d'État. Par ailleurs, comme c'était Bouchard lui-même qui l'avait nommé président du conseil d'Hydro-Québec...[19] »

« Le soir du 2 septembre 1998, dans la salle de conférence du bunker, écrit Claude Brochu dans ses mémoires, le projet de stade est mort[20]. »

Quelques jours après la rencontre fatidique avec Lucien Bouchard, Clément Godbout et Henri Massé de la FTQ ont rencontré Claude Brochu pour lui suggérer le moyen de pression ultime – l'équivalent d'une grève générale –, l'annonce de la mise en vente du club. De cette façon, croyaient-ils, ils obligeraient le gouvernement à bouger.

Dans un contexte où les actionnaires auraient parlé d'une même voix, c'eût peut-être été une stratégie à considérer. Mais Claude Brochu savait trop bien qu'il n'aurait jamais l'appui de son groupe dans cette initiative, puisque ce qu'ils voulaient de toute façon, c'était de relancer le projet sans lui. «Et puis même si les copropriétaires avaient accepté, le bureau du premier ministre aurait tout de suite été informé de notre stratégie», explique Claude Brochu[21].

Il y avait en effet très peu de degrés de séparation entre certains des actionnaires et plusieurs membres du gouvernement. À titre d'exemple, en plus de Jacques Ménard et Jean-Roch Boivin, qui se côtoyaient à Hydro-Québec, Raymond Bachand (à l'époque le nouveau président-directeur général du Fonds de solidarité des travailleurs du Québec) avait alors des allégeances péquistes et Claude Blanchet (FTQ aussi) était (et est toujours) l'époux de Pauline Marois, alors ministre de l'Éducation dans le gouvernement Bouchard. On le sait, le Québec est une société tissée serré.

Avec le temps, plusieurs observateurs ont reproché à Claude Brochu d'avoir rapidement baissé les bras après le premier refus de Lucien Bouchard. En effet, il existe quantité de cas où des équipes professionnelles américaines ont obtenu de l'aide d'une municipalité ou d'un État après s'être butées à une succession de refus. Mais comment aurait-il pu revenir à la charge alors que plus rien n'allait entre lui et les actionnaires? C'était un véritable cul-de-sac: tant qu'il serait le chef de file du projet, il semblait bien que l'équipe ne recevrait pas d'aide du gouvernement québécois. Mais ce projet, c'est lui qui l'avait porté depuis le début, c'est lui qui connaissait tous les dossiers du baseball à fond, c'est lui qui avait les entrées au sein du baseball majeur.

Le 10 septembre, les médias rapportaient que les Expos n'auraient pas non plus l'aide du gouvernement de Jean Chrétien, qui jugeait le projet trop gros, trop cher et trop imprécis. On leur demandait de retourner à leur table de travail.

L'après-midi même, Brochu rencontrait Leonard Coleman, le président de la Ligue nationale, venu à Montréal pour sa visite annuelle: «La date butoir du 30 septembre doit être respectée, a déclaré M. Coleman. Si les Expos n'ont pas trouvé de solution à cette date-là, le baseball devra très sérieusement se pencher sur le cas de l'équipe. On ne veut pas perdre Montréal. Mais il faut que les Expos soient plus compétitifs pour rester dans le baseball majeur. En ce moment, plusieurs villes souhaitent obtenir une concession dans la Ligue nationale.» Des gens d'affaires de Washington, de Charlotte (Caroline du Nord) et de la Virginie du Nord avaient d'ailleurs tenté de joindre Claude Brochu – sans que celui-ci retourne leurs appels.

Alors que le baseball majeur n'en avait que pour les records de coups de circuit qu'étaient en train d'établir Mark McGwire et Sammy Sosa, les Expos, eux, se préparaient à jouer ce qui serait peut-être le dernier match à domicile de leur histoire.

Le 16 septembre, l'équipe a battu les Marlins de la Floride 3-2 grâce à une remontée de 2 points en fin de 9e manche. En fin de 8e, quand Vladimir Guerrero s'est présenté au bâton, les 13 540 spectateurs se sont levés pour lui accorder une longue et vibrante ovation, comme s'ils réalisaient soudainement qu'ils le voyaient peut-être en personne pour la dernière fois; pire, qu'ils voyaient l'équipe pour la dernière fois...

En tout, 914 909 personnes avaient franchi les tourniquets durant la saison, le plus faible total en 22 saisons au Stade olympique, mais un chiffre tout de même moins désastreux qu'on ne l'avait craint en début de saison.

La fiche du club de 65 victoires et 97 défaites avait été sa pire depuis 1976, mais le rendement des jeunes, particulièrement dans le dernier mois, laissait entrevoir de meilleurs jours: Brad Fullmer (44 doubles, 73 PP), Orlando Cabrera, excellent depuis son rappel des mineures le 24 juin, et Wilton Guerrero (,284) ont permis à Felipe Alou de respirer après la blessure qui a mis fin à la saison de Rondell White le 20 juillet (une fracture à la main droite en tentant de capter une flèche des deux mains). Chez les lanceurs, Dustin Hermanson avait démontré une combativité exceptionnelle au monticule (14-11, 3,13), tout comme Ugueth Urbina, carrément intimidant comme releveur de fin de match (34 matchs sauvegardés, 6 victoires, MPM de 1,30).

Après sa promotion dans le grand club le 23 mai, Carl Pavano (obtenu dans l'échange Martinez) a montré de belles aptitudes et Alou lui a confié 23 départs. Bien que surtout célèbre quand il deviendrait la victime du 70e circuit de la saison de Mark McGwire, Pavano avait réussi son entrée dans les majeures et il serait probablement une des pièces maîtresses du club lors de son transfert au centre-ville, si transfert il y avait, bien sûr.

«J'ai ressenti une certaine nostalgie de la part des partisans, a dit Felipe Alou au terme de la rencontre contre les Marlins. On voyait que les gens redoutaient d'assister au dernier match de l'histoire du club. C'est une bonne chose parce que ça démontre clairement que les gens tiennent à leur équipe de baseball.»

Felipe avait vécu le déménagement des Braves de Milwaukee à Atlanta et il se rappelait la réaction des partisans durant la saison 1965 : « Les gens n'avaient pas ménagé la direction et l'équipe sur le terrain. Nous n'avions attiré que 500 000 personnes et c'était une foule hostile, méchante. C'est tout le contraire ici. »

Venu voir le match, Clément Godbout de la FTQ a admis que s'il s'était trouvé à la place de Lucien Bouchard, il aurait – compte tenu des problèmes entre les actionnaires – lui aussi refusé tout financement. « Il faut remettre de l'ordre dans nos affaires. Si nous continuons de la sorte, nous allons perdre les Expos, ce qui serait un drame majeur. En ce moment, on accroche sur des détails qu'on pourra régler quand on aura décidé d'investir dans le stade. Quand on est pris dans une tempête, ce n'est pas le temps de changer de capitaine. »

Dans l'après-midi, Mark Routtenberg, détenteur de 3 % des actions du club, prenait une initiative qui en a étonné plusieurs en dévoilant le bilan financier du club depuis l'achat de l'équipe par les partenaires québécois. Las d'entendre des gens prétendre que les actionnaires des Expos engrangeaient des profits tout en annonçant des déficits, M. Routtenberg avait décidé de son propre chef d'ouvrir les livres du club : « Certains de mes collègues ne seront pas d'accord avec ce que je fais mais c'est un débat public et les gens ont le droit d'en savoir davantage. »

Depuis 1991, le club avait essuyé des pertes de 37 millions, les dernières années s'avérant particulièrement difficiles : 7 millions en 1996, 11 millions en 1997 et 4 millions pour l'année en cours. Si l'intention de Routtenberg – appuyer les affirmations de Claude Brochu à l'effet que le club perdait de l'argent – était louable, son initiative a surtout révélé à quel point le président des Expos avait perdu le contrôle de ses troupes.

Durant la semaine, Claude Brochu et les Expos avaient reçu un appui tardif mais non négligeable de l'économiste Pierre Fortin de l'École des sciences de la gestion de l'UQAM. Dans un rapport (fait bénévolement et sans attache) remis à la fois à la direction des Expos et au bureau du premier ministre, M. Fortin, un des économistes les plus en vue du Québec, expliquait pourquoi une contribution de l'État était à ses yeux parfaitement justifiable. « Nous n'avons aucune hésitation à affirmer qu'il est raisonnable de demander aux gouvernements d'investir 15 millions par année dans un nouveau stade au centre-ville. »

En substance, l'économiste citait l'impact d'un club de baseball sur l'image de Montréal et du Québec (une firme du Michigan avait établi à 28 millions par année l'apport publicitaire des Expos pour la ville et la province), la valeur socio-culturelle (entre autres pour le rapprochement des différents groupes culturels du Québec) et la revitalisation urbaine de Montréal. «Rappelons, écrivait M. Fortin, que 15 villes américaines auront construit de nouveaux stades entre 1990 et 2000 avec l'appui de l'État et qu'il est peu probable qu'elles soient toutes peuplées d'imbéciles, victimes du chantage de dirigeants sans scrupules.»

Le rapport mettait en garde les conséquences d'un refus du gouvernement de participer au projet : «Il faut simplement comprendre que l'utilité collective du projet des Expos possède un fondement économique réel et culturel solide et être conscient des avantages réels et importants dont on se privera si on donne leur congé aux Expos.»

Vers la fin de la saison, Kevin Malone, l'ancien DG des Expos qui occupait désormais ce rôle chez les Dodgers de Los Angeles, avait affirmé qu'un gérant qu'il aimerait bien avoir pour son club, c'était Felipe Alou (les Dodgers venaient d'être achetés par Rupert Murdoch – le roi de la presse à potins britannique et le fondateur de Fox News – et leur situation financière s'était encore considérablement bonifiée). La déclaration de Malone frôlait le maraudage, mais comme Felipe – qui, le 19 août, avait remporté sa 521e victoire pour dépasser Buck Rodgers comme gérant le plus victorieux de l'histoire des Expos – ne semblait pas vouloir quitter le club, la direction ne s'en est pas inquiétée. Mais voilà que la déclaration de Malone a suscité une réflexion chez Jim Beattie : et si Felipe souhaitait partir ? Peut-être vaudrait-il la peine d'en discuter avec lui. Le DG a obtenu la permission de Claude Brochu de sonder ses intentions.

«On vivait une situation tout croche à Montréal depuis des années, dit aujourd'hui Claude Brochu. Il y avait de la chicane dans le partenariat, les médias étaient négatifs, le projet de nouveau stade frappait un mur, l'équipe avait connu une mauvaise saison… On s'est dit : "Felipe est un bon gérant, il a encore de bonnes années devant lui, peut-être qu'il en a assez de tout ça…"»

Le 22 septembre, alors que le club se trouvait à New York, Jim Beattie est allé rencontrer son gérant. «Felipe, on aimerait que tu restes avec nous, on est même prêts à prolonger ton contrat. Mais on sait qu'il y a un club intéressé par tes services. Si jamais tu préférais partir, on aimerait que tu saches qu'on ne s'y opposera pas.»

Était-ce dans la façon dont la communication s'est faite ? Pour Felipe, en tous cas, les Expos venaient de trouver une manière détournée de lui montrer la porte. «Je ne pensais jamais entendre une telle chose, dit aujourd'hui Felipe Alou. Les Expos m'offraient de partir. J'ai explosé[22].»

Le gérant a aussitôt appelé Claude Brochu pour lui exprimer sa déception :

pourquoi avait-il utilisé Jim Beattie pour lui passer le message ? Pourquoi ne pas lui avoir dit lui-même de ficher le camp ?

Quelques jours plus tard, Felipe a dit aux journalistes que le match final de la saison serait probablement son dernier avec le club : « Jim Beattie m'a demandé si j'écouterais une offre d'une autre équipe. Je suis un homme sensible, un homme d'honneur. J'ai pris cette question comme une invitation à partir. Je n'ai jamais formulé le désir de quitter Montréal. Mais à ce point-ci, à cause de la question de Jim Beattie, je suis prêt mentalement à partir. Je me sens libre. »

« FELIPE DÉCIDE DE PARTIR » titrait *La Presse* dans son tabloïd sport du lendemain.

Les réactions n'ont pas tardé : des actionnaires – qui ont appris l'histoire en lisant les journaux – ont vu dans l'initiative de Beattie une tentative à peine voilée de Claude Brochu de saboter le club en le privant de son maillon le plus fort. Les joueurs aussi étaient éberlués : « Si Felipe part, je demanderai à être échangé », a déclaré Ugueth Urbina. Moises Alou (désormais avec les Astros de Houston) a pour sa part dit que la direction du club ne méritait pas un gérant de la qualité de son père : « Dans un sens, c'est un beau cadeau qu'ils lui font en le libérant, a dit Moises. Mon père était mentalement épuisé de devoir toujours recommencer à zéro. Il est un merveilleux pédagogue mais il est d'abord un compétiteur. Et comme les compétiteurs, il aime gagner. C'est dommage pour Montréal, mais avec son départ, on peut vraiment dire que c'est la fin des Expos. »

Jim Beattie était sérieusement ébranlé par la tournure des événements : « Avec tous les sacrifices qu'il s'est imposés dans l'organisation pendant 25 ans, je voulais seulement m'assurer qu'il était à l'aise avec la direction que prenait l'équipe. Je croyais qu'il apprécierait cette marque de gratitude mais manifestement j'ai eu tort... », a dit le DG des Expos qui, pour une rare fois, avait du mal à contenir ses émotions. « Jim le faisait vraiment de bonne foi, en pensant au bien-être de Felipe, sans arrière-pensée », assure Claude Brochu[23].

La directrice des communications des Expos, Johanne Héroux, a résumé ainsi la position du club : « Notre position, c'est qu'on veut qu'il reste. Monsieur Brochu lui a réitéré cela lorsqu'il lui a parlé. Mais Felipe a préféré se tourner vers un club gagnant. Nous sommes déçus mais on se dit qu'il n'y a personne d'irremplaçable. »

Dans ses mémoires, Claude Brochu prétend qu'en réalité le gérant voulait quitter le navire sans toutefois avoir à porter l'odieux de la décision : « C'est pour cette raison qu'il a détourné le sens de l'intervention de Jim Beattie [...] Au fil des ans, Felipe Alou était passé maître dans l'art de manipuler la presse. À cet exercice, il réussissait encore mieux que Buck Rodgers. Les journalistes ne contestaient pas ses affirmations. Ils en avaient peur, ils craignaient de se faire "punir" s'ils le contredisaient… Il nous a souvent critiqués, Jim Beattie et moi, à tort plus souvent qu'autrement. Nous avons accepté de vivre avec étant donné la valeur et les qualités de Felipe Alou comme gérant. Mais en septembre 1998, il a dépassé les bornes…[24]»

Revenant sur les événements des années plus tard, Felipe Alou bondit quand il entend cette interprétation: «C'est un mensonge. C'est de la fabrication pure et simple. Je n'avais aucune intention de quitter les Expos. À l'âge que j'avais alors, je n'y pensais même pas. Ce sont eux qui me disaient de partir. Prétendre que je voulais quitter le bateau est un mensonge. Et c'est avec fierté que je l'affirme[25].»

Au lendemain de l'annonce du départ de Felipe, Jacques Ménard a rencontré les médias pour leur dire que les actionnaires lui avaient donné le mandat d'essayer de convaincre Felipe Alou de rester en poste. Le président du Conseil de la société en commandite a aussi déclaré que la vente à court terme de l'équipe était hors de question, que les actionnaires étaient toujours résolus à mener à bien le projet de stade au centre-ville et que tous étaient prêts à accueillir de nouveaux partenaires investisseurs – et que certains s'étaient d'ailleurs manifestés.

Une rumeur n'attendait pas l'autre: un jour, c'était Claude Brochu qui s'apprêtait à céder sa place à Serge Savard, un autre, c'était que l'ancien propriétaire des Expos Charles Bronfman envisageait de réinvestir dans les Expos, une information aussi farfelue que fausse que ne s'était toutefois pas privé de publier illico le *Journal de Montréal,* dont le slogan de l'époque était « Vite », comme par hasard.

Le 30 septembre, une manifestation populaire, organisée par CKAC et RDS, a attiré 3 000 personnes au Complexe Desjardins. Alertés à la dernière minute, les anciens Expos Rusty Staub et Gary Carter ont tout juste eu le temps de sauter dans un avion – à leurs frais – pour rejoindre quelques joueurs de l'édition courante du club comme Chris Widger et les frères Vladimir et Wilton Guerrero. En apprenant qu'une manifestation en faveur des Expos s'organisait, Bill Lee – même s'il n'avait pas été invité – est rapidement venu de chez lui au Vermont pour se joindre au groupe.

« Je crois qu'il est extrêmement important de sauver la concession, a dit Rusty Staub, le héros des premières années des Expos. Quand on perd un club, on finit toujours par le regretter. Je crois aussi que Montréal doit faire partie de tout ce qui est grand en Amérique. »

Gary Carter partageait cet avis : « D'un strict point de vue économique, le projet a beaucoup de sens. Je comprends les gouvernements et le public de se poser des questions sur le financement. Si j'habitais toujours Montréal, je serais inquiet pour mes taxes et mes impôts. C'est pour cela que le projet avance lentement ; il faut être prudent et prendre les bonnes décisions. Mais il faut penser qu'en construisant un stade au centre-ville, on ne fait pas un cadeau aux Expos, on investit dans la santé économique de Montréal. »

« Je me fous de qui sera le propriétaire et si quelques multimillionnaires perdent quelques dollars, a dit Bill Lee. Si Disney peut avoir son club (les Angels), Montréal peut avoir le sien. Mickey Mouse n'est qu'un gros rat alors que Montréal est une belle et grande ville. Il y a une tradition de baseball ici depuis Jackie Robinson », a conclu Spaceman avant de disparaître dans la brume juste au moment où on espérait qu'il s'adresse à la foule.

En plus des anciennes gloires des Expos, des personnalités connues du public – comme Jean Lapointe et Claude Charron – se sont aussi adressées à la foule. N'ayant rien perdu de ses talents d'orateur, M. Charron, l'ancien ministre péquiste, a parlé de l'importance du baseball dans sa propre vie : « Du baseball à Montréal, j'en veux encore ! » a-t-il lancé à la foule.

La réaction du public, chaleureuse, spontanée, a suscité quelques questions : pourquoi les Expos n'avaient-ils pas sollicité l'aide d'anciens joueurs connus et aimés du public pour les aider dans leur levée de fonds ? L'année précédente, Rusty Staub avait offert à Jacques Ménard – rencontré par hasard en France – de donner un coup de main. On ne l'avait pas rappelé. L'ancien lanceur Steve Rogers avait pris la peine d'écrire à la direction de l'équipe pour proposer son aide ; personne n'y avait donné suite. Pourquoi ne s'était-on pas tourné une seule fois vers Gary Carter, peut-être le joueur le plus populaire de l'histoire du club ?

Quoi qu'il en soit, on sentait qu'un engouement était en train de renaître. « L'avenir des Expos semble plus prometteur qu'il ne l'a été depuis trois ans », a écrit Jack Todd dans *The Gazette*. « Il est trop tôt pour dire que les Expos sont sauvés mais le vent tourne », pouvait-on lire de la plume de Réjean Tremblay dans *La Presse*.

Le vent tournait, mais tout cela n'était-il que... du vent ? Dans ses mémoires, Claude Brochu s'étonne de « l'inconscience » des actionnaires : « Comment a-t-on pu croire un seul instant qu'on pourrait repartir à zéro après avoir détruit tous les éléments positifs du projet, après s'être aliéné le personnel des Expos, après s'être moqué des efforts du marketing, après avoir perdu la confiance du monde des affaires[26] ? »

Par ailleurs, dans son empressement à exclure Claude Brochu du projet, le groupe avait terriblement sous-évalué la force de la position de M. Brochu au sein du baseball majeur. Le président des Expos faisait partie du Comité exécutif du baseball, du Conseil de la Ligue nationale ; il était aussi le président du Comité des opérations baseball ; de plus, il avait été un des instigateurs du système de péréquation. Surtout, il comptait parmi ses alliés et amis l'homme le plus puissant de l'industrie, le commissaire Bud Selig.

Celui-ci ne resterait d'ailleurs plus silencieux bien longtemps. Le 2 octobre, Radio-Canada rendait publique une lettre rédigée deux jours plus tôt par Selig à l'intention de Jacques Ménard, une missive dans laquelle ce dernier se faisait cavalièrement taper sur les doigts.

Le commissaire se disait très perturbé du fait que les actionnaires avaient, contre toute convenance, décidé de commenter publiquement les questions dont dépendait la survie de l'équipe. « La réussite de l'équipe montréalaise est vitale pour le baseball. J'ai personnellement demandé à rencontrer les premiers ministres du Canada et du Québec afin de trouver une solution. Vos commentaires publics – interdits par notre procédure – pourraient grandement nuire à nos démarches.

« Dans le baseball, poursuivait le commissaire, chacune des équipes est représentée par un seul responsable, un *control person*. Claude Brochu est cet homme à Montréal. Comme vous le savez aussi, il siège à plusieurs des comités du baseball majeur. Votre équipe est donc très bien représentée dans les plus hautes sphères du baseball. Je dois vous demander de ne plus émettre de commentaires publics et de travailler selon notre code de procédure, sous M. Brochu. »

La rencontre avec le premier ministre à laquelle Bud Selig faisait allusion dans sa lettre n'a pas tardé à se concrétiser : le 5 octobre, Claude Brochu, son garde du corps, Selig et Bob DuPuy, conseiller juridique du commissaire sont allés retrouver Jacques Ménard à son bureau à Hydro-Québec.

Les cinq hommes ont dû attendre une grosse heure – ce qui n'a pas précisément impressionné le commissaire – avant d'être conviés au bureau du premier ministre. Celui-ci se trouvant à un étage supérieur, le groupe a donc pris l'ascenseur. Voilà qu'à mi-chemin, les lumières ont vacillé et la cabine s'est immobilisée : il y avait panne d'électricité au siège social d'Hydro-Québec...

Prenant les choses en main, le garde du corps de M. Brochu a forcé les panneaux de la porte pour réaliser qu'ils se trouvaient coincés à mi-chemin entre deux étages. Tous ont dû sauter l'un après l'autre sur le palier inférieur… avant de faire le reste du trajet en montant l'escalier. Un protocole d'accueil de grande classe, quoi.

Une fois en présence du premier ministre Bouchard et de quelques-uns de ses adjoints, Bud Selig a lancé la discussion en exposant les tendances dans l'industrie, insistant sur l'importance de nouvelles infrastructures. C'est alors que Jean-Roch Boivin, le conseiller de Lucien Bouchard, a eu l'idée d'intervenir dans la discussion, affirmant que les Québécois « n'avaient aucun intérêt pour le baseball[27] ».

Claude Brochu a tout de suite corrigé le tir, soulignant à juste titre que c'était le sport professionnel qui attirait le plus de spectateurs au Québec. Plus tard, Boivin est revenu à la charge, arguant que les Expos n'avaient pas une base solide de partisans, que les cotes d'écoute à la radio et à la télé étaient faibles, un argument de nouveau réfuté par Brochu. C'est toutefois quand l'adjoint du premier ministre – manifestement en grande forme ce jour-là – a lancé que le baseball ne faisait pas partie de la culture québécoise que le président des Expos a explosé : « *Cut the bullshit!* » « Monsieur Brochu, ce genre de vocabulaire est tout à fait inacceptable! », a à son tour lancé Lucien Bouchard, indigné[28].

Comme le premier ministre se bornait à répéter que le gouvernement ne subventionnerait pas la construction du stade, Claude Brochu lui a demandé quelle partie de la proposition des Expos l'indisposait, quelles modifications il souhaitait voir. Il n'a jamais eu de réponse à ses questions.

« Bouchard ne saisissait pas le poids du rôle du commissaire du baseball dans des dossiers comme ceux-là », dit aujourd'hui Claude Brochu[29].

À leur sortie de la réunion dans les bureaux d'Hydro-Québec, Bud Selig et Brochu ont rapidement été entourés d'une meute de journalistes. « J'ai dit ceci dans beaucoup d'autres villes où je suis allé et je vais vous le dire à vous aussi, a dit le commissaire. Toutes les parties doivent se demander : "Les prochaines générations de cette ville auront-elles quelque chose de plus si les Expos quittent Montréal?" Tout cela n'est pas qu'affaire économique, c'est aussi ce que j'appelle les avantages sociologiques. Ce sont aussi les termes qu'employait Charles Bronfman. »

Le commissaire rejetait du revers de la main l'idée qu'un changement de commandité augmenterait les chances du club de construire son stade : « À Seattle, ils ont changé deux fois de propriétaires et les nouveaux ont dit au bout de quelques mois qu'ils avaient les mêmes problèmes que leurs prédécesseurs, que ça ne fonctionnait pas. » À son avis, les critiques à l'endroit de Claude Brochu étaient « injustes et erronées » : « Vous pourriez le remplacer quinze fois et être toujours en face du même problème, à savoir que les Expos ne peuvent pas, dans la situation actuelle, générer des revenus suffisants.»

La réaction des médias à la visite et aux propos de Bud Selig fut unanimement négative, rappelant combien les Québécois ont l'épiderme sensible quand ils ont l'impression qu'un «étranger» veut leur dicter une ligne de conduite. Dans un texte intitulé «Bud chez les indigènes», Réjean Tremblay de *La Presse* n'a pas hésité à jouer à fond la carte nationaliste: «Autrement dit, c'est Bud Selig de Milwaukee qui va venir dire aux actionnaires des Expos comment ils doivent gérer leur argent. C'est Bud Selig, de chez lui à Milwaukee, qui va décider si les Expos vont jouer au Stade olympique ou dans un nouveau stade de 250 millions.»

Loin de rallier les parties, la visite de Selig et son appui à Claude Brochu ont eu pour effet de cristalliser les positions.

Jacques Ménard, la FTQ, Mark Routtenberg et ceux qui appuyaient encore Brochu se rangeaient maintenant résolument du côté des actionnaires dissidents comme Pierre Michaud et Jocelyn Proteau. «Je suis très confiant que les Expos vont demeurer à Montréal, a déclaré Raymond Bachand du Fonds de solidarité, mais cela ne se fera probablement pas avec la structure de propriété qu'on a aujourd'hui. Il y a mésentente entre M. Brochu et les actionnaires, mais pas entre les actionnaires.» Pierre Michaud (Provigo) ne s'est pas privé de continuer à tirer à boulets rouges sur le président des Expos: «Claude Brochu préfère faire venir ses amis américains pour garder sa job plutôt que de parler à ses actionnaires. Notre groupe a des gens désirant investir, mais avec lui ça ne se fera pas. Claude Brochu est en train de caler le projet. Et il fait ça très bien.»

La position des actionnaires rejoignait en somme la réaction des médias québécois, sommant Bud Selig de se mêler de ses affaires: «C'est notre argent, c'est notre équipe, et on décidera nous-mêmes de ce qu'on en fera.» «On peut être très provincial, ici», dit aujourd'hui Claude Brochu[30].

Il n'y avait pas de doutes: la guerre entre les deux clans était bien ouverte. Le jour même du passage de Bud Selig au Québec, Claude Brochu avait accordé officiellement la permission à Felipe Alou de discuter avec Kevin Malone des Dodgers de Los Angeles. Pourtant, Jim Beattie (en excursion de pêche au Montana) devait communiquer de nouveau avec Felipe à son retour pour lui faire une nouvelle proposition...

Compte tenu du haut niveau d'émotivité ambiant, Bud Selig avait suggéré à Claude Brochu de remettre à plus tard une réunion du groupe d'actionnaires et du commandité prévue depuis un certain temps pour le début octobre. Mais dégoûté de la situation et pressé d'en finir, M. Brochu a décidé d'aller de l'avant avec la réunion. Durant la soirée du

7 octobre, une armée de journalistes attendait dans un des couloirs de l'hôtel Reine-Élizabeth que s'ouvre la porte d'une salle de conférence. De l'autre côté de celle-ci, la rencontre, que l'on devinait extrêmement tendue, se prolongeait depuis maintenant trois heures.

Finalement, les portes se sont ouvertes et les principaux acteurs se sont soumis à un point de presse. Le premier à prendre la parole, Claude Brochu – très ébranlé – a déclaré avoir accepté de céder sa place dès que le consortium trouverait un acheteur pour sa quote-part de 7,6 %. M. Brochu ne ferait d'aucune façon partie du nouveau consortium mais demeurerait en place – comme président et commandité du club – jusqu'à ce qu'une entente soit conclue avec son remplaçant, les règlements du baseball le voulant ainsi. Après avoir lu sa déclaration, M. Brochu a rapidement quitté la salle sans répondre aux questions des journalistes.

Puis, ce fut au tour de Jacques Ménard de s'avancer sur le podium. Le plan de relance du projet se présentait ainsi: la société en commandite serait dissoute et remplacée par une compagnie à capital-actions; on solliciterait plusieurs nouveaux investisseurs pour financer le club. La construction d'un stade au centre-ville (dont les coûts seraient révisés à la baisse) demeurait une condition *sine qua non* du projet, tout comme la participation (financière ou fiscale) des trois paliers de gouvernement.

Conformément aux exigences du baseball, les actionnaires disposeraient de 150 jours (Selig avait d'abord fixé l'échéance à 60 jours) pour doubler les 65 millions que Claude Brochu et Jacques Ménard avaient pris plus d'une année à réunir lors de la vente du club en 1990-1991 – une tâche, on le devinait, immense.

«On va réussir, a déclaré Jacques Ménard, entouré de la majorité des actionnaires. C'est une méchante habitude qu'on a ici, en avant, de réussir les choses qu'on entreprend.» Ces mots ne tarderaient pas à venir hanter le consortium.

Dans ses mémoires, Claude Brochu lève le voile sur la teneur de la réunion s'étant déroulée ce soir-là.

Les actionnaires étaient arrivés avec leur plan de match. D'abord, ils voulaient immédiatement remplacer Claude Brochu par Raymond Bachand. Ensuite, ils feraient évaluer la valeur du club par des experts de leur choix. Finalement, ils offriraient à l'ancien commandité 7,62 % de cette valeur pour racheter sa participation dans le club. «J'ai évidemment refusé cette proposition, écrit Brochu dans ses mémoires. Je n'allais pas être stupide au point de permettre à ceux qui avaient juré ma perte d'établir la valeur de mes actions.» Il leur a alors rappelé la marche à suivre dictée par le baseball quand on veut remplacer un commandité: obtenir l'aval du commissaire pour négocier avec de nouveaux investisseurs, préparer un plan d'affaires, éviter les déclarations publiques... Pierre Michaud ne voulait rien entendre de tout cela : « Au diable ce que veut le commissaire du baseball, il est pas le roi, c'est pas lui qui va nous dire quoi faire, c'est à nous de décider... Et puis, on n'en veut pas de toi, va-t'en[31] ! »

« Ils se voyaient dans leur petit monde des affaires du Québec où ils étaient les rois. Ils croyaient pouvoir tout décider sans tenir compte du baseball majeur, explique Claude Brochu. De toute façon, il n'était plus question je reste ; je ne voulais plus être associé à eux pour le restant de mes jours. Leur comportement détestable m'avait amené à les détester. Ils avaient réussi à démolir une merveilleuse organisation qu'il serait impossible de reconstruire. Je savais déjà, au fond de moi, qu'ils échoueraient lamentablement[32]. »

Ce que M. Brochu ne dit pas dans ses mémoires, c'est que ce soir-là, il a été le seul du groupe à proposer la mise en vente du club, un scénario rejeté aussitôt par tous les autres actionnaires.

Le départ annoncé de Claude Brochu a été accueilli avec soulagement par la plupart des représentants des médias. Le principal obstacle à la réussite du projet de stade était finalement levé, la relance pouvait véritablement commencer.

Philippe Cantin de *La Presse* voyait toutefois les choses d'un autre point de vue. Dans un texte (« Bonne chance, M. Ménard ») prenant la forme d'une lettre ouverte, Cantin rappelait certains faits commodément oubliés dans le portrait fleuri du Québec Inc. dressé par les chroniqueurs de sport québécois. « Monsieur Ménard, votre joie et celle de vos partenaires sagement alignés derrière vous était belle à voir, mercredi, à l'hôtel Reine-Elizabeth [...] Emportés par l'enthousiasme, vous n'avez pas hésité à vous décerner une médaille : "Nous allons réussir", avez-vous dit. Pourquoi ? "C'est une méchante habitude qu'on a, ici en avant, de réussir les choses qu'on entreprend." De cela, Claude Brochu peut aujourd'hui témoigner. L'opération visant à le délester de ses fonctions et à le rendre responsable aux yeux de l'opinion de l'enlisement du dossier s'est en effet avéré un franc succès. »

Plus loin, Cantin mettait le doigt sur un des principaux points de divergences entre Claude Brochu et les actionnaires : « À force de travailler avec des Américains, il a malheureusement oublié le modèle québécois pour brasser des affaires. Ici, on fonctionne par consensus. Le gouvernement Bouchard a d'ailleurs érigé cette pratique en système. Des décisions névralgiques comme celle de la recherche du déficit zéro se prennent après consultation avec les "partenaires" patronaux et syndicaux. En exerçant à plein ses fonctions de commandité au sein de la société propriétaire des Expos, M. Brochu a heurté des sensibilités. Il en est aujourd'hui victime.»

Le journaliste soulevait par ailleurs un point important : en 1999, 70 % des revenus des Expos proviendraient des droits de télévision et du partage des revenus (système implanté en grande partie grâce à Claude Brochu, soit dit en passant). «Les dirigeants du baseball majeur en ont assez, et c'est bien légitime, de pomper des dizaines de millions dans une concession en difficulté. Ils veulent la garantie que la situation sera vite redressée. Tenez, je suis convaincu que les caisses populaires se comportent de la même façon avec leurs clients corporatifs traversant une mauvaise passe.»

Cantin concluait sa lettre à Jacques Ménard en évoquant le sort qui, inévitablement, attendait celui qui remplacerait Claude Brochu : «Serge Savard deviendra-t-il votre bras droit ? Peut-être. Mais avant d'accepter, il réfléchira sûrement à cet avertissement lancé par Bud Selig lors de son passage à Montréal : "Dans un projet du genre, peu importe le meneur, les gens en viennent habituellement à le détester en moins d'un mois." Ça aussi, M. Brochu vous le confirmera.»

Quelques mois avant la malheureuse conversation de Jim Beattie avec Felipe Alou, Mark Routtenberg avait dit au gérant des Expos : «Felipe, si jamais un jour tu envisages de quitter les Expos, il faudra que tu m'appelles avant de faire quoi que ce soit et qu'on se voie en tête à tête[33].»

Quand Claude Brochu a donné la permission aux Dodgers de discuter avec le gérant Felipe Alou, les partenaires, flairant le sabotage, ont décidé d'agir.

«Il n'y avait aucune autre personne que lui pouvant faire la mobilisation citoyenne autour du projet, dit aujourd'hui Jacques Ménard. Alors quand on a appris que Claude voulait en faire un agent libre, j'ai décidé d'aller le voir avec Mark Routtenberg[34].»

Comme plusieurs joueurs du club, Felipe avait une bonne relation avec Mark Routtenberg. «Quand le club demandait à Felipe de faire telle ou telle promotion, souvent il disait non, mais quand ça venait de moi, la réponse était oui, raconte aujourd'hui M. Routtenberg. C'est pour ça que Jacques Ménard m'a demandé un coup de main : "Si tu interviens, est-ce que tu pourrais le convaincre de rester ?"[35]»

Quand Routtenberg a appelé à la résidence de Felipe à Lake Worth en Floride, il a appris de son épouse Lucie que le gérant se trouvait en

République dominicaine. Il a aussi appris que Felipe était sur le point de signer avec les Dodgers, et que Kevin Malone se trouvait déjà là-bas. « Lucie, tu dois trouver Felipe, tu dois lui faire promettre de ne pas signer avant de m'avoir rencontré. Je suis son ami et je suis sincère, et Felipe le sait. »

Le lendemain, Felipe a pris un avion pour rentrer chez lui en Floride. Se présentant aussi à l'aéroport de Santo Domingo, Malone n'a pu trouver une place dans le vol et a dû attendre le suivant. De leur côté, Mark Routtenberg et Jim Beattie sautaient dans un avion en partance de Montréal vers la Floride.

Au début de l'après-midi du 9 octobre, les deux émissaires des Expos étaient déjà en discussion avec Felipe quand Kevin Malone a garé son auto devant la maison d'Alou. Le DG des Dodgers a appelé de son cellulaire pour entendre Lucie lui répondre que Felipe était... occupé.

Dans la résidence de Felipe, Routtenberg et Beattie lui rappelaient combien il était désiré, combien les chances de survie du club dépendaient de lui. Ils se sont engagés à mener à bien le projet du stade et à ne plus soumettre le club à des ventes de feu ; ils ont même fait appeler l'ex-entraîneur du Canadien Jacques Demers ainsi que Mgr Jean-Claude Turcotte (!), qui lui ont livré le même message. « Je n'ai jamais négocié quoi que ce soit, a révélé plus tard Felipe Alou dans une entrevue accordée à Réjean Tremblay. Le contrat faisait mon affaire, j'ai décidé de rester avec les Expos pour l'équipe et les gens de Montréal que j'aime et envers qui je m'étais engagé. »

Trois jours plus tard, l'entente de trois ans entre les Expos et Felipe faisait la une des journaux montréalais. On y rapportait les circonstances abracadabrantes de la mise sous contrat, célébrant l'intrépidité de Mark Routtenberg et de Jacques Ménard. « Quand ils n'ont pas de bâtons dans les roues, a écrit Bertrand Raymond du *Journal de Montréal*, ces gens-là semblent capables de pédaler, dites donc. » Après des années de frustration à voir les meilleurs éléments du club faire leurs valises, les partisans des Expos avaient enfin une raison de célébrer.

Mais il y avait un os. En plus de faire des promesses qu'ils n'étaient pas assurés de pouvoir tenir (sur le stade et la masse salariale du club), Mark Routtenberg et Jacques Ménard lui avaient offert un pactole tout à fait exceptionnel : 6 millions pour trois ans (certaines sources disent 5,8 millions). À la fin des années 1990, cela représentait une somme colossale pour un gérant. Felipe avait lui-même admis que l'offre des deux hommes l'avait « renversé ».

Quand il a été mis au courant des chiffres, Bud Selig est tombé en bas de sa chaise. On venait de consentir 6 (SIX !) millions pour trois ans à un

Et sans avoir rien demandé, Felipe est devenu l'un des entraîneurs les mieux rémunérés des ligues majeures...
Musée McCord, Montréal, M2005-51-5193

gérant? Étaient-ils tombés sur la tête? Les Dodgers – une des équipes les plus nanties des majeures – s'apprêtaient à lui en offrir la moitié! Après des années de discipline financière, les Expos balançaient maintenaient leur argent (celui des autres, en fait) par la fenêtre!

C'est toute la structure de rémunération des gérants des majeures qui risquait maintenant d'être chamboulée. En colère, le proprio des Yankees, George Steinbrenner, a aussitôt appelé Selig: «Comment osent-ils? Moi, je suis en train de négocier avec un gérant qui vient de gagner la Série mondiale (Joe Torre) et qui me demande 1,5 million. Et eux, ils donnent 2 millions de *mon* argent à leur gérant?»

Furieux, Bud Selig a rapidement eu Claude Brochu au bout du fil. «Vous avez promis 6 millions à Alou! Êtes-vous malades?»

Le président des Expos – qui, jusqu'à nouvel ordre, était encore commandité et avait donc en principe tous les pouvoirs – n'était pas au courant. Il savait que Mark Routtenberg était allé trouver Felipe chez lui mais il croyait que c'était pour le rassurer, pour le convaincre de rester, certainement pas pour *négocier* avec lui. Non seulement lui et Jacques Ménard s'étaient-ils substitués au commandité mais ils avaient à son avis commis une gaffe monumentale: «Ils ont fait monter les enchères alors qu'ils étaient les seuls en lice. Ils ont surenchéri contre eux-mêmes!», écrit Claude Brochu, qui compare le travail des deux hommes à celui des Keystone Kops, les incompétents policiers des films muets de Mack Sennett[36].

Selig était si furieux qu'il a tenté de faire annuler l'entente. Dans ses mémoires, Claude Brochu soutient que c'est lui-même qui l'en a dissuadé: «Les Expos avaient fait un geste irresponsable, mais on ne pouvait pas revenir sur la parole donnée[37].»

«Nous en avons trop fait, admet aujourd'hui Mark Routtenberg. Mais si nous perdions Felipe à ce moment-là, nous étions cuits. Il était notre dernière source de crédibilité… Quelques jours plus tard, Selig a envoyé deux avocats du baseball me rencontrer à Montréal. Ils voulaient me poursuivre. J'ai écrit une lettre de deux pages pour leur dire que leur système de partage des revenus ne valait pas cinq cents, que ça ne nous permettait pas de mettre des joueurs sous contrat[38]. »

Routtenberg raconte que quelque temps après, Bud Selig, plus calme, lui a passé un coup de fil.

— Mark, vous faites erreur, le baseball ne va pas marcher à Montréal.

— Quand vous allez me présenter le trophée de la Série mondiale sur le terrain, vous me remercierez d'avoir tenu mon bout.

1999

La soirée du 7 octobre 1998 – celle où Claude Brochu a accepté de céder sa place de commandité au sein du consortium – aura peut-être été le véritable moment de gloire du groupe de relance des Expos de Montréal mené par Jacques Ménard. À partir de là, les choses se sont passablement compliquées.

Avaient-ils pris la pleine mesure de l'immensité de la tâche qui les attendait? D'abord, ils devaient recapitaliser le club en trouvant de nouveaux investisseurs prêts à engager d'importantes sommes d'argent. Ensuite, ils devaient recommencer le travail auprès des divers paliers de gouvernement afin d'obtenir une forme d'engagement pour la construction du nouveau stade. Finalement, ils devaient convaincre le baseball majeur de la viabilité de leur plan.

Tout ça en 150 jours.

À ces défis s'ajoutait un problème, considérable: contrairement à l'époque où Claude Brochu veillait aux affaires du club, le groupe ne comptait plus personne dédiant tout son temps au dossier des Expos. Il ne faut pas oublier que les actionnaires avaient tous leur « job de jour ». En janvier, Jacques Ménard avait passé une semaine en Suisse à titre de président du conseil d'Hydro-Québec; Pierre Michaud avait consacré son automne à compléter la vente de Provigo à Loblaws, la chaîne d'alimentation ontarienne. Jocelyn Proteau veillait à une restructuration importante des Caisses populaires et Paul Roberge (Les Ailes de la Mode) ouvrait un nouveau magasin au centre-ville. Les autres n'étaient pas moins occupés.

Conséquemment, le dossier des Expos n'avait pas évolué de manière convaincante, ce qui n'a toutefois pas empêché Pierre Michaud de déclarer en janvier que l'argent n'était « pas un problème ».

«Nous sommes sur la bonne voie, a déclaré M. Michaud. Loblaws semble toujours souhaiter investir 10 millions et moi j'ai la certitude de pouvoir ramasser 25 millions auprès de ceux que j'ai déjà contactés. C'est la même chose du côté de Jacques. À nous deux, on a déjà 60 millions.»

Il semblait toutefois que la majorité du «nouvel argent» sur lequel comptait le consortium venait d'une seule source, un mystérieux investisseur américain dont le nom avait commencé à filtrer dans les médias : Jeffrey Loria, un marchand d'œuvres d'art de New York disposé, disait-on, à allonger 50 millions… En 1989, Loria s'était porté acquéreur des 89ers d'Oklahoma City, l'équipe AAA des Rangers du Texas. Après que le club eut remporté le championnat de l'Association américaine en 1992, il l'avait revendu l'année suivante pour se tourner vers un autre projet : l'acquisition des Orioles de Baltimore. L'initiative avait toutefois échoué, un autre acheteur (Peter Angelos) s'avérant plus tenace et le doublant au fil d'arrivée.

Or, comme on l'a vu plus tôt, ce n'était pas la première fois que le nom de Jeffrey Loria faisait surface dans l'histoire des Expos. Claude Brochu l'avait rencontré une première fois en 1990 quand Jacques Ménard et lui cherchaient des investisseurs pour acheter l'équipe de Charles Bronfman. Mais quand on s'est aperçu que Loria voulait obtenir le contrôle du club – et en devenir le commandité – l'idée avait été abandonnée.

Puis, en 1994, alors que le club cherchait à racheter les actions de la Ville de Montréal, on avait encore pensé à Jeffrey Loria. Mark Routtenberg connaissait bien Sam Eltes, le propriétaire d'une concession Mercedez-Benz à Montréal dont le neveu, un type du nom de Joel Mael, était le conseiller financier de Loria. C'est ainsi qu'ils se sont remis en contact avec lui. Routtenberg, Eltes et Claude Brochu se sont alors rendus à New York pour le rencontrer. Même résultat : l'homme d'affaires voulait encore se retrouver aux commandes. Il leur a offert un partenariat entre lui, Eltes, Routtenberg et Brochu. Voyant que son rôle risquerait d'être diminué, le président des Expos a décidé de ne pas donner suite à l'initiative et la Ville de Montréal est demeurée le principal actionnaire de l'équipe (18,8 %).

À la fin 1998, à mesure que les semaines passaient, le baseball majeur – autant préoccupé qu'indisposé par le putsch qui avait éjecté Claude Brochu de son poste – ne se privait plus de mettre de la pression sur Jacques Ménard : où étaient donc ces fameux investisseurs dont le groupe de relance avait parlé ?

«On n'arrivait pas à trouver un investisseur disposé à mettre une somme considérable sur la table, raconte aujourd'hui Mark Routtenberg.

Jacques Ménard avait recruté Jean Coutu et Stephen Bronfman (le fils de Charles) mais ils ne voulaient pas s'engager pour plus de 10 millions. Stephen aurait pu aller jusqu'à 20, mais il ne voulait pas être commandité, ça ne l'intéressait pas de prendre les commandes.

« À un moment donné, on a reçu un appel d'un gars de Boston qui se disait intéressé. Il faisait partie d'un groupe qui avait déjà essayé d'acheter les Royals de Kansas City, il était un des partenaires d'affaires de Pete Rose... On l'a invité à Montréal et il nous a semblé sérieux. Mais un mois plus tard, j'ai reçu un appel du FBI m'informant que ce type-là était sous enquête[39]. »

Il fallait faire vite, sinon les autorités du baseball auraient tout simplement remis le contrôle du club à Claude Brochu. Coincés, les nouveaux représentants des Expos n'ont pas eu le choix d'aller de nouveau cogner à la porte de Jeffrey Loria. Le problème, c'est que le contexte avait radicalement changé depuis la dernière fois : Claude Brochu n'était plus dans le décor, la position des partenaires auprès du baseball majeur était plus précaire que jamais. Cette fois, c'est le marchand d'art qui avait le gros bout du bâton.

Passant encore par la filière Joel Mael, Routtenberg a rejoint de nouveau le businessman new-yorkais. Le *lendemain matin*, Mael et Loria étaient à Montréal. Au bureau de Sam Eltes, boulevard Décarie, Loria a sorti de sa mallette la bague du championnat remporté par son équipe d'Oklahoma et Routtenberg et lui se sont mis à parler sports. « Il était passionné de sport, ce qui me l'a tout de suite rendu sympathique », raconte Routtenberg[40].

Après avoir discuté de la rencontre avec Jacques Ménard, une délégation de partenaires – constituée de Routtenberg, Ménard, Bachand et Proteau – s'est rendue à New York à la mi-mars 1999 – la journée de la Saint-Patrick – rencontrer l'entrepreneur dans son appartement situé au-dessus de ses bureaux de Park Avenue.

Arrivé avant les autres, Routtenberg attendait dans le lobby de l'édifice depuis quelques instants quand il a vu entrer quelqu'un qu'il a cru reconnaître. « C'était un jeune homme de petite taille qui portait un manteau au col relevé et marchait d'un pas pressé. Je me suis levé et lui ai dit : "Vous devez être David Samson ?" Il m'a regardé, l'air contrarié : "Comment savez-vous ça ?" C'est comme s'il pensait que je l'épiais », se rappelle Routtenberg[41].

David Samson était le beau-fils et partenaire d'affaires de Jeffrey Loria, et lui aussi se rendait au même meeting. « Ç'a été mon premier contact avec lui – plutôt étrange. Mais pas autant que ce qui a suivi, dit Mark Routtenberg.

« Dans l'appartement de Loria se trouvaient plusieurs tableaux de valeur (Routtenberg se souvient d'un Fernand Léger), mais on pouvait voir sur des murs des coulées de rouille provenant de la tuyauterie… Son épouse nous a reçus avec de l'eau et des arachides… Mes partenaires sont sortis de la rencontre avec l'impression d'avoir vécu un choc culturel.

« À partir de là, c'est moi qui les rassurais. Je leur disais : "Vous allez voir, il va être bon, c'est un passionné, et puis il a l'argent." La première fois que ma femme les a rencontrés, lui et David Samson, elle m'a dit : "Je n'aime pas ces gens-là, ils ne m'inspirent pas confiance."

« De son côté, Loria m'appelait – parfois tard le soir, jusqu'à deux heures du matin – pour me parler de baseball, de joueurs des mineures (il savait tout), pour solliciter mon opinion sur tel ou tel joueur. Je pensais : "C'est mon genre de gars, je sais que je vais vraiment bien m'entendre avec lui." Je ne m'en rendais pas compte, mais il se servait de moi.

« Plus tard, raconte encore Routtenberg, nous avons appris pourquoi il avait vendu ses actions dans son équipe AAA : il s'était brouillé avec ses partenaires, les accusant de vouloir prendre tout le crédit des succès de l'équipe.

« Nous avons eu plusieurs indices que ça ne marcherait pas avec ce type-là. Mais nous avons choisi de ne pas les voir. Certes, aujourd'hui je m'en veux d'avoir défendu Loria et Samson auprès de mes partenaires. Mais honnêtement, nous n'avions pas d'autre option[42]. »

Le 20 janvier 1999, Laurier Carpentier, le vice-président exécutif des Expos qu'on avait nommé responsable d'assurer la transition entre l'ancienne direction et le nouveau partenariat, remettait à Jacques Ménard et aux actionnaires un document étoffé stipulant que le plan de relance était irréaliste. Il annonçait aussi sa démission, affirmant vouloir réorienter sa carrière.

Dans le document – intitulé « Réflexions sur l'avenir des Expos et du projet de nouveau parc » –, M. Carpentier abordait une variété de sujets, comme la relation étroite entre la capacité d'un club de générer des revenus et sa performance sur le terrain, l'inquiétante nouvelle escalade des salaires que le baseball était en train de connaître (en 4 mois, 9 baseballeurs vedettes avaient signé des contrats totalisant 611 millions de dollars !), le flou artistique concernant les coûts de construction du nouveau stade (que les actionnaires prévoyaient désormais réduire à 175 millions – plutôt que les 250 millions estimés dans le plan Brochu), ainsi que le zonage du terrain du futur stade (la Ville souhaitait récupérer un morceau du terrain pour y installer des condominiums, ce qui réduirait encore plus l'espace déjà restreint du terrain).

En plus de ces considérations, M. Carpentier consacrait quelques paragraphes intéressants au sujet du comportement des amateurs de sports montréalais – un des facteurs importants dans les chances de succès d'une concession : « La viabilité d'un club de sport professionnel dans le marché montréalais dépend de sa capacité de présenter une équipe que les partisans jugeront de calibre acceptable et de ses chances de participer aux séries d'après-saison de façon régulière. L'obsession des Montréalais au sujet des séries d'après-saison vient bien sûr de l'héritage du hockey professionnel, où seulement quelques-unes des équipes les moins performantes sont éliminées des séries. La probabilité pour une équipe de hockey de participer aux séries régulièrement est donc très élevée, alors qu'au baseball, elle est faible. Je ne crois pas que les Montréalais soient prêts à modifier leur cadre de référence pour s'adapter aux réalités du baseball.

« Un club compétitif mais incapable de se qualifier pour les séries ne réussira pas à s'attirer beaucoup de sympathie. Or, il faudra que les partisans aiment leur équipe avec ferveur si l'on veut pouvoir penser atteindre les niveaux d'assistance figurant dans les projections. Le meilleur exemple est le peu de cas que les amateurs font de l'édition 1996 des Expos qui, pourtant, n'a été éliminée qu'à la dernière semaine de la saison. Je crois que nos voisins du Sud auraient au contraire été très fiers de cette équipe et de sa performance[43]. »

L'analyse de M. Carpentier était implacable, mais pertinente. Il suffit de penser par exemple à la fidélité indéfectible des amateurs des Cubs de Chicago – une équipe souvent exclue des séries à mi-chemin dans la saison – pour réaliser combien l'allégeance des amateurs de sports d'ici carbure à la victoire.

Certains observateurs ont remis en question l'impartialité du document, soupçonnant Claude Brochu d'en avoir influencé le contenu. Mais M. Carpentier était un administrateur crédible et estimé, et il était peu probable qu'il se soit, dans les circonstances, laissé dicter une ligne de conduite. Tout de même, ses observations sur la psychologie des sportifs montréalais, bien que justes, avaient de quoi surprendre : leur comportement n'était pas différent en 1997, quand lui et M. Brochu croyaient encore aux chances de réussite du club dans un nouveau stade. Pourquoi n'avait-il pas exprimé ces réserves à ce moment-là ?

Quoi qu'il en soit, la nouvelle tendance dans les médias était d'affirmer à l'unisson que Claude Brochu faisait tout en son pouvoir pour couler le projet de ses anciens partenaires. « On estime que Claude Brochu espère "livrer" les Expos à une ville américaine pour la saison 2000, écrivait Réjean Tremblay dans *La Presse*. Ce faisant, il pourra aller chercher aux environs de 25 millions canadiens avec les profits de la vente, sans parler d'une commission et d'un poste de président ou de consultant avec l'organisation pour services rendus. »

Le chroniqueur cédait même à la tentation de la théorie du complot : « On est maintenant convaincu que Claude Brochu avait décidé de vendre les Expos à des acheteurs américains il y a plus d'un an, probablement depuis l'été 1997, et que la campagne pour un nouveau stade financé par ses partenaires n'était qu'une mise en scène. De toute façon, chaque mois, on commettait des erreurs flagrantes que des hommes d'affaires avertis ne pouvaient pas commettre. »

Entre autres blâmes, on reprochait au président des Expos d'avoir volontairement détruit le produit en dénigrant le Stade olympique pendant quatre ans. « Il fallait convaincre tout le monde que la seule solution pour la survie des Expos passait par le centre-ville, pouvait-on lire de la plume de Réjean Tremblay dans *La Presse* du 14 février 1999. Claude Brochu, volontairement ou par incompétence, a tellement détruit son produit que les propriétaires n'ont plus le droit de dire : "On investit quelques dizaines de millions et on continue de jouer au Stade olympique en attendant de voir plus clair." »

On ne pouvait savoir avec certitude ce que M. Brochu avait en tête quand il affirmait que le stade Taillibert ne convenait plus aux besoins des Expos, mais il faut reconnaître qu'il est de bonne guerre de dénigrer une installation quand on souhaite la quitter et en bâtir une autre... Aurait-il fallu qu'il affirme que le Stade n'était pas si mal après tout et qu'il conviendrait quand même si le nouveau stade ne se construisait pas ?

Quoi qu'il en soit, ce qu'on savait des intentions de M. Brochu de façon plus certaine, c'était que le (toujours) président des Expos avait accepté l'offre des partenaires de racheter ses actions (7,6 %) pour la rondelette somme de 15 millions. On lui avait proposé un paiement étalé sur plusieurs années, mais M. Brochu voulait plutôt que la somme soit placée en fiducie et qu'elle lui soit versée au moment de la mise en chantier du stade (dont l'ouverture était maintenant prévue pour 2002). Par ailleurs, M. Brochu réclamait une prime de 1,2 million (incluse dans son contrat) ainsi que la garantie d'une compensation financière si l'équipe était rapidement revendue à des intérêts américains. Or, ce dernier point avait fait achopper les négociations, et l'impasse était maintenant totale.

Le 18 février, Jacques Ménard a organisé une grande conférence de presse au Complexe Desjardins – diffusée sur RDI et RDS – dans laquelle lui et ses collègues Proteau, Michaud, Bachand et Routtenberg demandaient essentiellement à Claude Brochu d'agir «en bon citoyen» et de leur «laisser le champ libre».

On était en droit de s'interroger sur la stratégie adoptée par le consortium : s'attendait-on qu'après avoir été pointé du doigt de la sorte Claude Brochu soit soudainement animé de meilleurs sentiments? Espérait-on que l'opinion publique fasse pression sur lui? L'objectif de l'initiative n'était pas clair. «Ce qui m'a le plus frappé en regardant la conférence de presse, c'est le manque de classe de ces cinq individus, écrirait plus tard le président des Expos. Des leaders du monde des affaires qui se comportaient comme des petits coqs de village[44].»

Si les actionnaires voulaient passer le message que M. Brochu était l'obstacle principal empêchant le déblocage du projet, la thèse ne résistait pas à l'analyse.

Certes, on avait sans doute raison de penser que M. Brochu ne souhaitait pas le succès de la relance, même si le principal intéressé a toujours soutenu le contraire. Comment aurait-il pu en être autrement? Après avoir été évincé du groupe et tenu responsable du cul-de-sac dans lequel le projet se trouvait, c'était dans l'ordre des choses qu'il espère les voir trébucher au premier tournant. Fallait-il pour autant en conclure qu'il complotait en coulisses pour sortir les Expos de Montréal?

Mais le groupe avait suffisamment d'ennuis comme ça sans passer ses journées à se soucier de Claude Brochu. Les discussions avec Jeffrey Loria n'en étaient qu'à un stade préliminaire, les négociations avec le gouvernement du Québec – qui, depuis le refus initial de septembre, avait entrouvert une petite porte – n'avaient mené à aucun engagement ferme, et la date butoir du 6 mars 1999 approchait un peu plus chaque jour, si bien que Jacques Ménard avait dû demander au baseball de repousser l'échéance de quelques mois. Bientôt, un nouveau sondage SOM-La Presse révélait que 64,7 % des Québécois s'opposaient maintenant à ce que le gouvernement provincial accorde un prêt sans intérêts pour la construction du stade des Expos. Par ailleurs, les autorités politiques n'avaient sûrement pas oublié l'étonnante déclaration faite par Marcel Aubut l'année précédente : «Même si les Nordiques avaient obtenu un nouvel amphithéâtre financé par l'État, la hausse des salaires qu'on connaît depuis m'aurait obligé à les vendre de toute façon.»

Pendant ce temps, à Washington, les autorités municipales surveillaient avec intérêt le psychodrame se déroulant dans la métropole canadienne.

Le message du maire nouvellement élu, Anthony Williams, était clair : si le plan de relance des Expos échouait, la Ville mènerait une campagne « agressive » pour accueillir l'équipe et faire construire un nouveau stade : « Nous nous engageons à être un promoteur de ce projet plutôt qu'un empêcheur de tourner en rond », a dit le premier magistrat de la capitale fédérale dans une attitude tranchant radicalement avec ce qu'on entendait du côté de Québec et d'Ottawa depuis deux ans.

Le 25 février, Robert DuPuy, le vice-président de l'Administration du baseball majeur, envoyait une lettre à Jacques Ménard et à son groupe pour lui annoncer que le baseball refusait de prolonger le délai de 150 jours.

Décidément, le baseball ne faisait pas de quartiers aux actionnaires des Expos. Non seulement le commissaire ne prenait pas les actionnaires québécois très au sérieux, mais il leur démontrait aussi un certain mépris. « Selig évite Ménard autant que possible, affirme Claude Brochu dans ses mémoires. Le verbiage de Ménard tombe sur les nerfs du commissaire. Selig aime répéter : "Si Ménard était payé pour chaque mot qu'il utilise, il serait plus riche que Charles Bronfman !" Quand Jacques Ménard appelle au siège social du baseball majeur dans le cadre d'une conférence téléphonique, Paul Beeston, Bob DuPuy et Leonard Coleman écoutent ses interminables monologues tout en suivant un match de baseball à la télévision[45]. »

Une des principales raisons évoquée par DuPuy dans sa lettre était le refus du gouvernement du Québec de s'engager d'une façon ou d'une autre dans le financement du stade. L'adjoint de Bud Selig rappelait aussi que le baseball n'avait pas encore approuvé Jeffrey Loria comme commandité. « Nous vous avons permis d'ouvrir vos livres à M. Loria et de discuter avec lui de financement. Mais nous n'avons reçu aucune confirmation écrite de sa part sur sa contribution financière ou sur son intention de garder l'équipe à Montréal. » DuPuy déplorait également que le consortium ait publiquement pointé Claude Brochu comme obstacle à l'évolution du dossier.

Piqué par l'allusion à son gouvernement, le premier ministre Lucien Bouchard a réagi à la lettre avec un de ses caractéristiques mouvement d'humeur : « Je trouve déplaisant et très mal élevé de voir la ligue de baseball dire non, faire elle-même le geste fatal, et tout de suite trouver un bouc émissaire dans le gouvernement. Il aurait été facile pour eux de dire oui à une extension d'un an. » Monsieur Bouchard a aussi écorché au passage le président des Expos : « Regardez ce qui s'est passé du côté de M. Brochu, tous les plans qu'on nous a présentés et qui n'avaient pas de sens. Mais je n'ai pas à en dire plus sur lui que ce qui a été dit par ses collègues. C'est déjà pas mal. »

Jacques Ménard disait ne pas se laisser démonter par la rebuffade du baseball majeur : « On fait l'impossible pour nous forcer à capituler, on nous pousse au bord du gouffre, mais on refuse d'abandonner. » Le président du Conseil des Expos avait aussi tenu à préciser qu'aucun projet n'avait encore été déposé par son groupe au gouvernement mais qu'une rencontre aurait lieu « dans les prochaines semaines ».

Le 3 mars, ce fut au tour de Claude Brochu d'entrer dans la danse. Rompant avec le silence qu'il s'était imposé depuis cinq mois, le président des Expos a répliqué aux accusations dont il avait fait l'objet durant les dernières semaines. Ce n'était pas lui qui mettait des bâtons dans les roues des actionnaires de la relance mais bien eux qui n'avaient pas fait leurs devoirs. « Y a-t-il eu un déblocage du côté des gouvernements ? Non. Y a-t-il eu des progrès du côté du terrain, du zonage et des taxes municipales ? Non. Y a-t-il eu des engagements fermes de la part d'investisseurs potentiels ? Non. Quant au plan d'affaires, après 16 versions, le baseball le juge incomplet et insatisfaisant », a fait valoir M. Brochu.

Maintenant qu'il était dans le siège du passager, Claude Brochu ne semblait pas vouloir se priver de critiquer le chauffeur – comme ses partenaires l'avaient si souvent fait depuis le début de leur association.

Au sujet du rachat de ses actions, M. Brochu a confirmé que les négociations avaient frappé un mur sur la question : « J'ai accepté un montant de 15 millions, soit une réduction de 40 % par rapport à leur valeur sur le marché. Mais seulement si les Expos demeurent à Montréal. Je n'accepterai pas que quelqu'un achète l'équipe, l'exploite durant une saison et la revende par la suite. »

On comprenait sans mal son raisonnement. Toutefois, sa demande à l'effet que les nouveaux propriétaires s'engagent à garder l'équipe au Québec pendant 20 ans était complètement irréaliste. « Qui acceptera de signer une entente comme celle-là sans être assuré qu'il y aura un nouveau stade ? », avait demandé à juste titre Mark Routtenberg.

« Comme ce fut le cas pendant toutes ces années, Claude Brochu veut avoir raison, a écrit Réjean Tremblay de *La Presse*. Il va avoir raison. Les propriétaires du baseball majeur dont il est le complice et l'employé vont venir chercher une concession que nous avons fait vivre pendant trente ans. »

Malgré le bourbier duquel la direction de l'équipe n'arrivait plus à sortir, Felipe Alou, lui, ne semblait pas regretter sa décision de poursuivre sa carrière à Montréal : « J'ai été dans cette organisation comme joueur, dépisteur, gérant de ligues mineures, instructeur des majeures puis gérant des majeures, a raconté Felipe Alou durant le camp d'entraînement à Jack Todd du quotidien *The Gazette*. Tout ce qui se trouve chez moi, tout ce que mes enfants portent comme vêtements a le mot "Expos" écrit dessus. Les photos que j'ai à la maison sont des photos de moi chez les Expos, avec mon fils Moises, avec tous ces gens avec qui j'ai travaillé dans cette organisation. »

Felipe considérait encore Claude Brochu comme un ami et il avait bavardé quelques fois avec lui durant le camp. « Notre relation à lui et moi remonte à il y a longtemps. Il était celui qui n'oubliait jamais ma fête, ou encore celle de (son adjoint) Luis Pujols. Mais l'amitié est une chose et les affaires en sont une autre.

« Montréal est plus qu'une ville d'un seul sport. Nous sommes une ville de ligues majeures. C'est une ville de première classe et une ville d'amateurs de sports. Partout où j'allais l'an passé, les journalistes des villes américaines me demandaient : "Vas-tu être le prochain à ficher le camp de là ?" Ça m'a aidé à prendre une décision. Quand Ménard et Routtenberg sont venus chez moi, je savais ce que j'avais à dire. »

Felipe se désolait que les médias accordent plus d'importance aux Mercedes se garant aux abords du Stade Roger Dean de Jupiter qu'à ce qui se déroulait sur le terrain.

Cette fois, le noyau du club n'avait pas été touché – la masse salariale doublerait, passant de 9 à 18 millions – et le gérant pourrait enfin bâtir sur les joueurs en progression. Mais ce club était encore à deux ou trois saisons d'être réellement compétitif. Dans le *Sports Illustrated*, Michael Farber a écrit que Felipe serait de nouveau appelé à jouer les Sisyphe, ce héros de la mythologie grecque condamné éternellement à faire rouler un rocher jusqu'au sommet d'une montagne pour que celui-ci dégringole jusqu'en bas et qu'il faille tout recommencer.

Au monticule, on espérait que les partants donnent plus de répit aux releveurs en se rendant plus loin dans leurs matchs. Dustin Hermanson serait le partant numéro un (« un gars capable de remporter 20 matchs – mais peut-être pas avec ce club », avait dit Alou), probablement suivi de Carl Pavano, qui n'aurait pas à vivre avec la pression de ses débuts (« remplacer » Pedro Martinez), Miguel Batista (un lanceur aux balles de feu qui était plus à sa place en relève mais qu'on utiliserait comme partant) et Javier Vasquez, un jeune homme de 22 ans qui avait connu un difficile baptême de feu en 1998 (5-15, 6,06) ; talentueux mais préférant faire à sa tête plutôt que de faire confiance à ses instructeurs. Le poste de cinquième partant reviendrait au jeune Mike Thurman.

En relève, les Expos compteraient de nouveau sur Ugueth Urbina pour fermer les livres; appuyé, entre autres, de Steve Kline (seul gaucher du club), d'Anthony Telford, un jeune vétéran de 33 ans et, l'espérait-on, de Guillermo Mota, 25 ans, un grand Dominicain de 6 pieds 5 pouces, ancien arrêt-court converti en lanceur en 1997 en raison de la force de son bras.

Dans le losange, on retrouverait Brad Fullmer au premier but, malgré sa défensive hésitante. On confierait le deuxième but au rapide Wilton Guerrero (qu'appuierait occasionnellement le jeune Jose Vidro) et le poste d'arrêt-court à Orlando Cabrera – la plus belle surprise de la deuxième moitié de campagne de 1998. La situation au troisième but était incertaine : le poste irait soit à Shane Andrews (25 CC, 69 PP, mais MAB de seulement ,238) ou encore au très estimé Michael Barrett, un receveur prometteur que l'on s'apprêtait à convertir en joueur de troisième but.

Choix de 1re ronde en 1995, Barrett était considéré comme le receveur d'avenir des Expos. Felipe l'estimait, tout le monde lui prédisait une brillante carrière de receveur puis en mars 1998, l'équipe a offert un contrat de trois ans au receveur Chris Widger. Barrett s'était interrogé sur l'initiative du club, mais pas au point de l'empêcher de connaître une formidable saison à Harrisburg (,320, 19 CC, 87 PP). « J'ai une confiance totale en Felipe Alou. Même après quatre ans, je suis impressionné chaque fois que je l'entends parler. Il est dans le baseball depuis toujours, il sait ce qu'il y a de mieux pour moi. Il n'a qu'à me dire ce qu'il veut et je serai prêt à le faire. » Derrière le marbre, donc, on reverrait Widger et son adjoint de 1998, Bob Henley. Peut-être aussi Michael Barrett.

Quant au champ extérieur, tout commençait évidemment par la droite, qu'occuperait encore Vladimir Guerrero, celui dont plusieurs parlaient maintenant comme du plus grand joueur de l'histoire des Expos. Rondell White débuterait la saison comme voltigeur de gauche, Felipe ayant dit à la fin de la saison précédente qu'il cherchait un vrai voltigeur de centre… White serait peut-être ce joueur s'il se rétablissait d'une blessure au genou gauche, mais pour l'instant, les Expos emploieraient l'un ou l'autre des réservistes Terry Jones et Manny Martinez. Malheureusement pour White, les blessures l'avaient empêché de devenir la star que tous voyaient en lui à son arrivée à Montréal.

Grosso modo, les experts voyaient ce club légèrement amélioré comparativement à 1998. Et comme ils n'auraient pas de joueurs de qualité – et trop chers – à sacrifier en cours d'année, Felipe Alou pourrait disposer de son personnel jusqu'à la fin de la saison. Les Expos, disaient-ils, finiront troisièmes.

En mars, des échos provenant de Québec s'étaient rendus jusqu'au camp d'entraînement des Expos en Floride. Le ministre des Finances Bernard Landry – peut-être échaudé par sa mésaventure de septembre 1997 dans le bunker du premier ministre – avait refroidi les espoirs de ceux qui espéraient une ouverture de la part du gouvernement. À un journaliste qui lui demandait pourquoi Québec n'hésitait pas à injecter des dollars neufs dans l'Orchestre symphonique de Montréal et pas dans les Expos, il avait offert une réponse qui a dû plaire à son premier ministre : « Comparez le salaire du premier violon de l'OSM à celui du premier-but des Expos et vous comprendrez tout. »

L'opposition libérale de Jean Charest s'était aussi demandé pourquoi le gouvernement venait d'annoncer un investissement de 15 millions dans l'industrie des courses de chevaux alors qu'il ne prévoyait toujours rien pour l'équipe de baseball. Le ministre Landry, qui ne ressemblait plus exactement à un allié du sport professionnel, a répondu que le gouvernement préférait appuyer 5 000 Québécois qui gagnaient leur vie dans cette industrie plutôt que « deux douzaines de citoyens des États-Unis ». Dix-huit mois plus tôt, M. Landry qualifiait pourtant le nouveau stade de baseball de projet rassembleur, important pour le Québec. En politique, on le sait, les convictions sont éphémères.

Quoi qu'il en soit, après avoir refusé toute forme d'aide pendant deux ans, et dans la foulée des déclarations du ministre des Finances, le gouvernement du Québec a trouvé fin mars une enveloppe pour les Expos prise à même les tiroirs du ministère du Tourisme. Le gouvernement du Québec avancerait aux Expos une somme annuelle de 8 millions pendant 20 ans, une somme que pourrait utiliser le club pour payer les intérêts d'un emprunt de 100 millions (pour la construction du stade). L'offre du gouvernement était assortie de conditions de toutes sortes (les actionnaires devraient impérativement lever 125 millions de fonds privés, par exemple) qui ne seraient sans doute pas respectées. Comme le projet risquait fort de ne jamais voir le jour de toute façon, le geste semblait plus politique qu'autre chose – une façon de renvoyer la balle aux autorités du baseball.

Tout juste avant de monter vers le Nord pour le début de la saison, les Expos ont pris le chemin de… Washington pour y disputer leurs deux derniers matchs présaison. Retournant au vieux RFK Stadium qu'avaient quitté les Senators en 1971 pour déménager au Texas, les Expos et les Cards ont disputé leurs matchs devant des foules de plus ou moins 20 000 personnes. La tenue de ces matchs préparait-elle le terrain pour un éventuel transfert du club dans la capitale américaine ? « Pas du tout, dit aujourd'hui Claude Brochu. C'était une façon de générer plus de revenus, tout simplement[46]. » Tout de même : la décision de planifier deux matchs à Washington à ce moment-là avait de quoi faire hausser quelques sourcils.

Anthony Williams, le maire de Washington, n'allait pas laisser passer l'occasion de faire son lobbying. Saluant Felipe Alou avant le premier match, il lui a dit – sans grande subtilité – espérer le revoir bientôt... Il s'est même permis d'oublier la rectitude politique d'usage en déclarant sans gêne au *Washington Post* : « Les Expos ont besoin d'une grande ville comme Washington. »

Le 8 avril, les Expos ont joué leur premier match local de 1999 devant une foule bruyante et festive de 43 918 personnes : « Comme si le baseball renaissait », titrait la une de la section sports de *La Presse*. « En sept ans de couverture des Expos, jamais je n'ai vu les joueurs locaux, en match d'ouverture, être autant ovationnés qu'hier, a écrit Michel Blanchard. Comme si dans les applaudissements des gens se retrouvait une bonne dose de défoulement. »

Le plus acclamé fut une fois de plus Felipe Alou, celui qu'on avait cru perdre pour de bon en octobre 1998 : « Chez nous, en République dominicaine, on qualifierait cette soirée de manifestation pacifique, a souligné Felipe. Les amateurs de baseball ont été vexés ces derniers mois et ils se sont exprimés en se présentant en grand nombre. »

En 3e manche, le receveur Chris Widger a réalisé deux jeux qui ont presque fait sauter la nouvelle toile bleue du Stade olympique. Lorsque le lanceur Miguel Batista a accordé des buts sur balles à Orel Hershiser et Rickey Henderson, Widger a harponné le coureur Hershiser, qui s'était un peu trop éloigné du deuxième. Puis, sur le jeu suivant, il a épinglé le rapide Henderson dans une tentative de vol du deuxième. « J'ai eu des frissons en quelques occasions au cours du match à cause des réactions de la foule, a dit le receveur. J'avais l'impression d'être dans un match des séries tellement il y avait de l'atmosphère. »

Le jeune Michael Barrett a pour sa part dit aimer le Stade olympique : « Quel est le problème avec ce stade ? Je le trouve très bien, moi. »

« Les amateurs ont démontré à quel point ils avaient à cœur la survie des Expos, a dit Jacques Ménard. Ça ne constitue pas une victoire pour les actionnaires de l'équipe mais plutôt un cri du cœur pour la survie du baseball à Montréal. »

Dans la foule, un spectateur attentif a été ébranlé par l'ambiance au Stade. Stephen Bronfman, le fils de Charles, a compris ce soir-là qu'il n'avait pas le droit de laisser s'envoler le rêve que son père avait bâti. « En voyant tout ce monde, les larmes me sont montées aux yeux », a plus tard confié le jeune président – il avait alors 34 ans – de Claridge SRB Investments. Je me suis dit que les Expos appartenaient aux Montréalais et qu'on ne pouvait pas les laisser partir. À la fin du match, je faisais part de ma décision à Jacques Ménard de me joindre à son groupe. »

Avant la rencontre, les actionnaires avaient eu de bonnes nouvelles à communiquer aux médias. Mark Routtenberg disait être en constante communication avec Jeffrey Loria. « Nous ne sommes pas des enfants d'école et nous avons vu neiger. Nous avons vérifié son niveau de crédibilité et je peux vous assurer qu'il est sérieux. Il n'attend que le OK du baseball majeur pour déposer ses 75 millions canadiens. Et il est prêt à signer une entente selon laquelle les Expos demeureront à Montréal au cours des 20 prochaines années. »

Les journalistes locaux se demandaient bien quand le mystérieux investisseur new-yorkais se montrerait le bout du nez à Montréal. « Pour devenir le nouveau commandité des Expos, il aura besoin de l'appui de 75 % des propriétaires du baseball majeur, a précisé M. Routtenberg. Il marche actuellement sur des œufs et ne veut se mettre personne à dos. Quand le dossier du stade aura été réglé, quand l'appui des gouvernements sera assuré, Jeffrey Loria se pointera, vous avez ma parole.

Raymond Bachand a déclaré de son côté que les actionnaires étaient arrivés à une entente avec Claude Brochu : « La date butoir du 6 mars n'a pas été modifiée mais depuis que le gouvernement provincial nous a promis son aide, les gens du baseball sont comme sur le coup de la surprise et ils nous laissent travailler en paix. »

Alors que les actionnaires s'adressaient aux journalistes sur la passerelle, Claude Brochu était passé en douce sans s'arrêter, poursuivant sa route jusqu'à sa loge. Avant le match, Felipe Alou avait dit avoir été déçu du patron : « Il n'est pas venu s'adresser aux joueurs. Nous n'avons même pas reçu de fax. Alain Vigneault (l'entraîneur-chef du Canadien de l'époque) nous a faxé ses vœux de bonne chance, lui. »

Allumés par l'énergie de la foule, les Expos ont remporté le match, 5-1.

Dans la foule, des spectateurs avaient brandi des affiches réclamant le départ pour Washington de... Claude Brochu. « C'est quand même curieux ce qui se produit, et aussi un peu cruel, a dit le président des Expos à *La Presse*. Quand je leur disais qu'il faudrait puiser quelques millions de dollars dans nos goussets pour éviter de se lancer dans des ventes de feu, personne n'osait répondre. Ils étaient tous là à regarder par terre, dans un grand silence. Le plan de match tel que présenté était alors adopté et le mot d'ordre demeurait le même : ne surtout pas accumuler de déficit. Aujourd'hui, c'est moi qui en paie le prix. »

Le lendemain, il n'y avait plus que 12 386 spectateurs pour assister à la défaite de 10-3 de la formation montréalaise. Les Expos ont ensuite perdu 5 des 7 matchs de leur premier séjour à domicile avant de connaître une atroce séquence de 3 gains en 15 matchs.

Dans une série de trois contre les Dodgers au Stade olympique du 3 au 5 mai, ils ont attiré 5 132, 5 846 et 5 518 fidèles. Si les 43 918 spectateurs du match d'ouverture avaient voulu lancer un message aux actionnaires, au baseball et peut-être même aux gouvernements, on pouvait se demander quel message ils souhaitaient bien livrer maintenant...

Depuis le début de la saison, plusieurs journalistes américains avaient voulu faire dire à Felipe Alou que Montréal n'était pas une ville de base-ball : « Les stades sont remplis en Arizona, au Colorado et à plusieurs autres endroits aux États-Unis. Mais si on leur enlevait leurs meilleurs joueurs sur une base annuelle au cours des cinq prochaines années, ces assistances chuteraient rapidement. »

Déçu des foules lors du passage à Montréal des Cards de Saint Louis et du nouveau roi des coups de circuit Mark McGwire au début mai, Raymond Bachand a pris l'initiative de critiquer publiquement le travail du service de marketing du club, qu'il a qualifié de « pitoyable ». La sortie de Bachand a ébranlé la petite famille des employés des Expos, incitant Bill Stoneman, le vice-président des opérations baseball, a répliquer à ces critiques par le biais d'une percutante lettre adressée à Jacques Ménard : « J'aimerais vraiment que quelqu'un de moyennement sensé me dise quel bien peut résulter des déclarations publiques dénigrant un ou des employés d'un propriétaire de compagnie ou d'entreprise... »

Comme ancien joueur, Stoneman comprenait bien la valeur du travail d'équipe, l'importance de serrer les rangs dans l'adversité : « N'oubliez pas que quand vous vous en prenez à Claude Brochu ou à Richard Morency ou au service de marketing ou à quiconque travaille pour les Expos, c'est à toute l'équipe que vous nuisez. »

Normalement réservé dans ses commentaires, Bill Stoneman avait, cette fois, décidé que la longue campagne de dénigrement menée par les actionnaires avait assez duré. Pour lui, la goutte avait fait déborder le vase et bientôt, il quitterait l'organisation.

Du 17 au 23 mai, les Expos ont joué 6 matchs à domicile sans jamais atteindre le cap des 10 000 spectateurs. La fiche du club était maintenant de 13-28 et ils étaient déjà à 12 matchs des meneurs. Tout ça annonçait une bien longue saison. Le lanceur Dustin Hermanson estimait que ça n'aidait pas le travail des joueurs : « On a l'impression de jouer tous nos matchs à l'étranger. On regarde dans les gradins et on voit tous ces sièges vides. »

« Nous sommes des professionnels et nous devons offrir une performance digne des majeures, a dit Rondell White. Même s'il n'y avait qu'un spectateur dans les gradins, il faudrait jouer au maximum parce que ce spectateur aurait payé son droit d'entrée. »

Une constatation s'imposait toutefois : quand on leur en donnait l'occasion, les milliers de spectateurs sur place ne se gênaient pas pour manifester bruyamment. « Il y avait à peine 5 000 spectateurs lors de notre victoire de 10-9 contre les Phillies, a dit Ryan McGuire, un réserviste du club. Mais chacun d'eux était impliqué dans notre remontée de fin de match. Les joueurs sentaient que les gens appréciaient le spectacle. »

Chez les Expos, on s'encourageait des perspectives de vente de sièges du nouveau stade au centre-ville. Des entreprises avaient accepté de débourser de gros montants pour des loges dans le nouveau stade mais refusaient de dépenser des sommes – considérablement inférieures, pourtant – pour une loge dans l'enceinte sur l'avenue Pierre-de-Coubertin. Il semblait bien que la mauvaise publicité qu'on avait faite au Stade olympique pendant des années avait fini par convaincre les gens de rester chez eux. L'équipe pourrait-elle survivre à trois autres saisons comme celle-là avant son déménagement au centre-ville en 2002 ?

En mai, les Expos ont dévoilé plus de détails de leur plan d'une version « plus modeste » du nouveau stade.

La version originale du bâtiment, présentée par Claude Brochu au grand public en juin 1997, se distinguait par une impressionnante façade en brique rouge. Celle-ci était maintenant abandonnée pour faire place à un extérieur plus sobre, sans « fioritures », disait-on.

Alors que les coûts du stade du plan Brochu s'établissaient à 250 millions, le nouveau devis proposé par les actionnaires prévoyait un coût total de 175 millions (100 millions proviendraient d'un prêt rendu possible grâce au coup de pouce du gouvernement du Québec, les 75 autres d'investissements privés).

En mars, Claude Brochu s'était inquiété de ce changement de cap. « Avec un stade de ce montant-là, on risque de se retrouver avec quelque chose qui va ressembler à l'Autostade », avait-il dit en exagérant quand même un tantinet (l'Autostade était cet atroce stade en blocs de béton construit pour l'Expo 67 où avaient évolué les Alouettes – et où les Expos avaient initialement prévu s'installer temporairement en 1968). Le président des Expos avait fait remarquer que le coût des nouveaux stades prévus à San Francisco, San Diego, Houston, Milwaukee, Pittsburgh, Cincinnati et New York varierait entre 390 et 750 millions. Et Montréal pensait s'en tirer à 175 millions ?

La « relance » des actionnaires de l'après-Claude Brochu allait cahin-caha, c'était le moins qu'on puisse dire. Le stade du centre-ville avait perdu son envergure, la contribution financière du gouvernement se situait bien en deçà de ce qui avait été espéré. Et le seul investisseur majeur qu'on avait réussi à trouver était un Américain – qui faisait maintenant traîner les choses.

« Conscient que les membres du consortium n'avaient aucun investisseur de rechange et qu'ils étaient vulnérables, Loria profitait de la situation pour exiger des tas de concessions, menaçant de se retirer si on lui résistait, raconte Claude Brochu dans ses mémoires. Les deux parties remettaient sans cesse à plus tard les décisions importantes, notamment le contrôle de l'équipe. On ne s'entendait que sur les détails. Les négociations ont dû être rompues au moins 20 fois. Le comité de relance revenait à la charge, évidemment. Il n'avait pas le choix[47]. »

Ce que les actionnaires québécois ne savaient peut-être pas à ce moment-là, c'était que Jeffrey Loria n'était pas perçu très favorablement dans les hautes sphères du baseball ; sa personnalité abrasive en avait heurté plus d'un durant son règne à Oklahoma, on se méfiait de son côté chicanier ; de plus, c'était le genre de personne qui donnait toujours l'impression d'avoir un « agenda caché ».

Et c'était avec ce type-là à la barre que les actionnaires québécois s'apprêtaient à traverser la tempête que seraient assurément les années transitoires jusqu'au déménagement au centre-ville...

S'il faut citer un seul événement sur le terrain qui a marqué la saison 1999 des Expos, c'est probablement un exploit réalisé à leurs dépens.

Dans l'après-midi du dimanche 18 juillet, les Expos affrontaient les Yankees de New York au Yankee Stadium (après les succès des matchs interligues dans les deux premières saisons d'expérimentation, le baseball avait décidé de les remettre au programme) pour le premier match d'une série de trois.

C'était la « Journée Yogi Berra » au Yankee Stadium, la première fois en 14 ans que l'ancien receveur étoile des Yankees remettait les pieds dans le vénérable amphithéâtre. Après avoir été congédié comme gérant par George Steinbrenner trois semaines après le début de la saison 1985, Berra avait juré de ne plus retourner au Yankee Stadium tant que The Boss serait propriétaire du club. Les deux hommes s'étaient récemment réconciliés et on avait profité de l'occasion pour inviter Yogi en compagnie de Don Larsen, le seul lanceur de l'histoire à avoir lancé un match parfait dans les Séries mondiales (ça se passait en 1956 et Berra en avait été le receveur).

Avant le premier lancer cérémonial (effectué par Larsen, reçu par Yogi), le lanceur David Cone, désigné pour affronter les Expos ce jour-là, a demandé à la blague à Larsen s'il comptait courir sauter dans les bras de Berra après son tir. « En fait, a précisé l'ancien lanceur, c'est Yogi qui m'avait sauté dans les bras. » Bien connu pour tout savoir de l'histoire des Yankees, Cone s'était soudainement senti tout petit.

Ce serait la seule fois de l'après-midi qu'il se sentirait de la sorte.

Pendant neuf manches, il a été parfait, littéralement. Un match de 88 lancers, dans lequel il n'a jamais porté le compte sur un frappeur à plus de 2 balles. Il a également retiré 10 Expos sur des prises. Orlando Cabrera, le dernier frappeur à affronter Cone en début de 9e, a retroussé un ballon vers le troisième but qu'a facilement capté Scott Brosius. Cone est alors tombé à genoux, comme implorant le ciel, alors que ses coéquipiers se précipitaient vers lui. Il venait de signer la 14e partie parfaite de l'histoire du baseball.

C'était la 4e fois de leur histoire que les Expos ne frappaient pas de coup sûr dans un match, la 1re où ils étaient victimes de la perfection.

Les Expos ont été mêlés à un autre moment historique trois semaines plus tard, alors que, le 6 août, le futur membre du Temple de la renommée Tony Gwynn des Padres de San Diego a frappé son 3 000e coup sûr, le 22e joueur de l'histoire à réaliser l'exploit. Le match étant disputé à Montréal, seulement 13 540 personnes ont été témoins de l'événement.

Essentiellement, la saison 1999 fut, comme la précédente, celle de Vladimir Guerrero. Du 27 juillet au 26 août, Vlad a frappé en lieu sûr dans chacun des matchs qu'il a disputés (31), battant facilement le record d'équipe (21) établi en 1993 par Delino DeShields. Il clôturerait la saison avec 42 circuits, 131 points produits, 84 coups de plus d'un but, et une moyenne de puissance de ,600, toutes de nouvelles marques d'équipe.

Guerrero valait facilement le billet d'entrée à lui seul. Chacune de ses présences au bâton avait le potentiel d'être un *événement*, au point où bon nombre d'amateurs planifiaient leurs sorties aux concessions ou au petit coin en fonction des tours aux bâtons du numéro 27. Les statistiques révélaient que le jeune prodige des Expos s'élançait sur environ 65 % des tirs des lanceurs ; souvent, ses présences au bâton duraient le temps d'un lancer.

Malgré sa propension à s'élancer sur tout ce qui s'amenait en sa direction, il pouvait connaître de longues séquences – une soixantaine de présences au bâton, par exemple – sans se faire retirer sur élan. Sa couverture de la zone des prises était exceptionnelle, dépassant largement ce qu'on entend généralement par ce terme. En début de saison, dans un match contre les Brewers de Milwaukee, Guerrero avait épaté les amateurs de baseball montréalais en cognant une flèche sur une balle lancée à la hauteur de la cheville – à deux pouces à l'extérieur de la zone des prises. La balle a roulé jusqu'à la rampe du champ centre gauche pour un triple.

Bien qu'il ait été difficile de lui trouver des ressemblances avec d'autres joueurs – il ne faisait rien comme personne –, Felipe Alou comparait son sens de l'équilibre à celui d'Hank Aaron : « Il prend rarement de mauvais élans. »

« Je crois que Dieu a un jour pointé un doigt en sa direction et a dit : "Tu seras un joueur de baseball", a dit Rondell White. Il est vraiment béni. Dieu lui a tout donné pour être un joueur de baseball. Il est maintenant le meilleur – et de loin. »

Son approche du jeu, désinvolte – à la limite de l'insouciance –, était un autre atout considérable : il ne semblait jamais s'en faire avec rien. Sa connaissance des joueurs adverses – de leurs noms, du moins – lui venait surtout des jeux PlayStation avec lesquels il s'amusait – parfois pendant deux heures – avant les matchs. Le journaliste Tom Verducci, du *Sports Illustrated*, lui a demandé un jour s'il se souvenait du nom du premier frappeur qu'il avait affronté à son arrivée dans les majeures en 1996. Vlad a admis ne pas le savoir ; il disait toutefois se rappeler avoir obtenu son premier coup sûr contre Tom Glavine (c'était en réalité Steve Avery).

Tout lui semblait d'une simplicité inouïe : « Je vois la balle, je frappe la balle. » Alors que la majorité des joueurs s'inquiètent de leur élan et de leur moyenne au bâton ou alors tentent de recueillir le plus d'informations possible sur les joueurs adverses, Guerrero, lui, se rendait au terrain et jouait. Comme il le faisait en République dominicaine. Vraiment, le « Naturel », c'était lui.

Durant l'été, les discussions des actionnaires avec Claude Brochu et Jeffrey Loria avaient repris de plus belle. Le premier avait accepté d'abandonner sa requête obligeant les nouveaux propriétaires à s'engager à garder le club à Montréal pendant 20 ans – une condition que n'aurait pas acceptée le baseball de toute façon. Même une fois le nouveau stade construit, rien n'empêcherait donc les nouveaux propriétaires du club de vendre le club à des acheteurs qui voudraient le déménager aux USA…

Dans l'édition du 18 septembre de *La Presse*, Michel Blanchard se montrait inquiet quant à la direction que prenait le projet. Commentant la nouvelle selon laquelle Jean Coutu serait prêt à investir 10 millions à condition que la masse salariale du club ne dépasse pas 85 % de la moyenne du baseball, le journaliste voyait se poindre un scénario par trop familier : « Autrement dit, Jean Coutu est prêt à investir 10 millions à la condition que l'équipe ne perde pas de sous. À la condition que l'équipe soit toujours un petit peu médiocre, formée de jeunes joueurs talentueux payés pas cher. Une équipe qui, juillet venu, croupirait à 20 matchs de la tête et qui jouerait devant une poignée de spectateurs.

« À moins de se porter acquéreur d'une chaîne de télévision et de s'assurer, grâce aux Expos, de plus de 4 heures de programmation par jour durant 162 jours sans qu'il n'en coûte un sou, les membres du nouveau consortium, s'il voit le jour, devront inévitablement se départir de l'équipe dans moins de 10 ans, poursuivait le chroniqueur.

« En fait, le truc est vieux comme la terre. On achète à petit prix dans le but d'engranger de plus gros profits au moment de la "revente". Ce truc, tous les marchands de la terre, marchands de tableaux comme marchands de tapis, y ont toujours trouvé leur profit. »

Jacques Ménard était bien conscient des craintes du public de voir le prochain commandité décider après quelques années que ça ne marchait pas à Montréal et de déménager le club : « La constitution de la société en commandite prévoit qu'on doit recueillir 66 % des votes pour déménager ou vendre l'équipe. Comme 65 % environ des actions appartiennent aux investisseurs locaux, les droits des Québécois seront protégés. »

Par ailleurs, des rumeurs circulaient à l'effet qu'un point de discorde majeur subsistait entre Loria et les actionnaires québécois : le choix du président de l'équipe. Jacques Ménard et ses partenaires souhaitaient offrir l'emploi à un Québécois francophone encore non identifié (un genre de Claude Brochu qui ne serait pas Claude Brochu) mais Loria tenait absolument à installer David Samson, son beau-fils, dans le fauteuil de président.

« En temps opportun, nous allons nous pencher plus sérieusement sur la question, a dit Jacques Ménard. Jeffrey Loria est un homme intelligent qui sait ce qui sera bon pour les Expos. Nous avons certainement les ressources pour combler le poste et faire le lien entre l'équipe et la population. »

Malgré les propos rassurants de M. Ménard, la question était réellement une source de préoccupation dans le groupe d'actionnaires. Un de ceux-ci avait confié à Réjean Tremblay que les partenaires ne pouvaient absolument pas sentir David Samson : « C'est un petit Napoléon. S'il devient président, ça va être un désastre. »

Le 4 octobre, les actionnaires locaux concluaient un accord de principe avec Jeffrey Loria. Le marchand d'art new-yorkais posséderait dans un premier temps 24 % des actions de l'équipe et il assumerait la présidence du conseil d'administration.

Le rôle de David Samson restait à définir. Il déménagerait à Montréal pour représenter son beau-père, mais s'il fallait croire les journaux montréalais, il semblait dorénavant assuré qu'il ne serait pas le chef d'exploitation de l'équipe. Sans avoir de nom à fournir, Jacques Ménard a confirmé que le dirigeant des opérations serait un Québécois : « Ce sera quelqu'un d'envergure, un *senior* qui a fait ses preuves. » On souhaitait mettre la main sur une tête d'affiche qui aurait la compétence et le prestige d'un Richard Legendre (directeur des Internationaux de tennis du Canada) ou d'un Larry Smith (président des Alouettes). Il était déjà question de Roger Samson (ex-président du Manic, l'équipe de soccer de Montréal au début des années 1980), que les Expos venaient d'ailleurs d'engager comme conseiller spécial.

Le 30 novembre, les propriétaires du baseball majeur approuvaient à l'unanimité le plan d'affaires de Jacques Ménard et le transfert de propriété de Claude Brochu à Jeffrey Loria. Plus d'un an après avoir commencé, le roman-fleuve autour du leadership des Expos trouvait enfin sa résolution.

Quelques jours plus tard, le 9 décembre, Jeffrey Loria faisait finalement son entrée publique montréalaise. Dans une mégaconférence de presse organisée à l'hôtel Reine-Elizabeth, Jacques Ménard, flanqué de Stephen Bronfman, Jocelyn Proteau et quelques autres actionnaires, a pu présenter pour la première fois celui qui, par son implication, venait de sauver les Expos d'une mort certaine.

« Les Expos ne seront plus le club-école des ligues majeures, a déclaré fièrement M. Loria lorsque vint son tour de prendre parole. Nous allons augmenter la masse salariale de 50 % dès l'an prochain. Les New-Yorkais et les Montréalais ont une chose en commun : ils aiment gagner. Je ferai tout ce que je peux pour que Montréal ait une équipe gagnante. »

Stephen Bronfman – qui partagerait avec Jacques Ménard la présidence du comité des partenaires – s'est aussi adressé à l'auditoire (dans un excellent français) : « Les Expos demeureront toujours les Expos de Montréal. » Sa présence, spontanée, sympathique, généreuse, a été largement soulignée dans les journaux du lendemain. Son implication dans le projet de relance aurait pour effet de rassurer ceux qui s'inquiétaient des divergences culturelles (et d'opinion) semblant déjà diviser le commandité et le groupe d'actionnaires québécois. Peut-être pourrait-il même agir comme conciliateur entre ces deux solitudes...

Bronfman et Jacques Ménard ont pris le soin de souligner que Claude Brochu avait beaucoup aidé le groupe durant les derniers mois en incitant les autorités du baseball à la patience. Après avoir été pourfendu sur la place publique pendant plus ou moins 18 mois, Claude Brochu était-il sur la voie de la réadaptation ?

Après avoir affublé le président des Expos du nom « Claude Crochu » pendant des mois dans ses chroniques et ses interventions radio, Réjean Tremblay de *La Presse* semblait maintenant animé de meilleurs sentiments : « Claude Brochu était évidemment absent de la fête hier. M. Brochu se retire avec 15 millions. La courte histoire va se rappeler d'un être mesquin qui voulait déménager ses Expos pour toucher ses millions. L'histoire un peu plus réfléchie va cependant se souvenir également d'un homme qui a été impliqué avec Jacques Ménard dans le sauvetage des Expos en 1991 et d'un président qui a dirigé une organisation qui avait la meilleure équipe du baseball majeur lors de la grève de 1994. »

Ça ressemblait à s'y méprendre aux hommages que réservent souvent les médias aux politiciens à leur mort – après des années passées à les crucifier sur la place publique.

On a également profité de la conférence pour présenter le nouveau vice-président exécutif des Expos, le grand responsable des opérations de l'équipe. Son nom : David Samson.

Compte tenu de la vive opposition qu'avaient déjà manifestée en coulisses les actionnaires québécois, la nomination de M. Samson avait de quoi étonner. La vérité, c'est que les partenaires avaient été tout aussi surpris que les médias et le public : une demi-heure avant la conférence de presse, Jeffrey Loria leur avait annoncé sa décision – irrévocable – d'offrir le poste clé de l'organisation à son beau-fils. Après tout, maintenant qu'il était commandité, ne possédait-il pas tous les pouvoirs ?

CHAPITRE 8

Le marchand d'art
(2000-2001)

Jeffrey Loria et David Samson prennent le club en main et la masse salariale est enfin augmentée. Mais la lune de miel entre Montréal et les nouveaux propriétaires est de courte durée. Les Expos ont disparu de la télé ainsi que de la radio anglophone, le courant ne passe plus entre Loria et ses partenaires, les appels de capitaux se succèdent, le projet de nouveau stade est abandonné. Solides performances des Jose Vidro, Orlando Cabrera, Javier Vazquez et, bien sûr, Vladimir Guerrero. À la mi-saison 2001, Felipe Alou est congédié. Annonce de la dissolution de deux équipes, qu'on devine être les Expos et les Twins du Minnesota.

« En détenant 24 % des actions, Jeffrey Loria prend le plein contrôle des Expos, écrivait Michel Blanchard de *La Presse* au lendemain de la conférence de presse du 9 décembre 1999 confirmant l'arrivée du sauveur des Expos. Monsieur Loria a été ferme et très clair dans ses intentions en mentionnant qu'il était le seul chef à bord et que son beau-fils, David Samson, devenait le vice-président exécutif de l'équipe.

« Loria et Samson, deux Américains, deviennent donc, pour le meilleur et pour le pire, nantis de tous les pouvoirs. Or, si les actionnaires des Expos reprochaient à Claude Brochu de ne jamais les consulter, comment réagiront-ils maintenant devant la façon de faire à sens unique des nouveaux actionnaires américains ? »

S'il y avait un enjeu qui tenait à cœur à Jacques Ménard et aux actionnaires québécois, c'était bien le choix de celui qui serait nommé président de l'équipe puisque la personne choisie deviendrait le visage québécois du club, celui qui parlerait en son nom pour les médias et les fans. John McHale (1968-1986) et Claude Brochu (1986-1999) avaient jusque-là été les deux seuls présidents du club, et bien qu'ils aient tous les deux démontré d'indéniables qualités, on souhaitait à présent installer dans le rôle quelqu'un de plus charismatique, de plus près des gens, aussi. Surtout, une figure locale et, autant que possible, connue des Québécois.

À l'été 1999, Jacques Ménard avait déclaré que son candidat numéro un était Richard Legendre, le directeur des Internationaux de tennis. Parmi les autres têtes d'affiche potentielles figuraient aussi Pierre Desjardins, un ancien président de la brasserie Labatt, René Guimond, président de la chaîne de télé TQS, et François-Xavier Seigneur, alors responsable de la publicité et de la commandite pour le Canadien de Montréal.

Mark Routtenberg avait lui aussi pensé à un candidat. Pour des raisons culturelles – même langue, même intérêt pour le baseball –, M. Routtenberg se considérait comme le lien naturel entre le commandité et les actionnaires québécois. Il a donc pris l'initiative de présenter à Loria et Samson un administrateur du nom de Robert Normand, alors membre de la haute direction de la Banque TD, qui se disait intéressé par le poste. D'abord réticent à rencontrer M. Normand, Loria s'est finalement laissé convaincre. Une première discussion autour d'un repas – réunissant Loria, Samson, Normand et Routtenberg – s'étant bien déroulée, Routtenberg a rappelé Loria le lendemain matin.

— Alors, qu'est-ce que tu en dis ?

— Très bien, très bien…

— Et ?

— C'est très bien, mais qu'est-ce qu'il va faire au juste ? Agir comme espion pour les (actionnaires) minoritaires[1] ?

« On avait convenu depuis un certain temps qu'un rôle serait réservé au groupe de direction dans le choix du président de l'équipe, dit aujourd'hui Jacques Ménard. Et Loria avait toujours dit qu'il respecterait sa parole. Or, quand on l'a présenté à la conférence de presse, il a de son propre chef annoncé que David Samson serait le président de l'équipe[2]. » Stephen Bronfman dit avoir été impressionné par la réaction de Raymond Bachand : « C'est lui qui s'est le plus vigoureusement opposé à cette décision. Il était vraiment fâché et il n'a pas hésité à dire ce qu'il pensait[3]. »

« À un moment donné, j'ai mis mon poing sur la table et je leur ai dit qu'il ne pouvait y avoir qu'un seul dirigeant, a dit plus tard Jeffrey Loria. Ils ont fini par comprendre que je voulais être dans la même situation que les 29 autres propriétaires du baseball majeur. C'était ça ou bien je m'en allais. »

Le marchand d'art s'était autoproclamé «président du conseil et chef de la direction»; Samson, lui, serait «vice-président exécutif»: c'est lui qui serait sur le terrain, à Montréal, et qui verrait à l'application de toutes les décisions. Désignés «coprésidents du comité des partenaires», Jacques Ménard et Stephen Bronfman agiraient comme représentants des partenaires québécois, un rôle moins décisionnel, disons...

C'était écrit dans le ciel: investi des pouvoirs illimités que lui conférait son statut de commandité – statut que les actionnaires québécois n'avaient pas eu le choix de lui livrer sur un plateau d'argent –, Loria ferait comme bon lui semblerait.

À la conférence de presse de décembre 1999, Jeffrey Loria avait déclaré que l'équipe augmenterait considérablement sa masse salariale. Le 20 décembre, il passait des paroles aux actes en mettant sous contrat le joueur autonome Graham Lloyd, un lanceur de relève; trois jours plus tard, il obtenait par voie d'échange le partant Hideki Irabu des Yankees de New York (en retour de joueurs des mineures).

L'équipe a aussitôt consenti un contrat de trois ans à Lloyd valant 9 millions. Quant au Japonais Irabu, il toucherait 2 millions en 2000 et 4 millions l'année suivante si les Expos décidaient d'honorer son année d'option. En quelques jours, l'équipe avait augmenté sa masse salariale de 5 millions! Plus tard durant l'été, David Samson déclarerait: «Les actionnaires veulent une équipe. Jeffrey et moi voulons une équipe gagnante.»

L'arrivée du tandem Loria-Samson signifiait, bien entendu, le départ définitif de Claude Brochu après un peu plus de 13 ans à la présidence du club.

Parmi ses principaux faits d'armes, on retiendrait, bien sûr, le travail colossal que Jacques Ménard et lui avaient accompli dans le dossier de la vente du club en 1990-1991, son engagement dans le maintien d'un formidable réseau de filiales tout au long des années 1990 et son leadership dans le dossier du nouveau stade (contesté, certes, mais tout de même considérable). Il s'était aussi illustré par sa contribution à plusieurs des comités du baseball majeur, jouant, entre autres, un rôle important dans la mise en œuvre du partage des revenus.

Malheureusement, c'est aussi sous sa gouverne que les Expos ont perdu quelque chose d'infiniment précieux: l'appui du public. Sa décision – qui était également celle de la majorité des actionnaires, rappelons-le – de privilégier une gestion serrée du budget aux dépens de la qualité de la formation sur le terrain a aliéné joueurs, entraîneurs et fans. Mais son principal échec a peut-être été de ne pas avoir su rallier les actionnaires derrière lui.

En novembre 2001, M. Brochu a fait paraître un ouvrage de mémoires – dont des extraits sont repris ailleurs dans ce livre – pour lever le voile sur les embûches auxquelles il a dû faire face avec la RIO, les gouvernements, les médias et, surtout, ses propres partenaires. Les épisodes concernant ces derniers sont ceux qui fendent le plus le cœur, et on n'a pas de mal à croire qu'ils se sont déroulés comme le décrit M. Brochu. La perte progressive de ses alliés, en particulier Jacques Ménard et Mark Routtenberg, qui étaient aussi des amis, constitue le véritable nœud dramatique du récit. C'est un livre franc, intrépide, un *tell-all* comme il ne s'en publie à peu près jamais au Québec, en raison du «degré de séparation» rapproché des habitants de la province. Manifestement, M. Brochu en avait trop sur le cœur pour penser à protéger ses arrières.

Il n'en reste pas moins que le livre ne raconte qu'un revers de la médaille (ce qui, bien entendu, est le propre des mémoires et des autobiographies), M. Brochu ne se livrant à aucun *mea culpa*, pointant plutôt d'autres que lui comme responsables des malheurs du club. Or, malgré les efforts considérables qu'il a mis dans la survie de l'équipe, l'ancien président des Expos doit aussi prendre sa part de blâme pour les dommages subis par la concession de 1994 à 1999. Car on dira ce qu'on voudra de la pitoyable gouvernance qu'apporteraient ensuite Loria et Samson aux Expos, le fait est qu'ils ont hérité d'une concession fort mal en point.

Invité à s'exprimer sur ce qu'il aurait pu faire pour éviter une telle dégradation de ses rapports avec les actionnaires, M. Brochu reconnaît aujourd'hui qu'il aurait peut-être pu chercher davantage à les impliquer dans divers dossiers, être plus «politique» (comme l'était et l'est toujours Bud Selig avec les propriétaires des divers clubs, par exemple). Mais on sent qu'il a l'impression que ça n'aurait probablement rien changé aux résultats, comme si le contexte et la nature des gens impliqués avaient mené l'histoire là où elle devait inévitablement aboutir[4].

Peut-être y avait-il, fondamentalement, un gouffre culturel entre M. Brochu et les actionnaires québécois. L'ex-président des Expos, bien que né au Québec (à Québec, plus exactement), avait poursuivi ses études supérieures en Ontario. Après un passage dans l'armée, il avait par la suite travaillé dans des organismes (Avon, Seagrams) dont la culture était essentiellement anglophone. Il s'était fort bien intégré à la façon américaine de faire des affaires avec ses vis-à-vis dans le baseball majeur. Les médias s'étaient déjà ouvertement surpris de constater que M. Brochu semblait plus à l'aise de s'exprimer en anglais qu'en français.

Devant lui, les partenaires québécois représentaient des fleurons importants de la société québécoise (Desjardins, FTQ, Hydro-Québec, etc.) et leur univers était surtout québécois – et francophone. Par ailleurs, comme ils représentaient des institutions prestigieuses qui avaient investi des sommes plus considérables dans le club que M. Brochu, il est possible aussi qu'ils l'aient regardé de haut, comme un «gars de marketing» qui avait eu la chance de se trouver au bon endroit au bon moment; un partenaire sans «vrai argent», à qui M. Bronfman avait donné un bon coup de pouce et qui s'était retrouvé chez les Expos investi d'un pouvoir qu'il n'avait pas mérité. Peut-être était-ce pour rééquilibrer le rapport de forces que Claude Brochu s'était plutôt rallié à ses vis-à-vis du baseball majeur.

Mais tout cela relève de l'hypothèse. Seuls les gens directement concernés savent vraiment ce qu'il y avait en jeu entre eux.

En marge du départ de Claude Brochu, un autre, moins publicisé toutefois, marquait aussi la fin d'une époque : celui du vice-président aux opérations baseball, Bill Stoneman, celui qui, durant toutes ces années, avait rigoureusement appliqué les mesures d'austérité que lui dictaient ses patrons. L'ironie n'avait échappé à personne : le grand argentier des Expos quittait l'organisation au moment même où la direction déliait enfin les cordons de la bourse...

Outré de la façon dont les actionnaires québécois avaient tenu un long procès public à M. Brochu, Stoneman avait déjà commencé à prendre ses distances du consortium en défendant les employés du service du marketing du club lorsque Raymond Bachand les avait publiquement critiqués. L'arrivée de Loria et Samson avait enfoncé le dernier clou : dès la première rencontre avec les deux hommes, Stoneman a su qu'il ne voulait pas travailler pour eux. Mark Routtenberg raconte aujourd'hui qu'il a essayé de le convaincre de rester lors d'une longue conversation dans un aéroport[5]. Mais la décision de Stoney était irrévocable.

Quand les Angels de la Californie sont venus frapper à sa porte pour lui offrir le poste de directeur-gérant, la décision n'a pas été difficile à prendre. Le 1er novembre 1999, Stoneman était officiellement engagé.

Après une vingtaine d'années dans l'organisation des Expos (dont les cinq premières comme joueur), Bill Stoneman retournait donc dans la Californie qui l'avait vu grandir : «Une partie de moi restera toujours à Montréal», a-t-il dit au lendemain de l'annonce de son embauche. Trois ans plus tard, l'équipe qu'il a mise sur pied à son arrivée là-bas remportait les plus grands honneurs. Carter, Reardon, Grissom, Wetteland, Moises Alou et maintenant Stoneman : il semblait bien qu'après leur départ de

Montréal, plusieurs anciens Expos ne tardaient pas à recevoir une bague des gagnants de la Série mondiale.

Le 8 février 2000, Jeffrey Loria et David Samson ont présenté aux médias une maquette complètement revampée du nouveau stade. De nouveaux architectes (le groupe Axor, Provencher, Roy et associés) avaient développé un concept plus moderne, remplaçant le look rétro du stade de M. Brochu par une structure ovale dont le principal matériau serait la fibre de verre (exit, la brique). On ne parlait plus de toit parapluie ni de sièges chauffés. Cette version du stade coûterait 200 millions, 50 M$ de moins que le stade qu'avait proposé Claude Brochu en juin 1997, mais tout de même 25 M$ de plus que ce qu'avaient prévu les actionnaires québécois. On s'attendait à ce que les travaux débutent dans les semaines suivantes, de façon à ce que les Expos ouvrent la saison 2002 au centre-ville.

David Samson a profité de l'occasion pour annoncer publiquement que l'entente signée préalablement par les Expos avec Labatt (pour nommer le stade du nom de la brasserie) était inadéquate et serait renégociée. Seul problème: Labatt n'avait pas encore été avisée de cette intention...

La prestation du dynamique duo de Gotham City n'a pas exactement soulevé l'enthousiasme. D'une part, le projet n'avait certainement pas l'envergure du premier, cette nouvelle version du stade semblant plus convenue, plus banale. D'autre part, personne n'avait manqué de noter l'absence criante des actionnaires québécois du club. L'image parlait fort : ainsi, le Québec contribuerait à construire un stade pour deux Américains?

Le *timing* de l'annonce du projet était, si cela est possible, encore plus mauvais qu'en 1997 alors que Lucien Bouchard s'inquiétait des hôpitaux québécois. Quelques semaines plus tôt, le ministre libéral John Manley avait dû abandonner son projet de venir en aide aux clubs de hockey canadiens de la Ligue nationale quand il avait constaté la féroce opposition que l'idée avait soulevée partout au pays.

Le soutien du gouvernement du Québec au projet des Expos étant toujours sur la table, l'opposition au stade avait repris de plus belle dans les pages éditoriales des journaux. «Pourquoi aider les Expos et pas le Canadien?», lisait-on ici et là.

Dans un texte intitulé «Montréal livrée aux Expos», la chroniqueuse politique Lysiane Gagnon de *La Presse* tirait à boulets rouges sur la participation financière du Québec dans le projet du stade: «On frémit à l'idée que cela puisse refléter les valeurs de notre société, mais le fait est que les pouvoirs publics ont donné aux Expos le cœur de la métropole – le plus bel emplacement de Montréal, l'un des rares terrains vacants du centre-ville.»

Madame Gagnon arguait que le site aurait dû servir à l'établissement du CHUM (le Centre hospitalier de l'Université de Montréal) ou encore à la future Grande Bibliothèque. Elle reprenait à son tour le désormais célèbre argument de Lucien Bouchard: «Globalement, on estime qu'entre 200 et 400 millions de fonds publics seront investis dans le second stade d'une ville où les hôpitaux ferment et où les universités crient famine. Le chantage exercé par ce club de milliardaires américains a finalement porté fruit.»

Plus loin dans son texte, elle décrivait ce que seraient, selon elle, les effets négatifs de la présence d'un stade au centre-ville: «Les résidents verront leur qualité de vie gâchée par l'activité générée par le stade des Expos: embouteillages, engorgement des espaces de parking, cris et hurlements de partisans déchaînés, vandalisme, lumières aveuglantes et vacarme nocturne, sans parler de la vue imprenable qu'ils auront, de leur fenêtres, sur les gradins et les stands de patates frites.

«Les deux mastodontes régneront sur Montréal, sinistres symboles d'une société qui a préféré le jeu au pain, et le sport à la qualité de vie de ses citoyens.»

Tout y était dans ce seul article: les préjugés sur le sport professionnel et ses «milliardaires américains», le dénigrement d'activités de divertissement dites «populaires», et la sempiternelle division de deux mondes: les nobles apôtres de la Culture opposés aux rustres que sont inévitablement les «partisans déchaînés» d'équipes de sport. Qu'importe si cette vision manichéenne de la question était chose du passé aux États-Unis ou en Europe (où l'on a saisi il y a longtemps que le sport est *aussi* culture, en plus d'agir comme grand rassembleur social), la journaliste ne laisserait aucun contre-argument affaiblir sa thèse. Elle avait même pensé inclure dans son discours les hôpitaux (un classique), les vandales et les patates frites (plus original, doit-on le reconnaître).

C'en était désespérant. Trente et un an de présence des Expos à Montréal n'avaient-ils pas suffi à faire la démonstration de la contribution d'une équipe de sport d'envergure à la «santé psychologique» d'une société? Les Canadiens de Montréal n'étaient-ils pas l'exemple par excellence de la symbiose entre une équipe sportive et une communauté? Fallait-il reprendre les explications depuis le début?

L'histoire ne dit pas si Jeffrey Loria a lu l'éditorial de Mme Gagnon, mais s'il l'avait fait, peut-être aurait-il pris la mesure du gouffre vertigineux existant entre ses références culturelles (à New York, comme à peu près partout aux États-Unis, on considère les stades de baseball presque comme des cathédrales) et ceux de sa société d'adoption.

Le *Journal de Montréal* du 3 février 2000 avait beau annoncer les débuts imminents des travaux, personne n'avait encore vu l'ombre d'une seule pelle. Et de la façon dont les choses évoluaient, si les Expos finissaient par se retrouver un jour dans un centre-ville, ce ne serait vraisemblablement pas celui de Montréal.

En octobre 1999, lors du dernier week-end du calendrier, Jeffrey Loria avait pris l'initiative d'aller rencontrer les joueurs avant un match contre les Phillies à Philadelphie. Les joueurs avaient été favorablement impressionnés par les propos rassurants de celui qui serait bientôt leur grand patron : non seulement cet homme pouvait parler de baseball, mais il semblait aussi avoir à cœur de bâtir une équipe gagnante.

Ce préjugé favorable s'est prolongé jusqu'au camp d'entraînement, où Loria s'est déplacé pour venir souhaiter la bienvenue aux premiers joueurs à se présenter à Jupiter, les lanceurs et receveurs – dont il connaissait déjà noms et prénoms. « Je veux que les joueurs soient enthousiasmés par leur travail. Je veux aussi qu'ils sachent qu'on ne lésinera pas sur les moyens pour améliorer l'équipe. » Bientôt, le président des Expos ferait imprimer des t-shirts avec un slogan : *Why not us? Why not now?*

Plus tôt, Loria avait croisé Guillermo Mota sur le terrain et lui avait demandé comment ça allait. « Bien », a répondu le lanceur. « Tu veux sans doute dire : *très* bien », lui avait répliqué le grand patron, qui semblait trouver impératif que tous soient animés du même positivisme que lui. « C'est ma première journée à titre de propriétaire d'une équipe. C'est le début d'une aventure et je trouve les débuts enivrants. Les années de vaches maigres sont révolues, il faut redevenir une équipe gagnante », a dit le nouveau commandité des Expos.

« La venue de la nouvelle direction est comme un vent d'air frais », a dit le lanceur Mike Thurman. Carl Pavano constatait aussi que l'atmosphère du camp était déjà bien meilleure que celle de l'année précédente. De son côté, Dustin Hermanson disait avoir accepté un nouveau contrat (de trois ans) en raison du sérieux des nouveaux propriétaires dans leur intention de mettre une équipe compétitive sur le terrain.

Si l'arrivée des nouveaux propriétaires réjouissait les joueurs, l'histoire allait bien autrement du côté des actionnaires québécois et des autres partenaires d'affaires du club.

Samson et Loria, à l'époque encore insouciante de leur lune de miel avec l'organisation des Expos et le public montréalais.
Club de baseball Les Expos de Montréal

D'abord, Loria avait refusé que le club défraie les coûts du déplacement des actionnaires jusqu'en Floride. Ensuite, tout au long du camp, il ne s'est jamais mêlé à eux, restant assis à l'écart, entouré de « son monde », comme l'énergique Mike Berger (récemment nommé adjoint du DG Jim Beattie), un de ses employés du temps où il avait une équipe à Oklahoma City.

Puis il y a eu cette première réunion...

Alors qu'il avait été convenu entre les parties que le commandité ne demanderait pas aux actionnaires d'injecter des fonds supplémentaires dans le club avant « quelques années », Loria a lancé la réunion en demandant sans détour un appel de fonds (*cash call*). On était alors en février, le dossier du stade piétinait, les 75 millions que devaient trouver Jacques Ménard et les actionnaires n'étaient pas encore réunis... Comme l'équipe avait engagé plusieurs millions dans l'embauche ou le renouvellement de contrats de joueurs, les actionnaires devraient allonger 30 millions additionnels dans les prochains mois – 10 millions immédiatement – pour que l'équipe puisse garder la tête hors de l'eau.

Après s'être étouffés dans leur café, les actionnaires québécois ont, quelques semaines plus tard, consenti à allonger 16 millions (certaines sources parlent de 18 millions) sous forme de prêt. L'argent serait remboursé une fois le financement complété. De son côté, Loria a fourni 4,7 millions, portant à 22,7 millions les sommes qu'il avait investies dans le club depuis le début.

Mais Loria et Samson ne se sont pas arrêtés là : en plus de demander à Labatt de rouvrir l'entente sur le stade, ils ont fait savoir aux diffuseurs télé et radio qu'il leur en coûterait désormais trois fois plus cher pour présenter les matchs de l'équipe sur leurs réseaux. Tout indiquait que la philosophie de partenariat d'affaires de Jeffrey Loria se résumait à demander à leurs interlocuteurs ce qu'ils pouvaient faire pour eux... «Ça ne l'embêtait pas du tout de se mettre le monde à dos, dit maintenant Jacques Ménard. En fait, il aimait bien irriter les gens[6].»

Un jour, pendant le camp d'entraînement, le journaliste Jack Todd de *The Gazette*, en conversation avec Jeffrey Loria, avait glissé dans la discussion une opinion de Mark Routtenberg à propos d'un joueur: «Qui est Mark Routtenberg?», avait alors rétorqué le marchand d'art, oubliant sans doute les multiples conversations sur le baseball qu'il avait eues avec lui avant de prendre le contrôle du club[7].

Le 22 février, Réjean Tremblay de *La Presse* – à qui certains des actionnaires québécois continuaient de se confier comme à l'époque de Claude Brochu, et toujours sous le couvert de l'anonymat – écrivait que le préjugé favorable envers Loria et Samson était rapidement en train de s'éroder: «Ils sont trop pressés de faire sentir qu'ils sont ceux qui mènent. Je suis surpris de voir comment des gens aussi raffinés que Jeffrey Loria et David Samson peuvent se promener avec d'aussi gros sabots dans ce dossier-là.

«On sait que le commandité a tous les pouvoirs. Claude Brochu avait tous les pouvoirs. Mais cette fois, il s'agit de deux Américains qui vont faire jouer leur équipe dans un stade payé par des intérêts locaux et financés en partie avec l'argent des contribuables. C'est ça qui commence à s'imposer comme perception, poursuivait le chroniqueur.

«Il faut absolument, absolument et absolument que le projet d'un stade au centre-ville demeure un projet de la communauté. Il faut que les Québécois sentent que 65 % des propriétaires de leurs Expos sont des Québécois et des Canadiens. [...] Jamais le gouvernement ne pourra contribuer au financement d'un stade si le peuple a le sentiment qu'il finance un stade pour "des Américains".»

Loria et Samson avaient beau s'exprimer en français à l'occasion – Samson, en particulier, se débrouillait très bien –, leur style *bulldozer* parlait encore plus fort.

Alors que les Canadiens (de l'ère George Gillett) et les Alouettes (de l'Américain Robert Wetenhall) avaient saisi l'importance de confier un rôle d'envergure à une tête d'affiche locale (Pierre Boivin et Larry Smith, respectivement), cette préoccupation semblait être le cadet des soucis de Loria et Samson. Comme s'ils savaient très bien ce qu'il fallait faire pour relancer le baseball à Montréal.

Mais voilà: était-ce vraiment ce qu'ils voulaient?

Stephen Bronfman raconte que dès le départ, il a tendu des perches à David Samson pour l'aider à s'intégrer à son nouveau milieu : « Comme nous partagions certains points communs – notre *background*, notre âge –, j'ai offert de le promener en ville, de lui montrer divers endroits, de lui parler des écoles (il avait de jeunes enfants, tout comme Bronfman), de lui faire rencontrer des gens. Mais il n'était pas intéressé. Il préférait rester dans son hôtel. »

Loria et Samson souhaitaient-ils réellement garder le club à Montréal ?

« Avec le recul, dit Mark Routtenberg, je suis convaincu que dès le premier jour, ils n'avaient pas l'intention de rester[8]. » « Ils avaient un plan de match à leur arrivée et ils n'en ont pas dérogé[9] », affirme de son côté Jacques Ménard.

« Je crois que Loria voulait essayer ça pour trois à cinq ans pour voir comment ça irait, explique à son tour Stephen Bronfman. Mais il avait probablement aussi un autre plan en tête. En faisant grimper les coûts d'opérations comme il l'a fait, il savait que les actionnaires ne voudraient pas suivre[10]. »

En Floride, l'avenir des Expos semblait beaucoup plus prometteur qu'à Montréal. Hideki Irabu a excellé à chacun de ses 4 départs (3-0, 1,59), Javier Vazquez (4-0, 1,67) avait pris de la maturité et tous les observateurs voyaient en lui une étoile en devenir. Carl Pavano n'avait plus mal au bras.

En relève, l'arrivée de Graham Lloyd enlèverait un peu de pression des épaules de l'excellent *closer* du club, Ugueth Urbina, ainsi que de celles du gaucher de longue relève Steve Kline, qu'on avait surutilisé en 1999. La relève profiterait certainement aussi de la présence d'une rotation plus solide.

L'équipe avait décidé de faire de Chris Widger son receveur numéro un et de l'appuyer du vétéran Lenny Webster – que le club venait d'acquérir pour une *troisième* fois (il avait joué à Montréal en 1994, avait été échangé pour la saison 1995, puis était revenu en 1996 pour repartir l'année suivante). Michael Barrett, qui avait pris part à 59 matchs derrière le marbre en 1999, remiserait son gant de receveur pour ne jouer qu'au troisième but.

Le 16 mars, les Expos ont conclu une importante transaction en envoyant Brad Fullmer aux Rangers du Texas contre un autre joueur de premier but, Lee Stevens (qui avait brièvement été un Expo durant le camp de 1993). Non seulement Stevens apporterait la stabilité défensive que

Fullmer ne pouvait donner aux Expos, mais son solide coup de bâton (,282, 24 CC) en ferait un cinquième frappeur idéal pour «protéger» le quatrième frappeur Vladimir Guerrero, qui verrait ainsi sûrement de meilleurs tirs des lanceurs adverses.

En janvier, la direction des Expos avait mis sous contrat le vétéran joueur d'intérieur Mickey Morandini, prévoyant de le faire jouer en alternance avec Jose Vidro au deuxième. Mais Vidro a fait tellement bonne impression au camp qu'on a décidé de laisser partir Morandini (échangé aux Phillies contre de l'argent), malgré l'expérience qu'il aurait apportée à l'avant-champ. Orlando Cabrera, arrivé au camp plus baraqué que l'année précédente, a bien frappé en matchs présaison et semblait avoir la mainmise sur le poste d'arrêt-court.

La surprise du camp avait très certainement été la performance du jeune voltigeur Peter Bergeron (,328) : il atteignait les buts avec régularité et était une véritable gazelle sur les sentiers. C'est lui qui commencerait la saison comme voltigeur de centre. À gauche, on retrouverait Rondell White (à la dernière année de son contrat) et à droite, bien entendu, le pilier du club, Vladimir Guerrero, qui avait connu un camp exceptionnel (,419, 6 CC, 18 P).

Felipe Alou ne pouvait que se réjouir du virage que prenait le club et il était, lui aussi, favorablement impressionné par le nouveau propriétaire : «Il sait qu'on est ici depuis un certain temps et qu'on est passé par la défaite ainsi que par l'exode de nos meilleurs éléments. Il sait que le temps est venu de changer les choses. L'an passé a été la dernière année de cette petite misère. Cette fois, nous avons un patron qui veut gagner.» Des années plus tard, Felipe apportera un éclairage additionnel sur l'arrivée de Loria : «Je crois qu'il était sincère. Il ne réalisait pas vraiment les dommages qui avaient été infligés à la concession et les difficultés qui l'attendaient. Moi, j'étais prêt à ouvrir les bras à toute personne qui exprimait le désir de garder l'équipe à Montréal. Il s'occupait davantage de son équipe que tous les autres propriétaires que j'avais connus[11].»

Le contrat d'Alou se terminant à la fin de 2001, rien ne garantissait toutefois qu'il serait encore à la barre du club au moment des cérémonies d'ouverture du nouveau stade. Et puis, il aurait bientôt 65 ans... Mais Felipe ne s'en souciait guère : «Je ne suis pas un Nord-Américain, a-t-il dit à Stephanie Myles du journal *The Gazette*. Nous, nous ne croyons pas à 25, 45, 65 ou 75 ans. Ça, c'est aux États-Unis. Nous n'avons pas de pensions de vieillesse en République dominicaine, alors je n'ai pas été influencé par la façon dont pensent les hommes américains.

« À mes yeux, c'est le stade qui est la priorité, pas de savoir si je vais être le gérant à ce moment-là. Mes enfants sont citoyens canadiens et ils vivront peut-être ici plus tard. S'ils vont voir un match, ou si mes amis vont voir un match, j'aimerais qu'ils puissent aller dans un vrai stade de ligues majeures.

« Moi, je suis un homme comblé. J'ai eu la chance de réaliser tellement plus de choses que ce que à quoi je rêvais. Ou que ce que je méritais. » Le croyant qu'était Felipe Alou ne mettait pas ses succès sur le seul compte de son talent ou de sa détermination : « Ce n'est pas un simple accident. Ce ne sont pas seulement l'intelligence, l'effort ou la loyauté qui m'ont amené là où je suis rendu. Ce n'est pas assez, il a fallu quelque chose de plus grand pour me garder dans les majeures pendant toutes ces années. »

Felipe ne craignait pas de devenir un canard boiteux dans la dernière année de son contrat (2001), comme c'est le cas de beaucoup de gérants. « Moi, je suis né canard boiteux. C'est d'où je viens. Il n'y a pas de manière de me rabattre parce que je suis né rabattu. Dans mon pays, nous sommes différents : nous naissons petits, dans une maison de deux chambres pour six personnes où le plancher est en terre battue. Je sais que j'ai parfois été difficile à comprendre ou à vivre, mais c'est en raison de ce *background*. »

Les observateurs se demandaient comment le gérant réagirait maintenant qu'il avait des patrons qui connaissaient le baseball – ou, enfin, qui prétendaient le connaître – et qui se mêleraient beaucoup plus de ce qui se passerait sur le terrain. Avec les Expos, Alou avait eu les coudées franches pendant de nombreuses années... Déjà, Loria avait embauché des gens qu'il avait connus dans le AAA ou ailleurs : Brad Arnsberg et Perry Hill, respectivement instructeurs des releveurs et au premier but. Loria avait aussi pris l'initiative d'engager pour la durée du camp l'ancien receveur Jeff Torborg et l'ancien as voleur de buts Maury Wills pour conseiller les jeunes dans leur course sur les sentiers. Felipe disait ne s'inquiéter aucunement de cette potentielle ingérence du proprio : « Il écoute notre opinion. Il croit ce que je lui dis, il me fait confiance. »

Les Expos ont terminé le calendrier de matchs présaison avec une fiche de 18-11. Portés par un enthousiasme printanier, les plus optimistes prétendaient que le club serait dans la course du meilleur deuxième jusqu'au dernier mois de la saison. Les plus réalistes évoquaient plutôt une moyenne de ,500. Pour un club qui avait terminé la saison précédente avec une fiche de 68-94, c'était probablement ce qu'il y avait de mieux à espérer.

L'ouverture de la saison 2000 s'est faite dans une précipitation rappelant la toute première campagne des Expos en 1969. Après avoir officiellement pris les rênes du club en octobre, les nouveaux propriétaires avaient eu précisément six mois afin de tout mettre en œuvre pour la nouvelle saison : bonifier l'alignement de façon significative, engager du nouveau personnel pour les opérations baseball, faire avancer le dossier du nouveau stade, revoir l'entente existant entre les clubs et les diffuseurs, et, bien sûr, vendre des abonnements pour la saison.

« Jeffrey et moi ne croyons pas à l'adage selon lequel Rome ne s'est pas construite en une journée », avait témérairement déclaré David Samson, qui se privait rarement de citer en exemple ses habitudes de travail : arrivée aux bureaux des Expos à 7 h le matin, départ tard en soirée…

En début d'année, le tandem Loria-Samson avait fixé la barre à 9 000 billets de saison. La base ayant chuté à 3 000 têtes de pipe en 1999, c'était viser (très) haut ; en avril, la vente avait plafonné à 4 000. Les Expos s'apprêtaient donc à connaître une autre année de misère aux guichets (on n'avait attiré que 773 277 spectateurs en 1999).

Or, un autre problème risquait de compliquer considérablement la mise en marché du club : la possibilité bien réelle de voir les Expos disparaître complètement des ondes pour la durée de la saison.

Lorsque Jeffrey Loria avait pris connaissance des montants versés par les diffuseurs (télé et radio) pour présenter les matchs des Expos, il était tombé à la renverse. Bien sûr, il s'attendait à ce que ces chiffres soient modestes : il savait bien qu'il n'avait pas affaire au marché de New York. Mais les chiffres qu'on lui a présentés l'ont tout simplement pétrifié. Non seulement les Expos se trouvaient au dernier rang des 30 clubs des majeures au chapitre des droits de diffusion, mais ils ne figuraient pas dans la même galaxie. Alors que les Royals de Kansas City croupissaient au 29ᵉ rang avec leurs redevances de 9 millions, les Expos, eux, empochaient la famélique somme de 2 millions – en argent canadien (à l'époque, le taux de change était de 30 %)…

Impatient de voir les choses se débloquer à temps pour le début de la saison, il avait abordé les diffuseurs sans se préoccuper d'enfiler des gants blancs. Convoqués à une réunion, les diffuseurs avaient trouvé devant leur place un document de quelques centimètres d'épaisseur recouvert d'une page titre donnant résolument le ton : *What We Expect From You* (Ce que nous attendons de vous). Après avoir jeté un coup d'œil sur le document, un des diffuseurs s'était aussitôt levé, avait remercié Jeffrey Loria et était sorti de la salle.

Avant même que les négociations entre les diffuseurs et le nouveau commandité ne frappent un mur, la Société Radio-Canada avait annoncé qu'elle ne renouvellerait pas son option sur les matchs de baseball, abandonnant ainsi les Expos après un long partenariat de 31 ans. Du jour au lendemain, le descripteur René Pothier et le commentateur (et ancien joueur) Claude Raymond perdaient leur micro. Daniel Gourd, le directeur de la programmation de la SRC de l'époque, a affirmé que la chaîne publique ne voulait plus être le diffuseur principal du club, ne souhaitant plus accaparer les soirées avec une programmation de baseball. Avant longtemps, le diffuseur abandonnerait aussi ce qui fut longtemps sa principale locomotive, la prestigieuse *Soirée du hockey* du samedi soir. La SRC préférait laisser la couverture du sport professionnel aux chaînes spécialisées. « Nous voulons une programmation qui soit rassembleuse », avait dit M. Gourd, oubliant commodément que c'est justement là une des principales caractéristiques du sport professionnel.

Si Radio-Canada avait décidé de passer son tour, RDS/TSN, eux, étaient – à n'en pas douter – à la recherche de contenu pour leur grille estivale. Mais Jeffrey Loria n'était pas à la veille de plier l'échine : si les diffuseurs ne voulaient pas entendre raison, ils devraient tout simplement se passer de baseball – il ne leur « donnerait » pas le produit. Quand on a fait remarquer à David Samson que les Expos étaient mal placés pour imposer leurs conditions puisqu'ils s'adressaient à un monopole (RDS/TSN), le jeune homme a répondu : « Il n'y a qu'une façon de négocier avec les monopoles, et c'est de les faire se mettre à genoux. »

C'était également le cul-de-sac avec la diffusion radio. Seule une intervention de dernière minute de Stephen Bronfman et de Jean Coutu – qui ont accepté d'ouvrir leur portefeuille – et de Claude Beaudoin (président de Télémédia) a permis à CKAC de poursuivre la couverture des matchs. En revanche, la retransmission des matchs de langue anglaise (à CICQ) serait, elle, suspendue. Les fans souhaitant entendre Dave Van Horne devraient s'en remettre à Internet (à l'époque un moyen de diffusion encore marginal).

Pour la première fois de leur histoire, les Expos entreprendraient donc une saison sans la vitrine extraordinaire qu'apporte la télévision. Pour une organisation souhaitant amorcer une relance, c'était une bien étrange façon de procéder. « La symbiose est telle entre la télé et le sport professionnel qu'une équipe absente du petit écran perd littéralement une partie de son existence », a écrit Mario Roy dans la page éditoriale de *La Presse* du 8 avril 2000.

Dans le même journal, Michel Blanchard déplorait la stratégie du tandem : « De deux choses l'une. Ou bien Loria et Samson sont convaincus d'avoir une équipe capable de tout rafler et ils sont persuadés de ne pas avoir à s'inquiéter des assistances. Ou bien ils s'arment d'excuses supplémentaires pour expliquer, le moment venu, l'urgence de déménager le club dans une autre ville. »

Le match d'ouverture du 3 avril 2000 a donné lieu à quelques scènes rien de moins que surréalistes. À la demande de Loria, les employés du club – parmi lesquels figuraient les commentateurs radio – devaient se rendre aux portes de l'agora du Stade olympique pour accompagner le duo dynamique dans une séance de serrage de mains des amateurs. Une initiative visant apparemment à rapprocher le peuple du pouvoir mais qui, dans les circonstances, sonnait atrocement faux.

L'autre moment bizarre est survenu lorsque les actionnaires se sont rendus sur le terrain – accompagnés d'une douzaine de joueurs – pour saluer la foule et effectuer le(s) premier(s) lancer(s) officiel(s). Déjà, les actionnaires étaient à couteaux tirés avec Loria et Samson, et le portrait de famille qu'on a tiré de l'événement constituait un remarquable assemblage de sourires figés.

Jean Coutu, un des nouveaux actionnaires du club – il n'avait pour l'instant investi qu'un million dans la capitalisation du club, tout comme Stephen Bronfman –, a pour sa part refusé de descendre sur le terrain se faire photographier avec le groupe, préférant demeurer dans sa loge VIP. Comme du temps de Claude Brochu, le pharmacien affirmait « attendre le plan d'affaires ». À l'instar de plusieurs observateurs, Coutu était bien curieux de savoir qui étaient ces mystérieux investisseurs américains, amis de Jeffrey Loria, qui se disaient prêts à injecter plus de 40 millions dans le club au moment de la première pelletée de terre du nouveau stade.

Le premier *closing*, réalisé à la fin de 1999, avait redistribué les cartes ainsi : les actionnaires originaux détenaient 73,4 % des actions, les deux nouveaux investisseurs (le Groupe Jean Coutu et Stephen Bronfman), 2,6 %, et Jeffrey Loria, 24 %.

Une fois le refinancement complété (le deuxième *closing*), les anciens actionnaires verraient leur participation réduite à 30 %, les nouveaux investisseurs (Bronfman, Coutu et quelques autres) seraient à 35 % et Loria, lui, passerait à 35 %. En somme, les actionnaires canadiens resteraient majoritaires à 65 %, assurant aux locaux le contrôle des destinées du club.

Mais le scepticisme était désormais généralisé. «Nous sommes rendus au mariage mais nous ne savons pas si nous voulons épouser la mariée», a dit Jean Coutu à des proches, des propos rapportés par Alexandre Pratt dans *La Presse* du 8 avril.

«Pour l'instant, a écrit de son côté Réjean Tremblay, je me demande si Jeffrey Loria est tout simplement malhabile avec ses gros sabots *made in* New York ou s'il n'est pas en train de préparer le hold-up du siècle : ramasser les Expos pour une bouchée de pain.»

Un journaliste francophone flairant l'arnaque a admonesté publiquement Loria, au point où ce dernier a rapidement engagé un garde du corps – qui ne le quitterait plus. Dans un esprit plus bon enfant, Serge Touchette du *Journal de Montréal* a trouvé un sobriquet rigolo à Loria et fils : «Grand Galop et Petit Trot». Quelqu'un d'autre a établi un parallèle entre les deux hommes et les deux «vedettes» d'une ridicule publicité ayant sévi sur les ondes quelques années plus tôt. Dans le clip bas de gamme, l'entrepreneur anglophone vantait dans un français approximatif les bas prix de sa marchandise alors que son fils de petite taille répétait fougueusement : «Oui, papa!»

Quatre mois après leur première apparition publique au Québec, les sauveurs du baseball à Montréal suscitaient déjà scepticisme et railleries.

De rares observateurs choisissaient encore de croire, contre vents et marées : «Par-dessus tout, Loria et Samson ont ce que Brochu n'a jamais eu : une passion pour le baseball, écrivait Jack Todd dans l'édition du 3 avril du quotidien *The Gazette*. Ça ne va pas éliminer tous les obstacles, mais après avoir passé quelques mois dans cette ville et s'être ajustés à notre manière, euh, distincte de faire des affaires, ils vont très bien se débrouiller.» Le désir ardent du journaliste de voir se concrétiser la relance de l'équipe lui avait-il fait perdre son objectivité et son sens critique? La réponse ne tarderait pas à venir.

Le match d'ouverture de la saison 2000 a été un succès retentissant : 51 249 spectateurs, la plus forte assistance pour un match inaugural en 12 ans.

Une cérémonie d'ouverture mémorable, rehaussée par une spectaculaire mise en scène où le terrain a été projeté dans l'obscurité avant d'être illuminé de faisceaux de lumière accueillant chacun des joueurs.

Le plus acclamé parmi les acclamés? Cette fois, Felipe Alou avait dû céder le pas à Jacques Ménard, le coprésident du comité des partenaires qui voyait ses efforts dans le recrutement d'un actionnaire majoritaire (et dans le complexe transfert des pouvoirs de l'équipe) finalement salués publiquement par les Montréalais. Monsieur Ménard avait été élu Homme de l'année du baseball canadien par l'Association des chroniqueurs de baseball montréalais et torontois, devançant même l'équipe canadienne qui avait participé aux Jeux panaméricains et la supervedette Larry Walker. Comme on le verra, cet honneur serait, hélas, rapidement assombri par la malhabile gouvernance du nouveau propriétaire.

Une fois le match commencé, c'est Vladimir Guerrero que la foule a porté aux nues. «Le Naturel» a canonné deux circuits qui ont produit tous les points du club. Même une défaite de 10-4 n'a pas réussi à gâcher la fête.

Plus friands de *happenings* que de baseball, les Montréalais sont toutefois restés chez eux le lendemain, 12 143 fans étant cette fois au rendez-vous. Le surlendemain, c'était encore pire : 8 867.

Il n'a pas fallu attendre longtemps avant qu'une question bien familière ne soit lancée par les médias aux nouveaux propriétaires : «Est-ce que Montréal est une ville pour le baseball majeur ?» «Jeffrey et moi pensons que oui, a répondu David Samson. Nous savons également que cette ville est un grand marché. Nous avons fait notre part en améliorant le produit, et l'équipe doit maintenant gagner.»

La bonne nouvelle, c'était qu'en ce début de saison, les Expos gagnaient. Le 30 avril, le club (14-9) n'était qu'à 3 ½ matchs des Braves d'Atlanta. Guerrero connaissait un début de saison fulgurant : après 20 matchs, sa moyenne au bâton était de ,452, il avait déjà produit 26 points et cogné 8 circuits. Il avait fallu attendre sa 84ᵉ présence au bâton avant qu'il ne soit retiré sur élan. Jose Vidro frappait la balle avec énormément d'autorité – il connaîtrait d'ailleurs une saison exceptionnelle de 200 CS, 24 CC et 97 PP –, faisant dire à d'aucuns qu'il était le meilleur joueur de deuxième but de l'histoire du club. Les lanceurs Carl Pavano et Javier Vazquez avaient tous deux excellé durant le premier mois de la saison.

La moins bonne nouvelle, c'était le mauvais sort qui semblait s'acharner sur le personnel de lanceurs. Avant même que ne commence la saison, le nouveau venu Graham Lloyd, pressenti comme le pilier de la longue relève, tombait au combat. D'abord placé sur la liste des blessés pendant 15 jours pour une tendinite à l'épaule gauche, un autre diagnostic est vite tombé : déchirure à la coiffe des rotateurs. Lloyd a été opéré le 4 mai et on ne l'a plus revu de la saison.

Après avoir excellé durant le camp, l'autre nouvelle acquisition du club, Hideki Irabu, éprouvait des difficultés à s'ajuster à la Ligue nationale, semblant incapable de retenir les coureurs sur les sentiers – qui ne se privaient pas de s'envoler vers le but suivant à la première occasion. Puis, en mai, Irabu a frappé un mur. Alors qu'au printemps, on avait craint pour l'état de son coude droit, c'est une déchirure au genou droit – une blessure, découvrait-on maintenant, qui l'avait ennuyé au cours des trois dernières années! – qui l'a mis hors de combat. Après une opération au genou et une autre au coude, on l'a réinséré dans l'alignement en juillet pour un autre départ – qui s'avéra son dernier match de la saison.

Vedette montante du baseball japonais au milieu des années 1990 (sa balle rapide pouvait atteindre les 99 MPH), Irabu s'était amené aux États-Unis en 1997 au milieu d'un battage publicitaire monstre. D'abord acquis par les Padres de San Diego – contre son gré –, le grand droitier avait refusé de se joindre à eux, insistant plutôt pour se joindre aux meilleurs: les Yankees de New York. Les deux clubs en étaient venus à une entente, et après avoir accepté un contrat de 12,8 millions pour quatre ans, le lanceur avait été catapulté dans la rotation de l'équipe avant la fin de la saison (après seulement 8 matchs dans les mineures).

Mais son expérience new-yorkaise de trois saisons avait connu plus de bas que de hauts, incitant le très diplomate George Steinbrenner à le traiter de «gros crapaud» après qu'il avait négligé de couvrir le premier but lors d'un match présaison. «Le Boss» avait aussi déclaré à des journalistes qu'il lui restait des t-shirts à l'effigie Irabu qu'il comptait donner à des aveugles.

Les commentaires de Steinbrenner manquaient certes de classe, mais il faut reconnaître que le rondelet Irabu n'aidait pas sa cause en négligeant de se garder en forme (il s'entraînait peu, fumait plusieurs paquets de cigarettes par jour). Par ailleurs, sa méconnaissance de l'anglais avait dressé un mur entre lui et les exigeants médias américains (plutôt taciturne de nature, Hideki ne s'exprimait qu'avec l'aide d'un interprète qui le suivait dans tous ses déplacements).

Tout de même, les Expos avaient pensé que loin des projecteurs new-yorkais, le lanceur retrouverait sa confiance et ses moyens. Jeffrey Loria aurait par ailleurs bien aimé servir une petite leçon aux Yankees (le club de son enfance) en leur soutirant sous le nez un joueur qu'ils n'avaient pas su encadrer adéquatement. Pour l'instant toutefois, l'initiative était loin d'être concluante.

Après Lloyd et Irabu, un autre lanceur déclarait forfait: le releveur numéro un du club, Ugueth Urbina. Le 9 mai, le Releveur de l'année dans la Nationale en 1999 se réchauffait dans l'enclos quand il a ressenti des pincements au coude droit. Le lendemain, un examen révélait la présence de fragments d'os. On lui ferait subir une arthroscopie, puis une deuxième, et il ne lancerait plus de la saison.

Dans le seul mois de mai, Scott Strickland, Anthony Telford, Mike Thurman et Matt Blank séjourneraient aussi sur la liste des blessés, obligeant Felipe Alou à envoyer temporairement son partant numéro un Dustin Hermanson dans l'enclos comme releveur de fin de match, un remaniement d'effectifs pour le moins inusité… Puis, en juin, Carl Pavano (8-4, 3,06) hisserait à son tour le drapeau blanc, une tendinite aux triceps mettant subitement fin à sa saison. À la fin de l'année, 12 lanceurs des Expos auraient séjourné à un moment ou l'autre sur la liste des blessés.

Bien que préoccupante, la situation des lanceurs ne l'était pas autant que celle de la fréquentation du Stade. On racontait que Jeffrey Loria commençait à être nerveux: dans les deux premiers séjours à domicile du club, aucune des 14 parties – à part le match d'ouverture – n'avait attiré plus de 14 461 personnes, et l'argent n'entrait pas dans les coffres au rythme prévu. C'était un cas classique de « loin des yeux, loin du cœur » : les amateurs ne voyant pas de matchs à la télévision – les nouvelles du sport ne diffusaient même pas de faits saillants des rencontres –, ils passaient progressivement à autre chose. On rapportait aussi que le nouveau commandité des Expos avait été consterné par ce qu'il avait vu du printemps montréalais : en avril, il avait plu pendant 16 jours d'affilée. Ce serait quoi dans un stade ouvert ?

Un incident survenu en avril lors du décollage d'un vol d'Air Canada Montréal-New York en disait long sur l'état d'esprit de Jeffrey Loria. Des avertissements répétés de deux hôtesses de l'air n'avaient pas convaincu le nouveau propriétaire des Expos de fermer son téléphone cellulaire : « Ces choses-là n'arrivent qu'au Canada, avait lancé le New-Yorkais à son entourage. Ce n'est pas surprenant que tout le monde veuille quitter le Canada. »

Alors, le Montréal de 2000 était-il, oui ou non, une terre d'accueil propice au baseball ? Le journaliste Michel Blanchard de *La Presse* avait une opinion intéressante sur la question : « Montréal est une ville de baseball quand les amateurs sentent que l'équipe est la leur et que le spectacle sur le terrain en vaut la peine. Montréal ne devient plus une ville de baseball quand les amateurs, qui ne sont pas des caves, se sentent victimes de grenouillages et de tripotages de toutes sortes : produit dilué, ventes de feu, ultimatum, dates butoir, chicane de régie interne, commandité new-yorkais, comité de relance qui s'entre-déchire, facéties, attrapes, galéjades et quoi encore… »

Répondant aux doléances de David Samson qui se plaignait que si peu d'amateurs se déplacent pour voir Vladimir Guerrero se mesurer à Sammy Sosa dans une série contre les Cubs, Blanchard terminait sa chronique ainsi: «Les gens vont se déplacer pour aller voir Guerrero le jour où ils sentiront que l'équipe leur appartient.»

Malheureusement, l'équipe était sur le point de ne plus leur appartenir du tout. Le 18 mai 2000, une réunion aussi épique qu'historique a eu lieu au Stade olympique entre Loria et la majorité des actionnaires (Paul Roberge avait décidé de ne pas se présenter et Jean Coutu avait envoyé un de ses hommes de confiance).

Le marchand d'art avait de mauvaises nouvelles pour ses partenaires québécois: si l'équipe voulait se maintenir à flot dans les 2 prochaines années, il faudrait injecter une somme additionnelle de 70 millions: 30 M$ dans l'année en cours, 40 M$ dans la suivante. La flambée de salaires des derniers mois avait complètement changé la donne: en 2000, les salaires de joueurs grimperaient de 17,5 %...

Loria avait une autre nouvelle inquiétante pour le groupe: ce n'était plus 200 millions qu'il faudrait pour construire le stade, mais bien 270 M$. Secoué par les pluies printanières qu'avait connues le Québec, le marchand d'art était désormais convaincu qu'il fallait prévoir un toit amovible pour les intempéries de début et de fin d'année.

Quand on lui a demandé s'il avait des solutions de financement à proposer, Loria a émis l'idée de demander plus d'argent aux gouvernements. Devant le refus catégorique du groupe, il a dit que tous les actionnaires devraient alors sortir leur portefeuille. Les partenaires ont plutôt suggéré de réduire la masse salariale – qui se situait maintenant à plus ou moins 30 millions –, ce que Loria a aussitôt sèchement refusé.

Les actionnaires l'ont accusé de ne pas respecter le plan d'affaires établi en décembre; Loria a rétorqué qu'ils l'avaient induit en erreur en lui laissant supposer qu'il serait facile de renégocier à la hausse les droits de télé et radio. L'impasse était totale.

Claude Brochu rappelle aujourd'hui une conversation qu'il avait eue à l'époque avec Loria: «Je comprends maintenant, lui avait dit le New-Yorkais, que l'ennemi, ce n'était pas toi mais bien eux.» Quand l'ancien président des Expos lui avait demandé s'il s'était prévu une porte de sortie, Loria lui avait répondu: «Inquiète-toi pas pour moi.» «Si les actionnaires pensaient que j'étais *tough*, ils n'avaient encore rien vu avec Jeffrey Loria», ajoute M. Brochu[12].

Pour les actionnaires, la rencontre du 18 mai a été un véritable électrochoc. Certains d'entre eux, convertis depuis plusieurs mois à la nécessité de construire un nouveau stade, n'étaient plus convaincus de rien du tout. Raymond Bachand était sorti ébranlé de la réunion, tout comme Stephen Bronfman: «Ces réunions-là étaient extrêmement déplaisantes, dit aujourd'hui M. Bronfman. Jeff ne venait jamais aux réunions. Et quand il était là, il s'assoyait là sans dire un mot. J'étais encore un jeune homme et je me disais : "C'est *ça*, le monde des affaires ? Si oui, je pense que ça ne me plaît pas trop..." [13] »

Tout indiquait que les actionnaires refuseraient d'injecter l'argent demandé par Loria et que cette décision provoquerait inévitablement la dilution complète de leurs actions. « Les Expos, c'est fini à Montréal, a confié un des actionnaires – anonymement, comme toujours – à *La Presse* à la suite de la fatidique réunion du 18 mai. L'idée de Jeffrey Loria est arrêtée : le baseball majeur ne fonctionne pas à Montréal. »

En six petits mois, Jeffrey Loria et David Samson avaient mortellement atteint une concession déjà extrêmement vulnérable. Des actionnaires considéraient maintenant des recours juridiques pour faire invalider ce nouvel appel de capitaux.

Dans *The Gazette*, Jack Todd faisait désormais son *mea culpa*, regrettant d'avoir défendu aussi vigoureusement les deux New-Yorkais pendant les six derniers mois. « Je suis aussi coupable que n'importe qui. Parce que je pense qu'un stade au centre-ville ferait tellement de bien à Montréal, j'ai pris mes désirs pour des réalités, alors que les journalistes de *La Presse*, eux, ont fait leurs devoirs en posant les questions difficiles qu'il fallait poser à Loria et Samson.

« La vérité, c'est que Loria et Samson ont échoué misérablement. Ils n'ont pas donné à Felipe Alou et à sa jeune équipe l'appui dont ils auraient eu besoin sur le terrain, ils ont échoué auprès des médias et des diffuseurs, échoué dans l'embauche d'un vice-président marketing [...] (En effet, personne n'avait été engagé dans ce rôle, Loria se contentant d'engager un porte-parole, un consultant du nom d'André Bouthillier – repêché d'une boîte de communications – qui se bornait à relayer ses messages.)

« De plus, poursuivait Todd, ils ont échoué dans la vente d'abonnements, échoué avec leurs partenaires et échoué dans le dossier du stade, qui était le seul espoir de survie du club.

« Ils sont coupables d'une extrême impatience, d'avoir voulu accomplir du jour au lendemain ce qui prendrait normalement des années à réaliser, ne se gênant pas, après, pour exprimer leur frustration quand les choses ne se passaient pas à leur goût.

« Dire qu'ils ont fait exprès pour échouer, c'est leur donner trop de crédit. Ils ont échoué parce qu'ils ne savent rien de la gestion d'un club de baseball et parce qu'ils ont été trop arrogants pour écouter et apprendre. »

Bientôt, on apprendrait que la construction du stade serait reportée d'un an – plus probablement repoussée aux calendes grecques. Pour plusieurs observateurs, il s'agissait là en fait de la seule bonne nouvelle dans l'incroyablement longue série de maladresses commises par la nouvelle direction depuis six mois. Dans *La Presse* du 27 mai, Philippe Cantin reprenait certains des arguments déjà avancés par les opposants au nouveau stade : « Les prévisions de revenus générés par le stade étaient basées sur des espoirs irréalistes : des gradins remplis à capacité du début avril à la fin septembre, des spectateurs qui prennent d'assaut les concessions alimentaires de la première à la dernière manche et pratiquement aucun match annulé en raison du mauvais temps. »

La seule façon de remettre de l'ordre dans la baraque, c'était de racheter Loria et de tout recommencer. À la mi-juin, Stephen Bronfman aurait offert au millionnaire américain de racheter ses actions dans l'équipe. Comme il fallait s'y attendre, celui-ci a aussitôt catégoriquement refusé. Dans une entrevue accordée en janvier 2002, David Samson minimise l'initiative de Bronfman : « Ça a été évoqué au passage lors d'une réunion et Jeffrey a dit non. Ce n'est plus revenu sur le tapis. »

Quand il est devenu apparent que ça ne fonctionnerait pas avec Loria comme commandité à Montréal, Bud Selig a tâté le terrain auprès de Stephen Bronfman : pourrait-il être intéressé par prendre le club ?

Pour Selig, le nom Bronfman était l'équivalent de la royauté. Il avait passé des années à côtoyer Charles dans divers comité du baseball et avait développé énormément de respect et d'estime pour lui, le considérant aussi comme un ami – et c'est avec bonheur qu'il aurait accueilli un autre Bronfman dans la « famille » des propriétaires. À titre de commissaire, il détenait ce pouvoir : en évoquant les « meilleurs intérêts du baseball », il aurait pu retirer la concession des mains de Loria et la remettre au jeune Bronfman. Certes, Selig avait des doutes sur la pérennité du baseball au Québec, mais la seule mention du nom de Bronfman suffisait à lui redonner la foi.

Malheureusement pour les amateurs de baseball du Québec, M. Bronfman n'était pas prêt à sauter dans un aussi gros bateau : « Je ne voyais pas ça comme une occasion d'affaires et là où j'en étais dans ma vie, je n'allais pas signer un énorme chèque et commencer à éponger des déficits année après année. Je n'avais pas de grosse entreprise derrière moi pour m'appuyer. » Quand il avait annoncé son intention de participer – modestement – à la relance du club, Charles l'avait d'ailleurs prévenu : « Ne t'engage pas trop là-dedans, ça va te coûter beaucoup d'argent[14]. »

Plus tard, quand la famille Molson a mis les Canadiens de Montréal en vente, Stephen Bronfman a repensé à son affaire. Et s'il achetait les Expos ET les Canadiens ? Il pourrait développer un réseau de télévision régional à la grandeur du Québec (à l'époque, M. Bronfman était un des actionnaires de TSN/RDS) et créer une extraordinaire synergie entre les deux organisations (mêmes administrations, amphithéâtres connexes, stratégies de marketing complémentaires, etc.). C'était un projet ambitieux, certes, mais terriblement excitant. Pour y arriver, toutefois, il lui faudrait un coup de main.

Il a aussitôt appelé Ivan Fecan, qui était alors à la tête de CTV à Toronto pour lui exposer son idée : Fecan serait son partenaire financier dans les clubs et son partenaire diffuseur. Ils auraient ainsi le plein contrôle du marché du sport professionnel au Québec. « C'est une très bonne idée, lui a répondu Fecan. Justement, nous essayons déjà de faire ça ici, à Toronto. Mais malheureusement, Montréal n'est pas dans nos plans. » CTV a bientôt été achetée par BCE (Bell), et aussitôt fusionnée avec le quotidien *The Globe and Mail* pour former Bell Globemedia.

« Quand ce projet-là est tombé à l'eau, pour moi, c'était comme la fin. Qu'y avait-il d'autre à faire ?, dit aujourd'hui M. Bronfman. Je suis convaincu que si ça s'était matérialisé, nous serions morts de rire aujourd'hui. Nous ferions de très bonnes affaires[15]. »

Quand on sait ce qui a suivi, l'évocation de ce scénario de la dernière chance fend littéralement le cœur. Une fois de plus, le *timing* (la chance ?) avait cruellement fait défaut aux Expos.

Pour l'immédiat, Jeffrey Loria gardait donc sa pleine emprise sur l'équipe (avec 24 % des actions). Et comme il semblait bien que les actionnaires québécois répondraient par la négative à ce nouvel appel de fonds, tout indiquait que ce serait eux qui seraient contraints de lui vendre le reste de leurs actions.

Le maire de Montréal de l'époque, Pierre Bourque, a rapidement fait savoir que la Ville de Montréal refuserait de vendre ses actions (16,8 %) à Jeffrey Loria : « Nous sommes là pour garder les Expos à Montréal », a-t-il déclaré.

« L'erreur que nous avons faite, dit aujourd'hui Mark Routtenberg, c'est d'avoir fait le *deal* en deux étapes. L'idée était que, dans un premier temps, Loria mettait ses 18 millions pour racheter Brochu alors que nous amenions Stephen Bronfman et Jean Coutu. Puis, dans un deuxième temps, quand le financement du nouveau stade serait confirmé, les actionnaires québécois mettraient 50 millions – et il mettrait 50 millions. Or, on ne s'est jamais rendus à la deuxième étape. Il a pris le contrôle du club pour 18 millions[16]. »

Le 2 juin 2000, les Expos ont rendu hommage au légendaire hockeyeur Maurice Richard – dont la mort avait secoué le Québec – en tenant une cérémonie d'avant-match. Pour honorer la mémoire du fameux Rocket, les joueurs des Expos ont sauté sur le terrain en arborant le numéro 9 sur la manche de leur chemise – qu'ils conserveraient d'ailleurs jusqu'à la fin de la saison. C'était la première fois qu'un club professionnel saluait ainsi un athlète d'un autre sport. Le numéro 9 des Expos, Lee Stevens, y est allé d'un hommage de son cru en cognant 2 solides coups de circuit pour aider son club à l'emporter 5-3. Le chandail de Stevens se trouve maintenant au Temple de la renommée du hockey à Toronto.

Trois jours plus tard, les Expos ont battu les Yankees de New York 6-4 au Stade olympique, portant leur fiche à 31-23, 8 matchs au-dessus de ,500. Seuls au 2ᵉ rang de l'Est, ils se maintenaient à 4 matchs seulement des Braves et pour les matchs suivants, des foules de 24 454 et de 25 381 spectateurs se sont présentées au Stade. Les Expos semblaient enfin relancés sur le chemin du succès.

Malgré ces performances, Felipe Alou se disait inquiet : la perte de tous ces lanceurs avait fragilisé la formation et si la direction n'allait pas bientôt chercher du renfort, l'équipe pourrait ne pas maintenir le rythme.

C'est exactement ce qui s'est produit : la direction s'est contentée de procéder à quelques rappels d'Ottawa et les Expos n'ont remporté que 11 de leurs 30 matchs suivants. À la pause du match des Étoiles le 9 juillet, ils avaient glissé à 8 matchs du sommet, et s'ils jouaient encore pour une moyenne de ,500, ils étaient nettement en perte de vitesse.

Après la pause de trois jours, les Expos ont continué leur glissade, perdant six matchs sur huit. La direction du club a alors pris une initiative pour le moins étonnante : elle a congédié deux des adjoints du gérant…

Les postes de l'instructeur de banc Luis Pujols – compatriote et grand complice de Felipe Alou – et de l'instructeur des lanceurs Bobby Cuellar seraient désormais occupés par deux hommes près du pouvoir : Jeff Cox et Brad Arnsberg, ce dernier étant un ami personnel de Loria. L'intention du grand patron n'avait échappé à personne : écœurer Felipe Alou.

Il faut dire que depuis le début de la saison, Felipe ne s'était pas privé de critiquer – pour les journalistes, *off the record* – certaines des décisions du patron. Pourquoi avait-on embauché Mickey Morandini au printemps alors que le club comptait déjà sur l'excellent Jose Vidro ? La direction se mettrait-elle bientôt à lui dicter son ordre des frappeurs ? Pourquoi n'avait-on pas essayé de trouver un remplaçant au releveur Graham Lloyd ? «Loria nous a dit qu'il nous donnerait les outils pour gagner, avait lancé le gérant aux journalistes. Ils sont où, les outils ? »

Alou avait également clairement démontré qu'il n'aurait aucune patience envers le comportement de petit coq de David Samson. Un jour que Samson avait débarqué dans son bureau sans crier gare, le gérant l'avait stoppé net pour lui montrer la porte : «Toi, sors d'ici ! Quand on entre chez les gens, on frappe à la porte ! » C'était écrit dans le ciel : tôt ou tard, c'est Felipe qui se la ferait montrer, la porte...

Mais il y avait un problème : comment Jeffrey Loria pouvait-il limoger le membre le plus populaire de l'équipe sans se faire lyncher du haut de la tour du Stade olympique ?

Alexandre Pratt de *La Presse* a écrit que l'homme de lettres qu'était Jeffrey Loria avait sûrement comme livre de chevet *Le Prince*, de Nicolas Machiavel. «Il a dû lire mille fois qu'il est "plus sûr d'être craint que d'être aimé". Puis il a tout simplement appliqué la formule à son club de baseball.

«En situation de crise, le chef qui se sent vulnérable devient un serpent qui ne cherche qu'une chose : étrangler sa proie. Le hic, c'est que se débarrasser d'un adversaire au sommet de sa popularité peut également mener à votre perte [...].

«Machiavel disait que "le seul moyen de conserver les républiques acquises, c'est de les mettre en ruines" [...] », poursuivait le journaliste, évoquant la farandole de maladresses commises par la nouvelle direction dans les derniers mois.

«Restera ensuite le cas du directeur-général Jim Beattie, la marionnette attitrée de la haute direction. Il est de notoriété, comme l'écrivait Machiavel, qu'un "homme parfaitement honnête au milieu de gens malhonnêtes ne peut manquer de périr tôt ou tard". C'est le triste sort qui attend Jim Beattie à la fin de la saison. »

Pratt prédisait aussi qu'un autre ami de Loria, l'ancien receveur Jeff Torborg – qu'on avait vu au camp d'entraînement –, finirait par remplacer Felipe Alou. Informé des spéculations du journaliste, David Samson les a qualifiées de pure fabulation.

Le 31 juillet, peut-être dans un autre geste invitant Alou à claquer la porte, Loria échangeait le voltigeur Rondell White (,307, 11 CC, 54 PP) aux Cubs de Chicago contre un lanceur gaucher du nom de Scott Downs. Mais peut-être y avait-il là une autre motivation, plus pragmatique : à 16 ½ parties de la tête, les Expos étaient virtuellement exclus de la course, et un joueur du prix de White – 4 M $ – ne figurait probablement plus dans les plans de l'équipe. De plus, au moment d'être échangé, le nom de Rondell figurait encore sur la liste des blessés (élongation musculaire à la jambe).

Le départ de White (qui, à 28 ans, était loin d'être fini) a évidemment rappelé de mauvais souvenirs aux fans des Expos, qui y ont vu (encore) une autre mesure visant à redresser les finances du club.

« Les Expos ont fait l'acquisition d'un jeune lanceur très talentueux qui peut dès maintenant apporter une solide contribution à notre rotation de partants », a dit Jeffrey Loria. De son côté, Felipe Alou s'est contenté de déclarer qu'il était « satisfait » de l'échange.

Le 8 août, à son premier départ dans l'uniforme des Expos, Downs a éprouvé des douleurs au coude et a dû déclarer forfait après 3 manches. Le lendemain, il était placé sur la liste des blessés et on ne le reverrait plus de l'année. Lloyd, Irabu, Downs : décidément, Loria avait du flair quand venait le temps de dénicher des lanceurs...

Mais Felipe Alou restait d'un calme olympien. Dans son esprit, une chose demeurait claire : jamais il ne démissionnerait. Si le tandem Loria-Samson voulait se débarrasser de lui, eh bien il faudrait qu'ils le congédient. Et qu'ils le paient jusqu'à la fin de son contrat – et jusqu'au dernier sou.

À la mi-août, l'équipe était à 20 matchs de la tête et les assistances au Stade olympique avaient chuté sous les 10 000. Le plus regrettable dans tout ça, c'était peut-être que les exploits du meilleur joueur de l'histoire des Expos passaient virtuellement inaperçus : on ne pouvait même pas le voir à la télévision.

Or, Vladimir Guerrero connaissait une saison tout simplement phénoménale. À la fin du calendrier, il présenterait une fiche de ,345, 44 CC et 123 PP, établissant 7 records d'équipe, dont le plus grand nombre de circuits. Il serait nommé Joueur de l'année du club pour une 3ᵉ année consécutive, un autre exploit inédit.

Mais avec Guerrero, les chiffres racontaient seulement la moitié de l'histoire. Car ce qui sautait surtout aux yeux avec lui, c'était la *manière*. Une façon de jouer qui ne semblait pas apprise dans les académies de baseball, relevant davantage de l'instinct, de l'inspiration. Felipe Alou et ses entraîneurs l'avaient d'ailleurs compris : même s'il ne faisait pas les choses « correctement », il ne fallait surtout pas essayer de changer quoi que ce soit à son style ou son approche – même à cette étonnante habitude de s'élancer avidement sur plus de 65 % des balles s'amenant en sa direction. Ses adversaires avaient compris que la seule façon de le surprendre, c'était de lui lancer une balle en plein centre du marbre. Et encore : il s'élançait sur ces balles-là aussi. Les lanceurs adverses – et pas les moindres – lui vouaient maintenant le respect le plus complet. Dans un match contre les Braves en septembre 1999, Guerrero s'est amené au bâton avec deux retraits et un coureur au deuxième. Greg Maddux – peut-être le meilleur de sa génération – a aussitôt décidé de lui accorder un but sur balles intentionnel. Même si le match n'était qu'au début de la 1re manche...

En marge de ces qualités, Vladimir avait cette manière bon enfant de se comporter sur le terrain : dans les exercices d'avant-match, il semblait toujours prendre un plaisir fou à attraper des ballons de routine, et en attendant son tour dans la cage des frappeurs, il pouvait s'amuser à faire bondir une balle sur son poignet. Puis, bien sûr, il y avait ce sourire d'une formidable candeur. À une époque où plusieurs joueurs étaient aussi souriants que Don Fehr au moment de négocier avec les propriétaires, son attitude était comme une bouffée d'air frais. En somme, il avait tout pour devenir une des plus grandes vedettes de l'histoire du sport professionnel au Québec. Tout sauf une chose.

Même après quelques années de vie nord-américaine, Vladimir pouvait encore à peine s'exprimer en anglais. À son arrivée à Montréal, Jeffrey Loria voulait – parmi les mille redressements de situation qu'il comptait réaliser en quelques mois – faire appendre le français à son poulain. Assez rapidement, il a compris qu'il valait mieux oublier ça...

En fait, Guerrero connaissait un peu plus d'anglais qu'il ne le laissait paraître. Mais il restait sur ses gardes, craignant de passer pour un simple d'esprit. « Ce n'est pas que je n'aime pas les entrevues, mais parfois les journalistes ajoutent des choses que je n'ai pas dites. C'est ça que je n'aime pas », a dit Vlad au représentant du *Baseball Weekly* – qui lui avait consacré la une du journal en août.

« C'est un homme fier, a dit Felipe Alou. C'est comme moi pour le français. Je ne veux pas parler français. Je ne veux pas que les gens rient de mon français. »

On avait déjà reproché à Felipe de ne pas faire d'efforts pour parler français. Mais c'est mal comprendre l'état d'esprit de ces gens qui hésitent à parler dans une langue qui les fera mal paraître. Une question de fierté, de dignité, même. (Ayant épousé une Québécoise francophone, Felipe était évidemment loin d'être fermé au fait français : en fait, il pouvait très bien comprendre ce qui se disait autour de lui – tout comme lire dans les journaux francophones tout ce qu'il avait besoin de savoir.)

Pour Vladimir, jouer à Montréal comportait des avantages considérables : pas de cirque médiatique comme à New York ou à Boston, pas de journalistes sportifs parlant espagnol – et un gérant avec qui il pouvait communiquer... à l'occasion. «Vladimir n'est pas bavard de nature, a précisé Felipe Alou. Même avec les gens de sa famille, il ne parle pas beaucoup.»

Mais même si Guerrero et Montréal semblaient faits l'un pour l'autre, il se dégageait tout de même de la relation une impression de rendez-vous manqué : d'un côté, un grand athlète qui ne pouvait pas agir comme ambassadeur autrement que par ses exploits sur le terrain, de l'autre, un public qui n'était plus au rendez-vous.

Le 24 août, les médias montréalais rapportaient une nouvelle-choc : les Expos avaient décidé d'abandonner l'option qu'ils avaient prise sur le terrain du centre-ville (celle-ci venait à échéance le 30). Dès le 31 août donc, le précieux terrain serait remis en vente.

Aussitôt qu'ils avaient été informés des intentions du commandité, les actionnaires avaient essayé de lui faire changer d'avis. En vain. «Je ne comprends pas la décision de M. Loria, a déploré Jacques Ménard, le coprésident du conseil d'administration de l'équipe. L'option ne coûtait pas très cher (75 000 $ par mois) et nous aurions pu la renouveler pour quelques mois seulement. C'est une gifle, un geste d'indifférence, un manque de respect envers les amateurs.»

«Nous devions prendre une décision rapidement mais nous ne pouvions pas le faire tant et aussi longtemps que le rachat des actions des autres actionnaires ne serait pas complété, a déclaré David Samson. Nous ne pouvions pas nous engager dans une entente à long terme sans même savoir si le stade allait être bâti.» Dans le communiqué qu'il a fait parvenir aux médias depuis ses bureaux de New York, Loria a dit espérer que le terrain serait toujours disponible une fois réglés les divers dossiers financiers encore en suspens : «Espérons qu'avant de clore la vente du terrain à un autre acheteur, la Société immobilière du Canada offrira aux Expos la possibilité de l'acquérir.»

Le commandité des Expos s'en était remis à son porte-parole André Bouthillier pour lancer encore un peu de poudre aux yeux des médias et du public : «La Société immobilière du Canada a exprimé publiquement, il y a quelques semaines, le désir de vendre le terrain le plus rapidement possible. On ne veut donc pas les priver de vendre un terrain qui est disponible sur le marché depuis une vingtaine d'années.» Loria avait choisi une bien curieuse circonstance pour faire preuve d'abnégation...

Les administrateurs de Labatt, la brasserie qui avait associé son nom au futur stade, ont appris la décision de la direction des Expos en regardant la télévision. Par ailleurs, Loria ne s'était même pas donné la peine d'organiser une conférence de presse, laissant plutôt à la Société immobilière du Canada le soin de rendre la nouvelle publique.

En abandonnant le dernier terrain du centre-ville pouvant accueillir un projet immobilier de l'envergure d'un stade de baseball, le marchand d'art sonnait le glas de la concession. Sans perspective de nouveau stade, les Expos perdraient très certainement ce qui leur restait d'appuis dans les hautes sphères du baseball.

«Les Expos sont partis, a écrit Jack Todd du quotidien *The Gazette*. S'il n'y a plus d'endroit où construire un stade de baseball, le bureau de Selig n'aura pas d'autre option que de donner le feu vert à Loria pour le transfert du club dans une autre ville. En prenant cette décision, le commandité du club s'assure que personne d'autre – incluant Stephen Bronfman – ne pourra sauver les Expos dans cette ville […] Si Loria remet à plus tard l'annonce du déménagement du club, c'est qu'il espère attirer quelques poissons au Stade d'ici la fin de la saison pour l'aider à réduire ses pertes.»

De son côté, Jean Dion du quotidien *Le Devoir* ne s'attristait pas trop de la tournure des événements. «Il y a quelques mois, quand monsieur, pardon, quand messie Jeffrey Loria tenait encore des conférences de presse, il en avait convoqué une pour présenter la 23e maquette du nouveau stade. Il avait alors repoussé les questions sur les finances de l'équipe et autres trucs secondaires en disant: c'est une journée pour les amateurs, on lui montre son bijou de fiançailles. Et c'était beau, vous avez peine à imaginer. Tellement beau que personne n'a relevé que, dans les superbes petits stades qui champignonnent un peu partout "pour les amateurs", on table sur le phénomène de rareté, les billets coûtent pas mal plus cher et les sièges du monde ordinaire – à cause des loges de luxe et des sections VIP et autres babioles servant à payer les joueurs 12 millions par année au lieu de 10 – sont situés plus loin de l'action. Tout comme personne n'avait non plus relevé le système de "droits de siège" de l'ancien projet, une absurdité révoltante en vertu de laquelle il faut payer pour réserver son "privilège" d'acheter ensuite un ticket.»

Il y avait, dans ce qui se disait et s'écrivait sur ce nouveau revirement, une impression de réveil brutal, de douloureux lendemain de veille. Le «beau grand bateau», qu'on n'avait pas su (ou voulu) voir tel qu'il était, se révélait soudainement dans toute sa folle démesure, tous ses travers désormais dévoilés par la lumière du jour – comme les coulées de rouille sur les murs de l'appartement de Park Avenue de certains riches marchands d'œuvres d'art...

La vérité, c'était que le baseball majeur était devenu un jouet extrêmement coûteux que Montréal et le Québec n'avaient peut-être tout simplement plus les moyens de s'offrir. Ce n'était pas une constatation très agréable.

Les chroniqueurs et autres sceptiques qui s'étaient férocement opposés au projet de stade au centre-ville depuis trois ans pouvaient donc sortir le champagne : Montréal ne serait pas « livrée » aux Expos.

Le terrain encerclé par le quadrilatère Peel, de la Montagne, Saint-Jacques et Notre-Dame ne demeurerait pas vacant bien longtemps. Un jour, des grues sont apparues, creusant là où se serait situé le marbre, le champ extérieur, l'abri des joueurs des Expos. Quelques mois plus tard, les grues repartaient, laissant derrière elles quelques condominiums ressemblant à s'y méprendre à tous les autres condominiums d'Amérique.

Dans les médias, quelques thèses conspirationnistes avaient commencé à circuler : « Et si les actionnaires des Expos avaient été vendeurs, dès le début ?, demandait Gérard Bérubé dans *Le Devoir*. Et s'ils avaient recruté Jeffrey Loria pour que l'inconnu marchand d'art new-yorkais devienne, dans l'opinion publique montréalaise, le grand responsable du départ du club ?

« Dès 1998, il n'y avait pas de belle unanimité parmi les actionnaires du club moribond. Au moins l'un d'eux avouait, sous le couvert de l'anonymat, que le temps d'engranger la plus-value était venu devant cette hyperinflation des salaires qui menace la survie du sport professionnel dans les petits marchés. Au moins un autre actionnaire partageait cet avis et salivait déjà à l'idée d'empocher ses gains sur une franchise dont la valeur avait doublé en sept ans et qui n'allait nulle part. [...] L'urgence de vendre s'est vite répandue depuis dans cet actionnariat craignant toutefois les retombées d'une transaction qui aurait pour conséquence de sortir les Expos de Montréal. D'où la thèse d'un Jeffrey Loria recruté uniquement pour accomplir la besogne. »

Les actionnaires québécois auraient-ils vraiment pu agir de façon si cynique, avoir recours à une astuce aussi tordue ? Il est permis d'en douter. Même Claude Brochu, qui ne les porte pas exactement dans son cœur, ne leur prête pas cette intention dans ses mémoires.

D'autres rumeurs, plus plausibles celles-là, évoquaient le déménagement des Expos après la fin de la saison. Le seul problème, c'était de trouver une ville prête à les accueillir dans l'immédiat.

Le maire de Washington, on le sait, avait déjà déroulé quelques tapis rouges. Mais Peter Angelos, le propriétaire des Orioles de Baltimore, ne permettrait certainement pas à un autre club d'installer ses pénates si près de son territoire sans exiger une faramineuse compensation financière. De plus, le club devrait évoluer dans le vieux stade RFK pendant quelques saisons avant d'emménager dans un nouvel amphithéâtre.

Une équipe voulant s'établir en Virginie du Nord aurait non seulement les mêmes problèmes de droits territoriaux – encore Peter Angelos –, mais devrait composer avec un milliardaire du nom de William Collins III, qui s'était réservé des droits sur l'acquisition de toute concession sportive voulant s'y établir. Pour transférer les Expos en Virginie du Nord, Loria devrait obligatoirement les vendre à Collins.

La ville de Charlotte, en Caroline-du-Nord, faisait aussi partie des candidates potentielles, mais l'État avait déjà tenu deux référendums sur l'utilisation de fonds publics pour la construction de stade, chaque scrutin rejetant la proposition haut la main. Portland (en Oregon) était un trop petit marché et son climat trop incertain, et Las Vegas arrivait accompagnée de trop de distractions.

Évidemment, tout transfert ou vente serait sujet à l'approbation des autorités du baseball majeur. Or, les rumeurs – d'autres encore ! – sur les intentions de Bud Selig ne pointaient pas vers un transfert des Expos aux États-Unis, mais plutôt vers la dissolution pure et simple du club – et d'un autre qui serait probablement les Twins du Minnesota.

Au printemps 1999, George Steinbrenner des Yankees s'était plaint au quotidien *USA Today* que le système de partage des revenus ne donnait pas les résultats escomptés, récompensant indûment la médiocrité. Et pour illustrer son propos, il avait pointé les Expos du doigt.

« L'année passé, nous, les Yankees, avons versé 16 millions dans la cagnotte de partage des revenus. La majorité de cette somme est allée aux Expos. L'idée, c'était de les aider à construire une équipe qui pourrait être compétitive. Mais ce n'est pas ça qu'ils font. Ils ne mettent pas de joueurs sous contrat. Ils mettent cet argent-là dans leurs poches. Et ça, ce n'est pas correct. »

En 2000, les Expos de Jeffrey Loria avaient plus que doublé leur masse salariale (de 15 M$ à 33 M$), mais leurs revenus avaient été tellement faibles (14 M$) que c'était une somme de 22 M$ qui leur avait été transférée des autres clubs. Maintenant que le projet de stade était manifestement mort et enterré, le baseball majeur – qui n'était pas précisément un organisme de redistribution de la richesse – ne voyait plus comment la concession pourrait un jour redevenir rentable. Ne valait-il pas mieux tout simplement mettre la clé sous la porte ?

La saison des Expos s'est terminée sur une séquence de 9 défaites, laissant l'équipe avec une victoire de moins qu'en 1999 (67-95). Durant la campagne, les Expos avaient utilisé pas moins de 49 joueurs (un record d'équipe), une statistique n'annonçant jamais rien de bon. Le dernier match à domicile – une défaite de 6-0 aux mains des Braves – avait été disputé devant 6 931 irréductibles partisans.

L'histoire des Expos de Montréal allait-elle prendre fin d'aussi lamentable façon ?

2001

Au tournant de la nouvelle année, c'était *business as usual* dans le monde du baseball. Les Expos étaient toujours à Montréal, et le baseball continuait de produire son lot annuel de multimillionnaires. Pour s'assurer les services de la jeune vedette montante Alex Rodriguez, les Rangers du Texas lui avaient consenti l'ahurissante somme de 252 millions pour les 10 prochaines années, de loin le contrat le plus lucratif jamais offert à un athlète, tous sports confondus.

Durant la saison morte, les Yankees de New York – qui venaient de remporter leur 4ᵉ titre depuis 1996 – avaient ajouté un partant de premier plan (Mike Mussina, le numéro un chez les Orioles de Baltimore en 2000) à une rotation comptant déjà les excellents Roger Clemens, Andy Pettitte et Orlando Hernandez. « Pourquoi s'obstiner ? Les Yankees vont encore gagner », annonçait le *Sports Illustrated* dans son édition de début de saison 2001.

De leur côté, les Expos avaient dû sacrifier leur partant le plus expérimenté (Dustin Hermanson) et le releveur qui leur avait donné le plus de manches durant la dernière saison (le gaucher Steve Kline) pour mettre la main sur un frappeur de qualité (le troisième-but Fernando Tatis). Des clubs comme les Expos ne pouvaient pas simplement s'offrir une vedette pour combler une lacune de la formation, il leur fallait toujours céder quelque chose en retour. Et quand ils ne cédaient rien de substantiel, eh bien, ils se retrouvaient avec des effectifs « endommagés » (Lloyd, Irabu).

Et encore là, parfois, des bras amochés (Scott Downs) venaient quand même à gros prix (Rondell White).

Depuis la grève de 1994-1995, l'écart entre les *have* et les *have-not* n'avait jamais cessé de s'élargir. Y avait-il encore une place dans les ligues majeures de baseball pour un club comme les Expos de Montréal? Non, s'il fallait en croire Peter Magowan, le propriétaire des Giants de San Francisco.

Lors d'un banquet organisé début février par la chaîne de télévision Fox News, Magowan s'est déclaré en faveur de la dissolution des Expos. «Leur cas est le plus désespéré du baseball majeur. Tous leurs revenus sont en dollars canadiens et leurs dépenses en dollars américains. La saison dernière, leurs matchs n'étaient même pas présentés à la télévision ou à la radio de langue anglaise. Personne ne se rend au Stade. C'est un édifice atroce et il n'y a pas vraiment de potentiel pour un nouveau stade. Je ne vois pas comment quelqu'un pourrait faire fonctionner cette concession.»

À ses yeux, la dissolution de deux équipes – et l'élimination de 50 joueurs au niveau majeur – auraient un effet positif sur la qualité du jeu. L'abandon de deux équipes déficitaires aurait aussi un effet bénéfique sur le partage des revenus.

Le commissaire Bud Selig, qui se trouvait également au banquet, a déclaré que la dissolution de clubs était effectivement une avenue à considérer: «L'année dernière, j'ai dit que la consolidation n'était pas une idée que j'aimais. Mais j'ai aussi indiqué que les problèmes sont si énormes qu'il ne fallait rien exclure.»

Pour Jeffrey Loria, c'était loin d'être une bonne nouvelle, même si les propriétaires d'équipes visées par la dissolution auraient droit à une très importante compensation financière (certaines sources évoquaient 160 millions, d'autres, plus de 200 millions). «Jeffrey n'acceptera jamais de perdre son équipe», s'est contenté de déclarer David Samson.

Si on avait appris quelque chose à propos des motivations réelles du marchand d'art durant la dernière année, c'était qu'il ne s'était pas porté acquéreur des Expos pour les revendre et faire un profit rapide (ce qu'avaient craint quelques représentants des médias locaux). Non, si Loria avait sauté dans l'aventure, c'était vraiment parce qu'il voulait être propriétaire d'une équipe de baseball majeur. (Voulait-il que cette équipe évolue à Montréal? Ça, c'est une autre histoire.) L'homme collectionnait peut-être les défauts au même rythme que les tableaux, mais on ne pouvait pas mettre en doute son intérêt pour la *game*.

Mais la décision de dissoudre ou pas un club revenait au bureau du commissaire, qui avait tous les pouvoirs sur la vie ou la mort d'une équipe, n'ayant qu'à évoquer les sacro-saints « meilleurs intérêts du baseball ».

Évidemment, l'Association des joueurs s'opposerait catégoriquement à toute mesure éliminant des emplois pour ses membres. Les observateurs prédisaient déjà que la question deviendrait sûrement un enjeu important dans la négociation de la nouvelle convention collective (la dernière, signée en 1996, viendrait à échéance le 31 octobre 2001). On prévoyait aussi que les pourparlers – qui tourneraient probablement encore autour du principe de plafond salarial – déboucheraient inévitablement sur un autre conflit de travail… Quoi qu'il en soit, les autorités du baseball assuraient qu'aucune initiative de « contraction » ne serait prise avant la signature de la convention.

En attendant, Jeffrey Loria et Montréal auraient à vivre ensemble pendant un autre été. Pour le meilleur ou pour le pire.

Pour les actionnaires québécois, il ne faisait pas de doute que ce serait pour le pire. Dans la deuxième semaine de février, alors que les premiers joueurs arrivaient en Floride pour préparer la prochaine saison, Jeffrey Loria sollicitait un troisième appel de capitaux, de 26 millions cette fois. Dans une lettre à l'intention des actionnaires québécois, le commandité du club expliquait que la somme servirait à éponger une partie du déficit prévu pour 2001, soit 40 millions.

Déjà irrités d'avoir dû se résoudre à injecter des fonds additionnels (12 millions) lors de l'appel de fonds de mai 2000, les actionnaires ont affirmé qu'ils répondraient négativement à celui-ci.

« Ça remet en question toute la vente de nos actions à Jeffrey Loria, a déclaré un des actionnaires (anonymement, comme toujours) à *La Presse*. Pour nous, la transaction était conclue. Loria nous avait donné sa parole mais là, il veut nous diluer et nous racheter à plus faible prix que ce que nous avions convenu l'été dernier. Cependant, sur le plan juridique, notre position est forte : Jeffrey Loria n'a pas géré l'entreprise en bon père de famille. Les Expos ont environ 45 millions de passif, nous avons atteint le ratio d'endettement maximal. Financièrement, nous sommes au bord du gouffre. »

Si la transaction entre Loria et ses partenaires n'avait pas encore été conclue, c'est qu'on attendait encore l'approbation du bureau du commissaire. On avait pensé qu'elle viendrait en août 2000, puis en octobre, puis encore en décembre. Mais Bud Selig disait maintenant que la vente ne serait pas entérinée avant la renégociation de la convention collective puisque celle-ci inclurait une importante réforme économique de l'industrie.

À Jupiter, en Floride, joueurs et entraîneurs parlaient déjà avec optimisme de la nouvelle saison. «Si nos partants sont épargnés par les blessures et si nous faisons le travail en défensive, nous pourrions remporter entre 15 et 20 victoires de plus cette année», a déclaré le premier-but Lee Stevens.

Malgré une absence de 28 jours à la fin de la saison précédente en raison d'une blessure au pied gauche, Stevens avait terminé la campagne avec 22 CC et 75 PP. En août, les Expos l'avaient récompensé en lui accordant une prolongation de contrat de deux ans pour 8 millions, une marque de confiance qui ne l'avait pas laissé indifférent: «J'ai apprécié ce qu'ils ont fait pour moi depuis le premier jour.» Si les actionnaires québécois reprochaient maintenant au commandité d'avoir poussé le club au seuil de la faillite, les joueurs, eux, semblaient manifestement apprécier la gouvernance de Jeffrey Loria.

Lee Stevens n'était pas le seul à exprimer sa confiance en vue de la prochaine saison; Felipe Alou aussi disait aimer son équipe: «Notre offensive a été bonne la saison dernière et elle sera encore meilleure cette année. Notre défensive sera bonne aussi. Il reste toutefois à voir comment vont se comporter nos lanceurs.»

Talon d'Achille du club en 2000, les lanceurs demeuraient encore le point d'interrogation de l'équipe. Javier Vazquez et Tony Armas (l'autre lanceur obtenu dans l'échange qui avait envoyé Pedro Martinez à Boston) semblaient assurés d'un poste – et en bonne santé. Avec le départ de Dustin Hermanson pour Saint Louis, Vazquez se voyait propulsé, à 24 ans, dans le rôle de partant numéro un de l'équipe. Après son rappel d'Ottawa à la mi-mai, le jeune Armas (22 ans) avait brillé par moments et on s'attendait à ce qu'il progresse encore en 2001.

Le nouveau venu Britt Reames, obtenu par les Expos en compagnie de Fernando Tatis, avait une expérience très limitée au niveau majeur (8 matchs en saison régulière en 2000), mais sa performance dans quelques matchs d'après-saison avait fait grimper sa cote. On disait Carl Pavano et Hideki Irabu rétablis des blessures qui les avaient laissés sur la touche l'année précédente et la silhouette plus mince d'Irabu en ce début d'année était encourageante. Mike Thurman ou Scott Downs pourraient aussi agir comme partants.

En relève, les Expos profiteraient du retour en forme de leur releveur de fin de match Ugueth Urbina ainsi que de celui de Graham Lloyd, qui n'avait pas encore lancé une seule manche en saison régulière pour le club.

L'alignement des frappeurs du club avait le potentiel d'être meilleur que celui de l'année précédente, car autour de Vladimir Guerrero on retrouverait des joueurs désormais établis comme Jose Vidro et Orlando Cabrera ; le solide Lee Stevens et le nouveau troisième-but Fernando Tatis.

À sa deuxième saison complète dans les majeures en 1999, Tatis en avait mis plein la vue aux Cards et à leurs adversaires (MAB de ,298, 34CC, 107 PP, 21 BV), mais la saison suivante avait été moins convaincante, une blessure à l'aine l'obligeant à rater 54 matchs en début d'année. Les Expos espéraient que l'ajout de Tatis compenserait le punch offensif perdu avec le départ de Rondell White.

Certains observateurs avaient haussé les sourcils en le voyant arriver au camp avec un énorme bandage autour de la cuisse gauche, vestige de sa blessure de la saison précédente. Jim Beattie s'était-il encore fait refiler un éclopé ?

Deux autres bémols s'étaient ajoutés à cette inquiétude : non seulement Tatis ne semblait pas enchanté de se retrouver avec les Expos – c'était compréhensible puisque les Cards étaient favoris dans la division Centrale –, mais il arrivait aussi avec la réputation d'un gars qui traîne les pieds…

Chose certaine, l'arrivée de Tatis mettrait fin à la tentative de l'équipe de transformer Michael Barrett en joueur de troisième but. De toute façon, après le départ du receveur Chris Widger en août 2000, Barrett avait repris tous ses droits derrière le marbre. « On veut qu'il se concentre sur son jeu défensif. S'il produit en attaque, ce sera un boni pour nous », a dit Felipe Alou.

Avec Stevens au premier but, Vidro au deuxième, Cabrera à l'arrêt-court et Tatis au troisième, les Expos présentaient un avant-champ plus que respectable.

Au champ extérieur, les Expos compteraient encore sur le pilier qu'était Vladimir Guerrero pour patrouiller la droite. Après une première saison (1997) écourtée par les blessures, Guerrero avait prouvé à tous qu'il pouvait jouer avec fougue tout en restant en bonne santé.

Le poste de voltigeur de centre reviendrait encore à Peter Bergeron. Un frappeur patient, Bergeron était passé maître dans l'art de soutirer un but sur balles, mais sa moyenne au bâton (,245) ne lui permettait pas de se rendre sur les buts avec la constance qu'on attend d'un frappeur de premier rang. Les Expos pensaient aussi que sa vitesse devrait se traduire par plus de vols de buts…

Qui agirait comme voltigeur de gauche ? Le talent du jeune Milton Bradley ne laissait pas de doute mais son caractère colérique n'en faisait pas un bon joueur d'équipe : « Je ne joue pas au baseball pour me faire des amis», avait-il déjà déclaré. Fernando Seguignol (obtenu 6 ans plus tôt dans l'échange John Wetteland) avait fait belle impression (,278 en 76 matchs) en 2000, mais n'avait pas l'étoffe d'un joueur régulier, et le jeune Brad Wilkerson devrait probablement parfaire ses habiletés dans les mineures.

Peut-être les Expos se tourneraient-ils alors vers un jeune vétéran de 32 ans que les fans de l'équipe n'avaient pas oublié: le courageux Curtis Pride, qui avait brièvement joué pour les Red Sox en 2000 mais dont la carrière n'avait pas décollé depuis son court passage à Montréal en 1993 et 1995.

Or, Pride n'était pas le seul ancien Expo à revenir à la maison: une légende du club avait accepté un contrat des mineures dans le but de se tailler une place dans l'équipe comme voltigeur réserviste: nul autre que Timothy Rock Raines.

Les Expos et Montréal n'étaient jamais tout à fait sortis de l'esprit de Tim Raines. Quelques années seulement après avoir été échangé aux White Sox de Chicago, Raines avait déclaré souhaiter finir sa carrière à Montréal. Il avait suivi à distance le dernier tour de piste de Gary Carter en 1992 et souhaitait connaître une sortie du même type.

Mais les années avaient passé et Raines s'était finalement retrouvé chez les Yankees de New York où, comme voltigeur ou frappeur de choix, il avait aidé le club à atteindre la Série mondiale à deux reprises. À la fin de la saison 1998, des discussions avaient eu lieu entre son agent et Jim Beattie, mais ses exigences salariales avaient fait reculer le DG des Expos.

Le Rock avait plutôt entrepris la saison 1999 – sa 21e dans les majeures – avec les A's d'Oakland, mais le 19 juillet, une inflammation aux reins l'avait forcé au repos: «J'étais gonflé de partout. Mes cuisses, mes épaules, mon ventre. En trois jours, j'avais pris 20 livres», a plus tard expliqué Raines à Michel Blanchard de *La Presse*.

Il a fallu quelques semaines avant qu'on établisse le bon diagnostic sur sa condition: le lupus. Tim avait perdu l'appétit, n'avais plus envie de rien, était toujours fatigué. Et il était devenu terriblement agressif. «Un jour, un match que disputaient les A's n'était pas capté par mon satellite. J'ai réussi à joindre le président de la compagnie pour lui dire ma façon de penser, allant même jusqu'à le menacer s'il ne remédiait pas à la situation.»

Une autre fois, un nouveau gardien du complexe où Tim habitait lui avait refusé l'entrée à son domicile parce qu'il n'avait pas sa carte d'accès:

Henry Rodriguez a fait les délices des amateurs de baseball montréalais en cognant 36 circuits en 1996. Ses coups de quatre buts ont longtemps été célébrés au Stade olympique par une pluie de tablettes de chocolat Oh Henry...
Musée McCord, Montréal, M2005-51-5196

Felipe Alou disait de l'arrêt-court Mike Lansing qu'il était l'âme de son équipe.
Malheureusement, il s'est aussi révélé un désastre de relations publiques.
Musée McCord, Montréal, M2005-51-5204

Mark Grudzielanek a surpris les experts en cognant 210 coups sûrs à sa
2ᵉ saison dans les ligues majeures.
Musée McCord, Montréal, M2005-51-5202

Le meilleur joueur de l'histoire des Expos et probablement le plus grand athlète à avoir évolué pour une équipe professionnelle au Québec, tous sports confondus: Vladimir Guerrero.
Musée McCord, Montréal, M2005-51-5222

De 1997 à 1999, Ugueth
Urbina a été un impitoyable
releveur de fin de match,
sauvegardant 102 parties.
Musée McCord, Montréal,
M2005-51-5220

Converti en lanceur partant à son arrivée à Montréal en 1997, Dustin
Hermanson s'est avéré un des meilleurs de la rotation pendant ses quatre
saisons avec les Expos.
Club de baseball Les Expos de Montréal

Situé près du Centre Bell, dans le quadrilatère formé des rues Notre-Dame, de la Montagne, Saint-Jacques et Peel, le nouveau stade des Expos aurait donné aux spectateurs une vue remarquable du centre-ville de Montréal. Malheureusement pour les amateurs de sports québécois, le projet, bousculé de toutes parts, a dû être abandonné.
Musée McCord, Montréal, M2005-51-5211

La maquette du stade proposé par Claude Brochu connut un sort aussi tragique que le projet du stade lui-même. Les plus curieux en découvriront tous les dessous en lisant l'épilogue de ce livre...
Musée McCord, Montréal, M2005-51-5212

Javier Vasquez fut l'un des meilleurs partants des dernières saisons des Expos. L'équipe a toutefois été contrainte de s'en départir après la campagne 2003.
Musée McCord, Montréal, M2005-51-5198

Obtenu dans l'échange qui a envoyé Pedro Martinez à Boston, le lanceur Carl Pavano a été importuné par des blessures pendant la plus grande partie de son séjour à Montréal.
Musée McCord, Montréal, M2005-51-5187

L'inter Orlando Cabrera a formé, avec Jose Vidro, une des meilleures combinaisons arrêt-court/deuxième-but de l'histoire du club. Son coup de bâton opportuniste a gardé les Expos dans la course au meilleur deuxième en 2002 et 2003.
Musée McCord, Montréal, M2005-51-5213

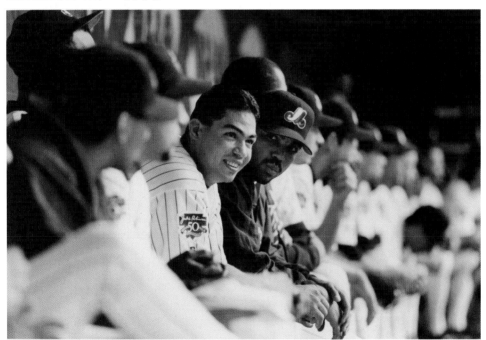

Jose Vidro est sans doute le meilleur joueur de deuxième but qu'ont eu les Expos dans leur histoire. De 1999 à 2004, il a frappé en moyenne 38,8 doubles par saison.
Musée McCord, Montréal, M2005-51-5200

En 2003, Brad Wilkerson a réussi un carrousel *dans l'ordre*, le seul joueur de l'histoire des Expos à réussir l'exploit. L'année suivante, il clôturait la saison avec 32 circuits.
Club de baseball Les Expos de Montréal

L'ancien lanceur et commentateur Claude Raymond a eu le plaisir d'endosser à nouveau un uniforme des ligues majeures pendant trois saisons alors qu'il s'est joint au groupe d'entraîneurs de Frank Robinson.
Club de baseball Les Expos de Montréal

En 2002, les autorités du baseball majeur ont demandé à Frank Robinson de gérer les Expos pour ce qui devait être leur dernière saison. Finalement, Robinson passera trois étés à Montréal.
Club de baseball Les Expos de Montréal

« La crise que j'ai piquée n'avait carrément pas d'allure. Je l'ai fait congédier. Quelques semaines plus tard, j'ai insisté pour qu'on lui redonne son emploi. »

Après neuf mois de traitements intensifs, Tim venait à bout de la maladie. Il affirmait maintenant que la santé était ce qu'il y avait de plus important dans la vie : « Avant d'être malade, je me fichais de tout, je ne prenais pas soin de moi et je brûlais la chandelle par les deux bouts. Plus maintenant. »

En août 2000, alors que Tim commençait à se porter mieux, les Expos lui avaient fait l'honneur de l'introniser dans leur Temple de la renommée – en même temps que l'ancien DG et gérant du club Jim Fanning. Touché par la réception qu'il avait reçue de la foule du Stade olympique, Raines s'était mis en tête de revenir au jeu : « Ne soyez pas surpris si vous me voyez de nouveau dans l'uniforme des Expos la saison prochaine. »

Malgré l'absence de Raines du baseball pendant une année et demie, l'équipe a accepté de lui ouvrir la porte. Il ne lui restait qu'à prouver qu'il pouvait encore tenir son bout dans les grandes ligues.

Tim n'allait pas rater sa chance : en 30 présences au bâton dans des matchs présaison, il a frappé pour une moyenne de ,400, méritant pleinement une place dans la formation. À 350 000 $ pour la saison, les Expos ne risquaient pas grand-chose, d'autant plus que la présence de Rock ne nuirait certainement pas aux guichets. À 41 ans, Tim Raines commencerait donc sa 22ᵉ saison dans les grandes ligues avec l'équipe qui l'avait mis au monde au tournant des années 1980.

Les Expos ont entrepris le match initial de la saison 2001 sur les chapeaux de roues : le premier frappeur Peter Bergeron a frappé un simple sur la première offrande alors que le suivant, Jose Vidro a retroussé la première balle lancée en sa direction par-dessus la clôture. Deux lancers, deux points.

Plus tard, en fin de 8ᵉ manche, alors que le pointage était de 4-4, le receveur Michael Barrett a été expulsé du match après avoir contesté deux décisions de l'arbitre au marbre. En début de 10ᵉ, les Expos ont pris les devants lorsque Vidro, Tatis (3 en 5 à son premier match comme Expo) et Vladimir Guerrero ont cogné des simples consécutifs. Mais en fin de manche, le remplaçant de Barrett derrière le marbre, Sandy Martinez, n'a pas pu revenir au jeu, son coude ayant cédé alors qu'il tentait de retirer un coureur en tentative de vol. Felipe Alou était bien embêté : il n'avait plus de receveur à sa disposition…

Heureusement, il y avait Mike Mordecai, un réserviste polyvalent toujours disposé à donner un coup de main. Même si Mordecai n'avait pas agi comme receveur dans un match depuis 1995 – c'était dans le AAA –, Felipe lui a demandé d'enfiler l'équipement. « Je vais vraiment aller recevoir les tirs d'Ugueth Urbina ? », a demandé le joueur d'intérieur, soudainement inquiet devant la perspective de capter des boulets de canon de 98 MPH. Heureusement pour lui, Urbina n'a pas fait durer le supplice longtemps, retirant les Cubs dans l'ordre pour assurer la victoire aux Expos.

Après le match, Michael Barrett s'en voulait : « J'ai laissé mes sentiments prendre le contrôle. C'est la première fois en 20 ans de baseball que je me fais expulser d'un match. C'était un geste irréfléchi qui aurait pu mettre l'équipe dans l'embarras. » Quant au malheureux Martinez, il a dû passer sous le bistouri dans les jours qui ont suivi : sa saison était déjà terminée.

De Chicago, les Expos sont rentrés à Montréal pour y affronter les Mets de New York, les champions de la Nationale en 2000.

Si le match avait eu lieu dans leur nouveau stade du centre-ville – comme on l'espérait encore en 1998 –, eh bien, il aurait été décommandé. En effet, le vendredi 6 avril, la ville était couverte de neige…

Mais à l'intérieur du Stade bien protégé par la toile, c'était l'été, et la première chose qu'ont faite les 45 183 spectateurs en s'installant à leur place, ce fut de déposer leur manteau d'hiver sur le dossier de leur siège. Si le Stade olympique ne convenait pas au baseball – ni à grand-chose d'autre, du reste –, il fallait reconnaître que, le temps d'un événement comme un match d'ouverture, il faisait parfaitement l'affaire – surtout quand dehors, c'était l'hiver.

La cérémonie d'ouverture a été encore plus spectaculaire que l'année précédente. Un Stade jeté dans la pénombre, des feux d'artifice, des projecteurs qui balaient le terrain, des joueurs grimpant sur des podiums et un faux Michael Barrett (un cascadeur déguisé en receveur) accroché à un câble, descendant du toit jusqu'au terrain. Un show tape-à-l'œil, tapageur à souhait, et qui semblait ravir les spectateurs, manifestement pas tous des puristes du baseball.

Depuis plusieurs années déjà, les Montréalais semblaient préférer les loisirs événementiels, les activités circonscrites dans une période de temps très courte : le Grand Prix de Formule 1 et les divers festivals étaient désormais solidement installés dans leurs habitudes de vie. Même les Canadiens de Montréal n'arrivaient plus, au tournant des années 2000, à faire salle comble à chaque match dans leur (trop ?) grand Centre Molson. Le principal problème des Expos semblait être que leur saison ne s'arrêtait pas avec le match inaugural : 80 autres parties étaient au calendrier… Chose certaine, les Montréalais ne voulaient pour rien au monde rater ce rendez-vous annuel, ce gros party annonçant le retour éventuel de l'été.

Les Expos avaient eu la bonne idée de confier le lancer de la première balle à Rusty Staub et Gary Carter – tous deux encore à l'emploi des Mets –, peut-être les deux plus grandes idoles (Tim Raines n'était pas bien loin) de l'histoire de l'équipe montréalaise.

En janvier, Carter avait vu les portes du Temple de la renommée de Cooperstown lui rester fermées pour une 4ᵉ année de suite et il s'était dit déçu du peu d'efforts des Expos pour faire mousser sa candidature. En fait, il était tellement déçu qu'il disait maintenant envisager d'être intro-nisé – le jour où ça finirait pas se produire – comme joueur des Mets de New York. Sentant qu'ils devaient réagir, les Expos lui avaient fait l'hon-neur de lancer la première balle de ce qui serait peut-être leur tout dernier match inaugural local.

Bientôt, les Mets en remettraient, intronisant Gary dans leur propre Temple de la renommée (les Expos lui avaient déjà rendu cet hommage). La cérémonie aurait lieu en août et, sans doute porté par l'excitation du moment, Gary en profiterait pour déclarer qu'il aurait aimé être un joueur des Mets pendant toute sa carrière…

La plus grande expression d'affection de la soirée d'ouverture est en fait allée à Tim Raines quand, en fin de 2ᵉ manche, il s'est avancé au marbre avec des coureurs aux deuxième et troisième buts (Guerrero et Stevens) alors que les Expos tiraient de l'arrière 4-0. La foule s'est levée d'un bond pour lui offrir une ovation rien de moins qu'électrisante. Quatre balles d'affilée plus tard, Raines trottait vers le premier but. Le frappeur suivant, Orlando Cabrera, a alors cogné un double au centre qui a fait marquer les trois coureurs, Raines fermant la marche. Cabrera s'est ensuite fait retirer au troisième en tentant de gagner un but supplémen-taire, mais les Expos avaient réduit l'écart à un seul point – et le grand Stade vibrait comme dans ses plus beaux jours. La troupe de Felipe Alou a poursuivi sa remontée, finissant par l'emporter 10-6.

Les Expos ont battu les Mets deux autres fois avant de vaincre les Cubs 7-5 dans le premier match d'une série de trois. Mais le match d'ouverture semblait déjà loin, seulement 5 776 spectateurs étant venus voir l'équipe porter sa fiche à 6 victoires contre une défaite.

Tim Raines se désolait de voir aussi peu de monde au Stade. « J'ai connu Montréal autrement mais je demeure convaincu que les Expos comptent autant de partisans qu'avant. Si nous continuons à gagner, c'est sûr que Montréal vibrera autant qu'avant », a déclaré le vétéran à *La Presse*.

Évidemment, Raines était bien au courant de la réticence qu'éprouvaient les amateurs envers la nouvelle direction qu'on soupçonnait d'attendre le bon moment pour déguerpir avec l'équipe dans ses bagages: «C'est simple, si c'est le cas, alors les fans devraient forcer les propriétaires à laisser l'équipe à Montréal en se fichant éperdument d'eux et en venant en grand nombre nous voir jouer. De quelle façon les Expos pourront-ils délaisser Montréal si plus de 25 000 spectateurs, comme dans le temps, assistent à nos matchs?

«Les joueurs se foutent de ce qui se trame entre les propriétaires. Ils sont des professionnels et ils font ce qu'ils ont à faire. De la même façon, les amateurs devraient se ficher des propriétaires. Nous avons une super bonne équipe. Nous sommes spectaculaires, nous gagnons et il n'y a pas de raison que ça cesse.»

La raisonnement de Raines était rafraîchissant, certes, mais ce sont malheureusement les histoires de bisbille entre propriétaires qui continuaient de faire la manchette. Ainsi, le 11 avril, on apprenait que Jeffrey Loria venait de lancer un nouvel appel de capitaux – pour la 2ᵉ fois en 60 jours. Après avoir exigé 26 millions à la mi-février, Loria demandait maintenant une somme additionnelle de 16,5 millions!

Si les actionnaires refusaient de participer aux deux appels de fonds et que le New-Yorkais était contraint d'allonger lui-même les sommes, celui-ci se retrouverait alors avec la majorité des actions. «Notre but n'est pas de diluer nos partenaires, mais de garder l'équipe intacte», a déclaré David Samson pour expliquer la nouvelle initiative de son beau-père.

Au printemps, Loria avait réitéré son intention de mettre sur le terrain une équipe compétitive: «Notre masse salariale sera environ la même qu'en 2000, soit 35 M$. Mais si nous sommes encore dans la course en juillet, je n'hésiterai pas à débloquer des fonds. Je suis un homme compétitif, je n'aime pas perdre et je vais faire ce que je peux pour avoir une équipe gagnante.»

Garder l'équipe intacte et rester compétitif, oui, mais à quel prix? La base des abonnements avait continué de s'effriter durant l'entre-saison et les entreprises représentées par les actionnaires québécois (Provigo, Jean Coutu, Bell, Desjardins, Guess Jeans) avaient simultanément cessé leurs commandites dans le Stade, une façon de remettre au commandité la monnaie de sa pièce, manifestement...

Les Expos avaient finalement consenti à laisser aller à bas prix quelques-uns de leurs matchs à la télé (43 à RDS et une douzaine à TSN), et CKAC diffuserait de nouveau tous les matchs à la radio mais l'équipe serait encore absente des ondes radio anglophones (le vénérable commentateur Dave Van Horne avait d'ailleurs quitté les Expos pour se joindre aux Marlins de la Floride). De plus, échaudée par les agissements de la nouvelle direction, la brasserie Labatt avait décidé en janvier de retirer complètement ses billes. Molson avait accepté de prendre le relais comme commanditaire principal (pour une année), heureusement, sinon l'équipe aurait sérieusement risqué la banqueroute.

Sur le terrain, le bel élan de la première semaine du club était déjà brisé et les Expos ont terminé le mois d'avril avec une fiche de 11-14. Mais en raison de la faiblesse relative de leurs rivaux de l'Est (les Braves remporteraient le championnat en vertu de 88 victoires seulement), l'équipe montréalaise se maintenait encore à 3 ½ matchs de la tête. Malheureusement pour l'équipe, le public, lui, ne suivait plus. Les foules de 5 000 ou 7 000 spectateurs étaient désormais la norme.

« Rien de pire que l'indifférence, arguait Réjean Tremblay dans *La Presse* du 6 mai 2001. On peut toujours se consoler quand quelqu'un nous hait en se disant que la haine est proche de l'amour. Mais l'indifférence ?

« La prochaine étape est facile à deviner. Les Expos vont quitter Montréal ou vont faire faillite. Parce que j'ai des amis parmi ceux qui ont investi dans l'équipe, parce que la Ville de Montréal détient 18 % des actions des Z'amours et parce que c'est de votre argent dont on parle, je souhaite qu'ils soient vendus et qu'ils déménagent. Les Québécois ne perdront pas tout. Le reste, on s'en fout. »

À la mi-mai, les Dodgers de Los Angeles se sont amenés en ville avec de la visite rare : un lanceur québécois dans leur alignement. Éric Gagné, de Mascouche (nord-est de Montréal), en était à sa deuxième saison complète dans les majeures (à part cinq rencontres disputées à la fin 1999), mais ce serait la première fois qu'il affronterait les Expos – et à Montréal, de surcroît. D'ailleurs depuis 1969 – alors que Claude Raymond avait lancé pour les Braves au parc Jarry –, jamais un Québécois n'avait affronté les Expos.

Cinquième partant de la rotation des lanceurs, le jeune homme de 25 ans avait bien lancé jusque-là, même si sa fiche (1-2, 4,75) n'avait rien de spectaculaire. Il avait travaillé pendant plus ou moins six manches dans la plupart de ses départs et, avec un peu de chance, il aurait pu gagner trois ou quatre de ces matchs.

Durant les dernières assises, en décembre 2000, Jim Beattie s'était entendu avec Kevin Malone des Dodgers sur une transaction : Éric Gagné passait aux Expos en retour du voltigeur Milton Bradley. Beattie et Malone s'étaient serré la main en se disant « *It's a deal* », puis étaient repartis chacun de leur côté en considérant l'échange complété. Mais le lendemain matin, Malone a rappelé Beattie pour lui dire que la haute direction du club s'était opposée à la transaction et qu'il devait malheureusement revenir sur sa parole.

Même si le rêve de jeunesse de Gagné – jouer pour les Expos – ne s'était pas matérialisé, il ne se plaignait pas de la tournure des événements : « Les Dodgers forment la meilleure organisation et je suis heureux avec eux. »

Les coéquipiers d'Éric lui avaient offert tous leurs billets de courtoisie et, de cette façon, 200 amis et membres de sa famille pourraient venir assister à son premier match dans les majeures en sol québécois. « J'espère qu'il y aura au moins 20 000 personnes dans les gradins », a dit le lanceur.

Constatant que les Expos ne faisaient aucune promotion autour du match que devait commencer Éric le 17 mai, un entrepreneur dans le domaine de la vente de meubles a décidé d'acheter (pour 5 000 $) un tiers de page dans le tabloïd sports de *La Presse* pour annoncer le passage au Québec du lanceur de Mascouche. « Ça m'a révolté qu'ils ne fassent rien », a dit l'homme d'affaires Éric Corbeil pour expliquer son initiative.

C'est finalement 12 926 spectateurs qui se sont déplacés pour assister à ce qui serait le dernier départ d'un lanceur québécois au Stade olympique.

Après un début houleux – deux circuits en solo aux premier (Orlando Cabrera) et troisième (Lee Stevens) frappeurs qu'il a affrontés, Gagné s'est fort bien ressaisi, n'accordant plus que 2 CS en 6 manches de travail. Il a aussi retiré 7 frappeurs sur des prises, dont 3 en ligne en 4e manche (et pas les moindres : Stevens, Guerrero et Vidro !).

Partagée dans ses sentiments, la foule a tour à tour encouragé Éric Gagné et… ses rivaux ! Quand il a cédé sa place à un frappeur suppléant en début de 7e manche, les spectateurs lui ont accordé une ovation qui l'a forcé à sortir de l'abri pour les saluer de la casquette. En plus d'assister à une solide performance de leur compatriote, les amateurs ont pu célébrer la victoire de l'équipe locale (Expos 3, Dodgers 1). Une soirée parfaite, quoi.

Le printemps suivant, Éric a dû lutter avec quatre autres lanceurs pour le poste de cinquième partant. Comme il ne pouvait plus être retourné dans les mineures sans être soumis au ballotage, les Dodgers ont décidé de tenter une expérience : l'envoyer dans l'enclos des releveurs. Après tout, il avait une bonne rapide, il était un gars intense : il avait peut-être ce qu'il fallait pour connaître du succès dans ce rôle…

Le reste, comme on dit, est passé à l'histoire. Pendant 3 extraordinaires saisons, Éric Gagné a été le meilleur releveur du baseball, enlignant des saisons de 52, 55 et 45 sauvetages. En 2003, *Game Over* (c'était désormais son surnom) a protégé chacune des avances de son club sans en bousiller une seule, un exploit inédit. De août 2002 jusqu'à juillet 2004, il a réussi 84 sauvetages consécutifs, une marque des majeures. Sa rapide à 98 MPH, souvent suivie d'un déroutant changement de vitesse, résultait plus d'une fois sur deux en un retrait au bâton.

À chaque fois qu'il se rendait jusqu'au monticule au pas de course, en 8e ou 9e manche, la foule du Dodger Stadium se levait pour l'ovationner alors que les mots *Game Over* apparaissaient au tableau indicateur et que tonnait la pièce *Welcome To The Jungle* du groupe de hard rock Guns N' Roses. Le rituel était devenu un des moments les plus attendus – et les plus excitants – du baseball du début des années 2000.

Ses remarquables performances lui ont valu un trophée Cy Young en 2003, le seul Canadien – à part Ferguson Jenkins – à remporter l'insigne honneur. Malheureusement, après 2004, des blessures l'ont empêché de maintenir son niveau de jeu et il n'a pas relancé dans les majeures après 2008.

La présence d'Éric Gagné dans l'uniforme des Expos entre 2002 et 2004 aurait-elle pu changer la destinée du club ? Probablement pas. Mais il y a fort à parier que les trois dernières saisons de l'équipe montréalaise n'auraient pas été les mêmes…

En mai, les Expos (10-19) ont pris un retard qui serait difficile à combler, et leur jeu sans éclat dans les semaines suivantes (12-15 en juin) n'a rien fait pour inciter les amateurs à aller passer une soirée de leur (trop court) été enfermés dans le grand bol de béton.

Le samedi 14 juillet, ils étaient 5 471 pour un match de samedi après-midi opposant les Expos aux Devil Rays de Tampa Bay, un chiffre caractéristique de l'affluence des dernières semaines. Mais voilà que le lendemain, sans que personne n'ait prévu le coup, 32 965 spectateurs envahissaient le Stade pour la visite des Red Sox de Boston !

Les habitués, voyant les sièges se remplir longtemps avant le début du match, ne comprenaient pas ce qui se tramait. Certes, les Red Sox avaient leurs fans à Montréal, mais ça ne pouvait pas expliquer la présence d'une telle foule. Qu'est-ce qui pouvait bien avoir décidé les Montréalais à se présenter au Stade en si grand nombre un beau dimanche après-midi ? Surtout, qu'avaient-ils donc à applaudir à tout rompre les joueurs des Red Sox quand ils se présentaient au marbre ou réussissaient un beau jeu ?

La réponse était toute simple : ces fans n'étaient pas Montréalais. Ils étaient venus massivement de Boston et de partout en Nouvelle-Angleterre. Profitant du congé du week-end, ils avaient sauté dans un avion ou dans l'auto pour aller encourager leurs favoris jusqu'à Montréal, sachant fort bien qu'ils n'auraient aucun mal à trouver des billets, contrairement à Fenway, où les Red Sox jouaient tous leurs matchs à guichets fermés.

Pour tout dire, c'était une situation embarrassante autant pour l'organisation que pour la ville ; une manifestation de plus du bourbier dans lequel le club était enfoncé.

Les Expos étaient devenus l'illustration parfaite des « clubs enlisés dans les sables mouvants » dont avait jadis parlé le DG Jim Beattie pour décrire les organisations gérant mal leurs affaires : une masse salariale d'une trentaine de millions, une fiche victoires-défaites sous les ,500 et, surtout, de fortes dettes – exactement le scénario qu'avait toujours cherché à éviter Claude Brochu.

Il fallait trouver une façon de sortir de ce cul-de-sac. Et que font généralement les organisations quand plus rien ne va ? Elles vont au plus court : elles congédient l'entraîneur-chef.

Depuis quelques semaines, des rumeurs circulaient quant au congédiement de Felipe Alou. Étant donné le rendement du club, et comme Felipe représentait un des derniers vestiges de l'ancienne administration, la chose paraissait plausible. Mais comme il ne lui restait que quelques mois avant la fin de son contrat et qu'un changement de gérant ne suffirait pas à transformer ce club en prétendant au trône, la plupart des observateurs se disaient qu'on le laisserait finir tranquillement la saison jusqu'à ce que l'équipe ait déménagé ou encore soit dissoute.

Or, le 31 juillet, Jim Beattie a appelé Alou chez lui à 7 h 30 le matin pour le convoquer à son bureau pour 10 h. Une fois qu'il l'a eu devant lui, Beattie a annoncé à Felipe ce que celui-ci avait déjà appris en lisant le *New York Times* ce matin-là : il n'était plus le gérant des Expos. « J'ai paqueté le peu de choses que j'avais et je suis retourné à la maison. Je n'ai pas l'intention de parler à mes joueurs. Ce n'est plus mon équipe. Je les verrai le printemps prochain », a-t-il dit.

« On s'inquiétait de ce qui se passait sur le terrain, a dit Jim Beattie. Felipe n'était pas le seul à blâmer, bien entendu, mais nous pensions que nous aurions dû être bien meilleurs que ce que nous étions. »

Comme l'avaient prédit quelques observateurs, les Expos avaient choisi de remplacer le gérant de 66 ans par Jeff Torborg, un ami de longue date de Jeffrey Loria. Torborg possédait 8 ans d'expérience comme gérant des majeures mais n'avait pas occupé ce rôle depuis 1993.

David Samson avait organisé un point de presse avec l'intention de tourner les projecteurs vers l'avenir et le nouveau gérant, comme si le congédiement de l'homme qui avait été au cœur de l'organisation pendant les 27 dernières années n'était qu'un dommage collatéral de seconde importance. Les médias se sont toutefois rapidement chargés de modifier son plan de match...

Quand un journaliste a demandé à Samson s'il s'agissait du dernier clou planté dans le cercueil des Expos, le vice-président exécutif du club s'est impatienté : « Je savais que l'un de vous dirait quelque chose comme ça. Écoutez-moi bien : le congédiement de Felipe n'a rien à voir avec l'avenir des Expos. Nous avons remplacé Alou dans l'espoir de redonner de la vie à l'équipe. Vous savez, nous n'avons pas mis une croix sur la saison », a-t-il ajouté, provoquant quelques moues sceptiques dans l'assistance.

Un autre journaliste a mentionné à Samson que l'équipe venait de chasser l'idole des amateurs de baseball du Québec. « Je me demande bien où sont les amateurs si Alou est si populaire, a aussitôt rétorqué l'ancien avocat. S'il y avait 30 000 spectateurs dans les gradins à tous les soirs, si nous avions des millions de dollars de revenus, si tous nos commanditaires étaient là, l'histoire serait bien différente. »

Samson a été jusqu'à admettre que si Jeffrey Loria ne s'était pas déplacé, c'était qu'il ne voulait pas que les médias accordent trop d'importance à ses liens d'amitié avec Torborg. Quant aux critiques du travail de Jim Beattie – dont les transactions n'avaient pas exactement fourni beaucoup d'armes à Felipe –, Samson les a balayées du revers de la main : « Vous le dénigrez parce qu'il ne vous coule pas d'informations. »

Vers la fin de la rencontre, quand les journalistes lui ont demandé s'il avait un plan pour sauver le club, Samson s'est emporté, critiquant les méthodes et la compétence des journalistes. À un moment donné, il s'est même emparé du calepin de notes de Serge Touchette du *Journal de Montréal* : « OK, on va inverser les rôles un instant : tu vas être vice-président, et moi, je vais faire le journaliste. » Personne n'a trouvé la démonstration très drôle et la conférence s'est terminée sur cet étrange point d'orgue alors que Samson partait en hochant la tête.

Jose Vidro avait du mal à avaler le congédiement de son gérant : « Je dois ma carrière à cet homme-là, a dit le Portoricain. Si Felipe n'avait pas été là pour m'encourager, m'appuyer et me conseiller au cours des quatre dernières années, je ne serais pas ici aujourd'hui.» Lee Stevens a assuré que le gérant n'avait jamais perdu le contrôle ou le respect de ses joueurs.

De Boston, Pedro Martinez a aussi évoqué le rôle du gérant dans son cheminement: «Sans lui, je ne serais pas devenu un partant et je n'aurais pas le succès que j'ai maintenant. À mes yeux, le départ de Felipe signifie la fin des Expos. La moitié des partisans qui se rendaient encore aux matchs resteront maintenant chez eux.»

Pour Serge Touchette, du *Journal de Montréal*, le renvoi de Felipe n'était pas le dernier clou dans le cercueil des Expos: «À mes yeux, tous les clous ont déjà été plantés. Et d'aplomb. Alou, c'est plutôt une couronne de fleurs de plus sur le cercueil. Felipe, c'était les Expos et plus encore. Après avoir abandonné le projet du stade au centre-ville, la direction de l'équipe a posé un geste non moins significatif. Elle a déraciné le dernier monument du Stade olympique.»

L'ancien joueur, commentateur et maintenant ambassadeur de l'équipe Claude Raymond a déclaré que Felipe avait été le meilleur gérant de l'histoire des Expos: «Quand il a été nommé à la barre du club, il m'a donné le goût de voir et d'assister à toutes les manches de tous les matchs. Il m'a redonné l'envie de commenter les matchs à la télé. Quand on affronte une équipe préparée par Felipe Alou, il faut être prêt à tout parce que lui est prêt à aller à la guerre.»

Raymond avait connu Felipe alors que les deux hommes jouaient pour les Braves dans les années 1960. Il n'a jamais oublié un incident concernant Alou et deux joueurs du club, Rico Carty et Hank Aaron: «Carty était un costaud, un ancien champion boxeur poids lourd de Porto Rico. Il était jaloux d'Aaron parce que ce dernier obtenait plus de publicité que lui. Carty avait une grande gueule et il prenait plaisir à ridiculiser Aaron devant tout le monde. L'autre était un homme timide qui parlait très peu et avait du mal à se défendre.

«Un jour, Felipe s'est levé de son siège, il s'est rendu devant le casier de Carty et lui a dit, en le regardant droit dans les yeux: "Tu laisses Aaron tranquille ou bien nous sortons tous les deux dans le stationnement et je te ferme la gueule pour de bon." Carty n'a pas bougé et n'a plus jamais taquiné Aaron. Voilà le genre d'homme qu'est Felipe Alou[17].»

Quant au principal intéressé, il ne semblait pas particulièrement surpris, ni ébranlé: «Dans ma tête, j'ai été congédié le 20 juillet 2000, quand ils ont mis mes adjoints Pujols et Cuellar à la porte, a-t-il déclaré à Serge Touchette du *Journal de Montréal*. Moi, j'ai le sentiment d'avoir tout donné. Je sors de quatre années de tourmente. J'étais fatigué. Fatigué de perdre, fatigué de voir si peu de gens dans les gradins, fatigué de ne pas voir les transactions qui auraient pu améliorer l'équipe, fatigué de ne pas pouvoir lutter à armes égales avec les autres clubs. »

Il se disait par ailleurs préoccupé par l'avenir de l'équipe : « J'ai fait de mon mieux pour donner un coup de main. Mais tous ceux qui ont essayé de se battre pour garder le club ici se sont butés à un mur. Je remercie les fans pour leur appui. »

Dans une autre entrevue accordée à *La Presse*, Felipe s'est bien gardé de parler de ses patrons, préférant vanter les mérites des hommes qui avaient formé son équipe : « Ce n'est pas toujours facile de jouer devant des foules ridiculement faibles mais mes joueurs ont toujours, et j'insiste sur le mot toujours, fait abstraction de tout. Jamais – et ça inclut partout où je suis passé – un groupe de joueurs n'a eu à travailler dans des conditions aussi difficiles. Pourtant, ils n'ont jamais traîné les pieds. Ils n'ont jamais manqué d'entrain, jamais compté leurs efforts. En plus, il n'y a jamais eu la moindre dissension au sein de l'équipe. Ils n'ont jamais critiqué qui que ce soit. Leur attitude peut être citée en exemple en tout temps. »

Les observateurs se doutaient bien que Felipe Alou ne demeurerait pas sans emploi bien longtemps. Mais il semblait qu'il n'endosserait plus d'uniforme du reste de la saison. « Les étés, il fallait les vivre sans lui, a dit Lucie Gagnon, l'épouse de Felipe et mère de ses deux plus jeunes enfants. Maintenant, nous n'aurons pas d'horaires fixes, pas de voyages obligatoires à effectuer. J'ai comme l'impression que nous allons aimer notre nouvelle vie. »

Plus tard, alors qu'il dirigeait les Giants de San Francisco, Felipe Alou a de nouveau croisé Jeffrey Loria sur un terrain de baseball : « Il s'est excusé de m'avoir congédié. Il m'a dit que ça avait été une erreur[18]. »

Les derniers appels de capitaux étant restés sans réponse, Jeffrey Loria avait augmenté à 92 % sa part des actions votantes dans le club. Les actionnaires québécois, eux, avaient vu leur participation fondre de 76 % à 8 %.

Mark Routtenberg se rappelle avoir parlé à Loria le soir où il a pris le contrôle des deux tiers du club. « Il avait attendu près de son fax jusqu'à six heures pour voir si les actionnaires répondraient à son appel de fonds. »

« Bravo. Tu as maintenant 92 % de l'équipe », lui a dit Routtenberg.

« Oui, et je suis aussi responsable de 92 % des dettes », a rétorqué l'autre.

«C'est comme s'il voulait donner l'impression qu'il n'était pas si heureux que ça de mettre la main sur le club, dit M. Routtenberg.

«Notre grande erreur a été de lui permettre d'acquérir 66 ⅔ % des actions, poursuit-il. Il aurait fallu répondre minimalement à ses appels de capitaux, juste assez pour le garder toujours sous le seuil des deux tiers. Car à l'instant où il a eu ses 66 ⅔ %, les autorités du baseball majeur ont complètement cessé de nous parler. Après, ils ne s'adressaient plus qu'à lui[19].»

Loria pourrait donc, s'il le désirait, déposer une demande aux autorités du baseball majeur visant à déménager le club.

Personne ne pouvait prédire ce que le marchand d'art ferait de son club dans les prochains mois. Les villes susceptibles d'accueillir une équipe dès 2002 n'étaient pas légion : Washington était en tête de liste, mais la question des droits territoriaux posait problème – tout comme la question d'un stade. Des rumeurs laissaient aussi entendre que Loria aurait aimé relocaliser le club près de chez lui, à New York (la région, rappelons-le, soutenait trois clubs jusqu'à la fin des années 1950), mais cette hypothèse semblait encore plus improbable.

Une autre option s'offrant à lui était de vendre le club, tout simplement. Mais en tenant compte du passif de l'équipe, il lui faudrait demander un prix d'au moins 175 millions canadiens s'il espérait dégager un profit.

Or, on savait déjà qu'il tenait à garder son équipe de baseball. Laisser les Expos à Montréal ? Il s'exposerait alors à des pertes annuelles de 20 millions, puisque rien ne laissait présager quelque augmentation de revenus que ce soit. Interrogé là-dessus, David Samson a répondu : «Jeffrey n'est pas prêt à abandonner.» Serait-il prêt à rester *deux ans* de plus? «Ce serait extraordinairement difficile de garder intact notre appétit pour des pertes pendant cette période de temps-là.» On racontait ici et là que la dette accumulée du club atteindrait 110 millions à la fin de 2001.

Mais il était aussi possible qu'aucun de ces scénarios ne se réalise si le baseball majeur décidait tout simplement de dissoudre deux clubs, une solution qui, disait-on, trouvait de plus en plus d'adeptes dans les hautes sphères du baseball. Combien recevraient alors les clubs éliminés? Les chiffres avancés oscillaient entre 150 et 250 millions US. Si cette option était retenue, les grands perdants – à part les fans de l'équipe – seraient bien évidemment les actionnaires québécois, qui venaient tout juste de voir l'équipe leur glisser des mains.

Avec la dilution presque complète des actionnaires locaux et le départ de Felipe Alou, les amateurs de baseball du Québec ne pouvaient désormais plus vraiment dire « nos » Expos quand ils parlaient du club. Même Tim Raines – à l'écart du jeu depuis le 4 mai en raison d'une blessure à une épaule – n'était plus là pour rappeler le puissant lien émotif qui avait jadis existé entre le club et le public.

De toute façon, les Montréalais, on l'a dit, semblaient déjà être passés à autre chose. Après 61 parties locales, l'assistance moyenne aux matchs n'avait été que de 8 655 spectateurs. Les fans, les propriétaires, les médias, tout le monde semblait indifférent.

Le 11 août – et pour la première fois depuis 1969 – *La Presse* et *Le Journal de Montréal* ont laissé la couverture d'un match local à la Presse canadienne, une agence de nouvelles. Dès juin, *La Presse* avait cessé de dépêcher un journaliste pour les matchs à l'étranger. *Le Journal de Montréal* ne le faisait plus qu'occasionnellement, tout comme *The Gazette*. Ceux qui ont un jour été mêlés de près ou de loin au show-business savent bien que ce qu'il y a de pire qu'une critique négative, c'est encore et toujours pas de critique du tout.

Le mardi 11 septembre 2001, les Expos se trouvaient à Miami où ils devaient commencer une série de trois matchs contre les Marlins. Évidemment, après l'attentat terroriste du World Trade Center, plus personne ne pouvait se faire à l'idée de jouer au baseball et le calendrier a été immédiatement suspendu. Quelques jours plus tard, Bud Selig annonçait que tous les matchs qui figuraient au calendrier du 11 au 16 septembre seraient repris dans la première semaine d'octobre. Et on reprendrait le jeu le 17 septembre.

Le premier match disputé à New York après la tragédie fut évidemment celui qui a attiré le plus d'attention – et inspiré le plus d'émotion. Avant la rencontre opposant les Mets aux Braves d'Atlanta, les joueurs des deux clubs se sont réunis sur le terrain pour se serrer la main ; plus tard, en 7e manche, la chanteuse Liza Minelli a soulevé la foule avec une version emportée de *New York New York*. Mais c'est finalement Mike Piazza des Mets qui a joué les héros en cognant un circuit de 2 points en fin de 8e manche pour aider son club à combler un déficit et lui procurer une victoire de 3-2 qui avait tout de la métaphore. Pour certains, ce match a été le début du processus de guérison.

L'attentat a instantanément changé la façon dont on envisagerait dorénavant les mesures de sécurité dans les stades et amphithéâtres d'Amérique. Désormais, les amateurs devraient se soumettre à une sévère inspection avant d'avoir accès à un stade (une fouille exhaustive des sacs, parfois même leur consignation).

Le match du 17 septembre au Stade olympique (contre les Marlins de la Floride) a attiré une foule de seulement 3 013 personnes. Le lendemain, c'était 2 917, le surlendemain encore moins : 2 887. Il faut croire que la perspective d'aller voir un match d'une équipe à 17 ½ matchs de la tête après avoir dû abandonner son sac à dos à un agent de sécurité sur le pied d'alerte n'avait rien de très alléchant.

À l'aube de la série Rockies-Expos au Stade olympique, Jerry McMorris, le propriétaire des Rockies du Colorado, a eu une idée pour aider les familles des victimes des attentats terroristes : verser toutes les recettes des quatre matchs dans un fonds spécial. Il allait encore plus loin : pourquoi ne pas déplacer les quatre rencontres à Denver, où chaque match attirerait des foules de 30 000 à 40 000 personnes (comparativement aux 3 000 que réussissaient à attirer les Expos à Montréal). Aux yeux de McMorris, le transfert de la série tombait sous le sens, d'autant plus que, selon lui, les joueurs de son équipe craignaient pour leur sécurité en venant au Canada… Le seul hic, c'était que le proprio des Rockies avait soumis son plan aux autorités du baseball en oubliant de consulter la direction des Expos.

Vexés, les dirigeants du club montréalais ont dit qu'ils trouveraient une façon d'apporter leur soutien aux familles des victimes du World Trade Center, mais que les quatre matchs auraient lieu à Montréal comme prévu. « Nous assurons tous nos joueurs et ceux des autres équipes, incluant ceux des Rockies, que nous avons adopté les mesures de sécurité additionnelles exigées par le baseball majeur et que, dans certains secteurs, nous avons surpassé ces critères », a dit David Samson.

Les quatre matchs ont eu lieu au Stade olympique. La plus forte assistance a été de 10 510 spectateurs, la plus faible, de 3 037.

Avant la fin de la campagne, un autre important membre de l'organisation ferait ses valises : le 21 septembre, Jim Beattie annonçait qu'il quitterait l'équipe à la fin de la saison – pour, selon la formule consacrée, « passer plus de temps avec sa famille ».

Ce qui étonnait le plus dans cette nouvelle, c'était en fait que Beattie soit demeuré en poste si longtemps. D'une part, à la fin 1999, il avait exprimé son intention de partir – mais une intervention de Mark Routtenberg l'avait convaincu de donner une chance aux coureurs (Loria et Samson). D'autre part, Jeffrey Loria ayant l'habitude de s'entourer des siens, pourquoi ne l'avait-il pas remplacé dès sa prise en charge du club ? Peut-être a-t-il rapidement saisi que Beattie serait un employé loyal, un bon soldat.

Les bons coups du DG se comptaient sur les doigts d'une main (Steve Kline, Dustin Hermanson), et les joueurs qu'il était allé chercher avaient eu tendance à prendre rapidement le chemin de l'infirmerie (Pavano, Lloyd, Irabu, Downs, Tatis, etc.).

Pour Jack Todd du quotidien *The Gazette*, Beattie avait été «un DG paresseux». Pour appuyer sa thèse, il citait la confidence qu'un dirigeant du baseball lui avait faite au printemps : «Dans le baseball, les DG travaillent toujours comme des fous. Les Expos, eux, essaient de se tirer d'affaire avec un gars à temps partiel.»

Beattie avait échangé Pedro Martinez sans se donner la peine de voir évoluer les deux jeunes lanceurs (Pavano et Armas) qu'il avait obtenus en retour. En juillet 2001, il avait cédé le releveur Ugueth Urbina aux Red Sox sans avoir vu lancer Tomo Ohka et Rich Rundles. «Beattie pouvait surfer pendant toute une saison sans faire une seule acquisition significative», a écrit Todd.

En effet, en 2000, il n'avait pas su trouver les bras qui auraient pu prendre la relève de tous ces artilleurs éclopés ; plus récemment, il n'avait pas bougé quand des blessures avaient fauché Fernando Tatis et Tim Raines. Dans une année où les Braves et les Mets jouaient en deçà de leur potentiel, cela aurait pourtant été le moment de réagir vigoureusement.

À sa décharge, Beattie avait dû composer avec un budget très serré, et dans un climat de tourmente perpétuelle. Par ailleurs, on découvrirait plus tard l'excellence de certains de ses choix au repêchage : en juin 2000 seulement, il avait sélectionné Jason Bay, Cliff Lee, Grady Sizemore et le Canadien (et Québécois) Russell Martin, quatre joueurs qui atteindraient finalement le statut de superstars (avec d'autres clubs que les Expos, hélas).

Les plus grands atouts de Jim Beattie étaient peut-être ses qualités personnelles. «Commençons tout de suite par le commencement : Jim Beattie est un bon gars, a écrit Jack Todd. Il est, a été et sera toujours un bon gars. Il retourne vos appels. Il se préoccupe de sa famille. Vous cherchez quelqu'un pour tenir votre portefeuille pendant que vous êtes en train de vous battre ? Vous demandez à Beattie. Vous voulez qu'une confidence reste secrète ? Vous vous confiez à Beattie. Vous cherchez un DG qui restera discret même si Felipe Alou le ramasse régulièrement dans ses rencontres quotidiennes avec les journalistes ? Engagez Jim Beattie.»

Il ne faisait pas de doute que ses patrons appréciaient sa grande discrétion auprès des médias. Alors que d'autres directeurs-gérants (Kevin Malone, par exemple) avaient tendance à oublier que les journalistes ne sont jamais à la recherche d'amis mais toujours d'un angle pour le texte du lendemain, Jim Beattie savait résister à la tentation du *scratch my back and I'll scratch yours*, si courante dans ces milieux.

Quand on a demandé à Beattie quel avait été le moment le plus difficile de son séjour avec les Expos, sa réponse est venue spontanément : « Échanger Pedro Martinez. »

David Samson s'est dit « déçu » du départ de Beattie mais a aussi affirmé qu'il comprenait ses motivations.

Déjà le nom de Fred Ferreira, le VP directeur des opérations internationales et le super dépisteur qui avait découvert Vladimir Guerrero, était évoqué, tout comme ceux des adjoints de Beattie, le dynamique Mike Berger et le plus effacé Larry Beinfest.

« Ferreira a toutes les qualités pour n'importe quel emploi de DG dans les majeures, mais il mène ses affaires comme il l'entend, a écrit Jack Todd. Loria est plutôt reconnu pour engager des gens qui lui doivent personnellement d'avoir pu gagner leur vie avec le baseball. »

Les Expos ont clôturé la campagne avec une fiche de 68 victoires et 94 défaites, sous la barre des 70 victoires pour une 4e saison d'affilée. Orlando Cabrera a été élu Joueur de l'année, surtout grâce à son extraordinaire opportunisme au bâton (96 PP, 41 doubles) et son excellent jeu défensif (seulement 11 erreurs, la meilleure moyenne défensive (,986) chez les arrêts-courts de la ligue).

À six reprises durant l'année, son coup de bâton avait transformé une défaite certaine en victoire de fin de match ; quand il fallait un coup sûr opportun en fin de match dans une situation critique, c'est Cabrera qu'on espérait voir au bâton. Du 28 avril au 14 juin, il avait disputé 42 matchs de suite sans commettre d'erreur. Ses progrès dans les dernières saisons avaient été remarquables.

Vladimir Guerrero avait connu une autre excellente saison bien que ses formidables statistiques (,307, 34 CC, 108 PP, 37 BV) aient été – comment était-ce possible ? – inférieures à sa production de l'année précédente...

Lee Stevens avait été l'autre gros producteur de points (25 CC, 95 PP) du club et si Jose Vidro n'avait pas maintenu son rythme de 2000 – en partie parce qu'il avait raté 36 matchs en raison de blessures diverses –, il avait tout de même frappé pour ,319 et cogné 34 doubles. Fernando Tatis, l'autre soi-disant machine offensive du club, s'était avéré un flop retentissant : 41 matchs, 2 CC, 11 PP.

Chez les lanceurs, Javier Vazquez (16-11, 3,42) s'était imposé comme l'un des meilleurs jeunes lanceurs des majeures. Il avait encore une chance d'atteindre le cap des 20 victoires quand, le 17 septembre, une rapide du lanceur Ryan Dempster des Marlins l'a atteint directement sur le casque protecteur. Conséquence : multiples fractures à l'orbite de l'œil droit et saison terminée.

Après lui, le seul partant vraiment fiable fut Tony Armas (9-14, 4,03). Mike Thurman avait été inconstant, Carl Pavano blessé pour la plus grande part de la saison et Hideki Irabu avait disparu du décor après trois départs, de nouveau blessé. Il serait libéré en septembre, une fin désolante pour une expérience qui l'avait été tout autant.

De retour au jeu après une année complète sur la touche, Graham Lloyd avait agréablement surpris en longue relève, prenant part à 84 matchs, et Scott Strickland s'est bien acquitté du rôle de releveur de fin de match qu'on lui avait confié après le départ d'Urbina en juillet.

Après une longue absence, Tim Raines était revenu au jeu en août et, le 25 septembre, lors d'un match contre les Mets de New York, il a eu l'occasion de ravir ses fans une dernière fois en volant le deuxième but – son seul larcin de la saison –, comme à cette époque bénie où ces choses lui venaient si naturellement. Les 4 166 spectateurs n'avaient pas manqué de saisir la délicate attention : ce but-là, c'était pour eux qu'il l'avait volé.

Ce serait son dernier larcin en carrière. Le 3 octobre, les Expos l'ont échangé aux Orioles de Baltimore pour lui donner l'occasion de se retrouver dans la même formation que son fils, Tim Raines Jr, qu'on venait de promouvoir dans le grand club. Le surlendemain, deux Tim Raines étaient de l'alignement partant alors que les Orioles étaient les hôtes des Red Sox.

Le premier frappeur de l'alignement, le jeune voltigeur de centre Tim Raines Jr, 21 ans, a été blanchi en 5 présences. Quant au bonhomme de 41 ans, celui qui jouait au champ gauche et frappait sixième, il a frappé 3 coups sûrs, dont un circuit, tout en produisant 3 points…

Un de ces jours, Tim Raines finira bien par être admis au Temple de la renommée de Cooperstown. Après tout, les statistiques prêchent en sa faveur : 23 saisons, MAB de ,294, 2605 CS, 980 PP, 808 BV – et seulement 146 retraits en tentative de vol. Il aura surtout été un des joueurs les plus spectaculaires de sa génération.

En cette fin de saison 2001, la statistique résumant le mieux la saison des Expos était celle-ci : 642 748. C'était le nombre de spectateurs qui s'étaient rendus au Stade olympique durant l'année, moins que toute autre saison de l'histoire du club, moins qu'en 1976 même, alors que les médiocres Expos de cette année-là n'avaient attiré que 646 704 clients au parc Jarry – moins qu'un bon nombre d'équipes des ligues mineures aux USA.

Le 27 septembre, lors du dernier match à domicile – le dernier à vie ? –, disputé devant 6 968 âmes esseulées, Jeffrey Loria et David Samson brillaient par leur absence au Stade olympique. « Quel gâchis quand même, a écrit Michel Blanchard dans *La Presse* du lendemain. Tellement de grands joueurs ont joué avec les Expos et y jouent encore, tellement nombreux ont été les bons moments, que de voir le baseball à ses derniers soubresauts à Montréal tient de l'impensable. »

Ceux que la situation attristait n'auraient plus à se faire de mauvais sang pour bien longtemps. Dans les bureaux du commissaire du baseball, on mettait les bouchées doubles pour sortir définitivement le club de sa misère.

Le mardi 6 novembre, les propriétaires d'équipe du baseball majeur réunis à Chicago ont voté presque à l'unanimité d'éliminer deux clubs.

Dans une conférence de presse suivant le vote, le commissaire Bud Selig n'a pas voulu identifier les deux équipes (il y en aurait peut-être plus) qui seraient contraintes de fermer boutique, mais tous les observateurs ont évidemment reconnu les Expos et les Twins du Minnesota (même si cette concession était passablement moins amochée que l'équipe montréalaise). « Nous savons que nous sommes en terrain inconnu, a dit M. Selig. Aucun autre sport américain de l'ère moderne n'a jamais pris une initiative comme celle-là.

« Ce n'est pas logique que le baseball majeur soit dans des marchés qui ne génèrent pas suffisamment de revenus locaux pour justifier les investissements que nous y faisons, a expliqué le commissaire. Notre système de partage des revenus produit beaucoup d'argent, mais un club doit encaisser des recettes avec son stade ou d'autres éléments locaux. Si la péréquation est votre seule source de revenus, il y a un problème. »

Quant à la possibilité de voir un club redevenir prospère après plusieurs années de vaches maigres (Atlanta, Cleveland ou San Francisco, par exemple), Selig n'y croyait pas trop : « Vous savez, le passé d'une équipe est souvent garant de l'avenir. »

Selig a nié que la décision avait pour but de forcer la main à l'Association des joueurs pour en arriver à une nouvelle entente (la dernière convention venait de prendre fin). « Certains ont parlé de lock-out mais il n'y aura pas de lock-out. Nous voulons mener des négociations harmonieuses et nous ne cherchons nullement la confrontation.»

«Est-ce un jour triste pour le baseball?», lui a-t-on demandé. «Pas dans la mesure où nous mettons de l'ordre dans nos affaires. Nous espérons que ce ne sera pas un processus déplaisant», avait-il cru nécessaire d'ajouter. Pas une seule fois durant la conférence de presse, Bud Selig n'a fait allusion aux amateurs des deux villes en cause.

En 1968, les Expos étaient venus au monde dans un hôtel de Chicago. Trente-trois ans plus tard, ils rendaient l'âme dans un autre hôtel de Chicago. La boucle était bouclée.

À la sortie de la réunion, Jeffrey Loria a filé sans s'arrêter devant la dizaine de journalistes montréalais qui s'étaient déplacés jusque-là. David Samson (surpris de les voir en si grand nombre) n'avait pas beaucoup plus de choses à leur dire: «Je sais que vous avez fait une longue route pour venir jusqu'ici, mais je me contenterai de dire que le processus de dissolution suit son cours normal. Et il n'a pas été question des Expos.»

Le lendemain, les journaux d'Amérique s'en donnaient à cœur joie.

Certains observateurs ont salué l'initiative des propriétaires, arguant qu'il valait mieux se débarrasser des maillons les plus faibles de l'industrie plutôt que d'engloutir de l'argent dans des entreprises qui ne fonctionnent pas. D'autres ont fait valoir que l'élimination de deux clubs – et donc des 50 joueurs les moins talentueux des majeures – rehausserait la qualité du jeu.

Mais la plupart des réactions – tant des médias que du public – étaient extrêmement négatives. On accusait le baseball d'improvisation, de provocation envers l'Association des joueurs, de manque de respect pour les fans qui avaient appuyé ces concessions pendant de longues années. Pour d'autres, le baseball aurait dû dissoudre les deux équipes les plus riches puisque c'étaient elles qui étaient à l'origine de la flambée des salaires et du fossé entre les équipes riches et les pauvres. D'autres encore se demandaient pourquoi le baseball n'utilisait pas le demi-milliard qu'il aurait à défrayer (pour compenser les clubs éliminés) pour investir dans ces marchés, les aider à construire un stade, par exemple... Enfin, des observateurs disaient que l'industrie devrait maintenant s'attendre à une avalanche de poursuites: des propriétaires des clubs touchés, des villes concernées, de l'Association des joueurs...

Le réputé journaliste Tom Boswell, du *Washington Post,* ne ménageait pas les dirigeants du baseball: «Parfois, les propriétaires du baseball confrontent l'Association des joueurs, même quand c'est inutile et contreproductif. Parfois, ils le font à quelques heures de l'expiration d'un contrat, même si leur provocation risque de déclencher une grève. Parfois, les dirigeants du baseball tentent de forcer les villes à construire de nouveaux stades, avec l'argent du public, en menaçant d'abandonner des villes qui les ont appuyés pendant des années. Parfois, ils choisissent le moment où le baseball atteint ses plus hauts niveaux de popularité pour se comporter de la manière la plus arrogante et la plus mesquine possible. Parfois, le commissaire de ce sport est envoyé devant le public pour tenir des propos qui déforment tellement les faits que les mots "autres mensonges" viennent tout de suite à l'esprit des fans de longue date. Et parfois, comme mardi, ils font tout ça à la fois.»

Bob Nightengale, du *Baseball Weekly,* voyait un monde de différence entre les Expos et les Twins : «Alors que les propriétaires du baseball n'auraient jamais voté pour l'élimination des Twins si le propriétaire du club n'avait passé son temps à crier "Choisissez-moi! Choisissez-moi!" comme s'il était un concurrent de *Let's Make a Deal,* ils n'ont certainement pas eu de mal à dissoudre les Expos. Ils ne peuvent tout simplement pas sentir Jeffrey Loria et aimeraient démanteler son club et le sortir du baseball.»

«Le baseball se fout de ce que vous pensez ou ressentez, a écrit Stephen Brunt dans *The Globe and Mail.* Les Expos sont morts, parce que peu importe le scénario, ils figureront parmi les équipes ciblées puisqu'elles peuvent être détruites sans complications politiques. Les sentiments et l'histoire ont depuis longtemps été exclus de l'équation.»

Au Québec, la nouvelle avait été reçue avec indignation et tristesse. Mais avec indifférence, aussi. «Les Expos tombent sans le moindre gémissement, a écrit Bill Brownstein dans *The Gazette.* La réaction dans les bars, les stations de métro et les dépanneurs était quasi unanime hier : un gros bâillement.» Dans la tribune téléphonique de CKAC présentée pendant la soirée du 6 novembre, pas une seule intervention n'avait porté sur la grosse nouvelle de baseball du jour. «On a eu une bonne *game* à soir, hein mon Ron?», avait lancé le premier auditeur à l'animateur Ron Fournier. Tous les autres auditeurs qui appelleraient après lui n'en auraient que pour le match nul de 1-1 que le Canadien venait de disputer à l'Avalanche du Colorado.

Le premier ministre du Québec Bernard Landry – il avait succédé à Lucien Bouchard après que celui-ci avait claqué la porte de son parti – demeurait impassible : «Nous avons fait ce que nous avions à faire et nous n'avons pas l'intention de faire plus.» À la RIO, on ne semblait pas se formaliser du départ des Expos. Plus tôt dans l'année, le ministre André Boisclair avait affirmé que les 81 matchs locaux des Expos ne rapportaient que 500 000 $ annuellement à la RIO, l'équivalent d'une semaine d'un quelconque salon…

Le secrétaire d'État au sport amateur Denis Coderre estimait aussi que le gouvernement fédéral avait fait sa part : « Tant que les grandes ligues de sport professionnel ne feront pas le ménage dans leur industrie, Ottawa ne pourra en venir à une entente de quelque sorte avec elles. Écoutez, il n'y a pas longtemps, elles ont donné 252 millions à Alex Rodriguez… »

L'économiste Pierre Fortin, qui s'était prononcé en 1998 en faveur de l'injection de fonds public dans la construction d'un stade, se disait résolu : « À un moment donné, il faut achever le cheval malade. Ce n'est pas une nouvelle dont il faut se réjouir, mais ce n'est pas un drame non plus. Et ça permettra de passer à autre chose. » Pour expliquer la fin des Expos, Fortin citait la philosophie du club qui avait chassé les meilleurs joueurs de Montréal et démobilisé les amateurs ; et, disait-il, la faiblesse du dollar canadien devant la devise américaine.

Roger D. Landry, l'ancien vice-président au marketing et aux relations publiques du club et ex-président et éditeur de *La Presse,* a déclaré que la mort imminente des Expos était « immensément regrettable mais prévisible ». À ses yeux, le départ des joueurs vedettes, la faiblesse du dollar et le type de partenariat constitué par MM. Brochu et Ménard en 1991 avaient tous eu un rôle à jouer dans la mort du club : « Avoir une coopérative pour diriger une équipe de baseball majeur n'est pas la meilleure formule. »

« Il ne faudrait pas se raconter trop d'histoires, mais on s'en raconte déjà, a écrivait de son côté Yves Boisvert dans la page éditoriale de *La Presse.* On se fait dire que c'est la faute à ce marchand d'art de New York, Jeffrey Loria, qui a floué nos gentils hommes d'affaires de Montréal […]. Il paraît qu'il touchera une juteuse compensation de la ligue pour accepter la dissolution de l'équipe qu'il a aidé à laisser mourir. C'est bien laid mais qui d'autre voulait prendre le risque ? Personne. Il a pris le risque financier, il a débarrassé les hommes d'affaires du poids moral de sauver l'équipe et il empoche maintenant. Ils ne voulaient pas laisser déménager l'équipe ou la vendre eux-mêmes. Ils ont trouvé leur Loria. C'est bien leur homme, non ? »

Le quotidien *The Gazette* réservait aussi à la nouvelle son principal éditorial : « La plupart des propriétaires se fichent des clubs de petits marchés parce qu'ils pensent que le baseball peut bien fonctionner sans eux. Le plus triste, c'est qu'ils ont probablement raison. La moyenne des assistances du baseball en 2001 a été de 30 050, comparativement à 7 648 pour les Expos. Quinze équipes ont attiré plus de 2,65 millions de spectateurs […] En 33 ans, les Expos n'ont jamais eu de vrai stade de baseball et quiconque a déjà vu un match dans un vrai stade sait combien c'est crucial dans l'appréciation du spectacle.

« Tout cela pointe donc vers une perte imminente pour Montréal, mais peu de gens semblent s'en préoccuper. La vérité, c'est que le baseball est en difficulté à Montréal depuis la fin des années 1980, et que l'enthousiasme de la saison écourtée de 1994 était une aberration. Mais ces 20 premières années étaient merveilleuses. Gene Mauch, Rusty Staub, Mack Jones, Claude Raymond, Bill Stoneman, Woodie Fryman, Andre Dawson, Gary Carter, Steve Rogers, Warren Cromartie, Bill Lee. Nos Amours, assurément. »

Dans la section sportive des journaux, la réaction était – et c'est compréhensible – à fleur de peau.

« Tu devrais avoir honte, Bud, écrivait Jack Todd dans *The Gazette*. Des gens d'ici perdent leur emploi et leur mode de vie. Au Minnesota, une équipe qui a fait partie intégrante de la fibre de tout un État depuis que les Senators de Washington s'y sont installés en 1961 va disparaître. À Montréal, il y a peut-être moins de volonté publique et politique de sauver l'équipe, mais plusieurs personnes vivent le moment comme une expérience déchirante. »

« Ce n'est pas en créant de nouveaux stades que les équipes de petits marchés pourront survivre mais en instaurant un plafond salarial qui va leur permettre d'atteindre une certaine parité, arguait Michel Blanchard de *La Presse*. Nouveau stade ou pas, une fois l'aspect nouveauté passé, le salut d'une équipe passe toujours par le nombre de victoires. »

« Bien sûr que les gens aiment encore le baseball, écrivait Bertrand Raymond dans le *Journal de Montréal*. Ils aiment du baseball bien joué dans un stade qui déborde de spectateurs. Ce sont les Expos qu'ils n'aiment plus. Ils ne veulent plus des Expos et de leurs ventes de garage. Ils ne veulent plus des chicanes publiques entre actionnaires. Ils ne veulent plus des Expos qui promettent un stade, qui nous font saliver avec une maquette extraordinaire et qui abandonnent leur terrain sans s'expliquer. »

« Le baseball majeur, j'en demeure convaincu, avait sa place à Montréal, et dans un stade au centre-ville, écrivait Serge Touchette, également dans le *Journal*. Ils ont été trop peu à y croire. Montréal a regardé passer une troisième prise, le bâton collé sur l'épaule. »

L'analyste Rodger Brulotte, qui avait quitté l'organisation des Expos en début d'année pour se joindre à RDS, déplorait la négligence du consortium d'actionnaires québécois : « Les propriétaires n'ont pas eu la volonté de réussir. C'est comme s'ils avaient construit une maison puis refusé d'acheter des meubles. »

« Ceux qui disent que ce n'est pas grave de perdre les Expos sont des imbéciles, déclarait pour sa part Michel Bergeron, l'ancien entraîneur-chef des Nordiques de Québec. Cette équipe nous représentait à travers l'Amérique du Nord. »

« C'est l'échange de Gary Carter en 1984 qui a tué les Expos, croyait pour sa part Brian Kappler de *The Gazette*. L'échange a mis les fans en face d'une réalité plutôt désagréable : pour la direction de l'équipe, la victoire était une maintenant une priorité secondaire. Et ce qui a forcé cet échange, c'est l'ahurissante stupidité – il n'y a pas d'autres mots – des propriétaires des équipes des majeures. »

Rejoint en République dominicaine, Felipe Alou situait le début de la fin au 11 août 1994 : « C'est la première date qui me vient en tête. Imaginez un peu quelles auraient pu être les retombées pour une ville comme Montréal ! Non seulement nous aurions stimulé l'intérêt du baseball au Québec, mais nous aurions également bâti une nouvelle clientèle. Quand j'ai regardé les Séries mondiales cette année, j'ai pensé à 1994 et à cette chance inouïe qui nous a glissé entre les doigts. »

Dans un texte écrit pour *La Presse*, le romancier et grand fan de baseball David Homel se désolait de la tournure des événements : « On dit que le bon public ne se rendait pas au Stade parce que les Expos ne gagnaient pas assez souvent. Peut-être bien, mais si c'est ça la raison, les Montréalais vont baisser dans mon estime. Faut-il que l'équipe locale gagne pour que le public ait le goût d'assister à un de leurs matchs ? Comme si la vie n'avait de sens que si on gagnait…

« J'ai commencé ma carrière d'amateur et de joueur de baseball (dans les Petites Ligues, bien sûr), à Chicago. On adorait nos Cubs, même s'ils perdaient aussi régulièrement qu'une horloge suisse. On allait au stade Wrigley pour s'amuser, pour voir nos gars préférés et moins préférés, pour faire du bruit et pour conspuer l'ennemi. Si l'équipe locale gagnait, tant mieux. Sinon, on s'amusait tout de même. C'est justement l'art de perdre que le sport nous apprend dans la vie. C'est une leçon essentielle.

« À partir de maintenant, nous allons vivre dans une ville de ligue mineure, poursuivait Homel. Ce fait ne semble pas trop déranger beaucoup de monde, surtout ceux qui écrivent dans *La Presse*. Mais mon monde deviendra un peu plus pauvre. »

Pierre Foglia, le célèbre chroniqueur de *La Presse*, avait lui aussi une réflexion à propos des victoires et des défaites : « Pour toutes sortes de très mauvaises raisons, Montréal se perçoit comme une ville perdante. Par rapport à Toronto, par rapport à son taux de chômage, à son économie, à sa langue, à son métissage, à ses nids de poule, à son petit pain, à ses très mauvais maires depuis un demi-siècle, pour toutes sortes de mauvaises raisons, disais-je, Montréal se perçoit comme une ville perdante.

« Et les villes perdantes ne sont jamais des grandes villes de sport parce qu'on y attend moins un spectacle de leurs équipes professionnelles que la victoire impérativement. Elles ont l'obligation absolue de gagner. Pour compenser. Et même pour panser. Montréal avait peut-être les moyens de se payer une équipe de baseball, mais pas une équipe gagnante. À Cincinnati, à Cleveland, à Kansas City, cela dérange moins de ne pas gagner. On est Américains, c'est déjà bien. J'y pense, à Toronto aussi. »

Ce qui émergeait de toutes ces observations, c'était que la fin des Expos ne pouvait pas s'expliquer par un raccourci : les causes et origines du long déclin du baseball majeur à Montréal étaient multiples, variées, complexes.

Mais voilà : toutes ces oraisons funèbres étaient-elles prématurées ? Certes, les Expos tiraient de l'arrière à la fin de la 9ᵉ manche et il y avait déjà deux retraits. Mais le baseball n'est-il pas le sport où les revirements de dernière minute sont les plus courants ?

Le directeur de l'Association des joueurs, Don Fehr, était, comme on le sait, à la tête du plus puissant syndicat de tous les sports professionnels : « Cette décision a été prise unilatéralement, sans aucune tentative de négocier avec les joueurs, déclarait Fehr à l'issue de la conférence de presse du 6 novembre. Ils ne semblent pas avoir sérieusement envisagé d'autres options, comme le transfert d'un club. Ils n'ont pas pris les fans en considération. Nous jugeons cette action impropre à la loi, à notre convention et à la santé du baseball. »

Jim Fanning, l'ancien DG des Expos dorénavant à l'emploi des Blue Jays, se disait peu surpris du résultat du vote, mais attristé de constater que Montréal se situait désormais bien bas dans les priorités du baseball. Il pensait toutefois que la dissolution des deux clubs était loin d'être un fait accompli : « Ils ne pourront pas passer aux actes avant que l'Association des joueurs s'en mêle. Comme nous le savons, ce sont eux qui mènent le baseball. Ils n'ont jamais perdu une seule guerre contre les propriétaires et ils ne perdront pas celle-ci non plus. »

CHAPITRE 9

Le baroud d'honneur
(2002-2003)

Chaise musicale orchestrée par la MLB : Jeffrey Loria s'en va en
Floride, les Red Sox de Boston changent de mains et les Expos
deviennent la propriété des 29 autres clubs de la MLB en attendant
leur vente et leur transfert. Tony Tavares, Omar Minaya et Frank
Robinson s'en viennent préparer les obsèques – qu'ils souhaitent
heureuses. Succès inattendus sur le terrain : deux saisons de
83 victoires. En 2002, le DG Minaya surprend le monde du baseball
en faisant l'acquisition de deux joueurs de premier plan, Bartolo
Colon et Cliff Floyd. Le projet de dissolution de clubs fomenté par
Bud Selig est mis en veilleuse et les Expos sont de retour en 2003,
disputant 22 matchs « locaux » à Porto Rico. Fièvre soudaine
en août au Stade olympique, aussitôt refroidie
par un voyage désastreux en Floride.

Depuis la vente de l'équipe par Charles Bronfman, les Expos avaient
connu plusieurs périodes de très grande incertitude : après la fermeture
temporaire du Stade olympique en 1991, lors de la grève de 1994-1995,
pendant les luttes de pouvoir entre Claude Brochu et les autres actionnaires, pendant la période d'intense lobbying pour la construction du
stade au centre-ville et, bien sûr, pendant toute l'ère Loria-Samson.

Mais au lendemain de la saison 2001, l'incertitude cédait cette fois la
place à la confusion la plus totale. Conséquemment, l'organisation avait
glissé dans un immobilisme presque complet. La campagne de vente de
billets ne s'était pas encore mise en branle, le calendrier de la saison tardait
à être rendu public, le successeur de Jim Beattie, le DG par intérim Larry
Beinfest, ne savait toujours pas de quel genre de budget il disposerait et

l'équipe n'avait apporté aucun changement significatif à la formation. C'était bien normal : ce club semblait sur la voie certaine de l'extinction.

Dans une (rare) entrevue de fond, accordée en octobre 2001, Jeffrey Loria avait très clairement affirmé à Stephanie Myles de *The Gazette* qu'il ne souhaitait pas essuyer de nouvelles pertes de l'ordre de celles qu'il venait de subir. Il ne cachait pas non plus les doutes qu'il entretenait sur l'intérêt des Montréalais pour le baseball : « Quand le plus grand frappeur de circuits de l'histoire [Barry Bonds, qui venait de battre le record de circuits établi par Mark McGwire en 1998] est en ville, 7 000 personnes se présentent au Stade. Moi, ça m'indique qu'il n'y a pas d'intérêt pour le baseball ici. Et ça m'inquiète. »

« Si vous croyez qu'ils ne s'intéressent pas au baseball, croyez-vous alors que le baseball à Montréal est une cause perdue ? » lui avait demandé la journaliste. « Rien ne me paraît une cause perdue, a dit Loria. Je suis un éternel optimiste. »

Mais en octobre 2001, les rumeurs de dissolution se faisaient de plus en plus persistantes – elles seraient confirmées le 6 novembre – et ce n'était pas dans la nature de Jeffrey Loria d'attendre les bras croisés qu'on lui dise de quoi serait fait son avenir. Bientôt, une (autre) rumeur circulait à l'effet que le New-Yorkais déposerait sous peu une offre d'achat pour les Marlins de la Floride. Car l'équipe de Miami était maintenant à vendre. Loria avait ses contacts en Floride, et il saurait bien s'en servir lorsque viendrait le temps de bâtir un stade…

Après avoir fait l'acquisition des Marlins à la fin 1999, John W. Henry – un entrepreneur multimillionnaire qui avait fait fortune dans la gestion de portefeuilles dans les marchés à terme – s'était immédiatement appliqué à faire construire un stade à toit rétractable. Henry avait proposé un plan qui, selon lui, ne coûterait presque rien à l'État : une taxe que paieraient les passagers des bateaux de croisière de luxe en partance de la Floride. En retour d'un investissement de 300 millions de l'État (sur les 400 M$ que coûterait le stade), Henry proposait de réinvestir 90 % des profits du club dans la région de Miami, s'engageant à verser un minimum d'un million par année pour des projets communautaires. Mais le gouverneur Jeb Bush (le frère de George W.) a rapidement fermé la porte sur la proposition. Henry est revenu à la charge avec un nouveau plan – une taxe sur les nuitées d'hôtel –, qui a également essuyé un refus catégorique. « Je pourrais le construire moi-même, a dit Henry, mais je préfère investir cet argent dans le club et le rendre compétitif[1]. »

Après avoir perdu 25 millions dans ses deux premières années comme propriétaire – les Marlins se relevaient encore difficilement de leur colossale vente de feu de la fin 1997 –, Henry commençait soudainement à douter de son projet de passer le reste de sa vie en Floride.

Mais Bud Selig aimait bien John Henry, un amoureux du baseball (qui, comme lui, avait acheté un club en partie pour retrouver l'état de grâce de ses années magiques de jeune fanatique de baseball), et il considérait que l'industrie avait besoin de propriétaires comme lui. Un type réservé, timide même, Henry avait malgré tout brillamment réussi à mettre tout l'entourage des Marlins à l'aise: joueurs, médias, fans. Selig était bien déterminé à ne pas le laisser couler en Floride, un marché de baseball qui s'avérait médiocre – on en était maintenant convaincu dans les bureaux du commissaire (pas d'appui corporatif, une base de fans très volatile, des étés atrocement chauds, humides et pluvieux).

Les adjoints de Selig, Bob DuPuy et Paul Beeston, sont allés voir Henry pour l'aider à identifier des pistes de solution. Ne pourrait-il pas, par exemple, être intéressé par les Red Sox de Boston? John Harrington, le propriétaire des Sox, avait échoué dans sa tentative de convaincre les autorités gouvernementales de participer à la construction d'un nouveau stade en remplacement du Fenway Park et il voulait maintenant vendre l'équipe.

Aux yeux des deux hommes, c'eût été le scénario idéal: un des meilleurs proprios du baseball dans un des meilleurs marchés. Mais Henry n'était pas disposé à acheter un club dont la valeur était estimée à pas moins de 700 M$... DuPuy et Beeston lui ont alors rappelé que Disney venait de mettre ses Angels sur le marché, que les A's d'Oakland seraient incessamment à vendre, eux aussi... La Californie? Henry y avait habité dans le passé, sa femme ne détesterait sûrement pas y retourner... Bientôt, il déposait une offre d'achat pour les Angels.

L'élimination projetée de deux clubs (Expos et Twins) provoquerait certainement un effet domino mais personne ne pouvait dire lequel: dissolution des Expos et achat par Loria des Marlins? Dissolution des Devil Rays de Tampa Bay (l'autre concession floridienne en difficulté) et déménagement des Expos et de Loria là-bas? Peut-être même que les A's d'Oakland se retrouveraient parmi les clubs sacrifiés... Tous les cas de figure étaient examinés.

Chose certaine, les autorités du baseball s'assureraient d'atteindre certains objectifs: garder John Henry dans la grande famille des propriétaires mais dans un marché lucratif, expédier Loria dans le purgatoire de la Floride (où il échouerait sûrement lui aussi dans sa tentative de faire construire un stade et finirait bien par sortir du décor), soulager Carl Pohlad (propriétaire des Twins et ami de Bud Selig) du fardeau qu'était devenu son club et, bien sûr, sortir une fois pour toutes de Montréal.

Tout semblait se mettre en place selon le bon vouloir de Bud Selig quand un gros nuage noir venu du Minnesota s'est mis à pleuvoir sur son beau plan de match.

À l'instar des Expos, les Twins du Minnesota de 2001 se trouvaient dans une impasse. De 1994 à 2000, l'équipe avait connu des années de misère sur le terrain et aux guichets, engrangeant des revenus au-dessous de la moyenne. Résultat : la direction avait commencé à expédier ailleurs ses meilleurs éléments dès qu'ils devenaient hors de prix (air connu). En outre, le Metrodome, un stade multifonctionnel érigé en 1982 pour accueillir les Twins et les Vikings (l'équipe de la NFL) ne convenait plus aux besoins « modernes » d'une équipe de baseball et il semblait bien que tout projet de construction de nouveau stade trouverait sur son chemin Jesse Ventura, gouverneur de l'État du Minnesota et ancien lutteur de la WWF, qui s'opposait vivement à cette utilisation des fonds publics : « Le baseball majeur n'est pas différent de l'OPEP, avait déclaré Ventura, en ce sens qu'il contrôle l'offre et fixe les prix sans aucune espèce d'imputabilité[2] ! »

Malgré le redressement des Twins en 2001 – sur le terrain et aux guichets –, leur propriétaire, Carl Pohlad, avait décidé qu'il en avait assez du baseball. Déjà, en 1997, il était venu à un cheveu de vendre le club à un homme d'affaires de la Caroline du Nord qui projetait de le transférer là-bas. Or, quand le plan d'éliminer des clubs est venu pour la première fois sur le tapis (une proposition de Jerry McMorris des Rockies du Colorado), Pohlad n'a pas perdu une seconde pour faire savoir à Bud Selig que s'il cherchait une concession à éliminer, il en avait une à lui proposer. Non seulement Pohlad n'aurait pas à porter l'odieux d'un transfert de l'équipe, mais la compensation financière que le baseball lui verserait – le chiffre le plus souvent avancé était de 250 millions – dépasserait largement les sommes que pourrait générer une vente. C'est pour cette raison que les Twins – sans jamais être explicitement nommés – étaient ciblés au même titre que les Expos, même si les Marlins, les Devil Rays, les A's et les Royals étaient des concessions tout aussi fragiles, voire davantage.

Mais Pohlad et Selig se sont rapidement fait mettre des bâtons dans les roues. Jesse Ventura a déclaré en Chambre que le projet de dissolution des Twins n'était qu'une tactique de la MLB pour extorquer des fonds à l'État. Puis, à la mi-janvier, la cour d'appel du Minnesota a donné raison à un premier jugement d'une cour inférieure qui avait favorablement accueilli une injonction déposée par le Metropolitan Sports Facilities Commission, le gestionnaire du Metrodome. Il semblait bien que les Twins ne pourraient pas se libérer d'une entente les obligeant à évoluer dans l'amphithéâtre jusqu'à la fin de l'année.

Parallèlement à ces initiatives, des observateurs avaient soulevé des doutes quant à un possible conflit d'intérêt : en 1995, Carl Pohlad avait prêté à Bud Selig la rondelette somme de 3 millions de dollars pour l'aider avec ses Brewers. En sacrifiant maintenant les Twins – une concession possédant une riche histoire remontant à 1961 –, Selig lui faisait-il un renvoi d'ascenseur ?

D'autres observateurs avaient aussi relevé le fait que la disparition des Twins pourrait avantager les Brewers de Milwaukee (dans lesquels le commissaire avait encore des intérêts) en raison de la proximité des deux marchés. Bref, s'il n'y avait pas conflit d'intérêt, il y avait certainement *apparence* de conflit d'intérêt.

Une autre complication s'ajoutait à ces facteurs : la possibilité bien réelle que Jeffrey Loria intente une poursuite aux autorités du baseball si sa tentative d'acheter les Marlins avortait et s'il se retrouvait sans club.

Le projet de Bud Selig commençait à avoir du plomb dans l'aile et l'Association des joueurs n'avait même pas encore montré le bout du nez…

Alors que, fin janvier, Selig continuait d'affirmer que l'élimination de deux clubs était encore sur la table et pourrait survenir à une date aussi tardive que la fin février, quelques jours plus tard, il devait reconnaître que le plan ne se concrétiserait pas en 2002. « Mais nous irons assurément de l'avant avec l'élimination de deux clubs en 2003 », avait-il tenu à préciser avant que quiconque au Minnesota ou à Montréal ne sorte le champagne.

Les Expos étaient donc encore en vie. Ils ne devaient pas leur survie à la mobilisation du public ou des médias montréalais, ni à un nouvel engagement de dernière heure de la communauté des affaires ou des divers paliers de gouvernement. Non, le sort de l'équipe s'était joué dans le Midwest américain, au Minnesota.

Le grand jeu de la chaise musicale s'est finalement décliné comme ceci : John Henry – dont les discussions avec les Angels sur l'achat du club n'avaient pas abouti – s'est associé à des partenaires minoritaires et a acheté les Red Sox de Boston pour 700 millions de dollars. Peu après, Jeffrey Loria a acquis les Marlins pour 158,5 millions (le prix exact déboursé par Henry en 1999) et les Expos… ont été achetés par le baseball (donc par les 29 autres clubs) pour 120 millions, une somme bien inférieure à leur valeur réelle.

John Harrington, le propriétaire sortant des Red Sox, a accepté l'offre de John Henry même si deux autres mises étaient supérieures (une de celles-là avait même atteint 775 M $). Harrington n'était pas idiot : il savait que c'est cette offre-là que les autorités du baseball approuveraient – et pas une autre.

Puis, le baseball majeur a octroyé un prêt sans intérêt de 38,5 millions à Jeffrey Loria pour l'aider à acheter les Marlins (le marchand d'art n'aurait à rembourser le prêt qu'en partie s'il ne réussissait pas à faire construire un nouveau stade).

Toute l'opération avait été savamment orchestrée depuis le bureau du commissaire.

Loria s'en tirait plutôt bien. Il encaissait 120 millions pour les Expos (alors qu'il était loin d'avoir investi une telle somme pour mettre la main sur le club) en plus de recevoir un prêt (considérable) sans intérêt. Et il était toujours propriétaire d'une équipe des majeures – même si, comme on l'a vu, la Floride n'était pas exactement le Pérou. « On l'a débarrassé d'un citron pour lui refiler un autre citron », dit aujourd'hui Mark Routtenberg[3].

Le club que Jeffrey Loria laissait derrière lui avait encore pour nom les Expos de Montréal, mais ce serait désormais une organisation complètement désincarnée, qui n'aurait de montréalais que le nom, puisqu'elle appartiendrait maintenant à tous les autres clubs du baseball majeur. Les « Expos de Montréal » comme on les avait toujours connus – même sous Jeffrey Loria – n'existaient plus.

Ainsi, quand les Expos disputeraient un match contre les Mets, par exemple, ce seraient les dirigeants de cette équipe qui paieraient en partie le salaire des joueurs montréalais. C'était une situation aussi inédite qu'absurde.

Ce n'était certainement pas le scénario dont avait rêvé le commissaire mais il se consolait à l'idée que les autres parties de son plan s'étaient réalisées. De toute façon, cette aberration ne durerait qu'une année. Car, foi de Bud Selig, les Expos de Montréal seraient, à la fin de 2002, définitivement morts et enterrés.

Dès qu'il a eu la confirmation que les Marlins étaient à lui, Jeffrey Loria a invité plusieurs employés des Expos à le suivre à Miami. Ils occuperaient les mêmes fonctions qu'à Montréal et auraient droit à une prime de relocalisation de 5 000 $. Évidemment, les proches de Loria, comme le DG Larry Beinfest, le gérant Jeff Torborg et ses adjoints, ont tous fait leurs valises pour Miami, aussitôt rejoints par la plupart des membres du personnel de baseball (dépisteurs, gérants des réseaux des filiales, etc.). Certains employés ayant des attaches à Montréal (par exemple, Pierre

Arsenault, qui œuvrait comme receveur dans l'enclos des releveurs, ou John Silverman, le responsable du vestiaire) ont décidé de suivre, d'autres pas.

Parmi ceux qui demeureraient à Montréal se trouvait Claude Delorme, vice-président responsable du développement et des opérations du Stade, qui avait commencé sa carrière chez les Expos en 1983 alors qu'il n'avait que 22 ans. Le 12 février, le baseball majeur l'a nommé vice-président exécutif, administration des affaires, un rôle dans lequel il apporterait une précieuse aide à la nouvelle équipe d'administrateurs dépêchée en catastrophe à Montréal par la MLB. On ne le savait pas encore, mais pendant les trois années qui suivraient, il n'agirait pas seulement comme lien entre l'administration américaine du club et la ville (médias et public), il deviendrait réellement le porte-parole numéro un de l'équipe, son véritable visage – un rôle qu'il a rempli avec doigté et transparence, dans un contexte pas toujours facile.

Ce même 12 février, on apprenait l'identité des *caretakers*, de ceux qui garderaient le fort pour la dernière année du club à Montréal. À la présidence, on ferait bientôt la connaissance de Tony Tavares, 51 ans, qui avait agi dans le même rôle pendant 6 ans pour les Angels de la Californie. Le poste de directeur-gérant avait été confié à Omar Minaya, 43 ans, qui, au moment de sa nomination, était directeur-gérant adjoint chez les Mets de New York. Minaya devenait ainsi le premier directeur-gérant d'origine latine – il était Dominicain – de l'histoire du baseball.

Quant au poste de gérant, Bud Selig avait fait appel à l'ancien grand joueur des Reds de Cincinnati et des Orioles de Baltimore, Frank Robinson, qui, en 1975, était devenu le premier Noir a être nommé gérant d'un club des majeures. Avant d'être dépêché à Montréal, Robinson – qui avait maintenant 66 ans – œuvrait dans le bureau du commissaire comme vice-président des opérations sur le terrain, ce qui en faisait en substance le préfet de discipline du baseball. Élu au Temple de la renommée du baseball en 1982, Robinson apporterait aux Expos une expérience de plus de 1 400 matchs à la barre d'équipes des majeures.

Les gens de baseball gardent toujours leur carnet d'adresses à portée de la main et bientôt, Robinson s'est retrouvé entouré d'une équipe d'adjoints complète: Tom McCraw (instructeur des frappeurs), Dick Pole (instructeur des lanceurs), Manny Acta (instructeur au troisième but et spécialiste de l'avant-champ) ainsi que quelques autres qui ne se sont pas fait prier pour revêtir un uniforme des grandes ligues.

Parmi ceux-ci se trouvait un visage bien connu des Québécois: l'ancien lanceur et commentateur Claude Raymond, à qui on avait confié la tâche de *roving coach*, d'entraîneur «itinérant», en quelque sorte. Claude participerait aux entraînements d'avant-match (il accompagnerait les lanceurs, plus spécifiquement) puis se rendrait dans la loge du club pour la durée des matchs de façon à analyser le travail des lanceurs, les *patterns* défensifs et tous les autres éléments difficiles à déceler à la hauteur du terrain. À l'époque où il était gérant, Robinson s'était toujours entouré d'un *roving coach*. Ce ne serait pas différent à Montréal.

Que personne de l'organisation n'ait – avant 2002 – pensé offrir un rôle sur le terrain à une ressource aussi précieuse que Claude Raymond était incompréhensible. Les Expos avaient-ils préféré le garder dans le rôle de commentateur où il avait davantage de visibilité auprès du public? L'ancien releveur aurait-il accepté d'aller faire ses classes – à très bas salaire – dans les clubs-écoles? Peut-être pas. Chose certaine, Claude n'était pas du genre à faire de l'autopromotion, à aller quémander un poste d'entraîneur. À l'époque où il était avec les Expos, Delino DeShields avait un jour été sidéré d'apprendre que Raymond avait été lanceur dans les majeures. DeShields l'avait côtoyé pendant des années – avant les matchs, dans les avions, dans des activités promotionnelles – sans jamais savoir qu'il s'adressait à un ancien lanceur qui avait passé 11 saisons dans les majeures.

En décembre 2001, au lendemain du party de Noël des employés des Expos, Raymond avait reçu un coup de fil à la maison de David Samson lui annonçant... que ses services n'étaient plus requis. Si, par miracle, l'équipe revenait à Montréal le printemps suivant, alors Raymond recommencerait à travailler à la radio. «Ah, oui? Peux-tu me mettre ça par écrit?», lui a demandé l'ancien lanceur. Samson avait refusé, pas plus magnanime avec Raymond qu'il ne l'avait été avec les autres employés des Expos qu'il venait de mettre à la porte. Pour la première fois depuis 1972, lorsque l'équipe lui avait donné son congé comme joueur, Claude Raymond se retrouvait sans emploi. Et bientôt, il n'aurait même plus de matchs des Expos à regarder pour passer le temps...

Mais, comme on le sait, au baseball, rien n'est jamais fini tant que ce n'est pas fini et, le printemps venu, les Expos étaient toujours vivants et Claude Raymond sautait sur le terrain de Jupiter, en Floride, un uniforme de baseball sur le dos – arborant son ancien numéro, le 16 –, se confondant bientôt aux Javier Vazquez, Jose Vidro et Vladimir Guerrero. Claude renaissait, littéralement: il y avait des années qu'on ne l'avait vu aussi souriant, détendu, débordant d'énergie – un jeune homme de 64 ans. Pour lui, comme pour le club, cette saison serait un véritable baroud d'honneur.

Pour les membres des médias assurant la couverture du club, le camp d'entraînement du printemps était bien différent de ceux qui l'avaient précédé : pas de rumeurs de déménagement, pas d'histoires d'appel de fonds ou de bisbille entre actionnaires à traquer, seulement des entraînements, des matchs, et les déclarations habituelles des joueurs prédisant que la saison à venir serait meilleure que la précédente, si tout le monde restait en bonne santé, bien sûr...

Les Expos n'ayant plus que 1 200 abonnements de saison, la nouvelle direction devrait trouver une façon d'attirer les gens au Stade, les exploits de Vladimir Guerrero ne semblant pas être un argument suffisant. Bien sûr, la MLB s'attendait à perdre de l'argent pendant cette dernière année à Montréal, mais on souhaitait bien évidemment réduire les dommages le plus possible.

Claude Delorme avait eu une idée porteuse qui dépassait la simple *gimmick* promotionnelle : on profiterait de cette dernière saison pour honorer le passé de l'équipe en organisant des journées « clin d'œil au passé ». Match d'*old timers*, résurrection des deux anciens uniformes du club pour quelques parties à domicile et, comme pièce de résistance, la distribution au Stade de figurines *bobble heads* à l'effigie de quelques-uns des joueurs les plus marquants de l'histoire des Expos. Ces statuettes en plâtre faisaient maintenant l'objet d'une convoitise effrénée de la part des collectionneurs américains, puisqu'elles étaient toujours produites en quantité limitée. Ces événements spéciaux intéresseraient peut-être davantage de gens qu'une visite au Stade de Barry Bonds...

Poussant le concept « clin d'œil au passé » plus loin encore, les Expos ont annoncé le 7 mars l'embauche d'Andres Galarraga, un des joueurs les plus populaires du club dans la deuxième moitié des années 1980. Après son départ de Montréal à la fin de 1991, il avait relancé sa carrière de façon spectaculaire au Colorado puis à Atlanta (47 CC et 150 PP avec les Rockies en 1996). Mais au printemps 1999, des examens subis alors qu'il souffrait de douleurs au bas du dos ont mené à la détection d'une tumeur cancéreuse et il a raté toute la saison pour subir des traitements de chimiothérapie. À son retour au jeu, le 3 avril 2000, le Gros Chat avait frappé un circuit pour produire le point gagnant du match. Il complèterait brillamment son retour au jeu avec une saison de 28 CC et 100 PP. Après une baisse de régime en 2001, Andres était redevenu agent libre et la nouvelle direction a sauté sur l'occasion pour le ramener à Montréal.

Puis, le 20 mars, les Expos ont rapatrié un autre grand favori des foules, Henry Rodriguez, sans emploi depuis juin 2001. En mai, on ramènerait Wil Cordero et plus tard, ce serait au tour de Cliff Floyd et Wilton Guerrero de rentrer à la maison…

Un peu avant le recrutement de Galarraga, le club avait fait signer un contrat de ligues mineures à un autre vétéran, le très musclé Jose Canseco, dans l'espoir qu'il surprenne tous les observateurs et se taille une place dans l'équipe. Mais Canseco a été libéré le 27 mars et la seule surprise qu'il réserverait désormais au baseball serait sa conversion en auteur à succès de bestsellers controversés visant à prouver qu'il n'avait pas été le seul à faire l'usage de stéroïdes dans les majeures…

Les «Orphelins de Montréal» entreprendraient-ils leur dernière saison dans une indifférence généralisée ou les amateurs profiteraient-ils pleinement des dernières occasions s'offrant à eux de voir du baseball majeur dans leur ville?

«Vous pouvez refuser d'aller au Stade olympique pour voir Javier Vazquez gagner 20 matchs, Vladimir Guerrero créer de la magie tous les soirs, Orlando Cabrera devenir le nouveau sorcier de l'Astrograss ou Jose Vidro frapper, frapper et frapper encore, a écrit Stephanie Myles dans *The Gazette*. Ce serait trop pénible. Ils se fichent de vous puisque, de toute façon, ils s'en vont. Alors pourquoi dépenser votre argent et investir vos émotions là-dedans?

«Mais vous avez aussi l'option de dire un vrai au revoir à une équipe qui n'a peut-être pas atteint les plus hauts sommets et qui a brisé votre cœur plus d'une fois, mais qui n'a jamais, jamais été monotone, de poursuivre la journaliste. Et puis, débourser huit dollars pour s'installer dans les estrades populaires du champ droit, tout juste derrière Vladimir Guerrero, demeure un exceptionnel rapport qualité-prix.»

Le 1er avril, à la veille du match d'ouverture, les principaux membres de la nouvelle direction de l'équipe – Tavares, Minaya et Robinson – ont tenu une conférence de presse au Stade olympique pour rencontrer les médias et leur dire comment ils envisageaient la saison qui s'annonçait.

«Si un médecin vous annonce qu'il vous reste six mois à vivre, vous pouvez vous écraser dans un coin et pleurer le reste de vos jours, a dit le président du club, Tony Tavares. Ou vous pouvez prendre ces six mois pour célébrer la vie. J'espère que nous allons célébrer le baseball et que les gens auront le goût de voir les joueurs et les équipes qui viendront nous affronter. On va être respectueux et on va essayer de gagner. On va diriger les Expos comme une autre équipe même si notre mandat n'est que d'un an. J'espère seulement que les gens auront le goût de venir célébrer quelques fois ce beau sport qui a fait vibrer Montréal.»

Compte tenu de tout ce qui avait précédé et de la fin inéluctable de l'histoire de la concession, le mot «célébrer» était peut-être un peu fort, mais on voyait où il voulait en venir.

Quand un journaliste dans la salle lui a demandé si les fans pouvaient encore garder un mince espoir de voir apparaître un «chevalier blanc» prêt à acheter le club et à le garder à Montréal, Tavares n'a pas cherché à endormir qui que ce soit : «Si ce chevalier existait, il me semble qu'il se serait déjà manifesté.»

Le DG Omar Minaya a fait rire la salle quand il a raconté que son fils de huit ans s'était mis à pleurer quand il avait appris que son père allait travailler pour les Expos. «Il m'a dit : "Ils ne sont même pas bons !" Mais bon, ça va mieux maintenant. Je suis un historien du baseball. On ne peut pas oublier que c'est Montréal qui a donné sa première chance à Jackie Robinson, le premier Noir dans les majeures, et qui a accueilli et formé des dizaines de joueurs latinos. Montréal nous a donné une chance.»

Réjean Tremblay de *La Presse* avait apprécié ce qu'il avait vu et entendu : «On a eu droit à une première hier au Stade olympique. Première conférence de presse sans boulechite depuis dix ans.»

La saison, la dernière, pouvait commencer. La première équipe à se rendre au Stade olympique serait – et c'était trop étrange pour ne pas être vrai – les Marlins de la Floride. On n'aurait donc pas à attendre trop longtemps avant de voir Jeffrey Loria ou David Samson revenir sur les lieux du crime… C'est finalement ce dernier qui a fait le voyage à Montréal, le beau-père jugeant qu'il valait mieux adopter un profil bas.

En quittant pour de bon les bureaux des Expos en début d'année, Loria et Samson avaient réservé une petite surprise à ceux qui leur succéderaient. Ils avaient tout emporté avec eux : ordinateurs, téléviseurs, lecteurs DVD, téléphones cellulaires, lance-balles, radars ; des ensembles complets d'uniformes autographiés, des boîtes de balles signées, des affiches géantes de Vladimir Guerrero… et les rapports de dépisteurs des dix dernières années. Bref, tout ce qui n'était pas vissé aux murs.

La nouvelle direction était tellement à court de renseignements pour entreprendre son travail qu'on s'apprêtait maintenant à engager Jim Beattie comme conseiller spécial. Cette information, il l'aurait sûrement encore quelque part dans sa tête…

Malgré tout, on n'était pas prêt à lancer la pierre aux anciens propriétaires : «Ce qu'ils ont apporté avec eux était spécifié dans l'entente qu'ils ont passée avec le baseball. Légalement, ça leur appartenait», a dit Omar

Minaya. «Au moins, ils ont laissé les joueurs», philosophait en riant Frank Robinson.

De son côté, David Samson disait ne pas comprendre le tollé que l'histoire avait soulevé: «Nous n'avons rien "pris". Nous étions en train de négocier l'achat et la vente de deux clubs. Cet équipement-là faisait partie d'un contrat négocié.» Sur la question des rapports de dépisteurs, Samson ne voyait pas où se situait le problème: «Tous les gens de baseball vous diront que les dépisteurs ne s'en remettent pas aux rapports d'autres dépisteurs. Ils veulent faire leurs propres évaluations parce que c'est leur emploi qui est en jeu.»

David Samson ne voyait pas non plus en quoi sa présence physique au Stade olympique pour le match d'ouverture posait problème: «Voyons, les gens ne m'en veulent pas. Ils ont apprécié les efforts que nous avons fournis ici pendant deux ans.» Il s'était donc rendu sur le terrain durant les exercices d'avant-match pour bavarder avec les joueurs de son ancienne équipe. Mais après s'être fait haranguer par plusieurs spectateurs, Petit Trot a réalisé qu'il ferait mieux de remonter en douce dans la loge de l'équipe visiteuse.

L'indicible David Samson semblait être sorti de son aventure montréalaise sans avoir réalisé quel type d'héritage son beau-père et lui avaient laissé derrière eux. Mais compte tenu du peu de temps qu'il avait mis à écouter les autres, c'était probablement dans l'ordre des choses.

Invité en début d'année par un journaliste de Mlb.com à identifier quelle était la plus grande leçon qu'il avait tirée de ses deux années chez les Expos, Samson avait répondu qu'il avait découvert qu'il ne pouvait plus lire les journaux parce qu'il savait maintenant que tout ce qui s'y trouvait relevait du ouï-dire, de la manipulation ou du mensonge. «Avant, je lisais les journaux comme tout le monde et je croyais tout ce que je lisais. Mais maintenant je sais qu'on ne peut pas croire tout ce qu'on y lit, alors je ne les lis plus.»

La réflexion avait du mérite mais c'est *ce qu'il ne disait pas* qui parlait probablement le plus fort: aucune introspection sur la façon dont lui et son beau-père avaient procédé durant leur passage montréalais, aucune remise en question, aucun *mea culpa*, aucun regret. Manifestement, ces gens-là ne doutaient de rien.

Le match d'ouverture de 2002 a été un événement moins festif que ceux des dernières années, plusieurs spectateurs en ayant manifestement beaucoup sur le cœur. Sentant peut-être qu'ils n'avaient plus rien à perdre, les 34 351 fans – jeunes, pour la plupart – semblaient d'une humeur délinquante. À divers moments durant la soirée, la foule a entonné «*Loria sucks! Loria sucks!*» ; certains ont brandi affiches et bannières plutôt acides – que des préposés se sont aussitôt empressés de leur faire ranger. Sur l'une d'elles, quelqu'un avait écrit : « Loria, ne vole pas cette affiche ! » En 6ᵉ manche, un spectateur a réussi à se faufiler jusque sur le toit de l'abri des Marlins pour brandir bien haut son affiche (*Loria sucks*) – avant d'être invité prestement à regagner son siège. Plus tard, en 9ᵉ, un autre a vigoureusement secoué le poteau de démarcation du champ droit avant d'être remis à l'ordre. Dans le monde post-11 septembre, ces manifestations rendaient les gens plus nerveux qu'à l'habitude. Même Frank Robinson – encore préfet de discipline quelques mois plus tôt – avait dû sortir de l'abri à deux reprises pour inviter la foule à se calmer.

Mais il n'y avait aucun doute que l'esprit était aussi à la fête et l'équipe locale a été chaleureusement accueillie lors des présentations d'avant-match, les applaudissements les plus sentis étant réservés à Robinson, aux enfants prodigues Andres Galarraga et Henry Rodriguez, ainsi qu'à… Claude Raymond.

En début de 7ᵉ manche, les Marlins, peut-être fouettés par les quolibets des spectateurs, ont porté la marque à 6-1, calmant temporairement l'ardeur des fans. Mais les Expos ont rallumé le feu en fin de 8ᵉ en marquant 3 fois.

En fin de 9ᵉ, avec des coureurs aux deuxième et troisième buts et aucun retrait, Frank Robinson a rappelé au banc Andres Galarraga pour le remplacer par le frappeur gaucher Henry Rodriguez, ce qui a aussitôt déclenché une bonne vieille habitude : une pluie de tablettes Oh Henry! sur le terrain. Après une deuxième intervention du gérant des Expos auprès des fans et après quatre fausses balles, Rodriguez a fendu l'air pour une troisième prise – une autre vieille habitude pour lui (frappant pour ,050, Henry serait libéré un mois plus tard).

Après un deuxième retrait, Jose Vidro a frappé en lieu sûr, faisant marquer les deux coureurs et égalisant la marque, faisant trembler le béton du grand bol. Les applaudissements se sont aussitôt transformés en huées quand le lanceur des Marlins a donné une passe gratuite à Vladimir Guerrero. Le frappeur suivant, le toujours opportuniste Orlando Cabrera, a envoyé les fans au septième ciel en faisant marquer le point gagnant à l'aide d'un simple bien placé au champ droit. Marque finale : Expos 7, Jeffrey Loria 6.

Le baseball majeur était revenu avec éclat à Montréal, faisant passer les fans par toute la gamme des émotions : bonne humeur, rancœur, défoulement, espièglerie, inquiétude… jusqu'à l'explosion de joie de la fin du troisième acte. Comme l'avait écrit Stephanie Myles, les Expos n'étaient jamais, mais jamais monotones.

Le gérant des Marlins Jeff Torborg – copieusement hué, lui aussi – avait trouvé le comportement des fans «disgracieux», mais Omar Minaya, le DG des Expos, n'avait pas trouvé ça si terrible: «Vous savez, j'ai grandi en voyant des matchs dans le Bronx...» «Ouf, ils ne viennent pas souvent mais quand ils viennent, ils nous en donnent pour le reste de la saison!», a dit Michael Barrett. «Ce serait formidable si c'était comme ça tous les soirs», a ajouté Peter Bergeron.

Frank Robinson était vidé, mais heureux. Il avait ramassé une tablette de chocolat qu'il comptait garder en souvenir de sa 1re victoire à Montréal. «Je veux dire aux fans merci d'être venus, merci d'être restés jusqu'à la fin.»

Robinson avait invité quelques amis à assister au match, dont le comédien bien connu Bill Cosby. Quand on lui a mentionné qu'il n'y aurait probablement plus que 5 000 personnes le lendemain, Cosby n'a pas pu s'empêcher de blaguer: «Quoi? Personne ne leur a dit que ce soir n'était pas le dernier match de l'année? Moi, en tous cas, je vais sûrement revenir demain, ça va être plus facile de ramasser des balles fausses.»

Cet étrange match inaugural a pavé la voie à un encore plus étrange début de saison: le 1er mai, les Expos partageaient la tête de la division Est (avec les Mets), en vertu d'une fiche de 17-10.

Non seulement ils gagnaient, mais ils le faisaient avec panache: le 24 avril, ils ont battu les Brewers 5-4 en 15 manches sur une erreur du voltigeur de centre, mais c'est un jeu spectaculaire survenu en fin de 12e manche qui a capté l'attention: un coup retenu suicide du réserviste Mike Mordecai pour faire marquer Vladimir Guerrero du troisième but et égaliser la marque.

Compte tenu de la précipitation et de l'improvisation avec lesquelles l'équipe avait dû s'organiser, le rendement des Expos tenait presque du prodige. Plus à l'ouest, les Twins du Minnesota, leurs compagnons d'infortune dans le dossier de la dissolution, avaient aussi excellé (17-11), flirtant avec le sommet de leur division.

Bud Selig disait trouver «très excitant» le succès des deux clubs. «Nous ne sommes pas du tout embarrassés par le rendement des Expos et des Twins. Je souhaite que les Twins gagnent, car ils ont une jeune et belle équipe», a déclaré le commissaire. Sauf que pour lui, même un championnat ne changerait rien au destin des deux clubs. À la fin de la saison, ils seraient démantelés. « Les problèmes des Expos ne remontent pas à hier, a dit Selig. En fait, ils ont commencé quand mon bon ami Charles Bronfman les a vendus. »

Le 26 mai, les Expos présentaient la première de la série de programmes « clin d'œil au passé », les joueurs revêtant des uniformes semblables – en laine – à ceux que portaient les Expos de 1969, incluant la fameuse casquette tricolore. Pour l'occasion, on avait invité les anciennes gloires Mack Jones, Ron Hunt et Ellis Valentine, qui avaient tous les trois gagné en volume mais rien perdu de leur esprit.

« Je dis toujours aux gens : Montréal, *ça* c'était un endroit où les Noirs étaient acceptés, a dit Mack Jones. En fait, il y a certains endroits dans la ville où tu te sentais plus qu'accepté, tu étais *aimé*, si vous voyez ce que je veux dire. En 1969, quand on se rendait sur ce terrain-là [le parc Jarry], c'était de l'adrénaline pure. J'ai connu de meilleures années mais je n'en ai jamais eues de plus mémorable. C'est le déménagement dans ce maudit mausolée [le Stade olympique] qui les a coulés. »

Les Expos (Claude Delorme, en fait) avaient aussi eu la belle idée de ramener l'organiste Fernand Lapierre qui, comme à l'époque de Jarry, a ravi les spectateurs avec son répertoire résolument rétro, incluant le thème original du club, qu'on n'entendait à peu près plus jamais. L'équipe a trouvé une autre façon de faire plaisir aux amateurs en complétant le balayage des Phillies pour se rapprocher à 1 ½ match de la tête.

On n'a pas revu autant de gens au Stade avant le dimanche 16 juin, quand les Blue Jays de Toronto, pardon, les *bobble heads* à l'effigie du Grand Orange, Rusty Staub, ont débarqué au Stade. Le match était prévu pour 13 h 35, mais les amateurs ont commencé à affluer dans la rotonde du Stade au moins deux heures avant pour s'assurer de mettre la main sur une des précieuses statuettes (qui seraient remises aux 5 000 premiers spectateurs). Était-ce la nostalgie ou la perspective d'un gain facile qui les motivait ? On ne peut généraliser, mais la folie *bobble heads* avait atteint un tel paroxysme aux États-Unis durant l'été que d'autres figurines – produites en plus grande quantité – se vendaient régulièrement autour des 250 $ US sur Internet. Que vaudrait cette rareté exotique provenant de Montréal ? Quand on connaît la ferveur des collectionneurs d'articles de sport en Amérique, il y avait de quoi faire rêver les revendeurs…

Quand les portes se sont finalement ouvertes, il y a eu un peu de bousculade – rien de trop sérieux cependant – et la majorité des gens qui attendaient depuis midi ont eu leur statuette. On avait toutefois remarqué qu'une fois qu'ils s'étaient emparé du précieux objet, des centaines de

« fans » prenaient aussitôt le chemin de la sortie, pressés, on le devine, de se retrouver devant un ordinateur pour mettre leur Petit Orange à l'encan. Les temps avaient bien changé depuis l'époque où les gens accouraient vers leurs sièges au parc Jarry pour y voir le vrai Rusty Staub…

Encouragés par la foule plus nombreuse qu'a l'accoutumée (15 425), les Expos ont disposé des Blue Jays 6-5, leur 3ᵉ victoire en 3 jours. Ils porteraient bientôt cette séquence à huit, ce qui a plongé le DG Omar Minaya dans une réflexion existentielle. On s'approchait de la mi-saison, et cette étonnante équipe était encore à portée d'une place dans les séries et même du 1ᵉʳ rang. Or, tout indiquait que l'équipe serait démantelée au terme de la saison. Pourquoi alors ne pas tenter l'impossible et mettre la main sur un joueur d'impact qui permettrait au club d'être dans la course jusqu'à la fin – et, qui sait, peut-être de se tailler une place dans les séries et, qui sait encore, d'aller jusqu'au bout ?

Évidemment, la notion même qu'une équipe appartenant aux 29 autres organisations puisse s'emparer d'une place dans les séries était, d'une certaine façon, aberrante. Mais ces joueurs, ce gérant, ces instructeurs n'étaient pas en uniforme pour faire semblant, ils jouaient pour gagner, tout comme ceux des autres organisations. Ne fallait-il pas leur en donner les moyens ? Et puis, ces fans, qui avaient dans l'ensemble bien appuyé leur équipe pendant plus de 30 ans, ne méritaient-ils pas un dernier tour de piste la pédale au fond ? Par ailleurs, Minaya n'était pas sans savoir qu'un jeune directeur-gérant se fait généralement un nom en osant plutôt qu'en jouant de prudence : « C'est vrai qu'ici, j'ai une chance de me mettre sur la *map*. Mais ce n'est pas tout. Je suis dans ce job parce que j'aime gagner », avait-il dit.

Même si ses patrons se trouvaient dans le bureau du commissaire, Minaya avait les coudées (relativement) franches. S'il voulait tenter un grand coup, on ne lui mettrait pas de bâtons dans les roues – en autant qu'il respecte le budget du club, bien sûr. En juillet, l'équipe disputerait presque tous ses matchs contre des clubs de sa division et pourrait donc plus facilement gagner du terrain dans le classement.

Le 27 juin, le DG passait à l'action. Il est allé chercher un lanceur partant de première classe, Bartolo Colon des Indians de Cleveland, un des meilleurs des majeures, le prochain Bob Feller, disait-on alors. Un solide droitier de 29 ans (10-4, 2,55 jusque-là en 2002), Colon n'avait peut-être pas le gabarit classique de l'athlète (il affichait un tour de taille rappelant celui de Mickey Lolich, l'ancien rondelet lanceur des Tigers), mais il lançait des balles de feu qui semblaient monter en arrivant au marbre. Pas de doute, ce gars-là *savait* lancer.

Toutefois, pour l'obtenir – en compagnie de Tim Drew, un autre lanceur –, les Expos avaient dû céder quatre joueurs aux Indians : Lee Stevens, leur joueur de premier but (qui avait manqué de tonus depuis le début de l'année), et trois joueurs des mineures : le deuxième-but Brandon Phillips, le voltigeur Grady Sizemore et le lanceur gaucher Cliff Lee, trois athlètes relativement inconnus à l'époque. Phillips était perçu comme le plus prometteur du groupe.

Les observateurs n'en revenaient pas : quel culot ils avaient, ces Expos, condamnés à l'extinction, d'aller ravir un des meilleurs lanceurs d'un club encore dans la course… Les richissimes Indians (des foules de 3 millions de spectateurs par année, une masse salariale de 75 millions) qui envoyaient leur lanceur numéro un aux Expos (masse salariale de 40 millions) ? C'était le monde à l'envers ! Après plusieurs années fastes suivant la construction d'un nouveau stade, les Indians devaient maintenant réduire leurs dépenses, au grand dam des fans et des médias de Cleveland. Outrés, des amateurs appelaient déjà au boycott du club.

Depuis le fameux échange Langston en 1989, jamais les Expos n'avaient obtenu de joueur de ce calibre en milieu de saison, jamais n'avaient-ils tout mis en œuvre pour *gagner*. À l'époque de Claude Brochu et des actionnaires québécois, ces transactions-là allaient toujours dans le sens inverse.

Frank Robinson se réjouissait de pouvoir compter sur un lanceur de la trempe de Colon dans sa rotation de partants, mais il estimait que l'équipe avait donné beaucoup trop.

L'avenir lui donnerait entièrement raison : Colon a été excellent jusqu'en 2005 (ailleurs qu'à Montréal), année où il a remporté le Cy Young, mais Grady Sizemore, Brandon Phillips et Cliff Lee sont devenus des étoiles du baseball. On pourrait arguer que cet échange est le pire qu'ont conclu les Expos de toute leur histoire, plus mauvais encore que l'échange de Singleton et Torrez en 1975. Mais à la décharge de Minaya, à l'été 2002, il n'y avait pas de lendemain pour les Expos et le DG avait décidé de miser tous ses pions sur le présent. Qui pouvait vraiment l'en blâmer ?

Minaya n'allait pas s'arrêter là : le 11 juillet, il a mis la main sur le frappeur gaucher qui manquait au club depuis le départ de Lee Stevens : Cliff Floyd, l'ancien Expo, qui connaissait toute une saison avec les Marlins (18 CC, 57 PP). En plus de Floyd, les Expos obtenaient Wilton Guerrero (un autre revenant – il était devenu joueur autonome en 2000) et le lanceur Claudio Vargas. Les lanceurs Carl Pavano et Graham Lloyd (qui n'avaient pas très bien lancé jusque-là), le joueur d'intérieur Mike Mordecai (qui avait également eu sa part de difficultés) et un lanceur des mineures prenaient tous le chemin de la Floride.

Au retour de la pause du match des Étoiles, les Expos – qui avaient jusque-là maintenu une excellente fiche à domicile de 27-12 –, auraient une occasion en or de gagner du terrain sur les Diamondbacks de l'Arizona dans la course au quatrième as : leurs 8 prochains matchs auraient lieu à domicile – et, comme on l'a dit, contre des clubs de l'Est.

Durant ce séjour à domicile, les Expos ont attiré de bonnes foules (jamais sous les 10 000, et jusqu'à 25 109 pour la journée de la statuette Tim Raines), de *belles* foules aussi, comme celle du 18 juillet où des milliers d'enfants de camp d'été avaient scandé « Expos ! Expos ! Expos ! » dans la rotonde en attendant en ligne l'ouverture des portes. « Ils sont entrés dans le Stade avec de grands yeux et ont explosé quand ils ont vu les joueurs, quand ils ont vu Vladimir », a écrit Ronald King dans *La Presse* du lendemain.

Ces jeunes, qui ne connaissaient Claude Brochu, Jeffrey Loria ou Bud Selig ni d'Ève ni d'Adam, et qui n'avaient probablement jamais entendu prononcer le mot « dissolution », ne pouvaient probablement pas s'imaginer que les Expos de Vladimir Guerrero abandonneraient bientôt le Stade olympique.

Malheureusement, alors qu'ils avaient l'occasion de se hisser au palier supérieur, les Expos ont perdu cinq de ces huit matchs à Montréal, malgré la solide contribution de Bartolo Colon (deux victoires, deux matchs complets). Partis ensuite à l'étranger, ils se sont inclinés trois fois, du 19 au 21 juillet, contre les Marlins de celui-dont-il-vaut-mieux-ne-pas-prononcer-le-nom. Ils ont ensuite perdu deux matchs sur trois aux mains des Mets, à New York. Entre autres défaillances, la défensive avait continué d'éprouver toutes sortes d'ennuis.

Il semblait bien maintenant que le club (à 16 matchs des meneurs et à 7 du quatrième as) ne pourrait plus remonter la pente. Le 31 juillet, Omar Minaya – ramené sur terre par la MLB qui ne lui permettrait pas de dépasser son budget – a échangé Cliff Floyd (,208 de MAB en 15 matchs ; 6 500 000 $ de salaire) aux Red Sox de Boston – exactement 20 jours après l'avoir rapatrié à Montréal. La serviette, comme on dit, venait d'être lancée.

Après la lune de miel des débuts, l'ancienne grande vedette du baseball Frank Robinson se révélait, petit à petit, une déception.

Il était venu à Montréal peinard, presque insouciant, avec le mandat de faire en sorte que la dernière saison des Expos ne soit pas trop déshonorante. Une fois cette tâche accomplie, il mettrait la clé sous la porte et retournerait dans ses bureaux de New York.

Mais avec le temps, cette légitime (après tout, le club n'allait nulle part) désinvolture a pris des allures d'indifférence: Robinson se fichait pas mal de se qui se passait autour de lui – et de ceux qui travaillaient avec lui. Il semblait beaucoup plus intéressé par jouer sa ronde de golf quotidienne qu'à préparer ses matchs. Quand l'équipe jouait à l'étranger, la première question qu'il posait était pour savoir où se trouvaient les terrains à proximité.

On découvrait aussi un être distant, bourru, plutôt imbu de lui-même. Il savait très bien qui il était, ce qu'il avait accompli dans le baseball, et avait tendance à regarder les gens de haut, l'air de dire: « T'es qui, toi ? » Évidemment, il pouvait être charmant s'il s'agissait de têtes connues comme les légendes du baseball ou les stars à la Bill Cosby. On entendait maintenant des histoires selon lesquelles les autorités du baseball l'avaient envoyé en exil à Montréal pour ne pas avoir à l'endurer quotidiennement dans leur entourage.

En juillet, à la suite d'accrochages entre Robinson et les lanceurs Tony Armas et Tomo Ohka, Omar Minaya avait essayé d'intervenir auprès de son gérant. Mais celui-ci n'avait pas été très réceptif: « Ce n'est pas toi qui es mon patron. Mon patron est à New York. » Par la suite, Robinson a remis une lettre de démission à Tony Tavares, se doutant bien qu'on ne l'accepterait pas. Ce qui s'est d'ailleurs produit, le président des Expos lui demandant de rester en poste jusqu'à la fin de la saison.

C'est une décision que Tavares regretterait amèrement plus tard, puisque son association avec le gérant se prolongerait éventuellement pendant deux autres longues années…

Le commissaire Bud Selig connaissait vraiment une *annus horribilis.* Après un passage ardu au Congrès américain en décembre 2001 – où il avait eu du mal à convaincre un auditoire sceptique que l'ensemble des clubs avaient essuyé des pertes de 345 M $ dans l'année –, il avait dû mettre de côté son plan de dissolution.

Puis, en juillet, il avait vécu une très pénible fin de soirée lors du match des Étoiles. L'événement devait être un grand moment de sa carrière puisque le match était présenté au Miller Park, le nouveau stade de Milwaukee – ouvert en 2001 – que Selig avait très largement contribué à faire construire du temps qu'il était propriétaire des Brewers. Mais, parfois, les choses ne se déroulent pas comme prévu…

Au début de la 11e manche, les gérants des deux clubs, Joe Torre et Bob Brenly, se sont approchés de la loge du commissaire pour le prévenir qu'ils n'avaient plus de lanceurs à leur disposition. Au terme de la manche, le pointage était toujours égal et l'idée de laisser travailler plus longtemps les deux seuls lanceurs encore disponibles posait problème, compte tenu du risque de blessures que cela comportait. Bud Selig devait trancher : poursuivre le match ou l'interrompre en renvoyant tout le monde à la maison ? Il a opté pour la deuxième option.

Il est extrêmement rare qu'un match soit interrompu pour des raisons autres que naturelles, et fans et médias étaient ahuris : quelle sorte de leader était donc à la tête du baseball ? C'est finalement sous une pluie de huées que le commissaire a quitté « son » stade ce soir-là, un prince cruellement transformé en crapaud. Ce qui devait représenter un des hauts faits de la saison pour l'industrie s'était métamorphosé en un véritable cauchemar de relations publiques.

Cette tempête à peine apaisée, Bud Selig avait reçu une nouvelle tuile sur la tête : il faisait maintenant l'objet – avec Jeffrey Loria – d'une poursuite des ex-propriétaires québécois (et canadiens) du club. L'accusation stipulait que les accusés s'étaient trouvés en situation de violation des lois de l'État en matière de fraude, qu'ils n'avaient pas respecté leurs engagements comme fiduciaires et qu'ils avaient volontairement fait une présentation erronée et négligente des faits. Les plaignants accusaient en outre le commissaire et l'ancien commandité du club d'avoir comploté pour réduire la part des actions des partenaires (de 76 % à 6 %) dans le but d'éliminer ou de transférer la concession. Finalement, on arguait qu'ils avaient menti, caché des faits et forcé les actionnaires à prendre des décisions précipitées.

On réclamait un dédommagement de 100 millions de dollars – auquel s'ajouteraient des sommes additionnelles, comme les honoraires des avocats. Le groupe serait représenté par Weil, Gotshal & Manges, un des plus importants bureaux d'avocats de New York, une recommandation de Charles Bronfman.

En apprenant que son nom était directement cité dans la poursuite, Selig avait piqué, dit-on, une colère épouvantable. Le lendemain, la réponse officielle du baseball majeur – sous la plume du président et responsable des opérations des majeures Robert DuPuy, lui aussi cité dans la poursuite – était publiée dans les médias.

DuPuy ridiculisait l'initiative des actionnaires, la qualifiant de « frivole ». « Malheureusement, les partenaires minoritaires des Expos de

Montréal, autoproclamés citoyens responsables du Canada et maintenant partenaires minoritaires des Marlins de la Floride [leurs 6 % d'actions avaient suivi Loria à Miami], ont décidé de s'engager dans une campagne de relations publiques et ont déposé une poursuite loufoque contre le baseball majeur et contre le commissaire [...] Dans les faits, le baseball majeur a incité constamment ces partenaires minoritaires à jouer un rôle plus actif chez les Expos et, quand nécessité il y avait, à contribuer aux dépenses de l'équipe. Ils ont refusé malgré nos demandes incessantes. Vers la fin des années 1990, ils étaient insatisfaits de leur commandité Claude Brochu et ils ont décidé de le remplacer. Ce sont eux qui sont allés le chercher comme actionnaire principal et non le contraire [...]

« Ils nous ont dit qu'ils ne s'opposeraient pas à la dissolution de l'équipe à la condition d'être remboursés. Mais ils ne voulaient pas être blâmés publiquement pour le déménagement ou la dissolution de l'équipe. Ils veulent maintenant jeter le blâme sur le baseball majeur. »

Lors de la conférence de presse annonçant la poursuite, des journalistes ont demandé à Samuel Minsberg, porte-parole du groupe (et avocat de la famille Bronfman), si la poursuite avait pour objectif de reprendre le contrôle des Expos ou plutôt de récupérer les sommes d'argent perdues. « Il n'y a pas un plaignant ici dont le but est d'obtenir une compensation financière, a répondu l'avocat. Ils se sont tous engagés dans cette procédure en croyant que les Expos sont un atout pour la ville de Montréal. »

À la question de savoir comment des gens d'affaires aussi avisés avaient pu être aussi dupes, Jeffrey Kessler, l'avocat qui défendait la cause des partenaires, a répondu par une métaphore : « C'est vrai qu'une victime de vol à main armée n'aurait pas dû s'engager dans une allée tard le soir. Mais ça n'excuse pas le voleur. » Entre autres renseignements, on avait aussi appris qu'en janvier 2001, Jeffrey Loria avait menacé les autorités du baseball de poursuite s'ils s'opposaient à ce qu'il déménage le club de Montréal.

Quelques jours plus tard, l'autre partie citée dans le dossier, le susmentionné Jeffrey Loria, réagissait à son tour : « Il est ironique de constater que ces partenaires, qui affirment maintenant leur attachement envers le baseball majeur à Montréal, n'aient pas voulu débourser un traître sou pour éponger les déficits d'opération depuis 1991 et qu'ils ont plutôt été à l'origine des ventes de feu dans les années 1990. »

Avant le dépôt de la poursuite des actionnaires, Charles Bronfman – dont le fils Stephen faisait partie des plaignants – avait passé un coup de fil à son vieil ami Bud Selig. Le baseball n'avait-il pas fait assez d'argent avec cette histoire de transfert d'équipes ? N'en ferait-il pas encore davantage en revendant éventuellement les Expos ? L'ancien propriétaire des

Expos avait invité le commissaire à «faire ce qui était approprié» («*doing the right thing*»).

Sauf que Selig n'avait pas «fait ce qui était approprié» et maintenant cette poursuite lui tombait sur la tête. Une longue amitié venait d'être brouillée à jamais.

En principe, les Expos disputeraient le dernier match de leur histoire le 29 septembre 2002 contre les Reds au Stade olympique. Mais s'il fallait que la prochaine négociation entre propriétaires et joueurs mène à une impasse, la fin du club montréalais pourrait être alors encore plus proche. Le 16 août, l'Association des joueurs a annoncé que si une entente n'était pas signée au 30 août, les joueurs déclencheraient la grève. Si celle-ci devait se prolonger, qui sait si on n'assisterait pas au même scénario qu'en 1994 – l'annulation du reste du calendrier?

Des observateurs ont dit qu'une grève au sein d'une industrie milliardaire dans l'Amérique post-traumatisée par les attentats du 11 septembre était une idée de très mauvais goût, d'autres ont mentionné que, cette fois, le baseball ne se relèverait pas d'une autre longue grève, un argument déjà entendu en 1981 et en 1994.

Pour se préparer à la négociation de la nouvelle convention collective, Bud Selig avait mis sur pied en 1999 un comité d'experts afin de réfléchir aux grandes orientations économiques que devrait prendre le baseball.

Constitué de douze propriétaires de clubs et de quatre personnalités extérieures au baseball – entre autres le chroniqueur politique George Will, un ancien récipiendaire du prix Pulitzer, et George Mitchell, l'ancien leader du Sénat américain de 1989 à 1995 –, le Blue Ribbon Panel avait pour mandat de dégager une série de recommandations dont les propriétaires s'inspireraient pour énoncer leur position.

Bud Selig était préoccupé depuis longtemps par les iniquités entre les clubs. De 1995 à 2001, seulement 4 équipes parmi les 15 clubs ayant les plus petites masses salariales s'étaient classées dans les séries. Et sur 224 matchs d'après-saison, ces équipes n'en avaient remporté que 5... «Au début de chaque saison, les amateurs de toutes les équipes devraient pouvoir avoir la foi et l'espoir que leur club a des chances de gagner», avait l'habitude de professer le commissaire.

Le comité proposait au baseball majeur de mettre en œuvre trois principales réformes. D'abord, on suggérait d'accroître le partage des revenus en augmentant les taxes sur les revenus locaux de 20 % à 40 ou 50 %. (Pour qu'un club puisse recevoir des sommes de la péréquation, il lui faudrait maintenir une masse salariale d'au moins 40 millions.) Ensuite, on proposait le rétablissement d'une «taxe de luxe» (de 50%) que devraient débourser les clubs dont la formation de 40 joueurs engrangeait plus de 84 millions en salaires. Finalement, on proposait des modifications au système de repêchage qui auraient pour résultat d'avantager les clubs les plus faibles.

En plus des propositions contenues dans le rapport du comité, le baseball souhaitait mettre en œuvre d'autres mesures, comme permettre aux clubs de libérer un joueur si celui-ci remportait en arbitrage une somme qu'ils jugeaient trop élevée, établir un fonds discrétionnaire de 100 millions pour le commissaire et, bien sûr, dissoudre deux clubs. Cette fois, les propriétaires avaient eu la sagesse de mettre de côté toute allusion à un plafond salarial, une couleuvre qu'ils savaient impossible à faire avaler à Don Fehr. La position des joueurs était la même que dans les dernières négociations : maintenir le *statu quo*, ne pas freiner la progression des salaires, et réaliser quelques gains ici et là.

La liste d'épicerie des propriétaires et la résolution caractéristique de l'Association ont considérablement ralenti le processus de négociations et c'est dans les toutes dernières heures du 29 août que les parties en sont arrivées à une entente.

Pour la première fois en 30 ans de négociations de convention collective, celles-ci n'avaient pas débouché sur un arrêt de travail. Un effet post-11 septembre ? Le résultat d'un long travail de réconciliation propriétaires-joueurs mis en œuvre en amont par Bud Selig ? L'un et l'autre, probablement.

L'entente était le résultat d'une série de compromis : pas de gains spectaculaires de part et d'autre, pas de révolution qui changerait le sort des clubs à faibles revenus. En gros, les montants alloués à la péréquation seraient augmentés (la somme atteindrait 270 millions en 2004) et la «taxe de luxe» serait reconduite et renforcée (les montants et taux d'imposition évoluant avec les années). En somme, une meilleure redistribution de la richesse, mais rien qui changeait radicalement la donne. En 2003, les Yankees feraient grimper leur masse salariale à 160 millions ; les Devil Rays de Tampa Bay fixeraient la leur à 27 millions.

La concession la plus importante de l'Association des joueurs avait trait au dopage. Alors qu'il s'y était toujours opposé (pour les sacro-saintes raisons de «liberté individuelle» des athlètes), Don Fehr acceptait maintenant un testing aléatoire de tous les joueurs (en autant que les tests ne visent que les stéroïdes – pas les «suppléments alimentaires», par exemple).

Il n'avait plus vraiment le choix : dans les derniers mois, plusieurs observateurs avaient commencé à établir des liens entre les performances extraordinaires auxquelles on avait récemment assisté (les marathons de coups de circuit des Barry Bonds, Sammy Sosa, Mark McGwire, etc.) et la consommation de « drogues de performance ». À l'instar des autres sports professionnels, le baseball ne pouvait plus continuer à se fermer les yeux. Quelques années plus tard, les pires appréhensions à cet égard se confirmeraient une à une. Cette époque en viendrait même à être connue sous une appellation peu reluisante : *The Steroids Era*.

Les propriétaires s'étaient aussi pliés à quelques-unes des exigences de l'Association, et la plus importante concernait directement l'avenir des Expos. Le baseball majeur avait en effet consenti à ne procéder à aucune dissolution d'équipe avant la fin de la convention, soit la fin 2006.

Pour les Twins du Minnesota, cette volte-face signifiait potentiellement la survie à moyen et long terme de la concession : leur propriétaire aurait le temps de trouver un acheteur, et un nouveau projet visant à construire un stade pourrait s'organiser.

Pour les Expos, ça voulait vraisemblablement dire une autre saison à Montréal, et peut-être plus qu'une… Car même si les autres clubs espéraient une résolution rapide du problème (il leur en coûterait à chacun 500 000 $ pour gérer la concession montréalaise en 2003), le baseball majeur disait maintenant ne pas vouloir prendre de décision sur la vente et le transfert du club tant que le dossier de la poursuite des anciens actionnaires ne serait pas réglé.

Les Expos étaient peut-être sur le respirateur artificiel, mais tant qu'il y a de la vie, il y a de l'espoir, non ? Les amateurs de baseball montréalais verraient-ils dans ce nouveau revirement de situation un signe que tout était encore possible, qu'une mobilisation du public pourrait changer la suite des choses ?

Deux inconditionnels des Expos, Daniel Lafond et Charles Beaudry, croyaient que oui. Ils s'étaient mis au travail plus tôt pendant l'été en lançant une campagne de « sauvetage » des Expos. Ils avaient recueilli des signatures – en juillet, ils en avaient déjà à peu près 50 000 – sur une pétition qu'ils enverraient aux représentants des gouvernements et au commissaire du baseball Bud Selig. Installés dans la rotonde du Stade olympique, ils avaient aussi obtenu des fans environ 5 000 « promesses » d'achat de billets de saison, bénéficiant de l'effervescence qui avait entouré l'arrivée de Bartolo Colon et Cliff Floyd. « Il y a un *buzz* autour du baseball actuellement, avait dit M. Lafond. Nous voulons obtenir des politiciens un signal qu'ils veulent garder l'équipe ici, comme ce qui se fait au Minnesota. »

Malheureusement pour eux et les autres inconditionnels des Expos, la mise en veilleuse du projet de dissolution n'avait pas créé beaucoup d'émoi en ville, probablement parce que le club se trouvait alors pratiquement exclu des séries.

Le 5 septembre, les Expos ont atteint un nouveau creux, n'attirant que 2 134 amateurs – des témoins disent qu'il n'y en avait en réalité pas plus de 1 000 ! – lors d'un match contre les Phillies, la plus faible foule pour un match de baseball de toute l'histoire du Stade olympique. Certes, le match était présenté un jeudi après-midi et l'année scolaire venait de recommencer, mais il demeure qu'une assistance aussi ridicule pour un match des majeures faisait mal à voir. Larry Bowa, le gérant des Phillies, n'en revenait pas : « Je pensais qu'on était au camp d'entraînement dans un match B à 9 heures du matin. Je me demande comment il se fait que cette équipe existe. » Le receveur des Phillies Mike Lieberthal comparait l'ambiance à un match de tennis ou à un tournoi de golf : « C'était étrange. C'était le silence complet jusqu'à ce qu'une balle soit frappée. »

Le receveur Brian Schneider était catastrophé : « Les gens disent que c'est à cause de la grève, mais la grève, c'était il y a huit ans ! Maintenant nous avons une entente de quatre ans et il n'y aura pas de dissolution. Une foule comme ça ne fait rien pour aider la cause de la survie du club. » Michael Barrett se faisait plus philosophe : « Deux mille spectateurs, c'est deux mille de plus que zéro », a-t-il dit, ajoutant que les partisans avaient été bons pendant toute la saison.

Les Expos ont connu un excellent mois de septembre (17-10) – entre autres grâce à la contribution des nouveaux venus Endy Chavez et Jamey Carroll –, et les amateurs sont revenus en plus grand nombre, particulièrement les jours d'événements spéciaux (comme lors de la « Journée des années 1980 », où ils ont pu revoir Tim Wallach, Charlie Lea et l'incontournable Dennis Martinez, ou encore lors du match d'anciens du 28 septembre, où Buck Rodgers, Tim Burke, Mike Fitzgerald, Floyd Youmans, Al Oliver, Ron LeFlore, Balor Moore, Denis Boucher et plusieurs autres ont enfilé l'uniforme du club pour une autre – et dernière – fois).

Ce soir-là, les fans ont aussi eu droit à quelques derniers moments inoubliables, gracieuseté de Vladimir Guerrero.

Dans toute l'histoire du baseball, seulement 3 joueurs (Jose Canseco, Barry Bonds et Alex Rodriguez) avaient frappé au moins 40 circuits et volé au moins 40 buts. Guerrero était à un seul circuit de se joindre à ce groupe sélect, ayant déjà 40 larcins en poche.

Dans la 3e manche de l'avant-dernier match, Guerrero a cogné une longue flèche au champ centre qui semblait destinée à traverser la clôture. La foule s'est levée d'un bond, Vladimir a levé un bras au ciel en courant vers le premier but... puis la balle a frappé le dessus de la rampe pour retomber en jeu. Un long simple...

Ce soir-là, le circuit n'est jamais venu, mais Guerrero a frappé 2 autres coups sûrs, ce qui portait son total à 205, un de plus que le record du club appartenant jusque-là à Al Oliver. Assis dans les gradins, Oliver, le champion frappeur de la Nationale en 1982, est descendu sur le terrain faire l'accolade au jeune homme, un geste sympathique qui a été chaleureusement ovationné par la foule.

Il ne restait plus qu'un autre match au grand voltigeur de droite pour frapper ce fameux 40e circuit. Question de lui donner plus de présences au bâton, Frank Robinson a inscrit le nom de Vladimir comme premier frappeur de l'alignement, même si Vladimir lui avait dit de ne pas changer ses plans pour lui. Mais après quatre tours au bâton, le numéro 27 a dû se contenter d'un double.

Quand Guerrero s'est à nouveau présenté au bâton en fin de 8e manche, les Expos avaient les devants 7-2, ce qui signifiait qu'il s'agirait vraisemblablement de sa dernière présence au bâton de la saison. Après avoir été retiré sur décision (événement rare pour lui) en 6e, Vladimir a peut-être été traversé d'un doute quand, après deux prises, il a retenu son élan à mi-chemin sur un lancer hors cible. Appelé à évaluer si le joueur des Expos s'était élancé ou pas, l'arbitre au premier but Anfonso Marquez a levé le bras, confirmant le retrait au bâton. Une décision – dans les circonstances – tout simplement atroce: c'était comme s'il lui avait enlevé le bâton des mains.

Déchaînés, les spectateurs ont conspué l'arbitre à pleins poumons et inondé le terrain de débris, ce qui a interrompu le match pendant six minutes. La saison 2002 se terminait un peu comme elle avait débuté, dans une montagne russe d'émotions.

« Il y a des fois où un gars a avantage à fermer les yeux, a dit Jose Vidro après le match. En temps normal, la décision aurait pu aller dans les deux sens. Dans ce cas-ci, c'est difficile d'expliquer sa décision. » Même le gérant de Reds, Bob Boone, disait ne pas comprendre le verdict de l'arbitre: « J'ai failli sauter sur le terrain pour aller lui dire ma façon de penser.

Comment a-t-il pu prendre une décision pareille? » « Je ne veux pas commenter la décision, a dit Omar Minaya, parce que je vais mettre les pieds dans les plats. »

Celui qui semblait le moins s'en faire, c'était Vladimir lui-même : « J'ai fait mon possible. Je ne peux pas dire que j'ai raté une balle à circuit. Je recherchais un lancer qui n'est pas venu. Je suis tout de même fier de ma saison et, surtout, je suis heureux des succès remportés par les Expos. »

Les Expos avaient en effet connu une saison plus que respectable, terminant le calendrier au 2e rang de l'Est en vertu d'une fiche de 83-79 : c'était la première fois qu'ils jouaient pour une moyenne supérieure à ,500 depuis 6 ans. Pas mal pour un club qu'on avait envoyé à l'échafaud un an plus tôt.

Ils avaient même réussi à attirer environ 170 000 spectateurs de plus que l'année précédente. En fait, ils auraient battu les Marlins de la Floride à ce chapitre si un mystérieux acheteur ne s'était pas procuré une dizaine de milliers de billets lors du tout dernier match à domicile pour faire en sorte que les Marlins ne terminent pas la saison derrière les Expos...

2003

L'année 2003 serait vraisemblablement celle où les Expos de Montréal sortiraient de l'histoire du baseball – par une petite porte de côté. Paradoxalement, ce serait aussi l'année où les portes du Temple de la renommée du baseball s'ouvriraient bien grand pour accueillir la figure la plus emblématique de l'histoire du club, Gary Edmund Carter. Après six années d'attente et d'espoirs déçus, le Kid, un des meilleurs receveurs de toute l'histoire de ce sport, voyait son talent et son travail enfin récompensés par l'ultime consécration, un honneur pleinement mérité.

Pour les plus fervents amateurs des Expos, l'élection de Carter revêtait une signification particulière, une sorte de prix de consolation : certes, leur équipe disparaîtrait sous peu, mais un des leurs la représenterait pour les générations à venir. Quand des journalistes de Montréal ont joint Carter pour savoir s'il serait intronisé en tant qu'Expo – avec la casquette du club sur sa plaque –, le Kid a répondu que ce serait dans l'ordre des choses : « Après tout, mon association avec les Expos a été la plus longue. »

Mais les fans québécois de Gary ont rapidement déchanté quand ils ont eu des échos de ce que racontait le Kid aux médias new-yorkais : « Si ce n'était que de moi, je préférerais être intronisé comme joueur des Mets, avait-il répété sur plusieurs tribunes. Si les Expos n'existent plus après cette année, en quoi ça va être bon pour moi d'être identifié à eux sur ma plaque ? J'espère que les gens du Temple de la renommée comprendront mon point de vue. »

À l'époque où les meilleurs joueurs évoluaient pour un seul club durant toute leur carrière, la question ne se posait même pas : Joe DiMaggio était un Yankee, Ted Williams, un Red Sox. Mais à partir du moment où les joueurs ont pu obtenir leur autonomie, même les plus grandes vedettes pouvaient changer d'organisation à quelques reprises dans leur carrière. À quelle équipe seraient-ils associés pour la postérité ?

Reggie Jackson était un produit de l'organisation des A's (pour qui il avait joué neuf saisons), mais il avait choisi d'être représenté sur sa plaque comme membre des Yankees de New York – avec qui il avait évolué pendant seulement cinq ans –, probablement parce qu'il y avait connu ses plus grandes heures de gloire, mais sûrement aussi pour le prestige associé à l'équipe new-yorkaise.

En 2000, des rumeurs disaient que les Devil Rays de Tampa Bay avaient passé une entente avec Wade Boggs – l'ancien des Red Sox qui serait bientôt admissible à un prochain scrutin –, entente selon laquelle il demanderait au Temple que le logo des Devil Rays figure sur sa plaque. En retour, Boggs recevrait, disait-on, quelques faveurs du club de la Floride (on parlait d'une somme d'argent, d'un emploi dans l'organisation ou encore du retrait de son chandail). Boggs ferait du même coup un pied de nez aux Red Sox, une organisation avec laquelle il était en brouille depuis des années.

Boggs a toujours nié ces allégations mais les dirigeants du Temple de la renommée, se rendant compte que la prochaine génération d'immortels serait tentée de moyenner ce genre de choses, ont décidé en 2001 de changer la procédure : le choix du logo de la casquette figurant sur la plaque des joueurs appartiendrait dorénavant au Temple.

Certes, Carter, tout comme Reggie Jackson, avait connu le zénith de sa carrière dans le Big Apple, mais c'était vraiment comme membre des Expos de Montréal qu'il avait fait sa marque dans le baseball majeur. Il était un « produit » de l'organisation, avait joué 11 saisons complètes avec l'équipe montréalaise, dont la dernière, avait même travaillé pour le club par la suite comme commentateur. Son passage chez les Mets avait duré, doit-on le rappeler, cinq petites années...

« Notre position, a expliqué Dale Petroskey, le directeur du Temple, c'est de nous demander quelle est l'équipe qui représente le mieux la carrière du joueur. Avec quelle équipe a-t-il eu le plus d'impact? Dans le cas de Gary, les statistiques et les faits étaient incontestables.»

Une semaine après l'annonce de l'élection du Kid – et après en avoir discuté avec lui –, le Temple a rendu sa décision: Gary Carter serait intronisé comme Expo. Que ça lui plaise ou non.

L'annonce faite, Carter tenait maintenant un autre discours: «Je suis si honoré et fier de représenter les Expos. Je suis seulement heureux de ne pas avoir eu à trancher. Il y a une place dans mon cœur pour toutes les équipes pour lesquelles j'ai joué. Mais la décision du Temple est la bonne. Faire autrement n'aurait pas été correct.»

À Cooperstown, les Expos de Montréal sont aujourd'hui rappelés au souvenir des amateurs de baseball par les plaques de Gary Carter et Andre Dawson, deux joueurs qui auraient souhaité qu'on se souvienne d'eux autrement. Mais ce dernier détail importe peu, finalement: ce que les milliers de visiteurs des générations futures verront en parcourant le hall du Temple, c'est que deux des meilleurs baseballeurs de la fin du XXe siècle ont passé l'essentiel de leur carrière à Montréal, à défendre les couleurs d'une équipe qui s'appelait les Expos.

En 2002, les Expos avaient attiré 812 544 spectateurs, un résultat un peu meilleur que celui de l'année précédente, mais encore nettement insuffisant. Les dirigeants des 29 clubs du baseball majeur avaient épongé le déficit des Expos en grinçant des dents, ne manquant pas une occasion de dire aux autorités du baseball qu'il faudrait trouver le moyen d'augmenter les revenus de cette damnée équipe tout en réduisant ses dépenses.

Après avoir envisagé plusieurs scénarios – dont celui d'envoyer le club disputer un certain nombre de ses matchs à domicile au Fenway Park de Boston –, le baseball a annoncé à la fin de 2001 que 22 parties locales des Expos seraient disputées à San Juan, à Porto Rico.

Un club des majeures qui dispute le quart de ses matchs à domicile dans une deuxième ville? *À Porto Rico*, par-dessus le marché? Une décision comme celle-là ne témoignait-elle pas d'un certain désarroi de la part du baseball majeur, qui ne savait plus quoi faire des Expos?

Possible, mais un promoteur portoricain avait su prendre Bud Selig par les sentiments: il mettait tout de suite sur la table une somme de 7 millions, en retour de la garantie de pouvoir présenter dans son pays une vingtaine de matchs de l'équipe orpheline du baseball. Là-bas, disait-il, les matchs attireraient entre 15 000 et 18 000 spectateurs par programme, ce qui serait déjà beaucoup mieux que la moyenne de 10 025 clients maintenue par le club à Montréal en 2002. Le baseball majeur a tout de suite sauté sur l'occasion.

Les 22 matchs seraient répartis en 3 blocs: du 11 au 20 avril, du 3 au 8 juin puis finalement du 5 au 11 septembre. Les Expos présenteraient 69 programmes au Stade olympique (plutôt que les 81 habituels), n'y disputant leur premier match que le 22 avril.

Cela impliquait en fait que les joueurs disputent 103 matchs à l'étranger. En avril, ils vivraient dans leurs valises pendant 21 jours de suite. Puis, de la fin mai jusqu'au 19 juin, ce serait 26 jours. Pour une équipe qui avait remporté 49 de ses 83 victoires de 2002 au Stade olympique, ce plan de match n'augurait rien de bon.

Pour maintenir la masse salariale du club autour des 40 millions, Omar Minaya avait été obligé de se départir de Bartolo Colon, le lanceur qu'il avait acquis à gros prix quelques mois plus tôt. Le 15 janvier, Colon était échangé aux White Sox (avec deux joueurs des mineures) contre le lanceur partant Orlando Hernandez (qu'on avait surnommé El Duque alors qu'il évoluait chez les Yankees), le releveur Rocky Biddle, le premier-but Jeff Liefer (deux joueurs plutôt inconnus) ainsi qu'une somme d'argent.

Quand la signature de la dernière entente collective avait assuré la survie des Expos, Omar Minaya avait aussitôt senti monter une petite inquiétude. Pour obtenir les services de Colon et Cliff Floyd, il avait vidé les filiales de leurs meilleurs éléments – et les deux stars n'étaient déjà plus à Montréal. L'organisation réussirait-elle encore à renflouer le grand club comme elle avait toujours su le faire? Les coups d'éclat du DG de l'été 2002 avaient-ils hypothéqué l'avenir du club?

Le pire, c'était que l'équipe était aussi condamnée à perdre son principal actif, son joyau, le favori des Montréalais, Vladimir Guerrero. Vlad entreprendrait en 2003 la cinquième et dernière année du contrat qu'il avait signé en septembre 1998 et des rumeurs circulaient à l'effet qu'il demanderait la lune pour demeurer à Montréal. Si on tenait compte de la qualité de son jeu depuis 1998, les Expos avaient obtenu ses services à très bon marché (28 millions pour cinq ans). Ils n'auraient pas cette chance une deuxième fois.

Or, la performance du club dépendait démesurément de la présence de Guerrero dans la formation. Avec lui au cœur de l'alignement, les frappeurs des Expos voyaient de meilleurs tirs; toute l'attention des clubs adverses convergeait vers lui. Une équipe qui affrontait les Expos avait invariablement un objectif: contrer Vladimir Guerrero.

Avec lui, il fallait constamment être sur le qui-vive, même quand il se tenait immobile au champ droit, dans l'attente d'un prochain jeu. Les adversaires savaient qu'un coup sûr frappé en sa direction pouvait se transformer en retrait au premier but si on négligeait de courir à plein régime. Tenter de prendre un but additionnel quand Guerrero venait de récupérer la balle relevait de la témérité.

Jamais un joueur des Expos n'avait été aussi dominant, jamais personne n'avait eu un tel impact sur les succès du club. Mais l'organisation et les fans devaient maintenant se faire à l'idée : tôt ou tard, il ne serait plus là. « Nous savons déjà que si l'équipe reste à Montréal au-delà de 2003, Vladimir n'en fera pas partie, a écrit Stephanie Myles du journal *The Gazette*. Sans lui, les Expos sont une coquille vide. »

Si l'équipe était rapidement éliminée de la course à une place dans les séries, échangerait-on Guerrero en cours de saison pour s'assurer d'obtenir quelque chose en retour ? « J'imagine que si quelqu'un achète l'équipe en août, il aimerait probablement que Vlad en fasse partie », avait fait valoir Omar Minaya.

Avec le départ imminent de Vladimir, qui serait bientôt suivi par d'autres têtes d'affiche comme Vidro et Vazquez, une autre belle édition du club serait inévitablement démantelée.

« Il est impossible de dire si cette année sera la dernière à Montréal – ces mots ont perdu tout leur sens il y a déjà quelques années, a écrit Stephanie Myles dans *The Gazette*. Mais la saison qui commence sera sans doute la dernière à ne pas rater. »

Durant la saison morte, les Expos avaient perdu autre chose que 22 matchs au Stade olympique et leur meilleur lanceur : leur fabuleux site d'entraînement à Jupiter.

Car dans la transaction tripartite qui avait envoyé Loria en Floride, le marchand d'art – un homme de goût, comme on le sait – avait obtenu plus que des ordinateurs et des rapports de dépisteurs : il héritait aussi de l'utilisation – toujours en partenariat avec les Cards de Saint Louis – du superbe complexe Roger Dean de Jupiter.

Les Expos, eux, devraient faire avec le complexe qu'avaient utilisé les Marlins de la Floride depuis 1993, un stade situé à Viera, non loin de Melbourne, à une vingtaine de kilomètres de la I-95, au beau milieu de nulle part. De l'autre côté des clôtures du champ extérieur, se trouvait un grand pâturage où broutaient paisiblement des vaches…

Dans les années qui ont suivi, le secteur s'est développé petit à petit, mais en 2003, l'effet était saisissant, plus encore que ç'avait été le cas à Jupiter lorsque les Expos s'y étaient installés en 1998. Viera avait peut-être la nature et les vaches, mais pas le charme ni la classe de l'autre emplacement. Homme pressé, Jeffrey Loria avait voulu s'installer à Jupiter dès 2002, mais on lui avait demandé d'attendre une année, le temps que la transition des deux régimes soit complétée. Tony Tavares ne cachait pas que les Expos auraient préféré demeurer à Jupiter : « Mais quand on est orphelin, on n'a pas le loisir de décider où on va demeurer. »

Les Expos n'ont pas semblé importunés par le changement de décor, terminant le calendrier de la Ligue des pamplemousses avec 17 victoires et 10 défaites, la meilleure fiche de toutes les équipes de la Nationale. Une fois de plus, Vladimir Guerrero (,395) a épaté tous les vacanciers et retraités osant s'aventurer à Viera, tout comme le jeune voltigeur Brad Wilkerson, qui s'était aussi avéré une des plus belles surprises de 2002 chez les Expos (,266, 20 CC, 59 PP).

La pièce maîtresse de l'échange Colon, Orlando Hernandez, ne lancerait que deux manches de matchs présaison avant qu'une tendinite à l'épaule droite ne le mette hors de combat... pour toute la saison. Le Cubain réclamerait son autonomie à la fin de l'année pour redevenir un Yankee en 2004.

Quand il s'est rendu compte que son club ne pourrait pas compter sur El Duque, Omar Minaya s'est dépêché de lui trouver un substitut : son demi-frère...

Livan Hernandez avait été un des héros de la victoire des Marlins de la Floride lors de la Série mondiale de 1997 et avait remporté 17 victoires pour les Giants de San Francisco en 2000. Mais son étoile avait pâli depuis, et une mauvaise performance dans la Série mondiale de 2002 avait ébranlé la confiance de l'équipe à son endroit. Si la transaction n'a pas fait grand bruit quand on l'a annoncée le 24 mars, elle s'avérerait sans doute la meilleure que réaliserait Omar Minaya en 3 ans à Montréal.

Les Expos ont entrepris la 35ᵉ saison de leur histoire à Atlanta en envoyant au monticule 3 lanceurs qui se sont comportés... comme des lanceurs des Braves. Tony Armas, Zach Day et Javier Vazquez – avec un coup de main de la relève – ont limité les Braves à 2 points en 3 matchs. Pendant ce temps, les Expos en marquaient 17 pour balayer la série.

Après un saut à New York et Chicago – où l'offensive a connu des ratés –, l'équipe itinérante du baseball s'est envolée pour la première fois vers sa résidence secondaire de Porto Rico.

Durant les derniers mois, la municipalité de San Juan avait dû injecter 2,6 millions pour rénover le stade Hiram Bithorn (baptisé en l'honneur du premier Portoricain à évoluer dans les majeures), une installation de ligues mineures datant de 1962. Le stade pouvait accueillir un peu moins de 20 000 personnes, le terrain était recouvert d'une surface synthétique plutôt défraîchie, et les abris et vestiaires des joueurs étaient étroits et bancals, malgré toute la bonne volonté qu'on avait mise pour les retaper. Les clôtures rapprochées (315 pieds le long des lignes, 398 au centre) en feraient sans doute un paradis des cogneurs.

Les meilleurs billets de parterre coûteraient 85 $ (comparativement à 35 $ au Stade), ceux d'admission générale 25 $, et les moins fortunés pourraient obtenir une place dans les estrades populaires pour 10 $. « Nous sommes satisfaits des ventes, a dit Claude Delorme, le vice-président administration et affaires des Expos. Et on nous dit que les Portoricains sont des gens qui achètent leurs billets à la dernière minute… La présentation des 22 matchs ici à Porto Rico va générer autant de revenus que tous nos matchs locaux à Montréal. C'est ça qui va nous permettre de garder une équipe compétitive. J'espère que les partisans montréalais vont nous comprendre. »

Tony Tavarez était lui aussi conscient de la déception des amateurs de voir ces matchs leur échapper : « C'était nécessaire pour la survie de l'équipe. Sans ça, nous aurions été obligés de laisser partir un de nos joueurs vedettes. Nous n'aurions pas eu assez d'argent pour le payer. »

Pour les membres des médias qui avaient accompagné l'équipe là-bas, voir l'équipe échapper – par morceaux – à Montréal et au Québec avait eu l'effet d'un choc. « Quand on a déposé sur la grande table du vestiaire les nouvelles casquettes affichant sur le côté le drapeau de Porto Rico et l'inscription "Series de Los Expos de San Juan 2003", on se retrouvait finalement devant le fait accompli, a écrit Michel Lajeunesse de la Presse canadienne.

« On sait depuis longtemps déjà que les Expos n'appartiennent plus aux Montréalais, aux Québécois. Que ce sont les 29 autres propriétaires des ligues majeures qui dirigent ce club. Mais là, de voir les nouvelles casquettes et les nouveaux uniformes des Expos de San Juan, cela nous a donné un coup.

« C'est une infamie pour les amateurs qui ont appuyé le baseball depuis des décennies à Montréal. Ce sont les Montréalais qui ont obtenu cette concession des ligues majeures en 1968 et qui ont supporté et chéri cette équipe pendant toutes ces années. Bud Selig l'a oublié. Avant de perdre leur équipe à tout jamais, ils auraient peut-être mérité une dernière saison complète. Mais pour une poignée de dollars, Selig et compagnie en ont décidé autrement», déplorait le journaliste.

Pour trois Expos toutefois – Jose Vidro, Javier Vazquez et Wil Cordero –, les 22 matchs à San Juan seraient véritablement des parties «à la maison», les trois joueurs étant nés et ayant grandi à Porto Rico. La mère de Vidro pourrait le voir disputer un match des majeures pour la toute première fois.

Les Portoricains appuieraient-ils «Los Expos» ou bien leurs rivaux de la première série, les Mets de New York, qui comptaient dans leur alignement la superétoile Roberto Alomar, lui aussi enfant de la patrie? «Je pense qu'ils vont appuyer les deux clubs», a dit Vidro.

Le matin du premier match, il semblait bien que les amateurs de baseball de San Juan n'appuieraient personne, de fortes pluies s'étant abattues sur la ville toute la matinée. Mais les préposés ont travaillé très fort tout l'après-midi pour éponger le terrain et le soir venu, tout était prêt.

Los Expos de San Juan n'ont pas tardé à se tailler une place dans le cœur de leurs nouveaux partisans: dès la 3ᵉ manche, Brad Wilkerson a cogné un grand chelem, pavant la voie à une victoire de 10-0. La mascotte Youppi, qui avait accompagné l'équipe, n'aurait pas à trop s'éreinter pour faire lever le spectacle.

«Ce fut une magnifique et chaude soirée de baseball, a écrit Hugo Dumas dans *La Presse*. Il faisait un confortable 26 degrés sur le terrain, les gens souriaient, la bière coulait à flots et les cigarettes se grillaient près des toilettes. Les estrades populaires débordaient. Dans les gradins, on voyait autant de chandails et de casquettes des Phillies, des Mets, des Cards que des Expos. Car hier soir, c'est le baseball qu'on célébrait.»

Au final, 17 906 spectateurs s'étaient déplacés pour voir du *beisbol* des grandes ligues. «C'est agréable de jouer dans un stade presque rempli à capacité», a dit Frank Robinson.

Après une deuxième victoire en autant de jours, les Expos se dirigeaient vers une défaite de 1-0 quand Orlando Cabrera a cogné un circuit en solo en fin de 9ᵉ pour égaler la marque, faisant sauter de joie les spectateurs.

Une manche plus tard, avec le pointage inchangé, Jose Vidro s'est amené au bâton comme premier frappeur. C'était l'occasion de jouer les héros et le Portoricain ne l'a pas ratée: il s'est élancé sur le premier tir du releveur Armando Benitez et la balle a suivi une longue trajectoire jusque dans les gradins du champ gauche, où tous les spectateurs s'étaient déjà levés d'un bond. Alors que la foule criait «Bidro! Bidro! Bidro!», les joueurs des Expos se sont rués vers le marbre pour accueillir celui qui n'oublierait certainement jamais ce moment, sans doute le plus excitant de toute sa carrière. Parions que sa mère ne l'a pas oublié non plus.

Le lendemain, un autre fils de la nation, Javier Vazquez, aidait les Expos à ravir un quatrième match de suite aux Mets.

Le club n'a pas eu autant de succès dans les deux séries suivantes contre les Braves et les Reds et l'affluence au stade a décliné quelque peu, le prix des billets – exorbitant pour le Portoricain moyen – en étant la principale raison. Mais il ne faisait pas de doute que l'expérience latine avait été concluante : les Expos avaient désormais un domicile à l'extérieur de leur domicile.

Le 22 avril, les Expos sont finalement rentrés à la maison – celle de Montréal, faut-il préciser.

Ils arrivaient en ville en tête de leur division (fiche de 11-8), leur endurance de début de saison (21 jours de suite à l'étranger, sans compter le calendrier présaison) leur valant des éloges de part et d'autre. «On peut bien appeler nos matchs à San Juan des "matchs" à domicile, mais quand vous dormez dans un hôtel, eh bien ce sont des matchs à l'étranger», a dit Minaya.

«Évidemment, ce serait préférable de jouer tous nos matchs dans une même ville, mais c'est ce qui nous permet de garder notre formation intacte», a répété le président Tony Tavares. Orlando Cabrera se disait pour sa part heureux d'être enfin de retour «chez lui» : «Comme 75 % de l'équipe est formée de joueurs latins, l'expérience de Porto Rico a été appréciée, mais moi je suis content de retrouver mon appartement. C'est mon domicile ici, et je serai toujours heureux de revenir à Montréal.»

L'excellent début de saison de l'équipe avait soulevé une question : et si les Expos devaient se qualifier pour les séries d'après-saison, où disputeraient-ils les matchs à domicile ? «À Montréal, avait tranché Bob DuPuy, du Bureau du commissaire. À ce que je sache, ce sont encore les Expos de Montréal.»

Le match d'ouverture avait, une fois de plus, attiré son lot de «touristes», ceux qu'on voyait rarement au Stade durant le reste de la saison : 36 879 spectateurs. «Si un chercheur décide un jour d'analyser le comportement des Montréalais à l'égard de leur équipe de baseball, il faudra qu'il se penche sur le phénomène des matchs d'ouverture, a écrit Marc-Antoine Godin de *La Presse*.

« Avec le temps, le match de l'année au Stade olympique est devenu la seule grand-messe de baseball à Montréal. Les gens recherchent le plaisir de se rassembler et se donnent rendez-vous, un peu par tradition : "Six heures, à la statue Jackie Robinson !" Ils viennent rappeler le souvenir d'une époque pas si lointaine où les gens venaient, soir après soir, sans s'inquiéter de l'assistance. L'époque où le baseball n'était pas *out* », poursuivait le journaliste.

Une fois de plus, l'atmosphère avait été festive à souhait – certainement moins tendue que lors du précédent match d'ouverture. Le public à ces matchs inauguraux était toujours très jeune, composé de beaucoup d'adolescents, de jeunes adultes. La raison en était simple : où, ailleurs en ville, pouvait-on trouver un événement sportif de cette envergure à ce prix-là (billets de terrasse à 16 $) ?

La direction des Expos s'était épargné un potentiel embarras en demandant au baseball majeur la permission de se soustraire à la nouvelle pratique instaurée dans tous les stades d'Amérique depuis le 11 septembre : le *God Bless America* qui remplaçait – ou accompagnait – le traditionnel *Take Me Out to the Ballgame* de la 7e manche. Déjà qu'en début de match, les fans avaient hué l'*Ô Canada* livré par de jeunes chanteurs de Star Académie…

Profitant d'une belle sortie de Tomo Ohka (13-8, 3,18), un des meilleurs partants du club en 2002, les Expos ont ravi le public en lui servant une victoire bien ficelée de 4-0. Les gens sont repartis le sourire aux lèvres, se donnant de nouveau rendez-vous… en avril 2004.

Le 25 mai, les Expos n'étaient plus au 1er rang – mais ils s'en tenaient très près, à 2 matchs seulement des Braves d'Atlanta. Surtout, leur fiche de 32-18 (,640) constituait le meilleur début de saison de l'histoire de la concession.

Le plus étonnant dans tout cela était que leur grande star Vladimir Guerrero n'était pas au sommet de sa forme. Depuis quelques semaines, son élan au bâton n'avait pas sa force et sa fluidité habituelles. Sa course n'avait pas sa fougue caractéristique, que ce soit sur les sentiers ou en défensive. Le 26 mai, lorsque Vlad a couru mollement au premier après avoir frappé une balle à double-jeu, Frank Robinson lui a fait sauter quelques matchs. C'est alors qu'un examen médical a révélé une hernie discale.

Les plus pessimistes évoquaient une absence de quelques mois... Le reverrait-on seulement un jour dans l'uniforme des Expos? Fort heureusement pour les fans des Expos, Guerrero a bien répondu aux traitements qu'on lui a prodigués et le 21 juillet, il reprenait sa place dans l'alignement.

En son absence, le rendement du club avait fléchi (12-15 en juin), mais les 26 jours de suite passés à l'étranger – incluant un voyage d'une dizaine d'heures de Porto Rico jusqu'à Seattle – y étaient sans doute aussi pour quelque chose.

Jugeant qu'il était temps de prêter main-forte à ses troupes, Omar Minaya a conclu, le 27 juin, une transaction avec les Rangers du Texas: il a fait l'acquisition du voltigeur étoile Juan Gonzalez en retour de quelques joueurs des mineures. Certes, le solide cogneur (il frapperait 24 CC en 2003 en seulement 327 AB; 434 CC en carrière) deviendrait joueur autonome à la fin de la saison et ne constituerait qu'une location, mais sa présence dans l'alignement soulagerait les Vidro, Cabrera et Wilkerson, qui en avaient lourd sur les épaules depuis la blessure de Guerrero. Malheureusement pour le DG et ses Expos, Gonzalez s'est prévalu de son droit de veto et l'échange est tombé à l'eau.

À la fin juillet, les Expos avaient perdu beaucoup de terrain sur les Braves d'Atlanta – ils étaient maintenant à 16 ½ matchs de la tête –, mais le quatrième as était encore à leur portée.

Le 2 août, les Expos ont présenté un nouveau chapitre de leurs «clins d'œil au passé» en invitant à Montréal le plus récent membre du Temple de la renommée du baseball, Gary Carter – qui venait tout juste d'être officiellement intronisé à Cooperstown.

Les fans montréalais en voulaient-ils à Carter pour l'épisode du logo de la casquette sur sa plaque de bronze? S'il fallait se fier à la longue ovation debout de quatre minutes qu'ils lui ont réservée, c'était comme s'ils n'en avaient jamais entendu parler. «Mes amis, merci beaucoup!, a lancé le Kid à la foule survoltée de 22 180 spectateurs. Chacun d'entre vous mérite une Série mondiale!»

Les Expos l'ont couvert de cadeaux (des billets pour une croisière avec sa famille, un tableau, un chèque pour sa fondation), en plus de dévoiler une réplique géante de son chandail qui serait fixée «pour toujours» (...) sur la clôture du champ droit.

Comme d'habitude, le Kid a été généreux de son temps avec les membres des médias. «Gary Carter a tellement parlé, hier, qu'il a bien failli étourdir les journalistes, a écrit Serge Touchette du *Journal de Montréal*. Sans blague, une de ses réponses a duré 13 minutes. Si chacune de ses paroles avait été l'équivalent d'une goutte d'eau, les journalistes auraient probablement quitté le Stade en chaloupe!»

Carter a rappelé les péripéties de l'équipe du tournant des années 1980 et le «joueur» qui, à son avis, avait fait le plus défaut au club: le toit. «Le problème, c'est que le Stade n'avait pas de toit à ce moment-là. Nous avions d'excellentes équipes mais le mauvais temps nous condamnait à disputer un nombre démesuré de programmes doubles.»

Gary déplorait la situation dans laquelle la concession se trouvait maintenant: «C'est frustrant et c'est décevant. Et ça me rend triste. Mais les gens du Panthéon du baseball m'ont assuré que l'histoire des Expos sera préservée, peu importe si l'équipe est éventuellement transférée à Washington.» L'ancien receveur disait s'attendre à ce qu'Andre Dawson le rejoigne un jour au Temple de la renommée: «Mais il a déjà laissé entendre qu'il porterait la casquette des Cubs...»

La dernière accolade entre les Montréalais et le Kid a été un des moments forts de la saison. On disait aussi que l'accueil que lui avaient réservé les Mets et les amateurs new-yorkais, quelques jours plus tôt, n'avait pas eu l'intensité et la chaleur de celui de Montréal... Carter intronisé comme Expo à Cooperstown? N'était-ce pas dans l'ordre des choses?

Une semaine plus tard, une autre légende du club foulait de nouveau le terrain synthétique du Stade olympique quand les Giants de San Francisco et leur nouveau gérant sont arrivés à Montréal. Ce gérant, un jeune homme encore bien droit de 68 ans, avait pour nom Felipe Alou.

Felipe avait passé une partie de la saison 2002 chez les Tigers comme *bench coach* avant d'accepter l'offre des Giants en début d'année.

Le 16 août, les Expos lui ont remis une plaque commémorative en début de match, une présentation qui lui a valu une chaleureuse ovation des 16 446 personnes s'étant déplacées au Stade.

Avant le match, Felipe a de nouveau fait les délices des médias montréalais en les abreuvant d'histoires, comme il l'avait si souvent fait quand il dirigeait les Expos. Au sujet du cadeau qu'on s'apprêtait à lui remettre, Felipe avait lancé une boutade: «Je ne suis pas à la recherche d'une plaque, mais d'une couronne!» Il a également raconté que le plus beau cadeau qu'il avait reçu pendant son séjour à Montréal était un bateau de pêche – qu'il avait gardé jusqu'à tout récemment. «L'ennui, c'est que quelques années plus tard, j'ai reçu un compte de taxes de Revenu Canada...»

Le lendemain, le dimanche 17 août, une autre belle foule (17 665) avait envahi le Stade, sûrement pour Felipe, mais certainement aussi en partie parce qu'on y distribuait une autre *bobble head* (à l'effigie de Dennis Martinez, cette fois – et en présence de l'homme lui-même, d'ailleurs). Mais le match que disputeraient les Expos et les Giants prendrait bientôt le dessus sur El Presidente et sa figurine.

À la fin de la 9e manche, les Expos – qui tiraient de l'arrière 2-0 et n'avaient jusque-là frappé que 3 coups sûrs – sont soudainement sortis de leur torpeur. Après un retrait, Jose Vidro a cogné un solide double dans la droite. Vladimir Guerrero et Orlando Cabrera ont tous les deux reçu des buts sur balles, si bien que les coussins étaient maintenant tous occupés. Wil Cordero s'est alors amené au bâton au moment même où Felipe Alou envoyait un nouveau lanceur dans le match, Tim Worrell (le frère de Todd, l'ancien as des Cards et des Dodgers). Worrell a aussitôt imité son aîné en retirant Cordero sur des prises.

La dernière chance des Expos s'appelait Brad Wilkerson. Bientôt, le compte a grimpé à 3 balles, 2 prises, et lorsque Worrell a lancé une balle un peu haute dans la zone des prises, Wilkerson s'est mal ajusté sur le tir et a retroussé la balle dans le territoire des balles fausses. À la surprise du frappeur des Expos, Worrell lui a ensuite servi le même tir – et cette fois, Brad ne l'a pas raté.

Un grand chelem pour mettre fin à un match et transformer instantanément une défaite en victoire est le rêve de tout joueur de baseball, des petites ligues aux majeures. Wilkerson faisait maintenant partie de ce club sélect. Ce coup d'éclat déclencha rien de moins que la frénésie dans le Stade alors que Wilkerson était assailli par ses coéquipiers qui l'attendaient tous au marbre.

De toute évidence, les Expos répondaient merveilleusement bien aux foules nombreuses et à une ambiance survoltée: durant l'année, ils avaient remporté 16 matchs sur 18 quand il y avait eu 15 000 spectateurs ou plus dans le Stade...

C'était le 2e grand chelem de la saison pour Wilkerson, et c'était la 5e fois de la saison que les Expos remportaient un affrontement grâce à un circuit de fin de match.

Manifestement, cette équipe avait un flair certain pour le dramatique. Les amateurs de baseball auraient l'occasion de s'en convaincre une semaine plus tard lors d'une des séries à domicile les plus étonnantes et les plus mémorables de toute l'histoire de la concession.

Tout avait commencé par une promotion : billet à 5 $, hot dog à 1 $. Flairant la bonne aubaine – et se disant peut-être aussi qu'il y aurait beaucoup de monde et donc de l'ambiance dans le grand bol de béton –, les Montréalais ont répondu massivement à l'invitation du club : 30 501 spectateurs. Pour un match disputé un lundi soir, c'était assez exceptionnel.

Comme les Expos et plusieurs autres clubs de la Nationale, les Phillies luttaient pour une place en séries. La troupe de Larry Bowa était en tête dans la course du quatrième as, mais s'était essoufflée durant la dernière semaine, perdant cinq matchs sur six. Bowa ne permettrait pas à ses joueurs un tel relâchement à Montréal, contre une équipe à seulement 4 matchs derrière eux.

Dès la 1re manche, Vladimir Guerrero a donné le ton en canonnant un circuit de 3 points. À la strophe suivante, Wil Cordero a pris le relais en cognant un double pour vider les sentiers. Après 2 manches, c'était Expos 9, Phillies 0 ; compte final : 12-1.

La foule avait semblé trouver son compte dans ce match à sens unique, manifestant bruyamment entre deux visites aux stands à hot dogs. Chez les joueurs et dirigeants des autres organisations, c'était maintenant bien connu : quand ils étaient en nombre suffisant, les fans montréalais étaient probablement les plus enthousiastes, les plus animés, les plus joyeusement fous de tout le baseball. Et quand les Expos sentaient leur appui, ils ne perdaient pas.

Le lendemain soir, l'ardeur des 12 509 spectateurs s'est un peu refroidie quand les Phillies se sont rapidement inscrits au pointage, portant la marque à 8-0 en début de 5e manche. Mais dans la deuxième moitié de la manche, le premier frappeur Vladimir Guerrero a ouvert le bal avec un simple. Quelques minutes plus tard, c'était 8-3. Résolus à étouffer tout espoir de ralliement, les Phillies ont répliqué avec 2 autres points en début de 6e : 10-3.

Mais aux yeux de ces combatifs Expos, la soirée était encore jeune. Ils ont marqué une fois en fin de 6e, une première goutte de pluie en prélude à l'ouragan qui tomberait sur la tête de leurs rivaux en fin de 7e manche.

Todd Zeile, la plus récente acquisition des Expos, a commencé la fiesta avec un simple. Libéré par les Yankees le 18 août, Zeile n'avait pas chômé longtemps, aussitôt récupéré par Omar Minaya, qui avait connu le vétéran joueur de troisième but chez les Mets, et qui savait qu'il apporterait une présence stabilisante à l'avant-champ et un coup de bâton toujours alerte.

Après le coup sûr de Zeile, tout a déboulé : un autre simple de Brian Schneider, un mauvais lancer, deux simples successifs de Jose Macias et Brad Wilkerson. Puis, après deux retraits, un double de Vidro, une passe gratuite à Guerrero, un double de Cordero et, finalement, un autre simple de Zeile qui donnait les devants au club 11-10... Tout ce temps, les 12 509 fans faisaient autant de vacarme qu'une foule de 40 000, électrisant les joueurs locaux – et mettant à l'épreuve quelques systèmes nerveux dans l'abri des visiteurs. Le gérant des Phillies, Larry Bowa, a fébrilement multiplié ses visites au monticule, employant quatre lanceurs dans la manche. Intraitables, les Expos les ont malmenés sans discrimination. Puis, pas encore rassasiés, ils ont même ajouté 3 autres points en 8e.

Les partisans étaient repartis chez eux avec quelque chose de plus que le goût de la fête : la foi en cette équipe – et une passion retrouvée pour le baseball.

Le lendemain, ils revenaient au Stade, et en plus grand nombre encore (20 105). Conformément à l'habitude des Montréalais de décider à la dernière minute d'aller voir un match, environ 14 000 amateurs sans billet ont envahi la rotonde dans l'heure précédant le match, créant un embouteillage épique devant les guichets.

Une fois le match commencé, on a rapidement senti que cette foule ne serait pas du même moule que celles des matchs d'ouverture. Pas de « touristes » ici, ces amateurs présents étaient atteints d'une fièvre d'une rare contagion, qu'on n'avait pas vue à Montréal depuis... 1994, cette mythique année à la fois chérie et maudite par les fans de baseball montréalais. Ces gens étaient vraiment de tout cœur derrière leur équipe dans sa quête inespérée d'une place en séries. De plus, on pouvait sentir, dans leurs encouragements, quelque chose comme un cri du cœur, comme s'ils se rendaient compte brusquement qu'ils n'auraient plus tout cela pour bien longtemps encore.

Quand, en fin de 3e manche, Vladimir Guerrero a propulsé une balle dans les gradins du champ droit, tout le monde s'est levé pour l'acclamer. C'est alors que quelque chose d'étonnant s'est produit, un phénomène qu'on n'avait jamais vu à Montréal, tous sports professionnels confondus : *les gens ne se sont plus rassis*. Comme s'ils ne voulaient rien manquer, les spectateurs sont restés debout pendant toute la durée du match, ne cessant pas de manifester jusqu'à la confirmation de la victoire de 9-6 de leurs favoris.

Encore une fois, Vladimir Guerrero avait pris les choses en mains (3 CS, 1 CC, 2 PP), bien appuyé par Zeile, Wilkerson et Schneider (2 PP chacun).

Mais le vrai spectacle, ce sont les spectateurs qui l'avaient offert. « En 22 ans, je n'ai jamais vu une foule comme ça, a dit Claude Delorme. Non seulement ils ont fait du bruit, mais ils en ont fait du début à la fin. »

« Il se passe des choses étranges en ville, a écrit Yves Boisvert dans *La Presse* du lendemain. Depuis trois jours, le meilleur show en ville est au Stade olympique. Lundi, mardi et hier, 62 000 personnes se sont rendues ici et sont reparties en criant Olé! Olé! Olé! dans les rues et dans le métro. Trois incroyables victoires de suite, les Séries qui sont à portée de gant, et voilà Montréal qui aime le baseball et son équipe comme aux plus beaux jours! »

Alors que, dans le vestiaire des Phillies, Larry Bowa piquait la colère la plus spectaculaire qu'on ait vue de toute l'histoire du Stade, saccageant tout ce qui lui tombait sous la main, le réseau RDS était déjà en négociation avec le club pour ajouter des matchs à sa programmation des prochaines semaines.

Le lendemain, le jeudi 28 août, le match était présenté à 13 h. Pour prévenir les longues files de la veille, les Expos avaient ouvert la billetterie à 9 h. Alors qu'ils n'avaient vendu que 2 000 billets jusqu'à midi, les malheureux préposés aux billets ont ensuite vu des vagues de partisans déferler dans la rotonde du Stade à mesure que l'on s'approchait de l'heure du match. Entre 12 h et 14 h 30, près de 12 000 billets s'étaient envolés, portant l'assistance à 20 030.

Fidèles à leur réputation de gens qui prennent le train une fois qu'il est en marche, les Québécois se redécouvraient subitement une fibre d'amateurs de baseball. Pas différents, les médias, se rendant compte qu'il se passait quelque chose de spécial rue Pierre-de-Coubertin, ont dépêché des reporters qu'on ne voyait jamais au Stade en temps normal. Soudainement, le baseball était *in*.

Plusieurs fans avaient apporté des balais avec eux, question d'encourager le club à liquider leurs adversaires en quatre matchs. Ne pouvant plus contenir son enthousiasme, un partisan a même couru sur le terrain, balai en main, avant d'être intercepté par un agent de sécurité.

Leur souhait s'est réalisé, Javier Vazquez et les Expos passant même le pinceau aux Phillies 4-0 dans une atmosphère de carnaval et de… Série mondiale. Les Expos étaient maintenant à égalité avec les Phillies et les Marlins dans la course au quatrième as. La foule a quitté le Stade dans la bonne humeur et les chansons, et personne n'a semblé se plaindre des bouchons de circulation qui ont bientôt entouré le Stade olympique. On commençait déjà à imaginer l'ampleur que toute cette folie prendrait au plus fort de la course, à la fin septembre…

Comme les Phillies, les Marlins de la Floride en arrachaient depuis une semaine (2-8), un bien mauvais moment de la saison pour manquer d'essence. Et maintenant, ils recevaient la visite d'une équipe que rien ne semblait pouvoir arrêter. Les deux clubs disputeraient quatre matchs en quatre jours.

Le 29 août, le premier frappeur à se présenter au bâton en 1re manche, Brad Wilkerson, voulant peut-être prouver que son club pouvait aussi frapper dans les matchs à l'étranger, a cogné un circuit.

Puis, en 3e, les Expos ont ajouté un point à leur avance avant de remplir les coussins pour Todd Zeile. Un coup sûr et les Expos creuseraient un écart que les Marlins auraient du mal à combler. Mais le lanceur Josh Beckett a forcé le vétéran à retrousser un ballon au troisième et le pointage est demeuré Expos 2, Marlins 0.

En fin de 9e, avec les Expos toujours en avance, mais en vertu d'un seul point maintenant, Rocky Biddle, le releveur de fin de match numéro un du club, s'est amené au monticule. Juan Encarnation a frappé un simple et Derrek Lee s'est rendu au premier en vertu d'un but sur balles. Ça commençait mal.

Frank Robinson a demandé un arrêt de jeu. Le gérant ne voulait pas sortir Biddle du match, mais plutôt remplacer son troisième-but Todd Zeile par le réserviste Jamey Carroll…

Les observateurs n'en croyaient pas leurs yeux. Si l'idée était de placer Carroll au troisième par mesure défensive, il y avait là de quoi s'étonner, les talents défensifs de Zeile n'ayant jamais été remis en question. Pourquoi remplacer un vétéran expérimenté par un réserviste dont c'était la première saison complète dans les majeures? Le prochain frappeur, Miguel Cabrera, a déposé un amorti pour faire avancer les deux coureurs de 90 pieds.

C'était maintenant au tour du septième frappeur de l'alignement, Alex Gonzalez, à frapper. Robinson a fait avancer son avant-champ de quelques pas. Si un roulant était frappé à courte distance, le jeu se ferait au marbre, bien entendu.

Gonzalez a cogné un dur roulant vers le 3e, où Jamey Carroll a jonglé brièvement avec la balle avant de tenter de couper Encarnation au marbre avec un lancer imprécis. Les Marlins venaient d'égaliser la marque. Quelques minutes plus tard, un simple opportun faisait marquer le point de la victoire.

Ébranlés, les Expos ont ensuite perdu les trois matchs suivants, sept points seulement séparant les clubs durant la série.

Une mauvaise nouvelle arrivant rarement seule, Tony Tavares et Omar Minaya ont alors appris du baseball majeur qu'ils ne pourraient pas rappeler des Trappers d'Edmonton (leur filiale AAA depuis qu'Ottawa s'était affiliée aux Orioles en 2002) les 3 joueurs qu'ils voulaient ajouter à la formation, un receveur (Randy Knorr) et 2 joueurs d'avant-champ (Terrmel Sledge et Scott Hodges). Le rappel – qui aurait coûté 150 000 $ aux 29 autres clubs – avait été refusé par ceux-ci (alors que tous les autres clubs rappellent des joueurs à cette période de l'année).

Le raisonnement était facile à comprendre : pourquoi les clubs luttant pour une place dans les séries fourniraient-ils à un rival les moyens de les battre ? Compréhensible, peut-être, mais l'intégrité du baseball en prenait pour son rhume.

Furieux de la décision du baseball, et dégonflés par leur désastreux séjour en Floride, les joueurs ont ensuite perdu les deux matchs d'une courte série à Philadelphie avant de rentrer à… San Juan, où ils ont gagné trois fois sur six.

Quand les Expos sont finalement revenus au Stade olympique le 12 septembre, ils n'étaient plus dans la course et les Montréalais étaient parfaitement rétablis de leur fièvre du mois d'août. Ce qui avait eu toutes les apparences d'un grand recommencement n'avait été, au fond, qu'un chant du cygne, un ultime baroud d'honneur.

Il restait Vladimir. Le dimanche 14 septembre, 21 417 spectateurs (journée *bobble head* Jose Vidro) ont vu un match sans enjeu fournir tout de même son lot d'émotions – grâce, une fois de plus, à ce merveilleux athlète. Guerrero a frappé un double, un simple, un triple et, à sa dernière présence au bâton du match, un circuit. C'était non seulement un exploit rare – seulement le 6e carrousel de toute l'histoire du club (Wilkerson en avait aussi réussi un plus tôt en saison) –, mais Vladimir avait trouvé le moyen d'y arriver de la façon la plus spectaculaire qui soit, en gardant le meilleur pour la fin.

Évidemment, la question de son statut après 2003 était sur toutes les lèvres : « Mon cœur est à Montréal mais je ne sais pas ce que l'avenir me réserve. Je peux seulement offrir le meilleur de moi-même à nos partisans, mais je ne peux rien faire quant à l'absence d'un propriétaire. »

Trois jours plus tard, le mercredi 17 septembre, les Expos ont terminé leur calendrier de matchs à domicile en ratant complètement leur sortie.

Bien sûr, les 5 points qu'avaient marqués les Braves en début de 1re manche n'avaient rien fait pour contribuer au succès de la journée, mais les 17 526 spectateurs (une bonne foule pour un match de semaine débutant à 17 h) passaient quand même un agréable moment, profitant pleinement de l'occasion qu'ils auraient de voir, probablement pour une dernière fois, Vladimir Guerrero s'amener 4 fois au bâton.

Mais alors que la fin du match approchait et que les fans commençaient à spéculer sur la délirante réception qu'on ne manquerait pas de lui réserver, Frank Robinson a pris sa décision la plus étrange de la saison. Lorsque les Braves ont placé deux coureurs sur les sentiers après un retrait en début de 7ᵉ manche, Robinson a fait signe à Vladimir de rentrer à l'abri – et il a envoyé Ron Calloway le remplacer au champ droit. *Frank Robinson avait retiré Vladimir Guerrero du match.*

Robinson aurait pu y réfléchir longtemps, mais il n'aurait jamais pu trouver de meilleure façon de gâcher la fête. Pétrifiée, la foule s'est mise à huer copieusement le gérant des Expos, qui semblait s'en soucier comme de son premier gant. Il jouait le livre, voilà tout : pourquoi exposer un régulier à une blessure possible dans une fin de match sans enjeu ?

Le match terminé (Braves 14, Expos 4), le public a quitté le Stade, ses sentiments partagés entre frustration et incompréhension. Le geste de Robinson était-il un acte manqué, une provocation ?

« Que vouliez-vous que je fasse ? a demandé Robinson aux journalistes après le match. Que je le fasse jouer les neuf manches d'un match que nous ne pouvions pas gagner ? Ce n'est pas une présence au bâton qui aurait la différence. »

Quand un journaliste lui a rappelé que la question n'était pas là, que le public aurait été en droit de lui dire un dernier au revoir convenable, le gérant s'est emporté : « Si les fans avaient voulu le voir davantage, ils n'avaient qu'à venir le voir jouer plus souvent ! »

Après avoir offert plusieurs grands moments d'émotion aux amateurs de baseball montréalais, la saison 2003 des Expos se terminait sur cet étrange point d'orgue.

Le 28 octobre, Vladimir Guerrero devenait joueur autonome, une offre ultime de 70 millions sur cinq ans n'arrivant pas à le convaincre de poursuivre sa carrière à Montréal. Il a finalement accepté de se joindre aux Angels de Anaheim pour une somme et une durée de contrat… à peu près similaire (certaines sources disent inférieure, même).

Durant la même période, un autre événement a sans doute convaincu les partisans du club de l'existence du diable…

Après avoir porté le coup fatal aux Expos à la fin août, les Marlins de la Floride s'étaient miraculeusement faufilés dans les séries comme quatrième as. Après avoir disposé des Giants de San Francisco en ronde préliminaire, ils ont profité d'une aberration – la fameuse balle fausse ravie à Moises Alou par un spectateur lors du sixième match de la série de championnat contre les Cubs de Chicago – pour s'inviter à la Série mondiale. Une fois rendus là, ils ont défié toute logique en surprenant les puissants Yankees de New York en six matchs.

Charles Bronfman, Tom Yawkey (Boston), Phil Wrigley (Cubs) et plusieurs autres ont été d'excellents propriétaires de clubs pendant des décennies sans jamais voir leur club remporter une Série mondiale – et, dans certains cas, sans jamais même y participer.

Jeffrey Loria et David Samson, eux, touchaient au Saint Graal après deux années à la tête de la concession.

CHAPITRE 10

Le dernier retrait
(2004)

L'équipe espère que l'arrivée des Carl Everett, Tony Batista et Nick Johnson comblera le vide créé par le départ de Vladimir Guerrero. L'équipe est de nouveau contrainte de disputer le quart de son calendrier à Porto Rico. Un atroce début de saison sort rapidement le club de la course. Les rumeurs de déménagement abondent tout l'été mais une fois septembre venu, aucune annonce n'est encore faite. Puis, conférence de presse, quelques heures avant le dernier match du calendrier à Montréal : l'équipe sera transférée à Washington pour la saison 2005. Match final au Stade olympique devant une foule à fleur de peau. Quelques jours plus tard, dernier tour de piste à New York, là où tout avait commencé 36 ans plus tôt.

Au printemps 2002, la SRC et CBC avaient présenté un documentaire sur la saga entourant la survie des Expos. Le cinéaste Robbie Hart avait fait un choix intéressant : présenter son sujet du point de vue des fans.

Le film recueillait les témoignages passionnés d'amateurs de baseball aussi différents que Claude Charron ou Bill Lee, mettant en scène des observateurs de chacune des deux solitudes. Le film illustrait puissamment l'argument selon lequel la passion d'une communauté pour son équipe de baseball ne peut pas se mesurer uniquement par le nombre de sièges occupés dans un stade. En effet, une foule d'autres indicateurs entrent aussi en compte, comme l'enracinement de l'activité dans l'histoire personnelle et la culture des individus et de la société et, surtout, la ferveur de l'affection de ses fans. Or, sur ce point, il était difficile de trouver une fan plus éprise des Expos de Montréal que Katie Hynes.

La passion de Mme Hynes pour le baseball remontait au jour de son 9e anniversaire, quand elle avait vu à la télévision, assise aux côtés de son grand-père, le grand Sandy Koufax lancer une partie parfaite. Ç'avait été pour elle un coup de foudre instantané. Puis, quand Montréal a eu ses Expos, sa vie avait changé : ses étés, c'était dorénavant au parc Jarry – dans les gradins de Jonesville – qu'elle les passerait. Plus tard, quand l'équipe a déménagé ses pénates au Stade olympique, la jeune fille devenue jeune femme avait suivi, comme de raison.

Même si les dernières années avaient été éprouvantes, le cœur de Katie Hynes battait toujours aussi fort pour ses Expos. Que ce soit pour un match d'ouverture (avec ses 45 000 visiteurs) ou un lundi de mai (et ses 5 000 vrais partisans), on la retrouvait immanquablement « chez elle », dans son siège logé du côté du premier but, inscrivant chaque jeu dans un gros cahier de feuilles de pointage. Si le Stade était son deuxième chez-soi, les autres réguliers de sa section comptaient depuis longtemps parmi ses meilleurs amis.

Comme bien des amoureux du baseball, tout dans ce jeu lui plaisait : son atmosphère, ses couleurs tout en demi-teintes, sa stratégie, et, évidemment, ses lenteurs, qui, comme chaque fan de baseball le sait, n'en sont pas. Tout au plus des respirations entre deux montées dramatiques… Le documentaire suivait Mme Hynes dans sa célébration du jeu qu'elle aimait tant, tout comme dans son appréhension de voir tout cela disparaître. Car pour un fan organisant son calendrier – sa vie – autour de celui de son club, l'angoisse d'être abandonné par celui-ci a tout du chagrin d'amour.

Après une première initiative de fans qui, en 2002, avaient réuni des milliers de signatures sur différentes pétitions, un autre regroupement créé plus tard cette année-là – Encore Baseball Montréal – travaillait à son tour à susciter l'intérêt des fans pour envoyer le message que le baseball avait toujours des supporteurs à Montréal. Le mouvement, piloté par Richard Charron, Maryse Filion, Michel Filteau et leurs amis Patrick Dubois, Daniel Lavoie et Sylvie Bergeron, ainsi que quelques autres amateurs passionnés de baseball, accueillerait près de 2 000 membres dans ses rangs.

En 2004, Katie Hynes et tous ces milliers d'autres partisans (presque) aussi mordus qu'elle vivraient la sixième ou septième « dernière saison » de leur équipe. Mais voilà : la MLB criait-elle une fois de plus au loup ?

Pas s'il fallait se fier aux déclarations de Bud Selig. Cette fois-ci serait vraiment – mais là, *vraiment* – la bonne. À la pause du match des Étoiles en juillet, le baseball serait en mesure d'annoncer dans quelle ville l'équipe déménagerait pour la saison 2005.

Certains observateurs prétendaient cependant que le commissaire allait un peu vite en affaires. Pour qu'un transfert se concrétise, il faudrait qu'une ville puisse répondre à un certain nombre de conditions : un solide noyau d'amateurs, un fort potentiel télévisuel, des acheteurs aux reins assez solides (pour permettre à la MLB de dégager un profit intéressant de la vente du club) et des engagements significatifs de la communauté pour la construction d'un nouveau stade.

Parmi les villes/régions encore en lice se trouvaient Washington, la Virginie du Nord, Norfolk (en Virginie du Sud), Portland (en Oregon), Las Vegas et Monterrey, au Mexique. Même San Juan, le domicile à temps partiel des Expos, était dans la course. Mais alors que le baseball ne se pressait pas trop d'identifier la ville dont les chances étaient les meilleures – question de faire monter les enchères – la candidature de Washington était toujours citée comme la plus solide de toutes, « le meilleur marché encore vacant », disait-on dans les cercles du baseball depuis le départ des Senators en 1971.

Déjà, le maire Anthony Williams avait informé les autorités du baseball que sa ville serait disposée à contribuer aux deux tiers du financement d'un nouveau stade. Jerry Reinsdorf, le propriétaire des White Sox de Chicago qui agissait aussi comme négociateur principal pour la MLB dans le dossier, aurait alors répondu : « Deux tiers/un tiers c'est pas mal, mais ce que nous avions en tête, c'était plutôt trois tiers/zéro tiers[1]. »

Dans leur ouvrage *Field Of Schemes*, Neil deMause et Joanna Cagan affirment que les représentants de la MLB avaient devant eux des interlocuteurs ne faisant pas le poids. Ils citent Ed Lazere, un membre de l'Institut de la politique fiscale du District de Columbia : « Ou bien les représentants de la Ville de Washington n'étaient pas très doués pour la négociation, ou bien ils étaient si désespérés d'avoir le club qu'ils n'ont pas reconnu les leviers qu'ils avaient de leur côté. » Les auteurs rappellent aussi que Selig et DuPuy, habitués à négocier avec l'Association des joueurs, étaient passé maîtres dans la stratégie de la corde raide[2].

« On ne peut faire autrement qu'admirer la MLB, écrirait en juillet Paul White, du *Sports Weekly*. Ça, bien sûr, c'est si on n'a pas beaucoup d'âme ou si on croit qu'arracher le plus d'argent au plus de monde possible est une mesure du succès. »

Même si Washington semblait prête à faire plusieurs génuflexions devant les bonzes du baseball, il restait tout de même un autre obstacle. Peter Angelos, le propriétaire des Orioles de Baltimore, n'avait pas changé d'avis depuis 2002 : il ne voulait rien savoir d'une autre équipe des majeures dans « son » marché.

Certes, Selig et le baseball pourraient toujours négocier une compensation avec le coriace Angelos, mais ils courraient alors le danger de créer un précédent que d'autres clubs auraient la possibilité d'utiliser à leur avantage si une équipe s'installait un jour à proximité de la leur.

Certains observateurs affirmaient que le baseball majeur n'avait qu'à aller de l'avant avec le transfert – sans l'assentiment d'Angelos – et qu'une poursuite éventuelle serait probablement déboutée puisque les droits territoriaux lui étant garantis ne s'appliquaient que pour l'État du Maryland.

Dans son ouvrage *In the Best Interests of Baseball ?*, Andrew Zimbalist affirme qu'une telle initiative n'aurait toutefois pas été sans conséquence : « Une poursuite aurait impliqué la divulgation de renseignements confidentiels sur la propriété d'équipes, les relations du baseball avec les municipalités, les relations des propriétaires d'équipe avec le bureau du commissaire ou les finances des clubs. Certains de ces renseignements auraient pu s'avérer embarrassants, voire compromettants. C'était pour cette raison que la MLB avait capitulé dans le dossier de la dissolution des Twins. Elle ferait tout pour éviter le dévoilement d'information ici aussi[3]. »

Un autre facteur compliquant le transfert des Expos était cette poursuite dont le baseball et Jeffrey Loria faisaient l'objet. Si les ex-actionnaires réussissaient à prouver qu'il y avait eu complot du baseball et de Loria pour affaiblir l'équipe et forcer ainsi son déménagement, qu'adviendrait-il alors du club ? Serait-il repris en main par les ex-actionnaires ? Et pour faire quoi ? Le garder à Montréal ou le vendre de toute façon, mais à leurs conditions ?

Un dernier argument était évoqué par ceux qui doutaient du choix de Washington comme terre d'accueil naturelle pour les Expos : la ville avait échoué deux fois à garder un club des majeures. En 1961, les Senators avaient quitté la ville pour devenir les Twins du Minnesota. Une nouvelle équipe de l'expansion, aussi baptisée Senators, avait pris le relais la même année pour partir à son tour 10 ans plus tard (au Texas, où elle est devenue les Rangers). Pourquoi serait-ce différent cette fois-ci ?

En somme, un transfert des Expos à Washington était encore loin d'être chose faite – pour le plus grand bonheur de tous ceux et celles qui recevaient un seul match de baseball majeur de plus à Montréal comme un véritable cadeau.

En décembre 2003, quelques représentants des médias montréalais s'étaient rendus à La Nouvelle-Orléans où se déroulaient les assises d'hiver pour se mettre à jour sur les Expos de l'ère post-Vladimir Guerrero.

Or, les nouvelles n'étaient pas exactement réjouissantes. L'équipe venait de perdre un autre morceau important de la formation en échangeant Javier Vazquez (13-12, 3,24 en 2003) aux Yankees de New York, question de libérer un peu d'argent pour la prochaine année (Vazquez avait commandé un salaire de 6 M $ en 2003, mais gagnerait 9 M $ en 2004).

En six ans, Vazquez avait gagné 64 matchs (pour un club qui n'avait pas remporté 70 victoires pendant 4 de ces années) et enregistré 1 076 retraits au bâton, ce qui le plaçait au 2e rang dans l'histoire du club. Sa meilleure saison (en 2001, année où il avait remporté 16 parties) aurait été plus remarquable encore si une blessure ne lui avait pas fait rater les dernières semaines du calendrier. En revanche, Vazquez n'avait pas atteint le statut de supervedette qu'on lui prédisait à ses débuts, en partie à cause de sa vulnérabilité aux coups de circuit (il est le lanceur des Expos qui en a accordé le plus en carrière : 155, soit 25,8 par saison) et sa propension à perdre sa concentration à certains moments, ce qui pavait la voie à une « grosse manche » pour ses adversaires.

En retour de Vazquez, on avait obtenu le premier-but Nick Johnson, le voltigeur Juan Rivera et un lanceur du nom de Randy Choate. Johnson (,283 en 96 matchs en 2003) était le joueur clé du groupe mais on ne pouvait pas dire que son transfert chez les Expos lui faisait précisément réaliser un rêve de jeunesse : en apprenant la nouvelle, il avait, dit-on, lancé à bout de bras son téléphone cellulaire.

Quelques jours plus tard, confronté à la perspective de perdre Michael Barrett à l'autonomie sans rien obtenir en retour, Omar Minaya l'a échangé aux Cubs contre un joueur des mineures.

Il semblait bien que Minaya repartirait les mains vides lorsque, à la veille de quitter la Louisiane, le DG a convaincu le joueur autonome Carl Everett (28 CC, 92 PP avec les Rangers et les White Sox en 2003) de signer un contrat de deux ans (il toucherait 3 M $ en 2004).

Puis, dix jours plus tard, l'équipe embauchait un autre agent libre, Tony Batista, un frappeur de puissance qui avait frappé 26 circuits et produit 99 points avec les Orioles l'année précédente.

Soudainement, la situation du club paraissait moins désespérée. Car avec ces trois gros frappeurs dans l'alignement – Johnson, Everett et Batista –, en plus des excellents Jose Vidro, Orlando Cabrera et Brad Wilkerson, l'équipe présenterait un alignement plus équilibré que durant les dernières années, où l'offensive dépendait outrageusement de Vladimir Guerrero.

La « dernière » saison du club à Montréal ne serait peut-être pas la catastrophe annoncée.

« Nous ne pourrons pas remplacer Vladimir Guerrero, a dit Frank Robinson à l'ouverture du camp au Space Coast Stadium de Melbourne. C'est comme un enfant qui perd sa couverture avec laquelle il se sentait en sécurité et qu'on remplace par une autre. Ce n'est jamais la même chose. Il faudra jouer du baseball un peu différent. Nous allons courir davantage, être plus patients au bâton et faire avancer les coureurs pour qu'ils soient en position de marquer. Il va falloir que tout le monde hausse son jeu d'un cran. »

La nouvelle offensive du club serait évidemment tributaire des trois nouvelles figures qu'on apprenait peu à peu à connaître.

Nick Johnson semblait moins malheureux d'avoir été exilé dans la Sibérie du baseball – il avait aussi un téléphone cellulaire tout neuf –, mais un mal de dos l'avait ennuyé dès les premiers jours du camp et il semblait bien qu'il commencerait la saison sur la liste des blessés.

Carl Everett arrivait chez les Expos précédé d'une réputation de *flake*. Ses altercations avec les arbitres étaient bien connues et il avait entretenu des relations orageuses avec la presse bostonienne pendant les deux saisons où il avait joué avec les Red Sox (en 2000 et 2001). Un jour qu'il bavardait avec un journaliste du *Boston Globe*, Everett s'était aventuré à discuter de certaines de ses idées sur le monde : « Dieu a créé le soleil, les étoiles, le ciel et la terre et ensuite il a fait Adam et Ève, avait-il dit. La Bible ne dit rien à propos des dinosaures. On ne peut pas prétendre qu'il y a vraiment eu des dinosaures quand personne n'en a jamais vus. Quelqu'un a déjà vu Adam et Ève, mais personne n'a vu de Tyrannosaurus Rex. » Il n'en fallait pas plus pour qu'il soit aussitôt surnommé « Jurassic Carl »…

On affirmait toutefois que « Dr Evil » (un autre de ses surnoms, plus inquiétant celui-là) avait pris de la maturité depuis, qu'il avait été un « citoyen modèle » en 2003 et qu'il pourrait s'avérer un des leaders du club. Citant la popularité de Bill Lee, Pascual Perez et Oil Can Boyd à Montréal, Michael Farber du *Sports Illustrated* prévoyait un statut de joueur culte pour notre homme dès la mi-saison (s'il livrait la marchandise sur le terrain, bien entendu).

Tony Batista a étonné tous ceux qui ne l'avaient jamais vu jouer par son étrange position au bâton, que certains comparaient à celle d'un samouraï. Batista s'installait au marbre en faisant directement face au lanceur, les pieds placés de façon parallèle, la position la plus « ouverte » qu'on puisse imaginer. Puis au dernier instant, il se repositionnait normalement. Quoi qu'il en soit, ça donnait des résultats et Tony avait maintenu une moyenne de 31 circuits par année lors des 5 dernières saisons, méritant deux fois une place dans l'équipe d'Étoiles. En 2003, une combinaison de 5 joueurs de troisième but (Fernando Tatis, Jamey Carroll, Edwards Guzman, Jose Macias et Todd Zeile) avaient frappé cumulativement 9 circuits et produit 49 points pour les Expos. On espérait que Batista produise une partie des points que Guerrero ne manufacturerait plus.

Si l'offensive suscitait des interrogations, le personnel de lanceurs était ce qui inquiétait le plus Frank Robinson. Car après Livan Hernandez, le deuxième partant serait Tony Armas, un droitier aux balles de feu qu'une blessure à l'épaule avait mis sur la touche à partir de la fin avril jusqu'à la fin de la saison.

Après eux viendraient Zach Day et Tomo Ohka (efficaces quand ils n'étaient pas handicapés par des problèmes de contrôle), ainsi que Claudio Vargas (6-8, 4,34). Certains observateurs prétendaient que les Expos s'ennuieraient autant de Javier Vazquez que de Vladimir Guerrero.

En relève, Rocky Biddle commencerait la saison comme releveur de fin de match, mais s'il devait connaître des problèmes de contrôle, il faudrait se tourner vers Luis Ayala ou vers le jeune Chad Cordero, 22 ans, dont on disait beaucoup de bien.

Pour s'assurer que l'équipe ne manquerait pas de souffle en cours de saison – comme ç'avait été le cas l'année précédente –, Frank Robinson avait commandé un programme d'entraînement plus rigoureux. Car une fois de plus, la saison serait longue pour l'équipe itinérante du baseball : en début d'année, les autorités du baseball avaient annoncé que les Expos disputeraient encore 22 matchs de leur calendrier à San Juan.

À quelques occasions en 2003, Bud Selig avait déclaré que l'équipe jouerait tous ses matchs locaux dans une seule ville en 2004 (une seule ville qui ne serait pas Montréal ?), mais la perspective certaine de nouveaux déficits lui avait fait voir les choses autrement. Après s'être vivement prononcée contre le renouvellement de la formule, l'Association des joueurs avait capitulé devant les arguments du baseball majeur, obtenant toutefois pour les joueurs une bonification d'allocation de voyage à 500 $ par jour…

À la différence de l'année précédente, les Expos disputeraient tous les matchs à Porto Rico avant la partie des Étoiles. De cette façon, s'ils se retrouvaient de nouveau dans une course pour une place en séries, ils ne seraient pas désavantagés par un impitoyable calendrier, comme cela avait été le cas en 2003.

Mais voilà : l'édition 2004 des Expos avait-elle une chance légitime de se maintenir dans le peloton de tête très longtemps ? Pas s'il fallait se fier à une constante dans la carrière de gérant de Frank Robinson : à chacun de ses trois mandats à la barre d'une équipe des majeures, la troisième année avait été laborieuse et son congédiement n'avait pas tardé à suivre. L'histoire se répéterait-elle ?

Les 16 premiers matchs des Expos avaient lieu à l'étranger, 6 de ceux-ci étant disputés dans leur résidence secondaire de San Juan. Ils ont perdu 12 de ces 16 affrontements, ne marquant que 26 points, la pire fiche de tout le baseball. Une seule fois ont-ils produit plus que trois points dans un match...

Le remplacement de Vladimir Guerrero s'avérait une entreprise plus délicate que prévu : Nick Johnson était toujours sur la liste des blessés et on ne le reverrait pas avant le 28 mai ; une déchirure à l'épaule droite avait sorti Carl Everett de l'alignement après seulement 8 matchs ; Tony Batista, quant à lui, frappait pour ,208 et n'avait produit que 2 points.

Le retour de l'équipe au Stade olympique pourrait-il la relancer ? Pas vraiment, puisque après trois matchs, les Expos repartiraient pour un autre séjour de sept matchs à l'étranger, sur la côte Ouest. « Nous n'aurons même pas le temps de défaire nos valises, a dit le receveur Brian Schneider. C'est dommage, parce que les amateurs à Montréal nous ont toujours soutenus. Nous jouons bien au Stade olympique parce que les amateurs nous donnent de l'énergie. »

Les joueurs réalisaient maintenant dans quelle galère ils se retrouvaient plongés : « Je ne sais pas comment ils établissent le calendrier, mais on dirait que ceux qui l'ont décidé n'avaient pas toute leur tête », déplorait Jose Vidro.

Ce n'est que le 23 avril que l'équipe a disputé son premier match de la saison au Stade olympique. Manque de chance, c'était le soir même où commençait la très attendue demi-finale opposant les Canadiens au Lightning de Tampa Bay.

Ce premier match avait lieu à Tampa Bay mais ce détail ne changeait rien au problème des Expos : dans la série précédente, le Tricolore avait surpris les Bruins de Boston en triomphant d'eux en sept matchs et les fans, convaincus que l'équipe était en marche vers une 25ᵉ coupe Stanley, n'avaient plus la tête qu'au hockey.

Faisant contre mauvaise fortune bon cœur, le vice-président affaires des Expos Claude Delorme a installé un grand écran dans l'agora du Stade pour tous ceux qui ne pourraient pas résister à l'appel de la rondelle. Au premier coup de sifflet, des centaines de mordus étaient agglutinés devant l'écran, oubliant qu'une partie de baseball – très probablement le dernier match d'ouverture de l'histoire des Expos de Montréal – se déroulait *live* à quelques pas de là.

C'est finalement 30 112 personnes que les Expos ont intéressées à leur match inaugural. C'était le plus faible total depuis 1986, mais compte tenu des circonstances (le match des Canadiens, l'atroce début de saison du club), c'était un chiffre fort respectable.

En première manche, les deux premiers frappeurs des Phillies ont atteint les sentiers. Le troisième, Bobby Abreu, a cogné un circuit. Des milliers de spectateurs se sont instantanément demandé s'ils n'auraient pas mieux fait de rester chez eux pour suivre les péripéties de leurs idoles sur patins.

Or, trois heures plus tard, ils ont réalisé qu'en définitive, ils avaient assisté au meilleur spectacle des deux. Les Expos s'étaient inclinés 8-6 devant les Phillies mais n'avaient jamais baissé les bras, frappant 12 fois en lieu sûr. Les Canadiens, eux, s'étaient fait endormir 4-0 par Tampa Bay (ils seraient par ailleurs éliminés quelques jours plus tard, alors que les joueurs du Lightning finiraient par toucher au précieux trophée).

Le lendemain, c'est toutefois l'équipe amorphe des dernières semaines qui s'est de nouveau manifestée, accordant 17 CS aux Phillies tout en se contentant d'en frapper 4. Frank Robinson n'en revenait pas : « J'ai vu des léthargies individuelles, j'ai vu des léthargies d'équipe mais jamais rien de cet ordre-là. Non seulement on n'obtient pas de coups sûrs, mais même nos retraits ne sont pas frappés solidement.

« Les joueurs ne sont même pas frustrés, ils ont l'air déprimé. Sur le banc, c'est le silence. Nos gars ne semblent pas avoir d'énergie », regrettait le gérant. « Inutile de faire des comparaisons, a dit Jose Vidro, ce qui se passe en ce moment est ce que j'ai vu de pire depuis que je suis avec l'équipe. »

Les choses ont encore empiré en Californie, les Expos perdant six de leurs sept affrontements contre les Padres et les Dodgers. Quand ils sont rentrés à Montréal le 3 mai, leur fiche était de 6-20 et on commençait à penser qu'ils battraient peut-être le record de tous les temps pour la plus faible moyenne de points marqués par match. Après une des défaites contre les Dodgers, Robinson, carrément désespéré, a déclaré : « Quand vous êtes entrés dans le vestiaire, aviez-vous l'impression que cette équipe venait de perdre ?, a-t-il lancé aux journalistes. Personne ne dit rien. Personne ne se fâche. On dirait qu'ils s'en fichent. »

Le contraste avec 2003 – quand ils avaient connu leur meilleur départ à vie – était saisissant. C'était maintenant clair pour tout le monde : la perte de Vladimir Guerrero s'avérait catastrophique. « On n'avait pas réalisé à quel point on dépendait de lui, a dit Frank Robinson. Tout ce qu'il apportait au stade nous manque. C'est un grand vide. »

« Avec Carl Everett et Nick Johnson dans l'alignement, on aurait eu une équipe plus solide, avec davantage de charisme sur le terrain et dans le vestiaire », estimait pour sa part Orlando Cabrera. Un des réservistes à qui Robinson avait dû avoir recours en l'absence d'Everett, un voltigeur du nom de Valentino Pascussi, avait été retiré sur des prises 9 fois en 14 présences au bâton.

Manifestement, il n'y avait pas de leaders dans cette équipe : « Au cours des dernières années, a dit Frank Robinson, j'ai nommé des capitaines dans l'équipe, des gars que je croyais capables de réveiller les troupes au besoin, de donner des conseils, de guider les autres. Je ne l'ai pas fait cette année parce que j'ai constaté que ce serait inutile. »

Hélas, il semblait bien que le leadership ne viendrait pas du gérant non plus. Durant la saison, des caméras de télé américaine ont surpris un Frank Robinson profondément endormi dans l'abri des joueurs – en plein milieu d'un match. S'était-il levé trop tôt pour jouer au golf ce matin-là, ou était-ce, comme il l'a prétendu par la suite, l'effet du médicament qu'il avait pris pour contrer une grippe ? Cela importait peu : les images qui avaient fait le tour de l'Amérique laissaient supposer que l'équipe moribonde du baseball endormait même son propre gérant...

Le 20 mai, le commissaire Bud Selig a réitéré sa confiance de pouvoir annoncer, dès la mi-juillet, l'identité de la ville qui hériterait des Expos : « Bien que le processus ait été pénible, je crois que le passage du temps a été bénéfique parce que ça a donné l'occasion à toutes les parties de faire les choses qui s'imposaient. »

« Ils doivent nous donner un avis de 90 jours avant de confirmer une vente ou un transfert du club, a dit Jeffrey Kessler, l'avocat représentant les anciens actionnaires minoritaires des Expos. Dès que nous recevrons cet avis, nous déposerons une injonction. » Le directeur général du baseball majeur Bob DuPuy n'a pas mis de temps à répliquer : « Nous pouvons désigner une nouvelle résidence pour le club à la mi-juillet puisque nous avons le droit d'apporter un changement au statut des Expos sans préavis de 90 jours et sans violer quelque ordre de cour fédérale que ce soit. Nous avons très confiance que les Expos joueront ailleurs qu'à Montréal en 2005. »

« Voilà deux ans que nous tentons de savoir ce qu'il adviendra de cette concession et nous ne sommes pas plus avancés, a déclaré en juin l'auteur et économiste Andrew Zimbalist. Je ne suis pas sûr que les Expos vont déménager de sitôt, et il y a même des chances qu'ils ne soient pas relocalisés du tout. C'est bloqué de partout : les villes, le baseball majeur, la poursuite des anciens actionnaires… »

Le 21 juin, la Virginie du Nord a dévoilé les plans d'un stade de 442 millions qui permettrait d'accueillir une équipe des majeures. Les deux tiers du financement seraient assumés par l'État, et le consortium qui se porterait acquéreur des Expos – des entreprises dans le secteur de la construction – se disait prêt à investir 82 millions. L'avantage de cette candidature sur Washington, faisait-on valoir, c'était que l'emplacement des infrastructures empiéterait moins sur le territoire des Orioles de Baltimore de Peter Angelos. Même si, officiellement, Norfolk (Virginie), Las Vegas, Monterrey et San Juan étaient encore dans la course pour l'obtention de la concession, il semblait bien que Washington et la Virginie du Nord les aient distancées dans le dernier droit.

Or, à la pause du match des Étoiles, le baseball majeur n'avait encore rien à annoncer, se bornant à répéter qu'il était « important » que le dossier se règle dans l'année. « Il est possible que nous décidions de l'endroit où iront les Expos sans avoir conclu une entente avec des acheteurs », a déclaré Bob DuPuy.

Sur le site Internet de ESPN, le journaliste Jayson Stark affirmait que la poursuite dont la MLB faisait l'objet était sûrement pour quelque chose dans ce piétinement : « Le baseball majeur ne veut pas admettre que le dossier est affecté par la poursuite, mais la décision de l'arbitre vient d'être de nouveau reportée jusqu'en septembre ou octobre. Un des participants du Comité de relocalisation a récemment révélé que le *timing* de la décision [que rendrait l'arbitre] entrait en jeu dans l'équation. C'est pour cette raison que le baseball et son commissaire font ce qu'ils font avec le plus de talent : remettre la décision à plus tard. »

À la pause du match des Étoiles, les Expos étaient au dernier rang de leur division, à 15 matchs des meneurs, les Phillies de Philadelphie.

Encore une fois, le *timing* du club était cruellement mauvais : les Expos avaient choisi l'année où leurs rivaux de la division étaient tous faibles

(les Phillies étaient au sommet de l'Est avec une fiche de 46-41!) pour connaître leur plus mauvaise saison de la dernière décennie. Si les Expos de 2004 avaient été ceux de 2003, ils se seraient retrouvés en tête du classement à la mi-saison…

Le 18 juillet, les Expos échangeaient Carl Everett aux White Sox (en retour de deux lanceurs), persuadés que sa présence dans l'alignement ne changerait rien au final (après être revenu au jeu à la mi-mai, Everett s'était blessé à une cheville, séjournant de nouveau sur la liste des blessés). Finalement, Jurassic Carl n'aurait pas précisément atteint le statut de joueur culte à Montréal.

Un autre départ, plus important celui-là, est survenu le 31 juillet quand Orlando Cabrera est passé aux Red Sox de Boston dans une transaction impliquant quatre clubs (Expos, Red Sox, Cubs et Twins). En retour de Cabrera, les Expos obtenaient l'arrêt-court Alex Gonzalez et deux réservistes. Le joueur le plus en vue de l'échange, l'arrêt-court vedette Nomar Garciaparra, passait des Red Sox aux Cubs.

Cabrera avait demandé à être échangé et la direction, sachant qu'on le perdrait à l'autonomie en fin de saison, a exaucé son vœu. « J'aime Montréal et je l'aimerai toujours, tout comme j'aime mes coéquipiers, à qui je souhaite tout ce qu'il y a de mieux, a dit le Joueur de l'année des Expos en 2003, mais j'avais la possibilité de faire un changement. C'est à mon avis ce qu'il y a de mieux pour ma carrière. » Quand on lui a fait valoir que les Expos pourraient bientôt avoir de nouveaux propriétaires et un nouveau domicile, Cabrera a haussé les épaules : « On nous a mentis là-dessus par le passé, alors pourquoi est-ce que ça serait différent maintenant ? »

À sa première présence au bâton avec les Red Sox, Orlando a cogné un coup de circuit. En revanche, il a commis en 8e manche une erreur qui a coûté la victoire aux siens. Mais pour lui, comme pour les Sox, la saison était loin d'être terminée et il aurait beaucoup d'autres occasions de se mettre en valeur – et dans des matchs importants.

En juillet et août, les Expos avaient rehaussé leur jeu (30-26) grâce, entre autres, au travail de Tony Batista (12 CC 49 PP durant cette période), Brad Wilkerson et Livan Hernandez. Batista terminerait l'année avec 32 circuits, produisant 110 des points du club. Wilkerson frapperait lui aussi 32 CC, en plus de 146 CS dont 39 doubles. Il avait également reçu 106 buts sur balles, devenant le 4e Expo seulement à atteindre le cap des 100 BB dans une même saison. On le nommerait d'ailleurs Joueur de l'année à la fin du calendrier. Livan Hernandez ne connaissait pas autant de succès qu'en 2003, mais l'anémie de l'offensive du club l'avait desservi plus d'une fois : à six reprises, il avait quitté un match alors que son équipe avait l'avance et, à chaque occasion, les releveurs avaient torpillé cette avance. Le 30 juillet, un Livan en pleine possession de ses moyens a blanchi les Marlins, champions de l'année précédente, n'accordant que 3 coups sûrs.

Les Expos ont continué à rendre hommage à leur passé en intronisant, le 24 juillet, quatre nouveaux membres à leur « temple de la renommée ». Les anciens joueurs Dennis Martinez (1986 à 1993) et Bob Bailey (1969 à 1976) ainsi que Rodger Brulotte (employé des Expos de la première heure et célèbre analyste de la radio et la télévision) et Ronald Piché (ancien lanceur des Braves et employé de longue date des Expos) ont rejoint les autres immortels du club. Malheureusement pour les quatre intronisés, la cérémonie d'avant-match s'est déroulée devant seulement 2 500 personnes environ, les 7 229 spectateurs qui assisteraient au match Expos-Marlins n'étant pas tous installés à leur siège à ce moment-là.

Les jubilaires n'étaient pas moins fiers de l'honneur qui leur était réservé : « J'ai adoré mon séjour à Montréal, a dit El Presidente. Je me suis toujours senti chez moi dans cette ville où les gens m'ont sans cesse encouragé. » L'ancien joueur de troisième but Bob Bailey se rappelait avec bonheur la parade organisée par l'équipe pour présenter les joueurs aux Montréalais, tout juste avant le début de la saison 1969 : « Quand je pense à cet événement, je ne peux pas m'imaginer la possibilité que Montréal perde son équipe. »

La présence de Bailey a rappelé aux plus anciens combien les années passent vite : 36 ans ? Déjà ? On avait appris quelques semaines plus tôt le décès d'une des figures emblématiques des Expos du parc Jarry, Mack Jones, emporté par un cancer à l'âge de 65 ans. Deux années plus tôt, l'ancien maire de Jonesville avait lancé la première balle avant un match au Stade. L'ironie n'avait pas échappé aux partisans de longue date des Expos : le premier héros du club mourait l'année même où son ancienne équipe vivait ses dernières heures.

Le troisième intronisé, Rodger Brulotte, se disait déçu pour les employés des Expos « abandonnés » par Claude Brochu : « Il a placé l'équipe dans une position précaire puis il est parti avec son argent. » Ron Piché a pour sa part souligné que Montréal était encore une bonne ville de baseball : « On ne me fera jamais croire que le baseball est mort à Montréal. »

Alors que les amateurs de hockey du Québec s'inquiétaient d'être privés de leur sport préféré (pour toute la saison, craignait-on) en raison d'un lock-out imminent dans la LNH, les Expos ont amorcé, le 21 septembre, ce qui serait peut-être le dernier séjour à domicile de leur histoire.

Quelques semaines plus tôt, Bud Selig avait réitéré sa volonté de régler le sort des Expos. En mettant le club sous tutelle pendant 3 ans, le baseball avait, disait-on, accumulé des pertes de 60 millions et personne n'avait envie de faire durer le plaisir. « Montréal est une aberration, avait déclaré Selig. Je vais m'arranger pour que ce soit réglé dans les quatre à six prochaines semaines. C'est réaliste de présumer que les Expos ne seront pas à Montréal l'année prochaine. Et je serai l'homme le plus heureux sur terre quand ça va arriver. »

Pour le quotidien *The Washington Post*, le transfert de l'équipe de Montréal à la capitale américaine était une affaire de jours. « Il y a de bons signes, a déclaré un porte-parole de la mairie de Washington. Nous avons soumis une proposition que nous estimons très concurrentielle, qui est bonne pour le baseball majeur et qui est bonne pour la ville. » Du côté du baseball majeur, Richard Levine, un porte-parole du bureau du commissaire, demeurait réservé : « Le dossier progresse et nous espérons que ce sera réglé bientôt. Il est toutefois hautement improbable que les Expos jouent à Montréal en 2005. »

Dans les coulisses, le dossier évoluait à grande vitesse. D'abord, la candidature de la Virginie du Nord – jusque-là une des plus solides en lice – venait de frapper un mur, le gouverneur de l'État annonçant que son gouvernement ne pourrait pas participer au financement d'un nouveau stade, qui incomberait ainsi aux municipalités locales. Autrement dit, le projet était mort.

Ne restait plus que Washington. Heureusement pour Selig et le baseball majeur, le montage financier pour l'érection d'un nouveau stade était toujours sur les rails. Pour mettre la main sur les Expos, la ville était disposée à défrayer la plus grande part de la facture de 440 millions qui viendrait avec la construction du stade. La seule contribution directe du club serait le coût de location annuel de 5,5 M $, plus les taxes sur le prix des billets et des concessions. En revanche, l'équipe garderait tous les revenus générés au stade. De plus, le District de Columbia avait accepté d'investir 18,4 M $ pour rénover le vieux stade RFK, qui accueillerait l'équipe en attendant qu'un nouveau stade soit bâti.

Quant à la question d'éventuels acheteurs, les autorités du baseball ne s'en inquiétaient aucunement. Plusieurs groupes – sérieux – avaient manifesté leur intérêt et tout indiquait que le baseball majeur aurait l'embarras du choix.

Ne resterait plus qu'à convaincre Peter Angelos d'accepter de partager son carré de sable. Après avoir acquis les Orioles en 1993, Angelos s'était révélé un propriétaire aux idées arrêtées, qui gardait ses distances avec la « confrérie » des proprios : il était contre l'utilisation de joueurs de remplacement lors de la grève de 1994-1995, tout comme il s'opposait au partage des revenus. Mais Bud Selig avait marqué des points auprès du récalcitrant multimillionnaire en l'invitant à se joindre au comité qui avait négocié l'entente collective de 2002 avec les joueurs, et Angelos se ralliait maintenant à la philosophie du « tous pour un » de Bud Selig.

Pour le commissaire, il n'était pas question de confronter le proprio des Orioles en lui imposant un club rival jouant ses matchs à une soixantaine de kilomètres du sien : il y aurait des compromis de part et d'autre. Depuis plusieurs mois déjà, Bob DuPuy, le numéro deux du baseball majeur, était en pourparlers avec l'homme de 75 ans. Plusieurs propositions étaient sur la table – la garantie d'un prix de vente minimum si Angelos vendait son club, l'augmentation du pourcentage de ses actifs dans un réseau de télé qui était en train de voir le jour, etc. Même si rien n'était encore officialisé, les choses se présentaient assez bien pour que le baseball envisage de passer à l'action puis de s'arranger avec lui plus tard.

Du côté de Montréal, on ne pouvait pas dire que l'imminence du départ du club agitait beaucoup l'appareil politique. Le maire de Montréal, Gérald Tremblay, a envoyé une lettre au commissaire Bud Selig pour lui signifier « l'importance » des Expos pour Montréal, l'équivalent d'un coup d'épée dans l'eau. On devine que la lettre a dû rapidement prendre le chemin de la filière 13.

Le vice-président affaires des Expos, Claude Delorme, ne savait plus sur quel pied danser. Tous les mois de septembre depuis 1998, il s'était fait à l'idée que le club fermerait boutique, pour le voir renaître de ses cendres le printemps suivant. Cette fois-ci semblant la bonne, M. Delorme aurait bien voulu organiser une grande cérémonie de fermeture. Mais comme personne ne pouvait lui confirmer quoi que ce soit…

« Je prévoyais faire venir au moins un joueur de chacune des 36 éditions de l'équipe, a-t-il révélé à Réjean Tremblay de *La Presse*. Un par année : Bill Stoneman, Gary Carter, Andre Dawson, Al Oliver, tous les joueurs qui ont marqué l'histoire du baseball à Montréal. Mais c'est compliqué de réunir tout ce monde à Montréal. Il faut acheter les billets d'avion, réserver les chambres d'hôtel. » Delorme se rabattait maintenant sur un autre concept : la présentation, lors du dernier match – prévu pour le 29 septembre –, de joueurs de la fameuse édition de 1994.

Le samedi 25 septembre, le regroupement Encore Baseball Montréal a tenu un rallye de dernière heure dans les environs du Stade qui a attiré environ 500 inconditionnels des Expos. Parmi les personnalités qui ont pris la parole, Rémy Trudel, un ancien ministre des Affaires municipales sous Lucien Bouchard et Bernard Landry, a soulevé la foule en clamant que Montréal était « en train de se faire voler son équipe ! ». Évidemment, les paroles d'un politicien ont toujours plus de poids lorsqu'il est en poste, ce qui n'était pas le cas de M. Trudel… Hélas, on n'avait pas entendu beaucoup de gens de la classe politique s'enflammer de la sorte pour les Expos quand ça comptait encore.

Le matin du mercredi 29 septembre, les journaux du Québec et du reste du Canada relayaient une information publiée la veille par Associated Press selon laquelle le baseball majeur annoncerait « durant la journée » le transfert des Expos à Washington. L'information venait d'un représentant municipal de la capitale américaine qui, sous le couvert de l'anonymat, affirmait que le baseball avait confirmé la nouvelle à l'hôtel de ville. Le maire Williams tiendrait sa propre conférence de presse en après-midi, précisait-il. Du côté du bureau du commissaire, Bob DuPuy soutenait toutefois qu'aucune date n'avait été retenue « pour quelque annonce que ce soit ».

« Adieu *to the* Expos », pouvait-on lire à la une du quotidien *The Globe and Mail*. « Les adieux ce soir », titrait *La Presse* dans son cahier sport. Les textes passaient de l'oraison funèbre aux heureux souvenirs des débuts du club, en passant par une énième analyse des raisons de l'agonie de la concession.

Une de celles-ci venait de Gerry Snyder, l'ancien bras droit de Jean Drapeau, qui, dès 1962, avait entrepris un lobbying auprès des autorités du baseball majeur de l'époque pour les motiver à établir une concession à Montréal.

À 84 ans, M. Snyder avait encore un siège au Stade olympique, et c'était évidemment avec regret qu'il voyait la belle aventure des Expos tirer à sa fin. Il pointait du doigt les politiciens qui avaient pris la relève de Jean Drapeau à l'hôtel de ville de Montréal : « Je trouve très décevant que l'équipe n'ait pas reçu tout le soutien de la Ville de Montréal, et particulièrement du maire. Dès qu'on a fait savoir qu'on allait vendre l'équipe, le maire aurait dû s'impliquer et indiquer qu'il ferait tout en son pouvoir pour sauver l'équipe. Tout ce que je peux dire, c'est que le maire Drapeau, lui, n'aurait jamais laissé partir les Expos. »

Durant la semaine, Claude Delorme avait parlé aux employés comme quelqu'un qui commençait déjà à planifier la prochaine saison. En réalité, il était lui-même convaincu que l'équipe serait de retour en 2005.

Mais le matin, du 29 septembre, alors qu'ils commençaient à préparer le match de la soirée, les employés ont appris par les médias américains que le transfert de l'équipe à Washington était officiel.

Quand il est arrivé au bureau à son tour, Tony Tavares a vu les employés en pleurs. Toujours sans nouvelles du bureau du commissaire, le président des Expos a aussitôt passé un coup de fil à Bob DuPuy.

— Bob, qu'est-ce qui se passe, pour l'amour du ciel?

— Quoi? Personne ne t'a appelé?

Non, personne ne l'avait appelé.

Tavares a ravalé sa colère et a vite réuni les employés du club. Les yeux dans l'eau, il leur a dit ce que tous espéraient encore, au plus profond d'eux-mêmes, ne jamais entendre. C'était effectivement officiel: les Expos à Montréal, c'était fini.

« C'est une des choses les plus difficiles que j'ai faites de ma vie », a dit l'homme de 53 ans.

Plus tard, Tavares s'est adressé aux joueurs – qui semblaient à la fois sonnés et incrédules. On se demandait si ce n'était pas une autre fausse alerte.

Quand les premiers fans sont entrés au Stade en fin d'après-midi, ils se sont aperçus que les médias électroniques étaient en plus grand nombre que d'habitude. Flairant le « drame humain », TVA, TQS, la SRC, CTV, tous de grands absents au Stade durant les dernières saisons, avaient cette fois dépêché des équipes de reportage.

Tony Tavares a bientôt convoqué une conférence de presse: « Je veux confirmer les rumeurs au sujet de la relocalisation des Expos à Washington. C'est une journée triste pour Montréal, mais une belle journée pour le baseball.

« Dès que le plan d'éliminer les Expos n'a pas fonctionné, les jours de l'équipe à Montréal étaient comptés. On savait alors que le club allait déménager dans un avenir plus ou moins rapproché. À Montréal, l'équipe générait des revenus de 6,5 M$ alors qu'à Washington, ça pourrait être dix fois plus. »

Le président des Expos a précisé que le baseball majeur continuerait de gérer l'équipe jusqu'à ce que de nouveaux propriétaires entrent en scène. Tavares suivrait le club à Washington et occuperait provisoirement les mêmes fonctions qu'à Montréal. L'équipe évoluerait au vieux stade RFK jusqu'à son déménagement dans un nouveau domicile pour le début de la saison 2008.

Tavares a identifié quelques motifs qui, selon lui, expliquaient le départ du club: « Il y a plusieurs causes, comme la grève de 1994 et les promesses de construction de nouveau stade qui ne se sont pas réalisées.» Puis il a cité une autre cause qui en a fait sourciller plus d'un dans la salle, et déclenché quelques passions dans les médias francophones du lendemain : «On peut aussi citer le "climat des affaires", que n'a pas aidé le mouvement séparatiste, qui a fait fuir plusieurs entreprises – ce qui fait que Toronto est maintenant la capitale des affaires au Canada», avait avancé le nouveau président du club de Washington.

En terminant, Tavares a tenu à remercier la quarantaine d'employés des Expos : «J'ai le plus grand respect pour eux. Malgré la situation difficile du club, ils ont travaillé avec acharnement jusqu'à la fin. Quand je leur ai annoncé la nouvelle tout à l'heure, ils ont dit que la seule façon de passer à travers, c'était de préparer la meilleure soirée possible pour les amateurs.» Il a également eu une pensée pour les 1 200 employés à temps partiel que le départ du club affecterait aussi : «Ce sont des gens qui avaient besoin de ces revenus pour arrondir leurs fins de mois.»

«Avec des hommes comme Tony Tavares et Omar Minaya, les Expos ont été entre bonnes mains pour leurs trois dernières saisons, a écrit Pierre Ladouceur dans *La Presse* du lendemain. Il aurait même été souhaitable que ces hommes de cœur se pointent à Montréal beaucoup plus rapidement. On aurait alors été mieux servi qu'avec la bande à Claude Brochu ou encore avec la troupe de mercenaires d'un Jeffrey Loria.»

Pendant ce temps, dans l'agora du Stade, une journaliste était en train d'interviewer la partisane la plus connue des Expos : Katie Hynes, arrivée tôt, comme d'habitude. Contrairement à son habitude, elle était venue en métro plutôt qu'à vélo : «Trop émue», avait-elle expliqué.

Dans *National Pastime*, un ouvrage paru en 2006, l'auteur Barry Svrluga raconte la suite de la scène : «À un certain moment, une femme est venue dire quelque chose à l'oreille de la journaliste. Celle-ci s'est alors retournée vers Katie : "Madame, je dois vous dire que Tony Tavares vient d'annoncer que c'est votre dernière partie."

«Katie a éclaté en larmes. Elle est entrée au Stade et elle a de nouveau pleuré. Elle s'est rendue à son siège et elle a pleuré. Elle a vu les placiers, des gens qu'elle côtoyait depuis des années, et elle a encore pleuré[4].»

Au même moment, le maire de Washington, Anthony Williams, entouré de ses principaux conseillers municipaux, se préparait à annoncer la grande nouvelle devant un auditoire frétillant d'excitation qu'on avait rapidement rassemblé au City Museum. Bientôt, Williams et son groupe, coiffés de casquettes des Senators, entraînaient l'auditoire à chanter joyeusement le *Take Me Out to the Ball Game*.

En entendant la nouvelle en fin d'après-midi, plusieurs Montréalais avaient décidé qu'ils ne pouvaient pas rater ce moment historique : 31 395 spectateurs se sont ainsi rendus au Stade, constituant la foule la plus importante de la saison.

Les Expos disputeraient leur dernier match à Montréal contre – qui d'autre ? – les Marlins de la Floride.

Maintenant qu'on savait qu'il s'agissait du tout dernier match, on se demandait comment la foule se comporterait. Aux États-Unis, les derniers matchs de concessions s'étaient parfois terminés en quasi-émeute, comme en 1971, quand Washington, justement, avait perdu ses Senators.

Dès les premières mesures de l'hymne national américain, des spectateurs se sont mis à conspuer, aussitôt enterrés par d'autres qui criaient et applaudissaient à tout rompre. Les affiches « Bud Sucks » ont commencé à se faire voir ici et là...

En 2e manche, les champions en titre ont marqué 4 points contre le partant des Expos, le Coréen Sun-Woo Kim, jetant une douche d'eau froide sur la foule. Puis, à la manche suivante, après un circuit et un double par les deux premiers frappeurs des Marlins, des spectateurs ont lancé quelques balles de golf sur le terrain.

Frank Robinson est immédiatement sorti de l'abri et a fait signe à ses joueurs de rentrer au vestiaire. Il était formel : ses joueurs ne retourneraient pas sur le terrain tant que les gens ne se seraient pas calmés.

Le geste du gérant avait de quoi étonner : personne n'avait lancé de bouteilles ou de bombes de fumée : on parlait ici de quelques balles de golf...

Trouvant la réaction excessive, la foule a commencé à huer. Bientôt, l'annonceur-maison prévenait l'assistance que si d'autres objets étaient lancés sur le terrain, le match serait annulé. Nouvelle vague de huées.

Tout ça commençait à être inquiétant : comment réagiraient les spectateurs si on mettait brusquement fin au match – le dernier match de l'histoire de la concession – et qu'on leur disait de rentrer chez eux ?

L'initiative de Robinson était-elle de la provocation, purement et simplement ? Quand on connaît le personnage, il est difficile de penser autrement. L'ancien préfet de discipline du baseball aimait bien montrer qu'il était le patron.

Quoi qu'il en soit, Omar Minaya et Denis Paré, le responsable de la sécurité du Stade, se sont rapidement rendus à la rencontre de Robinson pour lui faire comprendre qu'il jouait à un jeu dangereux. Mais le gérant ne voulait rien entendre : ses joueurs ne retournaient pas sur le terrain, point à la ligne ! Le ton entre les trois hommes a vite monté : « Si tu fais ça, tu vas déclencher une émeute ! », lui ont dit Minaya et Paré. Robinson a finalement cédé et les joueurs ont repris leur position – un peu plus de dix minutes après être partis.

Quelques instants plus tard, l'atmosphère s'était magiquement assainie. Le match lui-même (Marlins 9, Expos 1, en 5ᵉ manche) n'avait plus d'importance, l'heure était à l'appréciation des derniers instants qui restaient encore. La foule a réservé ses plus chaleureux applaudissements à Tony Batista quand Robinson l'a retiré du match en 6ᵉ manche. Batista est sorti de l'abri pour lever les bras au ciel, déclenchant une nouvelle ovation. Il a repris le manège quelques fois – applaudissant la foule à son tour – et les gens ont commencé à scander son nom.

Après cet épisode sympathique, l'ambiance était maintenant presque festive, comme si le public avait soudainement oublié le sort qui attendait leur équipe. Mais à mesure que le match approchait de la fin, on a commencé à voir des gens pleurer ouvertement dans les gradins. Car il n'y avait pas que Katie Hynes qui avait les yeux rougis. À divers moments de la soirée, Maryse Filion du groupe Encore Baseball Montréal a vu de parfaits inconnus – des hommes, des femmes, des jeunes et moins jeunes – s'approcher d'elle en pleurs pour la remercier de ses efforts tout en la serrant dans leurs bras.

Les spectateurs ont passé la 9ᵉ debout, à crier « *Let's go, Expos* », s'arrêtant momentanément quand, entre les deux demi-manches, on a diffusé *My Way* de Frank Sinatra. Quand, après deux retraits, un voltigeur des Expos du nom (étonnant) de Terrmel Sledge s'est rendu au marbre, des milliers de flashes d'appareils photo ont scintillé dans les gradins, les fans cherchant à immortaliser ce qui serait peut-être le dernier moment de baseball majeur à Montréal. Il était 10 h 01 quand Sledge a retroussé une balle vers le troisième but qu'a captée l'ancien Expo Mike Mordecai. C'en était fait du match. C'en était fait du baseball majeur à Montréal.

Les gens n'étaient pas encore prêts à s'en aller – et on ne les laisserait pas partir comme ça. Alors que passaient *I Will Remember You*, de la chanteuse canadienne Sarah McLachlan, puis *Yesterday*, des Beatles, des images familières défilaient sur l'écran géant : Rusty Staub et Andre Dawson cognant un circuit, Gary Carter retirant un coureur au deuxième, Tim Raines courant à vive allure vers le deuxième, El Presidente, Pedro, Vladimir... Les gens réagissaient bruyamment à chaque fois qu'un favori apparaissait à l'écran. Il ne restait plus beaucoup d'yeux secs dans les gradins.

Les joueurs des Expos se sont amenés sur le terrain, où Claude Raymond (en uniforme, lui aussi), Jamey Carroll et Livan Hernandez se sont adressés à la foule, respectivement en français, en anglais et en espagnol. « Merci de ce que vous avez fait pour l'équipe et pour moi pendant ces 36 années. J'espère qu'un jour il y aura un miracle et que ça va revenir ici », a dit Raymond. À ses côtés, Brad Wilkerson, inconsolable, a pris Raymond par le cou et lui a dit qu'il l'aimait. Raymond a alors craqué, ne pouvant plus retenir ses larmes plus longtemps.

Quelques instants plus tard, une douzaine de joueurs se sont approchés des gradins pour lancer des balles aux spectateurs, une belle intention qui demeurait néanmoins un bien minuscule prix de consolation.

« Ce qui se passe aujourd'hui, ça n'a pas de bon sens, a dit Claude Raymond aux journalistes qui l'entouraient sur le terrain. Perdre son équipe de baseball, une ville ne peut pas se permettre ça. Pour ceux qui ont pratiqué ce beau sport, le baseball, c'est les amitiés, les batailles, les liens. C'est les enfants. Mon père m'emmenait voir les Royaux. Les pères, où est-ce qu'ils vont emmener leurs enfants ? » Brian Schneider s'est approché de Raymond pour lui faire l'accolade à son tour. « Je sais ce que cette équipe représente pour lui », a plus tard expliqué le receveur des Expos.

Finalement, les gens ont commencé peu à peu à quitter le Stade, le cœur gros, ne manquant pas de jeter un dernier coup d'œil sur ce terrain, sur ce stade qu'ils ne reverraient plus.

Pour plusieurs, c'était plus qu'une équipe qu'ils perdaient, c'était véritablement une famille qu'ils quittaient. Car ils avaient beau se promettre de se revoir, dans d'autres circonstances, il demeure que sans point de ralliement, sans la présence de l'objet de cette passion commune, les chances que cette camaraderie survive à *ça* étaient minces, et ils ne le savaient que trop bien.

Bientôt, ce serait au tour de Katie Hynes de disparaître à son tour, emportant avec elle son cahier de feuilles de pointage. Il ne fallait pas rater le dernier métro. Et puis le lendemain, il y a aurait le boulot à reprendre, la vie qui continuerait.

« Adieu Nos Amours » est le titre qu'a retenu *The Gazette* pour sa une du lendemain. « Une journée extraordinaire s'est terminée sur des scènes extraordinaires hier soir, a écrit Jack Todd dans ce quotidien, avec une foule de 31 395 fans qui ont salué dignement leur équipe, offrant des ovations aux étoiles de la saison, Tony Batista, Brad Wilkerson et Livan Hernandez, puis écoutant respectueusement les paroles de Claude Raymond.

« L'histoire montrera que la mort des Expos aurait pu être évitée, poursuivait le chroniqueur. Il n'y a pas si longtemps, le baseball était une présence vibrante, excitante, à Montréal. Il a fallu des années de mauvaise gestion, de négligence – et pire encore du bureau du commissaire –, un marketing inexistant, un stade atroce et la perte de tous les meilleurs joueurs du club pour en arriver là où nous en sommes.

« Hier, Tony Tavares a dit qu'il pouvait s'imaginer le baseball revenir à Montréal dans une trentaine d'années. La question est de savoir si nous en voudrons », concluait Todd.

« Pour plusieurs, cette semaine, Montréal n'a perdu qu'une équipe de baseball, a écrit le chroniqueur Stéphane Laporte dans *La Presse*. Pour moi, cette semaine, Montréal a perdu beaucoup plus. Montréal a perdu un peu de sa culture. Et c'est aussi grave que si Montréal avait perdu son orchestre symphonique. Il y a des vies, des enfances qui se sont modelées au rythme de ce sport et de ces joueurs. Il y a des pères et des fils qui se sont rapprochés en regardant jouer les Expos. Il y a des après-midi gris de ma vie qui ont passé plus rapidement en écoutant Jacques Doucet décrire un match.

« La mort d'une passion, c'est toujours tragique. Même si la passion était fatiguée. Car la vie est faite de cycles. Et c'est sûr qu'un jour, elle serait revenue. Avec une série de victoires, avec une course au championnat, tout Montréal aurait rempli le stade. Et ce serait reparti. Maintenant, il est trop tard. Il faudra trouver autre chose. »

Le baseball majeur était peut-être fini à Montréal, mais les Expos avaient encore trois matchs à disputer.

Dans un autre clin d'œil du destin, l'équipe mettrait le point final à une longue – ou courte, selon le point de vue – histoire de 36 ans sur le même terrain où tout avait commencé le 8 avril 1969 : le Shea Stadium de New York.

Après deux victoires dans les deux premiers matchs de la série, les Expos se sont inclinés 8-1 dans le match ultime du dimanche 3 octobre.

Dans la foule de 33 569 spectateurs, il y en avait quelques milliers qui s'étaient déplacés du Québec pour dire adieu à leur équipe. On pouvait lire des affiches en français, et des cris « *Let's go, Expos!* » ont retenti de divers endroits dans les gradins pendant tout le match, jusqu'à la 9ᵉ. À la fin, ces cris avaient presque les échos d'appel au secours.

Le dernier retrait s'est produit à précisément 16 h 23, quand le voltigeur Endy Chavez des Expos a frappé un roulant au deuxième but.

Cette fois, c'était vraiment fini. Il n'y aurait plus d'autre match, plus d'autres jeux, plus d'Expos de Montréal.

Le dernier coup sûr frappé par un Expo serait le simple cogné par Terrmel Sledge en 8ᵉ, le même joueur qui avait constitué le dernier retrait au Stade olympique.

« Ç'a été une longue route, a dit Brian Schneider après le match contre les Mets. Je sais que les gars du club sont, d'une certaine façon, très heureux du dénouement parce que beaucoup de leurs questions ont enfin trouvé des réponses. Mais c'est très dur de laisser une ville comme Montréal et les gens qui ont fait fonctionner cette organisation pendant tellement d'années. Beaucoup d'employés sont sans travail maintenant. En plus, ils ont le sentiment d'avoir perdu une famille. »

Schneider affirmait avoir été particulièrement touché quand il avait vu comment la fin des Expos affectait Claude Raymond. « J'ai eu la gorge serrée quand j'ai vu Claude pleurer comme ça après le dernier match à Montréal. Et il y en avait d'autres aussi qui pleuraient, les employés du club, les agents de sécurité. Ces gens-là ont un long passé avec ce club, ils ont plein de souvenirs, bien plus que moi. »

Frank Robinson reconnaissait avoir éprouvé de fortes émotions vers la fin du dernier match : « Je me disais que c'était une partie comme les autres. Mais à mesure que le match progressait, je ressentais de plus en plus que c'était différent. J'avais déjà entendu parler de ces matchs ultimes. Mais d'y prendre part, c'est tout à fait différent.

« C'était exceptionnel de voir tous ces Montréalais dans les gradins. Ils étaient venus voir les Expos de Montréal une dernière fois. »

Quelques semaines plus tard, les Red Sox de Boston, mettant fin à une malédiction (…) remontant à la vente de Babe Ruth aux Yankees de New York, remportaient une première Série mondiale depuis 1918.

Après l'ultime victoire des Red Sox contre les Cards de Saint Louis, un journaliste d'un grand réseau de télévision américaine s'est frayé un chemin dans le vestiaire euphorique des gagnants pour recueillir les commentaires de Pedro Martinez, le lanceur vedette des Red Sox, un de ceux que n'oublieraient jamais les partisans des Expos.

Lui non plus n'avait pas oublié : « J'aimerais partager cette victoire avec les gens de Montréal, a dit Pedro d'entrée de jeu. Ils ne vont plus avoir d'équipe. Mon cœur est avec eux. C'est un honneur qui leur revient aussi. »

Que reste-t-il de nos amours ?
(Épilogue)

Dans les semaines qui ont suivi les derniers matchs du club à New York, un certain nombre d'*expositifs* s'accrochaient encore au mince espoir qu'un accident – la poursuite des anciens propriétaires du club, un revirement de situation à l'hôtel de ville de Washington – ferait dérailler le train du convoi Expos vers la capitale américaine. Ces espoirs ont été rapidement balayés.

À la mi-novembre 2004, trois arbitres ont annoncé leur verdict concernant la poursuite des ex-actionnaires : chacune des allégations des plaignants était rejetée. Ils ont même pris la peine d'ajouter dans le texte du jugement que les actionnaires québécois, en hommes d'affaires avisés, auraient dû savoir que leur refus de répondre aux appels de capitaux leur ferait perdre le contrôle de l'équipe.

L'avocat du groupe, Jeffrey Kessler, a affirmé – le plus sérieusement du monde – que les actionnaires étaient surtout déçus pour les fans des Expos... Il a aussi dit que le groupe ne poursuivrait aucune autre procédure. Il n'y aurait pas d'injonction pour empêcher le transfert de l'équipe.

En se lançant dans cette procédure, les actionnaires avaient terriblement sous-estimé une donnée incontournable : les chances de gagner en cour contre un Goliath comme le baseball majeur sont quasiment nulles. Et si, en plus, les plaignants sont des *outsiders*...

Du côté de Washington, les choses se sont compliquées durant les semaines qui ont suivi l'annonce en grande pompe du maire, et la volte-face d'une conseillère municipale a failli faire tomber l'entente entre la Ville et le baseball majeur. Mais le 20 décembre, un vote ultime (7 voix contre 6) du conseil municipal remettait le train sur les rails. « Je ne suis pas un idiot, a déclaré le maire Anthony Williams. Je sais qu'on leur donne un stade. C'est ce que ça prenait pour ramener le baseball ici. Mais je sais qu'on va faire beaucoup plus d'argent avec ça qu'on en a dépensé. » « À chaque fois qu'un nouveau stade se construit, a dit Bud Selig, et que l'appréciation des fans devient apparente pour tout le monde, l'opposition au projet meurt petit à petit. Et le nouveau stade devient une source de fierté. »

Le 30 décembre, les propriétaires d'équipe approuvaient à 29 contre 1 le transfert des Expos à Washington. Seule abstention : Peter Angelos, des Orioles de Baltimore. Quelques mois plus tard, Angelos acceptait les concessions offertes par Bud Selig et renonçait à tout recours.

Le baseball majeur ne s'est pas pressé de vendre la concession, attendant que la structure financière du nouveau stade soit complétée, question de maximiser la valeur de la concession. Il a également laissé du temps à *huit* groupes d'acheteurs potentiels de faire un peu de surenchère. Ce n'est finalement qu'à l'été 2006 que le baseball majeur a vendu les Nationals – le nom qu'on avait donné à l'équipe – à un promoteur immobilier milliardaire du nom de Ted Lerner. Le baseball majeur qui, en 2002, avait payé 120 millions pour acquérir les Expos de Jeffrey Loria, a obtenu 450 millions pour ses Nationals.

Le 18 octobre 2005, les Canadiens de Montréal ont élégamment invité Gary Carter et Andre Dawson à hisser, dans les hauteurs du Centre Bell, une bannière honorant les Expos et les joueurs dont les numéros avaient été retirés (Staub, Dawson, Carter et Raines) par le club. Les Canadiens en ont aussi profité pour présenter leur première mascotte, un gros toutou orange bien connu et adoré des Québécois : Youppi, qui avait troqué son chandail des Expos pour le bleu-blanc-rouge du Canadien. Le nouvel uniforme lui va peut-être moins bien, mais on ne boudera pas son plaisir pour si peu : un Youppi orange vêtu de rouge vaut quand même mieux que pas de Youppi du tout.

En résumé, donc, nous avons perdu les Expos mais gardé Youppi.

Tout a un prix, bien sûr, et on dit que les Canadiens ont payé au baseball majeur une somme « dans les six chiffres » pour retenir Youppi à Montréal...

Nous n'avons pas eu de stade au centre-ville, mais il était tout de même resté au Stade olympique, dans les bureaux des Expos, une maquette représentant la version du stade proposée par Claude Brochu. Lors du déménagement du club à la fin 2004, Claude Delorme a eu l'idée d'offrir la superbe pièce au Temple de la renommée du baseball canadien, à St. Mary's en Ontario. D'une valeur estimée à 250 000 $, la maquette a dû être rangée dans un entrepôt, le Temple ne disposant pas de suffisamment de place pour l'exhiber. Or, quelques semaines après son arrivée là-bas, des vandales ont forcé les portes de l'entrepôt et, apercevant la maquette, se sont employés à la démolir sauvagement. Elle était si endommagée qu'il n'a pas été possible de la récupérer. Difficile de ne pas voir dans ce geste ahurissant un parallèle avec le sort réservé au projet de M. Brochu…

En principe, les Expos vivent encore un peu, dans la peau de cette équipe de Washington, qui conserve les records de Gary Carter et de Vladimir Guerrero dans ses livres de statistiques et qui a récemment emprunté le style de l'uniforme « à l'étranger » que portaient les Expos dans leurs dernières années.

Mais dans les faits, les deux organisations sont vraiment des entités bien distinctes : autre ville, autre nom, autre propriétaire. Pour les fans des Nationals, l'histoire du club commence le 29 septembre 2004 ; pour les amateurs de baseball de Montréal, celle des Expos s'arrête définitivement le 29 septembre 2004.

Il est bien connu que les villes qui ont perdu leur club de baseball des majeures ont toutes fini par avoir une deuxième chance : Milwaukee, Seattle, Kansas City, Washington… Montréal pourrait-elle avoir de nouveau une équipe dans une dizaine, une trentaine d'années ?

« Non », tranche Charles Bronfman quand on lui pose la question. « Je ne crois pas que ça va arriver », dit de son côté Stephen Bronfman.

Claude Brochu est aussi de cet avis : « Ça ne reviendra jamais, a-t-il dit en 2011 en réponse à une rumeur selon laquelle un groupe "sérieux" envisageait de ramener le baseball majeur à Montréal. On n'a pas la richesse que ça demanderait maintenant. Les concessions valent aujourd'hui 500 millions, les stades ne se construisent plus à moins du demi-milliard… De plus, pour attirer la clientèle corporative, un nouveau stade doit être situé au centre-ville. Or, les terrains qui étaient disponibles autour du bassin Peel ne le sont plus. Finalement, le baseball majeur ne déménagera pas une concession dans une ville où l'équipe serait bénéficiaire du partage des revenus dès le départ. Une nouvelle formation devra contribuer à ce partage, pas en être bénéficiaire.

« Nous pouvons bien rêver de capturer ce qui nous appartenait, conclut M. Brochu, mais malheureusement, notre tour est passé. »

Dave Dombrowski, maintenant DG des Tigers de Detroit, dit que lorsque les propriétaires d'équipe parlent de marchés potentiels pour une expansion ou une relocalisation éventuelle, le nom de Montréal n'est jamais évoqué.

Il ne faut jamais dire jamais, mais il faudrait vraiment un très grand alignement de planètes pour que les Québécois voient de nouveau du baseball majeur dans leur cour.

Ce serait commode de jeter le blâme sur une personne ou un groupe pour expliquer le départ des Expos. On pourrait ainsi pointer Claude Brochu, Jacques Ménard, Jeffrey Loria, Bud Selig ou... Rick Monday. On peut aussi évoquer les gouvernements, les médias, les fans, Montréal, l'économie québécoise, le dollar canadien... Mais un raccourci n'arrive pas à faire le tour de la question.

Car pour parvenir au gâchis que l'on connaît, plusieurs « forces », comme le dit Felipe Alou dans la préface de ce livre, se sont mises en œuvre, et c'est la combinaison de toutes ces forces qui ont eu raison du baseball majeur à Montréal. « Les Expos n'ont pas eu suffisamment d'appuis de part et d'autre, et c'est pour ça qu'ils ne sont plus ici », dit Stephen Bronfman.

Claude Brochu et ses partenaires ont mal évalué l'effet qu'aurait leur philosophie « bas de laine » sur l'appui des fans ; Jeffrey Loria a atrocement manqué de patience, d'ouverture et de doigté ; Bud Selig, impatient lui aussi, a trop facilement oublié que Montréal avait déjà été un très bon marché de baseball et que tout fonctionne par cycles.

Le gouvernement du Parti québécois de la fin des années 1990 n'a pas compris l'importance des retombées économiques et psychologiques qu'apporte à une communauté la présence d'un sport professionnel de prestige comme le baseball majeur.

À partir du début des années 1980, les médias sportifs québécois ont tellement craint d'être perçus comme des *cheerleaders* complaisants qu'ils ont souvent versé dans un négativisme navrant.

Les fans, enthousiastes et festifs quand l'équipe connaissait du succès, perdaient rapidement la foi quand le club traversait un creux de vague. Certes, il y avait de vrais inconditionnels du club, mais ils étaient hélas en nombre insuffisant.

Une autre « force », moins tangible celle-là, a joué un rôle aussi important que toutes les autres : la malchance. Le mauvais *timing*. Comme on le sait, dans cette vie, il est plus utile d'avoir de la chance que d'être bon. Se trouver au bon endroit au bon moment est aussi (plus ?) important que le talent ou le travail.

Les Expos se sont joints aux majeures à l'époque où l'Association des joueurs a commencé à faire des gains significatifs. Peu après, les joueurs d'impact sont devenus hors de prix et l'équipe ne pouvait plus convaincre les stars établies d'évoluer à Montréal.

Les Expos ont souvent été meilleurs deuxièmes à une époque où être meilleur deuxième n'ouvrait pas la porte aux séries de fin de saison.

Les Expos ont eu la meilleure équipe de leur histoire dans une saison qui a été interrompue pour de bon au mois d'août, la première et dernière fois (pour l'instant, du moins) que cela se produirait dans toute l'histoire du baseball majeur.

Au moment où ils ont eu le plus besoin de l'appui d'un leader politique, les Expos sont tombés sur Lucien Bouchard, qui, comme on le sait, adore les orchestres symphoniques mais méprise souverainement les «jeux du peuple». Jeux du peuple qui, comme il l'a si bien expliqué dans une entrevue, lors de l'inauguration de la Maison symphonique de Montréal, ne sont qu'une extension des «jeux barbares du temps des Romains».

Dans les années où la situation financière de l'équipe était la plus précaire, le dollar canadien valait 60 cents en regard du dollars US. Quelques années après leur départ de Montréal, le huard grimpait à parité avec le dollar US.

Quand les Expos ont finalement trouvé un acheteur possédant des ressources financières, il ne s'est malheureusement pas révélé être Robert Wetenhall ou George Gillett. Quand ils auraient eu besoin d'un commissaire comme Bart Giamatti, ils ont eu Bud Selig.

Certaines organisations ont de la chance, d'autres pas. C'est comme ça.

Plutôt que de chercher des coupables, peut-être est-ce plus utile de regarder du côté des circonstances qui ont marqué la durée de vie du club, circonstances indépendantes de la volonté des suspects les plus souvent cités.

Cinq conjonctures nous paraissent plus importantes que toutes les autres.

D'abord, la tempête. Dans les années 1970, une tempête parfaite s'est abattue sur le baseball majeur : la collision entre un groupe de propriétaires (arrogants, individualistes et cupides – un groupe qui n'en était surtout pas un) et un homme brillant, calculateur, acharné et un peu complexé aussi (un amalgame explosif) : Marvin Miller, le directeur de l'Association des joueurs. La guerre a été totale et s'est prolongée sur trois décennies. L'industrie en est sortie transformée, à la fois milliardaire et… malade. Entre-temps, Montréal avait perdu son élan post-Expo 67. Plus tard, dans les années 2000, le baseball majeur était tout simplement devenu un jouet trop coûteux pour Montréal, le Québec et ses citoyens.

Ensuite, la vente. Quand Charles Bronfman a mis l'équipe en vente en 1990, personne au pays n'a voulu acheter l'équipe. Personne. Braqués devant cette réalité, Claude Brochu et Jacques Ménard ont assemblé de peine et de misère un consortium bigarré d'institutions, de grosses entreprises et d'individus dont le principal point commun était de ne pas s'intéresser au sport – Mark Routtenberg et Avie Bennett constituant des exceptions – et de ne pas vouloir investir davantage que leur mise initiale. C'était écrit dans le ciel : l'entreprise était promise à l'échec. Mais c'était ça ou la vente immédiate du club à des intérêts étrangers. Les efforts de Brochu et Ménard auront donc donné à Montréal 13 ans de baseball de plus. Certes, il y a eu les ventes de liquidation, les disputes, l'agonie de la fin. Mais malgré tout, nous avons aussi eu quelques courses aux séries, Felipe, Moises, Pedro, la fabuleuse équipe de 1994, Oh Henry et, bien sûr, Vladimir Guerrero.

Autre incontournable conjoncture : le stade. En 1968, Montréal a obtenu une concession en promettant de construire un stade couvert. Le maire Drapeau a tout de suite obtenu les Jeux olympiques et les Expos ont été par la suite contraints de jouer dans un stade qui n'avait ni la configuration ni la location qu'ils auraient normalement choisies. Le Stade était peut-être « une Ferrari que vous ne savez pas conduire » (dixit Roger Taillibert), il demeure qu'il ne convenait ni au baseball, ni au football, ni à des spectacles de musique rock, ni à rien. À rien, sauf une quinzaine de jours de flamboyantes compétitions olympiques. On ne le dira jamais assez : les Expos et leurs fans n'ont jamais, jamais eu de stade de baseball digne des ligues majeures.

Viennent ensuite les Canadiens de Montréal. Andre Dawson a déjà dit que le baseball serait plus populaire à Montréal s'il se jouait avec une rondelle. Le hockey est une affaire tellement immense au Québec que tous ses concurrents doivent obligatoirement se contenter de seconds rôles. Une question de climat, sans doute, mais de psychologie, aussi. Les Québécois adorent le miroir que leur renvoie leur équipe de hockey : ses exploits, ses figures mythiques, ses 24 coupes Stanley… Ils aiment moins l'image projetée par un club talentueux mais laissé-pour-compte, courageux mais malchanceux, une équipe qui n'a jamais touché au Saint Graal. Est-ce parce qu'ils s'y reconnaissent un peu trop ?

Finalement, le baseball lui-même. Ce jeu, plus fin, implicite et complexe que le hockey, demande un apprivoisement, exige du temps. La capacité d'attention des gens n'est plus celle de jadis, leur rapport au temps non plus. Le calendrier du baseball majeur prévoit 81 matchs à domicile par saison. C'est un bail exigeant: qui peut consacrer plus d'une dizaine de soirées de son été pour une même activité, quelle qu'elle soit?

Même ceux qui n'avaient aucun intérêt pour le baseball (ou qui détestaient ça) sont unanimes pour le reconnaître: Montréal n'a pas gagné grand-chose quand elle a perdu son équipe de baseball. Nous étions mieux avec les Expos que sans eux.

« Voulons-nous devenir la capitale du mini-putt? », avait demandé Jacques Ménard alors que l'équipe essuyait des refus à répétition auprès des instances gouvernementales. On ignore si le mini-putt a gagné des adeptes à Montréal depuis 2005, mais on sait en revanche ceci: rien n'a comblé le départ des Expos, ni le soccer, ni la F1, ni les festivals. Pour ceux qui avaient les Expos à cœur, le vide reste béant, la blessure, à peine guérie.

« On a perdu énormément, dit Claude Brochu aujourd'hui. C'est comme perdre un bras ou une jambe. On peut continuer à vivre, mais on ne vit pas de la même manière. Les générations qui vont suivre ne vivront pas toutes les merveilleuses expériences que nous avons vécues. Elles ne connaîtront pas les joueurs, n'apprendront pas les histoires de ce sport, n'auront rien de tout ça à l'esprit.

« Collectivement, nous ne sommes pas encore rendus au stade où nous sommes prêts à faire de l'introspection, à nous remettre en question. Les médias, par exemple, sont incapables de voir le rôle qu'ils ont joué dans la perte des Expos. Alors ils font semblant que ça n'a jamais existé. »

« Je trouve ça dommage pour les jeunes, dit Stephen Bronfman. Ils n'ont pas de joueurs à admirer, pas d'équipe à suivre. J'ai un fils de quatre ans que j'adorerais pouvoir emmener au baseball... Parmi les meilleurs souvenirs de mon enfance, il y a toutes ces fins de semaine où mon père et moi nous arrêtions au Poulet frit Kentucky avant de nous rendre au parc Jarry, à temps pour l'exercice au bâton d'avant-match. Se rendre au stade ou encore écouter Dave (Van Horne) ou Jacques à la radio, il n'y avait pas de meilleure façon de passer un dimanche après-midi. C'était des choses tellement plaisantes. Des choses qui nous manquent beaucoup. »

Charles Bronfman avait fait son deuil des Expos bien avant 2004. Même s'il n'avait pas apprécié ses dernières années comme propriétaire du club, il n'a jamais regretté son expérience: « Les Expos ont fait un homme de moi. Je suis passé d'un gars de coulisses à un homme de scène

– et il y des tas de choses à apprendre pour pouvoir vivre cela. Ça a été une expérience formidable, et j'ai retiré de toute cette expérience beaucoup plus que ce que j'ai donné, ça, je peux le garantir. »

Plus que jamais, les anciens employés des Expos savent aujourd'hui à quel point ils ont été privilégiés : rien de ce qu'ils ont fait comme boulot depuis ne peut se comparer à ce qu'ils ont vécu avec les Expos. Rien n'a cette lumière qui rend la vie éclatante, palpitante, exaltante. Rien ne survole d'aussi haut le ras des pâquerettes. « Le baseball majeur, c'est Hollywood », dit Claude Brochu.

Quant aux amateurs de baseball de Montréal et du Québec, une fois qu'ils mettent leur chagrin ou leur colère de côté pour un instant, ils savent très bien la chance qu'ils ont eue de connaître tout ça. De vivre les après-midi au parc Jarry, l'ambiance du Stade olympique les jours de grande affluence, de voir Rusty Staub, Gary Carter, Steve Rogers, Andre Dawson, Tim Raines, Pedro Martinez ou Vladimir Guerrero écrire sous leurs yeux des chapitres de la grande histoire du baseball.

Ils se rappellent les amitiés, la camaraderie, les bons moments que la seule présence de cette équipe leur a offerts en cadeau. D'autres se rappelleront toutes les fois où cette équipe les a sauvés de la grisaille, de l'ennui, de la solitude, de peut-être pire encore.

Les fans comprennent aussi le bonheur qu'ils ont eu d'appartenir à ces générations qui ont pu profiter de quelques-unes des années – ou, pour les plus chanceux, de *toutes* les années – où les Expos ont été ici.

Ils auront eu plus de chance que leur équipe : ils auront été au bon endroit, au bon moment.

Notes bibliographiques

Chapitre 1 (1985, 1986)
1. *The Gamer*, Gary Carter en collaboration avec Ken Abraham, Word Publishing, 1993.
2. *Lords of the Realm – The Real History of Baseball*, John Helyar, Ballantine Books, 1994.
3. *Ibid.*
4. *Ibid.*
5. *Ibid.*
6. *Ibid.*
7. *La saga des Expos – Brochu s'explique*, Claude R. Brochu, Daniel Poulin et Mario Bolduc, Libre Expression, 2001
8. Entrevue de Claude Brochu réalisée par les auteurs (2010).
9. *The Gamer*, Gary Carter en collaboration avec Ken Abraham, Word Publishing, 1993.
10. *Ibid.*
11. Entrevue de Claude Brochu réalisée par les auteurs (2010).

Chapitre 2 (1987, 1988, 1989)
1. *Hawk*, Andre Dawson en collaboration avec Tom Bird, Zondervan Publishing House, 1994.
2. *Ibid.*
3. *The Commissioners – Baseball's Midlife Crisis*, Jerome Holtzman, Total sports, 1998.
4. *Hawk*, Andre Dawson en collaboration avec Tom Bird, Zondervan Publishing House, 1994.
5. *Ibid.*
6. Entrevue de Charles Bronfman réalisée par les auteurs (2010).
7. Entrevue de Buck Rodgers réalisée par les auteurs (2010).
8. Entrevue de Charles Bronfman réalisée par les auteurs (2010).
9. *Ibid.*
10. *Ibid.*
11. *Lords of the Realm – The Real History of Baseball*, John Helyar, Ballantine Book, 1994
12. Entrevue de Charles Bronfman réalisée par les auteurs (2010).
13. Entrevue de Claude Brochu réalisée par les auteurs (2010).
14. Entrevue de Dave Dombrowski réalisée par les auteurs (2010).
15. *Lords of the Realm – The Real History of Baseball*, John Helyar, Ballantine Book, 1994.
16. *Mint Condition – How Baseball Cards Became an American Obsession*, Dave Jamieson, Atlantic Monthly Press, 2010.
17. *Hawk*, Andre Dawson en collaboration avec Tom Bird, Zondervan Publishing House, 1994.

18. *Take Time for Paradise – Americans and Their Games*, A. Bartlett Giamatti, Bloomsbury USA (2011).
19. *A Great and Glorious Game – Baseball Writings of A. Bartlett Giamatti*, sous la direction de Kenneth S. Robson, Algonquin Books, 1998.
20. *Remembering the Montreal Expos*, Danny Gallagher and Bill Young, Scoop Press, 2005.
21. Entrevue de Claude Brochu réalisée par les auteurs (2010).
22. Entrevue de Charles Bronfman réalisée par les auteurs (2010).
23. *Ibid.*
24. Entrevue de Buck Rodgers réalisée par les auteurs (2010).
25. *Ibid.*
26. *No More Mr. Nice Guy*, Dick Williams et Bill Plaschke, Harcourt Brace Jovanovich, 1990.
27. Entrevue de Buck Rodgers réalisée par les auteurs (2010).
28. Entrevue de Dave Dombrowski réalisée par les auteurs (2010).
29. Entrevue de Charles Bronfman réalisée par les auteurs (2010).
30. Entrevue de Buck Rodgers réalisée par les auteurs (2010).
31. Entrevue de Dave Dombrowski réalisée par les auteurs (2010).
32. Entrevue de Charles Bronfman réalisée par les auteurs (2010).

Chapitre 3 (1990, 1991)

1. *No More Mr. Nice Guy*, Dick Williams et Bill Plaschke, Harcourt Brace Jovanovich, 1990.
2. Entrevue de Claude Brochu réalisée par les auteurs (2010).
3. *La saga des Expos – Brochu s'explique*, Claude R. Brochu, Daniel Poulin et Mario Bolduc, Libre Expression, 2001.
4. Entrevue de Charles Bronfman réalisée par les auteurs (2010).
5. Entrevue de Claude Brochu réalisée par les auteurs (2010).
6. Entrevue de Jacques Ménard réalisée par les auteurs (2011).
7. *Ibid.*
8. *Ibid.*
9. *Ibid.*
10. *La saga des Expos – Brochu s'explique*, Claude R. Brochu, Daniel Poulin et Mario Bolduc, Libre Expression, 2001.
11. Entrevue de Jacques Ménard réalisée par les auteurs (2011).
12. *La saga des Expos – Brochu s'explique*, Claude R. Brochu, Daniel Poulin et Mario Bolduc, Libre Expression, 2001.
13. Entrevue de Buck Rodgers réalisée par les auteurs (2010).
14. *La saga des Expos – Brochu s'explique*, Claude R. Brochu, Daniel Poulin et Mario Bolduc, Libre Expression, 2001.
15. Entrevue de Dave Dombrowski réalisée par les auteurs (2010).
16. Entrevue de Buck Rodgers réalisée par les auteurs (2010).
17. *Ibid.*
18. *Ibid.*
19. *Ibid.*
20. Entrevue de Jacques Ménard réalisée par les auteurs (2011).
21. *Ibid.*
22. Entrevue de Claude Brochu réalisée par les auteurs (2010).
23. *27 Men Out – Baseball's Perfect Games*, Michael Coffey, Atria Books, 2004.
24. Entrevue de Dave Dombrowski réalisée par les auteurs (2010).

Chapitre 4 (1992, 1993)
1. Entrevue de Jim Fanning réalisée par les auteurs (2006).
2. Entrevue de Felipe Alou réalisée par les auteurs (2009).
3. *Ibid.*
4. *Ibid.*
5. Entrevue de Claude Brochu réalisée par les auteurs (2010).
6. Entrevue de Buck Rodgers réalisée par les auteurs (2010).
7. Entrevue de Felipe Alou réalisée par les auteurs (2009).
8. *Ibid.*
9. Entrevue de Mark Routtenberg réalisée par les auteurs (2008).
10. *Lords of the Realm – The Real History of Baseball*, John Helyar, Ballantine Books, 1994.
11. *Ibid.*
12. *The Commissioners – Baseball's Midlife Crisis*, Jerome Holtzman, Total sports, 1998.
13. *Koppett's Concise History of Major League Baseball*, Leonard Koppett, Carroll & Graf, 2004.
14. *A Whole Different Ballgame – The Sport and Business of Baseball*, Marvin Miller, Birch Lane Press, 1991.
15. Entrevue de Felipe Alou réalisée par les auteurs (2009).
16. *Ibid.*
17. *Lords of the Realm – The Real History of Baseball*, John Helyar, Ballantine Books, 1994.
18. Entrevue de Claude Brochu réalisée par les auteurs (2010).
19. *In the Best Interests of Baseball? – The Revolutionary Reign of Bud Selig*, Andrew Zimbalist, Wiley, 2006.
20. *Ibid.*
21. Entrevue de Claude Brochu réalisée par les auteurs (2010).

Chapitre 5 (1994)
1. Entrevue de Claude Brochu réalisée par les auteurs (2010).
2. *Ibid.*
3. «*The Father and the Son*», article de Steve Marantz, publié dans *The Sporting News*, édition du 21 juin 1993.
4. Entrevue de Claude Brochu réalisée par les auteurs (2010).
5. Entrevue de Mark Routtenberg réalisée par les auteurs (2008).
6. «*The Father and the Son*», article de Steve Marantz, publié dans *The Sporting News*, édition du 21 juin 1993.
7. *Ibid.*
8. *Ibid.*
9. Entrevue de Jacques Ménard réalisée par les auteurs (2011).
10. Entrevue de Mark Routtenberg réalisée par les auteurs (2008).
11. *Ibid.*
12. *Ibid.*
13. *Lords of the Realm – The Real History of Baseball*, John Helyar, Ballantine Books, 1994.
14. *Ibid.*
15. *Koppett's Concise History of Major League Baseball*, Leonard Koppett, Carroll & Graf, 2004.

Chapitre 6 (1995, 1996)

1. *La saga des Expos – Brochu s'explique*, Claude R. Brochu, Daniel Poulin et Mario Bolduc, Libre Expression, 2001.
2. *Ibid.*
3. Entrevue de Claude Brochu réalisée par les auteurs (2010).
4. *La saga des Expos – Brochu s'explique*, Claude R. Brochu, Daniel Poulin et Mario Bolduc, Libre Expression, 2001.
5. Entrevue de Roger D. Landry réalisée par les auteurs (2007).
6. Entrevue de Jacques Ménard réalisée par les auteurs (2011).
7. Entrevue de Mark Routtenberg réalisée par les auteurs (2008).
8. Entrevue de Claude Brochu réalisée par les auteurs (2010).
9. Entrevue de Mark Routtenberg réalisée par les auteurs (2008).
10. *Ibid.*
11. Entrevue de Jacques Ménard réalisée par les auteurs (2011).
12. Entrevue de Mark Routtenberg réalisée par les auteurs (2008).
13. Entrevue de Paul Delage Roberge réalisée par les auteurs (2007).
14. Entrevue de Mark Routtenberg réalisée par les auteurs (2008).
15. Entrevue de Claude Brochu réalisée par les auteurs (2010).
16. Entrevue de Jacques Ménard réalisée par les auteurs (2011).
17. *La saga des Expos – Brochu s'explique*, Claude R. Brochu, Daniel Poulin et Mario Bolduc, Libre Expression, 2001.
18. Entrevue de Mark Routtenberg réalisée par les auteurs (2008).

Chapitre 7 (1997, 1998, 1999)

1. *La saga des Expos – Brochu s'explique*, Claude R. Brochu, Daniel Poulin et Mario Bolduc, Libre Expression, 2001.
2. *Ibid.*
3. *Ibid.*
4. *Ibid.*
5. Entrevue de Jacques Ménard réalisée par les auteurs (2011).
6. *La saga des Expos – Brochu s'explique*, Claude R. Brochu, Daniel Poulin et Mario Bolduc, Libre Expression, 2001.
7. *Major League Losers – The Real Costs of Sports and Who's Paying For It*, Mark S. Rosentraub, Basic Books, 1999.
8. Entrevue de Jacques Ménard réalisée par les auteurs (2011).
9. Entrevue de Mark Routtenberg réalisée par les auteurs (2008).
10. *La saga des Expos – Brochu s'explique*, Claude R. Brochu, Daniel Poulin et Mario Bolduc, Libre Expression, 2001.
11. «*Beyond Words*», article de Dan Le Batard, publié dans ESPN, édition du 8 juillet 2002.
12. *In the Best Interests of Baseball? – The Revolutionary Reign of Bud Selig*, Andrew Zimbalist, Wiley, 2006.
13. *The Last Commissioner – A Baseball Valentine*, Fay Vincent, Simon & Schuster, 2002.
14. Entrevue de Claude Brochu réalisée par les auteurs (2010).
15. *La saga des Expos – Brochu s'explique*, Claude R. Brochu, Daniel Poulin et Mario Bolduc, Libre Expression, 2001.
16. *Ibid.*
17. *Ibid.*
18. *Ibid.*

19. Entrevue de Claude Brochu réalisée par les auteurs (2010).
20. *La saga des Expos – Brochu s'explique*, Claude R. Brochu, Daniel Poulin et Mario Bolduc, Libre Expression, 2001.
21. Entrevue de Claude Brochu réalisée par les auteurs (2010).
22. Entrevue de Felipe Alou réalisée par les auteurs (2009).
23. Entrevue de Claude Brochu réalisée par les auteurs (2010).
24. *Ibid.*
25. Entrevue de Felipe Alou réalisée par les auteurs (2009).
26. *La saga des Expos – Brochu s'explique*, Claude R. Brochu, Daniel Poulin et Mario Bolduc, Libre Expression, 2001.
27. *Ibid*
28. *Ibid.*
29. Entrevue de Claude Brochu réalisée par les auteurs (2010).
30. *Ibid.*
31. *La saga des Expos – Brochu s'explique*, Claude R. Brochu, Daniel Poulin et Mario Bolduc, Libre Expression, 2001.
32. *Ibid.*
33. Entrevue de Mark Routtenberg réalisée par les auteurs (2008).
34. Entrevue de Jacques Ménard réalisée par les auteurs (2011).
35. Entrevue de Mark Routtenberg réalisée par les auteurs (2008).
36. *La saga des Expos – Brochu s'explique*, Claude R. Brochu, Daniel Poulin et Mario Bolduc, Libre Expression, 2001.
37. *Ibid.*
38. Entrevue de Mark Routtenberg réalisée par les auteurs (2008).
39. *Ibid.*
40. *Ibid.*
41. *Ibid.*
42. *Ibid.*
43. *Ibid.*
44. *Réflexions sur l'avenir des Expos et du projet de nouveau parc*, rapport de Laurier M. Carpentier, 20 janvier 1999, cité dans *La saga des Expos – Brochu s'explique*, Claude R. Brochu, Daniel Poulin et Mario Bolduc, Libre Expression, 2001.
45. *La saga des Expos – Brochu s'explique*, Claude R. Brochu, Daniel Poulin et Mario Bolduc, Libre Expression, 2001.
46. Entrevue de Claude Brochu réalisée par les auteurs (2010).
47. *La saga des Expos – Brochu s'explique*, Claude R. Brochu, Daniel Poulin et Mario Bolduc, Libre Expression, 2001.

Chapitre 8 (2000, 2001)

1. Entrevue de Mark Routtenberg réalisée par les auteurs (2008).
2. Entrevue de Jacques Ménard réalisée par les auteurs (2011).
3. Entrevue de Stephen Bronfman réalisée par les auteurs (2010).
4. Entrevue de Claude Brochu réalisée par les auteurs (2010).
5. Entrevue de Mark Routtenberg réalisée par les auteurs (2008).
6. Entrevue de Jacques Ménard réalisée par les auteurs (2011).
7. Entrevue de Mark Routtenberg réalisée par les auteurs (2008).
8. *Ibid.*
9. Entrevue de Jacques Ménard réalisée par les auteurs (2011).
10. Entrevue de Stephen Bronfman réalisée par les auteurs (2010).

11. Entrevue de Felipe Alou réalisée par les auteurs (2009).
12. Entrevue de Claude Brochu réalisée par les auteurs (2010).
13. Entrevue de Stephen Bronfman réalisée par les auteurs (2010).
14. *Ibid.*
15. *Ibid.*
16. Entrevue de Mark Routtenberg réalisée par les auteurs (2008).
17. *De Jackie Robinson à Felipe Alou – Souvenirs de Montréal, de baseball et des Expos*, Danny Gallagher, traduction et adaptation par Ronald King, Éditions Mille-Îles, 1998.
18. Entrevue de Felipe Alou réalisée par les auteurs (2009).
19. Entrevue de Mark Routtenberg réalisée par les auteurs (2008).

Chapitre 9 (2002, 2003)

1. *Feeding the Monster – How Money, Smarts, and Nerve Took a Team to the Top*, Seth Mnookin, Simon & Schuster, 2006.
2. *In the Best Interests of Baseball? – The Revolutionary Reign of Bud Selig*, Andrew Zimbalist, Wiley, 2006.
3. Entrevue de Mark Routtenberg réalisée par les auteurs (2008).

Chapitre 10 (2004)

1. *Field of Schemes – How the Great Stadium Swindle Turns Public Money into Private Profit*, Neil deMause et Joanna Cagan, Bison Books, 2008.
2. *Ibid.*
3. *In the Best Interests of Baseball? – The Revolutionary Reign of Bud Selig*, Andrew Zimbalist, Wiley, 2006.
4. *National Pastime – Sports, Politics, and the Return of Baseball to Washington, D.C.*, Barry Svrluga, Doubleday, 2006.

Statistiques

Statistiques des Expos de Montréal
Saisons 1985 à 2004

Table des légendes de la section Statistiques :

Classement de ligue

V	Victoire
D	Défaite
MOY.	Moyenne victoire/défaite
DIFF.	Différence de matchs gagnés/perdus

Fiche des frappeurs

MOY	Moyenne au bâton
P	Parties jouées
AB	Apparitions au bâton
P	Points marqués
CS	Coups sûrs
2B	Doubles
3B	Triples
CC	Circuits
PP	Points produits
BB	Buts sur balles
IB	Buts sur balles intentionnels
RAB	Retiré au bâton
BV	Buts volés
RTV	Retiré en tentative de vol
E	Erreurs

Fiche des lanceurs

V	Victoires
D	Défaites
MPM	Moyenne de points mérités
P	Parties jouées
PC	Parties commencées
PC	Parties complétées
BL	Blanchissages
VP	Victoires protégées
ML	Manches lancées
CS	Coups sûrs
P	Points
PM	Points mérités
CC	Circuits
BB	Buts sur balles
BI	Buts sur balles intentionnels
RAB	Retraits au bâton

Dossier annuel de l'équipe

ANNÉE	V	D	MOY.	POS.	DIFF.	ASSISTANCE	GÉRANT
1969	52	110	,321	6	48,0	1 212 608	Gene Mauch
1970	73	89	,451	6	16,0	1 424 683	Gene Mauch
1971	71	90	,441	5	25,5	1 290 963	Gene Mauch
1972	70	86	,449	5	26,5	1 142 145	Gene Mauch
1973	79	83	,488	4	3,5	1 246 863	Gene Mauch
1974	79	82	,491	4	8,5	1 019 134	Gene Mauch
1975	75	87	,463	5	17,5	908 292	Gene Mauch
1976	55	107	,340	6	46,0	646 704	Karl Kuehl/Charlie Fox
1977	75	87	,463	5	26,0	1 433 757	Dick Williams
1978	76	86	,469	4	14,0	1 427 007	Dick Williams
1979	95	65	,594	2	2,0	2 102 173	Dick Williams
1980	90	72	,556	2	1,0	2 208 175	Dick Williams
1981	60	48	,556	-	-	1 534 564	Dick Williams/Jim Fanning
	30	25	,545	3	4,0	1re demie	
	30	23	,566	1	+ 0,5	2e demie	
1982	86	76	,531	3	6,0	2 318 292	Jim Fanning
1983	82	80	,506	3	8,0	2 320 651	Bill Virdon
1984	78	83	,484	5	18,0	1 606 531	Bill Virdon/Jim Fanning
1985	84	77	,522	3	16,5	1 502 494	Buck Rodgers
1986	78	83	,484	4	29,5	1 128 981	Buck Rodgers
1987	91	71	,562	3	4,0	1 850 324	Buck Rodgers
1988	81	81	,500	3	20,0	1 478 659	Buck Rodgers
1989	81	81	,500	4	12,0	1 783 533	Buck Rodgers
1990	85	77	,525	3	10,0	1 421 388	Buck Rodgers
1991	71	90	,441	6	26,5	978 076	Buck Rodgers/Tom Runnells
1992	87	75	,537	2	9,0	1 731 566	Tom Runnells/Felipe Alou
1993	94	68	,580	2	3,0	1 641 437	Felipe Alou
1994	74	40	,649	1	+ 6,0	1 276 250	Felipe Alou
1995	66	78	,458	5	24,0	1 309 618	Felipe Alou
1996	88	74	,543	2	8,0	1 618 573	Felipe Alou
1997	78	84	,481	4	23,0	1 497 609	Felipe Alou
1998	65	97	,401	4	41,0	914 717	Felipe Alou
1999	68	94	,420	4	35,0	773 277	Felipe Alou
2000	67	95	,414	4	28,0	926 263	Felipe Alou
2001	68	94	,420	5	20,0	642 748	Alou/Torborg
2002	83	79	,512	2	19,0	812 545	Frank Robinson
2003	83	79	,512	4	18,0	1 025 639	Frank Robinson
2004	67	95	,414	5	29,0	749 550	Frank Robinson

Saison 1985
Classement final, Ligue nationale

Division Est

Équipe	V	D	MOY.	DIFF.
St Louis	101	61	,623	-
New York	98	64	,605	3,0
Montréal	84	77	,522	16,5
Chicago	77	84	,478	23,5
Philadelphie	75	87	,463	26,0
Pittsburgh	57	104	,354	43,5

Division Ouest

Équipe	V	D	MOY.	DIFF.
Los Angeles	95	67	,586	-
Cincinnati	89	72	,553	5,5
Houston	83	79	,512	12,0
San Diego	83	79	,512	12,0
Atlanta	66	96	,407	29,0
San Francisco	62	100	,383	33,0

Honneurs individuels

Équipe des étoiles, Baseball majeur (AP)
Jeff Reardon (rel)

Équipe des étoiles, Ligue nationale (The Sporting News/UPI/AP)
Jeff Reardon (rel)
Tim Wallach (3b)

Partie des étoiles
Tim Raines (vol)
Jeff Reardon (rel)
Tim Wallach (3b)

Lanceur de relève de l'année
Jeff Reardon

Pompier de l'année (TSN)
Jeff Reardon

Gant d'or (Rawlings)
André Dawson (vol)
Tim Wallach (3b)

Bâton d'argent (Louisville Slugger)
Tim Wallach (3b)
Hubie Brooks (ac)

Joueur de l'année des Expos
Tim Raines

EXPOS 1985

Au bâton

FRAPPEUR	MOY	P	AB	P	CS	2B	3B	CC	PP	BB	BI	RAB	BVRTV		E
Barnes	,154	19	26	0	4	1	0	0	0	0	0	2	0	1	0
Brooks	,269	156	605	67	163	34	7	13	100	34	6	79	6	9	28
Butera	,200	67	120	11	24	1	0	3	12	13	1	12	0	0	4
Dawson	,255	139	529	65	135	27	2	23	91	29	8	92	13	4	7
Dilone	,190	51	84	10	16	0	2	0	6	6	0	11	7	3	1
Driessen	,250	91	312	31	78	18	0	6	25	33	9	29	2	2	4
Fitzgerald	,207	108	295	25	61	7	1	5	34	38	12	55	5	3	8
Flynn	,167	9	6	0	1	0	0	0	0	0	0	0	0	0	0
Francona	,267	107	281	19	75	15	1	2	31	12	4	12	5	5	6
Frobel	,130	12	23	3	3	1	0	1	4	2	0	6	0	0	1
Galarraga	,187	24	75	9	14	1	0	2	4	3	0	18	1	2	1
Johnson, Roy	,000	3	5	0	0	0	0	0	0	0	0	3	0	0	0
Law	,266	147	519	75	138	30	6	10	52	86	0	96	6	5	12
Manrique	,308	9	13	5	4	1	1	1	1	1	0	3	0	0	0
Newman	,172	25	29	7	5	1	0	0	1	3	0	4	2	1	0
Nicosia	,169	42	71	4	12	2	0	0	1	7	0	11	1	0	1
O'Berry	,190	20	21	2	4	0	0	0	0	4	0	3	1	0	0
Raines	,320	150	575	115	184	30	13	11	41	81	13	60	70	9	2
Shines	,120	47	50	0	6	0	0	0	3	4	0	9	0	1	2
Thompson, R.	,281	34	32	2	9	1	0	0	4	3	0	7	0	0	0
Wallach	,260	155	569	70	148	36	3	22	81	38	8	79	9	9	18
Washington	,249	68	193	24	48	9	4	1	17	15	1	33	6	3	7
Webster	,274	74	212	32	58	8	2	11	30	20	3	33	15	9	1
Winningham	,237	125	312	30	74	6	5	3	21	28	3	72	20	9	4
Wohlford	,192	70	125	7	24	5	1	1	15	16	5	18	0	2	0
Yost	,182	5	11	1	2	0	0	0	0	0	0	2	0	0	1
EXPOS	**,247**	**161**	**5429**	**633**	**1342**	**242**	**49**	**118**	**593**	**492**	**73**	**880**	**169**	**77**	**121**
ADV.	**,247**	**161**	**5456**	**636**	**1346**	**229**	**30**	**99**	**595**	**509**	**70**	**870**	**189**	**46**	**134**

Au monticule

LANCEUR	V	D	MPM	P	PC	PC	BL	VP	ML	CS	P	PM	CC	BB	BI	RAB
Burke	9	4	2,39	78	0	0	0	8	120 ⅓	86	32	32	9	44	14	87
Dopson	0	2	11,08	4	3	0	0	0	13	25	17	16	4	4	0	4
Glynn	0	0	19,29	3	0	0	0	0	2 ⅓	5	5	5	0	4	0	2
Grapenthin	0	0	14,14	5	0	0	0	0	7	13	11	11	0	8	2	4
Gullickson	14	12	3,52	29	29	4	1	0	181 ⅓	187	78	71	8	47	9	68
Hesketh	10	5	2,49	25	25	2	1	0	155 ⅓	125	52	43	10	45	2	113
Laskey	0	5	9,44	11	7	0	0	0	34 ⅓	55	36	36	9	14	1	18
Lucas	6	2	3,19	49	0	0	0	1	67 ⅔	63	29	24	6	24	8	31
Mahler	1	4	3,54	9	7	1	1	1	48 ⅓	40	22	19	3	24	1	32
O'Connor	0	2	4,94	20	1	0	0	0	23 ⅔	21	14	13	1	13	7	16
Palmer	7	10	3,71	24	23	0	0	0	135 ⅔	128	60	56	5	67	5	106
Reardon	2	8	3,18	63	0	0	0	41	87 ⅔	68	31	31	7	26	4	67
Roberge	3	3	3,44	42	0	0	0	2	68	58	28	26	5	22	5	34
Rogers	2	4	5,68	8	7	1	0	0	38	51	25	24	1	20	1	18
Schatzeder	3	5	3,80	24	15	1	0	0	104 ⅓	101	52	44	13	31	0	64
Smith, B.	18	5	2,91	32	32	4	2	0	222 ⅓	193	85	72	12	41	3	127
St. Claire	5	3	3,93	42	0	0	0	0	68 ⅔	69	32	30	3	26	7	25
Youmans	4	3	2,45	14	12	0	0	0	77	57	27	21	3	49	1	54
EXPOS	**84**	**77**	**3,55**	**161**	**161**	**13**	**13**	**54**	**1457**	**1346**	**636**	**574**	**99**	**509**	**70**	**870**
ADV.	**77**	**84**	**3,44**	**161**	**161**	**22**	**13**	**35**	**1353**	**1342**	**633**	**556**	**118**	**492**	**73**	**880**

Saison 1986
Classement final, Ligue nationale

Division Est

Équipe	V	D	MOY.	DIFF.
New York	108	54	,667	-
Philadelphie	86	75	,534	21,5
St Louis	79	82	,491	28,5
Montréal	78	83	,484	29,5
Chicago	70	90	,438	37,0
Pittsburgh	64	98	,395	44,0

Division Ouest

Équipe	V	D	MOY.	DIFF.
Houston	96	66	,593	-
Cincinnati	86	76	,531	10,0
San Francisco	83	79	,512	13,0
San Diego	74	88	,457	22,0
Los Angeles	73	89	,451	23,0
Atlanta	72	89	,447	23,5

Honneurs individuels

Partie d'étoiles
Hubie Brooks (ac)
Tim Raines (vol)
Jeff Reardon (rel)

Équipe des étoiles, Ligue nationale
Tim Raines (vol) (TSN)

Bâton d'argent (Louisville Slugger)
Hubie Brooks (ac)
Tim Raines (vol)

Joueur de l'année des Expos
Tim Raines

EXPOS 1986
Au bâton

FRAPPEUR	MOY	P	AB	P	CS	2B	3B	CC	PP	BB	BI	RAB	BV	R	E
Bilardello	,194	79	191	12	37	5	0	4	17	14	3	32	1	0	8
Brooks	,340	80	306	50	104	18	5	14	58	25	3	60	4	2	15
Candaele	,231	30	104	9	24	4	1	0	6	5	0	15	3	5	2
Dawson	,264	130	496	65	141	32	2	20	78	37	11	79	18	12	3
Fitzgerald	,282	73	209	20	59	13	1	6	37	27	6	34	3	2	3
Foley	,257	64	202	18	52	13	2	1	18	20	5	26	8	3	4
Galarraga	,271	105	321	39	87	13	0	10	42	30	5	79	6	5	4
Gonzales	,115	11	26	1	3	0	0	0	0	2	0	7	0	2	0
Hunt	,208	21	48	4	10	0	0	2	5	5	2	16	0	0	6
Johnson, W.	,283	61	127	13	36	3	1	1	10	7	0	9	6	3	2
Krenchicki	,240	101	221	21	53	6	2	2	23	22	3	32	2	4	6
Law	,225	112	360	37	81	17	2	5	44	37	1	66	3	5	4
Moore, B.	,167	6	12	0	2	0	0	0	0	0	0	4	0	0	0
Newman	,200	95	185	23	37	3	0	1	8	21	2	20	11	11	11
Nieto	,200	30	65	5	13	3	1	1	7	6	1	21	0	1	3
Raines	,334	151	580	91	194	35	10	9	62	78	9	60	70	9	6
Rivera, L.	,205	55	166	20	34	11	1	0	13	17	0	33	1	1	9
Schatzeder	,429	33	21	5	9	1	1	1	2	5	0	8	0	0	0
Tejada	,240	10	25	1	6	1	0	0	2	2	1	8	0	0	0
Thompson, J.	,196	30	51	6	10	4	0	0	4	18	2	12	0	1	5
Wallach	,233	134	480	50	112	22	1	18	71	44	8	72	8	4	16
Webster	,290	151	576	89	167	31	13	8	49	57	4	78	36	15	8
Winningham	,216	90	185	23	40	6	3	4	11	18	3	51	12	7	2
Wohlford	,266	70	94	10	25	4	2	1	11	9	3	17	0	2	0
Wright	,188	56	117	12	22	5	2	0	5	11	0	28	1	1	0
EXPOS	**,254**	**161**	**5508**	**637**	**1401**	**255**	**50**	**110**	**602**	**537**	**72**	**1016**	**193**	**95**	**133**
ADV.	**,246**	**161**	**5487**	**688**	**1350**	**253**	**36**	**119**	**639**	**566**	**61**	**1051**	**200**	**54**	**115**

Au monticule

LANCEUR	V	D	MPM	P	PC	PC	BL	VP	ML	CS	P	PM	CC	BB	BI	RAB
Brown, Curt	0	1	3,00	6	0	0	0	0	12	15	6	4	0	2	2	4
Burke	9	7	2,93	68	2	0	0	4	101,1	103	37	33	7	46	13	82
Hesketh	6	5	5,01	15	15	0	0	0	82 ⅔	92	46	46	11	31	4	67
Law	0	0	2,25	3	0	0	0	0	4	3	2	1	0	2	0	0
Martinez	3	6	4,59	19	15	1	1	0	98	103	52	50	11	28	4	63
McClure	2	5	3,02	52	0	0	0	6	62 ⅔	53	22	21	2	23	2	42
McGaffigan	10	5	2,65	48	14	1	1	2	142 ⅔	114	49	42	9	55	8	104
Owchinko	1	0	3,60	3	3	0	0	0	15	17	6	6	1	3	0	6
Parrett	0	1	4,87	12	0	0	0	0	20 ⅓	19	11	11	3	13	0	21
Reardon	7	9	3,94	62	0	0	0	35	89	83	42	39	12	26	2	67
Riley	0	0	4,15	10	0	0	0	0	8 ⅔	7	4	4	0	8	3	5
Roberge	0	4	6,28	21	0	0	0	1	28 ⅔	33	20	20	2	10	3	20
Schatzeder	3	2	3,20	30	1	0	0	1	59	53	29	21	6	19	2	33
Sebra	5	5	3,55	17	13	3	1	0	91 ⅓	82	39	36	9	25	2	66
Smith, B.	10	8	3,94	30	30	1	0	0	187 ⅓	182	101	82	15	63	6	105
St. Claire	2	0	2,37	11	0	0	0	1	19	13	5	5	2	6	1	21
Tibbs	7	9	3,97	35	31	3	2	0	190 ⅓	181	96	84	12	70	3	117
Tomlin	0	0	5,23	7	0	0	0	0	10 ⅓	13	8	6	1	7	2	6
Valdez	0	4	6,84	5	5	0	0	0	25	39	20	19	2	11	0	20
Youmans	13	12	3,53	33	32	6	2	0	219	145	93	86	14	118	4	202
EXPOS	**78**	**83**	**3,78**	**161**	**161**	**15**	**9**	**50**	**1466 ⅓**	**1350**	**688**	**616**	**119**	**566**	**61**	**1051**
ADV.	**83**	**78**	**3,52**	**161**	**161**	**17**	**11**	**38**	**1466 ⅔**	**1401**	**637**	**574**	**110**	**537**	**72**	**1016**

Saison 1987
Classement final, Ligue nationale

Division Est

Équipe	V	D	MOY.	DIFF.
St Louis	95	67	,586	-
New York	92	70	,568	3,0
Montréal	91	71	,562	4,0
Philadelphie	80	82	,494	15,0
Pittsburgh	80	82	,494	15,0
Chicago	76	85	,472	18,5

Division Ouest

Équipe	V	D	MOY.	DIFF.
San Francisco	90	72	,556	-
Cincinnati	84	78	,519	6,0
Houston	76	86	,469	14,0
Los Angeles	73	89	,451	17,0
Atlanta	69	92	,429	20,5
San Diego	65	97	,401	25,0

Honneurs individuels

Partie des étoiles
Hubie Brooks (ac)
Tim Wallach (3b)
Tim Raines (vol)

Équipe des étoiles, Ligue nationale (*The Sporting News*/UPI/AP)
Tim Wallach (3b) (TSN/UPI)
Tim Raines (vol) (UPI)

Bâton d'argent (Louisville Slugger)
Tim Wallach (3b)

Joueur de l'année des Expos
Tim Wallach

Équipe d'étoiles des recrues, ligues majeures
Casey Candaele (2b)

Gérant de l'année, Ligue nationale (BBWAA/TSN)
Buck Rogers

Joueur par excellence du match des étoiles
Tim Raines

EXPOS 1987

Au bâton

FRAPPEUR	MOY	P	AB	P	CS	2B	3B	CC	PP	BB	BI	RAB	BV	R	E
Brooks	,263	112	430	57	113	22	3	14	72	24	2	72	4	3	20
Candaele	,272	138	449	62	122	23	4	1	23	38	3	28	7	10	8
Daugherty	,100	11	10	1	1	1	0	0	1	0	0	3	0	0	0
Engle	,226	59	84	7	19	4	0	1	14	6	1	11	1	0	0
Fitzgerald	,240	107	287	32	69	11	0	3	36	42	7	54	3	4	12
Foley	,293	106	280	35	82	18	3	5	28	11	0	40	6	10	9
Galarraga	,305	147	551	72	168	40	3	13	90	41	13	127	7	10	10
Johnson, W.	,247	75	85	7	21	5	0	1	14	7	0	6	5	0	2
Law	,273	133	436	52	119	27	1	12	56	51	5	62	8	5	11
Nichols	,265	77	147	22	39	8	2	4	20	14	1	13	2	1	2
Norman, N.	,000	1	4	0	0	0	0	0	0	0	0	1	0	0	1
Powell	,195	14	41	3	8	3	0	0	4	5	0	17	0	0	0
Raines	,330	139	530	123	175	34	8	18	68	90	26	52	50	5	4
Reed	,213	75	207	15	44	11	0	1	21	12	1	20	0	1	12
Rivera	,156	18	32	0	5	2	0	0	1	1	0	8	0	0	3
Romano	,000	7	3	1	0	0	0	0	0	0	0	1	0	0	0
Santovenia	,000	2	1	0	0	0	0	0	0	0	0	0	0	0	0
Shines	,222	6	9	0	2	0	0	0	0	1	0	0	1	0	0
Stefero	,196	18	56	4	11	0	0	1	3	3	1	17	0	0	2
Wallach	,298	153	593	89	177	42	4	26	123	37	5	98	9	5	21
Webster	,281	156	588	101	165	30	8	15	63	70	5	95	33	10	5
Winningham	,239	137	347	34	83	20	3	4	41	34	7	68	29	10	6
EXPOS	**,265**	**162**	**5527**	**741**	**1467**	**310**	**39**	**120**	**695**	**501**	**77**	**918**	**166**	**74**	**147**
ADV.	**,257**	**162**	**5565**	**720**	**1428**	**268**	**29**	**145**	**675**	**446**	**45**	**1012**	**202**	**46**	**125**

Au monticule

LANCEUR	V	D	MPM	P	PC	PC	BL	VP	ML	CS	P	PM	CC	BB	BI	RAB
Brown, Curt	0	1	7,71	5	0	0	0	0	7	10	7	6	2	4	1	6
Burke	7	0	1,19	55	0	0	0	18	91	64	18	12	3	17	6	58
Campbell	0	0	8,10	7	0	0	0	0	10	18	12	9	2	4	1	4
Fischer	0	1	8,56	4	2	0	0	0	13 ⅔	21	14	13	3	5	0	6
Heaton	13	10	4,52	32	32	3	1	0	193 ⅓	207	103	97	25	37	3	105
Heredia	0	1	5,40	2	2	0	0	0	10	10	6	6	2	3	1	6
Hesketh	0	0	3,14	18	0	0	0	1	28 ⅔	23	12	10	2	15	3	31
Lea	0	1	36,00	1	1	0	0	0	1	4	4	4	1	2	0	1
Martinez	11	4	3,30	22	22	2	1	0	144 ⅔	133	59	53	9	40	2	84
McClure	6	1	3,44	52	0	0	0	5	52 ⅓	47	30	20	8	20	3	33
McGaffigan	5	2	2,39	69	0	0	0	12	120 ⅓	105	38	32	5	42	7	100
Parrett	7	6	4,21	45	0	0	0	6	62	53	33	29	8	30	4	56
Perez, P.	7	0	2,30	10	10	2	0	0	70 ⅓	52	21	18	5	16	1	58
Sebra	6	15	4,42	36	27	4	1	0	177 ⅓	184	99	87	15	67	0	156
Smith, B.	10	9	4,37	26	26	2	0	0	150 ⅓	164	81	73	16	31	4	94
Sorensen	3	4	4,72	23	5	0	0	1	47 ⅔	56	32	25	7	12	1	21
St. Claire	3	3	4,03	44	0	0	0	7	67	64	31	30	9	20	4	43
Tibbs	4	5	4,99	19	12	0	0	0	83	95	55	46	10	34	2	54
Youmans	9	8	4,64	23	23	3	3	0	116 ⅓	112	63	60	13	47	2	94
EXPOS	**91**	**71**	**3,92**	**162**	**162**	**16**	**8**	**50**	**1450 ⅓**	**1428**	**720**	**631**	**145**	**446**	**45**	**1012**
ADV.	**71**	**91**	**4,17**	**162**	**162**	**19**	**11**	**33**	**1443 ⅓**	**1467**	**741**	**669**	**120**	**501**	**77**	**918**

Saison 1988
Classement final, Ligue nationale

Division Est

Équipe	V	D	MOY.	DIFF.
New York	100	60	,625	-
Pittsburgh	85	75	,531	15,0
Montréal	81	81	,500	20,0
Chicago	77	85	,475	24,0
St Louis	76	86	,469	25,0
Philadelphie	65	96	,404	35,5

Division Ouest

Équipe	V	D	MOY.	DIFF.
Los Angeles	94	67	,584	-
Cincinnati	87	74	,540	7,0
San Diego	83	78	,516	11,0
San Francisco	83	79	,512	11,5
Houston	82	80	,506	12,5
Atlanta	54	106	,338	39,5

Honneurs individuels

Partie des étoiles
Andrés Galarraga (1b)

Gant d'or (Rawlings)
Tim Wallach (3b)

Bâton d'argent (Louisville Slugger)
Andrés Galarraga (1b)

Joueur de l'année des Expos
Andrés Galarraga

EXPOS 1988

Au bâton

FRAPPEUR	MOY	P	AB	P	CS	2B	3B	CC	PP	BB	BI	RAB	BV	R	E
Brooks	,279	151	588	61	164	35	2	20	90	35	3	108	7	3	9
Candaele	,172	36	116	9	20	5	1	0	4	10	1	11	1	0	2
Engle	,216	34	37	4	8	3	0	0	1	5	0	5	0	0	0
Fitzgerald	,271	63	155	17	42	6	1	5	23	19	0	22	2	2	6
Foley	,265	127	377	33	100	21	3	5	43	30	10	49	2	7	15
Galarraga	,302	157	609	99	184	42	8	29	92	39	9	153	13	4	15
Hudler	,273	77	216	38	59	14	2	4	14	10	6	34	29	7	10
Huson	,310	20	42	7	13	2	0	0	3	4	2	3	2	1	4
Johnson, W.	,309	86	94	7	29	5	1	0	3	12	1	15	0	2	1
Jones, T.	,333	53	141	20	47	5	1	2	15	12	1	12	9	6	0
Martinez, Da.	,257	63	191	24	49	3	5	2	12	17	3	48	16	6	1
Nettles	,172	80	93	5	16	4	0	1	14	9	2	19	0	0	5
Nixon	,244	90	271	47	66	8	2	0	15	28	0	42	46	13	1
O'Malley	,259	14	27	3	7	0	0	0	2	3	1	4	0	0	2
Paredes	,187	35	91	6	17	2	0	1	10	9	0	17	5	2	3
Raines	,270	109	429	66	116	19	7	12	48	53	14	44	33	7	3
Reed	,220	43	123	10	27	3	2	0	9	13	1	22	1	0	1
Rivera	,224	123	371	35	83	17	3	4	30	24	4	69	3	4	19
Santovenia	,236	92	309	26	73	20	2	8	41	24	3	77	2	3	9
Tejada	,267	8	15	1	4	2	0	0	2	0	0	4	0	0	0
Wallach	,257	159	592	52	152	32	5	12	69	38	7	88	2	6	18
Webster	,255	81	259	33	66	5	2	2	13	36	2	37	12	10	1
Winningham	,233	47	90	10	21	2	1	0	6	12	1	18	4	5	1
EXPOS	**,251**	**163**	**5573**	**628**	**1400**	**260**	**48**	**107**	**575**	**454**	**71**	**1053**	**189**	**89**	**142**
ADV.	**,238**	**163**	**5505**	**592**	**1310**	**217**	**48**	**122**	**547**	**476**	**61**	**923**	**194**	**57**	**125**

Au monticule

LANCEUR	V	D	MPM	P	PC	PC	BL	VP	ML	CS	P	PM	CC	BB	BI	RAB
Barrett	0	0	5,79	4	0	0	0	1	9 ⅓	10	6	6	2	2	0	5
Burke	3	5	3,40	61	0	0	0	18	82	84	36	31	7	25	13	42
Dopson	3	11	3,04	26	26	1	0	0	168 ⅔	150	69	57	15	58	3	101
Heaton	3	10	4,99	32	11	0	0	2	97 ⅓	98	54	54	14	43	5	43
Hesketh	4	3	2,85	60	0	0	0	9	72 ⅔	63	30	23	1	35	9	64
Holman	4	8	3,23	18	16	1	1	0	100 ⅓	101	39	36	3	34	2	58
Johnson, R.	3	0	2,42	4	4	1	0	0	26	23	8	7	3	7	0	25
Martinez	15	13	2,72	34	34	9	2	0	235 ⅓	215	94	71	21	55	3	120
McClure	1	3	6,16	19	0	0	0	2	19	23	13	13	3	6	0	12
McGaffigan	6	0	2,76	63	0	0	0	4	91 ⅓	81	31	28	4	37	7	71
Parrett	12	4	2,65	61	0	0	0	6	91 ⅔	66	29	27	8	45	9	62
Perez	12	8	2,44	27	27	4	2	0	188	133	59	51	15	44	6	131
Sauveur	0	0	6,00	4	0	0	0	0	3	3	2	2	1	2	0	3
Smith, B.	12	10	3,00	32	32	1	0	0	198	179	79	66	15	32	2	122
Smith, M.	0	0	3,12	5	0	0	0	1	8 ⅔	6	3	3	0	5	0	4
St. Claire	0	0	6,14	6	0	0	0	0	7 ⅓	11	5	5	2	5	1	6
Youmans	3	6	3,21	14	13	1	1	0	84	64	35	30	8	41	1	54
EXPOS	**81**	**81**	**3,08**	**163**	**163**	**18**	**12**	**43**	**1482**	**1310**	**592**	**508**	**122**	**476**	**61**	**923**
ADV.	**81**	**81**	**3,40**	**163**	**163**	**24**	**12**	**44**	**1487**	**1400**	**628**	**562**	**107**	**454**	**71**	**1053**

Saison 1989
Classement final, Ligue nationale

Division Est

Équipe	V	D	MOY.	DIFF.
Chicago	93	69	,574	-
New York	87	75	,537	6,0
St Louis	86	76	,531	7,0
Montréal	81	81	,500	12,0
Pittsburgh	74	88	,457	19,0
Philadelphie	67	95	,414	26,0

Division Ouest

Équipe	V	D	MOY.	DIFF.
San Francisco	92	70	,568	-
San Diego	89	73	,549	3,0
Houston	86	76	,531	6,0
Los Angeles	77	83	,481	14,0
Cincinnati	75	87	,463	17,0
Atlanta	63	97	,394	28,0

Honneurs individuels

Partie des étoiles
Tim Burke (l)
Tim Wallach (3b)

Gant d'or (Rawlings)
Andrés Galarraga (1b)

Joueur de l'année des Expos
Tim Wallach

EXPOS 1989

Au bâton

FRAPPEUR	MOY	P	AB	P	CS	TB	2B	3B	CC	PP	SC	BS	AL	BB	BI	RAB	BV	R	E
Aldrete	,221	76	136	12	30	43	8	1	1	12	1	2	1	19	0	30	1	3	1
Brooks	,268	148	542	56	145	219	30	1	14	70	0	8	4	39	2	108	6	11	9
Dwyer	,300	13	10	1	3	4	1	0	0	2	0	0	0	1	0	1	0	0	0
Fitzgerald	,238	100	290	33	69	112	18	2	7	42	2	2	2	35	3	61	3	4	8
Foley	,229	122	375	34	86	130	19	2	7	39	4	4	3	45	4	53	2	3	8
Galarraga	,257	152	572	76	147	248	30	1	23	85	0	3	13	48	10	158	12	5	11
Garcia	,271	80	203	26	55	75	9	1	3	18	1	3	0	15	1	20	5	4	7
Grissom	,257	26	74	16	19	24	2	0	1	2	1	0	0	12	0	21	1	0	2
Hudler	,245	92	155	21	38	63	7	0	6	13	0	0	1	6	2	23	15	4	7
Huson	,162	32	74	1	12	17	5	0	0	2	3	0	0	6	3	6	3	0	8
Johnson, W.	,272	85	114	9	31	42	3	1	2	17	2	2	0	7	0	12	1	0	4
Martinez, Da.	,274	126	361	41	99	138	16	7	3	27	7	1	0	27	2	57	23	4	7
Nixon	,217	126	258	41	56	67	7	2	0	21	2	0	0	33	1	36	37	12	2
Noboa	,227	21	44	3	10	10	0	0	0	1	0	0	0	1	0	3	0	0	0
Owen	,233	142	437	52	102	145	17	4	6	41	3	3	3	76	25	44	3	2	1
Pevey	,220	13	41	2	9	12	1	1	0	3	1	0	0	0	0	8	0	0	1
Raines	,286	145	517	76	148	216	29	6	9	60	0	5	3	93	18	48	41	9	1
Reyes	,200	4	5	0	1	1	0	0	0	1	0	0	0	0	0	1	0	0	0
Santovenia	,250	97	304	30	76	107	14	1	5	31	2	4	3	24	2	37	2	1	12
Walker	,170	20	47	4	8	8	0	0	0	4	3	0	1	5	0	13	1	1	0
Wallach	,277	154	573	76	159	240	42	0	13	77	0	7	1	58	10	81	3	7	18
EXPOS	**,247**	**162**	**5482**	**632**	**1353**	**1980**	**267**	**30**	**100**	**587**	**71**	**46**	**35**	**572**	**83**	**958**	**160**	**70**	**136**
ADV.	**,245**	**162**	**5482**	**630**	**1344**	**2010**	**218**	**44**	**120**	**587**	**76**	**42**	**31**	**519**	**62**	**1059**	**166**	**70**	**143**

Au monticule

LANCEUR	V	D	MPM	P	PC	PC	BL	VP	ML	CS	P	PM	CC	BB	BI	RAB	ML	FI
Burke	9	3	2,55	68	0	0	0	28	84 ⅔	68	24	24	6	22	7	54	1	0
Candelaria	0	2	3,31	12	0	0	0	0	16 ⅓	17	8	6	3	4	2	14	0	0
Foley	0	0	27,00	1	0	0	0	0	⅓	1	1	1	1	0	0	0	0	0
Frey	3	2	5,48	20	0	0	0	0	21 ⅓	29	15	13	4	11	1	15	1	1
Gardner	0	3	5,13	7	4	0	0	0	26 ⅓	26	16	15	2	11	1	21	0	0
Gideon	0	0	1,93	4	0	0	0	0	4 ⅔	5	1	1	1	5	1	2	0	0
Gross	11	12	4,38	31	31	4	3	0	201 ⅓	188	105	98	20	88	6	158	5	5
Harris	1	1	4,95	11	0	0	0	0	20	16	11	11	1	10	0	11	3	0
Hesketh	6	4	5,77	43	0	0	0	3	48 ⅓	54	34	31	5	26	6	44	1	3
Holman	1	2	4,83	10	3	0	0	0	31 ⅔	34	18	17	2	15	0	23	3	1
Johnson, R.	0	4	6,67	7	6	0	0	0	29 ⅔	29	25	22	2	26	1	26	2	2
Langston	12	9	2,39	24	24	6	4	0	176 ⅔	138	57	47	13	93	6	175	5	2
Lugo	0	0	6,75	3	0	0	0	0	4	4	3	3	1	0	0	3	1	0
Martinez	16	7	3,18	34	33	5	2	0	232	227	88	82	21	49	4	142	5	2
McGaffigan	3	5	4,68	57	0	0	0	2	75	85	40	39	3	30	4	40	3	0
Perez	9	13	3,31	33	28	2	0	0	198 ⅓	178	85	73	15	45	13	152	6	1
Smith, B.	10	11	2,84	33	32	3	1	0	215 ⅔	177	76	68	16	54	4	129	3	1
Smith, Z.	0	1	1,50	31	0	0	0	2	48	39	11	8	2	19	4	35	1	1
Thompson	0	2	2,18	19	1	0	0	0	33	27	11	8	2	11	2	15	0	1
Wallach	0	0	9,00	1	0	0	0	0	1	2	1	1	0	0	0	0	0	1
EXPOS	**81**	**81**	**3,48**	**162**	**162**	**20**	**13**	**35**	**1468 ⅓**	**1344**	**630**	**567**	**120**	**519**	**62**	**1059**	**40**	**2 0**
ADV.	**81**	**81**	**3,39**	**162**	**162**	**15**	**15**	**43**	**1469 ⅔**	**1353**	**632**	**554**	**100**	**572**	**83**	**958**	**52**	**24**

Saison 1990
Classement final, Ligue nationale

Division Est

Équipe	V	D	MOY.	DIFF.
Pittsburgh	95	67	,586	-
New York	91	71	,562	4,0
Montréal	85	77	,525	10,0
Chicago	77	85	,475	18,0
Philadelphie	77	85	,475	18,0
St Louis	70	92	,432	25,0

Division Ouest

Équipe	V	D	MOY.	DIFF.
Cincinnati	91	71	,562	-
Los Angeles	86	76	,531	5,0
San Francisco	85	77	,525	6,0
Houston	75	87	,463	16,0
San Diego	75	87	,463	16,0
Atlanta	65	97	,401	26,0

Honneurs individuels

Partie des étoiles
Dennis Martinez (l)
Tim Wallach (3b)

Gant d'or (Rawlings)
Andrés Galarraga (1b)
Tim Wallach (3b)

Joueur de l'année des Expos
Tim Wallach

Équipe d'étoiles des recrues, ligues majeures
Delino DeShields (2b)
Larry Walker (vol)

EXPOS 1990

Au bâton

FRAPPEUR	MOY	P	AB	P	CS	TB	2B	3B	CC	PP	SC	BS	AL	BB	BI	RAB	BV	R	E
Aldrete	,242	96	161	22	39	51	7	1	1	18	0	1	1	37	2	31	1	2	1
Alou	,200	14	15	4	3	5	0	1	0	0	1	0	0	0	0	3	0	0	0
Bullock	,500	4	2	0	1	1	0	0	0	0	0	0	0	0	0	0	0	0	0
DeShields	,289	129	499	69	144	196	28	6	4	45	1	2	4	66	3	96	42	22	12
Fitzgerald	,243	111	313	36	76	123	18	1	9	41	5	3	2	60	2	60	8	1	6
Foley	,213	73	164	11	35	39	2	1	0	12	1	1	0	12	2	22	0	1	5
Galarraga	,256	155	579	65	148	237	29	0	20	87	0	5	4	40	8	169	10	1	10
Goff	,227	52	119	14	27	37	1	0	3	7	1	0	0	21	4	36	0	2	9
Grissom	,257	98	288	42	74	101	14	2	3	29	4	1	0	27	2	40	22	2	2
Hudler	,333	4	3	1	1	1	0	0	0	0	0	0	0	0	0	1	0	0	0
Johnson, W.	,163	47	49	6	8	12	1	0	1	5	0	0	1	7	2	6	1	0	0
Martinez, Da.	,279	118	391	60	109	165	13	5	11	39	3	2	1	24	2	48	13	11	3
Mercado	,250	8	8	0	2	2	0	0	0	0	0	0	0	0	0	1	0	0	0
Nixon	,251	119	231	46	58	71	6	2	1	20	3	1	0	28	0	33	50	13	1
Noboa	,266	81	158	15	42	53	7	2	0	14	3	4	1	7	2	14	4	1	2
Owen	,234	149	453	55	106	155	24	5	5	35	5	5	0	70	12	60	8	6	6
Paredes	,333	3	6	0	2	3	1	0	0	1	0	0	0	1	1	0	0	0	1
Raines	,287	130	457	65	131	179	11	5	9	62	0	8	3	70	8	43	49	16	6
Roomes	,286	16	14	1	4	6	0	1	0	1	0	0	0	1	1	6	0	2	0
Santovenia	,190	59	163	13	31	54	3	1	6	28	0	5	0	8	0	31	0	3	6
Walker	,241	133	419	59	101	182	18	3	19	51	3	2	5	49	5	112	21	7	4
Wallach	,296	161	626	69	185	295	37	5	21	98	0	7	3	42	11	80	6	9	21
EXPOS	**,250**	**162**	**5453**	**662**	**1363**	**2018**	**227**	**43**	**114**	**607**	**87**	**47**	**26**	**576**	**67**	**1024**	**235**	**99**	**110**
ADV	**,245**	**162**	**5506**	**598**	**1349**	**2014**	**228**	**28**	**127**	**569**	**69**	**48**	**38**	**510**	**76**	**991**	**194**	**45**	**140**

Au monticule

LANCEUR	V	D	MPM	P	PC	PC	BL	VP	ML	CS	P	PM	CC	BB	BI	RAB	ML	FI
Anderson	0	1	3,00	4	3	0	0	0	18	12	6	6	1	5	0	16	0	0
Barnes	1	1	2,89	4	4	1	0	0	28	25	10	9	2	7	0	23	2	0
Boyd	10	6	2,93	31	31	3	3	0	190 ⅔	164	64	62	19	52	10	113	3	3
Burke	3	3	2,52	58	0	0	0	20	75	71	29	21	6	21	6	47	1	1
Costello	0	0	5,68	4	0	0	0	0	6 ⅓	5	5	4	2	1	0	1	0	1
Farmer	0	3	7,04	6	4	0	0	0	23	26	18	18	9	10	1	14	1	0
Frey	8	2	2,10	51	0	0	0	9	55 ⅔	44	15	13	4	29	6	29	0	0
Gardner	7	9	3,42	27	26	3	3	0	152 ⅔	129	62	58	13	61	5	135	2	4
Gideon	0	0	9,00	1	0	0	0	0	1	2	1	1	0	4	1	0	0	0
Gross	9	12	4,57	31	26	2	1	0	163 ⅓	171	86	83	9	65	7	111	4	1
Hall	4	7	5,09	42	0	0	0	3	58 ⅓	52	35	33	6	29	5	40	3	0
Hesketh	1	0	0,00	2	0	0	0	0	3	2	0	0	0	2	1	3	0	0
Malloy	0	0	0,00	1	0	0	0	0	2	1	0	0	0	1	0	1	0	0
Martinez, Da.	0	0	54,00	1	0	0	0	0	⅓	2	2	2	0	2	0	0	0	0
Martinez, De.	10	11	2,95	32	32	7	2	0	226	191	80	74	16	49	9	156	1	1
Mohorcic	1	2	3,23	34	0	0	0	2	53	56	21	19	6	18	3	29	1	1
Nabholz	6	2	2,83	11	11	1	1	0	70	43	23	22	6	32	1	53	1	1
Noboa	0	0	0,00	1	0	0	0	0	⅔	0	0	0	0	1	0	0	0	0
Rojas	3	1	3,60	23	0	0	0	1	40	34	17	16	5	24	4	26	2	0
Ruskin	1	0	2,28	23	0	0	0	0	27 ⅔	25	7	7	2	10	3	23	0	0
Sampen	12	7	2,99	59	4	0	0	2	90 ⅓	94	34	30	7	33	6	69	4	0
Schmidt	3	3	4,31	34	0	0	0	13	48	58	26	23	3	13	5	22	1	0
Smith, Z.	6	7	3,23	22	21	1	0	0	139 ⅓	141	57	50	11	41	3	80	1	0
Thompson	0	0	0,00	1	0	0	0	0	1	1	0	0	0	0	0	0	0	0
EXPOS	**85**	**77**	**3,37**	**162**	**162**	**18**	**11**	**50**	**1473 ⅓**	**1349**	**598**	**551**	**127**	**510**	**76**	**991**	**27**	**13**
ADV.	**77**	**85**	**3,56**	**162**	**162**	**9**	**7**	**36**	**1467**	**1363**	**662**	**581**	**114**	**576**	**67**	**1024**	**55**	**18**

Saison 1991
Classement final, Ligue nationale

Division Est

Équipe	V	D	MOY.	DIFF.
Pittsburgh	98	64	,605	-
St Louis	84	78	,519	14,0
Philadelphie	78	84	,481	20,0
Chicago	77	83	,481	20,0
New York	77	84	,478	20,5
Montréal	71	90	,441	26,5

Division Ouest

Équipe	V	D	MOY.	DIFF.
Atlanta	94	68	,580	-
Los Angeles	93	69	,574	1,0
San Diego	84	78	,519	10,0
San Francisco	75	87	,463	19,0
Cincinnati	74	88	,457	20,0
Houston	65	97	,401	29,0

Honneurs individuels

Partie des étoiles
Dennis Martinez (l)
Ivan Calderon (vol)

Joueur de l'année des Expos
Dennis Martinez

EXPOS 1991

Au bâton

FRAPPEUR	MOY	P	AB	P	CS	TB	2B	3B	CC	PP	SC	BS	AL	BB	BI	RAB	BV	R	E
Barberie	,353	57	136	16	48	70	12	2	2	18	1	3	2	20	2	22	0	0	5
Bullock	,222	73	72	6	16	23	4	0	1	6	0	1	0	9	0	13	6	1	1
Calderon	,300	134	470	69	141	226	22	3	19	75	1	10	3	53	4	64	31	16	7
DeShields	,238	151	563	83	134	187	15	4	10	51	8	5	2	95	2	151	56	23	27
Fitzgerald	,202	71	198	17	40	61	5	2	4	28	1	3	0	22	4	35	4	2	2
Foley	,208	86	168	12	35	48	11	1	0	15	1	3	1	14	4	30	2	0	6
Galarraga	,219	107	375	34	82	126	13	2	9	33	0	0	2	23	5	86	5	6	9
Grissom	,267	148	558	73	149	208	23	9	6	39	4	0	1	34	0	89	76	17	6
Hassey	,227	52	119	5	27	38	8	0	1	14	2	1	0	13	1	16	1	1	2
Martinez, Da.	,295	124	396	47	117	166	18	5	7	42	5	3	3	20	3	54	16	7	4
Noboa	,242	67	95	5	23	29	3	0	1	2	0	0	0	1	1	8	2	3	1
Owen	,255	139	424	39	108	155	22	8	3	26	4	4	1	42	11	61	2	6	8
Reyes	,217	83	207	11	45	54	9	0	0	13	1	1	1	19	2	51	2	4	11
Riesgo	,143	4	7	1	1	1	0	0	0	0	0	0	0	3	0	1	0	0	1
Santovenia	,250	41	96	7	24	35	5	0	2	14	0	4	0	2	2	18	0	0	3
Vander Wal	,213	21	61	4	13	22	4	1	1	8	0	1	0	1	0	18	0	0	0
Walker	,290	137	487	59	141	223	30	2	16	64	1	4	5	42	2	102	14	9	6
Wallach	,225	151	577	60	130	193	22	1	13	73	0	4	6	50	8	100	2	4	14
Williams	,271	34	70	11	19	28	5	2	0	1	0	0	1	3	0	22	2	1	2
EXPOS	**,246**	**161**	**5412**	**579**	**1329**	**1934**	**236**	**42**	**95**	**536**	**64**	**47**	**28**	**484**	**51**	**1056**	**221**	**100**	**133**
ADV.	**,244**	**161**	**5345**	**655**	**1304**	**1969**	**254**	**39**	**111**	**600**	**67**	**33**	**32**	**584**	**42**	**909**	**149**	**81**	**131**

Au monticule

LANCEUR	V	D	MPM	P	PC	PC	BL	VP	ML	CS	P	PM	CC	BB	BI	RAB	ML	FI
Barnes	5	8	4,22	28	27	1	0	0	160	135	82	75	16	84	2	117	5	1
Boyd	6	8	3,52	19	19	1	1	0	120 ⅓	115	49	47	9	40	2	82	2	3
Burke	3	4	4,11	37	0	0	0	5	46	41	24	21	3	14	6	25	1	0
Darling	0	2	7,41	3	3	0	0	0	17	25	16	14	6	5	0	11	4	0
Fassero	2	5	2,44	51	0	0	0	8	55 ⅓	39	17	15	1	17	1	42	4	0
Frey	0	1	4,99	31	0	0	0	1	39 ⅔	43	31	22	3	23	4	21	3	1
Gardner	9	11	3,85	27	27	0	0	0	168 ⅓	139	78	72	17	75	1	107	2	1
Haney	3	7	4,04	16	16	0	0	0	84 ⅔	94	49	38	6	43	1	51	9	0
Jones	4	9	3,35	77	0	0	0	13	88 ⅔	76	35	33	8	33	8	46	1	1
Long	0	0	10,80	3	0	0	0	0	1 ⅔	4	2	2	0	4	0	0	0	0
Mahler	1	3	3,62	10	6	0	0	0	37 ⅓	37	17	15	2	15	0	17	0	0
Martinez, De.	14	11	2,39	31	31	9	5	0	222	187	70	59	9	62	3	123	3	0
Nabholz	8	7	3,63	24	24	1	0	0	153 ⅔	134	66	62	5	57	4	99	3	1
Piatt	0	0	2,60	21	0	0	0	0	34 ⅔	29	11	10	3	17	0	29	1	0
Rojas	3	3	3,75	37	0	0	0	6	48	42	21	20	4	13	1	37	3	0
Ruskin	4	4	4,24	64	0	0	0	6	63 ⅔	57	31	30	4	30	2	46	5	0
Sampen	9	5	4,00	43	8	0	0	0	92 ⅓	96	49	41	13	46	7	52	3	1
Schmidt	0	1	10,38	4	0	0	0	0	4 ⅓	9	5	5	2	2	0	3	0	0
Wainhouse	0	1	6,75	2	0	0	0	0	2 ⅔	2	2	2	0	4	0	1	2	0
EXPOS	**71**	**90**	**3,64**	**161**	**161**	**12**	**14**	**39**	**1440 ⅓**	**1304**	**655**	**583**	**111**	**584**	**42**	**909**	**51**	**9**
ADV.	**90**	**71**	**3,17**	**161**	**161**	**16**	**10**	**53**	**1460 ⅔**	**1329**	**579**	**514**	**95**	**484**	**51**	**1056**	**54**	**13**

Saison 1992
Classement final, Ligue nationale

Division Est

Équipe	V	D	MOY.	DIFF.
Pittsburgh	96	66	,593	-
Montréal	87	75	,537	9,0
St Louis	83	79	,512	13,0
Chicago	78	84	,481	18,0
New York	72	90	,444	24,0
Philadelphie	70	92	,432	26,0

Division Ouest

Équipe	V	D	MOY.	DIFF.
Atlanta	98	64	,605	-
Cincinnati	90	72	,556	8,0
San Diego	82	80	,506	16,0
Houston	81	81	,500	17,0
San Francisco	72	90	,444	26,0
Los Angeles	63	99	,389	35,0

Honneurs individuels

Partie des étoiles
Dennis Martinez (l)
Larry Walker (vol)

Équipe des étoiles, Ligue nationale (*The Sporting News*/UPI/AP)
Larry Walker (vol)

Gant d'or (Rawlings)
Larry Walker (vol)

Bâton d'argent (Louisville Slugger)
Larry Walker (vol)

Joueur de l'année des Expos
Larry Walker

Équipe d'étoiles des recrues, ligues majeures
Moises Alou (vol)

EXPOS 1992

Au bâton

FRAPPEUR	MOY	P	AB	P	CS	TB	2B	3B	CC	PP	SC	BS	AL	BB	BI	RAB	BV	R	E
Alou	,282	115	341	53	96	155	28	2	9	56	5	5	1	25	0	46	16	2	4
Barberie	,232	111	285	26	66	80	11	0	1	24	1	2	8	47	3	62	9	5	13
Berry	,333	24	57	5	19	23	1	0	1	4	0	0	0	1	0	11	2	1	4
Bullock	,000	8	5	0	0	0	0	0	0	0	0	0	0	0	0	1	0	0	0
Calderon	,265	48	170	19	45	72	14	2	3	24	0	1	1	14	1	22	1	2	1
Carter	,218	95	285	24	62	97	18	1	5	29	1	4	2	33	4	37	0	4	6
Cerone	,270	33	63	10	17	24	4	0	1	7	1	0	1	3	0	5	1	2	0
Cianfrocco	,241	86	232	25	56	83	5	2	6	30	1	2	1	11	0	66	3	0	8
Colbrunn	,268	52	168	12	45	59	8	0	2	18	0	4	2	6	1	34	3	2	3
Cordero	,302	45	126	17	38	50	4	1	2	8	1	0	1	9	0	31	0	0	8
DeShields	,292	135	530	82	155	211	19	8	7	56	9	3	3	54	4	108	46	15	15
Fletcher	,243	83	222	13	54	74	10	2	2	26	2	4	2	14	3	28	0	2	2
Foley	,174	72	115	7	20	25	3	1	0	5	3	2	1	8	2	21	3	0	5
Goff	,000	3	3	0	0	0	0	0	0	0	0	0	0	0	0	3	0	0	0
Grissom	,276	159	653	99	180	273	39	6	14	66	3	4	5	42	6	81	78	13	7
Haney, T.	,300	7	10	0	3	4	1	0	0	1	1	0	0	0	0	0	0	0	0
Laker	,217	28	46	8	10	13	3	0	0	4	0	0	0	2	0	14	1	1	1
Lyons	,231	16	13	2	3	3	0	0	0	1	1	0	0	1	0	3	1	2	0
Natal	,000	5	6	0	0	0	0	0	0	0	0	0	0	1	0	1	0	0	1
Owen	,269	122	386	52	104	147	16	3	7	40	4	6	0	50	3	30	9	4	9
Reed	,173	42	81	10	14	31	2	0	5	10	0	0	1	6	2	23	0	0	0
Stairs	,167	13	30	2	5	7	2	0	0	5	0	1	0	7	0	7	0	0	1
Vander Wal	,239	105	213	21	51	75	8	2	4	20	0	0	0	24	2	36	3	0	2
Walker	,301	143	528	85	159	267	31	4	23	93	0	8	6	41	10	97	18	6	2
Wallach	,223	150	537	53	120	178	29	1	9	59	0	7	8	50	2	90	2	2	15
Willard	,120	21	25	0	3	3	0	0	0	1	0	0	0	1	0	7	0	0	1
EXPOS	**,252**	**162**	**5477**	**648**	**1381**	**2024**	**263**	**37**	**102**	**601**	**82**	**55**	**43**	**463**	**43**	**976**	**196**	**63**	**124**
ADV.	**,238**	**162**	**5452**	**581**	**1296**	**1871**	**231**	**34**	**92**	**535**	**77**	**35**	**50**	**525**	**41**	**1014**	**199**	**68**	**115**

Au monticule

LANCEUR	V	D	MPM	P	PC	PC	BL	VP	ML	CS	P	PM	CC	BB	BI	RAB	ML	FI
Barnes	6	6	2,97	21	17	0	0	0	100	77	34	33	9	46	1	65	1	2
Bottenfield	1	2	2,23	10	4	0	0	1	32 ⅓	26	9	8	1	11	1	14	0	0
Fassero	8	7	2,84	70	0	0	0	1	85 ⅔	81	35	27	1	34	6	63	7	1
Gardner	12	10	4,36	33	30	0	0	0	179 ⅔	179	91	87	15	60	2	132	2	0
Haney, C.	2	3	5,45	9	6	1	1	0	38	40	25	23	6	10	0	27	5	1
Heredia	0	0	1,84	7	1	0	0	0	14 ⅔	12	3	3	1	4	0	7	0	0
Hill	16	9	2,68	33	33	3	3	0	218	187	76	65	13	75	4	150	11	4
Hurst	1	1	5,51	3	3	0	0	0	16 ⅓	18	10	10	1	7	0	4	1	0
Krueger	0	2	6,75	9	2	0	0	0	17 ⅓	23	13	13	0	7	0	13	1	0
Landrum	1	1	7,20	18	0	0	0	0	20	27	16	16	3	9	2	7	0	0
Martinez	16	11	2,47	32	32	6	0	0	226 ⅓	172	75	62	12	60	3	147	2	0
Maysey	0	0	3,86	2	0	0	0	0	2 ⅓	4	1	1	1	0	0	1	0	0
Nabholz	11	12	3,32	32	32	1	1	0	195	176	80	72	11	74	2	130	5	1
Risley	1	0	1,80	1	1	0	0	0	5	4	1	1	0	1	0	2	0	0
Rojas	7	1	1,43	68	0	0	0	10	100 ⅔	71	17	16	2	34	8	70	2	0
Sampen	1	4	3,13	44	1	0	0	0	63 ⅓	62	22	22	4	29	6	23	1	2
Service	0	0	14,14	5	0	0	0	0	7	15	11	11	1	5	0	11	0	0
Simons	0	0	23,63	7	0	0	0	0	5 ⅓	15	14	14	3	2	0	6	1	0
Valdez	0	2	2,41	27	0	0	0	0	37 ⅓	25	12	10	2	12	1	32	4	0
Wetteland	4	4	2,92	67	0	0	0	37	83 ⅓	64	27	27	6	36	3	99	4	0
Young	0	0	3,98	13	0	0	0	0	20 ⅓	18	9	9	0	9	2	11	1	0
EXPOS	**87**	**75**	**3,25**	**162**	**162**	**11**	**14**	**49**	**1468**	**1296**	**581**	**530**	**92**	**525**	**41**	**1014**	**48**	**11**
ADV.	**75**	**87**	**3,60**	**162**	**162**	**16**	**11**	**35**	**1461 ⅔**	**1381**	**648**	**584**	**102**	**463**	**43**	**976**	**42**	**12**

Saison 1993
Classement final, Ligue nationale

Division Est

Équipe	V	D	MOY.	DIFF.
Philadelphie	97	65	,599	-
Montréal	94	68	,580	3,0
St Louis	87	75	,537	10,0
Chicago	84	78	,519	13,0
Pittsburgh	75	87	,463	22,0
Floride	64	98	,395	33,0
New York	59	103	,364	38,0

Division Ouest

Équipe	V	D	MOY.	DIFF.
Atlanta	104	58	,642	-
San Francisco	103	59	,636	1,0
Houston	85	77	,525	19,0
Los Angeles	81	81	,500	23,0
Cincinnati	73	89	,451	31,0
Colorado	67	95	,414	37,0
San Diego	61	101	,377	43,0

Honneurs individuels

Partie des étoiles
Marquis Grissom (vol)

Gant d'or (Rawlings)
Marquis Grissom (vol)
Larry Walker (vol)

Joueur de l'année des Expos
Marquis Grissom

Équipe d'étoiles des recrues, ligues majeures
Wil Cordero (ac)
Mike Lansing (3b)

Lanceur recrue de l'année (*The Sporting News*)
Kirk Rueter

EXPOS 1993

Au bâton

FRAPPEUR	MOY	P	AB	P	CS	TB	2B	3B	CC	PP	SC	BS	AL	BB	BI	RAB	BV	R	E
Alou	,286	136	482	70	138	233	29	6	18	85	3	7	5	38	9	53	17	6	4
Berry	,261	122	299	50	78	139	15	2	14	49	3	6	2	41	6	70	12	2	15
Bolick	,211	95	213	25	45	70	13	0	4	24	0	2	4	23	2	37	1	0	8
Cianfrocco	,235	12	17	3	4	8	1	0	1	1	0	0	0	0	0	5	0	0	0
Colbrunn	,255	70	153	15	39	60	9	0	4	23	1	3	1	6	1	33	4	2	2
Cordero	,248	138	475	56	118	184	32	2	10	58	4	1	7	34	8	60	12	3	36
DeShields	,295	123	481	75	142	179	17	7	2	29	4	2	3	72	3	64	43	10	11
Fletcher	,255	133	396	33	101	150	20	1	9	60	5	4	6	34	2	40	0	0	8
Floyd	,226	10	31	3	7	10	0	0	1	2	0	0	0	0	0	9	0	0	0
Frazier	,286	112	189	27	54	66	7	1	1	16	5	1	0	16	0	24	17	2	2
Grissom	,298	157	630	104	188	276	27	2	19	95	0	8	3	52	6	76	53	10	7
Laker	,198	43	86	3	17	21	2	1	0	7	3	1	1	2	0	16	2	0	2
Lansing	,287	141	491	64	141	181	29	1	3	45	10	3	5	46	2	56	23	5	24
Marrero	,210	32	81	10	17	27	5	1	1	4	0	0	0	14	0	16	1	3	2
McIntosh	,095	20	21	2	2	3	1	0	0	2	0	0	0	0	0	7	0	0	0
Montoyo	,400	4	5	1	2	3	1	0	0	3	0	0	0	0	0	0	0	0	0
Pride	,444	10	9	3	4	10	1	1	1	5	0	0	0	0	0	3	1	0	0
Ready	,254	40	134	22	34	47	8	1	1	10	1	0	1	23	0	8	2	1	8
Siddall	,100	19	20	0	2	3	1	0	0	1	0	0	0	1	1	5	0	0	0
Spehr	,230	53	87	14	20	32	6	0	2	10	3	2	1	6	1	20	2	0	9
Stairs	,375	6	8	1	3	4	1	0	0	2	0	0	0	0	0	1	0	0	0
Vander Wal	,233	106	215	34	50	80	7	4	5	30	0	1	1	27	2	30	6	3	4
Walker	,265	138	490	85	130	230	24	5	22	86	0	6	6	80	20	76	29	7	6
White, D.	,224	17	49	6	11	20	3	0	2	4	0	0	1	2	1	12	2	0	1
White, R.	,260	23	73	9	19	30	3	1	2	15	2	1	0	7	0	16	1	2	0
Wood	,192	13	26	4	5	6	1	0	0	3	3	0	0	3	1	3	0	0	0
EXPOS	**,257**	**163**	**5493**	**732**	**1410**	**2118**	**270**	**36**	**122**	**682**	**100**	**50**	**48**	**542**	**65**	**860**	**228**	**56**	**159**
ADV.	**,249**	**163**	**5501**	**682**	**1369**	**2073**	**287**	**30**	**119**	**626**	**82**	**40**	**47**	**521**	**38**	**934**	**172**	**51**	**149**

Au monticule

LANCEUR	V	D	MPM	P	PC	PC	BL	VP	ML	CS	P	PM	CC	BB	BI	RAB	ML	FI
Aldred	1	0	6,75	3	0	0	0	0	5 ⅓	9	4	4	1	1	0	4	1	0
Barnes	2	6	4,41	52	8	0	0	3	100	105	53	49	9	48	2	60	5	1
Bottenfield	2	5	4,12	23	11	0	0	0	83	93	49	38	11	33	2	33	4	1
Boucher	3	1	1,91	5	5	0	0	0	28 ⅓	24	7	6	1	3	1	14	0	2
Fassero	12	5	2,29	56	15	1	0	1	149 ⅔	119	50	38	7	54	0	140	5	0
Gardiner	2	3	5,21	24	2	0	0	0	38	40	28	22	3	19	2	21	0	0
Henry	1	1	3,93	10	1	0	0	0	18 ⅓	18	10	8	1	4	0	8	0	0
Heredia	4	2	3,92	20	9	1	0	2	57 ⅓	66	28	25	4	14	2	40	0	0
Hill	9	7	3,23	28	28	2	0	0	183 ⅔	163	84	66	7	74	7	90	6	2
Jones	4	1	6,35	12	6	0	0	0	39 ⅔	47	34	28	6	9	0	21	1	1
Looney	0	0	3,00	3	1	0	0	0	6	8	2	2	0	2	0	7	0	1
Martinez	15	9	3,85	35	34	2	0	1	224 ⅔	211	110	96	27	64	7	138	2	4
Nabholz	9	8	4,09	26	21	1	0	0	116 ⅔	100	57	53	9	63	4	74	7	0
Risley	0	0	6,00	2	0	0	0	0	3	2	3	2	1	2	0	2	0	0
Rojas	5	8	2,95	66	0	0	0	10	88 ⅓	80	39	29	6	30	3	48	5	0
Rueter	8	0	2,73	14	14	1	0	0	85 ⅔	85	33	26	5	18	1	31	0	0
Scott	5	2	3,71	32	0	0	0	1	34	31	15	14	3	19	2	35	1	0
Shaw	2	7	4,14	55	8	0	0	0	95 ⅔	91	47	44	12	32	2	50	2	0
Valdez	0	0	9,00	4	0	0	0	0	3	4	4	3	1	1	0	2	0	0
Walton	0	0	9,53	4	0	0	0	0	5 ⅔	11	6	6	1	3	0	0	0	0
Wetteland	9	3	1,37	70	0	0	0	43	85 ⅓	58	17	13	3	28	3	113	7	0
Young	1	0	3,38	4	0	0	0	0	5 ⅓	4	2	2	1	0	0	3	0	0
EXPOS	**94**	**68**	**3,55**	**163**	**163**	**8**	**7**	**61**	**1456 ⅔**	**1369**	**682**	**574**	**119**	**521**	**38**	**934**	**46**	**12**
ADV.	**68**	**94**	**3,94**	**163**	**163**	**10**	**5**	**30**	**1445**	**1410**	**732**	**632**	**122**	**542**	**65**	**860**	**36**	**14**

Saison 1994
Classement final, Ligue nationale

Division Est

Équipe	V	D	MOY.	DIFF.
Montréal	74	40	,649	-
Atlanta	68	46	,596	6,0
New York	55	58	,487	18,5
Philadelphie	54	61	,470	20,5
Floride	51	64	,443	23,5

Division Centrale

Équipe	V	D	MOY.	DIFF.
Cincinnati	66	48	,579	-
Houston	66	49	,574	0,5
Pittsburgh	53	61	,465	13,0
St Louis	53	61	,465	13,0
Chicago	49	64	,434	16,5

Division Ouest

Équipe	V	D	MOY.	DIFF.
Los Angeles	58	56	,509	-
San Francisco	55	60	,478	3,5
Colorado	53	64	,453	6,5
San Diego	47	70	,402	12,5

Honneurs individuels

Partie des étoiles
Wil Cordero (ac)
Moises Alou (vol)
Darrin Fletcher (r)
Ken Hill (l)
Marquis Grissom (vol)

Équipe des étoiles, Ligue nationale (*The Sporting News*/UPI/AP)
Moises Alou (vol) (TSN/UPI)

Gant d'or (Rawlings)
Marquis Grissom (vol)

Bâton d'argent (Louisville Slugger)
Wil Cordero (ac)
Moises Alou (vol)

Joueur de l'année des Expos
Moises Alou (vol)

Gérant de l'année, ligues majeures (AP)
Felipe Alou

Gérant de l'année, Ligue nationale (BBWAA/TSN)
Felipe Alou

EXPOS 1994

Au bâton

FRAPPEUR	MOY	P	AB	P	CS	TB	2B	3B	CC	PP	SC	BS	AL	BB	BI	RAB	BV	R	E
Alou	,339	107	422	81	143	250	31	5	22	78	0	5	2	42	10	63	7	6	3
Bell	,278	38	97	12	27	37	4	0	2	10	1	1	0	15	0	21	4	0	2
Droit	,353	-	17	-	6	7	1	0	0	3	0	0	0	1	0	5	-	-	-
Gauche	,263	-	80	-	21	30	3	0	2	7	1	1	0	14	0	16	-	-	-
Benavides	,188	47	85	8	16	23	5	1	0	6	0	1	1	3	1	15	0	0	2
Berry	,278	103	320	43	89	145	19	2	11	41	2	2	3	32	7	50	14	0	14
Cordero	,294	110	415	65	122	203	30	3	15	63	2	3	6	41	3	62	16	3	22
Fletcher	,260	94	285	28	74	124	18	1	10	57	0	12	3	25	4	23	0	0	2
Floyd	,281	100	334	43	94	133	19	4	4	41	2	3	3	24	0	63	10	3	6
Frazier	,271	76	140	25	38	43	3	1	0	14	1	0	1	18	0	23	20	4	1
Droit	,071	-	14	-	1	1	0	0	0	1	1	0	0	1	0	1	-	-	-
Gauche	,294	-	126	-	37	42	3	1	0	13	0	0	1	17	0	22	-	-	-
Gardner	,219	18	32	4	7	9	0	1	0	1	0	0	0	3	0	5	0	0	2
Grissom	,288	110	475	96	137	203	25	4	11	45	0	4	1	41	4	66	36	6	5
Lansing	,266	106	394	44	105	145	21	2	5	35	2	2	7	30	3	37	12	8	10
Milligan	,232	47	82	10	19	27	2	0	2	12	0	2	0	14	1	21	0	0	4
Spehr	,250	52	36	8	9	14	3	1	0	5	1	0	0	4	0	11	2	0	0
Walker	,322	103	395	76	127	232	44	2	19	86	0	6	4	47	5	74	15	5	9
Webster	,273	57	143	13	39	64	10	0	5	23	1	0	6	16	1	24	0	0	1
White, R.	,278	40	97	16	27	45	10	1	2	13	0	0	3	9	0	18	1	1	2
EXPOS	**,278**	**114**	**4000**	**585**	**1111**	**1741**	**246**	**30**	**108**	**542**	**53**	**42**	**40**	**379**	**39**	**669**	**137**	**36**	**94**

Au monticule

LANCEUR	V	D	MPM	P	PC	PC	BL	VP	ML	CS	P	PM	CC	BB	BI	RAB	ML	FI
Boucher	0	1	6,75	10	2	0	0	0	18 ⅔	24	16	14	6	7	0	17	1	0
Eischen	0	0	54,00	1	0	0	0	0	⅔	4	4	4	0	0	0	1	0	0
Fassero	8	6	2,99	21	21	1	0	0	138 ⅔	119	54	46	13	40	4	119	6	0
Haynes	0	0	0,00	4	0	0	0	0	3 ⅔	3	1	0	0	3	0	1	0	0
Henderson	0	1	9,45	3	2	0	0	0	6 ⅔	9	9	7	1	7	0	3	0	0
Henry	8	3	2,43	24	15	0	0	1	107 ⅓	97	30	29	10	20	1	70	1	0
Heredia	6	3	3,46	39	3	0	0	0	75 ⅓	85	34	29	7	13	3	62	4	1
Hill	16	5	3,32	23	23	2	1	0	154 ⅔	145	61	57	12	44	7	85	3	0
Looney	0	0	22,50	1	0	0	0	0	2	4	5	5	1	0	0	2	0	0
Martinez	11	5	3,42	24	23	1	1	1	144 ⅔	115	58	55	11	45	3	142	6	0
Rojas	3	2	3,32	58	0	0	0	16	84	71	35	31	11	21	0	84	3	0
Rueter	7	3	5,17	20	20	0	0	0	92 ⅓	106	60	53	11	23	1	50	2	0
Scott	5	2	2,70	40	0	0	0	1	53 ⅓	51	17	16	0	18	3	37	1	1
Shaw	5	2	3,88	46	0	0	0	1	67 ⅓	67	32	29	8	15	2	47	5	0
Wetteland	4	6	2,83	52	0	0	0	25	63 ⅔	46	22	20	5	21	4	68	0	0
White, G.	1	1	6,08	7	5	0	0	1	23 ⅔	24	16	16	4	11	0	17	0	0
EXPOS	**74**	**40**	**3,56**	**114**	**114**	**4**	**8**	**46**	**1036 ⅔**	**970**	**454**	**410**	**100**	**288**	**28**	**805**	**32**	**2**

Saison 1995
Classement final, Ligue nationale

Division Est

Équipe	V	D	MOY.	DIFF.
Atlanta	90	54	,625	-
New York	69	75	,479	21,0
Philadelphie	69	75	,479	21,0
Floride	67	76	,469	22,5
Montréal	66	78	,458	24,0

Division Centrale

Équipe	V	D	MOY.	DIFF.
Cincinnati	85	59	,590	-
Houston	76	68	,528	9,0
Chicago	73	71	,507	12,0
St Louis	62	81	,434	22,5
Pittsburgh	58	86	,403	27,0

Division Ouest

Équipe	V	D	MOY.	DIFF.
Los Angeles	78	66	,542	-
Colorado	77	67	,535	1,0
San Diego	70	74	,486	8,0
San Francisco	67	77	,465	11,0

Honneurs individuels

Partie des étoiles
Carlos Perez (l)

Joueur de l'année des Expos
David Segui (1b)

Équipe d'étoiles des recrues, ligues majeures
Carlos Perez (l)

EXPOS 1995

Au bâton

FRAPPEUR	MOY	P	AB	P	CS	TB	2B	3B	CC	PP	SC	BS	AL	BB	BI	RAB	BV	R	E
Alou	,273	93	344	48	94	158	22	0	14	58	0	4	9	29	6	56	4	3	3
Andrews	,214	84	220	27	47	83	10	1	8	31	1	2	1	17	2	68	1	1	7
Benitez	,385	14	39	8	15	25	2	1	2	7	0	0	0	1	0	7	0	2	1
Berry	,318	103	314	38	100	166	22	1	14	55	2	5	2	25	1	53	3	8	12
Cordero	,286	131	514	64	147	216	35	2	10	49	1	4	9	36	4	88	9	5	22
Fletcher	,286	110	350	42	100	156	21	1	11	45	1	2	4	32	1	23	0	1	4
Floyd	,130	29	69	6	9	13	1	0	1	8	0	0	1	7	0	22	3	0	3
Foley	,208	11	24	2	5	7	2	0	0	2	0	0	0	2	0	4	1	0	0
Fonville	,333	14	12	2	4	4	0	0	0	0	0	0	0	0	0	3	0	2	0
Frazier	,190	35	63	6	12	14	2	0	0	3	0	1	2	8	0	12	4	0	1
Grudzielanek	,245	78	269	27	66	85	12	2	1	20	3	0	7	14	4	47	8	3	10
Kelly	,274	24	95	11	26	33	4	0	1	9	0	0	2	7	1	14	4	3	0
Laker	,234	64	141	17	33	52	8	1	3	20	1	1	1	14	4	38	0	1	7
Lansing	,255	127	467	47	119	183	30	2	10	62	1	3	3	28	2	65	27	4	6
Perez	,133	28	45	1	6	12	1	1	1	5	4	0	0	4	0	21	0	0	2
Pride	,175	48	63	10	11	12	1	0	0	2	1	0	0	5	0	16	3	2	2
Rodriguez	,207	24	58	7	12	15	0	0	1	5	0	1	0	6	0	11	0	0	1
Santangelo	,296	35	98	11	29	39	5	1	1	9	1	0	2	12	0	9	1	1	1
Segui	,305	97	383	59	117	175	22	3	10	57	4	1	2	28	4	38	1	4	3
Siddall	,300	7	10	4	3	3	0	0	0	1	0	0	1	3	0	3	0	0	2
Silvestri	,264	39	72	12	19	31	6	0	2	7	1	1	0	9	0	27	2	0	1
Spehr	,257	41	35	4	9	17	5	0	1	3	3	0	0	6	0	7	0	0	1
Tarasco	,249	126	438	64	109	177	18	4	14	40	3	1	2	51	12	78	24	3	5
Treadway	,240	41	50	4	12	14	2	0	0	10	0	0	0	5	1	2	0	1	0
White, R.	,295	130	474	87	140	220	33	4	13	57	0	4	6	41	1	87	25	5	4
EXPOS	**,259**	**144**	**4905**	**621**	**1268**	**1935**	**265**	**24**	**118**	**572**	**58**	**32**	**56**	**400**	**43**	**901**	**120**	**49**	**109**

Au monticule

LANCEUR	V	D	MPM	P	PC	PC	BL	VP	ML	CS	P	PM	CC	AF	BB	BI	RAB	ML	FI
Alvarez	1	5	6,75	8	8	0	0	0	37 ⅓	46	30	28	2	3	14	0	17	1	0
Aquino	0	2	3,86	29	0	0	0	2	37 ⅓	47	24	16	4	3	11	1	22	3	0
Cornelius	0	0	8,00	8	0	0	0	0	9	11	8	8	3	2	5	0	4	1	0
DeLeon	0	1	7,56	7	0	0	0	0	8 ⅓	7	7	7	2	1	7	0	12	0	0
Eversgerd	0	0	5,14	25	0	0	0	0	21	22	13	12	2	1	9	2	8	1	0
Fassero	13	14	4,33	30	30	1	0	0	189	207	102	91	15	2	74	3	164	7	1
Fraser	2	1	5,61	22	0	0	0	2	25 ⅔	25	17	16	6	3	9	1	12	2	0
Harris	2	3	2,61	45	0	0	0	0	48 ⅓	45	18	14	6	1	16	1	47	3	0
Henry	7	9	2,84	21	21	1	1	0	126 ⅔	133	47	40	11	2	28	3	60	0	1
Heredia	5	6	4,31	40	18	0	0	1	119	137	60	57	7	5	21	1	74	1	0
Leiper	0	2	2,86	26	0	0	0	2	22	16	8	7	2	0	6	0	12	0	1
Martinez	14	10	3,51	30	30	2	2	0	194 ⅔	158	79	76	21	11	66	1	174	5	2
Perez	10	8	3,69	28	23	2	1	0	141 ⅓	142	61	58	18	5	28	2	106	8	4
Rojas	1	4	4,12	59	0	0	0	30	67 ⅔	69	32	31	2	7	29	4	61	6	0
Rueter	5	3	3,23	9	9	1	1	0	47 ⅓	38	17	17	3	1	9	0	28	0	0
Schmidt	0	0	6,97	11	0	0	0	0	10 ⅓	15	8	8	1	2	9	0	7	0	0
Scott	2	0	3,98	62	0	0	0	2	63 ⅓	52	30	28	6	6	23	2	57	4	0
Shaw	1	6	4,62	50	0	0	0	3	62 ⅓	58	35	32	4	3	26	4	45	0	0
Thobe	0	0	9,00	4	0	0	0	0	4	6	4	4	0	0	3	0	0	1	0
Urbina	2	2	6,17	7	4	0	0	0	23 ⅓	26	17	16	6	0	14	1	15	2	0
White, G.	1	2	7,01	19	1	0	0	0	25 ⅔	26	21	20	7	1	9	0	25	0	0
EXPOS	**66**	**78**	**4,11**	**144**	**144**	**7**	**9**	**42**	**1283 ⅔**	**1286**	**638**	**586**	**128**	**59**	**416**	**26**	**950**	**45**	**9**

Saison 1996
Classement final, Ligue nationale

Division Est

Équipe	V	D	MOY.	DIFF.
Atlanta	96	66	,593	-
Montréal	88	74	,543	8,0
Floride	80	82	,494	16,0
New York	71	91	,438	25,0
Philadelphie	67	95	,414	29,0

Division Centrale

Équipe	V	D	MOY.	DIFF.
St Louis	88	74	,543	-
Houston	82	80	,506	6,0
Cincinnati	81	81	,500	7,0
Chicago	76	86	,469	12,0
Pittsburgh	73	89	,451	15,0

Division Ouest

Équipe	V	D	MOY.	DIFF.
San Diego	91	71	,562	-
Los Angeles	90	72	,556	1,0
Colorado	83	79	,512	8,0
San Francisco	68	94	,420	23,0

Honneurs individuels

Partie des étoiles
Mark Grudzielanek (ac)
Pedro Martinez (l)
Henry Rodriguez (vol)

Joueur de l'année des Expos
Henry Rodriguez

Équipe d'étoiles des recrues, ligues majeures
F.P. Santangelo (vol)

EXPOS 1996

Au bâton

FRAPPEUR	MOY	P	AB	P	CS	TB	2B	3B	CC	PP	SC	BS	AL	BB	BI	RAB	BV	R	E
Alou	,281	143	540	87	152	247	28	2	21	96	0	7	2	49	7	83	9	4	3
Andrews	,227	127	375	43	85	161	15	2	19	64	0	2	2	35	8	119	3	1	15
Barron	,000	1	1	0	0	0	0	0	0	0	0	0	0	0	0	1	0	0	0
Benitez	,167	11	12	0	2	2	0	0	0	2	0	0	0	0	0	4	0	0	1
Chavez	,200	4	5	1	1	1	0	0	0	0	0	0	0	1	0	1	1	0	0
Fletcher	,266	127	394	41	105	163	22	0	12	57	1	3	6	27	4	42	0	0	6
Floyd	,242	117	227	29	55	96	15	4	6	26	1	3	5	30	1	52	7	1	5
Grudzielanek	,306	153	657	99	201	261	34	4	6	49	1	3	9	26	3	83	33	7	27
Guerrero	,185	9	27	2	5	8	0	0	1	1	0	0	0	0	0	3	0	0	0
Lansing	,285	159	641	99	183	260	40	2	11	53	9	1	10	44	1	85	23	8	11
Lukachyk	,000	2	2	0	0	0	0	0	0	0	0	0	0	0	0	1	0	0	0
Obando	,247	89	178	30	44	77	9	0	8	22	0	1	1	22	1	48	2	0	3
Rodriguez	,276	145	532	81	147	299	42	1	36	103	0	4	3	37	7	160	2	0	11
Santangelo	,277	152	393	54	109	160	20	5	7	56	9	5	11	49	4	61	5	2	6
Schu	,000	1	4	0	0	0	0	0	0	0	0	0	0	0	0	0	0	0	1
Segui	,286	115	416	69	119	184	30	1	11	58	0	1	0	60	4	54	4	4	7
Silvestri	,204	86	162	16	33	40	4	0	1	17	3	1	0	34	6	41	2	1	10
Spehr	,091	63	44	4	4	8	1	0	1	3	1	0	1	3	0	15	1	0	2
Stankiewicz	,286	64	77	12	22	29	5	1	0	9	1	1	3	6	1	12	1	0	3
Webster	,230	78	174	18	40	56	10	0	2	17	1	1	2	25	2	21	0	0	1
White	,293	88	334	35	98	143	19	4	6	41	0	1	2	22	0	53	14	6	2
EXPOS	,262	162	5505	741	1441	2236	297	27	148	696	79	36	58	492	49	1077	108	34	126
ADV.	,247	162	5468	668	1353	2097	244	22	152	627	67	45	56	482	33	1206	156	48	128

Au monticule

LANCEUR	V	D	MPM	P	PC	PC	BL	VP	ML	CS	P	PM	CC	AF	BB	BI	RAB	ML	FI
Alvarez	2	1	3,00	11	5	0	0	0	21	19	10	7	0	1	12	1	9	0	0
Aucoin	0	1	3,38	2	0	0	0	0	2⅔	3	1	1	0	0	1	0	1	0	0
Cormier	7	10	4,17	33	27	1	1	0	159⅔	165	80	74	16	9	41	3	100	8	0
Daal	4	5	4,02	64	6	0	0	0	87⅓	74	40	39	10	1	37	3	82	1	1
Dyer	5	5	4,40	70	1	0	0	2	75⅔	79	40	37	7	5	34	4	51	4	0
Fassero	15	11	3,30	34	34	5	1	0	231⅔	217	95	85	20	3	55	3	222	5	2
Juden	1	0	2,20	22	0	0	0	0	32⅔	22	12	8	1	4	14	0	26	2	0
Leiper	0	1	11,25	7	0	0	0	0	4	9	5	5	0	0	2	0	3	0	0
Leiter, M.	4	2	4,39	12	12	1	0	0	69⅔	68	35	34	12	7	19	1	46	4	1
Manuel	4	1	3,24	53	0	0	0	0	86	70	34	31	10	7	26	4	62	4	0
Martinez	13	10	3,70	33	33	4	1	0	216⅔	189	100	89	19	3	70	3	222	6	0
Pacheco	0	0	11,12	5	0	0	0	0	5⅔	8	7	7	2	0	1	0	7	0	0
Paniagua	2	4	3,53	13	11	0	0	0	51	55	24	20	7	3	23	0	27	2	2
Rojas	7	4	3,22	74	0	0	0	36	81	56	30	29	5	2	28	3	92	3	0
Rueter	5	6	4,58	16	16	0	0	0	78⅔	91	44	40	12	2	22	0	30	0	0
Scott	3	5	3,11	45	0	0	0	1	46⅓	41	18	16	3	2	21	2	37	1	0
Urbina	10	5	3,71	33	17	0	0	0	114	102	54	47	18	1	44	4	108	3	1
Veres	6	3	4,17	68	0	0	0	4	77⅔	85	39	36	10	6	32	2	81	3	2
EXPOS	88	74	3,78	162	162	11	7	43	1441⅓	1353	668	605	152	56	482	33	1206	46	9
ADV.	74	88	4,13	162	162	12	8	38	1437	1441	741	660	148	58	492	49	1077	63	8

Saison 1997
Classement final, Ligue nationale

Division Est

Équipe	V	D	MOY.	DIFF.
Atlanta	101	61	,623	-
Floride	92	70	,568	9,0
New York	88	74	,543	13,0
Montréal	78	84	,481	23,0
Philadelphie	68	94	,420	33,0

Division Centrale

Équipe	V	D	MOY.	DIFF.
Houston	84	78	,519	-
Pittsburgh	79	83	,488	5,0
Cincinnati	76	86	,469	8,0
St Louis	73	89	,451	11,0
Chicago	68	94	,420	16,0

Division Ouest

Équipe	V	D	MOY.	DIFF.
San Francisco	90	72	,556	-
Los Angeles	88	74	,543	2,0
Colorado	83	79	,512	7,0
San Diego	76	86	,469	14,0

Honneurs individuels

Partie des étoiles
Pedro Martinez (l)

Joueur de l'année des Expos
Pedro Martinez (l)

Lanceur de l'année, Ligue nationale
Pedro Martínez

EXPOS 1997

Au bâton

FRAPPEUR	MOY	P	AB	P	CS	TB	2B	3B	CC	PP	SC	BS	AL	BB	BI	RAB	BV	R	E
Andrews	,203	18	64	10	13	28	3	0	4	9	0	2	0	3	0	20	0	0	6
Cabrera	,222	16	18	4	4	4	0	0	0	2	1	0	0	1	0	3	1	2	1
Chavez	,269	13	26	0	7	7	0	0	0	2	0	1	0	0	0	5	1	0	0
Fletcher	,277	96	310	39	86	159	20	1	17	55	0	2	5	17	3	35	1	1	4
Fullmer	,300	19	40	4	12	23	2	0	3	8	0	0	1	2	1	7	0	0	2
Grudzielanek	,273	156	649	76	177	249	54	3	4	51	3	3	10	23	0	76	25	9	32
Guerrero	,302	90	325	44	98	157	22	2	11	40	0	3	7	19	2	39	3	4	12
Lansing	,281	144	572	86	161	270	45	2	20	70	6	3	5	45	1	92	11	5	9
McGuire	,256	84	199	22	51	79	15	2	3	17	3	1	0	19	1	34	1	4	3
Meulens	,292	16	24	6	7	14	1	0	2	6	0	1	0	4	0	10	0	1	0
Obando	,128	41	47	3	6	13	1	0	2	9	0	0	1	6	0	14	0	0	0
Orsulak	,227	106	150	13	34	51	12	1	1	7	2	0	0	18	0	17	0	1	1
Rodriguez	,244	132	476	55	116	228	28	3	26	83	0	3	2	42	5	149	3	3	3
Santangelo	,249	130	350	56	87	131	19	5	5	31	12	3	25	50	1	73	8	5	3
Segui	,307	125	459	75	141	232	22	3	21	68	0	6	1	57	12	66	1	0	6
Stankiewicz	,224	76	107	11	24	36	9	0	1	5	7	1	0	4	0	22	1	1	3
Strange	,257	118	327	40	84	140	16	2	12	47	5	2	2	36	9	76	0	2	13
Vidro	,249	67	169	19	42	62	12	1	2	17	0	3	2	11	0	20	1	0	4
White	,270	151	592	84	160	283	29	5	28	82	1	4	10	31	3	111	16	8	3
Widger	,234	91	278	30	65	112	20	3	7	37	2	2	1	22	1	59	2	0	11
EXPOS	**,258**	**162**	**5526**	**691**	**1423**	**2346**	**339**	**34**	**172**	**659**	**72**	**40**	**73**	**420**	**39**	**1084**	**75**	**46**	**132**
ADV.	**,251**	**162**	**5448**	**740**	**1365**	**2141**	**253**	**38**	**149**	**699**	**72**	**45**	**63**	**557**	**45**	**1138**	**192**	**42**	**83**

Au monticule

LANCEUR	V	D	MPM	P	PC	PC	BL	VP	ML	CS	P	PM	CC	AF	BB	BI	RAB	ML	FI
Bennett	0	1	3,18	16	0	0	0	0	22 ⅔	21	9	8	2	0	9	3	8	0	0
Bullinger	7	12	5,56	36	25	2	2	0	155 ⅓	165	106	96	17	12	74	5	87	7	0
Cormier	0	1	33,75	1	1	0	0	0	1 ⅓	4	5	5	1	0	1	0	0	0	0
Daal	1	2	9,79	33	0	0	0	1	30 ⅓	48	35	33	4	2	15	3	16	1	0
DeHart	2	1	5,52	23	0	0	0	0	29 ⅓	33	21	18	7	0	14	4	29	2	0
Falteisek	0	0	3,38	5	0	0	0	0	8	8	4	3	0	1	3	0	2	0	0
Hermanson	8	8	3,69	32	28	1	1	0	158 ⅓	134	68	65	15	1	66	2	136	4	1
Johnson, M.	2	5	5,94	11	11	0	0	0	50	54	34	33	8	0	21	2	28	4	0
Juden	11	5	4,22	22	22	3	0	0	130	125	64	61	17	9	57	2	107	7	1
Kline	1	3	6,15	26	0	0	0	0	26 ⅓	31	18	18	4	1	10	3	20	1	0
Martinez	17	8	1,90	31	31	13	4	0	241 ⅓	158	65	51	16	9	67	5	305	3	1
Paniagua	1	2	12,00	9	3	0	0	0	18	29	24	24	2	4	16	1	8	1	0
Perez	12	13	3,88	33	32	8	5	0	206 ⅔	206	109	89	21	4	48	1	110	2	1
Smith, L.	0	1	5,82	25	0	0	0	5	21 ⅔	28	16	14	2	1	8	0	15	0	0
Stull	0	1	16,20	3	0	0	0	0	3 ⅓	7	7	6	1	0	4	0	2	0	0
Telford	4	6	3,24	65	0	0	0	1	89	77	34	32	11	5	33	4	61	6	0
Thurman	1	0	5,40	5	2	0	0	0	11 ⅔	8	9	7	3	1	4	0	8	0	0
Torres, S.	0	0	7,25	12	0	0	0	0	22 ⅓	25	19	18	2	2	12	0	11	3	0
Urbina	5	8	3,78	63	0	0	0	27	64 ⅓	52	29	27	9	1	29	2	84	2	0
Valdes, M.	4	4	3,13	48	7	0	0	2	95	84	36	33	2	8	39	5	54	2	0
Veres	2	3	3,48	53	0	0	0	1	62	68	28	24	5	2	27	3	47	7	0
EXPOS	**78**	**84**	**4,14**	**162**	**162**	**27**	**14**	**37**	**1447**	**1365**	**740**	**665**	**149**	**63**	**557**	**45**	**1138**	**52**	**4**
ADV.	**84**	**78**	**3,57**	**162**	**162**	**17**	**10**	**39**	**1449 ⅔**	**1423**	**691**	**575**	**172**	**73**	**420**	**39**	**1084**	**58**	**8**

Saison 1998
Classement final, Ligue nationale

Division Est

Équipe	V	D	MOY.	DIFF.
Atlanta	106	56	,654	-
New York	88	74	,543	18,0
Philadelphie	75	87	,463	31,0
Montréal	65	97	,401	41,0
Floride	54	108	,333	52,0

Division Centrale

Équipe	V	D	MOY.	DIFF.
Houston	102	60	,630	-
Chicago	90	73	,552	12,5
St Louis	83	79	,512	19,0
Cincinnati	77	85	,475	25,0
Milwaukee	74	88	,457	28,0
Pittsburgh	69	93	,426	33,0

Division Ouest

Équipe	V	D	MOY.	DIFF.
San Diego	98	64	,605	-
San Francisco	89	74	,546	9,5
Los Angeles	83	79	,512	15,0
Colorado	77	85	,475	21,0
Arizona	65	97	,401	33,0

Honneurs individuels

Partie des étoiles
Ugueth Urbina (l)

Joueur de l'année des Expos
Vladimir Guerrero (vol)

EXPOS 1998

Au bâton

FRAPPEUR	MOY	P	AB	P	CS	TB	2B	3B	CC	PP	SC	BS	AL	BB	BI	RAB	BV	R	E
Andrews	,238	150	492	48	117	224	30	1	25	69	2	7	0	58	3	137	1	6	20
Barrett	,304	8	23	3	7	12	2	0	1	2	0	0	1	3	0	6	0	0	3
Cabrera	,280	79	261	44	73	108	16	5	3	22	5	1	0	18	1	27	6	2	7
Fullmer	,273	140	505	58	138	225	44	2	13	73	0	1	2	39	4	70	6	6	17
Grudzielanek	,275	105	396	51	109	150	15	1	8	41	5	4	9	21	1	50	11	5	23
Guerrero, V.	,324	159	623	108	202	367	37	7	38	109	0	5	7	42	13	95	11	9	17
Guerrero, W.	,284	52	222	29	63	91	10	6	2	20	3	1	0	10	0	30	3	0	6
Henley	,304	41	115	16	35	54	8	1	3	18	2	1	3	11	0	26	3	0	1
Holbert	,000	2	5	0	0	0	0	0	0	0	0	0	0	0	0	1	0	0	0
Hubbard	,145	32	55	3	8	12	1	0	1	3	0	0	1	0	0	17	0	0	0
Jones, T.	,217	60	212	30	46	60	7	2	1	15	15	0	0	21	1	46	16	4	2
Livingstone	,209	76	110	1	23	29	6	0	0	12	0	3	0	5	2	15	1	1	3
May, D.	,239	85	180	13	43	66	8	0	5	15	0	1	0	11	1	24	0	0	1
McGuire	,186	130	210	17	39	51	9	0	1	10	1	1	0	32	0	55	0	0	7
Mordecai	,202	73	119	12	24	41	4	2	3	10	2	0	0	9	0	20	1	0	5
Perez, R.	,236	52	106	9	25	29	1	0	1	8	0	1	1	2	0	23	0	0	4
Santangelo	,214	122	383	53	82	112	18	0	4	23	11	1	23	44	1	72	7	3	5
Seguignol	,262	16	42	6	11	21	4	0	2	3	0	1	0	3	0	15	0	0	0
Stovall	,205	62	78	11	16	26	2	1	2	6	0	0	0	6	0	29	1	0	3
Vidro	,220	83	205	24	45	57	12	0	0	18	6	3	4	27	0	33	2	2	6
White	,300	97	357	54	107	183	21	2	17	58	0	3	7	30	2	57	16	7	1
Widger	,233	125	417	36	97	162	18	1	15	53	0	2	0	29	2	85	6	1	14
EXPOS	,249	162	5418	644	1348	2133	280	32	147	602	87	37	60	439	31	1058	91	46	155
ADV.	,264	162	5489	783	1448	2239	269	27	156	741	77	50	57	533	39	1017	132	64	121

Au monticule

LANCEUR	V	D	MPM	P	PC	PC	BL	VP	ML	CS	P	PM	CC	AF	BB	BI	RAB	ML	FI
Batista	3	5	3,80	56	13	0	0	0	135	141	66	57	12	6	65	7	92	6	1
Bennett	5	5	5,50	62	0	0	0	1	91 ⅔	97	61	56	8	6	45	3	59	3	1
Boskie	1	3	9,17	5	5	0	0	0	172	34	21	18	5	2	4	1	10	0	0
Bullinger	1	0	9,00	8	0	0	0	0	7	14	8	7	1	0	0	0	2	0	1
DeHart	0	0	4,82	26	0	0	0	1	28	34	22	15	3	0	13	1	14	1	1
Hermanson	14	11	3,13	32	30	1	0	0	187	163	80	65	21	3	56	3	154	4	3
Johnson, M.	0	2	14,73	2	2	0	0	0	7 ⅓	16	12	12	4	1	2	0	4	0	0
Kline	3	6	2,76	78	0	0	0	1	71 ⅔	62	25	22	4	3	41	7	76	5	0
Maddux, M.	3	4	3,72	51	0	0	0	1	55 ⅔	50	24	23	3	1	15	1	33	3	1
Moore	2	5	5,02	13	11	0	0	0	61	78	37	34	5	1	17	3	35	2	0
Pavano	6	9	4,21	24	23	0	0	0	134 ⅔	130	70	63	18	8	43	1	83	1	0
Perez, C.	7	10	3,75	23	23	3	0	0	163 ⅓	177	79	68	12	3	33	3	82	5	1
Powell	1	5	7,92	7	6	0	0	0	25	27	25	22	5	4	11	0	14	0	0
Telford	3	6	3,86	77	0	0	0	1	91	85	45	39	9	4	36	1	59	8	1
Thurman	4	5	4,70	14	13	0	0	0	67	60	38	35	7	3	26	2	32	3	0
Urbina	6	3	1,30	64	0	0	0	34	69 ⅓	37	11	10	2	0	33	2	94	3	2
Valdes, M.	1	3	7,43	20	4	0	0	0	36 ⅓	41	34	30	6	1	21	2	28	4	0
Vazquez	5	15	6,06	33	32	0	0	0	172 ⅓	196	121	116	31	11	68	2	139	2	0
Young	0	0	6,00	10	0	0	0	0	6	6	4	4	0	0	4	0	7	0	0
EXPOS	65	97	4,38	162	162	4	5	39	1427	1448	783	695	156	57	533	39	1017	50	12
ADV.	97	65	3,61	162	162	18	13	47	1443 ⅓	1348	644	579	147	60	439	31	1058	69	8

Saison 1999
Classement final, Ligue nationale

Division Est

Équipe	V	D	MOY.	DIFF.
Atlanta	103	59	,636	-
New York	97	66	,595	6,5
Philadelphie	77	85	,475	26,0
Montréal	68	94	,420	35,0
Floride	64	98	,395	39,0

Division Centrale

Équipe	V	D	MOY.	DIFF.
Houston	97	65	,599	-
Cincinnati	96	67	,589	1,5
Pittsburgh	78	83	,484	18,5
St Louis	75	86	,466	21,5
Milwaukee	74	87	,460	22,5
Chicago	67	95	,414	30,0

Division Ouest

Équipe	V	D	MOY.	DIFF.
Arizona	100	62	,617	-
San Francisco	86	76	,531	14,0
Los Angeles	77	85	,475	23,0
San Diego	74	88	,457	26,0
Colorado	72	90	,444	28,0

Honneurs individuels

Partie des étoiles
Vladimir Guerrero (vol)

Équipe des étoiles, Ligue nationale (*The Sporting News*/UPI/AP)
Vladimir Guerrero (vol)

Bâton d'argent (Louisville Slugger)
Vladimir Guerrero (vol)

Joueur de l'année des Expos
Vladimir Guerrero

EXPOS 1999

Au bâton

FRAPPEUR	MOY	P	AB	P	CS	TB	2B	3B	CC	PP	SC	BS	AL	BB	BBI	RAB	BV	R	E
Andrews, S.	,181	98	281	28	51	92	8	0	11	37	0	4	0	43	2	88	1	0	14
Barrett, M.	,293	126	433	53	127	189	32	3	8	52	0	1	3	32	4	39	0	2	14
Bergeron, P.	,244	16	45	12	11	13	2	0	0	1	1	0	0	9	0	5	0	0	1
Blum, G.	,241	45	133	21	32	67	7	2	8	18	3	0	0	17	3	25	1	0	10
Cabrera, O.	,254	104	382	48	97	154	23	5	8	39	4	0	3	18	4	38	2	2	10
Coquillette, T.	,265	17	49	2	13	16	3	0	0	4	1	0	1	4	0	7	1	0	1
Cox, J.	,240	15	25	2	6	10	1	0	1	2	0	0	2	0	0	5	0	0	2
Fernandez, J.	,208	8	24	0	5	7	2	0	0	1	0	0	0	1	0	7	0	0	2
Fullmer, B.	,277	100	347	38	96	161	34	2	9	47	0	3	2	22	6	35	2	3	7
Guerrero, V.	,316	160	610	102	193	366	37	5	42	131	0	2	7	55	14	62	14	7	19
Guerrero, W.	,292	132	315	42	92	127	15	7	2	31	10	0	2	13	0	38	7	6	12
Jones, T.	,270	17	63	4	17	20	1	1	0	3	0	0	0	3	0	14	1	2	0
Machado, R.	,182	17	22	3	4	5	1	0	0	0	0	0	0	2	0	6	0	0	0
Martinez, M.	,245	137	331	48	81	113	12	7	2	26	6	3	0	17	0	51	19	6	8
McGuire, R.	,221	88	140	17	31	48	7	2	2	18	3	0	0	27	0	33	1	1	2
Merced, O.	,268	93	194	25	52	90	12	1	8	26	0	1	0	26	0	27	2	1	5
Mordecai, M.	,235	109	226	29	53	82	10	2	5	25	1	2	1	20	0	31	2	5	7
Mouton, J.	,262	95	122	18	32	45	5	1	2	13	3	1	2	18	1	31	6	2	1
Seguignol, F.	,257	35	105	14	27	51	9	0	5	10	0	2	7	5	1	33	0	0	2
Stowers, C.	,000	4	2	0	0	0	0	0	0	0	0	0	0	0	0	0	0	0	0
Vidro, J.	,304	140	494	67	150	235	45	2	12	59	2	2	4	29	2	51	0	4	11
White, R.	,312	138	539	83	168	272	26	6	22	64	0	6	11	32	2	85	10	6	11
Widger, C.	,264	124	383	42	101	169	24	1	14	56	0	1	7	28	0	86	1	4	6
EXPOS	**,265**	**162**	**5559**	**718**	**1473**	**2376**	**320**	**47**	**163**	**680**	**71**	**28**	**53**	**438**	**39**	**939**	**70**	**51**	**160**
ADV.	**,270**	**162**	**5565**	**853**	**1505**	**2328**	**311**	**28**	**152**	**789**	**74**	**50**	**60**	**572**	**39**	**1043**	**157**	**47**	**129**

Au monticule

LANCEUR	V	D	MPM	P	PC	PC	BL	VP	ML	CS	P	PM	CC	AF	BB	BI	RAB	ML	FI
Armas, T.	0	1	1,50	1	1	0	0	0	6	8	4	1	0	0	2	1	2	2	0
Ayala, B.	1	6	3,68	53	0	0	0	0	66	60	36	27	6	4	34	1	64	4	0
Batista, M.	8	7	4,88	39	17	2	1	1	134⅔	146	88	73	10	7	58	2	95	6	0
Bennett, S.	0	1	14,29	5	1	0	0	0	11⅓	24	18	18	4	1	3	0	4	0	0
DeHart, R.	0	0	21,60	3	0	0	0	0	1⅔	6	4	4	2	0	3	1	1	0	0
Hermanson, D.	9	14	4,20	34	34	0	0	0	216⅓	225	110	101	20	7	69	4	145	4	1
Johnson, M.	0	0	8,64	3	1	0	0	0	8⅓	12	8	8	2	0	7	1	6	2	0
Kline, S.	7	4	3,75	82	0	0	0	0	69⅔	56	32	29	8	3	33	6	69	2	0
Lilly, T.	0	1	7,61	9	3	0	0	0	23⅔	30	20	20	7	3	9	0	28	1	0
Maddux, M.	0	0	9,00	4	0	0	0	0	5	9	5	5	1	1	3	0	4	0	0
Mota, G.	2	4	2,93	51	0	0	0	0	55⅓	54	24	18	5	2	25	3	27	1	1
Pavano, C.	6	8	5,63	19	18	1	1	0	104	117	66	65	8	4	35	1	70	1	3
Powell, J.	4	8	4,73	17	17	0	0	0	97	113	60	51	14	8	44	2	44	4	1
Rojas, M.	0	0	16,88	3	0	0	0	0	2⅔	5	5	5	0	2	2	0	1	1	0
Smart, J.D.	0	1	5,02	29	0	0	0	0	52	56	30	29	4	0	17	0	21	0	0
Smith, D.	4	9	6,02	20	17	0	0	0	89⅔	104	64	60	12	4	39	0	72	3	0
Strickland, S.	0	1	4,50	17	0	0	0	0	18	15	10	9	3	0	11	0	23	0	0
Telford, A.	5	4	3,94	79	0	0	0	2	96	112	52	42	3	3	38	3	69	3	1
Thurman, M.	7	11	4,05	29	27	0	0	0	146⅔	140	84	66	17	7	52	4	85	4	1
Urbina, U.	6	6	3,69	71	0	0	0	41	75⅔	59	35	31	6	0	36	6	100	6	0
Vazquez, J.	9	8	5,00	26	26	3	1	0	154⅔	154	98	86	20	4	52	4	113	2	0
EXPOS	**68**	**94**	**4,69**	**162**	**162**	**6**	**4**	**44**	**1434⅓**	**1505**	**853**	**748**	**152**	**60**	**572**	**39**	**1043**	**46**	**8**
ADV.	**94**	**68**	**3,95**	**162**	**162**	**14**	**8**	**40**	**1446⅓**	**1473**	**718**	**634**	**163**	**53**	**438**	**39**	**939**	**53**	**5**

Saison 2000
Classement final, Ligue nationale

Division Est

Équipe	V	D	MOY.	DIFF.
Atlanta	95	67	,586	-
New York	94	68	,580	1,0
Floride	79	82	,491	15,5
Montréal	67	95	,414	28,0
Philadelphie	65	97	,401	30,0

Division Centrale

Équipe	V	D	MOY.	DIFF.
St-Louis	95	67	,586	-
Cincinnati	85	77	,525	10,0
Milwaukee	73	89	,451	22,0
Houston	72	90	,444	23,0
Pittsburgh	69	93	,426	26,0
Chicago	65	97	,401	30,0

Division Ouest

Équipe	V	D	MOY.	DIFF.
San Francisco	97	65	,599	-
Los Angeles	86	76	,531	11,0
Arizona	85	77	,525	12,0
Colorado	82	80	,506	15,0
San Diego	76	86	,469	21,0

Honneurs individuels

Équipe des étoiles, baseball majeur (AP)
Vladimir Guerrero (vol)

Partie des étoiles
Vladimir Guerrero (vol)
Jose Vidro (2b)

Équipe des étoiles, Ligue nationale (TSN)
Vladimir Guerrero (vol)

Bâton d'argent (Louisville Slugger)
Vladimir Guerrero (vol)

Joueur de l'année des Expos
Vladimir Guerrero

EXPOS 2000

Au bâton

FRAPPEUR	MOY	P	AB	P	CS	TB	2B	3B	CC	PP	SC	BS	AL	BB	BI	RAB	BV	R	E
Barrett, M.	,214	89	271	28	58	78	15	1	1	22	1	1	1	23	5	35	0	1	15
Bergeron, P.	,245	148	518	80	127	181	25	7	5	31	14	2	0	58	0	100	11	13	5
Blum, G.	,283	124	343	40	97	154	20	2	11	45	3	4	3	26	2	60	1	4	9
Bradley, M.	,221	42	154	20	34	50	8	1	2	15	1	1	1	14	0	32	2	1	2
Cabrera, O.	,237	125	422	47	100	166	25	1	13	55	3	3	1	25	3	28	4	4	10
Coquillette, T.	,203	34	59	6	12	19	4	0	1	8	0	1	0	7	0	19	0	0	1
De La Rosa, T.	,28832	66	7	19	30	3	1	2	9	3	0	1	7	0	11	2	1	2	
Guerrero, V.	,345	154	571	101	197	379	28	11	44	123	0	4	8	58	23	74	9	10	10
Guerrero, W.	,267	127	288	30	77	94	7	2	2	23	6	1	0	19	0	41	8	1	4
Jones, T.	,250	108	168	30	42	54	8	2	0	13	3	0	0	10	1	32	7	2	3
Mordecai, M.	,284	86	169	20	48	76	16	0	4	16	1	0	1	12	0	34	2	2	8
Nunnari, T.	,200	18	5	2	1	1	0	0	0	1	0	1	0	6	1	2	0	0	0
O'Brien, C.	,211	9	19	1	4	8	1	0	1	2	0	0	0	2	1	7	0	0	0
Schneider, B.	,235	45	115	6	27	33	6	0	0	11	0	1	0	7	2	24	0	1	6
Seguignol, F.	,278	76	162	22	45	83	8	0	10	22	0	1	3	9	0	46	0	1	5
Stevens, L.	,265	123	449	60	119	216	27	2	22	75	0	2	2	48	6	105	0	0	11
Tracy, A.	,260	83	192	29	50	93	8	1	11	32	0	2	2	22	1	61	1	0	6
Valera, Y.	,000	7	10	1	0	0	0	0	0	1	1	0	1	1	0	5	0	0	0
Vidro, J.	,331	153	605	101	200	327	51	2	24	97	0	6	2	49	4	68	5	4	10
Webster, L.	,210	39	81	6	17	20	3	0	0	5	0	0	0	6	1	14	0	0	0
White, R.	,307	75	290	52	89	146	24	0	11	54	0	2	2	28	0	67	5	1	1
Widger, C.	,238	86	281	31	67	124	17	2	12	34	0	1	1	29	3	61	1	2	8
EXPOS	**,266**	**162**	**5535**	**738**	**1475**	**2389**	**310**	**35**	**178**	**705**	**78**	**34**	**29**	**476**	**53**	**1048**	**58**	**48**	**132**
ADV.	**,282**	**162**	**5576**	**902**	**1575**	**2503**	**309**	**38**	**181**	**843**	**66**	**58**	**60**	**579**	**40**	**1011**	**123**	**38**	**107**

Au monticule

LANCEUR	V	D	MPM	P	PC	PC	BL	VP	ML	CS	P	PM	CC	AF	BB	BI	RAB	ML	FI
Armas, T.	7	9	4,36	17	17	0	0	0	95	74	49	46	10	3	50	2	59	3	0
Batista, M.	0	1	14,04	4	0	0	0	0	8 ⅓	19	14	13	2	2	3	0	7	0	0
Blank, M.	0	1	5,14	13	0	0	0	0	14	12	8	8	1	1	5	1	4	0	0
Downs, S.	0	0	9,00	1	1	0	0	0	3	5	3	3	0	0	3	0	0	0	0
Forster, S.	0	1	7,88	42	0	0	0	0	32	28	31	28	5	2	25	1	23	2	0
Hermanson, D.	12	14	4,77	38	30	2	1	4	198	226	128	105	26	4	75	5	94	5	0
Irabu, H.	2	5	7,24	11	11	0	0	0	54 ⅓	77	45	44	9	1	14	0	42	5	2
Johnson, M.	5	6	6,39	41	13	0	0	0	101 ⅓	107	73	72	18	9	53	1	70	0	0
Kline, S.	1	5	3,50	83	0	0	0	14	82 ⅓	88	36	32	8	3	27	2	64	4	0
Lara, Y.	0	0	6,35	6	0	0	0	0	5 ⅔	5	4	4	0	0	8	0	3	0	0
Lira, F.	5	8	5,40	53	7	0	0	0	101 ⅔	129	71	61	11	4	36	6	51	2	1
Moore, T.	1	5	6,62	8	8	0	0	0	35 ⅓	55	31	26	7	4	21	1	24	1	1
Moraga, D.	0	0	37,80	3	0	0	0	0	1 ⅔	6	7	7	0	0	2	0	2	1	0
Mota, G.	1	1	6,00	29	0	0	0	0	30	27	21	20	3	2	12	0	24	1	1
Pavano, C.	8	4	3,06	15	15	0	0	0	97	89	40	33	8	8	34	1	64	1	1
Poole, J.	0	0	27,00	5	0	0	0	0	2	8	6	6	1	0	3	1	3	0	0
Powell, J.	0	3	7,96	11	4	0	0	0	26	35	27	23	6	0	9	0	19	1	0
Rigby, B.	0	0	5,06	6	0	0	0	1	5 ⅓	8	5	3	0	1	3	0	2	0	0
Santana, J.	1	5	5,67	36	4	0	0	0	66 ⅔	69	45	42	11	2	33	2	58	2	0
Skrmetta, M.	0	0	15,19	6	0	0	0	0	5 ⅓	6	10	9	1	0	6	0	4	2	0
Spencer, S.	0	0	5,40	8	0	0	0	0	6 ⅔	7	4	4	2	0	3	0	6	4	0
Strickland, S.	4	3	3,00	49	0	0	0	9	48	38	18	16	3	1	16	2	48	2	0
Telford, A.	5	4	3,79	64	0	0	0	3	78 ⅓	76	38	33	10	5	23	1	68	4	1
Thurman, M.	4	9	6,42	17	17	0	0	0	88 ⅓	112	69	63	9	3	46	4	52	2	0
Tucker, T.J.	0	1	11,57	2	2	0	0	0	7	11	9	9	5	0	3	0	2	1	0
Urbina, U.	0	1	4,05	13	0	0	0	8	13 ⅓	11	6	6	1	0	5	0	22	1	0
Vazquez, J.	11	9	4,05	33	33	2	1	0	217 ⅔	247	104	98	24	5	61	10	196	3	0
EXPOS	**67**	**95**	**5,13**	**162**	**162**	**4**	**7**	**39**	**1424 ⅔**	**1575**	**902**	**812**	**181**	**60**	**579**	**40**	**1011**	**55**	**7**
ADV.	**95**	**67**	**4,22**	**162**	**162**	**13**	**9**	**41**	**1438 ⅓**	**1475**	**738**	**675**	**178**	**29**	**476**	**53**	**1048**	**42**	**8**

Saison 2001
Classement final, Ligue nationale

Division Est

Équipe	V	D	MOY.	DIFF.
Atlanta	88	74	,543	-
Philadelphie	86	76	,531	2,0
New York	82	80	,506	6,0
Floride	76	86	,469	12,0
Montréal	68	94	,420	20,0

Division Centrale

Équipe	V	D	MOY.	DIFF.
Houston	93	69	,574	-
St Louis	93	69	,574	-
Chicago	88	74	,543	5,0
Milwaukee	68	94	,420	25,0
Cincinnati	66	96	,407	27,0
Pittsburgh	62	100	,383	31,0

Division Ouest

Équipe	V	D	MOY.	DIFF.
Arizona	92	70	,568	-
San Francisco	90	72	,556	2,0
Los Angeles	86	76	,531	6,0
San Diego	79	83	,488	13,0
Colorado	73	89	,451	19,0

Honneurs individuels

Partie des étoiles
Vladimir Guerrero (vol)

Gant d'or (Rawlings)
Orlando Cabrera (ac)

Joueur de l'année des Expos
Orlando Cabrera

EXPOS 2001

Au bâton

FRAPPEUR	MOY	P	AB	P	CS	TB	2B	3B	CC	PP	SC	BS	AL	BB	BI	RAB	BV	R	E
Barrett, M	,250	132	472	42	118	173	33	2	6	38	4	3	2	25	2	54	2	1	7
Bergeron, P	,211	102	375	53	79	107	11	4	3	16	8	0	5	28	2	87	10	7	1
Blum, G	,236	148	453	57	107	159	25	0	9	50	3	5	10	43	8	94	9	5	8
Bradley, M	,223	67	220	19	49	74	16	3	1	19	2	0	1	19	0	62	7	4	2
Cabrera, O	,276	162	626	64	173	268	41	6	14	96	4	7	4	43	5	54	19	7	11
De La Rosa, T.	,000	1	1	0	0	0	0	0	0	0	0	0	0	0	0	0	0	0	0
Ducey, R.	,239	27	46	6	11	19	2	0	2	8	1	1	1	10	0	14	0	1	0
Guerrero, V.	,307	159	599	107	184	339	45	4	34	108	0	3	9	60	24	88	37	16	12
Jones, T.	,260	30	77	8	20	25	5	0	0	2	0	0	0	2	0	11	3	0	1
Knorr, R.	,220	34	91	13	20	31	2	0	3	10	2	1	1	8	0	22	0	0	2
Martinez, S.	,000	1	1	0	0	0	0	0	0	0	0	0	0	0	0	0	0	0	0
Mateo, H.	,333	5	9	1	3	4	1	0	0	0	0	0	0	0	0	1	0	1	0
Minor, R.	,158	55	95	10	15	23	2	0	2	13	0	2	1	9	0	31	0	1	2
Mordecai, M.	,280	96	254	28	71	101	17	2	3	32	1	2	1	19	1	53	2	2	3
Pride, C.	,250	36	76	8	19	27	3	1	1	9	0	0	2	9	0	22	3	2	0
Raines, T.	,308	47	78	13	24	34	8	1	0	4	0	1	0	18	0	6	1	0	0
Schneider, B.	,317	27	41	4	13	19	3	0	1	6	0	1	0	6	1	3	0	0	0
Seguignol, F.	,140	46	50	0	7	9	2	0	0	5	0	1	1	2	1	17	0	0	2
Smith, M.	,242	80	194	28	47	80	13	1	6	18	1	2	2	23	0	38	0	2	0
Stevens, L.	,245	152	542	77	133	245	35	1	25	95	0	7	5	74	12	157	2	1	19
Tatis, F.	,255	41	145	20	37	52	9	0	2	11	0	3	4	16	0	43	0	0	9
Tracy, A.	,109	38	55	4	6	13	1	0	2	8	0	2	0	6	0	26	0	0	0
Vidro, J.	,319	124	486	82	155	236	34	1	15	59	2	2	10	31	2	49	4	1	9
Wilkerson, B.	,205	47	117	11	24	38	7	2	1	5	1	1	0	17	1	41	2	1	2
Lanceurs	,167	162	276	15	46	54	5	0	1	10	35	1	1	10	0	98	0	0	16
EXPOS	**,253**	**162**	**5379**	**670**	**1361**	**2130**	**320**	**28**	**131**	**622**	**64**	**45**	**60**	**478**	**59**	**1071**	**101**	**51**	**108**
ADV.	**,272**	**162**	**5547**	**812**	**1509**	**2445**	**306**	**30**	**190**	**773**	**74**	**43**	**61**	**525**	**40**	**1103**	**128**	**33**	**107**

Au monticule

LANCEUR	V	D	MPM	P	PC	PC	BL	VP	ML	CS	P	PM	CC	AF	BB	BI	RAB	ML	FI
Armas, T.	9	14	4,03	34	34	0	0	0	196 ⅔	180	101	88	18	10	91	6	176	9	1
Blank, M.	2	2	5,16	5	4	0	0	0	22 ⅔	23	14	13	5	2	13	1	11	0	0
Cubillan, D.	0	0	4,10	29	0	0	0	0	26 ⅓	31	13	12	1	0	12	1	19	1	0
Eischen, J.	0	1	4,85	24	0	0	0	0	29 ⅔	29	17	16	4	1	16	1	19	1	0
Irabu, H.	0	2	4,86	3	3	0	0	0	16 ⅔	22	9	9	3	0	3	0	18	0	0
Johnson, M.	0	0	4,76	10	0	0	0	0	11 ⅓	13	6	6	3	2	4	0	10	2	0
Lira, F.	0	0	12,60	4	0	0	0	0	5	11	7	7	1	0	2	0	3	0	0
Lloyd, G.	9	5	4,35	84	0	0	0	1	70 ⅓	74	38	34	6	6	21	2	44	1	0
Mattes, T.	3	3	6,00	8	8	0	0	0	45	51	33	30	9	4	21	2	26	6	0
Mota, G.	1	3	5,26	53	0	0	0	0	49 ⅔	51	30	29	9	1	18	1	31	1	0
Munoz, B.	0	4	5,14	15	7	0	0	0	42	53	25	24	6	2	21	1	21	2	0
Ohka, T.	1	4	4,77	10	10	0	0	0	54 ⅔	65	30	29	8	1	10	0	31	0	0
Pavano, C.	1	6	6,33	8	8	0	0	0	42 ⅔	59	33	30	7	2	16	1	36	0	1
Peters, C.	2	4	7,55	13	6	0	0	0	31	47	26	26	7	2	15	1	14	4	0
Reames, B.	4	8	5,59	41	13	0	0	0	95	101	68	59	16	5	48	3	86	2	0
Scanlan, B.	0	0	7,86	18	0	0	0	0	26 ⅓	37	23	23	0	1	14	0	5	1	0
Stewart, S.	3	1	3,78	62	0	0	0	3	47 ⅔	43	20	20	5	3	13	0	39	2	0
Strickland, S.	2	6	3,21	77	0	0	0	9	81 ⅓	67	36	29	9	4	41	5	85	4	0
Telford, A.	0	1	10,29	8	0	0	0	0	7	14	12	8	2	1	5	1	5	1	0
Thurman, M.	9	11	5,33	28	26	0	0	0	147	172	90	87	21	6	50	7	96	8	0
Urbina, U.	2	1	4,24	45	0	0	0	15	46 ⅔	42	24	22	8	0	21	1	57	2	1
Vazquez, J.	16	11	3,42	32	32	5	3	0	223 ⅔	197	92	85	24	3	44	4	208	3	1
Yoshii, M.	4	7	4,78	42	11	0	0	0	113	127	65	60	18	5	26	2	63	4	0
EXPOS	**68**	**94**	**4,68**	**162**	**162**	**5**	**11**	**28**	**1431 ⅓**	**1509**	**812**	**745**	**190**	**61**	**525**	**40**	**1103**	**55**	**4**
ADV.	**94**	**68**	**3,76**	**162**	**162**	**11**	**15**	**43**	**1444**	**1361**	**670**	**604**	**131**	**60**	**478**	**59**	**1071**	**52**	**5**

Saison 2002
Classement final, Ligue nationale

Division Est

Équipe	V	D	MOY.	DIFF.
Atlanta	101	59	,631	-
Montréal	83	79	,512	19,0
Philadelphie	80	81	,497	21,5
Floride	79	83	,488	23,0
New York	75	86	,466	26,5

Division Centrale

Équipe	V	D	MOY.	DIFF.
St Louis	97	65	,599	-
Houston	84	78	,519	13,0
Cincinnati	78	84	,481	19,0
Pittsburgh	72	89	,447	24,5
Chicago	67	95	,414	30,0
Milwaukee	56	106	,346	41,0

Division Ouest

Équipe	V	D	MOY.	DIFF.
Arizona	98	64	,605	-
San Francisco	95	66	,590	2,5
Los Angeles	92	70	,568	6,0
Colorado	73	89	,451	25,0
San Diego	66	96	,407	32,0

Honneurs individuels

Équipe des étoiles, baseball majeur (*USA Today*)
Vladimir Guerrero (vol)

Partie des étoiles
Vladimir Guerrero (vol)
Jose Vidro (2b)

Bâton d'argent (Louisville Slugger)
Vladimir Guerrero (vol)

Joueur de l'année des Expos
Vladimir Guerrero

Équipe d'étoiles des recrues, ligues majeures
Brad Wilkerson (vol)

EXPOS 2002

Au bâton

FRAPPEUR	MOY	P	AB	P	CS	TB	2B	3B	CC	PP	SC	BS	AL	BB	BI	RAB	BV	R	E
Barrett, M.	,263	117	376	41	99	157	20	1	12	49	6	5	1	40	7	65	6	3	9
Bergeron, P.	,187	31	123	24	23	30	3	2	0	7	3	0	0	22	0	44	10	3	2
Cabrera, O.	,263	153	563	64	148	214	43	1	7	56	9	4	2	48	4	53	25	7	29
Carroll, J.	,310	16	71	16	22	36	5	3	1	6	4	0	0	4	0	12	1	0	4
Cepicky, M.	,216	32	74	7	16	28	3	0	3	15	0	0	0	4	1	21	0	0	0
Chavez, E.	,296	36	125	20	37	58	8	5	1	9	7	1	0	5	0	16	3	5	1
Collier, L.	,091	13	11	3	1	2	1	0	0	0	1	0	1	1	1	3	0	0	0
Cordero, W.	,273	66	143	21	39	66	9	0	6	29	0	4	2	17	0	26	2	0	2
Floyd, C.	,208	15	53	7	11	22	2	0	3	4	0	0	1	3	1	10	1	0	1
Galarraga, A.	,260	104	292	30	76	115	12	0	9	40	0	3	9	30	6	81	2	2	13
Guerrero, V.	,336	161	614	106	206	364	37	2	39	111	0	5	6	84	32	70	40	20	10
Guerrero, W.	,194	44	62	3	12	13	1	0	0	1	4	0	0	1	1	19	5	0	1
Macias, J.	,255	90	231	33	59	99	17	1	7	33	4	3	1	13	0	44	5	6	6
Mateo, H.	,174	22	23	1	4	6	0	1	0	0	0	0	0	2	1	6	2	0	1
Mordecai, M.	,203	55	74	9	15	19	4	0	0	4	7	0	1	8	3	14	1	1	4
O'Leary, T.	,286	97	273	27	78	103	12	2	3	37	4	0	3	34	5	47	1	2	3
Rodriguez, H.	,050	20	20	1	1	1	0	0	0	3	0	1	0	4	0	8	0	0	0
Schneider, B.	,275	73	207	21	57	95	19	2	5	29	2	2	0	21	8	41	1	2	3
Stevens, L.	,190	63	205	28	39	77	6	1	10	31	0	1	0	39	5	57	1	0	4
Tatis, F.	,228	114	381	43	87	152	18	1	15	55	1	5	8	35	1	90	2	2	13
Truby, C.	,257	35	105	12	27	42	5	2	2	7	1	0	1	5	1	27	1	1	5
Vidro, J.	,315	152	604	103	190	296	43	3	19	96	11	3	3	60	1	70	2	1	11
Wilkerson, B.	,266	153	507	92	135	238	27	8	20	59	6	4	5	81	7	161	7	8	7
Lanceurs	,146	162	342	23	50	57	5	1	0	14	38	1	2	14	0	119	0	1	10
EXPOS	**,253**	**162**	**5379**	**670**	**1361**	**2130**	**320**	**28**	**131**	**622**	**64**	**45**	**60**	**478**	**59**	**1071**	**101**	**51**	**108**
ADV.	**,272**	**162**	**5547**	**812**	**1509**	**2445**	**306**	**30**	**190**	**773**	**74**	**43**	**61**	**525**	**40**	**1103**	**128**	**33**	**107**

Au monticule

LANCEUR	V	D	MPM	P	PC	PC	BL	VP	ML	CS	P	PM	CC	AF	BB	BI	RAB	ML	FI
Armas, T.	12	12	4,44	29	29	0	0	0	164 ⅓	149	87	81	22	7	78	12	131	14	2
Brower, J.	1	2	4,83	30	0	0	0	0	41	39	22	22	5	4	22	1	33	1	0
Chen, B.	2	3	6,99	15	5	0	0	0	37 ⅓	47	29	29	9	1	23	3	43	3	0
Colon, B.	10	4	3,31	17	17	4	1	0	117	115	48	43	9	0	39	4	74	1	0
Day, Z.	4	1	3,62	19	2	0	0	1	37 ⅓	28	18	15	3	1	15	2	25	1	0
Drew, T.	1	0	2,81	7	1	0	0	2	16	12	8	5	1	0	2	0	10	0	0
Eischen, J.	6	1	1,34	59	0	0	0	2	53 ⅔	43	11	8	1	2	18	5	51	6	1
Herges, M.	2	5	4,04	62	0	0	0	6	64 ⅔	80	33	29	10	2	26	8	50	3	0
Kim, S.	1	0	0,89	4	3	0	0	0	20 ⅓	18	2	2	0	1	7	2	11	0	0
Lloyd, G.	2	3	5,87	41	0	0	0	5	30 ⅔	41	21	20	5	1	8	3	17	1	0
Ohka, T.	13	8	3,18	32	31	2	0	0	192 ⅔	194	83	68	19	7	45	7	118	2	1
Pavano, C.	3	8	6,30	15	14	0	0	0	74 ⅓	98	55	52	14	7	31	5	51	2	1
Reames, B.	1	4	5,03	42	6	0	0	0	68	70	42	38	8	3	38	6	76	2	0
Smith, D.	1	1	3,47	33	0	0	0	2	46 ⅔	34	18	18	6	1	21	0	34	1	0
Stewart, S.	4	2	3,09	67	0	0	0	17	64	49	29	22	4	1	22	5	67	1	0
Strickland, S.	0	0	0,00	1	0	0	0	0	1	0	0	0	0	0	0	0	2	0	0
Tucker, T.	6	3	4,11	57	0	0	0	4	61 ⅓	69	32	28	5	0	31	9	42	4	0
Vazquez, J.	10	13	3,91	34	34	2	0	0	230 ⅓	243	111	100	28	4	49	6	179	3	0
Vosberg, E.	0	0	18,00	4	0	0	0	0	1	3	3	2	1	0	1	0	0	1	0
Yoshii, M.	4	9	4,11	31	20	1	0	0	131 ⅓	143	66	60	15	4	32	27	4	5	0
EXPOS	**83**	**79**	**3,97**	**162**	**162**	**9**	**3**	**39**	**1453**	**1475**	**718**	**641**	**165**	**46**	**508**	**80**	**1088**	**51**	**5**
ADV.	**79**	**83**	**4,08**	**162**	**162**	**8**	**10**	**45**	**1452 ⅓**	**1432**	**735**	**658**	**162**	**46**	**575**	**85**	**1104**	**49**	**7**

Saison 2003
Classement final, Ligue nationale

Division Est

Équipe	V	D	MOY.	DIFF.
Atlanta	101	61	,623	-
Floride	91	71	,562	10,0
Philadelphie	86	76	,531	15,0
Montréal	83	79	,512	18,0
New York	66	95	,410	34,5

Division Centrale

Équipe	V	D	MOY.	DIFF.
Chicago	88	74	,543	-
Houston	87	75	,537	1,0
St Louis	85	77	,525	3,0
Pittsburgh	75	87	,463	13,0
Cincinnati	69	93	,426	19,0
Milwaukee	68	94	,420	20,0

Division Ouest

Équipe	V	D	MOY.	DIFF.
San Francisco	100	61	,621	-
Los Angeles	85	77	,525	15,5
Arizona	84	78	,519	16,5
Colorado	74	88	,457	26,5
San Diego	64	98	,395	36,5

Honneurs individuels

Partie des étoiles
Jose Vidro (2b)

Bâton d'argent (Louisville Slugger)
Orlando Cabrera (ac)

Joueur de l'année des Expos
Orlando Cabrera

EXPOS 2003

Au bâton

FRAPPEUR	MOY	P	AB	P	CS	TB	2B	3B	CC	PP	SC	BS	AL	BB	BI	RAB	BV	R	E
Barrett, M.	,208	70	226	33	47	90	9	2	10	30	2	1	2	21	7	37	0	0	1
Cabrera, O.	,297	162	626	95	186	288	47	2	17	80	3	9	1	52	3	64	24	2	18
Calloway, R.	,238	126	340	36	81	127	17	1	9	52	4	3	2	20	1	80	9	2	3
Carroll, J.	,260	105	227	31	59	74	10	1	1	10	9	2	3	19	0	39	5	2	5
Cepicky, M.	,250	5	8	0	2	3	1	0	0	0	0	0	0	0	0	2	0	0	0
Chavez, E.	,251	141	483	66	121	171	25	5	5	47	9	3	0	31	3	59	18	7	3
Cordero, W.	,278	130	436	57	121	196	27	0	16	71	0	3	4	49	5	90	1	1	5
Guerrero, V.	,330	112	394	71	130	231	20	3	25	79	0	4	6	63	22	53	9	5	7
Guzman, E.	,240	52	146	15	35	43	5	0	1	14	3	1	0	5	2	17	0	0	4
Liefer, J.	,193	35	88	6	17	29	3	0	3	18	0	1	0	3	0	26	0	1	3
Macias, J.	,239	111	272	31	65	96	15	2	4	22	2	1	2	11	1	45	4	3	5
Mateo, H.	,240	100	154	29	37	42	3	1	0	7	1	0	3	11	0	38	11	1	4
Schneider, B.	,230	108	335	34	77	132	26	1	9	46	1	2	2	37	8	75	0	2	3
Tatis, F.	,194	53	175	15	34	46	6	0	2	15	0	0	3	18	0	40	2	1	4
Vidro, J.	,310	144	509	77	158	239	36	0	15	65	2	5	7	69	6	50	3	2	10
Vitiello, J.	,342	38	76	12	26	41	6	0	3	13	0	1	2	7	0	14	0	0	2
Wilkerson, B.	,268	146	504	78	135	234	34	4	19	77	2	3	4	89	0	155	13	10	5
Zeile, T.	,257	34	113	11	29	50	2	2	5	19	0	1	3	10	0	18	1	0	5
EXPOS	**,258**	**162**	**5437**	**711**	**1404**	**2180**	**294**	**25**	**144**	**682**	**72**	**40**	**45**	**522**	**58**	**990**	**100**	**39**	**102**
ADV.	**,264**	**162**	**5556**	**716**	**1467**	**2350**	**292**	**24**	**181**	**676**	**46**	**35**	**71**	**463**	**51**	**1028**	**40**	**38**	**16**

Au monticule

LANCEUR	V	D	MPM	P	PC	PC	BL	VP	ML	CS	P	PM	CC	AF	BB	BI	RAB	ML	FI
Almonte, H.	1	1	6,83	28	0	0	0	0	29	34	22	22	4	2	17	2	26	5	0
Armas, T.	2	1	2,61	5	5	0	0	0	31	25	9	9	4	1	8	0	23	0	0
Ayala, L.	10	3	2,92	65	0	0	0	5	71	65	27	23	8	5	13	3	46	1	0
Biddle, R.	5	8	4,65	73	0	0	0	34	71 ⅔	71	43	37	10	6	40	5	54	8	0
Corcoran, R.	0	0	1,23	5	0	0	0	0	7 ⅓	7	2	1	0	0	3	0	2	1	0
Cordero, C.	1	0	1,64	12	0	0	0	1	11	4	2	2	1	0	3	1	12	1	0
Darensbourg, V.	0	0	10,80	6	0	0	0	0	6 ⅔	13	8	8	2	0	1	0	4	0	0
Day, Z.	9	8	4,18	23	23	1	1	0	131 ⅓	132	64	61	8	10	59	3	61	13	0
Downs, S.	0	1	15,00	1	1	0	0	0	3	5	5	5	2	0	3	2	4	0	1
Drew, T.	0	2	12,46	6	1	0	0	0	8 ⅔	12	12	12	3	0	8	1	3	3	0
Eischen, J.	2	2	3,06	70	0	0	0	1	53	57	27	18	7	3	13	1	40	3	0
Ferrari, A.	0	0	6,75	4	0	0	0	0	4	4	3	3	1	1	5	1	1	1	0
Hebson, B.	0	0	13,50	2	0	0	0	0	2	4	3	3	1	1	1	0	1	0	0
Hernandez, L.	15	10	3,20	33	33	8	0	0	233 ⅓	225	92	83	27	10	57	3	178	6	1
Kim, S.	0	1	8,36	4	3	0	0	0	14	24	13	13	6	4	8	0	5	0	0
Knott, E.	1	2	5,12	13	1	0	0	0	19 ⅓	23	12	11	2	0	6	0	17	0	0
Mañon, J.	1	2	4,13	23	0	0	0	1	28 ⅓	26	13	13	3	1	17	1	15	0	0
Mercedes, J.	0	0	0,00	5	0	0	0	0	7 ⅓	6	3	0	0	0	5	0	3	1	0
Ohka, T.	10	12	4,16	34	34	2	0	0	199	233	106	92	24	9	45	11	118	8	0
Reames, B.	0	0	27,00	2	0	0	0	0	1 ⅓	4	4	4	0	0	2	0	1	0	0
Smith, D.	2	2	5,26	32	0	0	0	0	37 ⅔	42	23	22	11	2	18	2	35	5	0
Stewart, S.	3	1	3,98	51	0	0	0	0	43	52	22	19	5	1	13	4	29	1	1
Tucker, T.	2	3	4,73	45	7	0	0	0	80	90	49	42	8	4	20	1	47	0	0
Vargas, C.	6	8	4,34	23	20	0	0	0	114	111	59	55	16	7	41	5	62	2	0
Vazquez, J.	13	12	3,24	34	34	4	1	0	230 ⅔	198	93	83	28	4	57	5	241	11	1
EXPOS	**83**	**79**	**4,01**	**162**	**162**	**15**	**10**	**42**	**1437 ⅔**	**1467**	**716**	**640**	**181**	**71**	**463**	**51**	**1028**	**71**	**4**
ADV.	**79**	**83**	**4,12**	**162**	**162**	**6**	**8**	**36**	**1434 ⅓**	**1404**	**711**	**657**	**144**	**45**	**522**	**58**	**990**	**47**	**7**

Saison 2004
Classement final, Ligue nationale

Division Est

Équipe	V	D	MOY.	DIFF.
Atlanta	96	66	,593	-
Philadelphie	86	76	,531	10,0
Floride	83	79	,512	13,0
New York	71	91	,438	25,0
Montréal	67	95	,414	29,0

Division Centrale

Équipe	V	D	MOY.	DIFF.
St Louis	105	57	,648	-
Houston	92	70	,568	13,0
Chicago	89	73	,549	16,0
Cincinnati	76	86	,469	29,0
Pittsburgh	72	89	,447	32,5
Milwaukee	67	94	,416	37,5

Division Ouest

Équipe	V	D	MOY.	DIFF.
Los Angeles	93	69	,574	-
San Francisco	91	71	,562	2,0
San Diego	87	75	,537	6,0
Colorado	68	94	,420	25,0
Arizona	51	111	,315	42,0

Honneurs individuels

Équipe des étoiles, Ligue nationale (*The Sporting News*/UPI/AP)
Livan Hernandez (l)

Bâton d'argent (Louisville Slugger)
Livan Hernandez (l)

Joueur de l'année des Expos
Brad Wilkerson

EXPOS 2004

Au bâton

FRAPPEUR	MOY	P	AB	P	CS	TB	2B	3B	CC	PP	SC	BS	AL	BB	BI	RAB	BV	R	RDJ	E
Batista, T.	,241	157	606	76	146	276	30	2	32	110	4	10	4	26	4	78	14	6	14	19
Bergeron, P.	,214	11	42	2	9	9	0	0	0	1	1	0	0	2	0	16	0	1	0	2
Cabrera, O.	,246	103	390	41	96	131	19	2	4	31	2	3	2	28	0	31	12	3	12	7
Calloway, R.	,167	46	84	4	14	19	2	0	1	10	1	1	0	5	0	22	2	0	3	0
Carroll, J.	,289	10	218	36	63	81	14	2	0	16	2	3	1	32	1	21	5	1	3	3
Cepicky, M.	,217	32	60	4	13	20	4	0	1	3	0	0	0	1	0	18	1	0	1	0
Chavez, E.	,277	132	502	65	139	186	20	6	5	34	12	2	1	30	0	40	32	7	6	5
Church, R.	,175	30	63	6	11	15	1	0	1	6	1	0	0	7	1	16	0	0	3	0
Diaz, E.	,223	55	139	9	31	42	6	1	1	11	2	3	4	11	3	10	2	0	6	3
Everett, C.	,252	39	127	8	32	48	10	0	2	14	0	1	5	8	2	19	0	0	8	3
Fox, A.	,093	34	43	2	4	7	0	0	1	1	0	0	0	0	0	16	0	0	1	0
Gonzalez, A.	,241	35	133	19	32	51	7	0	4	16	2	0	1	8	0	32	1	1	1	6
Harris, B.	,160	20	50	4	8	13	2	0	1	2	0	0	1	2	0	11	0	0	0	2
Izturis, M.	,206	32	107	10	22	34	5	2	1	4	2	0	2	10	1	20	4	0	1	8
Johnson, N.	,251	73	251	35	63	100	16	0	7	33	0	1	3	40	2	58	6	3	5	4
Labandeira, J.	,000	7	14	0	0	0	0	0	0	0	0	0	0	0	0	4	0	0	1	4
Lopez, L.	,154	11	26	0	4	4	0	0	0	0	0	0	1	0	0	9	0	0	1	0
Majewski, G.	,000	16	2	0	0	0	0	0	0	0	0	0	0	0	0	2	0	0	0	1
Mateo, H.	,273	40	44	3	12	14	2	0	0	0	1	0	0	1	0	9	2	3	1	4
Pascucci, V.	,177	32	62	6	11	18	1	0	2	6	0	1	1	10	1	22	1	0	3	1
Rivera, J.	,307	134	391	48	120	182	24	1	12	49	0	0	1	34	7	45	6	2	11	3
Schneider, B.	,257	135	436	40	112	174	20	3	12	49	5	2	3	42	10	63	0	1	8	2
Sledge, T.	,269	133	398	45	107	184	20	6	15	62	6	1	1	40	4	66	3	3	2	3
Vidro, J.	,294	110	412	51	121	187	24	0	14	60	4	2	0	49	7	43	3	1	14	6
Wilkerson, B.	,255	160	572	112	146	285	39	2	32	67	3	3	4	106	8	152	13	6	6	7
EXPOS	**,249**	**162**	**5474**	**635**	**1361**	**2144**	**276**	**27**	**151**	**605**	**100**	**33**	**35**	**496**	**51**	**925**	**109**	**38**	**115**	**99**
ADV.	**,266**	**162**	**5556**	**769**	**1477**	**2392**	**284**	**29**	**191**	**730**	**54**	**36**	**79**	**582**	**78**	**1032**	**58**	**41**	**135**	**100**

Au monticule

LANCEUR	V	D	MPM	P	PC	PC	BL	VP	ML	CS	P	PM	CC	AF	BB	BI	RAB	ML	FI
Armas, T.	2	4	4,88	16	16	0	0	0	72	66	41	39	13	4	45	6	54	0	0
Ayala, L.	6	12	2,69	81	0	0	0	2	90 ⅓	92	30	27	6	5	15	2	63	3	1
Beltran, F.	0	0	7,53	11	0	0	0	1	14 ½	20	12	12	3	2	5	1	8	1	0
Beltran, R.	0	0	13,50	2	0	0	0	0	0 ⅔	1	1	1	0	0	0	0	0	0	0
Bentz, C.	0	3	5,86	36	0	0	0	0	27 ⅔	23	19	18	5	2	23	3	18	1	0
Biddle, R.	4	8	6,92	47	9	0	0	11	78	98	69	60	15	8	31	3	51	5	0
Corcoran, R.	0	0	6,75	5	0	0	0	0	5 ⅓	7	4	4	0	0	5	0	4	0	0
Cordero, C.	7	3	2,94	69	0	0	0	14	82 ⅔	68	28	27	8	1	43	4	83	5	0
Day, Z.	5	10	3,93	19	19	1	0	1	116 ⅔	117	53	51	13	4	45	7	61	5	0
Downs, S.	3	6	5,14	12	12	1	0	0	63	79	47	36	9	3	23	2	38	2	0
Eischen, J.	0	1	3,93	21	0	0	0	0	18 ⅓	16	10	8	2	1	8	2	17	0	0
Fikac, J.	1	2	5,40	19	0	0	0	0	25	26	16	15	5	0	13	4	22	1	0
Hernandez, L.	11	15	3,60	35	35	9	0	0	255	234	105	102	26	10	83	9	186	1	0
Hill, S.	1	2	16,00	3	3	0	0	0	9	17	16	16	1	1	7	0	10	0	0
Horgan, J.	4	1	3,15	47	0	0	0	2	40	35	18	14	5	3	22	3	30	0	0
Kim, S.	4	6	4,58	43	17	0	0	0	135 ⅔	145	80	69	17	13	55	11	87	6	0
Majewski, G.	0	1	3,86	16	0	0	0	1	21	28	15	9	2	2	5	1	12	0	0
Ohka, T.	3	7	3,40	15	15	0	0	0	84 ⅔	98	40	32	11	1	20	1	38	3	0
Patterson, J.	4	7	5,03	19	19	0	0	0	98 ⅓	100	58	55	18	8	46	4	99	0	0
Rauch, J.	3	0	1,54	9	2	0	0	0	23 ⅓	14	4	4	1	0	7	2	18	1	0
Tucker, T.	4	2	3,72	54	1	0	0	0	67 ⅔	73	28	28	5	4	17	6	44	1	1
Vargas, C.	5	5	5,25	45	14	0	0	0	118 ⅓	120	75	69	26	7	64	7	89	8	0
EXPOS	**67**	**95**	**4,33**	**162**	**162**	**11**	**11**	**31**	**1447**	**1477**	**769**	**696**	**191**	**79**	**582**	**78**	**1032**	**43**	**2**
ADV.	**95**	**67**	**3,56**	**162**	**162**	**6**	**16**	**50**	**1460**	**1361**	**635**	**578**	**151**	**35**	**496**	**51**	**925**	**31**	**8**

Au bâton
Top 10 à vie

Parties

Tim Wallach	1767
Gary Carter	1503
Tim Raines	1452
André Dawson	1443
Warren Cromartie	1038
Vladimir Guerrero	1004
Larry Parrish	967
Bob Bailey	951
Andrés Galarraga	951
Chris Speier	895

Présences au bâton

Tim Wallach	6529
André Dawson	5628
Tim Raines	5383
Gary Carter	5303
Warren Cromartie	3796
Vladimir Guerrero	3763
Larry Parrish	3411
Andrés Galarraga	3374
José Vidro	3073
Bob Bailey	2991
Chris Speier	2902

Coups sûrs

Tim Wallach	1694
Tim Raines	1622
André Dawson	1575
Gary Carter	1427
Vladimir Guerrero	1215
Warren Cromartie	1063
José Vidro	940
Andrés Galarraga	906
Larry Parrish	896
Rondell White	808

Circuits

Vladimir Guerrero	234
André Dawson	225
Gary Carter	220
Tim Wallach	204
Bob Bailey	118
Andrés Galarraga	115
Rondell White	101
Larry Parrish	100
Larry Walker	99
Tim Raines	96

Total de buts

Tim Wallach	2728
André Dawson	2679
Gary Carter	2409
Tim Raines	2355
Vladimir Guerrero	2211
Warren Cromartie	1525
Andrés Galarraga	1459
Larry Parrish	1452
José Vidro	1452
Rondell White	1322

Points

Tim Raines	947
André Dawson	828
Tim Wallach	737
Gary Carter	707
Vladimir Guerrero	641
José Vidro	473
Warren Cromartie	446
Marquis Grissom	430
Andrés Galarraga	424
Larry Parrish	421
Rondell White	420

Points produits

Tim Wallach	905
André Dawson	838
Gary Carter	823
Vladimir Guerrero	702
Tim Raines	556
Andrés Galarraga	473
Bob Bailey	466
Larry Parrish	444
José Vidro	411
Hubie Brooks	390

Moyenne au bâton
(minimum de 1500 AB)

Vladimir Guerrero	,323
Jose Vidro	,304
Tim Raines	,301
Rusty Staub	,295
Rondell White	,293
Moises Alou	,292
Ellis Valentine	,288
Ken Singleton	,285
Larry Walker	,281
Tony Perez	,281

Buts volés

Tim Raines	635
Marquis Grissom	266
André Dawson	253
Delino DeShields	187
Rodney Scott	139
Otis Nixon	133
Vladimir Guerrero	123
Larry Walker	98
Ron LeFlore	97
Mike Lansing	96
Mitch Webster	96

Au bâton
Top 10 en une saison

Moyenne au bâton

Vladimir Guerrero	,345	2000
Moises Alou	,339	1994
Vladimir Guerrero	,336	2002
Tim Raines	,334*	1986
José Vidro	,331	2000
Al Oliver	,331*	1982
Vladimir Guerrero	,330	2003
Tim Raines	,330	1987
Vladimir Guerrero	,324	1998
Larry Walker	,322	1994

Coups sûrs

Vladimir Guerrero	206*	2002
Al Oliver	204*	1982
Vladimir Guerrero	202	1998
Mark Grudzielanek	201	1996
José Vidro	200	2000
Vladimir Guerrero	197	2000
Tim Raines	194	1986
Vladimir Guerrero	193	1999
Tim Raines	192	1984
André Dawson	189*	1983

Points

Tim Raines	133*	1983
Tim Raines	123*	1987
Tim Raines	115	1985
Vladimir Guerrero	108	1998
André Dawson	107	1982
Vladimir Guerrero	107	2001
Vladimir Guerrero	106	2002
Tim Raines	106	1984
André Dawson	104	1983
Marquis Grissom	104	1993
José Vidro	103	2002

Circuits

Vladimir Guerrero	44	2000
Vladimir Guerrero	42	1999
Vladimir Guerrero	39	2002
Vladimir Guerrero	38	1998
Henry Rodriguez	36	1996
Vladimir Guerrero	34	2001
André Dawson	32	1983
Gary Carter	31	1977
Larry Parrish	30	1979
Rusty Staub	30	1970

Points produits

Vladimir Guerrero	131	1999
Vladimir Guerrero	123	2000
Tim Wallach	123	1987
André Dawson	113	1983
Vladimir Guerrero	111	2002
Vladimir Guerrero	109	1998
Al Oliver	109*	1982
Vladimir Guerrero	108	2001
Gary Carter	106	1984
Henry Rodriguez	103	1996
Ken Singleton	103	1973

Buts volés

Ron LeFlore	97*	1980
Tim Raines	90*	1983
Marquis Grissom	78*	1992
Tim Raines	78*	1982
Marquis Grissom	76*	1991
Tim Raines	75*	1984
Tim Raines	71*	1981
Tim Raines	70	1985
Tim Raines	70	1986
Rodney Scott	63	1980

* meneur dans la ligue

Au monticule
Top 10 à vie

Parties

Tim Burke	425
Steve Rogers	399
Mel Rojas	388
Jeff Reardon	359
Woodie Fryman	297
Ugueth Urbina	296
Anthony Telford	285
Bryn Smith	284
Steve Kline	269
Jeff Fassero	262

Manches

Steve Rogers	2838
Dennis Martinez	1609
Bryn Smith	1400 ⅓
Steve Renko	1359 ⅓
Javier Vazquez	1229 ⅓
Bill Gullickson	1186 ⅓
Bill Stoneman	1085 ⅓
Scott Sanderson	882 ⅔
Jeff Fassero	850
Pedro Martinez	797 ⅓

Parties commencées

Steve Rogers	393
Dennis Martinez	233
Bryn Smith	193
Steve Renko	192
Javier Vazquez	191
Bill Gullickson	170
Bill Stoneman	157
Scott Sanderson	136
Dustin Hermanson	122
Charlie Lea	121
Pedro Martinez	117

Parties complètes

Steve Rogers	129
Bill Stoneman	46
Dennis Martinez	41
Steve Renko	40
Bill Gullickson	31
Scott Sanderson	24
Carl Morton	22
Charlie Lea	22
Mike Torrez	22
Ernie McAnally	21
Ross Grimsley	21
Pedro Martinez	20

Victoires

Steve Rogers	158
Dennis Martinez	100
Bryn Smith	81
Bill Gullickson	72
Steve Renko	68
Javier Vazquez	64
Jeff Fassero	58
Scott Sanderson	56
Charlie Lea	55
Pedro Martinez	55

Défaites

Steve Rogers	152
Steve Renko	82
Dennis Martinez	72
Bill Stoneman	72
Bryn Smith	71
Javier Vazquez	68
Bill Gullickson	61
Woodie Fryman	52
Ernie McAnally	49
Jeff Fassero	48

Sauvetages

Jeff Reardon	152
Ugueth Urbina	125
Mel Rojas	109
John Wetteland	105
Tim Burke	101
Mike Marshall	75
Woodie Fryman	52
Ricky Biddle	34
Dale Murray	33
Elias Sosa	30

Jeux blancs

Steve Rogers	37
Bill Stoneman	15
Dennis Martinez	13
Woodie Fryman	8
Charlie Lea	8
Pedro Martinez	8
Scott Sanderson	8
Bryn Smith	8
Bill Gullickson	6
Ernie McAnally	6
Carlos Perez	6
Steve Renko	6
Javier Vazquez	6
Floyd Youmans	6

MPM (au moins 500 ML)		Retraits au bâton	
Tim Burke	2,61	Steve Rogers	1621
Jeff Reardon	2,84	Javier Vazquez	1076
Ken Hill	3,04	Dennis Martinez	973
Dennis Martinez	3,06	Pedro Martinez	843
Pedro Martinez	3,06	Bryn Smith	838
Dan Schatzeder	3,09	Bill Stoneman	831
Mel Rojas	3,11	Steve Renko	810
Steve Rogers	3,17	Jeff Fassero	750
Jeff Fassero	3,20	Bill Gullickson	678
Woodie Fryman	3,24	Scott Sanderson	603

Au monticule
Top 10 en une saison

Parties

Mike Marshall	92*	1973
Graeme Lloyd	84	2001
Steve Kline	83*	2000
Steve Kline	82	1999
Dale Murray	81	1976
Anthony Telford	79	1999
Tim Burke	78	1985
Steve Kline	78	1998
Barry Jones	77	1991
Scott Strickland	77	2001
Anthony Telford	77	1998
Jeff Reardon	75	1982

* meneur dans la ligue

Parties commencées

Steve Rogers	40	1977
Bill Stoneman	39	1971
Steve Rogers	38	1974
Carl Morton	37	1970
Steve Rogers	37	1980
Steve Renko	37	1971
Steve Rogers	37	1979
Steve Rogers	36	1983
Ross Grimsley	36	1978
Bill Stoneman	36	1969

Parties complètes

Bill Stoneman	20	1971
Ross Grimsley	19	1978
Steve Rogers	17	1977
Steve Rogers	14	1980
Steve Rogers	14	1982
Steve Rogers	13	1979
Steve Rogers	13	1983
Bill Stoneman	13	1972
Mike Torrez	13	1972
Pedro Martinez	13	1997

Manches - partants

Steve Rogers	301 ⅔	1977
Bill Stoneman	294 ⅔	1971
Carl Morton	284 ⅔	1970
Steve Rogers	281	1980
Steve Rogers	277	1982
Steve Renko	275 ⅔	1971
Steve Rogers	273	1983
Ross Grimsley	263	1978
Steve Rogers	253 ⅔	1974
Steve Rogers	251 ⅔	1975

Manches – releveurs

Mike Marshall	179	1973
Dan McGinn	132 ⅓	1969
Andy McGaffigan	120 ⅓	1987
Tim Burke	120 ⅓	1985
Mike Marshall	116	1972
Dale Murray	113 ⅓	1976
Dale Murray	111 ⅓	1975
Mike Marshall	111 ⅓	1971
Jeff Reardon	109	1982
Chuck Taylor	107 ⅔	1974
Mel Rojas	100 ⅔	1992

Victoires

Ross Grimsley	20	1978
Steve Rogers	19	1982
Carl Morton	18	1970
Bryn Smith	18	1985
Pedro Martinez	17	1997
Bill Stoneman	17	1971
Steve Rogers	17	1977
Steve Rogers	17	1983
Bill Gullickson	17	1983
10 lanceurs ex aequo	16	

Sauvetages

John Wetteland	43	1993
Jeff Reardon	41*	1985
Ugueth Urbina	41*	1999
John Wetteland	37	1992
Mel Rojas	36	1996
Jeff Reardon	35	1986
Rocky Biddle	34	2003
Ugueth Urbina	34	1998
Mike Marshall	31*	1973
Mel Rojas	30	1995

MPM - Partants (minimum de 185 ML)

Pedro Martinez	1,90*	1997
Dennis Martinez	2,39*	1991
Steve Rogers	2,40*	1982
Pascual Perez	2,44	1988
Dennis Martinez	2,47	1992
Steve Rogers	2,47	1978
Ken Hill	2,68	1992
Dennis Martinez	2,72	1988
Charlie Lea	2,80	1984
Steve Renko	2,81	1973

MPM – Releveurs (minimum de 65 ML)

Dale Murray	1,03	1974
Tim Burke	1,19	1987
Ugueth Urbina	1,30	1998
John Wetteland	1,37	1993
Mel Rojas	1,43	1992
Mike Marshall	1,78	1972
Elms Sosa	1,95	1979
Jeff Reardon	2,06	1982
Chuck Taylor	2,17	1974
Woodie Fryman	2,25	1980

Retraits au bâton

Pedro Martinez	305	1997
Bill Stoneman	251	1971
Javier Vazquez	241	2003
Pedro Martinez	222	1996
Jeff Fassero	222	1996
Javier Vazquez	208	2001
Steve Rogers	206	1977
Floyd Youmans	202	1986
Javier Vazquez	196	2000
Bill Stoneman	185	1969
Steve Rogers	179	1982

Crédits photographiques

Tous les documents contenus dans ce livre proviennent du Musée McCord de Montréal et ont été tirés du Fonds du Club de baseball Les Expos de Montréal, à l'exception de celles qui portent la mention «Club de baseball Les Expos de Montréal» dont la reproduction a été autorisée par l'organisation du défunt club aux auteurs Jacques Doucet et Marc Robitaille pour la publication d'une biographie de l'équipe, lettre d'entente officielle à l'appui.

Toutes les recherches nécessaires ont été effectuées pour retracer l'identité des photographes; nous invitons quiconque posséderait des informations à ce sujet à contacter notre maison.

Remerciements

J'avais 16 ans quand, pour la première fois de ma vie, j'ai eu envie d'écrire quelque chose. Et j'avais décidé que ce quelque chose-là, ce serait l'histoire des Expos de Montréal, la toute nouvelle équipe de baseball qui n'avait pas encore célébré ses cinq ans.

C'était évidemment une idée parfaitement ridicule : a) j'avais vu en personne moins d'une dizaine de matchs des Expos ; b) je n'avais aucun contact de près ou de loin avec qui que ce soit dans ce club ; c) j'avais 16 ans. Si mes parents et amis n'ont pas tenté de me décourager de me lancer dans une entreprise aussi insensée, c'est seulement parce que je n'avais pas osé leur exposer mon plan.

Après m'être senti investi d'une formidable mission pendant tout un été (me faisant presque oublier l'impuissance de l'adolescence), j'ai appris en lisant le *Montréal-Matin* que Jean-Paul Sarault, le journaliste couvrant le baseball pour ce quotidien, se préparait à lancer le livre que j'avais à peine commencé à écrire. Pire encore, le titre du livre, *Les Expos, cinq ans après*, était *exactement* celui que j'avais retenu pour le mien...

Je rappelle ici que Jean-Paul Sarault, lui : a) avait vu *en personne* tous les matchs des Expos depuis leurs débuts ; b) côtoyait quotidiennement Gene Mauch, Bob Bailey, Bill Stoneman et compagnie ; c) n'avait pas 16 ans.

Complètement dégonflé, je m'étais empressé de confier par écrit mon chagrin à la seule personne au monde qui pourrait vraiment comprendre mon désarroi : Jean-Paul Sarault lui-même. Une semaine plus tard, le fameux journaliste du *Montréal-Matin* répondait *lui-même* à ma lettre par une autre missive – une pleine page – rédigée à la machine à écrire à l'endos d'une feuille de statistiques de... football.

En gros, il me disait qu'« on (comme si nous étions des collègues) avait eu la même idée », qu'écrire un livre n'était « pas une sinécure » et que je ne devais pas me décourager ; qu'un jour, si je trouvais un « autre angle », je pourrais l'écrire, ce livre sur les Expos.

C'était la première fois de ma vie qu'une « personnalité » m'écrivait. J'étais tellement impressionné que ça m'a presque fait oublier que mon grand projet venait de me glisser des mains comme un roulant passant sous le gant de Bill Buckner.

Ce Noël-là, j'avais reçu *Les Expos, cinq ans après* en cadeau deux fois. Quelqu'un devait se douter que le sujet m'intéresserait.

Les années ont passé, mais j'ai toujours gardé un œil sur ce qui se passait dans cette équipe, prenant des notes ici et là, archivant les comptes rendus ou chroniques de journaux qui me semblaient raconter une parcelle importante de l'histoire de l'équipe. Je le faisais sans trop savoir à quoi ça servirait, puisque j'avais maintenant abandonné le projet de mettre sur papier l'histoire des Expos. Peut-être étais-je, sans le savoir, à la recherche de cet «angle» dont avait parlé Jean-Paul Sarault.

Puis, un jour, j'ai complètement arrêté de colliger comptes rendus et chroniques: normal, les Expos avaient quitté Montréal.

C'est alors que j'ai rencontré Jacques Doucet, la voix des Expos, la bande sonore de mes étés, celle qu'on écoutait en travaillant, en faisant des petits travaux de maison, en roulant le soir sur la 20 ou en attendant le sommeil.

Lui aussi était encore en deuil de son club (même s'il jurait que cette étape était bien derrière lui...) et il cherchait une façon de léguer quelque chose aux auditeurs qui lui avaient été fidèles durant toutes ces années. Ses souvenirs rejoignaient les miens, et sa mémoire compensait les nombreuses parcelles d'histoire qui me faisaient défaut. Je venais de trouver l'angle qui me manquait pour ce livre.

C'est donc Jacques Doucet que je veux d'abord remercier. Pour la confiance qu'il m'a rapidement témoignée et pour le plaisir que j'ai eu à travailler en sa compagnie pendant les six années que nous avons mises à produire les deux tomes de *Il était une fois les Expos*. Il est rare de trouver dans une seule et même personne un vrai pro et un chic type. Jacques Doucet est un de ceux-là.

La production d'un livre implique toujours le concours de plusieurs partenaires. Le nôtre n'est pas différent.

J'aimerais d'abord remercier chaleureusement ceux qui nous ont accordé une entrevue pour ce second tome: messieurs Charles Bronfman, Felipe Alou, Buck Rodgers, Dave Dombrowski, Denis Boucher, Claude

Brochu, Jacques Ménard, Paul Roberge, Mark Routtenberg, Stephen Bronfman et Claude Delorme. Ils ont généreusement répondu à nos questions avec franchise, perspicacité et une bonne dose d'humour. Le livre n'aurait pu se passer de leurs histoires et de leur perspective unique sur les gens et les événements.

Un immense merci va aussi à tous les journalistes et auteurs – d'ici et d'ailleurs – qui ont laissé dans leurs écrits des témoignages vivants et percutants sur l'histoire des Expos et du baseball. Sans les écrits qu'ils nous ont laissés, les histoires reprises ici seraient perdues à jamais.

Une petite pensée pour Jean-Paul Sarault, qui nous a quittés en 2010 en emportant avec lui des centaines d'anecdotes qu'il n'aura hélas pas eu le temps de réunir dans un ultime livre (je sais maintenant que vous disiez vrai, Jaypee: écrire un livre n'est pas une sinécure). Salut Luc!

Nous levons bien haut notre casquette aux gens qui ont aidé à la mise en forme du livre: Michel Rudel-Tessier, notre réviseur; notre infographiste, Josée Lalancette; notre illustrateur, Marc Lalumière. Merci à nos partenaires du Musée McCord, Mme Mora Hague et Stéphanie Poisson, qui ont de nouveau collaboré à notre recherche photo. Salutations à messieurs Christian Tétreault, Paul Houde et Rodger Brulotte, qui ont gentiment accepté de lire le manuscrit et de nous en offrir une appréciation. Merci aussi à Pierre Lagacé, un fidèle partisan des Expos qui nous a une fois encore rendu de précieux services à plusieurs niveaux lors de la production du livre.

Merci à la formidable équipe de Hurtubise, qui continue de nous appuyer dans ce projet fou de raconter *toute* l'histoire d'un club qui n'existe plus. Notre grand complice André Gagnon s'est une fois de plus avéré le Joueur le plus utile de notre équipe, non seulement grâce à la lecture avisée qu'il faisait du manuscrit à mesure qu'il lui arrivait, mais aussi grâce à son inlassable et indispensable boulot quand le jeu se corse en 9e manche (et parfois même en 10e). Il a non seulement le calme et l'assurance du releveur de fin de match, il a aussi cette rare qualité d'être un véritable gentleman.

Des salutations et remerciements vont à Gilbert Pelletier (merci pour les anecdotes et les précisions!), Maryse Filion et Michel Filteau, qui ont certainement été parmi les plus grands fans des Expos et qui ont eu la bonne idée de me présenter Monsieur Doucet. Je tiens aussi à remercier Robert, Geneviève, Mark, Linda, Marc et Sonia de m'avoir fait une petite place chez eux quand il me fallait terminer un (autre) blitz d'écriture.

Je termine en remerciant de tout cœur Sylvie, ma compagne de toujours et l'amour de ma vie, qui a si bien tenu le fort pendant mes trop nombreuses absences. Si elle n'avait pas été là, ce livre serait encore un projet en quête d'un angle. Sylvie, merci d'avoir permis à cet auteur de plus de 50 ans de réaliser enfin le projet insensé d'un jeune homme de 16 ans.

Marc ROBITAILLE

Me croiriez-vous si je vous disais que j'aurais préféré que ce livre ne s'écrive pas?

Non?

Mais si j'ajoutais que j'aurais préféré que quelqu'un d'autre puisse l'écrire bien des années après mon départ vers un studio de diffusion céleste, alors me croiriez-vous un peu plus? Pourtant, c'est vrai!

Par contre, je ne regrette en rien de l'avoir fait.

Pourquoi?

Parce qu'en compagnie de Marc, il m'a été donné de revivre 36 des plus belles années de ma vie. Trente-six années qui m'ont permis de vivre des émotions incroyables, des émotions d'une intensité indescriptible et aussi des émotions remplies d'une tristesse que je n'aurais jamais imaginée au cours de ma carrière de journaliste et de commentateur.

Il est évident que ce deuxième volume se termine sur une note désagréable, une note qui, par un concours de circonstances que personne n'aurait pu anticiper, a été jouée dans le stade même où l'aventure des Expos avait débuté 36 ans plus tôt.

Qui l'eût cru!

Des regrets? Certes il y en a eu. Comme celui de n'avoir jamais commenté un match des Expos en Série mondiale… Comme celui d'avoir eu à décrire le dernier match de la belle histoire de cette équipe, les Expos, qui a eu pour sobriquet: «Nos Amours!»

Je m'en voudrais de passer sous silence le travail inlassable de Marc Robitaille qui, souvent au bout de sa plume, donnait l'impression qu'on pouvait m'écouter décrire les péripéties d'un match et l'indéfectible appui d'André Gagnon, des Éditions Hurtubise, qui n'a jamais cessé de croire que l'histoire des Expos devait être écrite.

Merci aux milliers d'amateurs de baseball et partisans des Expos qui nous ont fait confiance à titre de témoins de cette belle aventure du baseball majeur chez nous.

Cette belle histoire des Expos qui, malheureusement ne sont plus, je vous la laisse en héritage…

Jacques DOUCET

Index

Suivez-nous

GARANT DES FORÊTS
INTACTES

Achevé d'imprimer en octobre 2011
sur les presses de Transcontinental-Gagné
à Louiseville, Québec